Een klein leven

Van dezelfde auteur:

Notities uit de jungle

Hanya Yanagihara

Een klein leven

Vertaling Josephine Ruitenberg en Kitty Pouwels

Nieuw Amsterdam

De vertalers ontvingen voor deze vertaling een projectsubsidie
van het Nederlands Letterenfonds

Nederlands
letterenfonds
dutch foundation
for literature

Eerste druk 2016
Zevenentwintigste druk 2021

Oorspronkelijke titel *A Little Life*. Doubleday,
a division of Random House, Inc., New York

Het fragment uit de *Odyssee* op blz. 467 is vertaald door Ben Bijnsdorp;
het fragment op blz. 468 is afkomstig uit *Ilias & Odyssee*,
vertaling M.A. Schwartz, Athenaeum-Polak & Van Gennep, Amsterdam
Omslagbeeld © 1987 The Peter Hujar Archive LLC; Courtesy Pace/
MacGill Gallery, New York and Fraenkel Gallery, San Francisco
Omslagontwerp image realize
NUR 302
ISBN 978 90 468 2031 5
www.nieuwamsterdam.nl

Voor Jared Hohlt
in vriendschap; met liefde

Inhoud

I

Lispenard Street

1

Het elfde appartement had maar één kast; wel was er een glazen schuifpui naar een klein balkon, en daarvandaan zag hij aan de overkant een man die buiten in T-shirt en korte broek zat te roken, hoewel het al oktober was. Willem stak zijn hand naar hem op, maar de man zwaaide niet terug.

In de slaapkamer stond Jude de kastdeur als een accordeon open en dicht te schuiven toen Willem binnenkwam. 'Er is maar één kast,' zei hij.

'Dat geeft niet,' zei Willem. 'Ik heb toch niks om erin te stoppen.'

'Ik ook niet.' Ze lachten naar elkaar. De makelaar kwam achter hen binnenlopen. 'We nemen het,' zei Jude tegen haar.

Maar eenmaal terug in haar kantoor kregen ze te horen dat ze de flat bij nader inzien toch niet konden huren. 'Waarom niet?' vroeg Jude.

'Jullie inkomen is te laag om zes maanden huur te kunnen betalen en jullie hebben geen spaargeld,' zei de makelaar, opeens kortaf. Ze had hun kredietwaardigheid en banksaldo gecontroleerd en toen was eindelijk tot haar doorgedrongen dat er iets mis was aan twee mannen van in de twintig die geen stel waren maar toch samen een tweekamerappartement wilden huren in een saai (maar daarom niet minder duur) deel van 25th Street. 'Hebben jullie iemand die borg kan staan? Een werkgever? Ouders?'

'Onze ouders leven niet meer,' zei Willem snel.

De makelaar zuchtte. 'Dan moeten jullie je verwachtingen maar bijstellen. Met jullie financiële profiel gaat niemand jullie een flat verhuren in een fatsoenlijk appartementencomplex.' Daarna stond ze vastberaden op en keek nadrukkelijk naar de deur.

Toen ze het verhaal aan JB en Malcolm vertelden, maakten ze er een komische sketch van: de vloer van het appartement had zwart gezien van de muizenkeutels, de man aan de overkant was een exhibitionist, en de makelaar had de pest in gehad omdat Willem haar avances had afgewezen.

'Wie wil er nou sowieso op de hoek van 25th en 2nd wonen?' vroeg JB. Ze zaten bij Pho Viet Huong in Chinatown, waar ze elke twee weken met elkaar aten. Het eten was er niet fantastisch – de *pho* smaakte verdacht naar suiker, het limoensap naar zeep, en naderhand werd er altijd wel íémand ziek – maar toch bleven ze er komen, uit gewoonte maar ook uit noodzaak. Bij Pho Viet Huong kreeg je voor vijf dollar een kom soep of een broodje, of je nam een van de hoofdgerechten, die acht à tien dollar kostten maar veel groter waren, zodat je de helft kon bewaren voor de volgende dag of als snack voor 's avonds laat. Alleen Malcolm at zijn maaltijd nooit helemaal op en bewaarde het restant ook niet; als hij genoeg had schoof hij zijn bord naar het midden van de tafel, zodat Willem en JB, die altijd honger hadden, de rest konden opeten.

'Het is geen kwestie van willen, JB,' zei Willem geduldig, 'maar we hebben niet echt een keus. We hebben geen geld, weet je nog?'

'Ik snap niet waarom jullie niet gewoon blijven waar jullie zitten,' zei Malcolm, die zijn paddestoelen en tofu heen en weer schoof over zijn bord – hij bestelde altijd hetzelfde: oesterzwammen en gesmoorde tofu in een stroperige bruine saus – terwijl Willem en JB er verlekkerd naar keken.

'Dat kan ik niet,' zei Willem. 'Dat weet je toch?' Hij had het in de afgelopen drie maanden al zeker tien keer aan Malcolm uitgelegd. 'Merritts vriend trekt bij hem in, dus ik moet verhuizen.'

'Maar waarom moet jij verhuizen?'

'Omdat het huurcontract op Merritts naam staat, Malcolm!' zei JB.

'O,' zei Malcolm. Hij zweeg. Hij had de neiging dingen te vergeten die hij als onbelangrijke details zag, maar leek het ook nooit erg te vinden als anderen daar ongeduldig op reageerden. 'O ja.' Hij schoof zijn bord naar het midden van de tafel. 'Maar jij dan, Jude...'

'Ik kan niet eeuwig bij jou in huis blijven, Malcolm. Er komt een moment dat je ouders me vermoorden.'

'Mijn ouders zijn dol op je.'

'Dat is fijn om te horen. Maar dat wordt wel anders als ik niet snel verhuis.'

Malcolm was de enige van hen vieren die nog thuis woonde, en zoals JB graag opmerkte: als het bij hem thuis net zo was als bij Malcolm, zou hij er ook nog wonen. Niet dat het huis van Malcolms ouders nou zo chic was – sterker nog, het was slecht onderhouden en haveloos (Willem had er eens een splinter in zijn vinger gekregen door gewoon de trapleuning vast te pakken) – maar het was groot: een echt herenhuis in de Upper East Side. Tot voor kort had Malcolms drie jaar oudere zus, Flora, in het souterrain gewoond, maar ze was verhuisd en Jude had haar plaats tijdelijk ingenomen. Uiteindelijk wilden Malcolms ouders de ruimte verbouwen tot een kantoor voor het literaire agentschap van zijn moeder, wat betekende dat Jude (die toch al moeite had met de trap die hij af moest) op zoek moest naar een eigen appartement.

En het was logisch dat hij en Willem samen woonruimte zochten, want ze waren een groot deel van hun studententijd kamergenoten geweest. In hun eerste jaar hadden ze met z'n vieren in een ruimte gewoond die bestond uit een zitkamer met muren van grijze bouwblokken waar hun bureaus en stoelen hadden gestaan, en een bank die door JB's tantes met een huurbusje was bezorgd, plus een tweede, veel kleinere kamer met twee stapelbedden erin. Deze kamer was zo smal dat Malcolm en Jude, die de onderste bedden hadden, elkaars hand konden pakken als ze hun arm uitstaken. Het ene stapelbed was van Malcolm en JB, het andere van Jude en Willem.

'De zwarten tegen de witten,' zei JB soms.

'Jude is niet wit,' antwoordde Willem dan.

'En ik ben niet zwart,' vulde Malcolm aan, meer om JB te stangen dan omdat hij dat zelf vond.

'Nou,' zei JB nu, terwijl hij het bord paddestoelen met zijn vork naar zich toe trok, 'van mij mogen jullie bij mij komen wonen, maar ik denk dat jullie er volkomen gestoord zouden worden.' JB woonde op een enorm grote, smerige loft in Little Italy, een wirwar van onduidelijke gangen naar vreemd gevormde, doodlopende halletjes die nergens voor dienden en onafgewerkte kamers waar de gipsplaten halverwege de klus waren achtergelaten, die eigendom was van iemand anders die ze nog kenden uit hun studententijd. Ezra was kunstenaar, en geen goede, maar dat hoefde ook niet, want – zoals JB graag aanstipte – hij zou zijn hele leven geen dag hoeven te werken. En niet alleen zou híj geen dag hoeven te werken, datzelfde gold voor de kinderen van de kinderen van zijn kinderen: ze konden generaties lang slechte, onverkoopbare, waardeloze kunst maken en dan zouden ze nog steeds zonder aarzelen de beste olieverf kunnen kopen die er bestond, en onpraktisch grote lofts in downtown Manhattan, die ze vervolgens konden ruïneren met hun foute bouwkundige beslissingen, en als ze het kunstenaarsleven beu waren – JB wist zeker dat Ezra dat op een dag zou zijn – was een telefoontje aan hun trustbeheerder genoeg om een enorme som geld te incasseren, zo veel dat zij er geen van vieren (nou, op Malcolm na misschien) van konden dromen een dergelijk bedrag ooit in hun leven bij elkaar te zien. Intussen was Ezra een zeer nuttige kennis, niet alleen omdat JB en een paar andere studievrienden op zijn etage mochten wonen – er zaten altijd wel vier of vijf mensen in diverse uithoeken van de loft – maar ook omdat hij goedhartig en van nature vrijgevig was en graag extravagante feesten gaf waarop een overvloed aan eten, drank en drugs gratis verkrijgbaar was.

'Wacht 'ns,' zei JB, terwijl hij zijn eetstokjes neerlegde. 'Ik bedenk opeens dat iemand bij het magazine een woning verhuurt voor haar tante. Ergens aan de rand van Chinatown.'

'Wat kost het?' vroeg Willem.

'Vrijwel niks, denk ik. Ze had geen idee wat ze ervoor moest vragen. En ze wil er iemand in hebben die ze kent.'

'Zou jij een goed woordje voor ons kunnen doen?'

'Beter nog, ik zal jullie aan haar voorstellen. Kunnen jullie morgen langskomen op mijn werk?'

Jude zuchtte. 'Ik kan er niet tussenuit.' Hij keek Willem aan.

'Geen punt, ik wel. Hoe laat?'

'Tussen de middag, lijkt me. Eén uur?'

'Ik zal er zijn.'

Willem had nog steeds honger, maar hij liet JB de rest van de paddestoelen opeten. Toen bleven ze allemaal nog een tijdje hangen, want soms bestelde Malcolm nangka-ijs, het enige op de kaart dat altijd lekker was, waar hij dan twee happen van nam, waarna Willem en JB de rest opaten. Maar deze keer bestelde hij geen ijs, en dus vroegen ze om de rekening, zodat ze die na zorgvuldige bestudering tot op de dollar konden verdelen.

~

De volgende dag ging Willem naar JB's werk. Hij was receptionist bij een klein maar invloedrijk magazine dat in SoHo zat en over de kunstscene in de binnenstad schreef. Het was een strategisch baantje voor hem. Het plan erachter, had hij Willem op een avond uitgelegd, was dat hij probeerde bevriend te raken met een van de redacteuren en die dan zou overhalen een artikel in het magazine aan hem te wijden. Hij schatte in dat hem dat een half jaar zou kosten, wat betekende dat hij nog drie maanden te gaan had.

Als hij op zijn werk was, had JB permanent een licht ongelovige uitdrukking op zijn gezicht, niet alleen om het kale feit dat hij wérkte, maar ook omdat nog niemand zijn genialiteit had opgemerkt. Hij was geen beste receptionist. Al gingen de telefoons min of meer onophoudelijk, hij nam er maar zelden een op; als een van de anderen hem wilde spreken (het mobiele bereik was slecht in het gebouw), moest dat volgens een afgesproken methode: de telefoon tweemaal laten overgaan, ophangen en opnieuw bellen. En zelfs dan nam hij soms niet op, want onder zijn bureaublad had hij zijn handen vol aan het kammen en vlechten van plukken haar die hij opdiepte uit een zwarte plastic vuilniszak die aan zijn voeten stond.

JB zat in zijn haarfase, zoals hij het noemde. Kortgeleden had hij besloten zijn schilderwerk tijdelijk te onderbreken om assemblages van kroeshaar te gaan maken. Ze hadden allemaal weleens een vermoeiend weekend lang achter JB aan gesjokt langs alle heren- en dameskappers van Queens, Brooklyn, de Bronx en Manhattan, waar ze buiten moesten staan wachten terwijl JB binnen ging vragen of hij opgeveegd of afgeknipt haar mocht hebben, om vervolgens een steeds gênantere vracht haar door de straten achter hem aan te sjouwen. Onder zijn vroege stukken waren *The Mace*, een tennisbal die hij van de pluizige buitenkant had ontdaan, doormidden had gesneden, met zand had gevuld en daarna met lijm had ingesmeerd en rond had gerold over een tapijt van haar, zodat de stekelige haartjes alle kanten op stonden, en *The Kwotidien*, een serie van alledaagse voorwerpen – een nietmachine, een spatel, een theekopje – die hij een vacht van haar had gegeven. Nu werkte hij aan een grootschalig project waarover hij, afgezien van af en toe een losse opmerking, niets kwijt wilde, maar dat in elk geval inhield dat er heel veel plukken haar moesten worden gekamd en met elkaar vervlochten, zodat er een schijnbaar eindeloos koord van kroezend zwart haar ontstond. Afgelopen vrijdag had hij hen met de belofte van pizza en bier naar zijn huis gelokt om te helpen vlechten, maar na uren geestdodend werk was wel duidelijk dat ze niet meer op pizza of bier hoefden te rekenen en waren ze weer vertrokken, licht geërgerd maar niet eens erg verbaasd.

Ze hadden allemaal schoon genoeg van het haarproject, hoewel Jude, als enige, de werken mooi vond en verwachtte dat hun belang op een dag zou worden ingezien. Om hem daarvoor te bedanken had JB hem een met haar overdekte haarborstel gegeven, maar hij had het cadeau teruggevraagd toen het ernaar uitzag dat een vriend van Ezra's vader het werk wilde kopen (wat niet gebeurde, maar Jude had de borstel nooit meer teruggekregen). Het haarproject had nog meer moeilijkheden gegeven: op een andere avond, toen zij drieën zich op de een of andere manier toch weer hadden laten overhalen om naar Little Italy te komen om haar uit te kammen, had Malcolm opgemerkt dat het haar stonk. Dat was waar:

het rook niet naar iets weerzinwekkends, maar had gewoon die scherpe, metalige lucht van ongewassen hoofdhuid. Maar JB had een van zijn aanzwellende woede-uitbarstingen gekregen en Malcolm een zelfhatende neger, een oom Tom en een verrader van zijn ras genoemd, en Malcolm, die zelden boos werd, maar wel als hij van dit soort dingen werd beschuldigd, had zijn wijnglas leeggegoten in de dichtstbijzijnde zak haar en was opgestaan en met slaande deuren vertrokken. Jude was zo goed en zo kwaad als hij kon achter Malcolm aan gerend, en Willem was gebleven om JB te kalmeren. En hoewel de twee het de volgende dag hadden bijgelegd, waren Willem en Jude uiteindelijk net iets bozer op Malcolm dan op JB (onterecht, dat wisten ze), omdat ze het volgende weekend weer alle kappers van Queens af moesten om een zak met haar vol te krijgen, ter vervanging van de zak die Malcolm had bedorven.

'En, hoe staat het leven op de zwarte planeet?' vroeg Willem nu aan JB.

'Zwart,' zei JB, terwijl hij de vlecht die hij uit de war aan het halen was terugstopte in de zak. 'Kom mee. Ik heb tegen Annika gezegd dat we er om half twee zouden zijn.' De telefoon op zijn bureau ging over.

'Moet je niet opnemen?'

'Ze bellen wel terug.'

Terwijl ze naar het centrum van Manhattan liepen, beklaagde JB zich. Tot dusverre had hij zijn verleidingskunsten gericht op een redacteur die Dean heette maar door hen DeeAnn werd genoemd. Ze waren eens met z'n drieën op een feest geweest in het appartement van de ouders van een redactieassistent in het Dakotagebouw, waar de ene na de andere kamer volhing met kunst. Terwijl JB in de keuken met zijn collega's had staan praten, waren Malcolm en Willem samen door het appartement gelopen (waar was Jude die avond geweest? Waarschijnlijk op zijn werk) en hadden een serie van Edward Burtynsky bekeken die in de logeerkamer hing, een reeks watertorens van Bernd en Hilla Becher die in vier rijen van vijf boven het bureau in de studeerkamer hing, een enorme Gursky die boven de lage boekenkasten in de bibliotheek leek te zweven, en in de grootste slaapkamer een hele muur vol foto's van Diane Arbus, zo veel dat er alleen aan de onder- en bovenkant een paar centimeter muur te zien was. Ze stonden net een foto te bewonderen van twee meisjes met het syndroom van Down die met lieve gezichtjes vrolijk poseerden in hun te krappe, te kinderlijke badpakken, toen Dean op hen af was gekomen. Hij was een lange man, maar had een klein, beverachtig, pokdalig gezicht waardoor hij er gemeen en onbetrouwbaar uitzag.

Ze stelden zich voor en vertelden dat ze vrienden waren van JB. Dean zei dat hij een van de redacteuren bij het magazine was en dat alle berichtgeving over beeldende kunst onder hem viel.

'Aha,' zei Willem, die ervoor oppaste dat hij Malcolm niet aankeek, omdat hij bang was dat die iets zou laten merken. JB had hun verteld dat het doelwit van zijn charmes de kunstredacteur was; dat moest deze man zijn.

'Hebben jullie ooit zoiets gezien?' vroeg Dean, terwijl hij naar de foto's gebaarde.

'Nog nooit,' zei Willem. 'Ik ben gek op Diane Arbus.'

Dean verstijfde, en zijn kleine gelaatstrekken leken zich samen te ballen tot een frons in het midden van zijn kleine gezicht. 'Het is DeeAnn.'

'Wat?'

'DeeAnn. Zo spreek je haar naam uit: "Die-En".'

Het had ze moeite gekost hun gezicht in de plooi te houden tot ze de kamer uit waren. 'DeeAnn!' had JB later gezegd, toen ze hem het verhaal vertelden. 'Jezus! Wat een pedante lul.'

'Maar wel jóúw pedante lul,' had Jude gezegd. En sindsdien was Dean voor hen altijd 'DeeAnn' gebleven.

Ondanks zijn onvermoeibare pogingen om DeeAnn voor zich te winnen, leek de kans dat JB in het magazine zou worden genoemd nog net zo klein als drie maanden geleden. Hij had zich zelfs in de sauna van de sportschool door DeeAnn laten pijpen, maar niks hoor. Elke dag vond JB wel een reden om de redactie op te lopen en naar het prikbord te dwalen waarop witte kaartjes hingen met mogelijke onderwerpen voor de komende drie maanden, elke dag zocht hij in de hoek die gewijd was aan aanstormende kunstenaars naar zijn naam en elke dag werd hij teleurgesteld. In plaats daarvan zag hij de namen van allerhande talentloze en zwaar gehypete figuren, mensen die een gunst te goed hadden of mensen die mensen kenden die een gunst te goed hadden.

'Als ik Ezra's naam daar ooit zie staan, maak ik mezelf van kant,' zei JB altijd, en dan reageerden de anderen met: 'Dat doe je toch niet, JB,' en: 'Maak je geen zorgen, JB, op een dag staat jouw naam daar,' en: 'Waar heb je die lui voor nodig, JB? Je vindt wel weer iets anders,' en dan antwoordde JB respectievelijk: 'Weet je dat zeker?' en: 'Ik geloof er geen fuck van,' en: 'Ik heb goddomme al die tijd in die kuttent gestoken – drie hele maanden van mijn leven – dus als mijn naam daar niet snel komt te hangen is dit allemaal ook weer voor niks geweest, net als de rest,' waarbij de rest stond voor zijn studie, zijn verhuizing terug naar New York, het haarproject of het leven in het algemeen, dat lag eraan hoe nihilistisch hij die dag gestemd was.

Hij was nog steeds aan het klagen toen ze Lispenard Street in liepen. Willem was een betrekkelijke nieuwkomer in de stad – hij woonde er pas een jaar – en was dan ook niet bekend met de straat, die eigenlijk nauwelijks meer was dan een steeg van twee blokken lang, net ten zuiden van Canal Street, en hoewel JB was opgegroeid in Brooklyn had hij er ook nog nooit van gehoord.

Ze vonden het gebouw en belden aan bij 5C. De stem van een meisje klonk krassend en hol door de intercom, waarna ze de deur voor hen opendrukte. De hal was smal, had een hoog plafond en was geschilderd met een dikke laag glanzende, poepbruine verf, zodat ze het gevoel hadden dat ze onder in een put terecht waren gekomen.

Het meisje stond hen in de deuropening van het appartement op te wachten. 'Hoi JB,' zei ze, en toen keek ze naar Willem en bloosde.

'Annika, dit is mijn vriend Willem,' zei JB. 'Willem, Annika werkt op de kunstredactie. Ze is cool.'

Annika stak haar hand uit en sloeg tegelijk haar ogen neer. 'Hoi, Willem,' zei ze tegen de grond. JB gaf Willem een trap tegen zijn voet en grijnsde. Willem negeerde hem.

'Aangenaam,' zei hij.

'Nou, dit is dus het appartement, het is van mijn tante, ze heeft hier vijftig jaar gewoond maar is pas naar een bejaardenhuis gegaan,' ratelde Annika, die haar zinnen zonder pauze aan elkaar reeg en kennelijk had besloten dat ze maar het beste kon doen alsof Willem een zonsverduistering was, waar je beter helemaal niet naar kon kijken. Ze praatte steeds sneller over haar tante, die altijd zei dat de buurt zo was veranderd, en over het feit dat ze zelf nog nooit van Lispenard Street had gehoord voordat ze in het centrum kwam wonen, en hoe het haar speet dat er nog niet was geschilderd, maar dat haar tante net, echt nét was verhuisd en ze alleen nog maar de kans hadden gehad het schoon te laten maken, afgelopen weekend. Ze keek naar alles behalve Willem – naar het plafond (tinnen reliëfplaten), naar de vloer (met kieren, maar wel parket), naar de muren (waar lang geleden opgehangen schilderijen spookachtige schaduwen hadden achtergelaten) – totdat Willem haar voorzichtig moest onderbreken om te vragen of hij een kijkje mocht nemen in de rest van het appartement.

'O, ga je gang,' zei Annika, 'ik zal jullie met rust laten,' waarna ze achter hen aan liep en heel vlug tegen JB praatte over iemand die Jasper heette en die werkelijk álles in Archer zette, en of JB dat niet te rond en uitgesproken vond voor broodtekst? Nu Willem met zijn rug naar haar toe stond staarde ze openlijk naar hem, en hoe langer ze aan het woord was, hoe wezenlozer haar gebazel werd.

JB keek hoe Annika naar Willem keek. Hij had haar nog nooit zo nerveus en meisjesachtig meegemaakt (normaal gesproken was ze nors en zwijgzaam, en op het werk werd ze zelfs een beetje gevreesd vanwege een ingewikkelde sculptuur van een hart die ze op de muur boven haar bureau had gemaakt van X-Acto-mesjes), maar hij had al massa's vrouwen zo zien reageren op Willems aanwezigheid. Zij allemaal, trouwens. Hun vriend Lionel zei altijd dat Willem in een vorig leven vast visboer was geweest, want hij moest de poesjes bijna van zich afslaan. Toch leek Willem zelf zich meestal (niet altijd) volkomen onbewust van alle aandacht. JB had Malcolm eens gevraagd hoe hij dacht dat dat kwam, en Malcolm had gezegd dat het Willem volgens hem gewoon niet opviel. JB had alleen laatdunkend gesnoven, maar zijn gedachtegang was als volgt: hij kende niemand met een grotere plaat voor z'n kop dan Malcolm, dus als zelfs Malcolm had gemerkt hoe vrouwen op Willem reageerden, was het onmogelijk dat het Willem zelf was ontgaan. Maar Jude had later een andere verklaring geopperd: hij vermoedde dat Willem opzettelijk niet reageerde op al die vrouwen, zodat andere mannen in zijn omgeving zich niet bedreigd zouden voelen. Dat klonk aannemelijker: Willem was alom geliefd en wilde altijd voorkomen dat mensen zich slecht op hun gemak voelden, dus het was heel goed mogelijk dat hij, misschien onbewust, deed alsof hij niets in de gaten had. Maar het bleef fascinerend om te zien, en zij drieën kregen er nooit genoeg van en mochten Willem er naderhand graag mee plagen, hoewel hij dan meestal alleen zwijgend glimlachte.

'Doet de lift het goed?' vroeg Willem opeens, terwijl hij zich omdraaide.

'Wat?' reageerde Annika verschrikt. 'Ja, die is redelijk betrouwbaar.' Ze vertrok haar kleurloze lippen tot een glimlachje en JB realiseerde zich met een steek van plaatsvervangende schaamte dat dat flirterig bedoeld was. O, Annika, dacht hij. 'Wat wou je allemaal in huis halen?'

'Onze vriend,' antwoordde JB voordat Willem iets kon zeggen. 'Hij heeft moeite met trappenlopen en daarom heeft hij de lift nodig.'

'O,' zei ze, opnieuw blozend. Ze richtte haar aandacht weer op de grond. 'Sorry. Ja, hij werkt.'

De flat was niet indrukwekkend. Er was een klein halletje, nauwelijks groter dan het formaat van een deurmat, met aangrenzend rechts de keuken (een benauwd en vettig hokje) en links een eethoek waar misschien net een kaarttafeltje zou kunnen staan. Deze ruimte werd door een halfhoog muurtje gescheiden van de woonkamer, die vier ramen op het zuiden had met spijlen ervoor en uitkeek op de straat met al zijn rondslingerende afval; daarvandaan liep een kort gangetje naar rechts dat leidde naar de badkamer met zijn melkglazen muurlampen en versleten emaillen badkuip, en daartegenover de slaapkamer, die ook een raam had en diep maar smal was; hier stonden twee identieke houten eenpersoonsbedden parallel aan elkaar elk tegen een muur. Op een van de bedden lag al een futon, een volumineus, lomp ding, zo onhandelbaar als een dood paard.

'De futon is nog als nieuw,' zei Annika. Ze vertelde een lang verhaal over dat ze van plan was geweest hier te gaan wonen en daar zelfs die futon al voor had gekocht, maar hem nooit had gebruikt omdat ze uiteindelijk was ingetrokken bij haar vriend Clement, niet háár vriend maar gewoon een vriend, en jee, wat stom dat ze dat er zonodig bij moest zeggen. Hoe dan ook, als Willem het appartement wilde hebben, kreeg hij de futon er gratis bij.

Willem bedankte haar. 'Wat denk je, JB?' vroeg hij.

Wat hij dacht? Hij vond het een rothok. Zelf woonde hij natuurlijk ook in een rothok, maar dat was uit vrije keuze, omdat het gratis was en hij het geld dat hij daarmee uitspaarde kon besteden aan verf en andere materialen, drugs en af en toe een taxi. Maar als Ezra ooit zou besluiten huur te gaan vragen, was hij meteen vertrokken. Zijn familie was dan wel niet zo rijk als die van Ezra of Malcolm, maar het was uitgesloten dat ze hem geld zouden laten weggooien om in een rothok te wonen. Dan zouden ze iets beters voor hem zoeken of hem maandelijks iets toestoppen om hem te helpen. Maar Willem en Jude hadden die keuze niet: zij moesten zichzelf zien te bedruipen en hadden geen geld, dus moesten ze genoegen nemen met een rothok. En dat in aanmerking genomen was dit rothok zo slecht nog niet: het was goedkoop, centraal gelegen en hun toekomstige huisbaas was al verkikkerd op vijftig procent van hen.

'Volgens mij is het perfect,' zei hij daarom tegen Willem, en die was het met hem eens. Annika gaf een gilletje. En na een jachtig gesprekje was het geregeld: Annika had een huurder en Willem en Jude hadden onderdak. Daarna was er zelfs nog tijd voor JB om Willem eraan te herinneren dat hij geen nee zou zeggen tegen een kom noedels bij wijze van lunch, voordat hij terug moest naar zijn werk.

JB was geen introspectief type, maar toen hij die zondag in de metro zat naar zijn moeder, kon hij een vaag gevoel van zelfbehagen niet onderdrukken, samen met iets wat bijna dankbaarheid leek voor het leven dat hij leidde en de familie die hij had.

Zijn vader, die vanuit Haïti naar New York was geëmigreerd, was gestorven toen JB drie was, en hoewel hij graag mocht denken dat hij zich zijn gezicht kon herinneren – vriendelijk en zachtmoedig, met een smal snorretje en wangen die rond werden als appeltjes wanneer hij glimlachte – zou hij nooit weten of hij alleen maar dácht dat hij het zich herinnerde, doordat hij was opgegroeid met de foto van zijn vader die op het nachtkastje van zijn moeder stond, of dat hij dat werkelijk deed. Maar dat was zijn enige verdriet geweest als kind, en zelfs dat was meer een obligaat verdriet: hij had geen vader en wist dat kinderen zonder vader bedroefd waren om die afwezigheid in hun leven. Zelf had hij dat gemis echter nooit gevoeld. Na de dood van zijn vader had zijn moeder, kind van Haïtiaanse immigranten, haar doctorstitel pedagogie gehaald, terwijl ze intussen lesgaf op de openbare school vlak bij huis waar ze JB te goed voor vond. Tegen de tijd dat hij op de middelbare school zat, een dure particuliere school op een uur reizen van hun huis in Brooklyn, waar hij een beurs voor had gekregen, was ze hoofd van een andere school, een magneetschool in Manhattan, en universitair docent aan Brooklyn College. In *The New York Times* had een artikel over haar gestaan vanwege haar vernieuwende onderwijsmethodes, en hoewel hij dat tegenover zijn vrienden niet had laten merken, was hij trots op haar geweest.

Toen hij jong was had ze het altijd druk gehad, maar hij had zich nooit verwaarloosd gevoeld, had nooit het gevoel gehad dat zijn moeder meer om haar leerlingen en studenten gaf dan om hem. Thuis werd hij opgevangen door zijn oma, die kookte wat hij maar wilde, liedjes voor hem zong in het Frans en hem letterlijk elke dag vertelde hoe bijzonder hij was, hoe geniaal, en dat hij de enige man in haar leven was. En dan waren er nog zijn tantes: de zus van zijn moeder, rechercheur in Manhattan, en haar vriendin, apotheker en ook tweede generatie Amerikaans (maar dan uit Puerto Rico, niet uit Haïti), die geen kinderen hadden en hem als hun zoon behandelden. De zus van zijn moeder was sportief en leerde hem ballen gooien en vangen (iets wat hem zelfs toen al nauwelijks interesseerde, maar later een nuttige sociale vaardigheid bleek te zijn), en haar vriendin was geïnteresseerd in kunst; een van zijn vroegste herinneringen was een bezoek met haar aan het Museum of Modern Art, en hij wist nog heel goed hoe hij sprakeloos van bewondering naar *One: Number 31, 1950* had staan staren en nauwelijks had geluisterd naar zijn tante, die uitlegde hoe Pollock het schilderij had gemaakt.

Op de middelbare school, waar een kleine revisionistische ingreep noodzakelijk had geleken om zich te onderscheiden, en vooral om zijn rijke, witte klasgenoten een onbehaaglijk gevoel te geven, had hij de waarheid enigszins in het vage gehouden: hij werd er een van de vele vaderloze zwarte jongens, met een moeder die haar school pas na zijn geboorte had afgemaakt (hij vertelde er niet bij dat het om een doctorsgraad ging, dus gingen de mensen ervan uit dat hij de middelbare school bedoelde) en een tante die op straat werkte (als prostituee, dacht men, omdat hij verzweeg dat ze rechercheur was). Zijn favoriete familiefoto was gemaakt door zijn beste vriend van de middelbare school, Daniel, die hij de waarheid had verteld vlak voordat hij hem binnenliet om de foto te maken. Daniel werkte aan een fotoserie van families die 'van de zelfkant waren opgeklommen', zoals hij het noemde, en voordat JB zijn vriend kon binnenlaten, moest hij haastig het beeld bijstellen dat zijn tante een halve tippelaarster was en zijn moeder praktisch analfabeet. Daniels mond was opengevallen zonder dat er geluid uit kwam, maar toen was JB's moeder de gang in gekomen om te zeggen dat ze niet in de kou moesten blijven staan en kon Daniel niet anders dan gehoorzamen.

Nog steeds verbijsterd had Daniel hen in de woonkamer opgesteld: JB's oma, Yvette, zat in haar favoriete stoel met de hoge rugleuning, en om haar heen stonden zijn tante Christine met haar vriendin Silvia aan de ene kant en JB met zijn moeder aan de andere. Maar toen, vlak voordat Daniel de foto kon nemen, zei Yvette dat JB haar plaats moest innemen. 'Hij is de koning van dit huis,' zei ze tegen Daniel, terwijl haar dochters protesteerden. 'Jean-Baptiste! Ga zitten!' Dat deed hij. Op de foto klemt hij zijn mollige handen om de armleuningen (zelfs toen was hij al mollig), terwijl van weerskanten vrouwen stralend op hem neerkijken. Zelf blikt hij vanuit de stoel waar zijn oma in had moeten zitten met een brede grijns recht in de camera.

Hun geloof in hem en in zijn uiteindelijke succes was nog steeds onwrikbaar, zo onwrikbaar dat het hem bijna verontrustte. Zelfs nu zijn zelfvertrouwen zo vaak op de proef was gesteld dat het moeilijk begon te worden om het niet kwijt te raken, waren zij ervan overtuigd dat hij op een dag een belangrijk kunstenaar zou zijn, dat zijn werk in de grote musea zou hangen, dat de mensen die hem nog geen kans hadden gegeven gewoon niet beseften hoe groot zijn talent was. Soms geloofde hij hen en voer hij blind op hun vertrouwen. Maar soms was hij argwanend: hun mening leek zo lijnrecht tegenover die van de rest van de wereld te staan dat hij zich afvroeg of ze medelijden met hem hadden of gewoon gek waren. Of misschien hadden ze een slechte smaak. Hoe kon het oordeel van vier vrouwen zo radicaal verschillen van dat van alle andere mensen? De kans dat hun opinie de juiste was, leek hem niet bepaald groot.

En toch was hij elke zondag weer blij als hij zijn geheime bezoekje aan thuis bracht, waar de maaltijden overvloedig en gratis waren, waar zijn oma zijn kleren waste en waar elk woord dat hij zei en elke schets die hij liet zien verheugd en met instemmend gemompel werden ontvangen. Zijn moeders huis was een vertrouwd land, een plaats waar hij altijd zou worden bewonderd en waar elke gewoonte en elke traditie was toegesneden op hem en zijn individuele behoeften. Ergens in de loop van de avond – na het eten maar voor het toetje, als ze allemaal in de woonkamer naar de tv zaten te kijken, hij met zijn moeders kat behaaglijk op schoot – keek hij naar zijn vrouwen en kreeg een warm gevoel. Dan dacht hij aan Malcolm, met zijn ongenadig intelligente vader en liefhebbende maar verstrooide moeder, en daarna aan Willem met zijn overleden ouders (JB had hen maar één keer ontmoet, in het weekend aan het eind van hun eerste studiejaar, toen ze hun kamers op de campus ontruimden, en toen had het hem verrast hoe zwijgzaam, hoe vormelijk en hoe volkomen anders dan Willem ze waren), en ten slotte natuurlijk aan Jude met zijn volledig afwezige ouders (een mysterie: ze kenden Jude nu bijna tien jaar en wisten nog steeds niet zeker of en wanneer er ouders waren geweest, alleen dat het een trieste situatie was en dat er niet over gesproken mocht worden), en dan voelde hij een warme stroom van geluk en dankbaarheid aanzwellen, alsof er een oceaan oprees in zijn borst. Ik bof, dacht hij dan, en omdat hij zich graag met anderen mat en in alle aspecten van het leven wilde weten wat zijn positie was ten opzichte van zijn vrienden, was zijn volgende gedachte: ik heb het meest geboft van allemaal. Maar hij dacht nooit dat hij het niet verdiende, of dat hij meer zijn best zou moeten doen om zijn waardering te laten blijken; zijn familie was gelukkig als hij gelukkig was, en dus was de enige verplichting die hij had gelukkig te zijn, precies te leven zoals hij dat wilde, op zijn eigen voorwaarden.

'Je krijgt niet de familie die je verdient,' had Willem gezegd toen ze eens erg stoned waren. Hij had natuurlijk op Jude gedoeld.

'Dat is waar,' had JB geantwoord. En dat geloofde hij ook. Geen van hen had de familie die hij verdiende, Willem niet, Jude niet en zelfs Malcolm niet. Maar in stilte had hij een uitzondering gemaakt voor zichzelf: hij had wél de familie die hij verdiende. Ze waren geweldig, echt geweldig, en dat wist hij. En hij wist dat hij hen verdiende.

'Daar is mijn briljante jongen,' riep Yvette steevast uit als hij het huis binnen stapte.

Hij had nooit reden gehad om te twijfelen aan de absolute juistheid daarvan.

~

Op de dag van de verhuizing was de lift kapot.

'Verdomme,' zei Willem. 'Ik heb Annika er nog zo naar gevraagd. JB, heb jij haar nummer?'

Maar dat had JB niet. 'Nou ja,' zei Willem. Het had toch weinig zin om Annika te sms'en. 'Het spijt me, jongens,' zei hij tegen de anderen, 'we zullen de trap moeten nemen.'

Niemand vond het erg. Het was een prachtige dag laat in de herfst, fris, droog en winderig, en ze waren met z'n achten om niet zo heel veel dozen en maar een paar meubelstukken te verhuizen: Willem, JB, Jude, Malcolm, JB's vriend Richard, Willems vriendin Carolina en twee vrienden van hen vieren gezamenlijk, die allebei Henry Young heetten en door iedereen voor de duidelijkheid Oosterse Henry Young en Zwarte Henry Young werden genoemd.

Malcolm, die zich op de meest onverwachte momenten als een doortastend leider kon ontpoppen, verdeelde de taken. Jude zou naar boven gaan, het verkeer in het appartement regelen en zorgen dat de dozen op de goede plaats terechtkwamen. Tussendoor zou hij alvast grote dingen uitpakken en lege dozen opvouwen. Carolina en Zwarte Henry Young, allebei klein maar sterk, zouden de dozen met boeken dragen, omdat die een hanteerbaar formaat hadden. Willem, JB en Richard zouden de meubels nemen, en Oosterse Henry Young en Malcolm zelf alle andere dingen. Op weg naar beneden zou iedereen de dozen meenemen die Jude had ingevouwen en die opstapelen naast de vuilnisbakken aan de stoeprand.

'Heb je hulp nodig?' vroeg Willem zachtjes aan Jude toen iedereen zich verspreidde om aan het werk te gaan.

'Nee,' zei hij kortaf, en Willem keek hoe hij moeizaam de steile, hoge trap beklom, totdat hij uit het zicht verdween.

Het was een simpele verhuizing, vlot en probleemloos, en nadat ze allemaal nog een tijdje waren blijven hangen om boeken uit te pakken en pizza te eten, vertrokken de anderen naar feestjes en cafés, zodat Willem en Jude eindelijk alleen waren in hun nieuwe onderkomen. Het was er een troep, maar alleen al de gedachte om dingen op hun plaats te gaan zetten was te vermoeiend. Daarom bleven ze nog even zitten, zich verbazend over hoe snel het donker begon te worden en over het feit dat ze woonruimte hadden, woonruimte in Manhattan, woonruimte die ze zich konden veroorloven. Ze hadden allebei de beleefd-neutrale blikken van hun vrienden gezien toen die hun appartement voor het eerst zagen (de kamer met de twee smalle bedden – 'als in een victoriaans gesticht', zo had Willem het aan Jude beschreven – had het meeste commentaar gekregen), maar het kon hun geen van tweeën iets schelen; het was van hen, ze hadden een huurcontract voor twee jaar en niemand kon het hun nog afpakken. Ze zouden zelfs een beetje geld kunnen sparen, en waar zouden ze meer ruimte voor nodig hebben? Natuurlijk hunkerden ze allebei naar schoonheid, maar dat moest wachten. Liever gezegd, zíj zouden erop moeten wachten.

Ze zaten te praten, maar Jude had zijn ogen dicht en Willem zag aan het voortdurende, kolibrieachtige fladderen van zijn oogleden en de manier waarop hij zijn vuist zo hard balde dat de aderen als zeegroene kabels over de rug van zijn hand liepen, dat hij pijn had. Aan de stijf gestrekte ligging van Judes benen, die op een doos met boeken rustten, kon hij zien dat de pijn hevig was, en hij wist ook dat hij niets voor hem kon doen. Als hij vroeg: 'Jude, zal ik een aspirientje voor je halen?' zou Jude zeggen: 'Hoeft niet, Willem, ik heb niets nodig,' en als hij vroeg: 'Jude, wil je niet even gaan liggen?' zou Jude zeggen: 'Willem, dat hóéft niet. Maak je geen zorgen.' Daarom deed hij uiteindelijk wat ze zich in de loop van de jaren alle drie hadden aangewend als Jude pijn in zijn benen had, namelijk een voorwendsel verzinnen om op te staan en de kamer uit te gaan, zodat Jude doodstil kon gaan liggen tot de pijn was gezakt en zich niet verplicht hoefde te voelen om een gesprek gaande te houden of energie te besteden aan doen alsof er niets aan de hand was en hij alleen moe was of kramp had, of wat voor andere halfbakken verklaring hij dan ook maar kon verzinnen.

In de slaapkamer vond Willem de vuilniszak met hun beddegoed en maakte eerst zijn futon op en daarna die van Jude, die ze een week eerder voor een schijntje hadden overgenomen van Carolina's aanstaande exvriendin. Hij sorteerde zijn overhemden, broeken, ondergoed en sokken en gaf elke categorie een eigen kartonnen doos (waar net nog boeken in hadden gezeten), die hij onder zijn bed schoof. Hij liet Judes kleren voor wat ze waren en ging naar de badkamer, die hij schoonmaakte en desinfecteerde voordat hij hun tandpasta, zeep, scheerspullen en shampoos een plekje gaf. Eén of twee keer onderbrak hij zijn werk om naar de woonkamer te sluipen, waar Jude nog steeds in dezelfde houding zat, met gesloten ogen, zijn vuist gebald en zijn gezicht opzijgedraaid, zodat Willem zijn uitdrukking niet kon zien.

Zijn gevoelens voor Jude waren complex. Hij hield van hem – tot zover was het simpel – en maakte zich zorgen over hem, en soms voelde hij zich behalve zijn vriend ook zijn oudere broer en beschermer. Hij wist dat Jude het zonder hem ook uitstekend zou redden en altijd had gered, maar soms zag hij iets in Jude wat hem verontrustte en een machteloos gevoel gaf, terwijl hij er paradoxaal genoeg tegelijk vastbeslotener van werd om hem te helpen (hoewel Jude maar zelden om hulp vroeg, op welk gebied dan ook). Ze hielden allemaal van Jude en bewonderden hem, maar hij had vaak het gevoel dat Jude aan hem net wat meer van zichzelf had laten zien dan aan de anderen, en hij wist niet goed wat hij met dat besef aan moest.

De pijn in zijn benen, bijvoorbeeld: sinds ze hem kenden, hadden ze geweten dat hij problemen met zijn benen had. Het was ook moeilijk om dat níét te weten, want in zijn studententijd liep hij altijd met een stok, en toen hij jonger was – in de tijd dat ze hem leerden kennen was hij zelfs zo jong dat hij nog in de groei was, twee volle jaren jonger dan zij drieën – kon hij alleen lopen met behulp van een kruk en droeg hij stevig vastgesnoerde, spalkachtige beugels om zijn benen, met pennen die in zijn botten waren geboord, zodat hij zijn knieën nauwelijks kon buigen. Maar hij had niet geklaagd, nooit, hoewel hij anderen het recht op klagen niet ontzegde; in hun tweede jaar was JB uitgegleden op een bevroren plek op straat en had zijn pols gebroken, en ze herinnerden zich allemaal de commotie die was gevolgd: JB's theatrale gejammer en gejeremieer, en hoe hij tot een volle week nadat zijn pols in het gips was gezet had geweigerd de studentenkliniek te verlaten en zo veel bezoek had gekregen dat het universiteitsblad een artikel aan hem had gewijd. Een andere jongen in hun studentenhuis, die bij het voetballen zijn meniscus had gescheurd, zei de hele tijd dat JB niet wist wat pijn was, maar Jude was elke dag bij JB op bezoek gegaan, net als Willem en Malcolm, en had hem al het medeleven gegund waarnaar hij hunkerde.

Kort nadat JB zich eindelijk had verwaardigd de kliniek te verlaten en was teruggekeerd in het studentenhuis om daar van een nieuw rondje aandacht te genieten, was Willem 's nachts een keer wakker geworden in een lege kamer. Het gebeurde vaker dat JB bij zijn vriendje zat, en Malcolm, die dat semester colleges astronomie aan Harvard volgde, was in het lab, waar hij nu elke dinsdag- en donderdagnacht sliep. Willem was zelf ook vaak elders, gewoonlijk bij zijn vriendin, maar zij had griep en daarom was hij die avond thuisgebleven. Maar Jude was er altijd. Hij had nooit een relatie gehad, met een meisje noch met een jongen, en had de nacht altijd in hun kamer doorgebracht; zijn aanwezigheid in het stapelbed onder Willem was zo vertrouwd en onveranderlijk als de zee.

Hij wist niet precies wat hem ertoe bracht om uit bed te klimmen, waarna hij een ogenblik wezenloos midden in de stille kamer bleef staan en om zich heen keek alsof Jude misschien als een spin aan het plafond zou kunnen hangen. Maar toen zag hij dat zijn kruk weg was en ging naar hem op zoek, zachtjes zijn naam roepend in de zitkamer, en toen hij geen antwoord kreeg liep hij de gang op naar de gemeenschappelijke badkamer. Na de duisternis in hun kamers was het akelig licht in de badkamer, waar de tl-buizen hun voortdurende zachte gezoem produceerden, en hij was zo gedesoriënteerd dat het hem minder verraste dan je zou verwachten toen hij bij het laatste wc-hokje Judes voet onder de deur door zag steken, samen met het onderste deel van zijn kruk.

'Jude?' fluisterde hij terwijl hij op de deur klopte, en toen er geen antwoord kwam: 'Ik kom naar binnen.' Hij trok de deur open en zag Jude met één knie helemaal opgetrokken op de grond liggen. Hij had overgegeven, want op de grond voor hem lag een plasje braaksel en er zaten ook wat gespikkelde oranjeroze klodders aan zijn lippen en kin. Hij had zijn ogen dicht, was bezweet en had één hand om het gebogen uiteinde van zijn kruk geklemd met een krampachtigheid die, zoals Willem later zou leren, een teken was van extreme pijn.

Maar op dat moment was hij zich kapotgeschrokken en stelde de ene vraag na de andere, zonder dat Jude in staat was die te beantwoorden, en pas toen hij probeerde hem overeind te hijsen en Jude een schreeuw gaf, begreep Willem hoeveel pijn hij had.

Uiteindelijk lukte het hem om Jude min of meer op te tillen en half slepend naar hun kamer te brengen, waar hij hem in bed stopte en provisorisch zijn gezicht schoonmaakte. Intussen leek de ergste pijn te zijn weggetrokken, en toen Willem vroeg of hij een dokter moest bellen, schudde Jude zijn hoofd.

'Maar Jude,' zei Willem zachtjes, 'je hebt pijn. We moeten hulp voor je halen.'

'Er helpt niets tegen,' zei hij, en daarna zweeg hij even. 'Ik moet gewoon afwachten.' Zijn stem klonk zwak en fluisterend, heel anders dan normaal.

'Wat kan ik doen?' vroeg Willem.

'Niets,' zei Jude. Er viel een stilte. 'Maar Willem… kun je even bij me blijven?'

'Natuurlijk,' zei hij. Jude lag te sidderen en te beven alsof hij onderkoeld was, en Willem pakte het dekbed van zijn eigen bed en legde het over hem heen. Een tijdje later stak hij zijn hand eronder, vond die van Jude en wurmde zijn vingers los, zodat hij zijn klamme, eeltige hand kon vasthouden. Hij had in geen tijden de hand van een andere man in de zijne gehouden – de laatste keer was jaren geleden geweest, toen zijn broer werd geopereerd – en hij was verrast door de kracht van Judes greep en de gespierdheid van zijn vingers. Jude bleef urenlang huiveren en met zijn tanden klapperen, en ten slotte ging Willem naast hem liggen en viel in slaap.

De volgende ochtend werd hij wakker in Judes bed met een kloppend gevoel in zijn hand, en toen hij ernaar keek, zag hij dat Judes vingers er blauwe plekken op hadden achtergelaten. Hij stond een beetje wankel op en liep naar de zitkamer, waar Jude aan zijn bureau zat te lezen; door het felle licht van de late ochtend kon Willem zijn gezicht niet goed zien.

Toen hij binnenkwam, keek Jude op en kwam overeind, waarna ze elkaar een tijdje zwijgend aankeken.

'Willem, het spijt me zo,' zei Jude ten slotte.

'Jude,' antwoordde hij, 'er is geen enkele reden om je te verontschuldigen.' En hij meende het.

Maar Jude herhaalde: 'Het spijt me, Willem, het spijt me zo,' en hoe Willem ook probeerde hem gerust te stellen, het lukte niet.

'Vertel het maar niet aan Malcolm en JB, goed?' vroeg Jude.

'Ik zal mijn mond houden,' beloofde hij. En dat had hij gedaan, hoewel het uiteindelijk geen verschil had gemaakt, want op termijn hadden ook Malcolm en JB hem gezien als hij pijn had, zij het dat ze maar een paar keer zo'n langdurige aanval meemaakten als waar Willem die nacht getuige van was geweest.

Hij had er nooit met Jude over gesproken, maar in de jaren die volgden had hij hem allerlei soorten pijn zien lijden, zware en lichte, wat ging van een vertrokken gezicht als iets zeer deed, tot af en toe, als het al te erg werd, overgeven of tegen de vlakte gaan, of eenvoudigweg onaanspreekbaar worden, zoals nu in hun woonkamer. En hoewel Willem iemand was die zijn beloften hield, had hij zich altijd afgevraagd waarom hij het nooit ter sprake had gebracht, waarom hij Jude nooit had overgehaald te vertellen hoe het voor hem voelde, waarom hij nooit had durven doen wat zijn intuïtie hem honderden malen had ingegeven: bij hem gaan zitten en zijn benen masseren, om te proberen die muitende zenuwuiteinden door kneden tot onderwerping te dwingen. In plaats daarvan stond hij hier in de badkamer de kraan te poetsen, terwijl op een paar meter afstand een van zijn beste vrienden in z'n eentje op een vieze oude bank zat en de langzame, droevige, eenzame weg terug naar het bewustzijn, terug naar het land van de levenden, moest afleggen zonder iemand aan zijn zijde.

'Je bent een lafaard,' zei hij tegen zichzelf in de badkamerspiegel. Zijn spiegelbeeld keek terug, vermoeid en vol afkeer. Vanuit de woonkamer klonk geen geluid, maar Willem stelde zich ongezien bij de deuropening op om te wachten tot Jude naar hem terugkwam.

~

'Het is een rothok,' had JB tegen Malcolm gezegd, en hoewel dat niet overdreven was – alleen al de hal bezorgde Malcolm rillingen – kwam hij toch somber gestemd thuis en vroeg zich voor de zoveelste keer af of het echt beter was om bij zijn ouders te blijven wonen of dat hij ook maar eens moest verhuizen naar zijn eigen rothok.

Rationeel bekeken zou hij natuurlijk moeten blijven waar hij was. Hij verdiende heel weinig en maakte lange dagen op zijn werk, en het huis van zijn ouders was zo groot dat hij ze in theorie nooit hoefde tegen te komen als hij dat niet wilde. Behalve dat hij de hele derde verdieping voor zichzelf had (en eerlijk gezegd was het daar zo'n troep dat het ook niet veel meer dan een rothok was; sinds Malcolm tegen zijn moeder had geschreeuwd dat de huishoudster een van zijn modelhuizen kapot had gestoten, stuurde ze Inez niet meer naar boven om schoon te maken), kon hij gebruikmaken van de keuken, de wasmachine en de hele reeks kranten en tijdschriften waarop zijn ouders geabonneerd waren, en eens per week stopte hij zijn kleren bij de rest in de uitpuilende stoffen zak die door zijn moeder op weg naar haar werk bij de stomerij werd gedropt en de dag erop door Inez werd opgehaald. Maar hij was natuurlijk niet trots op deze regeling, noch op het feit dat hij zevenentwintig was en zijn moeder hem nog steeds op zijn werk belde als ze de weekboodschappen ging bestellen, om te vragen of ze extra veel aardbeien voor hem zou kopen en of hij die avond liever zalmforel of dorade had.

De zaken zouden eenvoudiger liggen als Malcolms ouders dezelfde indeling van tijd en ruimte zouden respecteren als Malcolm zelf. Behalve dat ze van hem verwachtten dat hij 's ochtends met hen ontbeet en elke zondag met hen brunchte, kwamen ze ook vaak zomaar even aanwaaien, bezoekjes die steevast werden voorafgegaan door een gelijktijdig kloppen en omdraaien van de deurkruk, al had Malcolm wel honderd keer gezegd dat je dan net zo goed helemaal niet kon kloppen. Hij wist dat het een vreselijk verwende en ondankbare gedachte was, maar soms zag hij er zelfs tegen op om naar huis te gaan, vanwege het onvermijdelijke gesprek over koetjes en kalfjes dat hij zou moeten voeren voordat hij als een puber naar boven kon sloffen. En hij zag vooral heel erg op tegen het leven thuis zonder Jude; hoewel het souterrain meer een zelfstandige unit was dan zijn verdieping, hadden zijn ouders de gewoonte gekregen ook daar vrolijk binnen te vallen als Jude thuis was, zodat Malcolm als hij naar beneden ging om Jude op te zoeken zijn vader daar soms aantrof, die een verhandeling zat te houden over iets saais. Vooral zijn vader was dol op Jude – hij zei vaak tegen Malcolm dat Jude echte intellectuele diepgang had, in tegenstelling tot zijn andere vrienden, die in feite een stel flierefluiters waren – en als Jude er niet meer was, zou Malcolm getrakteerd worden op zijn vaders ingewikkelde verhalen over marktwerking, de veranderende wereldwijde financiële situatie en allerlei andere onderwerpen waar Malcolm weinig om gaf. Eigenlijk verdacht hij zijn vader er soms van dat hij liever Jude als zoon had gehad: Jude en hij hadden zelfs rechten gestudeerd aan dezelfde faculteit. De rechter voor wie Jude als griffier had gewerkt, was zijn vaders mentor geweest bij zijn eerste advocatenkantoor. En Jude was assistent-aanklager bij de afdeling Strafrecht van het Openbaar Ministerie, precies dezelfde functie die zijn vader in zijn jonge jaren had vervuld.

'Let op mijn woorden: die jongen gaat het nog ver schoppen,' of 'Je maakt maar zelden mee dat je iemand aan het begin van zijn carrière ontmoet van wie je zeker weet dat hij op eigen kracht de top zal bereiken,' orakelde Malcolms vader vaak tegen Malcolm en zijn moeder nadat hij met Jude had gepraat, en dan keek hij zo voldaan alsof Judes begaafdheid op de een of andere manier zíjn verdienste was. Op die momenten moest Malcolm ervoor zorgen niet naar zijn moeder te kijken, omdat hij wist dat ze hem een troostende blik zou toewerpen.

De zaken zouden ook eenvoudiger zijn als Flora nog thuis woonde. Voordat ze ging verhuizen, had Malcolm weleens gehint dat hij haar nieuwe driekamerappartement in Bethune Street graag met haar wilde delen, maar ofwel zijn vele toespelingen waren écht niet tot haar doorgedrongen, of ze had ervoor gekozen ze te negeren. Flora leek nooit een probleem te hebben met de buitensporige hoeveelheid tijd die hun ouders van hen vroegen, wat betekende dat hij vroeger meer tijd had om in zijn kamer aan zijn maquettes te werken en minder tijd kwijt was aan het uitzitten van een van zijn vaders schier oneindige Ozu-filmfestivals in de tv-kamer. Op jongere leeftijd was Malcolm gekwetst en beledigd geweest door zijn vaders voorkeur voor Flora, die er zo dik bovenop lag dat vrienden van zijn ouders er soms opmerkingen over hadden gemaakt. 'Fenomenale Flora' noemde zijn vader haar (of, in bepaalde stadia van haar adolescentie, 'Feestbeest Flora', 'Felle Flora' of 'Furieuze Flora', maar altijd op een goedkeurende toon), en zelfs nu nog, nu Flora bijna dertig was, was hij zeer met haar ingenomen. 'Fenomena zei vandaag zoiets grappigs,' zei hij dan bijvoorbeeld onder het avondeten, alsof Malcolm en zijn moeder Flora zelf niet regelmatig spraken, of, na een brunch in de stad, vlak bij Flora's appartement: 'Waarom is Fenomena toch zo ver weg gaan wonen?' terwijl het maar een kwartiertje rijden was. (Met name dat vond Malcolm grievend, aangezien zijn vader tegen hem altijd hele verhalen ophing over hoe hij als kind van de Bovenwindse Eilanden naar Queens was gekomen en hoe hij zich daarna altijd verscheurd had gevoeld tussen twee landen, en dat Malcolm op een dag vooral ook ergens als expat moest gaan leven, omdat dat zijn persoonlijkheid zou verrijken en hem eindelijk eens een wat bredere kijk op de wereld zou geven, enzovoorts, enzovoorts. Maar als Flora het ook maar zou wagen om buiten Manhattan te gaan wonen, laat staan in een ander land, zou zijn vader volledig instorten, daar twijfelde Malcolm geen moment aan.)

Malcolm zelf had geen bijnaam. Af en toe noemde zijn vader hem bij de naam van een andere, beroemde Malcolm – 'X', 'McLaren', 'McDowell' of 'Muggeridge', naar wie Malcolm genoemd scheen te zijn – maar daar klonk nooit genegenheid in door, eerder een berisping, als om Malcolm te herinneren aan wat hij zou moeten zijn maar duidelijk niet was.

Soms – vaak – vond Malcolm het belachelijk dat het hem nog steeds raakte of dat hij er zelfs over in de put zat dat zijn vader hem niet zo graag leek te mogen. Zelfs zijn moeder vond dat. 'Je weet toch dat papa het niet zo bedoelt,' zei ze nu en dan, als zijn vader weer eens een monoloog had afgestoken over Flora's algehele superioriteit, en Malcolm – die zijn moeder graag wilde geloven, maar zich tegelijk ergerde aan haar gewoonte om zijn vader nog steeds aan te duiden als 'papa' – maakte dan een schamper geluid of mompelde iets om haar te laten merken dat het hem niets kon schelen. En soms – eigenlijk ook steeds vaker – irriteerde het hem dat hij überhaupt zo vaak over zijn ouders nadacht. Was dat normaal? Was het niet een beetje sneu? Hij was tenslotte zevenentwintig! Kreeg je dat vanzelf als je nog thuis woonde? Of lag het aan hem? Dat was ongetwijfeld het beste argument om te verhuizen: om eindelijk eens volwassen te worden. 's Avonds laat, als zijn ouders beneden volgens hun vaste routine hun dag beëindigden, en de klappen in de oude leidingen als ze hun gezicht wasten, gevolgd door de abrupte stilte als de radiatoren in de woonkamer laag werden gedraaid, hem nauwkeuriger dan de nauwkeurigste klok vertelden dat het elf uur, half twaalf en dan middernacht was, maakte hij lijstjes van waar hij in het komende jaar iets aan moest doen, en snel ook: zijn werk (zat geen schot in), zijn liefdesleven (nonexistent), zijn seksuele geaardheid (onduidelijk) en zijn toekomst (ongewis). Het waren altijd dezelfde vier onderwerpen, hoewel de volgorde soms veranderde. Ook permanent was zijn vermogen om precies vast te stellen hoe de zaken ervoor stonden, gekoppeld aan een absoluut onvermogen om er ook maar iets aan te veranderen.

De volgende ochtend werd hij dan vastbesloten wakker: vandaag zou hij verhuizen en tegen zijn ouders zeggen dat ze hem met rust moesten laten. Maar als hij beneden kwam, was zijn moeder zijn ontbijt aan het klaarmaken (en zijn vader allang naar zijn werk) en zei ze dat ze hun jaarlijkse reis naar Saint-Barthélemy vandaag ging boeken; kon hij haar laten weten hoeveel dagen hij meewilde? (Zijn vakanties werden nog steeds door zijn ouders betaald. Hij paste wel op dat hij daar tegenover zijn vrienden niets over losliet.)

'Goed, mam,' zei hij dan. En daarna at hij zijn ontbijt en stapte de deur uit, de wereld in, waar niemand hem kende en hij kon zijn wie hij wilde.

2

Elke dag nam JB de metro naar zijn atelier in Long Island City, doordeweeks om vijf uur 's middags en in het weekend om elf uur 's ochtends. Op de weekdagen genoot hij er het meest van: hij stapte in bij Canal Street en keek hoe de metro bij elke halte leegliep en zich vulde met een voortdurend veranderende mix van verschillende nationaliteiten en etnische groepen: de bevolking van de wagon kreeg ongeveer elke tien blokken een nieuwe samenstelling, en dat leverde onwaarschijnlijke en prikkelende combinaties op van Polen, Chinezen, Koreanen en Senegalezen, of Senegalezen, Dominicanen, Indiërs en Pakistanen, of Pakistanen, Ieren, Salvadoranen en Mexicanen, of Mexicanen, Sri Lankanen, Nigerianen en Tibetanen, en het enige wat ze gemeen hadden was dat ze nieuwkomers waren in Amerika en dat ze allemaal dezelfde doodvermoeide uitdrukking op hun gezicht droegen, de mengeling van volharding en gelatenheid die je alleen bij immigranten ziet.

Op die momenten was hij tegelijk dankbaar dat hij zo veel geluk had gehad en ontroerd door zijn stad, gevoelens die hij niet vaak had. Het was niets voor hem om zijn geboorteplaats op te hemelen als een prachtig mozaïek en hij stak de draak met mensen die dat wel deden. Maar hij had wel bewondering – hoe kon hij anders? – voor de collectieve hoeveelheid werk, écht werk, die zijn reisgenoten die dag ongetwijfeld hadden verzet. En in plaats van zich te schamen voor zijn relatieve ledigheid was hij er blij om.

De enige met wie hij het ooit over dit gevoel had gehad, zij het niet expliciet, was Oosterse Henry Young. Ze waren op weg naar Long Island City – het was trouwens Henry die hem had verteld dat er een plek vrij was in het atelier – toen er een tengere, pezige Chinese man instapte met een oranjerode plastic tas die zwaar aan het voorste kootje van zijn gebogen rechterwijsvinger hing, alsof hij niet meer de kracht of de wil had om hem met meer overtuiging te dragen, en hij zonk neer op het bankje tegenover hen, sloeg zijn benen over elkaar en zijn armen om zijn bovenlijf en viel ogenblikkelijk in slaap. Henry, die JB al van de middelbare school kende, waar ook hij, als zoon van een naaister in Chinatown, met een beurs had gezeten, had JB aangekeken en geluidloos met zijn lippen de woorden 'Ik ben een mazzelaar' gevormd, en JB had zijn mengeling van schuldgevoel en welbehagen precies aangevoeld.

Het andere aspect dat hem bekoorde aan die doordeweekse tochtjes bij het vallen van de avond was het licht: hoe het de metro vulde als iets levends terwijl de wagons over de brug ratelden, hoe het de vermoeidheid van de gezichten van zijn medepassagiers spoelde en hen liet zien zoals ze waren geweest toen ze naar dit land waren gekomen, toen ze jong waren en het mogelijk had geleken Amerika te veroveren. Hij keek hoe het milde licht als stroop de wagon in sijpelde en hoe het groeven uit voorhoofden streek, grijs haar goud kleurde en de opzichtige glans van goedkope stoffen verzachtte tot iets met een subtiele gloed. En dan draaide de zon weg, doordat de metro er onverschillig bij vandaan ratelde, en keerde de wereld weer terug naar haar normale, sombere vormen en kleuren en de mensen naar hun normale, sombere toestand, een overgang zo abrupt en onbarmhartig dat het leek alsof hij was bewerkstelligd door een zwaai met een toverstokje.

Hij deed graag alsof hij een van hen was, maar dat was hij niet. Soms zaten er Haïtianen in de metro, en dan was zijn gehoor opeens zo scherp als van een wolf als hij uit het geroezemoes om hem heen de slurpende, zangerige klank van hun Creools oppikte, en merkte hij dat hij naar hen keek, naar de twee mannen die net zo'n rond gezicht hadden als zijn vader had gehad, of naar de twee vrouwen met een korte wipneus zoals die van zijn moeder. Hij hoopte altijd dat zich een volkomen vanzelfsprekende manier zou aandienen om hen aan te spreken – dat ze het bijvoorbeeld niet eens waren over de weg die ze moesten nemen en dat hij dan tussenbeide kon komen met het juiste antwoord – maar dat gebeurde nooit. Soms lieten ze onder het praten hun blik door de wagon dwalen, en dan maakte hij zich op om te glimlachen, maar ze leken hem nooit te herkennen als een van hen.

En dat was hij natuurlijk ook niet. Zelfs hij wist dat hij meer gemeen had met Oosterse Henry Young, met Malcolm, met Willem of zelfs met Jude dan met hen. Moest je hem zien: bij Court Square stapte hij uit en liep de drie blokken naar de vroegere flessenfabriek waar hij nu een gezamenlijk atelier had met drie anderen. Hadden échte Haïtianen een atelier? Zou het ooit bij een échte Haïtiaan opkomen om zijn grote, huurvrije appartement, waar hij in theorie een eigen hoekje zou kunnen bezetten om te schilderen en te schetsen, te verlaten en een half uur in de metro te gaan zitten (stel je eens voor hoeveel werk je in die dertig minuten zou kunnen verzetten!) op weg naar een zonnige, vuile ruimte? Nee, natuurlijk niet. Je moest denken als een Amerikaan om je zo'n luxe te kunnen voorstellen.

De loft, die op de tweede verdieping lag en waar je kwam via een metalen trap die een rinkelend geluid gaf bij elke stap die je erop zette, had witte muren en een witte vloer, hoewel de vloerplanken zo splinterig waren dat het hier en daar leek alsof er een ruig kleed lag. In alle muren zaten ouderwetse, openslaande hoge ramen, het enige wat ze wél schoonhielden – iedere huurder was persoonlijk verantwoordelijk voor één kant – want het licht was te goed om te laten bederven door vuil, sterker nog, het licht was waar het om ging. Er was een toilet (onbeschrijfelijk smerig) en een keuken (net iets minder vies), en precies in het midden van de loft stond een grote rechthoekige tafel, bestaande uit een plaat niet al te mooi marmer die op drie schragen was gelegd. Die was voor gemeenschappelijk gebruik, voor ieder van hen die aan een project werkte waarvoor extra ruimte nodig was, en in de loop van de maanden was het marmer lila en oranjegeel gestreept geraakt, en bedruppeld met kostbaar cadmiumrood. Vandaag lag de tafel vol lange stroken organza, met de hand in verschillende kleuren geverfd en aan de uiteinden verzwaard met pocketboeken, zodat alleen de punten zacht bewogen in de luchtstroom van de plafondventilator. Midden op tafel stond een dubbelgevouwen kaartje: NAT. NIET AANKOMEN. RUIM HET MORGENMIDDAG ASAP OP. TNX VOOR GEDULD, H.Y.

Er waren geen tussenwanden, maar de ruimte was in vier gelijke delen van vijftig vierkante meter verdeeld met behulp van blauw isolatietape, waarmee niet alleen op de grond, maar ook op de muren en op het plafond was aangegeven welk stuk elke kunstenaar tot zijn beschikking had. Ze waren er alle vier hyperalert op om het territorium van de anderen te respecteren: je deed alsof je niet hoorde wat er in het kwart van je buurman gebeurde, zelfs als hij zijn vriendin iets toesiste door de telefoon en je uiteraard elk woord verstond, en als je op het terrein van een ander moest zijn, bleef je achter het blauwe tape staan en riep één keer zachtjes zijn naam voordat je toestemming vroeg om over de grens te stappen, en dat alleen als je zag dat hij niet helemaal in een flow zat.

Om half zes was het licht perfect: botergeel, compact en een beetje vettig, zodat de ruimte net als de trein leek uit te dijen tot iets weelderigs en veelbelovends. Hij was alleen. Richard, de huurder van het aangrenzende kwart, stond 's avonds achter de bar en werkte daarom altijd 's ochtends in het atelier, net als Ali, die het stuk tegenover hem had. Dan was er alleen nog Henry, wiens rechthoek diagonaal tegenover de zijne lag en die meestal om zeven uur binnenkwam, na zijn werk in de galerie. JB trok zijn jasje uit, gooide het in zijn hoek, haalde de lap van zijn schilderij en ging er met een zucht tegenover zitten op zijn kruk.

Dit was zijn vijfde maand in het atelier en hij genoot ervan, meer dan hij had gedacht. Hij vond het aangenaam dat zijn ateliergenoten allemaal echte, serieuze kunstenaars waren; hij had nooit in Ezra's huis kunnen werken, niet alleen omdat hij geloofde wat zijn favoriete docent hem eens had verteld – dat je nooit moest schilderen waar je neukte – maar omdat hij bij Ezra voortdurend omringd was en onderbroken zou worden door dilettanten. Daar was kunst niet meer dan een noodzakelijk onderdeel van een bepaalde levensstijl. Je schilderde, beeldhouwde of maakte waardeloze installaties omdat dat een goed excuus was om rond te lopen in verwassen T-shirts en vuile jeans en met een ironische knipoog te leven op een dieet van goedkope Amerikaanse biertjes en dure handgerolde Amerikaanse sigaretten. Maar hier maakte je kunst omdat dat het enige was waar je ooit goed in was geweest, eigenlijk het enige waar je ooit aan dacht, tussen de korte ogenblikken door dat je aan hetzelfde dacht als iedereen: seks, eten, slapen, vrienden, geld en roem. Maar of je nou met iemand stond te zoenen in een kroeg of ergens met vrienden zat te eten, in je binnenste droeg je altijd je schilderij bij je, met de bijbehorende vormen en mogelijkheden die in embryonale toestand op je netvlies zweefden. Bij elk doek of ander project kwam er een periode – dat hoopte je althans – dat het leven van dat project werkelijker voor je was dan je eigen dagelijks leven, dat je, waar je ook was, alleen maar dacht aan teruggaan naar het atelier, dat je je er nauwelijks van bewust was dat je een bergje zout op de eettafel had uitgestrooid waar je je opzet, ontwerpen en plannen in tekende, terwijl de witte korrels als zand onder je vingertoppen rolden.

Wat hij ook aangenaam vond, was de bijzondere en onverwachte geest van kameraadschap die er hing. In het weekend waren ze er soms alle vier, en dan waren er momenten dat hij uit de roes van het schilderen kwam en voelde dat ze allemaal in hetzelfde ritme ademhaalden en bijna hijgden van inspanning, zo groot was hun concentratie. Dan werd hij zich bewust van hun collectieve energie, die als een gas in de lucht hing, ontvlambaar en aromatisch, en wenste hij dat hij die kon bottelen, zodat hij er kracht aan kon ontlenen als hij geen inspiratie had, op de dagen dat hij letterlijk uren voor zijn doek zat, alsof het zou exploderen tot iets schitterends en geladens als hij er maar lang genoeg naar staarde. En hij vond het een aangenaam ritueel om achter het blauwe tape te wachten, voorzichtig te kuchen en daarna pas de grens over te steken om naar Richards werk te gaan kijken, waar ze dan getweeën zwijgend voor stonden, want ze hadden maar heel weinig woorden nodig om precies te begrijpen wat de ander bedoelde. Je was zo vaak bezig jezelf en je werk aan anderen uit te leggen – wat het betekende, wat je ermee wilde bereiken, waarom je dat wilde, waarom je nou juist die kleuren en dat onderwerp en dat materiaal en die verwerking en die techniek had gekozen – dat het een verademing was om met iemand samen te zijn aan wie je niets hoefde uit te leggen; je hoefde alleen maar te kijken, en als je vragen stelde waren die meestal op de man af, technisch en prozaïsch. Je zou het net zo goed over machines of loodgieterswerk kunnen hebben: iets mechanisch en ongecompliceerds, waar maar één of twee mogelijke oplossingen voor waren.

Ze werkten alle vier in andere materialen, en daarom was er geen rivaliteit, geen angst dat de ene videokunstenaar eerder een galerie vond om hem te vertegenwoordigen dan zijn ateliergenoot, en minder angst dat een conservator naar je werk kwam kijken en vervolgens verliefd werd op dat van je buurman. Desondanks – en dat was belangrijk – sloeg hij het werk van de anderen hoog aan. Henry maakte wat hij noemde gedeconstrueerde plastieken, eigenaardige en ingewikkelde ikebana-achtige bloemstukken met bloemen en takken van verschillende soorten zijde. Maar als er een klaar was, haalde hij de ondersteuning van kippengaas weg, zodat het stuk op de grond viel, waar het een vlak object vormde dat eruitzag als een abstracte plas van kleuren; alleen Henry wist hoe het er als driedimensionaal object had uitgezien.

Ali was fotograaf en werkte aan een serie met de naam *The History of Asians in America*, die bestond uit één foto voor elk decennium dat er Aziaten in Amerika hadden gewoond, te beginnen in 1890. Voor elk decennium maakte hij een andere kijkkast van een historische gebeurtenis of een thema in een van de vurenhouten kisten van negentig bij negentig centimeter die Richard voor hem had getimmerd. Die bevolkte hij met plastic poppetjes uit de hobbywinkel die hij beschilderde, in een decor van bomen en wegen die hij boetseerde van klei en glazuurde, tegen een achtergrond die hij schilderde met een penseel met wimperfijne haartjes. Dan fotografeerde hij de kijkkasten en maakte er C-prints van. Ali was de enige van hen vieren die een vaste galerie had, en over zeven maanden zou hij er exposeren, maar de anderen wisten dat ze daar nooit naar mochten vragen, want elke keer dat het ter sprake kwam begon hij te jammeren van de stress. Ali werkte niet in chronologische volgorde: het eerste decennium na 2000 was klaar (een straatgezicht van Broadway in Manhattan met stelletjes die allemaal bestonden uit een witte man en een Aziatische vrouw die er een paar passen achteraan liep), net als de jaren tachtig van de vorige eeuw (een Chinees miniatuurmannetje dat met moersleutels werd geslagen door twee witte miniatuurcriminelen, op een ondergrond die dik was gevernist om de indruk te wekken van het glimmende, natgeregende asfalt van een parkeerterrein), en nu was hij bezig aan de jaren veertig, waarvoor hij een gezelschap van vijftig mannen, vrouwen en kinderen aan het beschilderen was die gevangenen in het interneringskamp Tule Lake moesten voorstellen. Ali's werk was het meest arbeidsintensief, en als een van de andere drie even niet wist hoe hij verder moest met zijn eigen project, slenterde hij naar Ali's domein en ging naast hem zitten, en dan gaf Ali hem, zonder op te kijken van het vergrootglas waaronder hij een poppetje van zeven centimeter hield dat hij aan het beschilderen was met een tweed rok met visgraatmotief en tweekleurige veterschoenen, een bolletje staalwol dat uit elkaar geplukt moest worden om op *tumbleweed* te lijken, of een eindje heel dun metaaldraad waar hier en daar kleine stukjes omheen moesten worden gedraaid zodat het eruit ging zien als prikkeldraad.

Maar de meeste bewondering had JB voor het werk van Richard. Hij was ook beeldhouwer, maar werkte alleen met zeer vergankelijke materialen. Hij schetste onmogelijke vormen op tekenpapier, maakte ze daarna na van ijs, boter, chocolade of reuzel en filmde hun verval. Hij bleef altijd opgewekt onder de desintegratie van zijn werken, maar toen JB vorige maand had gezien hoe een indrukwekkend, tweeënhalf meter hoog stuk – een vleermuisvleugel in de vlucht, van bevroren druivensap dat op gestold bloed leek – druipend en daarna verbrokkelend ten onder ging, had hij opeens gemerkt dat hij bijna in huilen uitbarstte, zonder te weten of dat kwam door de verwoesting van iets wat zo mooi was of door de alledaagse tragiek van die teloorgang. De laatste tijd was Richard minder geïnteresseerd in substanties die smolten en meer in materiaal dat verwoesters aantrok en in de verwoesters zelf, met name in nachtvlinders, die van honing schenen te houden. Hij vertelde JB dat hij een plastiek voor zich zag dat zo dik overdekt was met nachtvlinders dat je de vorm van wat ze verslonden niet eens kon zien. Zijn vensterbanken stonden vol potten honing waarin poreuze raten rondzweefden als foetussen in formaldehyde.

JB was de enige traditionele kunstenaar van de vier. Hij schilderde. Erger nog, hij schilderde figuratief. Toen hij studeerde gaf niemand iets om figuratief werk: alles – videokunst, performances, fotografie – was spannender dan schilderen, en écht alles was beter dan figuratief werken. 'Zo is het al sinds de jaren vijftig,' had een van zijn docenten verzucht toen JB zich erover beklaagde. 'Ken je die uitdrukking, "De laatste der Mohikanen"...? Nou, dat zijn wij, een stelletje eenzame losers.'

Het was niet dat hij in de loop van de jaren geen andere dingen had geprobeerd, andere media (dat stomme fakeproject met dat haar, nageaapt van Meret Oppenheim! Had hij iets armoedigers kunnen bedenken? Malcolm en hij hadden hooglopende ruzie gekregen, een van hun hevigste, toen Malcolm de serie *Would-be Lorna Simpson* had genoemd, en het ergste was nog wel dat Malcolm natuurlijk volkomen gelijk had gehad), maar hoewel hij het gevoel had dat het enigszins zwak, bijna meisjesachtig en in elk geval niet stoer was om figuratief te schilderen (iets wat hij nooit openlijk zou hebben toegegeven), had hij kortgeleden noodgedwongen geaccepteerd dat hij dat nu eenmaal deed: hij hield van schilderen en hij hield ervan portretten te schilderen, en dat ging hij doen ook.

Goed, maar hoe dan verder? Hij had mensen gekend – hij kénde mensen – die qua techniek veel betere kunstenaars waren dan hij. Ze konden beter tekenen, hadden meer gevoel voor compositie en kleur en waren gedisciplineerder. Maar ze hadden geen ideeën. Net als een schrijver of een componist had een kunstenaar thema's nodig, ideeën. En die had hij een hele tijd domweg niet gehad. Hij probeerde alleen zwarte mensen te tekenen, maar er waren heel veel mensen die zwarte mensen tekenden en hij had niet het gevoel dat hij er iets nieuws aan toevoegde. Hij tekende een tijdje straatcriminelen, maar ook dat ging vervelen. Hij tekende zijn vrouwelijke familieleden, maar liep tegen hetzelfde probleem aan als met zwarte mensen in het algemeen. Hij begon aan een serie scènes uit Kuifje-boeken waarin hij de personages realistisch afbeeldde, als mensen, maar dat voelde al snel te ironisch en inhoudsloos, dus hield hij er weer mee op. Daarna klooide hij maar wat aan, van doek naar doek; hij schilderde mensen op straat, mensen in de metro, impressies van de vele feesten die Ezra gaf (die waren nog het minst geslaagd: de bezoekers waren allemaal van het type dat zich kleedt en beweegt alsof ze voortdurend geobserveerd worden, waardoor hij uiteindelijk vellen vol schetsen van poserende meisjes en paraderende jongens had, die zonder uitzondering hun best deden hem niet aan te kijken), totdat hij op een avond in het deprimerende appartement van Jude en Willem op hun deprimerende bank zat en toekeek hoe de twee aan het koken waren, waarbij ze in hun minikeukentje als een bedrijvig lesbisch stel om elkaar heen scharrelden. Het was een van de weinige zondagavonden geweest dat hij niet bij zijn moeder was, omdat zij, zijn oma en zijn tantes met z'n allen heel banaal op een Middellandse Zeecruise waren en hij had geweigerd mee te gaan. Maar hij was gewend dat hij zondagavond mensen om zich heen had en dat er voor hem werd gekookt – echt gekookt – en daarom had hij zichzelf uitgenodigd bij Jude en Willem, die ongetwijfeld thuis zouden zijn, want ze hadden geen van tweeën geld om uit te gaan.

Zoals altijd had hij zijn schetsboek bij zich, en toen Jude aan het kaarttafeltje ging zitten om uien te snipperen (ze moesten al het snijwerk aan het tafeltje doen, want er was geen werkblad in de keuken), begon hij hem gedachteloos te tekenen. Uit de keuken klonken luide dreunen en kwam de geur van rokende olijfolie, en toen hij naar binnen stapte en zag dat Willem een opengeklapt stuk kip te lijf ging met de onderkant van een omeletpan, waarbij hij met een merkwaardig vredige uitdrukking op zijn gezicht zijn arm hief om het vlees een pak slaag te geven, tekende hij hem ook.

Hij was zich er toen niet echt van bewust dat hij naar iets toe werkte, maar het volgende weekend, toen ze met z'n vieren naar Pho Viet Huong gingen, nam hij een van Ali's oude camera's mee en maakte foto's van de anderen tijdens het eten en daarna, toen ze buiten door de besneeuwde straten liepen. Omdat de trottoirs glad waren en ze rekening hielden met Jude, liepen ze heel langzaam. Hij zag ze op een rijtje door de zoeker: Malcolm, Jude en Willem, Malcolm en Willem aan weerszijden van Jude, dicht genoeg bij hem om hem op te vangen als hij uitgleed (wist JB, doordat hij in dezelfde positie was geweest), maar niet zo dichtbij dat Jude hen ervan ging verdenken dat ze zijn val verwachtten. Ze hadden er nooit onderling over gepraat, besefte hij; ze waren het gewoon gaan doen.

Hij drukte af. 'Wat doe je, JB?' vroeg Jude, en tegelijkertijd zei Malcolm: 'Kappen, JB.'

Het feestje waar ze die avond naartoe gingen was in Centre Street, in de loft van een gemeenschappelijke kennis: Mirasol, de tweelingzus van Phaedra, die ze uit hun studententijd kenden. Daar aangekomen verspreidden ze zich over verschillende subgroepjes, en nadat JB zijn hand had opgestoken naar Richard en geërgerd had geconstateerd dat Mirasol voor een tafel vol voedsel had gezorgd, wat betekende dat hij zojuist veertien dollar had verspild bij Pho Viet Huong terwijl hij hier gratis had kunnen eten, slenterde hij in de richting van Jude, die in een gesprek was verwikkeld met Phaedra, een dikke jongen die weleens Phaedra's vriendje kon zijn en een magere gast met een baard die hij herkende als een vriend van Jude, van zijn werk. Jude zat op de rugleuning van een van de banken, met Phaedra naast zich, ze keken op naar de dikke en de magere jongen en ze moesten alle vier ergens om lachen: hij drukte af.

Normaal gesproken zocht hij op feestjes altijd een groepje mensen op, of zij ontfermden zich over hem, en dan was hij de hele avond het middelpunt van allerlei drie- of viertallen, stuiterde van het ene naar het andere clubje, verzamelde roddels, verspreidde onschuldige geruchten, veinsde confidenties te doen en kreeg anderen zover hem te vertellen aan wie ze een hekel hadden door zelf dergelijke bekentenissen af te leggen. Maar vanavond bewoog hij zich alert en doelbewust en behoorlijk nuchter door de kamer en maakte foto's van zijn drie vrienden, die hun eigen gang gingen en zich er niet van bewust waren dat hij hen volgde. Na een paar uur vond hij hen met z'n drieën bij het raam: Jude zei iets terwijl de andere twee zich dicht naar hem toe bogen om hem te verstaan, en het volgende moment weken ze alle drie lachend naar achteren, en hoewel hij even een steek van spijt en jaloezie voelde, was hij ook blij dat hij beide momenten had vastgelegd. Vanavond ben ik een camera, zei hij tegen zichzelf, en morgen ben ik weer JB.

In zekere zin had hij nog nooit zo van een feestje genoten als die avond, en het leek niemand te zijn opgevallen dat hij spiedend had rondgeslopen, behalve Richard dan, want toen ze een uur later met z'n vieren vertrokken om naar Malcolms huis te gaan (Malcolms ouders waren de stad uit en Malcolm dacht dat hij wist waar zijn moeder haar wiet verstopte), gaf hij JB met een onverwacht hartelijk oudemannengebaar een klap op de schouder. 'Werk je ergens aan?'

'Ik geloof het wel.'

'Goed zo.'

De volgende dag zat hij achter zijn computer naar de beelden van die avond te kijken. De camera was niet geweldig en elke foto had een rokerig geel waas gekregen, wat er in combinatie met zijn beperkte fotografische vaardigheden (scherpstellen was een probleem) voor had gezorgd dat iedereen er warm, stralend en een beetje omfloerst uitzag, alsof ze door een glas whisky heen waren gefotografeerd. Hij bleef lang kijken naar een close-up van Willem die naar iemand buiten beeld glimlachte (ongetwijfeld naar een meisje), en naar de foto van Jude en Phaedra op de bank: Jude had een helder marineblauwe trui aan die Willem en Jude allebei zo vaak droegen dat JB niet wist van wie hij eigenlijk was, Phaedra droeg een wollen jurk in de kleur van rode port en had haar hoofd naar hem toe gebogen, zodat haar donkere haar het zijne lichter deed lijken, en tegen de gecapitonneerde groenblauwe bank onder hen zagen ze er allebei uit als schitterende edelstenen, de kleuren vochtig glanzend en glorieus, hun huid verrukkelijk. Het waren kleuren die erom smeekten geschilderd te worden, en dat deed hij dan ook: eerst tekende hij het tafereel met potlood in zijn schetsboek, daarna schilderde hij het met waterverf op dikker karton, en ten slotte met acrylverf op doek.

Dat was nu vier maanden geleden, en intussen had hij bijna elf schilderijen voltooid – een waanzinnig hoge productie voor zijn doen – allemaal van scènes uit het leven van zijn vrienden. Er was er een van Willem die stond te wachten voor een auditie en het script nog een laatste maal doorlas, met zijn ene schoenzool tegen de kleverige rode muur achter zich geleund, en een van Jude in het publiek bij een toneelstuk, met zijn gezicht half in het donker, precies op het moment dat hij glimlachte (door die foto te maken was JB bijna het theater uit gezet), en een van Malcolm, die stijfjes, met rechte rug en zijn handen om zijn knieën geslagen, op een bank zat op een halve meter afstand van zijn vader terwijl ze samen naar een film van Buñuel keken op een tv die net buiten beeld stond. Na enig experimenteren had hij besloten doeken te gebruiken met de standaardafmetingen van een C-print, vijftig bij zestig centimeter, allemaal met de lange kant horizontaal, en hij stelde zich voor dat ze op een dag misschien naast elkaar tentoongesteld zouden worden, als een lang lint dat over alle muren van een galerie zou lopen, zodat de beelden net zo soepel op elkaar zouden volgen als de frames van een filmstrook. Voor zover de foto's realistisch waren, waren de schilderijen dat ook; hij was nooit een betere camera gaan gebruiken en probeerde elk schilderij de omsluierde sfeer te geven die de camera alles meegaf, alsof iemand de bovenste laag van scherpte weg had gedept, zodat er iets zachters achterbleef dan met het blote oog te zien was.

Op momenten van onzekerheid maakte hij zich soms zorgen dat het project te zweverig, te privé was – daarom zou het helpen om een vaste galeriehouder te hebben, al was het maar om te weten dat er íémand was die je werk goed, belangrijk of op z'n minst mooi vond – maar hij kon niet ontkennen dat het hem genoegen en voldoening schonk, en hem het gevoel gaf dat het echt van hém was. Soms vond hij het jammer dat hijzelf niet te zien was op de afbeeldingen – hier werd een heel verhaal verteld over het leven van zijn vrienden en zijn afwezigheid daarin was een grote lacune – maar tegelijk genoot hij van zijn goddelijke rol. Hij ging zijn vrienden anders zien, niet als figuranten in zijn eigen leven maar als individuele persoonlijkheden die ieder hun eigen verhaal hadden; soms had hij het gevoel dat hij ze voor het eerst echt zag, en dat terwijl ze elkaar al zo lang kenden.

Toen hij ongeveer een maand met het project bezig was en wist dat hij zich hierop wilde concentreren, kon hij er natuurlijk niet onderuit om hun te vertellen waarom hij de hele tijd met een camera achter hen aan liep om alledaagse momenten uit hun leven vast te leggen, en waarom het essentieel was dat hij dat bleef doen en dat ze hem daar zo veel mogelijk de kans toe boden. Ze hadden gegeten in een Vietnamees noedelzaakje in Orchard Street waarvan ze hoopten dat het een waardige opvolger van Pho Viet Huong zou worden, en nadat hij, ongewoon nerveus voor zijn doen, zijn verhaal had afgestoken, keken ze onwillekeurig allemaal naar Jude, bij wie het probleem zou liggen, dat had hij van tevoren geweten. De andere twee zouden wel instemmen, maar daar had hij niets aan. Ze moesten allemaal ja zeggen, anders werkte het niet, en Jude was verreweg de onzekerste van hen vieren; in hun studententijd had hij altijd zijn gezicht afgedraaid of afgeschermd als iemand probeerde een foto van hem te maken, en als hij lachte had hij in een reflex zijn hand voor zijn mond gehouden, een tic die de anderen schokkend hadden gevonden en die hij pas de laatste jaren had afgeleerd.

Zoals hij al had gevreesd, reageerde Jude argwanend. 'Wat houdt dat dan in?' vroeg hij steeds opnieuw, en JB moest hem met uiterst geduld telkens weer geruststellen dat het natuurlijk niet zijn bedoeling was om hem voor gek te zetten of misbruik van hem te maken, maar alleen om het geleidelijk verglijden van hun leven in beelden vast te leggen. De anderen zeiden niets en lieten hem ervoor zweten, maar uiteindelijk stemde Jude toe, hoewel hij er niet blij mee leek te zijn.

'Hoelang gaat dat duren?' vroeg Jude.

'Voor altijd, hoop ik.' En dat hoopte hij inderdaad. Het enige wat hem speet was dat hij er niet eerder mee was begonnen, toen ze allemaal nog jong waren.

Op weg naar buiten ging hij naast Jude lopen. 'Jude,' zei hij zachtjes, zodat de anderen hem niet zouden horen. 'Alles waar jij op staat zal ik je van tevoren laten zien. Als je je veto uitspreekt, exposeer ik het niet.'

Jude keek hem aan. 'Beloofd?'

'Erewoord.'

Zodra hij het had aangeboden had hij er al spijt van, want Jude was nou net degene die hij het liefst schilderde: hij was de mooiste, met het interessantste gezicht en de bijzonderste gelaatskleur, en hij was de verlegenste, zodat afbeeldingen van hem altijd waardevoller leken dan die van de anderen.

De eerstvolgende zondag, toen hij weer bij zijn moeder was, doorzocht hij een paar dozen met spullen uit zijn studententijd die hij in zijn oude slaapkamer had achtergelaten, op zoek naar een foto waarvan hij wist dat hij hem had. Ten slotte vond hij hem: een foto van Jude uit hun eerste jaar, door iemand genomen en afgedrukt en op een onduidelijke manier in zijn bezit gekomen. Jude stond, gedeeltelijk naar de camera gekeerd, in hun gezamenlijke woonkamer. Hij had zijn linkerarm voor zijn borst geslagen, zodat het satijnachtig glanzende, stervormige litteken op de rug van zijn hand zichtbaar was, en in zijn rechterhand hield hij een onaangestoken sigaret, duidelijk om zich een houding te geven. Hij droeg een blauw-wit gestreept T-shirt met lange mouwen dat waarschijnlijk van iemand anders was, want het was heel wijd (hoewel het misschien toch van hem was; indertijd waren al Judes kleren te groot en later ontdekten ze dat hij die opzettelijk op de groei kocht om er jaren mee te kunnen doen), en zijn haar, dat hij toen vrij lang droeg, zodat hij zijn gezicht erachter kon verbergen, hing ongeveer tot kaakhoogte. Maar wat JB het meest was bijgebleven aan deze foto, was de uitdrukking op Judes gezicht: een waakzaamheid die hij in die tijd permanent had gehad. Hij had deze foto in geen jaren gezien en nu kreeg hij er een leeg gevoel bij, zonder dat hij precies kon zeggen waarom.

Dat was het schilderij waar hij nu aan werkte, en hij had ervoor gebroken met zijn vaste formule en een doek van een meter bij een meter genomen. Hij was dagen bezig geweest om precies de juiste, lastige tint slangachtig groen te mengen voor Judes irissen en had zijn haar steeds opnieuw met andere kleurnuances overgeschilderd voordat hij tevreden was. Het was een geweldig schilderij, dat wist hij zoals je soms iets heel zeker kon weten, en hij was absoluut niet van plan om het aan Jude te laten zien voordat het ergens in een galerie aan de muur zou hangen en Jude er niets meer tegen kon doen. Hij wist dat Jude het zou verafschuwen omdat hij er zo fragiel, zo vrouwelijk, kwetsbaar en vooral jong op uitzag, en hij wist ook dat Jude er nog veel meer in zou zien wat hij verafschuwde, dingen die JB niet eens kon bedenken aangezien hij geen door zelfhaat geteisterde mafkees was zoals Jude. Maar voor hem zat hier alles in wat hij hoopte dat deze serie zou worden: het was een liefdesbrief, een neerslag van de werkelijkheid, een epos, en het was van hém. Als hij aan dit schilderij werkte had hij soms het gevoel dat hij vloog, alsof de wereld van galeries, feestjes, andere kunstenaars en hoge aspiraties ver onder hem tot een speldenknop was geslonken, tot iets zo kleins dat hij het als een voetbal weg kon trappen en het tollend naar een verre baan om de aarde kon zien schieten, naar een plek die niets met hem te maken had.

Het was bijna zes uur. Nog even en het licht zou veranderen. Voorlopig was het hier nog stil en hoorde hij alleen de metro als die in de verte voorbijdenderde. Voor hem stond zijn doek op hem te wachten. En dus pakte hij zijn penseel en begon.

~

In de metro hing poëzie. Boven de rijen plastic kuipstoeltjes, in de lege ruimte tussen de reclames voor dermatologen en instellingen waar je een universitaire graad over de post kon krijgen, hingen lange geplastificeerde vellen met gedichten erop: tweederangswerk van Stevens, derderangs van Roethke en vierderangs van Lowell, versregels die waren bedoeld om niet aanstootgevend te zijn, woede en schoonheid teruggebracht tot holle aforismen.

Dat zei JB tenminste altijd. Hij was fel gekant tegen de gedichten. Ze waren verschenen toen hij een jaar of twaalf was en hij klaagde er al vijftien jaar over. 'In plaats dat ze échte kunst en échte kunstenaars subsidiëren, geven ze geld aan een zootje ouwe vrijgezelle bibliothecaressen en halfzachte nichten om dit soort shit uit te zoeken,' riep hij tegen Willem boven de piepende remmen van de F-lijn uit. 'En het is allemaal van die weeïge Edna St. Vincent Millay-achtige shit. Of het zijn eigenlijk best goeie dichters die ze hebben gecastreerd. En allemaal wit, is je dat opgevallen? Waar de fuck slaat dat op?'

Een week later zag Willem een poster met een gedicht van Langston Hughes en belde JB om dat te vertellen. 'Langston Húghes?!' kreunde JB. 'Laat me raden: "A Dream Deferred" zeker, over die zweer? Ik wíst het! Die shit telt niet. En trouwens, als er écht iets zou uitbarsten, zouden ze die shit in no time weghalen.'

Die middag hing er een gedicht van Thom Gunn tegenover Willem: 'Aan hun relatie lag ten grond/ de discussie of die bestond.' Eronder had iemand met zwarte stift geschreven: 'Geeft niks man ik kan ook geen mokkel krijgen.' Hij deed zijn ogen dicht.

Het beloofde niet veel goeds dat hij om vier uur al moe was, terwijl zijn dienst nog moest beginnen. Hij had gisteravond niet met JB naar Brooklyn moeten gaan, maar er wilde niemand anders mee en JB vond dat hij nog iets te goed had van Willem, want hij was vorige maand toch ook met Willem mee geweest naar die vreselijke onemanshow van die vriend van hem?

Dus was hij natuurlijk meegegaan. 'Wie zit er in de band?' had hij gevraagd toen ze op het perron stonden te wachten. Zijn jas was te dun en hij was een van zijn handschoenen kwijtgeraakt, en daarom nam hij elke keer als hij stil moest staan in de kou zijn toevlucht tot een warmtesparende houding: zijn armen om zijn borst geslagen, zijn handen onder zijn oksels gestoken, op en neer wippend op zijn voeten.

'Joseph,' zei JB.

'O.' Hij had geen idee wie Joseph was. Hij bewonderde JB om het gemak waarmee hij als een ware Fellini het overzicht bewaarde over zijn uitgebreide sociale netwerk, waarin iedereen een rol als kleurrijk gekostumeerde figurant vervulde en Malcolm, Jude en hij onmisbare maar ondergeschikte helpers waren bij het verwezenlijken van zijn droombeeld – camera-assistenten of assistent-artdirectors – die er in zijn optiek stilzwijgend verantwoordelijk voor waren de hele onderneming draaiende te houden.

'Het is hardcore,' zei JB behulpzaam, alsof hij dan meteen wist wie Joseph was.

'Hoe heet de band?'

'Oké, hier komt ie,' zei JB met een grijns. 'De band heet Smegma Cake 2.'

'Wat?' vroeg hij lachend. 'Smegma Cake 2? Waarom? Wat is er met Smegma Cake 1 gebeurd?'

'Bezweken aan een druiper,' brulde JB boven de herrie van de metro uit die het station binnen denderde. Een oudere vrouw keek afkeurend in hun richting.

Het kwam nauwelijks als een verrassing dat Smegma Cake 2 geen geweldige band was. Het was eigenlijk ook geen hardcore; eerder ska-achtig, sterk ritmisch en meanderend ('Er is iets met hun sound gebeurd!' schreeuwde JB in zijn oor tijdens een van de langere nummers, 'Phantom Snatch 3000'. 'Ja,' schreeuwde Willem terug, 'die is kut geworden!'). Halverwege het concert, waarvan elk nummer twintig minuten leek te duren, kreeg hij zin om gek te doen, zowel door de absurde band als door de volgepropte zaal, en hij begon weinig bedreven te moshen met JB: ze sprongen hoog de lucht in en gaven hun buren en omstanders een zet, totdat iedereen woest tegen elkaar aan botste, maar op een vrolijke manier, als een stelletje lijpe kleuters; JB pakte hem bij de schouders en ze lachten uitgelaten naar elkaar. Op dit soort momenten hield hij zielsveel van JB, vanwege zijn talent en bereidheid om als een idioot uit de band te springen, iets wat nooit lukte met Malcolm of Jude – met Malcolm niet omdat hij, ondanks zijn eigen beweringen, hechtte aan gepast gedrag, en met Jude niet omdat hij te serieus was.

Maar vanochtend had hij er natuurlijk voor moeten boeten. Hij was wakker geworden in JB's hoek van Ezra's loft, op het onopgemaakte matras van JB (JB zelf lag vlakbij hartgrondig snurkend in een stapel zurig ruikend wasgoed), zonder zich precies te herinneren hoe ze de brug over waren gekomen. Eigenlijk was Willem geen drinker of blower, maar in gezelschap van JB liet hij zich soms gaan. Hij was blij geweest toen hij weer in Lispenard Street was, in het stille en propere appartement, terwijl het zonlicht dat zijn kant van de slaapkamer tussen elf en één uur bedwelmend warm smoorde schuin naar binnen viel en Jude allang de deur uit was. Hij zette zijn wekker en viel ogenblikkelijk in slaap, en toen hij wakker werd had hij nog maar net tijd om te douchen en snel een aspirientje in te nemen voordat hij zich naar de metro moest haasten.

De goede naam van het restaurant waar hij werkte was gebaseerd op zowel de keuken – complex maar niet té extravagant – als op de onkreukbaarheid en vriendelijkheid van de bediening. Bij Ortolan leerden ze hartelijk te zijn, maar niet amicaal, toegankelijk maar met inachtneming van het decorum. 'We zijn geen hamburgertent,' zei Findlay altijd, zijn baas en de bedrijfsleider van het restaurant. 'Glimlach, maar vertel de mensen niet hoe je heet.' Er waren veel van zulke regels bij Ortolan: vrouwelijk personeel mocht een trouwring dragen, maar verder geen sieraden. Mannen mochten haar hebben dat tot aan de onderkant van hun oorlelletjes kwam, maar niet langer. Nagellak was verboden. Een baard van twee dagen was het maximum. Snorren werden van geval tot geval beoordeeld, net als tatoeages.

Willem was nu bijna twee jaar kelner bij Ortolan. Daarvoor had hij in het weekend tijdens de brunch en doordeweeks tijdens de lunch bij Digits gewerkt, een lawaaierig en populair restaurant in Chelsea, waar de klanten (bijna allemaal mannen, bijna allemaal ouder, minstens veertig) hem regelmatig vroegen of hij ook op de kaart stond en dan ondeugend en zelfgenoegzaam lachten, alsof ze de eerste waren die hem dat vroeg en niet de elfde of de twaalfde van die dag alleen al. Toch glimlachte hij altijd en zei: 'Alleen als appetizer,' en dan zeiden ze zogenaamd beteuterd: 'Maar ik had net zo'n zin in een hoofdgerecht,' waarop hij opnieuw glimlachte, en naderhand kreeg hij dan een dikke fooi.

Een vriend van zijn masteropleiding, die ook acteur was en Roman heette, had hem aanbevolen bij Findlay nadat hijzelf een regelmatige gastrol bij een soap had gekregen en ontslag had genomen. (Hij had gemengde gevoelens over de acteerklus, vertelde hij Willem, maar hij had geen keus: hij kreeg er te veel voor betaald om het af te slaan.) Willem was blij geweest met de aanbeveling, want afgezien van het eten en de bediening was er nog iets waar Ortolan om bekendstond – zij het bij een veel selecter gezelschap – en dat waren de flexibele werktijden, vooral als Findlay je graag mocht. Findlay hield van kleine brunettes die nauwelijks borsten hadden en van alle mogelijke mannen, als ze maar lang en dun waren, en – volgens de geruchten – niet Aziatisch. Soms stond Willem in de deuropening van de keuken toe te kijken hoe onwaarschijnlijke paren van petieterige donkerharige serveersters en lange magere kelners door de grote eetzaal cirkelden en langs elkaar heen scheerden in een reeks bizar gecaste menuetten.

Niet iedereen die bij Ortolan in de bediening werkte was acteur. Of eigenlijk was niet iedereen bij Ortolan nog stééds acteur. Er waren bepaalde restaurants in New York waar je ongemerkt veranderde van een acteur die erbij kelnerde in een kelner die ooit acteur was geweest. En als het restaurant goed genoeg was, genoeg in aanzien stond, was dat niet alleen een volkomen acceptabele maar zelfs een wenselijke carrièreswitch. Een kelner bij een restaurant van naam kon ervoor zorgen dat zijn vrienden een felbegeerd plaatsje konden reserveren, en hij kon het keukenpersoneel zodanig inpalmen dat diezelfde vrienden gratis maaltijden kregen (hoewel Willem ontdekte dat het keukenpersoneel zich minder makkelijk liet inpalmen dan hij had gedacht). Maar wat kon een acteur met een bijbaan als kelner voor zijn vrienden ritselen? Kaartjes voor de zoveelste off-off Broadwayproductie waarvoor hij zijn eigen pak moest meebrengen omdat hij een effectenhandelaar speelde die mogelijk een zombie was, maar er geen geld was voor kostuums? (Dat was precies wat hij vorig jaar had moeten doen, en omdat hij zelf geen pak had, had hij er een van Jude moeten lenen. Judes benen waren een paar centimeter langer dan de zijne, dus had hij voor de looptijd van het stuk de pijpen naar binnen geslagen en vastgezet met afplakband.)

Je merkte zo wie bij Ortolan vroeger acteur was geweest en intussen beroepskelner was geworden. De beroeps waren ouder, om te beginnen, en strikt en pietluttig in het naleven van Findlays regeltjes, en als het personeel met elkaar at, walsten ze de wijn die de assistent-sommelier had ingeschonken demonstratief in het glas voordat ze hem proefden en dingen zeiden als: 'Hij lijkt een beetje op die Petite Sirah van Linne Calodo die je vorige week schonk, is het niet, José?' of: 'Smaakt een beetje mineralig, hè? Komt ie soms uit Nieuw-Zeeland?' Het was een ongeschreven regel dat je hen niet uitnodigde om naar je stukken te komen kijken – je vroeg alleen je collega-acteurs, en als je zelf werd uitgenodigd, werd het als beleefd beschouwd om op z'n minst te probéren te gaan – en je sprak zeker niet met hen over audities en impresario's en zo. Toneelspelen was oorlog en zij waren veteranen; ze wilden niet aan de oorlog denken en er al helemaal niet over praten met naïevelingen die nog steeds gretig naar de loopgraven stormden, die nog opgetogen waren dat ze mochten deelnemen aan de strijd.

Findlay zelf was ook een voormalig acteur, maar in tegenstelling tot de andere voormalige acteurs praatte hij wel graag – hoewel, 'graag' was misschien niet het woord, maar hij deed het in elk geval – over zijn vroegere leven, althans een bepaalde versie daarvan. Volgens hemzelf had hij ooit bijna, op een haar na, de tweede mannelijke hoofdrol gekregen in *A Bright Room Called Day* van The Public Theater (maar later had een van de serveersters verteld dat alle belangrijke rollen in dat stuk voor vrouwen waren). Ook had hij een rol op Broadway ingestudeerd als doublure, maar voor welk stuk was nooit helemaal duidelijk geworden. Findlay was een wandelend gedenkteken voor een mislukte carrière, een afschrikwekkend voorbeeld in een grijs wollen pak, en hij werd door de acteurs ofwel gemeden alsof de vloek die op hem rustte misschien besmettelijk kon zijn, of juist van nabij bestudeerd, alsof contact met hem werkte als een vaccinatie.

Maar op welk moment had Findlay besloten het acteren eraan te geven en hoe was het zover gekomen? Was het gewoon een kwestie van leeftijd? Hij was per slot van rekening oud: vijfenveertig, vijftig, zoiets. Hoe wist je dat het tijd werd om het op te geven? Was dat als je op je achtendertigste nog steeds geen impresario had gevonden (zoals ze vermoedden dat Joel was overkomen)? Was het als je op je veertigste nog steeds een appartement moest delen en als parttimekelner meer verdiende dan in het jaar dat je besloot fulltime-acteur te worden (zoals ze wisten dat Kevin was overkomen)? Was het als je dik of kaal werd, of als je chirurgische ingrepen zo slecht uitpakten dat je niet meer kon verhullen dat je dik en kaal was? Wanneer was het nastreven van je ambities niet langer een kwestie van moed, maar van overmoed? Hoe wist je wanneer je moest stoppen? In eerdere, conventionelere, minder stimulerende (en daardoor minder gecompliceerde) tijden had het ongetwijfeld veel duidelijker gelegen: je stopte als je veertig werd, als je ging trouwen of als je kinderen kreeg, of na vijf, tien of vijftien jaar. En dan nam je een echte baan, en het acteren en je droom van een toneelcarrière verdwenen langzaam naar de achtergrond en smolten net zo geruisloos weg in de geschiedenis als een ijsblok dat in een warm bad glijdt.

Maar dit was het tijdperk van de zelfontplooiing, waarin het als zwak en verachtelijk werd gezien als je genoegen nam met iets wat niet helemaal je eerste keus was. Op een bepaald moment was het opeens niet achtenswaardig meer geweest om je neer te leggen bij je kennelijke lot, maar was dat een teken van lafheid geworden. Soms was de druk om gelukkig te worden bijna benauwend, alsof gelukkig zijn iets was wat iedereen moest en kon bereiken en elk compromis op dat gebied je eigen schuld was. Zou Willem jaar in, jaar uit bij Ortolan blijven werken en steeds dezelfde metroritjes naar theaters blijven maken om steeds opnieuw auditie te doen, en dan misschien ooit moeizaam een paar centimeter verder komen in de pikorde, een vooruitgang die zo miniem was dat je het nauwelijks vooruitgang kon noemen? Zou hij ooit de moed hebben om het op te geven, en zou hij het juiste moment herkennen, of zou hij op een dag wakker worden en in de spiegel een oude man zien, die zichzelf nog steeds acteur noemde uit angst om toe te geven dat hij dat misschien niet was en nooit worden zou?

Volgens JB was er maar één oorzaak dat Willem het nog niet had gemaakt, en dat was Willem zelf. Een van JB's favoriete reprimandes aan Willems adres begon met: 'Als ik jouw uiterlijk had...' en eindigde met: 'En je bent zo verdomde verwend geraakt doordat alles je is komen aanwaaien, dat je denkt dat het allemaal vanzélf gaat gebeuren. Maar weet je, Willem? Je bent knap, maar iederéén hier is knap, dus je zal gewoon wat harder je best moeten doen.'

Hoewel hij het nogal ironisch vond dat dit afkomstig was van JB (verwend? Moest je JB's familie zien, al die vrouwen die als moederkloeken achter hem aan liepen, hem van zijn lievelingseten en versgestreken overhemden voorzagen en hem omgaven met een wolk van complimentjes en genegenheid; hij had JB eens aan de telefoon tegen zijn moeder horen zeggen dat hij nieuw ondergoed nodig had en dat hij dat dan wel meenam als hij zondag bij haar kwam eten, en o ja, hij wilde graag runderribbetjes) snapte hij aan de andere kant wel wat JB bedoelde. Hij wist dat hij niet lui was, maar hij was domweg niet zo ambitieus als JB en Jude, had niet die grimmige, resolute vasthoudendheid waardoor ze langer dan alle anderen in het atelier of op kantoor bleven, en een enigszins dromerige blik in hun ogen hadden waardoor hij altijd dacht dat ze al gedeeltelijk in de toekomst leefden die ze zich voorstelden en waarvan de contouren alleen voor henzelf duidelijk zichtbaar waren. JB's ambitie werd gevoed door een sterk verlangen naar die toekomst en de wens om die zo snel mogelijk te bereiken; die van Jude werd, dacht Willem, meer ingegeven door een angst dat hij, als hij niet naar voren bewoog, vanzelf zou terugglijden in zijn verleden, het leven dat hij achter zich had gelaten en waar hij niets over kwijt wilde. En Jude en JB waren niet de enigen met deze eigenschap: het wemelde in New York van de mensen met ambitie. Dat was zo ongeveer het enige wat iedereen hier gemeen had.

Ambitie en atheïsme: 'Ambitie is mijn enige religie,' had JB laat op een bierovergoten avond tegen hem gezegd, en hoewel Willem het zinnetje iets te bestudeerd vond klinken, alsof hij erop aan het oefenen was en probeerde de achteloze, nonchalante toon te perfectioneren voordat hij het op een dag ergens in alle ernst tegen een interviewer zou zeggen, wist hij ook dat JB het meende. Alleen hier voelde je je genoodzaakt jezelf te rechtvaardigen als je ook maar iets minder fanatiek met je carrière bezig was, alleen hier moest je je verontschuldigen als je geloofde in iets anders dan jezelf.

De stad gaf hem vaak het gevoel dat hem iets essentieels ontging, en dat die onwetendheid hem ertoe veroordeelde de rest van zijn leven bij Ortolan te slijten. (Datzelfde gevoel had hij tijdens zijn studie gehad, toen hij absoluut zeker wist dat hij de domste van de klas was en alleen was toegelaten als een arme blanke excuusboer om te voldoen aan een onofficieel minderhedenbeleid.) De anderen hadden dat gevoel ook, dacht hij, maar alleen JB leek zich er echt druk over te maken.

'Ik weet het soms niet met jou, Willem,' had JB eens tegen hem gezegd, op een toon waaruit op te maken viel dat wat hij wél wist niet best was. Dat was eind vorig jaar geweest, kort nadat Merritt, Willems vroegere huisgenoot, een van de twee hoofdrollen had gekregen in een off Broadwayreprise van *True West*. De andere hoofdrol werd gespeeld door een acteur die kort daarvoor had geschitterd in een veelgeprezen onafhankelijke film en nu eventjes in de luxe situatie verkeerde dat hij zijn geloofwaardigheid in downtown Manhattan nog niet kwijt was terwijl tegelijk de belofte van meer succes bij het grote publiek lonkte. De regisseur (iemand met wie Willem heel graag zou willen werken) had beloofd dat hij een onbekende acteur zou kiezen voor de tweede hoofdrol. En hij had woord gehouden, zij het dat Merritt de onbekende was geworden en niet Willem. Zij tweeën waren de laatste kanshebbers voor de rol geweest.

Zijn vrienden waren plaatsvervangend woedend. 'Maar Merritt kan totaal niet acteren!' kermde JB. 'Hij gaat gewoon op het toneel staan stralen en denkt dat dat genoeg is!' Ze begonnen met z'n drieën over het laatste stuk waarin ze Merritt hadden gezien – *La Traviata*, off-off Broadway, een versie met mannen in alle rollen, die speelde op Fire Island in de jaren tachtig (Violetta, Merritts rol, heette in deze versie Victor en stierf aan aids in plaats van tuberculose) – en ze waren het erover eens dat het niet om aan te zien was geweest.

'Maar hij ziet er wél goed uit,' bracht Willem te berde, in een zwakke poging om zijn vroegere huisgenoot in diens afwezigheid te verdedigen.

'Zó knap is hij ook weer niet,' zei Malcolm met een felheid die de anderen verraste.

'Willem, het gaat nog wel gebeuren,' zei Jude troostend tegen hem toen ze na het eten op weg waren naar huis. 'Als er enige gerechtigheid in de wereld bestaat, gaat het gebeuren. Die regisseur is niet goed bij z'n hoofd.' Maar Jude gaf Willem nooit de schuld van zijn mislukkingen en JB altijd. Hij was er niet zeker van waar hij meer aan had.

Hij was hun natuurlijk dankbaar geweest voor hun boosheid, maar in zijn hart vond hij Merritt niet zo slecht als zij. Hij was zeker niet slechter dan Willem zelf, sterker nog, hij was waarschijnlijk beter. Later had hij dat tegen JB gezegd, die een lange stilte boordevol afkeuring had laten vallen voordat hij aan zijn reprimande begon. 'Ik weet het soms niet met jou, Willem,' zei hij. 'Soms heb ik het gevoel dat je eigenlijk helemaal geen acteur wilt worden.'

'Dat is niet waar,' protesteerde hij. 'Ik denk alleen niet dat elke afwijzing ongegrond is en dat iedereen die wél een rol krijgt alleen maar pure mazzel heeft.'

Opnieuw viel er een stilte. 'Je bent veel te aardig, Willem,' zei JB somber. 'Zo kom je er nooit.'

'Bedankt, JB,' antwoordde hij. Hij was zelden beledigd door JB's oordeel – vaak had hij gelijk – maar op dat ogenblik had hij weinig zin om JB's gedachten over zijn tekortkomingen aan te horen, of zijn zwartgallige voorspellingen over zijn toekomst als hij niet radicaal zou veranderen. Hij had de telefoon neergelegd en had klaarwakker in bed gelegen, radeloos en vol zelfmedelijden.

Hoe dan ook, het leek hem uitgesloten dat hij radicaal zou veranderen. Was het daar niet een beetje laat voor? Tenslotte was hij ook al een aardige jongen geweest voordat hij een aardige man werd. Dat was iedereen opgevallen: zijn leerkrachten, zijn klasgenootjes, de ouders van zijn klasgenootjes. 'Willem is zo sociaal,' stond er in zijn rapporten geschreven, rapporten waar zijn vader of moeder één snelle blik op wierp, zonder iets te zeggen, voordat ze bij de stapels kranten en lege enveloppen werden gestopt voor het oud papier. Toen hij ouder werd, was hij gaan beseffen dat anderen verrast of zelfs geschokt waren door zijn ouders; op de middelbare school had een leraar zich eens laten ontvallen dat hij, gezien Willems karakter, had gedacht dat zijn ouders anders zouden zijn.

'Hoe anders?' had hij gevraagd.

'Vriendelijker,' had zijn leraar gezegd.

Hij beschouwde zichzelf niet als bijzonder grootmoedig of uitgesproken onbaatzuchtig. De meeste dingen gingen hem makkelijk af: sport, school, vrienden maken, meisjes krijgen. Hij deed niet speciaal aardig, hij streefde er niet naar iedereen te vriend te houden en had een hekel aan lomperiken, bekrompenheid en gierigheid. Hij was bescheiden en een harde werker, die wist dat hij eerder vlijtig dan briljant was. 'Ken je plaats,' zei zijn vader vaak tegen hem.

Zijn vader kende zijn plaats. Willem herinnerde zich dat zijn vader, toen er in hun streek veel jonge lammetjes waren gestorven door een vorstperiode laat in het voorjaar, een keer door een journaliste was geïnterviewd voor een krantenartikel over de gevolgen hiervan voor de plaatselijke veeteeltbedrijven.

'Denkt u, als rancher...' begon de verslaggeefster, toen Willems vader haar onderbrak.

'Geen rancher,' zei hij, en door zijn accent klonk het, net als alles wat hij zei, bruusker dan nodig was, 'ranchknecht.' Hij had natuurlijk gelijk, 'rancher' had de specifieke betekenis van landeigenaar en volgens die definitie was hij geen rancher. Maar er waren meer dan genoeg anderen in de provincie die dan net zo min het recht hadden om zichzelf rancher te noemen en het toch deden. Willem had zijn vader nooit horen zeggen dat ze dat niet mochten, want zijn vader was niet geïnteresseerd in wat anderen wel of niet deden, maar een dergelijke hoogmoed was niets voor hem of voor zijn vrouw, Willems moeder.

Misschien dat Willem daardoor altijd had geweten wie en wat hij was, en zo kwam het dat hij, toen hij in alle opzichten steeds verder verwijderd was geraakt van de ranch en zijn jeugd daar, weinig druk had gevoeld om te veranderen of te proberen een ander mens te worden. Hij was te gast geweest aan de universiteit en nu was hij te gast in New York, te gast in de levens van de culturele en financiële elite. Hij zou nooit pretenderen dat hij hiervoor was voorbestemd, want hij wist dat dat niet zo was: hij was de zoon van een ranchknecht uit westelijk Wyoming, en dat hij daar was weggegaan betekende niet dat alles wat hij eens was geweest was uitgevlakt, overschreven door de tijd, door nieuwe ervaringen en doordat hij in de nabijheid van geld verkeerde.

Hij was het vierde kind van zijn ouders en het enige dat nog leefde. Als eerste was er een meisje geboren, Britte, dat op haar tweede aan leukemie was gestorven, lang voor de geboorte van Willem. Dat was nog in Zweden geweest, waar zijn IJslandse vader bij een viskwekerij had gewerkt en zijn moeder had ontmoet, die Deens was en een tijdje in Nederland had gewoond. Toen waren ze naar Amerika geëmigreerd en was er een jongetje gekomen, Hemming, dat was geboren met hersenverlamming. Drie jaar later kwam er nog een jongetje, Aksel, dat aan wiegedood was overleden.

Hemming was acht toen Willem geboren werd. Hij kon niet lopen of praten, maar Willem hield van hem en had hem altijd alleen maar als zijn grote broer gezien. Hemming kon wel glimlachen: dan bracht hij zijn hand naar zijn gezicht en vormde met zijn vingers een eendensnavel terwijl hij zijn felroze tandvlees ontblootte. Willem leerde kruipen en daarna lopen en rennen terwijl Hemming jaar na jaar in zijn rolstoel zat, en toen Willem oud en sterk genoeg was, duwde hij de zware rolstoel met zijn dikke, logge banden (de stoel was bedoeld voor binnenshuis, niet om mee door gras of over zandwegen te ploegen) naar alle uithoeken van de ranch waar ze met hun ouders in een klein houten huis woonden. Heuvelopwaarts stond de boerenhoeve, lang en laag en met een brede veranda rondom, en heuvelafwaarts waren de stallen, waar zijn ouders hun dagen doorbrachten. In zijn hele middelbareschooltijd was hij Hemmings belangrijkste verzorger en metgezel: 's ochtends werd hij als eerste wakker, zette koffie voor zijn ouders en kookte water voor Hemmings havermout, en 's avonds wachtte hij langs de kant van de weg op het busje waarmee zijn broer werd thuisgebracht van het dagbestedingscentrum, dat op een uur rijden lag. Willem had altijd gedacht dat je duidelijk kon zien dat ze broers waren – ze hadden het lichte, glanzende haar van hun ouders en de grijze ogen van hun vader, en beiden hadden links van hun mond een groef in de vorm van een haakje-sluiten, zodat ze er meestal geamuseerd uitzagen, alsof ze op het punt van lachen stonden – maar dat scheen andere mensen niet op te vallen. Zij zagen alleen dat Hemming in een rolstoel zat, dat zijn mond altijd openstond, een vochtig, rood ovaal, en dat zijn ogen de neiging hadden naar de hemel te draaien, gericht op een wolk die alleen hij kon zien.

'Wat zie je, Hemming?' vroeg hij soms tijdens hun avondwandeling, maar Hemming gaf natuurlijk nooit antwoord.

Hun ouders waren heel efficiënt en vaardig in hun omgang met Hemming, maar niet erg liefdevol, moest Willem erkennen. Als Willem laat uit school kwam vanwege een voetbal- of atletiekwedstrijd of als hij een extra dienst moest draaien bij de kruidenierswinkel, was het zijn moeder die Hemming opwachtte aan het begin van de oprit, hem in en uit bad tilde, hem zijn avondeten van rijstebrij met kip voerde en zijn luier verschoonde, waarna ze hem naar bed bracht. Maar ze las hem niet voor, praatte niet tegen hem en ging niet met hem wandelen, zoals Willem deed. Hij vond het nooit prettig om zijn ouders met Hemming te zien, niet omdat er iets op hun gedrag viel aan te merken, maar omdat hij aanvoelde dat ze Hemming zagen als een verantwoordelijkheid en verder niets. Later zou hij zichzelf voorhouden dat dat ook het enige was wat je redelijkerwijs van hen kon verwachten; alles wat verder ging dan dat zou puur een kwestie van geluk zijn geweest. Maar toch. Hij had graag gewild dat ze meer van Hemming hielden, al was het maar een klein beetje.

(Maar misschien was liefde te veel gevraagd van zijn ouders. Ze hadden zo veel kinderen verloren dat ze zich misschien domweg niet volledig wilden of konden geven aan de twee die er over waren. En uiteindelijk zouden Hemming en hij hen natuurlijk ook verlaten, uit vrije wil of niet, en dan zou hun verlies compleet zijn. Maar het duurde tientallen jaren voordat hij het zo kon zien.)

In het tweede jaar van Willems studie moest Hemming met spoed een blindedarmoperatie ondergaan. 'Ze zeiden dat ze er net op tijd bij waren,' vertelde zijn moeder over de telefoon. Haar stem klonk vlak en heel zakelijk, niet opgelucht of overstuur, maar – en hij moest zichzelf dwingen daarover na te denken, al wilde hij dat niet, durfde hij dat eigenlijk niet – ook niet teleurgesteld. Hemmings thuisverzorgster (een vrouw uit de buurt die werd betaald om 's nachts op hem te passen nu Willem er niet meer was) had gemerkt dat hij kermend naar zijn buik greep en had de harde, truffelvormige knobbel vlak boven zijn lies herkend. Tijdens de operatie waren de artsen een gezwel van een paar centimeter in zijn dikke darm tegengekomen en hadden een stukje weefsel weggenomen. Op röntgenfoto's waren nog meer gezwellen gevonden, en die gingen ze ook verwijderen.

'Ik kom naar huis,' had Willem gezegd.

'Nee,' antwoordde zijn moeder. 'Je kunt hier niets doen. We waarschuwen je wel als het iets ernstigs is.' Zijn vader en zij waren vooral verbijsterd geweest toen hij was toegelaten tot de universiteit – ze hadden geen van tweeën geweten dat hij zich had aangemeld – maar nu hij er eenmaal zat, waren ze vastbesloten dat hij moest afstuderen en de ranch zo snel mogelijk moest vergeten.

Maar 's nachts dacht hij aan Hemming, alleen in zijn ziekenhuisbed, aan hoe bang hij zou zijn en dat hij zou huilen en luisteren of hij Willems stem hoorde. Op Hemmings eenentwintigste was hij aan een ingewandsbreuk geopereerd, en toen had hij gehuild tot Willem er was om zijn hand vast te houden. Hij wist dat hij erheen moest.

De vluchten waren duur, veel duurder dan hij had verwacht. Hij zocht uit of hij de bus kon nemen, maar dan zou het hem drie dagen kosten om er te komen en nog eens drie voor de terugweg, en dat terwijl hij tentamens had die hij met goede cijfers moest halen om zijn beurs niet kwijt te raken, en bovendien rekening moest houden met zijn bijbaantjes. Toen hij die vrijdagavond te veel had gedronken, nam hij Malcolm in vertrouwen, die zijn chequeboekje pakte en een cheque voor hem uitschreef.

'Dat kan ik niet aannemen,' zei hij onmiddellijk.

'Waarom niet?' vroeg Malcolm. Ze praatten een tijdje heen en weer totdat Willem de cheque uiteindelijk aannam.

'Ik betaal het je terug, dat weet je, hè?'

Malcolm haalde zijn schouders op. 'Ik weet niet hoe ik het moet zeggen zonder als een enorme klootzak te klinken, maar het maakt me echt niks uit, Willem.'

Toch was het belangrijk voor hem om Malcolm op de een of andere manier terug te betalen, al wist hij dat Malcolm zijn geld niet eens zou aannemen. Jude opperde het idee om het geld rechtstreeks in Malcolms portefeuille te stoppen, en dus schoof hij er elke twee weken, nadat hij betaald was door het restaurant waar hij in de weekends werkte, twee of drie briefjes van twintig in als Malcolm sliep. Hij kwam er nooit achter of Malcolm het in de gaten had, want die gaf het razendsnel weer uit, en vaak aan hen drieën, maar het gaf hem een gevoel van voldoening en zelfrespect.

Maar intussen was daar Hemming. Willem was blij om naar huis te gaan (zijn moeder had alleen maar gezucht toen hij vertelde dat hij eraan kwam) en blij om Hemming te zien, maar wel verontrust dat die zo mager was geworden en dat hij kreunde en jammerde als de verpleegsters het gebied rond zijn hechtingen hardhandig aanraakten; Willem moest in de randen van zijn stoelzitting knijpen om de neiging te bedwingen tegen ze uit te varen. 's Avonds zaten zijn ouders en hij zwijgend aan tafel; hij kon bijna voelen hoe ze zich terugtrokken, alsof ze zich losmaakten van hun leven als ouders van twee kinderen en zich voorbereidden op het aannemen van een nieuwe identiteit, ergens anders.

Op de derde avond pakte hij de sleutels van de truck om naar het ziekenhuis te rijden. Aan de oostkust was het voorjaar net aangebroken, maar hier leek nog vorst te glinsteren in de donkere lucht, en 's ochtends lag er een dun laagje ijskristallen over het gras.

Toen hij de trap van de veranda af liep, kwam zijn vader naar buiten. 'Hij ligt toch te slapen,' zei hij.

'Ik dacht, ik ga nog even,' antwoordde Willem.

Zijn vader keek hem aan. 'Willem, hij merkt niet eens of je er bent of niet.'

Hij voelde zijn gezicht gloeien. 'Ik weet dat jij geen ene rotmoer om hem geeft,' snauwde hij, 'maar ik wel.' Het was voor het eerst dat hij zulke taal gebruikte tegen zijn vader en hij stond als verstijfd, bang en tegelijk half wensend dat zijn vader zou reageren en dat ze misschien ruzie zouden krijgen. Maar zijn vader nam alleen een slokje van zijn koffie, draaide zich om en liep weer naar binnen, en de hordeur viel zachtjes achter hem dicht.

De rest van de tijd dat hij er was gedroegen ze zich net als eerder: ze brachten om beurten bezoekjes aan Hemming, en als Willem niet in het ziekenhuis was hielp hij zijn moeder met de boekhouding of zijn vader bij het toezicht op het beslaan van de paarden. 's Avonds ging hij terug naar het ziekenhuis en werkte aan zijn studie. Hij las voor uit de *Decamerone* terwijl Hemming naar het plafond keek en met zijn ogen knipperde, en worstelde zich door zijn wiskundeopgaven heen, die hij voltooide in de akelige zekerheid dat hij ze allemaal fout had. Ze waren er alle drie aan gewend geraakt dat hun wiskunde door Jude werd gemaakt, die door de opgaven schoot met een tempo alsof hij toonladders speelde. In hun eerste jaar had Willem oprecht de wil gehad om het te snappen, en Jude had het hem een paar avonden achterelkaar steeds opnieuw uitgelegd, maar hij had het nooit doorgekregen.

'Ik ben hier gewoon te dom voor,' had hij gezegd, nadat ze voor zijn gevoel urenlang bij elkaar hadden gezeten en hij alleen nog maar naar buiten wilde om een heel eind te gaan hardlopen, zo kregel was hij geworden van ongeduld en frustratie.

Jude had naar de grond gekeken. 'Je bent niet dom,' zei hij met zachte stem. 'Ik leg het gewoon niet goed uit.' Jude volgde colleges zuivere wiskunde waar je voor moest worden uitgenodigd, terwijl de anderen zelfs geen flauw idee hadden wat ze zich daarbij moesten voorstellen.

Als hij erop terugkeek, was het enige wat hem verbaasde zijn eigen verbazing toen zijn moeder hem drie maanden later belde om te vertellen dat Hemming aan de beademing lag. Dat was eind mei en hij was halverwege zijn laatste tentamens. 'Niet naar huis komen,' zei ze, en het klonk bijna als een bevel. 'Niet doen, Willem.' Hij sprak Zweeds met zijn ouders, en pas vele jaren later, toen een Zweedse regisseur met wie hij werkte hem erop wees dat zijn stem emotieloos werd als hij naar die taal overschakelde, kreeg hij door dat hij zich onbewust had aangewend een bepaalde toon te gebruiken als hij met zijn ouders sprak, onbewogen en bars, een imitatie van de hunne.

De dagen daarna piekerde hij veel en maakte zijn tentamens slecht: Frans, vergelijkende literatuurwetenschap, Engels renaissancetheater, de IJslandse sagen en de gehate wiskunde vloeiden allemaal samen tot één geheel. Hij maakte ruzie met zijn vriendin, een ouderejaars die haar masterexamen deed. Ze ging huilen en hij voelde zich schuldig, maar niet in staat iets aan de situatie te doen. Hij dacht aan Wyoming, aan een apparaat dat leven in Hemmings longen pompte. Kon hij er niet beter naartoe gaan? Hij móést ernaartoe. Maar hij zou niet lang kunnen blijven: op 15 juni zouden Jude en hij voor de duur van de zomer verhuizen naar een appartement buiten de campus dat ze onderhuurden – ze hadden baantjes gevonden in de stad: Jude doordeweeks als secretaris van een hoogleraar klassieke talen en in het weekend in de banketbakkerij waar hij tijdens het studiejaar ook al had gewerkt, en Willem als klassenassistent bij een project voor gehandicapte kinderen – maar voordat het zover was, gingen ze met z'n vieren naar het huis van Malcolms ouders in Aquinnah, op Martha's Vineyard, waarna Malcolm en JB terug zouden rijden naar New York. Elke avond belde hij naar het ziekenhuis waar Hemming lag, vroeg zijn ouders of een van de verpleegsters om de telefoon bij zijn oor te houden en praatte tegen zijn broer, al wist hij dat die hem waarschijnlijk niet kon horen. Maar hij moest het toch proberen?

En toen, op een ochtend een week later, belde zijn moeder: Hemming was overleden. Er viel niets te zeggen. Hij kon niet vragen waarom ze hem niet had verteld hoe ernstig zijn toestand was geweest, want ergens had hij geweten dat ze dat niet zou doen. Hij kon niet zeggen dat hij wilde dat hij erbij was geweest, want daar zou ze geen antwoord op hebben. Hij kon haar niet vragen hoe ze zich voelde, want niets wat ze zei zou genoeg zijn. Hij zou zijn ouders wel willen toeschreeuwen, ze slaan, om íéts uit ze los te krijgen, wat dan ook: dat ze volschoten, dat ze hun zelfbeheersing verloren, dat op een of andere manier werd erkend dat er iets groots was gebeurd, dat ze met Hemmings dood iets waren kwijtgeraakt wat essentieel en onontbeerlijk voor hun leven was. Het kon hem niet schelen of ze echt dat gevoel hadden of niet, hij moest gewoon horen dat ze het zeiden, hij moest merken dat er iets wás onder hun onverstoorbare kalmte, dat er ergens in hun binnenste een smal beekje met snelstromend, koel water was, rijk aan teer leven: visjes, grassen en piepkleine witte bloemetjes, allemaal broos en fragiel en zo kwetsbaar dat je er niet naar kon kijken zonder compassie te voelen.

Hij vertelde zijn vrienden niet meteen over Hemming. Ze gingen naar het huis van Malcolms ouders – een prachtige plek, de mooiste plek die Willem ooit had gezien en verreweg de mooiste waar hij ooit had gelogeerd – en 's avonds laat, als de anderen sliepen, ieder in zijn eigen bed in zijn eigen kamer met zijn eigen badkamer (zo groot was het huis), sloop hij naar buiten en liep urenlang over de paden die de omgeving doorkruisten, onder een maan die zo groot en helder was dat hij uit bevroren vloeistof leek te bestaan. Op die wandelingen deed hij zijn best nergens aan te denken. In plaats daarvan concentreerde hij zich op wat hij zag, en zo viel hem 's nachts op wat hem overdag was ontgaan: dat de aarde waarover hij liep zo fijn was dat het bijna zand was en in wolkjes opstoof als hij zijn voeten neerzette, en dat er boomschorsbruine slangen als dunne sliertjes geruisloos onder het kreupelhout door zigzagden als hij passeerde. Hij liep naar de oceaan en boven hem verdween de maan achter slordige wolkenflarden, waardoor hij het water enige tijd alleen kon horen, niet zien, en de atmosfeer was klam en warm, alsof zelfs de lucht hier compacter, substantiëler was.

Misschien voelt het zo als je dood bent, dacht hij, en hij besefte dat dat niet zo akelig was en knapte er een beetje van op.

Hij had verwacht dat het afschuwelijk zou zijn om de zomer door te brengen met mensen die hem misschien aan Hemming deden denken, maar het bleek juist prettig te zijn en zelfs troost te bieden. Er zaten zeven leerlingen in zijn klas, allemaal een jaar of acht, allemaal ernstig gehandicapt, geen van allen erg mobiel, en hoewel een deel van de dag besteed moest worden aan pogingen hun de namen van kleuren en vormen bij te brengen, werd er vooral met hen gespeeld: ze werden voorgelezen, over het terrein geduwd of met veren gekieteld. In de pauze werden de deuren van alle klaslokalen opengezet naar de centrale speelplaats en die was dan al snel vol kinderen in zo'n verscheidenheid aan rijdende toestellen, vehikels en voertuigen dat het soms klonk alsof hij werd bevolkt door mechanische insecten die allemaal tegelijk piepten, zoemden en klakten. Er waren kinderen in rolstoelen, kinderen op miniatuurbrommers die met de snelheid van een schildpad over de tegels pruttelden en ratelden, kinderen die liggend waren vastgegespt op gladde houten platen die eruitzagen als afgezaagde surfplanken op wielen en zich voorttrokken door met hun armstompjes over de grond te bewegen, en een paar kinderen die helemaal geen vervoermiddel hadden en op schoot zaten bij hun verzorgers, die hun hoofd met hun hand ondersteunden om het rechtop te houden. Zij deden hem nog het meest aan Hemming denken.

Sommige kinderen op de brommertjes en de planken op wielen konden praten, en hij gooide hun heel voorzichtig grote schuimrubber ballen toe en organiseerde races op de speelplaats. Hij begon die wedstrijden altijd aan kop, met lange, soepele, overdreven langzame passen (maar niet zo overdreven dat het al te komisch werd, want hij wilde dat ze dachten dat hij echt zijn best deed), maar op ongeveer een derde van de route rond het plein deed hij alsof hij ergens over struikelde en maakte een spectaculaire val, en dan haalden alle kinderen hem in en riepen lachend: 'Sta op, Willem, sta op!', en dat deed hij, maar tegen die tijd waren ze allemaal over de finish, zodat hij als laatste binnenkwam. Soms vroeg hij zich af of ze hem benijdden om de behendigheid waarmee hij viel en weer opstond, en zo ja, of hij ermee moest stoppen, maar toen hij het aan zijn leidinggevende vroeg, had die Willem alleen maar aangekeken en gezegd dat de kinderen hem grappig vonden en dat hij vooral moest doorgaan met vallen. Dus viel hij elke dag, en als hij 's middags met de leerlingen op hun ouders wachtte, die hen kwamen halen, vroegen degenen die konden praten of hij de volgende dag weer zou vallen. 'Nee joh, natuurlijk niet,' zei hij dan zelfverzekerd, terwijl ze giechelden. 'Denk je nou echt dat ik zo onhandig ben?'

Het was in veel opzichten een mooie zomer. Hun appartement was vlak bij het Massachusetts Institute of Technology en ze huurden het van Judes wiskundedocent, die de zomer in Leipzig doorbracht en er zo'n klein huurtje voor vroeg dat de twee bijna als vanzelf kleine klusjes gingen doen om hun dankbaarheid te tonen: Jude ordende de boeken die op elk beschikbaar horizontaal oppervlak tot gevaarlijk wankelende wolkenkrabbers waren opgestapeld en repareerde het pleisterwerk van een stuk muur dat papperig was geworden door waterschade, en Willem schroefde deurkrukken vast, verving een lekkend leertje en zette een nieuwe vlotterkraan in het toilet. Hij sloot vriendschap met een andere klassenassistent van zijn school, een meisje dat aan Harvard studeerde, en soms kwam ze 's avonds naar hen toe en dan maakten ze met z'n drieën een grote pan spaghetti alle vongole en vertelde Jude wat hij die dag had meegemaakt met de hoogleraar, die had besloten alleen in het Latijn of Oudgrieks met Jude te communiceren, zelfs om instructies te geven zoals 'ik heb meer papierklemmen nodig' of 'denk eraan dat je morgenochtend een extra scheut sojamelk in mijn cappuccino doet'. In augustus begonnen hun vrienden en kennissen van hun universiteit (en van Harvard, MIT, Wellesley College en Tufts University) terug te komen naar de stad, en ze bleven vaak een paar dagen bij hen logeren voordat ze terechtkonden in hun eigen appartement of kamer in een studentenhuis. Tegen het einde van hun onderhuurperiode gaven ze op een avond voor vijftig man een groot feest op het dak, en onder leiding van Malcolm maakten ze maiskolven, mosselen en andere schelpdieren klaar op de barbecue, afgedekt onder stapels vochtig gemaakte bananenbladeren; de volgende ochtend schepten ze met z'n vieren de schelpen van de grond en hadden veel lol in het castagnettengeklepper dat klonk als ze in vuilniszakken werden gegooid.

Maar het was ook de zomer waarin hij besefte dat hij niet meer naar huis zou gaan, dat het zonder Hemming om de een of andere reden geen zin meer had te doen alsof zijn ouders en hij bij elkaar hoorden. Hij vermoedde dat zij er net zo over dachten; er werd geen woord over gezegd, maar hij voelde op geen enkel moment de behoefte om hen te zien en ze vroegen ook niet of hij kwam. Af en toe spraken ze elkaar, en dan waren hun gesprekken zoals altijd beleefd, feitelijk en plichtmatig. Hij vroeg naar de ranch en zij vroegen naar zijn studie. In het jaar voor zijn bachelorexamen kreeg hij een rol in de theaterproductie van zijn opleiding, *The Glass Menagerie* (uiteraard die van de jongeman die op bezoek komt), maar dat vertelde hij hun niet, en toen hij zei dat ze niet helemaal naar Boston hoefden te komen voor zijn diploma-uitreiking brachten ze daar niets tegen in; het liep trouwens tegen het einde van het werpseizoen van de merries, dus hij wist niet eens of ze anders wel waren gekomen. Jude en hij waren in de weekends kind aan huis bij de familie van Malcolm en van JB, en als die er niet waren, waren er genoeg anderen die hen uitnodigden voor feestelijke lunches, etentjes en uitjes.

'Maar het zijn je óúders,' zei Malcolm zo ongeveer eens per jaar. 'Je kan niet zomaar besluiten ze niet meer op te zoeken.' Maar dat kon wel, dat gebeurde gewoon, daar was hij het bewijs van. Het was een relatie als alle andere, vond hij: je moest er voortdurend aan werken, toegewijd en oplettend, en als geen van beide partijen die moeite wilde nemen, waarom zou ze dan niet doodbloeden? Het enige wat hij miste, afgezien van Hemming, was Wyoming zelf: het volkomen vlakke landschap, de bomen zo diepgroen dat ze blauw leken, en de turfachtige appelgeur en zoete mestlucht van een paard nadat het 's avonds was geborsteld.

Tijdens zijn masterstudie waren ze binnen één jaar allebei gestorven, zijn vader in januari aan een hartaanval en zijn moeder in oktober aan een herseninfarct. Toen was hij wél naar huis gegaan; zijn ouders waren al vrij oud geweest, maar pas toen hij zag hoe nietig ze er nu uitzagen, herinnerde hij zich weer hoe energiek en onvermoeibaar ze vroeger altijd waren. Hij was hun enige erfgenaam, maar nadat hij hun schulden had afbetaald – en dat was opnieuw een confronterend moment, want hij had altijd aangenomen dat het grootste deel van Hemmings verzorging en medische behandeling door de verzekering was betaald, maar nu ontdekte hij dat ze vier jaar na zijn dood nog steeds elke maand een enorm bedrag afdroegen aan het ziekenhuis – was er heel weinig over: een beetje geld, wat obligaties, een zilveren kroes met een zware bodem die van zijn lang geleden overleden grootvader van vaderskant was geweest, zijn vaders verbogen trouwring, glad, glanzend en vaal gesleten, een zwart-witfoto van Hemming en Aksel die hij nog nooit had gezien. Die dingen hield hij, en nog een paar andere spullen. De rancher voor wie zijn ouders vroeger hadden gewerkt was allang dood, maar zijn zoon, die de ranch had geërfd, had hen altijd goed behandeld en hen veel langer in dienst gehouden dan redelijkerwijs van hem verwacht had mogen worden. Nu betaalde hij ook hun begrafenissen.

Door hun dood ging Willem zich weer herinneren dat hij toch van hen had gehouden, dat ze hem dingen hadden geleerd die hij koesterde en dat ze nooit iets van hem hadden gevraagd waaraan hij niet kon voldoen. Op momenten dat hij minder mild gestemd was geweest (momenten van nog maar een paar jaar eerder) had hij hun matte reacties, hun stilzwijgende aanvaarding van wat hij wel of niet deed, gezien als een gebrek aan belangstelling: wat zijn dat voor ouders, had Malcolm hem eens half afgunstig, half medelijdend gevraagd, dat ze niet eens iets zeggen als hun enige kind (hiervoor had hij zich later verontschuldigd) vertelt dat hij acteur wil worden? Maar nu hij ouder was, ging hij het waarderen dat ze nooit ook maar hadden gesuggereerd dat hij hun iets verschuldigd zou zijn, geen succes, steun, genegenheid, zelfs geen loyaliteit. Hij wist dat zijn vader in Stockholm in de problemen was geraakt

– wat voor problemen precies zou hij nooit weten – en dat die voor hun ouders deels de reden waren geweest om naar Amerika te emigreren. Ze hadden nooit van hem verlangd dat hij net zo werd als zij, want eigenlijk wilden ze zelf niet eens zo zijn.

Zo was zijn volwassen leven begonnen, en de afgelopen drie jaar had hij in een vijver met een bodem vol slijk van oever naar oever gedobberd, met bomen boven zijn hoofd die het licht tegenhielden, zodat het te donker was om te zien of er een rivier ontsprong aan het meertje waarin hij zich bevond of dat het helemaal door land werd omsloten, een afgesloten wereldje waarin hij misschien wel jaren, decennia – zijn hele leven – stuntelend op zoek zou zijn naar een uitweg die niet bestond en nooit had bestaan.

Als hij een agent had, iemand die zijn gids kon zijn, zou die hem misschien laten zien hoe hij kon ontsnappen en de route stroomafwaarts kon vinden. Maar dat had hij niet, nog niet (hij moest in elk geval zo optimistisch blijven om te denken in termen van 'nog' niet), en dus verkeerde hij in het gezelschap van lotgenoten, allemaal op zoek naar datzelfde moeilijk te vinden zijstroompje, dat slechts enkelen een uitweg uit het meer bood en door niemand ooit werd gebruikt om terug te komen.

Hij was bereid om te wachten. Hij hád gewacht. Maar de laatste tijd had hij het gevoel dat zijn geduld stekeliger werd, splinterig en ruw, dat er droge kleine stukjes van afbrokkelden.

Maar hij was niet zorgelijk van aard, niet geneigd tot zelfmedelijden. Er waren zelfs momenten dat hij thuiskwam van Ortolan of van een repetitie voor een toneelstuk waar hij een week aan zou werken maar vrijwel niets voor betaald zou krijgen, in elk geval zo weinig dat hij zich het dagmenu van het restaurant niet zou kunnen veroorloven, en dat hij toch met een voldaan gevoel hun appartement binnen stapte. Behalve Jude en hij zou niemand Lispenard Street als een persoonlijke overwinning beschouwen – al had hij er nog zo veel aan opgeknapt en had Jude het nog zo grondig schoongemaakt, het had nog steeds iets treurigs en clandestiens, alsof de ruimte zichzelf eigenlijk de naam appartement niet waard achtte – maar op die momenten dacht hij soms: dit is genoeg. Dit is meer dan waar ik op hoopte. In New York wonen, volwassen zijn, op een houten verhoging staan en de woorden van iemand anders zeggen! Het was een absurd leven, niet echt een leven, een leven waarvan zijn ouders en zijn broer nooit gedroomd zouden hebben, maar waar hij elke dag van mocht dromen.

Maar dan vervloog dat gevoel en bleef hij achter met het kunstkatern van de krant, waarin hij las over andere mensen, die het soort dingen deden waarvan zelfs hij niet droomde, omdat hij niet eens beschikte over voldoende fantasie en arrogantie om zich die dingen voor te stellen, en in die uren leek de wereld heel groot, het meer heel leeg en de nacht heel zwart, en dan wilde hij dat hij weer op Hemming stond te wachten, aan het begin van de oprit in Wyoming, waar de enige weg die hij moest gaan de weg terug naar zijn ouderlijk huis was en waar de lamp op de veranda de nacht in honing dompelde.

~

Om te beginnen was er het kantoorleven dat je zag: met z'n veertigen in de grote ruimte, iedereen aan zijn eigen bureau, met aan de ene kant, het dichtst bij waar Malcolm zat, de glazen kamer van Rausch en aan de andere kant de glazen kamer van Thomasson. Daartussenin: twee muren met ramen erin, aan de ene kant uitzicht over 5th Avenue in de richting van Madison Square Park, aan de andere kant een blik op Broadway met zijn naargeestige, grauwe trottoir vol kauwgomresten. Dat leven bestond officieel van tien uur 's ochtends tot zeven uur 's avonds, van maandag tot en met vrijdag. In dat leven deden ze wat hun werd opgedragen: ze werkten aan maquettes, ze maakten de ene tekening na de andere, ze interpreteerden het raadselachtige gekriebel van Rausch en de gedetailleerde, in blokletters geschreven opdrachten van Thomasson. Ze praatten niet met elkaar. Ze overlegden niet. Als er klanten kwamen om met Rausch en Thomasson te vergaderen aan de lange glazen tafel die midden in de grote ruimte stond, keken ze niet op. Als het een beroemde klant was, zoals steeds vaker voorkwam, bogen ze zich zo diep over hun bureau en waren ze zo stil dat zelfs Rausch zijn stem – eindelijk – aanpaste aan het volume om hem heen en ging fluisteren.

Dan was er het andere kantoorleven, het echte leven. Thomasson was er toch al steeds minder vaak, dus was het vertrek van Rausch datgene waar iedereen op wachtte, en soms moesten ze lang wachten, want ondanks al zijn partybezoek, geflirt met de pers, zijn rol als opinievormer en al zijn reizen was Rausch eigenlijk een harde werker, en hoewel hij weleens ergens naartoe ging (een opening, een lezing), kwam hij soms ook weer terug, en dan moest alles haastig weer in de oude staat worden hersteld, zodat het kantoor waar hij binnen stapte leek op het kantoor dat hij had achtergelaten. Het was handiger om te wachten op de avonden dat ze zeker wisten dat hij weg zou blijven, al betekende dat soms wachten tot negen of tien uur. Ze hadden de assistente van Rausch ingepalmd door koffie en croissantjes voor haar te kopen, en wisten dat ze konden vertrouwen op haar informatie over het komen en gaan van haar baas.

Als Rausch definitief voor de rest van de dag vertrokken was, onderging het kantoor ogenblikkelijk een metamorfose, als een pompoen die in een rijtuig verandert. Er werd muziek aangezet (beurtelings gekozen door een van de vijftien medewerkers die dat voorrecht hadden), als uit het niets verschenen er menukaarten van afhaalrestaurants en op alle computers verdween het werk voor Ratstar Architects voor de rest van de avond in digitale mappen, liefdeloos in slaap geklikt en vergeten. Ze permitteerden zich een uurtje van ledigheid, waarin ze het eigenaardige, Teutoonse gebulder van Rausch imiteerden (sommigen dachten dat hij eigenlijk uit New Jersey kwam en dat hij zich zijn naam – Jupp Rausch, die moest toch verzonnen zijn? – en zijn overdreven accent had aangemeten om te verbloemen dat hij doodsaai was en eigenlijk gewoon Jesse Rosenberg heette) en Thomassons norse blik nabootsten, en de manier waarop hij heen en weer liep door het hele kantoor als hij indruk wilde maken op gasten, en tegen niemand in het bijzonder (tegen hen, waarschijnlijk) bulderde: 'An die arbeid, heren! An die arbeid!' Ze staken de draak met de hoogste bureauchef, Dominick Cheung, die getalenteerd was maar verbitterd begon te raken (het stond voor iedereen behalve hemzelf als een paal boven water dat hij nooit partner zou worden, hoe vaak Rausch en Thomasson hem dat ook beloofden), en zelfs met de projecten waar ze aan werkten: de nooit gebouwde neokoptische kerk van travertijn in Cappadocië, het huis zonder zichtbaar geraamte in Karuizawa, met zijn gevelloze glazen oppervlakken waar nu roestwater langs biggelde, het voedingsmuseum in Sevilla dat een prijs had verdiend maar niet had gekregen, en het poppenmuseum in Santa Catarina dat een prijs had gekregen die het nooit had verdiend. Ze staken de draak met de opleidingen die ze hadden gevolgd – aan het MIT, Yale, de Rhode Island School of Design, Columbia, Harvard – en grapten dat ze natuurlijk waren gewaarschuwd dat hun leven jarenlang ellendig zou zijn, maar dat ze er stuk voor stuk van uit waren gegaan dat zij de uitzondering op de regel waren (en in stilte dachten ze dat stuk voor stuk nog steeds). Ze staken de draak met hun lage salaris, en met het feit dat ze op hun zevenentwintigste, dertigste of tweeëndertigste nog steeds bij hun ouders woonden, een appartement deelden of samenwoonden met een vriendinnetje dat bij een bank werkte of een vriendje dat redacteur was (hoe droevig als je je door je vriendje de redacteur moest laten onderhouden omdat zelfs hij meer verdiende dan jij). Ze schepten op over wat ze op dit moment gedaan zouden hebben als ze niet verstrikt waren geraakt in deze hopeloze bedrijfstak: dan zouden ze conservator zijn geweest (waarschijnlijk de enige baan waarmee ze nog minder zouden verdienen dan ze nu deden), sommelier (oké, dat was er nog een), galeriehouder (nummer drie), schrijver (vier dan – het was wel duidelijk dat ze het geen van allen in zich hadden om veel geld te gaan verdienen, zelfs niet in hun fantasieën). Ze ruzieden over gebouwen die ze mooi vonden en gebouwen die ze afschuwelijk vonden. Ze bediscussieerden een foto-expositie in de ene galerie en een video-installatie in de andere. Ze debatteerden luidkeels over recensenten, restaurants, filosofieën en materialen. Ze beklaagden zich bij elkaar over collega's die succesvol waren geworden en verkneukelden zich over collega's die ermee waren gekapt en nu lama's fokten in Mendoza, maatschappelijk werk deden in Ann Arbor of wiskundeles gaven in Chengdu.

Overdag speelden ze architectje. Nu en dan was er een klant die zijn blik langzaam door de zaal liet dwalen en op een van hen liet rusten, meestal op Margaret of Eduard, omdat die de knapsten van het stel waren, en Rausch, die het altijd bijzonder snel in de gaten had als hij niet meer in het middelpunt van de belangstelling stond, riep de uitverkorene dan bij zich alsof hij een kind aan tafel bij de volwassenen uitnodigde. 'Ja, dat is Margaret,' zei hij terwijl de klant haar taxerend opnam, ongeveer net zoals hij een paar minuten eerder naar de ontwerpen van Rausch had gekeken (ontwerpen die trouwens door Margaret waren uitgewerkt). 'Vandaag of morgen jaagt ze me de tent uit, wacht maar af.' En hij lachte zijn droevige, gemaakte walruslach: 'Ha! Ha! Ha!'

Dan glimlachte Margaret en zei hallo, en zodra ze zich had omgedraaid sloeg ze haar ogen ten hemel. De anderen wisten dat ze dacht wat zij allemaal dachten: val dood, Rausch. En: wanneer? Wanneer zal ik je plaats innemen? Wanneer is het mijn beurt?

Intussen hadden ze alleen hun spel: na het dollen, debatteren en eten daalde er een stilte neer en hoorde je alleen nog maar het holle geklik van muizen als het individuele werk weer uit de mappen werd gesleept en geopend, en het krassen van potloden die over papier werden getrokken. Hoewel ze allemaal tegelijk zaten te werken met hetzelfde materiaal van het bedrijf, vroeg niemand ooit of hij het werk van een ander mocht zien; het was alsof ze gezamenlijk hadden besloten te doen alsof dat niet bestond. Dus je werkte tot middernacht, je tekende fantasieconstructies en verboog parabolen tot fantasievormen, en dan ging je weg, altijd met hetzelfde stomme grapje: 'Tot over tien uur.' Of negen of acht uur, als je echt geluk had gehad en die avond heel productief was geweest.

Vanavond was een van de avonden dat Malcolm alleen wegging, en vroeger dan de anderen. Zelfs als hij wel tegelijk met iemand anders naar buiten liep, konden ze toch nooit samen de metro nemen, want de anderen woonden allemaal in downtown Manhattan of in Brooklyn, terwijl hij naar noordelijk Manhattan ging. Het voordeel van in z'n eentje naar buiten gaan was dat niemand zou zien dat hij een taxi nam. Hij was niet de enige op kantoor met rijke ouders – de ouders van Katharine hadden ook geld, net als die van Margaret en die van Frederick, daar was hij vrij zeker van – maar hij woonde nog bij zijn rijke ouders en de anderen niet.

Hij hield een taxi aan. 'De hoek van 71st en Lex,' zei hij tegen de chauffeur. Tegen een zwarte chauffeur zei hij altijd dat hij naar Lexington Avenue moest. Tegen een chauffeur die niet zwart was, was hij eerlijker: 'Tussen Lex en Park, dichter bij Park.' JB vond dat op z'n minst bespottelijk en eigenlijk ronduit verwerpelijk. 'Denk je nou echt dat ze je een coole gast vinden als ze denken dat je aan Lex en niet aan Park woont?' vroeg hij dan. 'Malcolm, wat ben je toch een zacht ei.'

Die discussie over taxi's was een van de vele die hij in de loop van de jaren met JB had gehad over zwart zijn, en meer in het bijzonder over zijn eigen gebrekkige zwartheid. Een andere discussie over taxi's was opgelaaid toen Malcolm had opgemerkt (dom van hem; terwijl hij het zichzelf hoorde zeggen, zag hij zijn vergissing al in) dat hij er nooit problemen mee had om een taxi te krijgen in New York en dat mensen die daarover klaagden misschien overdreven. Dat was in het derde jaar van hun studie, tijdens de eerste en laatste keer dat JB en hij de wekelijkse bijeenkomst van de Black Student Union bijwoonden. JB's ogen waren bijna uit hun kassen gevallen, zo ostentatief verontwaardigd was hij, maar toen iemand anders, een zelfvoldane zak uit Atlanta, Malcolm vertelde dat je hem punt één nauwelijks zwart kon noemen, dat hij punt twee een bounty was, en punt drie een witte moeder had en zich dus niet kon voorstellen hoe het was om écht zwart te zijn, was het JB geweest die voor hem was opgekomen; JB viel hem er altijd op aan dat hij niet zwart genoeg was, maar andere mensen moesten dat niet proberen, en al helemaal niet in gemengd gezelschap, waaronder JB elk gezelschap buiten Jude en Willem verstond, en meer in het bijzonder een gezelschap met andere zwarte mensen.

Toen hij aankwam in zijn ouderlijk huis aan 71st Street (dichter bij Park Avenue), onderging hij de avondlijke ondervraging, door zijn ouders vanaf de eerste verdieping naar beneden geroepen ('Ben jij dat, Malcolm?' 'Ja!' 'Heb je gegeten?' 'Ja!' 'Heb je nog honger?' 'Nee!'), en sjokte naar boven, naar zijn eigen domein, om de belangrijkste dilemma's uit zijn leven weer eens op een rijtje te zetten.

Hoewel JB er die avond niet bij was geweest om zijn gesprek met de taxichauffeur te horen, zorgde Malcolms schuldgevoel en zelfkritiek ervoor dat de kwestie ras vanavond naar de eerste plaats van de ranglijst klom. Ras was altijd een heikel punt geweest voor Malcolm, maar in het tweede jaar van hun studie had hij een briljante uitweg bedacht: hij was niet zwart, hij was postzwart. (Het postmodernisme was veel later tot Malcolms bewustzijn doorgedrongen dan tot dat van anderen, want uit een soort passieve opstandigheid tegen zijn moeder had hij literatuurlessen altijd zo veel mogelijk gemeden.) Helaas overtuigde hij niemand met deze redenering, en JB al helemaal niet. Malcolm was JB gaan beschouwen als niet zozeer zwart maar prezwart, alsof zwart-zijn een ideale toestand was, een soort nirwana, en hij er onophoudelijk naar streefde die op een dag plotsklaps te bereiken.

Bovendien had JB intussen weer een andere manier gevonden om Malcolm af te troeven, want in de periode dat Malcolm zijn postmoderne identiteit ontdekte, ontdekte JB de performance als kunstvorm (het vak dat hij volgde, 'Identiteit als kunst: performatieve transformaties en het contemporaine lichaam', was erg in trek bij een bepaald soort besnorde lesbiennes voor wie Malcolm als de dood was, maar die om de een of andere reden altijd in zwermen op JB afkwamen). Hij was zo gegrepen door het werk van Lee Lozano dat hij voor zijn tussentijdse werkstuk besloot een eerbetoon aan haar te brengen, getiteld *Besluit om witten te boycotten (naar Lee Lozano)*, wat inhield dat hij niet meer tegen witte mensen sprak. Op een zaterdag zette hij, half verontschuldigend maar vooral trots, zijn plan voor hen uiteen: vanaf middernacht zou hij helemaal niets meer tegen Willem zeggen en zijn woordproductie tegen Malcolm met de helft verminderen. Omdat niet duidelijk was van welk ras Jude was, zou hij tegen hem blijven praten, maar dan wel alleen in raadsels of zenboeddhistische koans, om het mysterie van zijn etnische herkomst recht te doen.

Jude en Willem wisselden een blik, snel en serieus maar wel veelbetekenend, zoals Malcolm geïrriteerd vaststelde (hij verdacht die twee ervan een overspelige vriendschap te onderhouden waar hij buiten stond) en uit die blik maakte hij op dat ze het amusant vonden en bereid waren mee te gaan in JB's plan. Hij op zijn beurt zou waarschijnlijk blij moeten zijn, omdat het zou betekenen dat JB hem, in elk geval tijdelijk, minder bekritiseerde, maar hij was niet blij en ook niet geamuseerd: hij was geërgerd, zowel door het speelse gemak waarmee JB met de rassenkwestie omging als door het feit dat hij dit stomme project vol effectbejag (waar hij waarschijnlijk een heel hoog cijfer voor zou krijgen) gebruikte om commentaar te leveren op Malcolms identiteit, die hem feitelijk geen moer aanging.

Het leven met JB onder de voorwaarden van zijn project (en wanneer plooiden ze hun leven nou eigenlijk níét rond JB's grillen en luimen?) leek eigenlijk heel veel op het leven met JB onder normale omstandigheden. Dat hij zijn gesprekken met Malcolm beperkte, betekende niet dat JB hem minder vaak vroeg of hij iets voor hem kon meenemen van de winkel of zijn waskaart kon opladen omdat Malcolm toch die kant opging, en of hij Malcolms exemplaar van *Don Quichot* kon lenen voor Spaans omdat hij zijn eigen boek op het herentoilet in de kelder van de bibliotheek had laten liggen. Dat hij niet tegen Willem sprak, betekende niet dat er geen non-verbale communicatie was, in de vorm van een stortvloed aan tekstberichtjes en snel gekrabbelde briefjes die hij hem in handen drukte ('*Godfather* in Rex, ga je mee?'), en Malcolm wist heel zeker dat dat niet was zoals Lozano het had bedoeld. En zijn armzalige pogingen tot een Ionesco-achtige communicatie met Jude hielden opeens op als hij wilde dat Jude zijn wiskundehuiswerk voor hem deed en maakten dan plaats voor Mussolini-achtige bevelen, vooral als Ionesco zich realiseerde dat er een hele serie sommen was waar hij nog niet eens aan was begonnen, omdat hij het druk had gehad in het herentoilet van de bibliotheek, en dat de les over drieënveertig minuten begon ('Maar dat haal jij wel, hè, Judy?').

Aangezien JB nu eenmaal JB was en hun medestudenten al snel onder de indruk waren van handige praatjes en schone schijn werd er uiteraard over JB's experimentje geschreven in het studentenblad, en daarna in een nieuw zwart literair tijdschrift, *There Is Contrition*, en zo werd het voor een korte, vermoeiende periode het gesprek van de dag op de campus. Al die aandacht blies JB's reeds tanende enthousiasme voor het project nieuw leven in – hij was er nog maar acht dagen mee bezig, en soms kon Malcolm gewoon aan hem zien dat hij bijna ontplofte van verlangen om tegen Willem te praten – en het lukte hem om het nog twee dagen vol te houden voordat hij het experiment op gewichtige toon tot een succes verklaarde en verkondigde dat hij zijn punt had gemaakt.

'Welk punt?' had Malcolm gevraagd. 'Dat je zonder tegen witten te praten net zo irritant kan zijn als wanneer je wel tegen ze praat?'

'Ach, fok jou, Mal,' zei JB, maar op luie toon, te tevreden met zichzelf om zich druk te maken om Malcolm. 'Jij snapt het toch niet.' En toen vertrok hij naar zijn vriendje, een witte jongen met een gezicht als een bidsprinkhaan die altijd met zo'n brandende en aanbiddende blik naar JB keek dat Malcolm er een beetje misselijk van werd.

Indertijd was Malcolm ervan overtuigd dat zijn onbehagen rond het onderwerp ras een tijdelijke zaak was, een gevoel dat alleen te maken had met je omgeving en dat bij iedereen op de universiteit de kop opstak, om vervolgens weg te zakken als je je studententijd achter je liet. Hij had nooit enige emotie of trots gevoeld over het feit dat hij zwart was, behalve heel erg uit de verte: hij wist dat hij werd geacht bepaalde gevoelens te hebben over bepaalde dingen in het leven (over taxichauffeurs bijvoorbeeld), maar dat was theoretische kennis, niet iets wat hij zelf ondervond. En toch was zwart zijn een wezenlijk thema binnen het verhaal van zijn familie, dat hem zo vaak was verteld dat het tot op de draad versleten was: dat zijn vader de derde zwarte algemeen directeur was geweest bij de beleggingsmaatschappij waar hij had gewerkt, het derde zwarte lid van het schoolbestuur van de zeer witte middelbare jongensschool waar Malcolm op had gezeten, en de tweede zwarte financieel directeur bij een grote zakenbank. (Malcolms vader was te laat geboren om de éérste zwarte puntje puntje puntje van wat dan ook te zijn, maar in de smalle rechthoek waarin hij zich bewoog – begrensd door 96th Street in het noorden en 57th in het zuiden, en 5th Avenue in het westen en Lexington in het oosten – was hij nog steeds net zo zeldzaam als die ene roodstaartbuizerd die soms broedde in de borstwering van een van de gebouwen tegenover hun huis aan Park Avenue.) In zijn jeugd was het feit dat zijn vader zwart was (en hij ook, nam hij aan) overschaduwd door andere, belangrijker zaken, factoren die in hun kleine strookje van New York zwaarder wogen dan de afkomst van zijn vader: de vooraanstaande rol van diens vrouw in het literaire wereldje van Manhattan, bijvoorbeeld, en het allerbelangrijkste: diens rijkdom. Het New York waar het gezin Irvine woonde, was niet ingedeeld naar ras maar eerder naar belastingschijven, en Malcolm was opgegroeid ver van alles waartegen geld hem kon beschermen, inclusief discriminatie; dat dacht hij in elk geval nu hij erop terugkeek. Pas toen hij ging studeren, was hij geconfronteerd met de verschillende manieren waarop andere mensen hun zwart-zijn hadden ervaren en, misschien nog schokkender, hoe het geld van zijn familie hem had afgezonderd van de rest van het land (hoewel je er dan van uitging dat je zijn studiegenoten kon beschouwen als representatief voor de rest van het land, wat ze natuurlijk niet waren). Zelfs nu, bijna tien jaar nadat hij Jude had leren kennen, kon hij zich het soort armoede waarin Jude was grootgebracht nog steeds niet helemaal voorstellen; toen hij eindelijk besefte dat letterlijk alles wat Jude bezat in de rugzak zat waarmee hij op de campus was aangekomen, was zijn ongeloof zo diep geweest dat hij het bijna fysiek voelde, zo groot dat hij het er met zijn vader over had gehad, terwijl hij niet de gewoonte had tegenover zijn vader te laten blijken hoe naïef hij was, uit angst een preek over naïviteit te krijgen. Maar zelfs zijn vader, die een arme jeugd in Queens had gehad – zij het met twee werkende ouders en elk jaar een stel nieuwe kleren – was geschokt geweest, dat merkte Malcolm, al had hij zijn best gedaan het te verhullen door een verhaal over de ontberingen uit zijn eigen jeugd te vertellen (iets over een kerstboom die pas de dag na Kerst kon worden aangeschaft), alsof armlastigheid een wedstrijd was die hij nog steeds koste wat het kost wilde winnen, zelfs al kwam de zege duidelijk en ontegenzeglijk een ander toe.

Hoe dan ook, als je studententijd zes jaar achter je lag leek ras minder bepalend, en mensen die het nog steeds koesterden als de kern van hun identiteit kwamen nogal kinderlijk en een beetje sneu over, alsof ze zich vastklampten aan hun vroegere fixatie op Amnesty International of de tuba: een ouderwetse en gênante fascinatie die vooral nuttig was geweest bij het invullen van je aanmeldingsformulieren voor de universiteit. Op zijn leeftijd waren de enige echt belangrijke aspecten van iemands identiteit zijn seksuele prestaties, zijn professionele wapenfeiten en geld. En ook op deze drie punten schoot Malcolm tekort.

Geld liet hij buiten beschouwing. Op een dag zou hij een enorm kapitaal erven. Hij wist niet hoe enorm en had nooit de behoefte gehad ernaar te vragen, maar aangezien ook niemand ooit de behoefte had gehad het hem te vertellen, moest het wel enorm zijn. Niet enorm à la Ezra, natuurlijk, maar... nou ja, misschien ook wél à la Ezra. Dankzij de aversie van zijn moeder tegen dikdoenerij leefden Malcolms ouders op veel bescheidener voet dan ze zouden kunnen, dus had hij nooit geweten of ze tussen Lexington en Park Avenue woonden omdat het te duur was om tussen Madison en 5th te wonen, of omdat zijn moeder dat te patserig vond. Hij zou graag in zijn eigen levensonderhoud voorzien, heus. Maar hij was niet zo'n rijkeluiszoontje dat zichzelf daar voortdurend mee kwelde. Hij zou proberen zijn eigen broek op te houden, maar of dat lukte had hij niet helemaal zelf in de hand.

Seks en seksuele bevrediging daarentegen waren onmiskenbaar zijn eigen verantwoordelijkheid. Dat hij geen seksleven had, kon hij niet wijten aan het feit dat hij een slecht betalend beroep had gekozen of aan zijn ouders, omdat ze hem niet voldoende hadden gemotiveerd. (Of wel? Als kind was Malcolm blootgesteld aan de uitgebreide knuffelpartijen van zijn ouders, die vaak plaatsvonden waar Flora en hij bij waren, en nu vroeg hij zich af of zijn ambities op dit vlak misschien in de kiem waren gesmoord door hun opzichtige bedrevenheid.) Het was meer dan drie jaar geleden dat hij een echte relatie had gehad, met een vrouw die Imogene heette en die hem had gedumpt om lesbisch te worden. Het was hem tot op dit moment niet duidelijk of hij zich werkelijk fysiek aangetrokken had gevoeld tot Imogene of het gewoon fijn had gevonden iemand te hebben die besluiten nam waar hij alleen maar mee hoefde in te stemmen. Kortgeleden was hij Imogene tegengekomen (ze was ook architect, maar bij een non-profitorganisatie die experimentele sociale woningbouw pleegde, precies het soort baan waarvan Malcolm vond dat hij ernaar zou moeten verlangen, al deed hij dat heimelijk niet) en had plagerig tegen haar gezegd – het was een grapje geweest! – dat hij het gevoel had dat ze vanwege hem lesbisch was geworden. Maar Imogene had haar stekels opgezet en gezegd dat ze altijd al lesbisch was geweest en alleen bij hem was gebleven omdat hij zo onzeker leek over zijn seksuele voorkeur dat ze dacht dat ze hem misschien kon helpen bij zijn ontwikkeling.

En na Imogene was er niemand meer geweest. O, wat was er toch mis met hem? Seks, zijn seksuele geaardheid, ook dat waren dingen die hij had moeten onderzoeken tijdens zijn studie, de laatste periode waarin een dergelijke onzekerheid niet alleen werd getolereerd maar zelfs aangemoedigd. Toen hij begin twintig was, had hij geprobeerd verliefd te worden op allerlei mensen – vriendinnen van Flora, klasgenoten, en een cliënt van zijn moeder, een debuterende auteur die een literaire sleutelroman had geschreven over een brandweerman die twijfelde over zijn geaardheid – maar hij was er niet achter gekomen tot wie hij zich aangetrokken voelde. Vaak dacht hij dat homo-zijn vooral aanlokkelijk was door alles eromheen, de bijbehorende politieke overtuigingen, strijdpunten en passie voor esthetiek (maar aan de andere kant kon hij de gedachte eraan niet verdragen; om de een of andere reden leek het, net als de rassenkwestie, typisch iets voor studenten, een identiteit die je betrok als een tijdelijke woning voordat je volwassen werd en verhuisde naar passender en praktischer sferen). Kennelijk ontbeerde hij het slachtoffergevoel en de gekwetstheid en eeuwige woede die je moest hebben om zwart te zijn, maar hij wist zeker dat hij de juiste interesses had om homo te zijn.

Hij verbeeldde zich al half dat hij verliefd was op Willem, en op bepaalde momenten ook op Jude, en op zijn werk betrapte hij zichzelf erop dat hij naar Eduard staarde. Soms zag hij Dominick Cheung ook naar Eduard staren en dan hield hij er zelf snel mee op, want de laatste op wie hij wilde lijken was de beklagenswaardige, vijfenveertigjarige Dominick, die verlekkerd zat te loeren naar een collega bij een firma die hij nooit zou kunnen overnemen. Een paar weken geleden was hij in het weekend bij Willem en Jude geweest, zogenaamd om maten op te nemen voor een boekenkast die hij voor hen ging ontwerpen, toen Willem zich voor hem langs had gebogen om het meetlint van de bank te grissen, en zijn nabijheid was opeens zo ondraaglijk geweest dat hij een uitvlucht had verzonnen, had gezegd dat hij snel nog even langs zijn werk moest en plotseling was vertrokken, terwijl Willem hem nariep.

Hij was echt naar zijn werk gegaan, had Willems tekstberichtjes genegeerd en was achter zijn computer gaan zitten, waar hij naar het bestand voor zijn neus had zitten staren zonder het te zien en zich voor de zoveelste keer had afgevraagd waarom hij bij Ratstar was gaan werken. Het ergste was dat het antwoord zo voor de hand lag dat hij die vraag niet eens hoefde te stellen: hij was bij Ratstar gaan werken om indruk te maken op zijn ouders. In het laatste jaar van zijn architectuuropleiding had Malcolm een keuze gehad: hij kon zich aansluiten bij twee medestudenten, Jason Kim en Sonal Mars, die hun eigen bureau gingen opzetten met geld van Sonals grootouders, of hij kon bij Ratstar gaan werken.

'Dat meen je niet,' had Jason gezegd toen Malcolm hem zijn besluit had verteld. 'Je weet toch hoe je leven eruit gaat zien als je als ondergeschikte bij zo'n bedrijf werkt, hè?'

'Het is een fantastisch bureau,' had hij resoluut gezegd; hij klonk net als zijn moeder en Jason had zijn wenkbrauwen opgetrokken. 'Ik bedoel, het is een fantastische naam om op mijn cv te zetten.' Maar terwijl hij het zei, wist hij wat hij werkelijk bedoelde (en erger nog, hij vreesde dat Jason het ook wist): het was een fantastische naam voor zijn ouders om op cocktailparty's te laten vallen. En dat deden zijn ouders inderdaad graag. 'Twee kinderen,' had Malcolm zijn vader eens iemand horen vertellen op een etentje ter ere van een van de auteurs van zijn moeder. 'Mijn dochter is redacteur bij FSG en mijn zoon werkt bij Ratstar Architects.' De vrouw had een goedkeurend geluid gemaakt, en Malcolm, die juist had lopen piekeren hoe hij zijn vader moest vertellen dat hij ontslag wilde nemen, voelde iets in zijn binnenste verschrompelen. Op dat soort momenten benijdde hij zijn vrienden om precies dezelfde redenen als waarom hij ooit met ze te doen had gehad: dat niemand verwachtingen van hen had, dat hun familie heel gewoontjes was (of zelfs totaal afwezig), dat ze alleen hun eigen ambities hadden om zich door te laten leiden.

En nu? Nu was er twee keer een artikel in de *New York* verschenen over projecten van Jason en Sonal, en één keer in *The New York Times*, terwijl hij nog steeds hetzelfde soort werk deed dat hij in zijn eerste jaar van de architectuuropleiding had gedaan, maar dan in dienst van twee pretentieuze mannen bij een firma die ze vol pretenties naar een pretentieus gedicht van Anne Sexton hadden genoemd, en er bijna niets voor betaald kreeg.

Hij had de architectuuropleiding gekozen om wat kennelijk de slechtste reden was die er bestond: omdat hij van gebouwen hield. Dat was een loffelijke liefhebberij geweest en in zijn jeugd hadden zijn ouders hem, waar ze ook waren, meegenomen op uitstapjes naar bijzondere huizen en monumenten. Als jongetje al zat hij altijd fantasiegebouwen te tekenen en fantasieconstructies te bouwen; hij vond er troost bij en kon er zijn ziel in kwijt: voor alles wat hij niet kon verwoorden en alles wat hij niet kon besluiten, leek hij bij een gebouw wel een oplossing te kunnen vinden.

En dat was waar hij zich diep in zijn hart het meest voor schaamde: niet voor zijn gebrekkige inzicht in seks, niet voor zijn neiging zijn ras te verloochenen, niet voor zijn onvermogen zich los te maken van zijn ouders, zijn eigen geld te verdienen of zich als een autonoom wezen te gedragen. Maar dat hij niets deed als hij 's avonds met zijn collega's op zijn werk zat, de hele groep diep weggedoken in hun eigen ambitieuze fantasieconstructies, allemaal bezig hun onwaarschijnlijke gebouwen te tekenen en te ontwerpen. Hij was het vermogen om iets te verzinnen kwijtgeraakt. En dus zat hij elke avond, terwijl de anderen iets nieuws creëerden, te kopiëren: hij tekende gebouwen die hij op zijn reizen had gezien, gebouwen die andere mensen hadden gefantaseerd en geconstrueerd, gebouwen die hij als bewoner of passant had leren kennen. Steeds opnieuw maakte hij wat al gemaakt was, en hij nam niet eens de moeite ze te verbeteren, hij bootste ze alleen maar na. Hij was achtentwintig en zijn eigen fantasie had hem in de steek gelaten; hij was een kopiïst.

Het beangstigde hem. JB had zijn series. Jude had zijn werk en Willem ook. Stel je voor dat hij nooit meer iets oorspronkelijks zou scheppen? Hij verlangde naar de tijd waarin het genoeg was om simpelweg op zijn kamer te zitten terwijl hij zijn hand over een vel millimeterpapier schoof, vóór de jaren van beslissingen en identiteiten, toen zijn ouders zijn keuzes voor hem maakten en hij zich alleen maar hoefde te concentreren op het in één keer goed neerzetten van een lijn, op de perfecte, messcherpe streep langs de liniaal.

3

JB was degene die besloot dat Willem en Jude een oudejaarsfeest moesten geven. Die beslissing werd genomen met Kerst, een feest dat zelf uit drie onderdelen bestond: Kerstavond werd gevierd bij JB's moeder in Fort Greene, en het diner op Kerst zelf (een formele gelegenheid, waarbij pakken en dassen verplicht waren) was bij Malcolm thuis en werd voorafgegaan door een informele lunch bij JB's tantes. Dat was hun vaste ritueel – en vier jaar geleden hadden ze Thanksgiving Day aan het rijtje toegevoegd, dat ze vierden bij Judes vrienden Harold en Julia in Cambridge – maar Oudejaarsavond was nooit aan iemand toegewezen. Vorig jaar, de eerste keer na hun studie dat ze de jaarwisseling alle vier in dezelfde stad hadden doorgebracht, waren ze uiteindelijk allemaal afzonderlijk ongelukkig geweest – JB was blijven hangen op een waardeloos feest bij Ezra, Malcolm kon niet onder een diner bij vrienden van zijn ouders uit, Willem was door Findlay gestrikt om bij Ortolan te werken en Jude lag met griep onder de wol in Lispenard Street – en toen hadden ze zich voorgenomen om voor het jaar erna iets te plannen. Maar dat hadden ze steeds voor zich uit geschoven, en toen was het opeens december en hadden ze nog steeds niets bedacht.

Daarom vonden ze het niet erg dat JB het besluit voor hen nam, deze keer niet. Ze dachten dat er ruimte genoeg was voor vijfentwintig gasten, en met een beetje proppen voor veertig. 'Doe er dan maar veertig,' zei JB prompt, zoals ze al hadden verwacht, maar toen ze later thuis waren maakten ze een lijst met maar twintig namen erop, alleen vrienden van henzelf en Malcolm, omdat ze wisten dat JB meer mensen zou uitnodigen dan het aantal dat hem toekwam en dat hij niet alleen vrienden zou vragen maar ook vrienden van vrienden en eerder-kennissen-dan-vrienden en collega's en barkeepers en winkelbedienden, totdat de mensen zo dicht opeengepakt stonden dat de mist van warmte en rook die zich onvermijdelijk zou vormen zich zelfs niet zou laten verdrijven als ze alle ramen openzetten en de nachtlucht binnenlieten.

'Maak er niet te veel werk van,' had JB ook nog gezegd, maar Willem en Malcolm wisten dat die opmerking alleen voor Jude bedoeld was, omdat die de neiging had om alles ingewikkelder te maken dan nodig was, om avondenlang bezig te zijn met het maken van grote hoeveelheden kaassoesjes terwijl iedereen tevreden zou zijn geweest met pizza, en om het appartement van tevoren grondig schoon te maken, alsof het iemand iets kon schelen dat er wat zand onder je schoenen knerste en er opgedroogde zeepvlekken en restjes van het ontbijt van de afgelopen dagen in de gootsteen waren achtergebleven.

De avond voor het feest was het warm voor de tijd van het jaar, zo warm dat Willem de drie kilometer van Ortolan naar huis ging lopen, en toen hij thuiskwam was de zware, boterachtige geur van kaas en beslag en venkel zo sterk dat hij het gevoel had nog op zijn werk te zijn. Hij bleef een tijdje in de keuken staan, trok met snelle bewegingen de opgezwollen kwakjes deeg los van hun koelroosters om te zorgen dat ze er niet aan vast bleven kleven, keek naar de stapel plastic dozen vol zandkoekjes met kruiden en gemberkoekjes van maismeel, en werd een beetje droevig – dezelfde droefheid die hij voelde toen hij merkte dat Jude toch had schoongemaakt – omdat hij wist dat zc gedachteloos in één hap zouden worden verorberd en weggespoeld met een slok bier, en dat Jude en hij aan het begin van het nieuwe jaar overal kruimels van die prachtige koekjes zouden vinden, verpulverd en in de tegels getrapt. Toen hij in de slaapkamer kwam, zag hij dat Jude al sliep en het raam op een kiertje had gezet. Door de zachte atmosfeer droomde Willem van de lente, van bomen vol donzige gele bloemen en een zwerm troepialen met glanzend gelakte vleugels, die geruisloos langs een zeekleurige hemel gleed.

Maar toen hij wakker werd was het weer omgeslagen, en het duurde even voordat hij besefte dat hij het koud had gehad, dat de geluiden in zijn droom die van de wind waren geweest en dat hij wakker werd geschud en zijn naam hoorde zeggen, niet door vogels maar door een mens: 'Willem, Willem.'

Hij draaide zich om en kwam op zijn ellebogen overeind, maar het beeld van Jude drong alleen in onderdelen tot hem door: eerst zijn gezicht en daarna pas het feit dat hij zijn linkerarm met zijn rechterhand omklemde en dat hij er iets omheen had gewikkeld wat in het donker zo wit was dat het zelf wel een lichtbron leek – zijn handdoek, bedacht hij – en hij staarde er gebiologeerd naar.

'Willem, het spijt me,' zei Jude, en zijn stem klonk zo kalm dat Willem een paar seconden lang dacht dat hij droomde en ophield met luisteren, zodat Jude zijn woorden moest herhalen. 'Er is een ongelukje gebeurd, Willem, het spijt me. Je moet me naar Andy brengen.'

Eindelijk werd hij wakker. 'Wat voor ongelukje?'

'Ik heb mezelf gesneden. Het ging per ongeluk.' Hij zweeg even. 'Ga je met me mee?'

'Ja, natuurlijk,' zei hij, maar hij was nog steeds verward en half versuft, en zonder helemaal te bevatten wat er aan de hand was kleedde hij zich onhandig aan, stapte de hal in, waar Jude op hem wachtte, en liep samen met hem naar Canal Street, waar hij wilde afslaan in de richting van het metrostation toen Jude hem tegenhield: 'Ik denk dat we een taxi moeten nemen.'

In de taxi, nadat Jude de chauffeur op diezelfde bedrukte, gedempte toon het adres had gegeven, werd hij eindelijk wat helderder en zag dat Jude de handdoek nog steeds vasthield. 'Waarom heb je je handdoek meegenomen?' vroeg hij.

'Dat zei ik toch, ik heb me gesneden.'

'Maar... is het ernstig?'

Jude haalde zijn schouders op, en Willem zag nu pas dat zijn lippen een vreemde kleur hadden, of eigenlijk was het meer een afwezigheid van kleur, maar dat kon komen door het licht van de straatlantaarns, dat in zijn gezicht sloeg, eroverheen gleed en het toetakelde tot het geel, oker en ziekelijk, larveachtig wit zag. Terwijl de taxi naar het noorden reed, liet Jude zijn hoofd tegen het raampje rusten en deed zijn ogen dicht, en op dat moment voelde Willem dat hij misselijk begon te worden van angst, hoewel hij niet kon verwoorden waarom, behalve dat hij in een taxi naar noordelijk Manhattan zat en dat er iets was gebeurd, en dat hij niet wist wat maar dat het iets akeligs was, dat hij iets belangrijks, essentieels zelfs, over het hoofd zag en dat de klamme warmte van een paar uur geleden was verdwenen en de wereld weer ijzig koud was, met de rauwe onbarmhartigheid die bij het einde van het jaar hoorde.

Andy's praktijk was op de hoek van 78th Street en Park Avenue, in dezelfde buurt als waar Malcolm en zijn ouders woonden, en pas toen ze binnen waren, zag Willem bij het goede licht dat het donkere patroon op Judes T-shirt bloed was en dat de handdoek er plakkerig van was geworden, er zelfs bijna van glom, dat de kleine katoenen lusjes plat lagen als een natte vacht. 'Het spijt me,' zei Jude tegen Andy, die de deur open had gedaan om hen binnen te laten, en toen Andy de handdoek loswikkelde, zag Willem iets wat eruitzag als een bloedspuwing, alsof Judes arm een mond had gekregen die bloed uitbraakte, en wel met zo veel kracht dat er zich schuimbelletjes vormden die opgewonden ploften en sputterden.

'Godskolere, Jude,' zei Andy, en hij nam hem mee naar de behandelkamer terwijl Willem in de wachtkamer ging zitten. O god, dacht hij, o god. Maar het was alsof zijn geest een mechaniekje was dat was vastgelopen in een bepaalde groef, want hij kon niet voorbij die twee woorden denken. Het licht hier was te fel, en hoe hij ook zijn best deed zich te ontspannen, het lukte niet, want die woorden bleven als een hartslag door zijn lichaam bonken: o god. O god. O god.

Hij moest een uur wachten voordat Andy zijn naam riep. Andy was acht jaar ouder dan hij, en ze kenden hem sinds het tweede jaar van hun studie, toen Jude een aanval had gehad die zo lang aanhield dat ze uiteindelijk met z'n drieën hadden besloten hem naar het ziekenhuis te brengen dat bij de universiteit hoorde en waar Andy de dienstdoende arts-assistent was. Hij was de enige arts naar wie Jude weer terug wilde, en hoewel Andy tegenwoordig orthopedist was, behandelde hij Jude nog steeds voor alles wat er verkeerd ging, van zijn rug en zijn benen tot griep en verkoudheden. Ze mochten Andy allemaal graag en hadden veel vertrouwen in hem.

'Je mag hem weer mee naar huis nemen,' zei Andy. Hij was boos. Met een kletsend geluid trok hij zijn handschoenen uit, die onder het bloed zaten, en hij schoof zijn kruk naar achteren. Op de vloer zat een lange, slordige veeg van iets roods, alsof iemand had geprobeerd iets op te dweilen dat was gemorst en het getergd had opgegeven. Op de muren zaten ook rode vlekken, en Andy's trui was doordrenkt met rood. Jude zat ineengezakt en met een ongelukkig gezicht op de tafel met een glazen flesje sinaasappelsap in zijn hand. Zijn haar kleefde in plukken aan elkaar en zijn T-shirt zag er hard en gelakt uit, alsof het niet van stof maar van metaal was. 'Jude, ga naar de wachtkamer,' droeg Andy hem op, en Jude gehoorzaamde gedwee.

Toen hij de kamer uit was, deed Andy de deur dicht en keek Willem aan. 'Heb jij gemerkt of hij suïcidaal was?'

'Wat? Nee.' Hij voelde zichzelf heel kalm worden. 'Heeft hij dat geprobeerd?'

Andy zuchtte. 'Hij zegt van niet. Maar... ik weet het niet. Nee. Ik weet het niet, ik kom er niet achter.' Hij liep naar de wastafel en begon zijn handen stevig te schrobben. 'Aan de andere kant, als hij naar de Spoedeisende Hulp was gegaan – wat eigenlijk de enige juiste plek was geweest – hadden ze hem ongetwijfeld meteen opgenomen. Wat waarschijnlijk de reden is dat hij dat niet heeft gedaan.' Nu praatte hij hardop tegen zichzelf. Hij pompte een poeltje zeep in zijn handen en waste ze opnieuw. 'Je weet toch dat hij zichzelf snijdt?'

Even kon Willem niets uitbrengen. 'Nee,' zei hij toen.

Andy draaide zich om en keek Willem strak aan, terwijl hij zijn handen vinger voor vinger langzaam afdroogde. 'Maakte hij geen depressieve indruk?' vroeg hij. 'Eet hij regelmatig, slaapt hij? Komt hij lusteloos over, of somber?'

'Hij leek me oké,' zei Willem, maar de waarheid was dat hij het niet wist. Had Jude wel normaal gegeten? Had hij goed geslapen? Had Willem dat gemerkt moeten hebben? Had hij beter moeten opletten? 'Ik bedoel, hij leek me hetzelfde als altijd.'

'Nou,' zei Andy. Een ogenblik lang zag hij er moedeloos uit, en ze stonden zwijgend tegenover elkaar zonder elkaar aan te kijken. 'Deze keer zal ik hem maar geloven,' zei hij. 'Ik heb hem een week geleden nog gezien, en ik ben het met je eens dat er niets bijzonders aan de hand leek. Maar als hij zich vreemd gaat gedragen moet je me meteen bellen, Willem. Dat meen ik.'

'Dat zal ik zeker doen,' zei hij. Hij had Andy in de loop van de jaren een paar maal gezien en was zich elke keer vaag bewust geweest van zijn frustratie, die vaak tegen allerlei mensen tegelijk gericht scheen te zijn: tegen zichzelf, tegen Jude en vooral tegen Judes vrienden die, zo leek Andy te suggereren (zonder het ooit hardop te zeggen), geen van allen goed genoeg voor hem zorgden. Dat waardeerde hij van Andy, die verontwaardiging over Jude, al was hij tegelijk bang voor zijn afkeuring en vond hij die ook een beetje onredelijk.

En toen veranderde Andy's toon, zoals vaak gebeurde nadat hij hun de les had gelezen, en werd bijna liefdevol. 'Ik weet dat je dat zult doen,' zei hij. 'Het is laat. Ga naar huis. Zorg dat je hem iets te eten geeft als hij wakker wordt. En alvast een gelukkig nieuwjaar.'

~

Ze reden in stilte naar huis. De chauffeur had één lange blik op Jude geworpen en gezegd: 'Ik wil twintig dollar extra.'

'Goed,' had Willem gezegd.

De hemel begon al licht te worden, maar hij wist dat hij niet meer zou kunnen slapen. In de taxi draaide Jude zich van Willem af en keek naar buiten, en thuis aangekomen wankelde hij bij de deuropening en liep langzaam naar de badkamer, en Willem wist dat hij zou gaan proberen die schoon te maken.

'Niet doen,' zei hij. 'Ga naar bed.' En Jude was voor één keer gehoorzaam, veranderde van richting en schuifelde de slaapkamer in, waar hij bijna ogenblikkelijk in slaap viel.

Willem ging op zijn eigen bed zitten en keek naar hem. Hij was zich opeens bewust van al zijn gewrichten, spieren en botten, waardoor hij zich stokoud voelde, en een paar minuten lang zat hij alleen maar te staren.

'Jude,' riep hij, en nog een keer, wat nadrukkelijker, en toen Jude geen antwoord gaf liep hij naar zijn bed en draaide hem voorzichtig op zijn rug, en na een korte aarzeling schoof hij de rechtermouw van zijn shirt naar boven. De stof gaf niet op de gebruikelijke manier mee onder zijn handen maar moest gebogen en gevouwen worden als karton, en hoewel hij de mouw maar tot aan Judes elleboog omhoogkreeg, was dat genoeg om de drie rechte kolommen witte littekens te zien die als ladders over de binnenkant van zijn onderarm liepen, elke kolom een paar centimeter breed en een beetje verdikt. Hij stak zijn wijsvinger onder de mouw en voelde de sporen verder lopen over Judes bovenarm, en toen hij bij zijn biceps kwam vond hij het genoeg en trok zijn hand terug. De linkerarm kon hij niet onderzoeken, want Andy had de mouw afgeknipt en Judes hele onderarm en hand met verbandgaas omwikkeld, maar hij wist dat hij daar hetzelfde zou vinden.

Hij had gelogen toen hij tegen Andy zei dat hij niet wist dat Jude zichzelf sneed. Hij had het niet zeker geweten, maar dat was alleen een formeel detail: hij wist het, en al heel lang. Toen ze in de zomer na de dood van Hemming in het huis van Malcolms ouders logeerden, waren Malcolm en hij op een middag dronken geworden, en terwijl ze naar JB en Jude zaten te kijken, die terugkwamen van hun duinwandeling en zand naar elkaar gooiden, had Malcolm gevraagd: 'Is het je weleens opgevallen dat Jude altijd lange mouwen draagt?'

Hij had bevestigend gebromd. Natuurlijk was hem dat opgevallen – dat kon bijna niet anders, vooral op warme dagen – maar hij had zichzelf er altijd van weerhouden zich af te vragen waarom. Vaak leek het alsof een belangrijk deel van zijn vriendschap met Jude eruit bestond zichzelf ervan te weerhouden de vragen te stellen die hij eigenlijk zou moeten stellen, uit vrees voor de antwoorden.

Er was een stilte gevallen en ze hadden toegekeken hoe JB, die ook dronken was, achterover in het zand viel en Jude met zijn kreupele gang naar hem toe liep en hem begon te begraven.

'Flora had een vriendin die altijd lange mouwen droeg,' ging Malcolm verder. 'Ze heette Maryam. Ze sneed zichzelf.'

Willem liet de stilte tussen hen in hangen tot hij het gevoel had dat hij die tot leven hoorde komen. In hun studentenhuis had ook een meisje gewoond dat zichzelf sneed. In hun eerste jaar tenminste, en hij realiseerde zich nu dat hij haar het afgelopen jaar niet meer had gezien.

'Waarom?' vroeg hij aan Malcolm. Op het strand was Jude intussen tot JB's middel gevorderd. JB zong iets meanderends en onmelodieus.

'Ik weet niet,' zei Malcolm. 'Ze had allerlei problemen.'

Willem wachtte, maar kennelijk had Malcolm niets meer te zeggen. 'Wat is er van haar geworden?'

'Dat weet ik niet. Ze zijn elkaar uit het oog verloren toen Flora ging studeren, en die heeft het nooit meer over haar gehad.'

Ze waren weer stil. Ergens in de loop van de tijd, wist Willem, hadden zij drieën zwijgend besloten dat hij de grootste verantwoordelijkheid droeg voor Jude, en hij was zich ervan bewust dat dit Malcolms manier was om een kwestie aan de orde te stellen waar een oplossing voor gevonden moest worden, hoewel hij niet precies wist wat het probleem was of wat het antwoord zou kunnen zijn, en hij durfde te wedden dat Malcolm dat ook niet wist.

De dagen erna ontliep hij Jude, omdat hij wist dat hij onvermijdelijk een gesprek met hem zou beginnen als hij alleen met hem was, en hij was er niet zeker van of hij dat wel wilde en wat dat dan voor gesprek zou zijn. Het was niet moeilijk: overdag waren ze met z'n vieren en 's avonds waren ze allemaal in hun eigen kamer. Maar op een avond gingen Malcolm en JB samen op stap om kreeften te halen en bleven Jude en hij alleen in de keuken achter, waar ze tomaten sneden en sla wasten. Het was een lange, zonnige, lome dag geweest, en Jude was in een van zijn luchthartiger buien, bijna onbekommerd, zodat Willem al bij voorbaat melancholiek was gestemd toen hij zijn vraag stelde omdat hij zo'n volmaakt ogenblik ging bederven, een ogenblik waarop alles – van de roze uitgevloeide lucht boven hen tot het gemak waarmee het mes door de groenten gleed – samenwerkte om een harmonieus geheel te creëren, dat hij nu ging verstoren.

'Wil je niet een van mijn T-shirts lenen?' vroeg hij aan Jude.

Die reageerde pas toen hij klaar was met het ontpitten van de tomaat die voor hem lag, en toen keek hij Willem met een kalme en blanco blik aan. 'Nee.'

'Heb je het niet warm?'

Jude glimlachte licht vermanend. 'Het kan anders elk ogenblik koud worden.' En dat was waar. Als het laatste spatje zonlicht verdween, zou het afkoelen en dan zou Willem zelf een trui uit zijn kamer moeten gaan halen.

'Maar' – hij hoorde al van tevoren hoe belachelijk het zou klinken, hoe het gesprek zich meteen vanaf het begin als een kat aan zijn greep had ontworsteld – 'straks krijg je kreeft aan je mouwen.'

Jude reageerde met een raar geluid, te hard en ruw om een echte lach te zijn, en keerde zich weer naar de snijplank. 'Dat zal wel loslopen, Willem,' zei hij, en hoewel zijn stem vriendelijk was, zag Willem dat hij het heft van het mes omklemde, er zelfs bijna in kneep, zodat zijn knokkels de gele tint van niervet kregen.

Ze hadden allebei het geluk dat Malcolm en JB terugkwamen voordat ze verder konden praten, maar Willem hoorde Jude nog net zeggen: 'Waarom vraag...' En hoewel hij die zin niet afmaakte (en onder het eten zelfs helemaal niets meer tegen Willem zei, maar wel zijn mouwen volkomen schoonhield), wist Willem dat zijn vraag niet zou zijn geweest 'Waarom vraag je dat?' maar 'Waarom vraag jij dat?', omdat Willem er altijd voor had gewaakt al te veel interesse te tonen in het doorzoeken van het kamertje met al zijn bergplaatsen waar Jude zich in had verstopt.

Als het iemand anders was geweest, zou hij niet geaarzeld hebben, bedacht hij. Dan zou hij antwoorden hebben geëist, gezamenlijke vrienden hebben gebeld, tegen hem hebben geschreeuwd, hem hebben gesmeekt en bedreigd met hel en verdoemenis tot hij met een bekentenis kwam. Maar bij Jude was het een vast onderdeel van de vriendschap, dat wist hij, dat wist Andy, dat wisten ze allemaal. Al ging het tegen je gevoel in, je liet dingen gaan, je draaide voorzichtig om je vermoedens heen. Je begreep dat je je vriendschap bewees door afstand te bewaren, te aanvaarden wat je werd verteld, je om te draaien en weg te lopen als de deur voor je neus werd dichtgegooid, in plaats van te proberen die open te breken. Het soort crisisberaad dat ze met z'n vieren soms hadden gehouden over andere mensen – over Zwarte Henry Young, toen ze dachten dat het meisje met wie hij ging hem bedroog en een manier zochten om hem dat te vertellen, over Ezra, toen ze wísten dat het meisje met wie hij ging hem bedroog en een manier zochten om hem dat te vertellen – zouden ze nooit over Jude houden. Hij zou dat als verraad beschouwen, en het zou trouwens toch niets opleveren.

De rest van de avond ontliepen ze elkaar, maar onderweg naar bed bleef Willem onwillekeurig staan voor de deur van Judes kamer en had zijn hand al geheven, klaar om aan te kloppen, toen hij bij zinnen kwam:

wat zou hij zeggen? Wat wilde hij horen? Uiteindelijk liep hij toch maar door, en de volgende dag, toen Jude niets zei over het bijna-gesprek van de vorige avond, zei hij ook niets, en al snel ging die dag over in nacht, en daarna kwam er weer een dag, en nog een, en zo raakten ze steeds verder verwijderd van het ene moment dat hij, hoe weinig doeltreffend ook, had geprobeerd van Jude een antwoord te krijgen op een vraag die hij niet durfde te stellen.

Maar die vraag was er altijd, en op onverwachte momenten drong hij als een halsstarrige trol Willems bewustzijn binnen en nam een positie vooraan in. Vier jaar geleden, toen JB en hij voor hun master studeerden en een appartement deelden, kwam Jude, die in Boston was gebleven voor zijn rechtenstudie, een keer bij hen logeren. Ook toen was het weer nacht geweest, de badkamerdeur had op slot gezeten en Willem, plotseling en onverklaarbaar ongerust, had erop gebonsd, waarna Jude met een geërgerd maar ook eigenaardig schuldig gezicht (of had hij zich dat verbeeld?) had opengedaan en had gevraagd: 'Wat is er, Willem?' en hij weer geen antwoord had kunnen bedenken, maar zeker wist dat er iets mis was. In de badkamer had een scherpe tanninelucht gehangen, de roestig metalen geur van bloed, en hij had zelfs in het afvalbakje gezocht en de verpakking van een zwachtel gevonden, maar die was van eerder die avond, want JB had zich met een mes gesneden toen hij probeerde een wortel uit de hand in stukjes te snijden (Willem verdacht hem ervan zijn onhandigheid in de keuken te overdrijven om onder het snijwerk uit te komen), of was die toch van Judes nachtelijke zelfkastijdingen? Maar alweer (alweer!) deed hij niets, en toen hij langs Jude kwam, die op de bank in de woonkamer lag (hield hij zich slapend of sliep hij echt?), zei hij niets, en ook de volgende dag zei hij niets, en de dagen ontrolden zich voor hem als blanco papier, en op elke nieuwe dag zei hij niets, niets, niets.

En nu dit. Zou dit ook zijn gebeurd als hij drie jaar geleden iets had gedaan (maar wat?), of acht jaar geleden? En wat was 'dit' precies?

Maar deze keer zou hij wel iets zeggen, want deze keer had hij bewijs. Als hij Jude deze keer weer de kans gaf ermee weg te komen en hem te ontlopen, zou het zijn schuld zijn als er iets gebeurde.

Nadat hij dit had besloten, werd hij door vermoeidheid overmand en voelde hij de ongerustheid, angst en frustratie van de nacht wegvloeien. Het was de laatste dag van het jaar, en toen hij op bed ging liggen en zijn ogen sloot, was zijn laatste bewuste gewaarwording verbazing over het feit dat hij zo snel in slaap viel.

~

Toen Willem eindelijk wakker werd was het bijna twee uur 's middags, en het eerste wat hij zich herinnerde was zijn besluit van die ochtend. Er was intussen wel het een en ander veranderd om zijn neiging tot initiatief te ondermijnen: Judes bed was schoon. Jude lag er niet in. In de badkamer rook het eierachtig naar bleek. En Jude zelf zat aan het kaarttafeltje zo stoïcijns rondjes uit een plak deeg te steken dat Willem tegelijk geïrriteerd en opgelucht was. Als hij Jude op het gebeurde wilde aanspreken, moest hij dat kennelijk doen zonder dat hij het voordeel van de wanorde had, zonder sporen van het geschiede onheil.

Hij ging onderuitgezakt in de stoel tegenover hem zitten. 'Wat ben je aan het doen?'

Jude keek niet op. 'Ik maak extra soesjes,' zei hij kalm. 'Een van de porties die ik gisteren heb gemaakt is niet helemaal gelukt.'

'Dat kan geen hond iets schelen, Jude,' zei hij bot, en toen, onbeholpen verder blunderend: 'We kunnen ze net zo goed kaasstengels geven, dat maakt niks uit.'

Jude haalde zijn schouders op en Willem merkte dat zijn irritatie uitgroeide tot boosheid. Na een nacht die, kon hij nu wel toegeven, afschuwelijk was geweest, zat Jude hier alsof er niets was gebeurd, terwijl zijn verbonden hand nota bene onbruikbaar op het tafelblad lag. Hij wilde net iets zeggen toen Jude het waterglas neerzette waarmee hij het deeg had uitgestoken en hem aankeek. 'Het spijt me heel erg, Willem,' zei hij zo zachtjes dat Willem hem maar net kon verstaan. Hij zag Willem naar zijn hand kijken en trok die in zijn schoot. 'Ik had nooit...' Hij zweeg. 'Het spijt me. Wees alsjeblieft niet boos op me.'

Zijn boosheid vervloog. 'Jude,' vroeg hij, 'waar was je mee bezig?'

'Niet met wat je denkt. Eerlijk niet, Willem.'

Jaren later zou Willem tegen Malcolm verslag doen van dit gesprek – niet letterlijk, maar in grote lijnen – ter illustratie van zijn eigen onvermogen, zijn falen. Hoe zouden de dingen zijn gelopen als hij op dat moment één zin had gezegd? Die zin had kunnen zijn 'Jude, probeer je een einde aan je leven te maken?' of 'Jude, ik wil dat je me vertelt wat er speelt,' of 'Jude, waarom doe je jezelf dit aan?' Dat waren stuk voor stuk aanvaardbare opmerkingen, en ze zouden stuk voor stuk hebben geleid tot een langer gesprek dat misschien iets zou hebben geholpen, of in elk geval iets zou hebben voorkomen.

Of niet?

Maar op het moment zelf had hij alleen 'Oké' gemompeld.

Ze bleven een hele tijd (dat leek het althans) zwijgend zitten luisteren naar het gemurmel van de tv van een van de buren, en pas veel later zou Willem zich afvragen of Jude droevig of opgelucht was dat hij zo makkelijk werd geloofd.

'Ben je boos op me?'

'Nee.' Hij schraapte zijn keel. Het was waar. Tenminste, 'boos' was het woord niet, maar wat het woord wél was kon hij op dat moment niet zeggen. 'Maar het is duidelijk dat we het feest moeten afzeggen.'

Nu keek Jude geschrokken. 'Waarom?'

'Waaróm? Wat denk je?'

'Willem,' zei Jude op wat Willem als zijn rechtbanktoon beschouwde, 'we kunnen het niet afzeggen. De mensen komen al over een uur of zeven, minder zelfs. En we hebben geen flauw idee wie JB heeft uitgenodigd. Dus zij komen in elk geval, ook als we de rest waarschuwen. En bovendien' – hij ademde diep in, alsof hij een longontsteking had gehad en wilde bewijzen dat die over was – 'gaat het prima met me. Het is lastiger om het af te zeggen dan om het gewoon door te laten gaan.'

O, hoe kwam het en waarom was het toch dat hij altijd naar Jude luisterde? Dat deed hij ook deze keer weer, en al snel was het acht uur, stonden de ramen weer open, was het weer warm in de keuken van het bakken – alsof de vorige nacht niet had bestaan, alsof die uren een zinsbegoocheling waren geweest – en arriveerden Malcolm en JB. Willem stond in de deur van de slaapkamer zijn overhemd dicht te knopen en naar Jude te luisteren, die vertelde dat hij zijn arm had gebrand bij het bakken van de soesjes en dat Andy er een zalf op had gesmeerd.

'Ik had toch gezegd dat je niet aan die stomme soesjes moest beginnen,' hoorde hij JB vrolijk zeggen. Hij was dol op alles wat Jude bakte.

Willem werd ineens door een sterke gedachte overvallen: hij kon de deur dichtdoen en gaan slapen, en als hij dan wakker werd zou er een nieuw jaar zijn aangebroken en zou alles zijn schoongewist en zou hij dat diepe, wringende onbehagen in zijn binnenste niet meer voelen. Het leek hem opeens een kwelling om Malcolm en JB te gaan begroeten, om met ze te praten, om te glimlachen en grapjes te maken.

Maar hij begroette ze natuurlijk toch, en toen JB vond dat ze met z'n allen naar het dak moesten gaan zodat hij een luchtje kon scheppen en kon roken, liet hij Malcolm halfhartig en tevergeefs klagen dat het veel te koud was zonder hem bij te vallen, en even later liep hij gelaten achter de andere drie de smalle trap op naar het met teerpapier beklede dak.

Hij wist dat hij chagrijnig was en dwaalde naar de achterkant van het gebouw, zodat hij niet hoefde deel te nemen aan het gesprek van de anderen. Boven hem was de hemel al helemaal donker, middernachtelijk donker. Als hij zich naar het noorden keerde, kon hij onder zich de winkel in kunstenaarsbenodigdheden zien waar JB parttime werkte sinds hij een maand geleden ontslag had genomen bij het magazine, en in de verte de protserige, lompe vorm van het Empire State Building, waarvan de torenspits in een helblauw licht baadde dat hem deed denken aan tankstations en aan de lange ritten terug van Hemmings ziekenhuisbed naar zijn ouderlijk huis die hij al die jaren geleden had gemaakt.

'Jongens,' riep hij naar de anderen, 'het is koud.' Hij had geen jas aan, dat hadden ze geen van allen. 'Laten we gaan.' Maar toen hij naar de deur liep die uitkwam op het trappenhuis bleek de knop niet te willen draaien. Hij probeerde het opnieuw, maar er was geen beweging in te krijgen. Ze waren buitengesloten. 'Kut!' riep hij uit. 'Kut, kut, kút!'

'Jezus, Willem,' zei Malcolm geschrokken, want Willem werd zelden boos. 'Jude? Heb jij de sleutel?'

Maar die had Jude niet. 'Kut!' Hij kon zich niet inhouden. Alles voelde helemaal verkeerd. Hij kon Jude niet aankijken. Hij verweet het hem, wat niet eerlijk was. Hij verweet het zichzelf, wat eerlijker was maar waar hij zich niet beter van ging voelen. 'Wie heeft er een telefoon?' Maar het idiote toeval wilde dat niemand zijn telefoon bij zich had: ze lagen beneden in het appartement, waar zij zelf ook hadden moeten zijn, als die klootzak van een JB er niet was geweest, en die klootzak van een Malcolm, die altijd klakkeloos gehoor gaf aan alles, elk stom, halfbakken idee dat van JB kwam, en Jude was ook een klootzak, vanwege de afgelopen nacht, de afgelopen negen jaar, zijn zelfbeschadiging, omdat hij zich niet liet helpen, omdat hij hem de stuipen op het lijf had gejaagd, omdat hij hem het gevoel gaf volkomen machteloos te staan, om alles.

Ze stonden een tijdje te schreeuwen en stampten op het dak in de hoop dat iemand onder hen, een van hun drie buren die ze nog steeds niet hadden ontmoet, hen misschien zou horen. Malcolm stelde voor om iets tegen de ramen van een van de naburige gebouwen te gooien, maar ze hadden niets om te gooien (zelfs hun portefeuilles lagen beneden, veilig weggeborgen in hun jaszakken), en bovendien was het achter alle ramen donker.

'Luister,' zei Jude uiteindelijk, maar luisteren naar Jude was wel het laatste dat Willem wilde, 'ik heb een idee. Als jullie me naar de brandtrap laten zakken, dan breek ik het slaapkamerraam open.'

Het was zo'n dom idee dat hij er in eerste instantie niet eens op kon reageren; het klonk als iets wat door JB was bedacht, niet door Jude. 'Nee,' zei hij botweg. 'Dat is idioot.'

'Waarom?' vroeg JB. 'Ik vind het een geniaal plan.' De brandtrap was een onbetrouwbaar, slecht ontworpen, nutteloos ding, een roestig metalen geraamte dat tussen de vierde en de tweede verdieping aan de gevel van het gebouw was bevestigd als een bijzonder lelijke vorm van decoratie; het bovenste bordes bevond zich bijna drie meter onder het dak en liep langs de halve breedte van hun woonkamer; zelfs als ze Jude daar veilig op konden laten zakken zonder dat het een van zijn aanvallen opwekte of hij er een been bij brak, zou hij nog over de rand moeten gaan hangen om bij het slaapkamerraam te komen.

'Geen sprake van,' zei Willem tegen JB, en ze stonden een tijdje op elkaar in te praten tot Willem met groeiende wanhoop besefte dat het de enige oplossing was. 'Maar Jude gaat niet,' zei hij. 'Ik doe het wel.'

'Dat kan niet.'

'Waarom niet? We hoeven trouwens niet via het slaapkamerraam te gaan, ik kan net zo goed door een van de woonkamerramen klimmen.' Er zaten spijlen voor de ramen van de woonkamer, maar een daarvan ontbrak en Willem dacht dat hij zichzelf met enige moeite wel tussen de twee overgebleven spijlen door kon wringen. Hij zou wel moeten.

'Ik heb de ramen dichtgedaan voordat we naar boven gingen,' bekende Jude met een klein stemmetje, en Willem wist dat dat betekende dat hij ze ook op slot had gedaan, want hij deed alles op slot wat zich daartoe leende: deuren, ramen, kasten. Dat deed hij automatisch. Maar het slot van het slaapkamerraam was kapot, dus had Jude daar een mechaniek voor gemaakt, een ingewikkeld, lomp ding van grendels en metaaldraad, dat het volgens hem hermetisch afsloot.

Hij had nooit iets begrepen van Judes behoefte overal op voorbereid te zijn, zijn vastbeslotenheid om overal onheil te bespeuren – lang geleden al was het hem opgevallen dat Jude, als hij een nieuwe kamer of andere ruimte betrad, altijd de dichtstbijzijnde uitgang zocht en daar vlakbij ging staan, wat in eerste instantie grappig was geweest en daarna om de een of andere reden minder grappig werd – en zijn net zo grote vastbeslotenheid om waar hij maar kon preventieve maatregelen te nemen. Op een avond, toen ze nog laat wakker waren geweest en in de slaapkamer met elkaar hadden liggen praten, had Jude hem (met zachte stem, alsof hij een persoonlijke bekentenis aflegde) verteld dat het mechanisme van het slaapkamerraam wel degelijk van buitenaf geopend kon worden, maar dat hij de enige was die wist hoe je het deblokkeerde.

'Waarom vertel je me dat?' had Willem gevraagd.

'Omdat ik vind dat we het moeten laten repareren,' antwoordde Jude.

'Maar als jij de enige bent die weet hoe het opengaat, wat maakt het dan uit?' Ze hadden geen geld voor een slotenmaker, niet om een probleem te laten verhelpen dat geen probleem was. De conciërge konden ze het ook niet vragen, want nadat ze verhuisd waren had Annika opgebiecht dat ze het appartement officieel niet mocht onderverhuren, maar zolang ze geen problemen veroorzaakten, verwachtte ze niet dat de huisbaas moeilijk zou doen. Daarom probeerden ze geen problemen te veroorzaken: ze verrichtten hun eigen reparaties, lapten hun eigen muren op en deden hun eigen loodgieterswerk.

'Gewoon voor de zekerheid,' had Jude gezegd. 'Ik wil zeker weten dat we veilig zijn.'

'Jude,' had hij gezegd, 'we zijn veilig. Er gebeurt niks. Er wordt niet ingebroken.' Maar toen Jude zweeg, slaakte hij een zucht en gaf het op. 'Morgen bel ik de slotenmaker.'

'Bedankt, Willem,' had Jude gezegd.

Maar uiteindelijk had hij nooit gebeld.

Dat was twee maanden geleden, en nu stonden ze in de kou op hun dak en was dat raam hun enige hoop. 'Kut, kut,' kreunde hij. Hij had hoofdpijn. 'Vertel me maar hoe het moet, dan maak ik het slaapkamerraam open.'

'Dat is te moeilijk,' zei Jude. Ze waren intussen vergeten dat Malcolm en JB er ook nog waren en naar hen stonden te kijken, zwijgend, wat voor JB uitzonderlijk was. 'Dat kan ik niet uitleggen.'

'Ja, ik weet dat je me een imbeciel vindt, maar als je korte woordjes gebruikt kan ik het wel volgen,' snauwde Willem.

'Willem,' zei Jude verrast, en er viel een stilte. 'Dat bedoelde ik helemaal niet.'

'Dat weet ik,' zei hij. 'Sorry. Dat weet ik wel.' Hij ademde diep in. 'Maar zelfs als we dit gaan doen – en dat lijkt me geen goed idee – hoe moeten we je dan naar beneden laten zakken?'

Jude liep naar de dakrand, waar aan alle kanten een muurtje langs stond dat tot aan hun schenen kwam en een vlakke bovenkant had, en tuurde eroverheen. 'Ik ga op het muurtje recht boven de brandtrap zitten, met mijn gezicht naar buiten,' zei hij. 'En dan komen JB en jij er aan weerszijden achter zitten. Jullie pakken mijn handen met twee handen vast en dan laten jullie me zakken. Als jullie niet lager meer kunnen, laten jullie me los en dan val ik het laatste stuk.'

Willem lachte, zo dom en riskant was het. 'En als we dat doen, hoe kom je dan bij het slaapkamerraam?'

Jude keek hem aan. 'Je moet erop vertrouwen dat me dat lukt.'

'Het is onzinnig.'

JB onderbrak hem. 'Dit is het enige plan, Willem. Het is hier verdomme stervenskoud.'

Dat was waar, het enige wat Willem warm hield was zijn woede. 'Is het je niet opgevallen dat zijn hele arm in het verband zit, JB?'

'Maar het gaat best, Willem,' zei Jude voordat JB kon reageren.

Ze bleven nog tien minuten bekvechten, totdat Jude ten slotte weer naar de rand van het dak stapte. 'Als jij me niet wilt helpen, Willem, dan doet Malcolm het wel,' zei hij, hoewel Malcolm ook doodsbenauwd keek.

'Nee,' zei Willem, 'ik doe het wel.' En dus gingen JB en hij op hun knieën dicht tegen het muurtje zitten en omklemden allebei een hand van Jude met hun twee handen. Het was intussen zo koud dat hij nauwelijks meer voelde dat hij zijn vingers om Judes hand sloeg. Hij zat links van Jude, dus hij kon toch alleen maar een kussen van verbandgaas voelen. Terwijl hij erin kneep, zag hij Andy's gezicht voor zich en werd door schuldgevoel overmand.

Jude zette zich af tegen de zijkant van het muurtje en Malcolm maakte een kermend geluid dat schril eindigde. Willem en JB leunden zo ver mogelijk naar voren, tot ze zelf het gevaar liepen over het muurtje te vallen, en toen Jude riep dat ze hem los moesten laten deden ze dat en zagen hem onder hen met een luid gekletter neerkomen op de planken vloer van de brandtrap.

JB juichte en Willem had hem wel een klap willen geven. 'Alles oké!' riep Jude naar hen, en hij zwaaide met zijn verbonden hand als met een vlag, voordat hij naar de rand van het plankier ging en op de balustrade ging zitten, zodat hij bij zijn zelfgefabriceerde slot kon om het los te maken. Hij had zijn benen rond de spijlen van de ijzeren balustrade geslagen, maar toch was het een hachelijke positie: Willem zag hem een beetje heen en weer zwaaien in een poging zijn balans te vinden, terwijl zijn vingers, die verstijfd waren door de kou, maar langzaam bewogen.

'Laat mij ook zakken,' zei hij tegen Malcolm en JB, en zonder acht te slaan op Malcolms beverige protesten liet hij zich over de rand zakken, maar pas nadat hij naar Jude had geroepen, zodat die zijn evenwicht niet zou verliezen als Willem plotseling naast hem neerkwam.

De val was angstiger en de landing harder dan hij had verwacht, maar hij zorgde dat hij zich snel herstelde, liep naar de balustrade, sloeg zijn armen rond Judes middel en haakte een been achter een spijl om zich schrap te kunnen zetten. 'Ik heb je,' zei hij, en Jude leunde verder over de rand van de balustrade dan hij in z'n eentje had gekund, terwijl Willem hem zo stevig vasthield dat hij Judes wervels door zijn trui heen voelde, en het op en neer gaan van zijn buik bij elke ademhaling, en de resonantie van zijn vingerbewegingen door zijn spieren terwijl hij de eindjes metaaldraad waarmee het raam vastzat in het kozijn losdraaide en rechtboog. Toen dat gebeurd was, hees Willem zich op de balustrade en klom als eerste de slaapkamer in, waarna hij Jude voorzichtig aan zijn armen naar binnen trok, zonder hem bij het verbonden deel van zijn arm te pakken.

Hijgend van inspanning stonden ze binnen en keken elkaar aan. Het was zo heerlijk warm in deze kamer, zelfs met het raam wijdopen, dat Willem toegaf aan zijn opluchting en zijn knieën slap voelde worden. Ze waren veilig, ze hadden het gered. Toen grijnsde Jude naar hem en hij grijnsde terug; als hij daar met JB had gestaan, zou hij hem uit pure uitgelaten blijdschap hebben geknuffeld, maar Jude was geen knuffelaar en daarom deed hij dat niet. Maar toen Jude zijn hand opstak om wat roestschilfers uit zijn haar te vegen, zag Willem dat zijn verband aan de binnenkant van zijn pols een donkere bordeauxrode vlek had gekregen en besefte alsnog dat Jude niet alleen hijgde van inspanning, maar ook van pijn. Hij zag hoe Jude zich zwaar op zijn bed liet zakken, met zijn wit verbonden hand achter zich tastend om zich ervan te vergewissen dat er iets was om op neer te komen.

Willem ging op zijn hurken bij hem zitten. Zijn opgetogenheid was verdwenen en er was iets anders voor in de plaats gekomen. Vreemd genoeg was hij opeens bijna in tranen, zonder dat hij had kunnen zeggen waarom.

'Jude,' begon hij, maar hij aarzelde hoe hij verder moest gaan.

'Je kan ze maar beter gaan halen,' zei Jude, en hoewel hij de woorden hortend uitbracht, glimlachte hij weer naar Willem.

'Ze kunnen de pot op,' zei hij. 'Ik blijf hier bij jou.' En Jude lachte een beetje, al vertrok hij zijn gezicht erbij van pijn, en hij liet zichzelf voorzichtig naar achteren zakken tot hij op zijn zij lag, waarna Willem zijn benen op bed tilde. Zijn trui was sproeterig van de roestschilfertjes en Willem plukte er een paar af. Hij ging naast hem op het bed zitten en wist niet hoe hij moest beginnen. 'Jude,' probeerde hij nogmaals.

'Ga nou maar,' zei Jude terwijl hij zijn ogen dichtdeed, nog steeds met een glimlach, en Willem stond met tegenzin op, sloot het raam, deed het licht in de kamer uit, trok de deur achter zich dicht en zette koers naar het trappenhuis om Malcolm en JB te gaan redden, terwijl hij ver onder zich de zoemer hoorde die aankondigde dat de eerste gasten van die avond waren gearriveerd.

II

De Postman

1

De zaterdagen werden besteed aan werk, maar op zondag wandelde hij. Die wandelingen waren uit noodzaak begonnen toen hij vijf jaar daarvoor naar de stad was verhuisd en er nog weinig over wist: elke week koos hij een nieuwe buurt uit en wandelde daar vanaf Lispenard Street naartoe, dan precies langs de buitenranden eromheen en daarna weer terug naar huis. Hij sloeg geen zondag over, tenzij het weer het zo goed als onmogelijk maakte, en zelfs nu hij al door elke buurt van Manhattan had gewandeld en ook door een groot deel van Brooklyn en Queens, ging hij nog elke zondagochtend om tien uur van huis en keerde pas terug als zijn route was voltooid. Die wandelingen waren allang niet meer voor zijn plezier, hoewel je ook niet kon zeggen dat hij er géén plezier in had; het was gewoon iets wat hij deed. Een tijdlang had hij ze ook graag willen zien als meer dan lichaamsbeweging, als iets helends, een soort niet-professionele fysiotherapie, ondanks het feit dat Andy het niet met hem eens was en zijn wandelingen zelfs afkeurde. 'Ik vind het prima als je je benen wilt trainen,' had hij gezegd. 'Maar ga dan zwemmen in plaats van jezelf straat in, straat uit te slepen.' Eigenlijk had hij best graag willen zwemmen, maar er was nergens genoeg privacy voor hem, dus deed hij dat niet.

Willem was af en toe met hem meegegaan, en als zijn route nu langs het theater kwam, kiende hij het zo uit dat ze elkaar na de matinee konden treffen bij de sapkraam verderop in de straat. Dan dronken ze wat, en Willem vertelde hoe de voorstelling was gegaan en kocht een salade om voor de avondvoorstelling te eten, waarna hij verderliep in zuidelijke richting, naar huis.

Ze woonden nog steeds in Lispenard Street, hoewel ze allebei een eigen appartement hadden kunnen hebben: hij zeker, Willem waarschijnlijk ook wel. Maar geen van beiden was ooit over weggaan begonnen, en dus waren ze er allebei nog. Wel hadden ze een keer in een weekend met het hele groepje een tweede slaapkamer gemaakt door de linkerhelft van de woonkamer met een gipswandje af te scheiden, dus bij binnenkomst werd je nu slechts begroet door het grauwe licht van twee ramen in plaats van vier. Willem had de nieuwe slaapkamer genomen, en hij was in de oude gebleven.

Behalve hun ontmoetingen bij de artiestenuitgang had hij het gevoel dat hij Willem de laatste tijd nooit meer zag, want al noemde Willem zichzelf dan een luilak, hij leek continu aan het werk of op zoek naar werk: drie jaar geleden, op zijn negenentwintigste verjaardag, had hij gezworen dat hij voor zijn dertigste weg zou zijn bij Ortolan, en twee weken voor zijn dertigste verjaardag hadden ze met z'n tweeën in hun appartement gezeten, hutjemutje in de pas opgedeelde woonkamer, en had Willem zich bezorgd afgevraagd of hij zijn baan eigenlijk wel kón opgeven, toen hij een telefoontje kreeg, het telefoontje waar hij al jaren op wachtte. Het toneelstuk dat uit dat telefoontje was voortgekomen was succesvol genoeg geweest en had Willem genoeg aandacht opgeleverd om hem in staat te stellen een dikke dertien maanden later voorgoed weg te gaan bij Ortolan: maar één jaar na zijn zelf opgelegde deadline. Hij had Willems stuk – een familiedrama met de titel *The Malamud Theorem*, over een hoogleraar literatuur die met beginnende dementie kampt en diens van hem vervreemde zoon, een natuurkundige – vijf keer gezien, tweemaal met Malcolm en JB en eenmaal met Harold en Julia, die een weekend in de stad waren, en elke keer was het hem gelukt te vergeten dat het zijn oude vriend, zijn huisgenoot was die daar op het toneel stond, en tijdens het applaus was hij zowel trots als weemoedig geweest, alsof de hoogte van het podium een voorbode was van Willems opstijgen naar een andere levenssfeer, waar hij niet zomaar toegang had.

Dat hijzelf de dertig naderde had geen latente paniek opgewekt, geen verhitte activiteit, geen behoefte de hoofdlijnen van zijn leven aan te passen zodat het meer leek op hoe het leven van een dertiger eruit hoorde te zien. Datzelfde ging echter niet op voor zijn vrienden, en de laatste drie jaar voor de grote dag had hij voortdurend moeten luisteren naar hun lofzangen op het twintiger-zijn, hun gedetailleerde uiteenzettingen van wat ze wel of niet hadden gedaan en hun waslijsten van zelfverwijten en goede voornemens. Er waren dingen veranderd. Zo was de tweede slaapkamer gedeeltelijk tot stand gekomen omdat het Willem niet lekker zat dat hij op zijn achtentwintigste nog steeds een kamer deelde met zijn kamergenoot van de universiteit, en diezelfde bezorgdheid – de angst dat het passeren van de dertig hen, als in een sprookje, zou veranderen in iets anders, iets waar ze geen controle over hadden, tenzij ze het vóór waren met hun eigen radicale aankondigingen – was voor Malcolm aanleiding haastig uit de kast te komen tegenover zijn ouders, om een jaar later op zijn schreden terug te keren toen hij een relatie kreeg met een vrouw.

Maar ondanks de angsten van zijn vrienden wist hij dat hij het heerlijk zou vinden om dertig te zijn, om dezelfde reden waarom zij het verafschuwden: omdat je op die leeftijd ontegenzeggelijk volwassen was. (Hij keek al uit naar zijn vijfendertigste, als hij zou kunnen zeggen dat hij langer volwassen was dan dat hij kind was geweest.) In zijn jeugd was dertig jaar een verre, onvoorstelbare leeftijd geweest. Hij herinnerde zich nog goed dat hij als klein jongetje – in zijn tijd in het klooster – aan broeder Michael, die hem graag mocht vertellen over de reizen die hij in zijn andere leven had gemaakt, had gevraagd wanneer ook hij op reis zou kunnen gaan.

'Als je ouder bent,' had broeder Michael gezegd.

'Wanneer dan?' had hij gevraagd. 'Volgend jaar?' In die tijd had zelfs een maand een eeuwigheid geleken.

'Over vele jaren,' had broeder Michael gezegd. 'Als je ouder bent. Als je dertig bent.' En nu, over een paar weken, was het zover.

Die zondagen, als hij zich klaarmaakte om te gaan wandelen, stond hij soms op blote voeten in de keuken, alles stil om hem heen, en dan ervoer hij het kleine, lelijke appartement als een soort wonder. Hier waren tijd en ruimte van hem, en elke deur kon dicht, elk raam op slot. Dan stond hij vaak voor de kleine gangkast – eigenlijk een nis waar ze een lap jute voor hadden gehangen – de voorraad daarin te bewonderen. In Lispenard Street hoefde niemand 's avonds laat snel naar het winkeltje op West Broadway voor een rol closetpapier, niemand hoefde ooit met opgetrokken neus te ruiken aan een oud pak melk dat achter uit de koelkast kwam: hier was altijd extra. Hier werd alles op tijd vervangen. Daar zorgde hij voor. In hun eerste jaar in Lispenard Street had hij zich een beetje geschaamd voor zijn gewoontes, omdat hij wist dat die hoorden bij een veel oudere en waarschijnlijk vrouwelijke persoon, en daarom had hij zijn voorraden keukenpapier onder zijn bed verstopt en zijn reclameblaadjes met kortingscoupons in zijn tas opgeborgen om ze later, als Willem niet thuis was, door te kunnen kijken alsof het een buitenissig soort porno betrof. Maar op een dag had Willem, op zoek naar een sok die hij per ongeluk onder het bed had geschopt, zijn hamstervoorraad ontdekt.

Hij had zich gegeneerd. 'Waarom?' had Willem gevraagd. 'Ik vind het geweldig. Godzijdank let jij wel op dat soort dingen.' Maar het had hem toch een kwetsbaar gevoel gegeven, het zoveelste brokje bewijs voor het toch al uitpuilende dossier dat getuigde van zijn tuttige zuinigheid, zijn fundamentele, ongeneeslijke onvermogen het soort persoon te zijn dat hij anderen voor ogen probeerde te toveren.

En toch – zoals met zo veel dingen – kon hij het niet laten. Aan wie kon hij uitleggen dat hij net zo veel voldoening en veiligheid ontleende aan die onooglijke Lispenard Street, aan zijn bunkervoorraad, als aan zijn universitaire masters en zijn baan? Of dat die momenten alleen in de keuken bijna iets meditatiefs hadden, de enige keren dat hij zich werkelijk voelde ontspannen, dat zijn geest ophield zich vooruit te klauwen, bij voorbaat calculerend welke duizenden kleine aanpassingen en bezoedelingen van feit en waarheid er nodig waren voor al zijn interacties met de wereld en zijn bewoners? Aan niemand, dat wist hij, zelfs niet aan Willem. Maar hij had jaren de tijd gehad om te leren zijn gedachten voor zich te houden; anders dan zijn vrienden had hij geleerd niet met anderen over zijn afwijkingen te praten om zich op die manier van hen te onderscheiden, hoewel hij blij en trots was dat zij hem wel over die van hen vertelden.

Vandaag zou hij naar de Upper East Side lopen: over West Broadway naar het Washington Square Park, dan naar University Place, over Union Square en via Broadway naar 5th Avenue, die hij zou volgen tot aan 86th Street, en dan terug via Madison tot aan 24th Street, waar hij in oostelijke richting zou doorsteken naar Lexington alvorens in zuidoostelijke richting verder te gaan naar Irving Place, waar hij Willem voor het theater zou treffen. Het was al maanden, bijna een jaar geleden dat hij dit traject had gelopen, ten eerste omdat het erg lang was en ten tweede omdat hij sowieso alle zaterdagen in de Upper East Side doorbracht, in een chic pand niet ver van het huis van Malcolms ouders, waar hij bijles gaf aan een jongetje van twaalf dat Felix heette. Maar het was half maart, voorjaarsvakantie, en Felix was met zijn ouders op vakantie in Utah, zodat hij geen risico liep ze tegen te komen.

Felix' vader was bevriend met vrienden van Malcolms ouders, en Malcolms vader was degene geweest die het baantje voor hem geregeld had. 'Ze betalen je echt niet genoeg bij het Openbaar Ministerie, hè?' had meneer Irvine gezegd. 'Waarom mag ik je nou niet eens voorstellen aan Gavin?' Gavin was een studievriend van meneer Irvine, die nu aan het hoofd stond van een van de grotere advocatenkantoren in de stad.

'Pap, hij wil echt niet in zo'n advocatenfabriek werken,' had Malcolm hem onderbroken, maar zijn vader had gewoon doorgepraat alsof Malcolm niets had gezegd, en Malcolm was weer onderuitgezakt in zijn stoel. Hij had zich op dat moment rot gevoeld voor Malcolm, maar was ook geïrriteerd geweest, want hij had Malcolm gevraagd zijn ouders eens heel discreet te polsen of ze misschien iemand kenden die bijles nodig had, niet om dat ronduit te vrágen.

'Nee, maar serieus,' had Malcolms vader tegen hem gezegd, 'ik vind het fantastisch dat je het op eigen kracht wilt maken.' (Malcolm zakte nog verder onderuit.) 'Maar heb je echt zo hard geld nodig? Ik dacht niet dat de overheid zó slecht betaalde, maar mijn tijd als ambtenaar is ook alweer lang geleden.' Hij grinnikte.

Hij glimlachte terug. 'Nee,' zei hij, 'het salaris is prima.' (Dat was het ook. Niet naar de maatstaven van meneer Irvine natuurlijk, of die van Malcolm, maar het was meer geld dan hij ooit had durven dromen, en het kwam elke twee weken binnen, een gestage aanwas van cijfers.) 'Ik ben alleen aan het sparen voor een eigen huis.' Hij zag Malcolm snel zijn kant op kijken en bedacht dat hij niet moest vergeten Willem op de hoogte te brengen van dit specifieke leugentje tegen Malcolms vader voordat Malcolm dat zelf zou doen.

'Oké, nou, goed hoor,' zei meneer Irvine. Dit was een doel dat hij kon begrijpen. 'En toevallig weet ik precies de juiste persoon voor je.'

Die persoon was Howard Baker, die hem na een verstrooid sollicitatiegesprek van een kwartier had aangenomen om zijn zoon pianoles te geven en bijles in Latijn, wiskunde en Duits. (Hij vroeg zich af waarom meneer Baker geen beroepsdocenten inhuurde voor al die vakken – hij kon het zich veroorloven – maar vroeg er niet naar.) Hij had medelijden met Felix, die klein en onaantrekkelijk was en de gewoonte had in een van zijn smalle neusgaten te peuteren, met een diep borende wijsvinger, tot hij besefte wat hij deed en hem snel terugtrok en afveegde aan de zijkant van zijn spijkerbroek. Acht maanden later had hij nog steeds geen duidelijk beeld van Felix' leervermogen. Hij was niet dom, maar hij leed aan een gebrek aan enthousiasme, alsof hij zich er op zijn twaalfde al bij had neergelegd dat het leven een teleurstelling zou zijn, en hij een teleurstelling voor de mensen in zijn leven. Elke zaterdag zat hij, stipt op tijd en met zijn huiswerk klaar, om één uur 's middags te wachten en beantwoordde gehoorzaam elke vraag – op een toon die aan het eind van de zin altijd bezorgd, vragend omhoogging, alsof elk antwoord, zelfs het simpelste ('*Salve, Felix, quid agis?*' 'Eh... *bene?*'), een wanhopige gok was – maar had zelf nooit vragen, en als hij Felix vroeg of er een onderwerp was dat hij graag in een van de twee talen wilde proberen te bespreken, haalde hij steevast zijn schouders op en mompelde iets, terwijl zijn vinger omhoogging in de richting van zijn neus. Als hij aan het eind van de middag ten afscheid naar Felix zwaaide en Felix lusteloos zijn hand opstak alvorens met hangende schouders achter in de hal uit het zicht te verdwijnen, had hij altijd de indruk dat de jongen het huis nooit uitkwam, nooit op stap ging en nooit bezoek van vriendjes kreeg. Arme Felix: zelfs zijn naam was een schimpscheut.

De maand daarvoor had meneer Baker gevraagd of hij hem na de lessen even kon spreken, en hij had afscheid genomen van Felix en was de huishoudster gevolgd naar zijn werkkamer. Hij trok die dag erg met zijn been en voelde zich ongemakkelijk, alsof hij – een idee dat hij vaker had – de rol van een verpauperde gouvernante in een toneelbewerking van Dickens speelde.

Hij had een ongeduldige, zelfs boze meneer Baker verwacht, ook al waren Felix' schoolprestaties aantoonbaar verbeterd, en hij zette zich schrap om zich zo nodig te verdedigen – Baker betaalde veel meer dan waar hij op had gerekend, en hij had plannen met het geld dat hij hier verdiende – maar in plaats daarvan werd hij met een knikje gewezen op de stoel die voor het bureau stond.

'Wat denk jij dat Felix mankeert?' had meneer Baker gevraagd.

Die vraag had hij niet verwacht, dus hij moest even nadenken voor hij antwoord gaf. 'Volgens mij mankeert hij niets, meneer,' zei hij voorzichtig. 'Volgens mij is hij alleen niet...' Gelukkig, zei hij bijna. Maar wat was geluk anders dan een uitspatting, een onmogelijk vol te houden toestand, deels omdat die zo moeilijk te verwoorden was? Hij kon zich niet herinneren als kind in staat te zijn geweest een omschrijving van geluk te geven: er was alleen ellende, of angst, en de afwezigheid van ellende of angst, en die laatste toestand was het enige wat hij nodig had gehad of had verlangd. 'Volgens mij is hij verlegen,' besloot hij.

Meneer Baker bromde iets (dit was kennelijk niet het antwoord waar hij naar op zoek was). 'Maar je mag hem wel, toch?' had meneer Baker gevraagd, met een zo vreemde, kwetsbare wanhoop dat hij overvallen werd door een diepbedroefd gevoel, zowel om Felix als om meneer Baker. Was dit hoe het was om de ouder van een kind te zijn? Was dit hoe het was om een kind te zijn met een ouder? Zo veel leed, zulke teleurstellingen, zulke verwachtingen die onuitgesproken en onvervuld zouden blijven!

'Natuurlijk,' had hij gezegd, en meneer Baker had hem met een zucht zijn cheque gegeven, die hij meestal op weg naar buiten van de huishoudster kreeg.

De week daarop had Felix het stuk dat hij had moeten oefenen niet willen spelen. Hij was nog lusteloozer dan gewoonlijk. 'Zullen we iets anders spelen?' had hij gevraagd. Felix had zijn schouders opgehaald. Hij dacht na. 'Wil je dat ik iets voor jou speel?' Felix haalde opnieuw zijn schouders op. Maar hij deed het toch, want het was een prachtige piano en soms, als hij toekeek terwijl Felix zijn vingers over die heerlijke gladde toetsen liet kruipen, verlangde hij ernaar alleen te zijn met het instrument en zijn handen er zo snel hij kon overheen te laten glijden.

Hij speelde Haydn, de sonate nr. 50 in D-majeur, een van zijn lievelingsstukken, zo helder en liefelijk dat hij dacht dat het hen allebei kon opvrolijken. Maar toen hij klaar was en er alleen maar dat stille joch was dat naast hem zat, schaamde hij zich, zowel om Haydns opschepperige, krachtige optimisme als om zijn eigen uitbarsting van genotzucht.

'Felix,' was hij begonnen, en toen zweeg hij. Naast hem wachtte Felix. 'Wat is er toch?'

En toen barstte Felix tot zijn stomme verbazing in tranen uit, en hij probeerde hem te troosten. 'Felix,' zei hij, terwijl hij onhandig een arm om hem heen sloeg. Hij deed alsof hij Willem was, die zonder nadenken precies zou hebben geweten wat hij moest zeggen en doen. 'Het komt allemaal goed. Echt, ik beloof het.' Maar Felix begon alleen maar harder te huilen.

'Ik heb helemaal geen vrienden,' bracht hij snikkend uit.

'O, Felix,' zei hij, en zijn medeleven, dat tot dat moment van de afstandelijke, objectieve soort was geweest, werd sterker. 'Wat naar voor je.' Op dat moment voelde hij haarfijn de eenzaamheid van Felix' leven, van een hele zaterdag binnen zitten met een kreupele jurist van bijna dertig die daar alleen maar voor het geld zat en die avond zou uitgaan met mensen van wie hij hield en die zelfs van hem hielden, terwijl Felix alleen bleef, met een moeder – meneer Bakers derde vrouw – die nooit thuis was en een vader die ervan overtuigd was dat hem iets mankeerde, iets wat verholpen diende te worden. Later, tijdens zijn wandeling naar huis (bij goed weer sloeg hij de auto van meneer Baker af en ging lopen), zou hij zich verwonderen over de bizarre oneerlijkheid van dit alles: Felix, in alle opzichten een beter kind dan hij was geweest, had desondanks geen vrienden, en hij, een niemendal, wel.

'Felix, dat komt nog wel,' had hij gezegd, en Felix had zo smartelijk 'Wanneer dan?' gejammerd dat zijn hart ineen was gekrompen.

'Binnenkort, binnenkort,' had hij gezegd, terwijl hij hem op zijn magere rug klopte, 'echt.' En Felix had geknikt, al had zijn gekko-snoetje dat door de tranen nog reptielachtiger was geworden hem later, toen de jongen met hem meeliep naar de voordeur, sterk het gevoel gegeven dat Felix wist dat hij loog. Wie zou het zeggen of Felix ooit vrienden zou krijgen? Vriendschap, kameraadschap: het was zo vaak onlogisch verdeeld, zo vaak ontging het degenen die het verdienden, zo vaak kwam het terecht bij de rare, slechte, eigenaardige, beschadigde mensen. Hij zwaaide naar Felix' smalle rug, die alweer in het huis verdween, en hoewel hij het nooit tegen Felix gezegd zou hebben, vermoedde hij dat het daardoor kwam dat de jongen de hele tijd zo mat was: het kwam doordat Felix dat allang had geconcludeerd; het kwam doordat hij het al wist.

~

Hij kende Frans en Duits. Hij kende het periodiek systeem. Hij kende – al gaf hij er niets om – grote delen van de Bijbel vrijwel uit zijn hoofd. Hij wist hoe je een koe moest helpen kalven, een lamp bedraden, een afvoer ontstoppen, de snelste manier om de noten van een walnotenboom te oogsten, welke paddestoelen giftig waren en welke niet, hoe je een hooibaal moest maken en hoe je een watermeloen, een appel, een pompoen of een suikermeloen op rijpheid moest testen door ze op de juiste plaats te bekloppen. (En dan wist hij nog dingen die hij liever niet geweten had, dingen die hij nooit meer hoopte te hoeven gebruiken, dingen waarbij hij, als hij eraan dacht of er 's nachts over droomde, in elkaar kroop van haat en schaamte.)

En toch leek het vaak alsof hij niets wist wat werkelijk waardevol of bruikbaar was, niet echt. De talen en wiskunde, prima. Maar hij werd er dagelijks aan herinnerd hoeveel hij níét wist. Hij had nooit gehoord van de tv-series waar iedereen het steeds over had. Hij was nooit naar de bioscoop geweest. Nooit op vakantie. Nooit op zomerkamp. Hij had nooit pizza, ijslolly's of macaroni met kaas gegeten (laat staan foie gras, sushi of asperges, zoals Malcolm en JB). Hij had nooit een computer of een telefoon gehad, en hij had zelden op internet gemogen. Hij had nooit iets bezeten, realiseerde hij zich, niet echt: de boeken die hij had en waar hij zo trots op was, de shirts die hij telkens opnieuw repareerde, die stelden niets voor, oude troep, en dat hij er zo trots op was, was nog gênanter dan helemaal niets te bezitten. Het leslokaal was de veiligste plaats, en de enige plaats waar hij zich volledig op zijn gemak voelde: alles daarbuiten was een niet te stoppen lawine van wonderlijke dingen, het ene nog verbluffender dan het andere, die hem stuk voor stuk confronteerden met zijn grondeloze onwetendheid. Hij betrapte zichzelf erop dat hij in zijn hoofd lijstjes bijhield van nieuwe dingen die hij had gezien en opgevangen. Maar hij kon niemand ooit om opheldering vragen. Daarmee zou hij toegeven dat hij extreem anders was, wat verdere vragen zou uitlokken en hem kwetsbaar zou maken, en wat onvermijdelijk zou leiden tot gesprekken waar hij absoluut geen zin in had. Vaak voelde hij zich niet zozeer een buitenlander – want zelfs de buitenlandse studenten (zelfs Odval, uit een dorpje nabij Ulaanbaatar) leken al die tv-series en films te kennen – als wel iemand uit een ander tijdperk: als je bekeek wat hij allemaal blijkbaar had gemist en hoe onbenullig en louter bijzaak de dingen die hij wél wist leken te zijn, had zijn jeugd zich net zo goed kunnen afspelen in de negentiende eeuw in plaats van de eenentwintigste. Hoe kwam het dat kennelijk al zijn leeftijdgenoten, of ze nu in Lagos of in Los Angeles geboren waren, min of meer dezelfde ervaringen deelden, met dezelfde culturele ijkpunten? Er was toch zeker wel iemand die net zo weinig wist als hij? En zo niet, hoe kon hij het dan ooit inhalen?

's Avonds, als ze met een groepje in iemands kamer onderuit waren gezakt (met een brandende kaars en een brandende joint), kwam het gesprek vaak op de kinderjaren van zijn klasgenoten, die nog nauwelijks voorbij waren, maar waar ze vreemd weemoedig en ronduit geobsedeerd over deden. Ze haalden herinneringen op aan elk detail, leek het wel, al wist hij nooit zeker of het hun doel was de overeenkomsten met de anderen te vinden of op te scheppen over de verschillen, want ze leken in beide evenveel plezier te scheppen. Ze praatten over uitgaansverboden, rebellieën en straffen (een paar van hen waren door hun ouders geslagen, en ze vertelden die verhalen bijna met trots, wat hij ook eigenaardig vond), huisdieren, broers en zussen, de kleren waarmee ze hun ouders op de kast joegen, met welke groepjes ze op de middelbare school omgingen en met wie ze het voor het eerst gedaan hadden, en waar, en hoe, en de auto's die ze in de prak hadden gereden, de botten die ze hadden gebroken, de sporten die ze hadden beoefend en de bandjes die ze hadden opgericht. Ze praatten over gruwelijke vakanties met het hele gezin, over gekke, kleurrijke familieleden, rare buren en leraren, zowel geliefde als gehate. Hij genoot meer van die onthullingen dan hij had verwacht – dit waren échte pubers die een echt, gewoon leven hadden geleid van het soort waar hij altijd nieuwsgierig naar was geweest – en hij vond het ontspannend en tegelijk leerzaam om 's avonds laat naar ze te zitten luisteren. Zijn stilte was zowel noodzaak als bescherming en had het bijkomende voordeel dat hij er mysterieuzer en interessanter door leek dan hij in werkelijkheid was. 'En jij, Jude?' hadden een paar mensen aan het begin van het schooljaar gevraagd, en intussen wist hij – hij leerde snel – dat hij dan gewoon zijn schouders moest ophalen en met een glimlach zeggen: 'Te saai voor woorden.' Hij was verbaasd maar opgelucht te merken dat dat voetstoots werd geaccepteerd, en ook dankbaar voor hun egocentrisme. Eigenlijk wilde geen van hen echt naar iemand anders luisteren; ze wilden alleen hun eigen verhaal vertellen.

Toch bleef zijn stilte niet bij iedereen onopgemerkt, en die stilte bezorgde hem zijn bijnaam. Dit was het jaar waarin Malcolm het postmodernisme ontdekte, en JB had er zo'n heisa over gemaakt dat Malcolm nu pas met die ideologie kwam aanzetten, dat hij maar niet had toegegeven er ook nog nooit van gehoord te hebben.

'Je kan niet zomaar beslúíten dat je postzwart bent, Malcolm,' had JB gezegd. 'Bovendien: om het zwarte bewustzijn achter je te kunnen laten moet je wel eerst zwart gewéést zijn.'

'Eikel,' had Malcolm geantwoord.

'Óf,' was JB verdergegaan, 'je moet zo volledig buiten alle hokjes vallen dat de normale identiteitsbegrippen niet eens op je van toepassing zijn.' Toen had JB zich naar hem omgedraaid, en hij had zich acuut voelen verstarren van angst. 'Zoals onze Judy hier: we zien hem nooit met iemand, we weten niet tot welk ras hij behoort, we weten helemaal niks over hem. Postseksueel, postraciaal, postidentiteit, postverleden.' Hij lachte naar hem, waarschijnlijk om duidelijk te maken dat het op zijn minst deels een geintje was. 'De postman. Jude de Postman.'

'De Postman,' had Malcolm herhaald: die greep altijd schaamteloos andermans ongemak aan om de aandacht af te leiden van dat van hemzelf. En hoewel de naam niet beklijfde – toen Willem weer de kamer in kwam en het hoorde, rolde hij als antwoord alleen maar met zijn ogen, wat er voor JB iets van de lol af leek te halen – maakte die hem weer eens duidelijk dat hoezeer hij zichzelf ook voorhield dat hij erbij hoorde, hoezeer hij ook zijn best deed om zijn stekelige gekke trekjes te verbergen, niemand erin trapte. Ze wisten dat hij vreemd was, en nu was hij ook nog zo dom geweest zichzelf wijs te maken dat hij hún had wijsgemaakt dat hij dat niet was. Toch bleef hij naar die avondlijke bijeenkomsten gaan, bleef hij bij zijn studiegenoten in hun kamers aanschuiven: hij werd door hen aangetrokken, ook al wist hij nu dat hij zichzelf in gevaar bracht door erheen te gaan.

Tijdens die sessies (zo was hij ze gaan zien, als intensieve werkgroepen waarin hij zijn culturele lacunes kon opvullen) ving hij soms een blik op van Willem, die hem met een ondoorgrondelijke uitdrukking aankeek, en dan vroeg hij zich af hoeveel Willem misschien over hem kon raden. Af en toe moest hij zich inhouden om niets tegen hem te zeggen. Misschien had hij ongelijk, dacht hij soms. Misschien zou het fijn zijn om iemand op te biechten dat hij het grootste deel van de tijd nauwelijks een touw kon vastknopen aan wat er werd besproken, dat hij die gezamenlijke taal over jeugdblunders en frustraties niet verstond. Maar dan hield hij zich in, want als hij ervoor uitkwam dat hij die taal niet kende, moest hij ook uitleggen welke taal hij wél sprak.

Al wist hij dat als hij het aan íémand zou vertellen, dat Willem zou zijn. Hij bewonderde alle drie zijn kamergenoten, maar Willem was degene die hij vertrouwde. In het tehuis had hij al snel geleerd dat er drie soorten jongens waren: de eerste soort zou een ruzie kunnen uitlokken (dat was JB). De tweede soort zou er niet aan meedoen, maar zou ook niet wegrennen om hulp te halen (dat was Malcolm). En de derde soort zou je echt proberen te helpen (die soort was het zeldzaamst, en dat was duidelijk Willem). Misschien was het bij meisjes net zo, maar hij was te weinig met meisjes omgegaan om daar zeker van te zijn.

En hij was er steeds zekerder van dat Willem iets wist. (Wát dan? sprak hij zichzelf op rationelere momenten tegen. Je zoekt gewoon naar een reden om het hem te vertellen, en wat zal hij dan van je denken? Wees verstandig. Zeg niets. Beheers je een beetje.) Maar dat was natuurlijk niet logisch. Al voor hij naar de universiteit ging, wist hij dat zijn jeugd atypisch was geweest – je hoefde maar een paar boeken te lezen om tot die conclusie te komen – maar pas sinds kort besefte hij hóé atypisch. Zo uitgesproken vreemd dat hij erdoor werd afgeschermd en geïsoleerd: het was zo goed als ondenkbaar dat iemand de contouren en details ervan zou kunnen raden, dus als ze dat toch deden, moest hij hints hebben laten vallen zo groot als koeienvlaaien: grote, lelijke, niet te missen smeekbeden om aandacht.

Maar toch. Het vermoeden bleef en was soms onbehaaglijk sterk, alsof hij onvermijdelijk iets zou moeten zeggen en boodschappen doorkreeg waarvan het wegduwen meer energie kostte dan het zou kosten eraan te gehoorzamen.

Op een avond waren ze alleen met z'n vieren. Dat was in het begin van het derde jaar, en het kwam zo zelden voor dat ze allemaal een knus en wat nostalgisch gevoel hadden over het clubje dat ze hadden gevormd. Ze waren echt een clubje, en tot zijn verbazing was hij daar één van: het gebouw waar ze woonden heette Hood Hall, en ze stonden op de campus bekend als The Boys in the Hood. Ieder had ook zijn eigen vrienden (JB en Willem de meeste), maar het was algemeen bekend (of werd aangenomen, wat op hetzelfde neerkwam) dat ze vóór alles loyaal aan elkaar waren. Geen van hen had dit ooit expliciet ter sprake gebracht, maar ze wisten allemaal dat ze blij waren met die aanname, dat ze die vriendschapscode die hun was opgelegd prettig vonden.

Die avond hadden ze pizza gegeten, besteld door JB en betaald door Malcolm. JB had voor wiet gezorgd, en buiten regende het, gevolgd door hagel, en het getik tegen het glas en de wind die de ramen in hun splinterige sponningen deed rammelen maakten hun geluk compleet. De joint ging rond en rond, en hoewel hij geen trekje nam – dat deed hij nooit; hij was veel te bang voor wat hij zou kunnen zeggen of doen als hij geen controle meer over zichzelf had – voelde hij hoe de rook in zijn ogen kwam en tegen zijn oogleden drukte als een harig warm beest. Zoals altijd wanneer een van de anderen betaalde, had hij erop gelet zo weinig mogelijk te eten, en hoewel hij nog steeds honger had (er waren twee stukken over en hij staarde ernaar, tot hij zichzelf daarop betrapte en zich resoluut afwendde), was hij ook intens voldaan. Ik zou zo in slaap kunnen vallen, dacht hij, en hij strekte zich uit op de bank, terwijl hij Malcolms deken over zich heen trok. Hij was prettig uitgeput, maar uitputting was in die tijd eigenlijk een constante: het was alsof de dagelijkse inspanning om normaal te lijken zo groot was dat er weinig energie overbleef voor iets anders. (Soms was hij zich ervan bewust dat hij harkerig of kil leek, of saai, iets wat hier, zoals hij wist, misschien als een groter euvel zou worden beschouwd dan te zijn wat hij was, wat dat ook mocht wezen.) Op de achtergrond hoorde hij als van heel ver weg Malcolm en JB kibbelen over het kwaad.

'Ik zeg alleen dat als jij Plato gelezen had, we deze discussie niet zouden hebben.'

'Jaja, maar welke Plato?'

'Heb je Plato gelezen?'

'Ik zie niet in...'

'Nou?'

'Nee, maar...'

'Zie je wel! Zie je wel?!' Dat was Malcolm, op en neer springend en wijzend naar JB, terwijl Willem lachte. De wiet maakte Malcolm tegelijkertijd maffer en pedanter, en zij drieën vonden het leuk om maffe, pedante filosofische discussies met hem uit te lokken waarvan Malcolm zich de volgende dag de inhoud niet meer kon herinneren.

Toen kwam er een intermezzo waarin Willem en JB over iets zaten te praten – hij was te slaperig om echt te luisteren, net wakker genoeg om hun stemmen te onderscheiden – en toen de stem van JB, dwars door zijn doezeling heen: 'Jude!'

'Wat?' zei hij, met zijn ogen nog dicht.

'Ik wil je wat vragen.'

Hij voelde onmiddellijk iets in hem alert worden. Als hij high was had JB het griezelige vermogen vragen te stellen of opmerkingen te maken die even verwoestend als verwarrend waren. Ze leken hem niet verkeerd bedoeld, maar je vroeg je wel af wat er allemaal omging in JB's onderbewuste. Was dít de ware JB, degene die aan hun huisgenote Tricia Park had gevraagd hoe het was om op te groeien als het lelijke tweelingzusje (die arme Tricia was opgestaan en de kamer uit gerend), of was de ware JB degene die op een avond, nadat hij hem midden in een vreselijke aanval had meegemaakt, zo een waarin hij pendelde tussen bewustzijn en bewusteloosheid en het misselijkmakende gevoel had alsof hij halverwege de rit naar boven van een achtbaan viel, met zijn eeuwig stonede vriendje naar buiten was geglipt en vlak voor dageraad terugkwam met een armvol magnoliatakken vol donzige knoppen, illegaal afgezaagd van de bomen op de binnenplaats?

'Wat?' vroeg hij nogmaals, op zijn hoede.

'Nou,' zei JB, en hij stopte om nog een trek van de joint te nemen, 'we kennen elkaar nou een tijdje...'

'O ja?' vroeg Willem zogenaamd verrast.

'Hou je kop, Willem,' ging JB verder, 'en wij allemaal willen weleens weten waarom je ons nooit hebt verteld wat er met je benen is gebeurd.'

'Maar JB, we willen helemaal niet...' begon Willem, maar Malcolm, die de gewoonte had om als hij stoned was luidkeels de kant van JB te kiezen, onderbrak hem: 'Het is gewoon kwetsend, Jude. Vertrouw je ons soms niet?'

'Jezus, Malcolm,' zei Willem, en hij imiteerde Malcolm met een schrille falsetstem: '"Het is gewoon kwetsend." Je klinkt als een klein meisje. Dat is toch zíjn zaak.'

En dat was op de een of andere manier nog erger, dat Willem, altijd Willem, hem moest verdedigen. Tegen Malcolm en JB! Op dat moment had hij de pest aan hen allemaal, maar natuurlijk was hij niet in een positie om de pest aan hen te hebben. Ze waren zijn vrienden, zijn eerste vrienden, en hij begreep dat vriendschap bestond uit een reeks uitwisselingen: van genegenheid, van tijd, soms van geld, maar altijd van informatie. En geld had hij niet. Hij had niets wat hij hun kon geven, hij had niets te bieden. Willem kon geen trui van hem lenen zoals hij van Willem, hij kon de honderd dollar niet terugbetalen die Malcolm hem ooit had opgedrongen en hij kon zelfs niet helpen met verhuizen, zoals JB hem hielp.

'Nou,' begon hij, en hij was zich ervan bewust dat ze allemaal vol verwachting zwegen, zelfs Willem. 'Zo interessant is het niet.' Hij hield zijn ogen dicht, omdat het makkelijker was het verhaal te vertellen zonder hen aan te kijken, maar ook omdat hij bang was dat op dat moment niet te kunnen verdragen. 'Het was een aanrijding met een auto. Ik was vijftien. Het was het jaar voor ik hierheen kwam.'

'O,' zei JB. Er viel een stilte; hij voelde iets in de kamer leeglopen als een ballon, voelde dat de anderen door zijn onthulling terugzakten in een soort sombere nuchterheid. 'Rot voor je, *bro*. Echt klote.'

'Kon je daarvoor wel lopen?' vroeg Malcolm, alsof hij dat nu niet kon. En dat gaf hem een triest en beschaamd gevoel: wat hij als lopen beschouwde, zagen zij kennelijk niet zo.

'Ja,' zei hij, en toen voegde hij eraan toe, omdat het waar was, zij het niet op de manier waarop zij het zouden interpreteren: 'Ik heb veel hardgelopen.'

'O, wauw,' zei Malcolm. JB bromde medelevend.

Alleen Willem zei niets, merkte hij. Maar hij durfde zijn ogen niet open te doen om zijn gezichtsuitdrukking te zien.

Zoals hij van tevoren had geweten, verspreidde het nieuws zich na een tijdje. (Misschien hadden zijn benen echt vragen opgeroepen. Tricia Park kwam later naar hem toe en zei dat ze altijd had gedacht dat hij hersenverlamming had. Wat moest hij daarop antwoorden?) In de keten van hoort-zegt-het-voort was de verklaring echter veranderd in een autoongeluk, en daarna in een ongeluk veroorzaakt door een dronken automobilist.

'De eenvoudigste verklaringen zijn vaak de juiste,' zei zijn wiskundedocent dr. Li altijd, en misschien was dat principe hier ook van toepassing. Alleen wist hij dat het dat niet was. Wiskunde was één ding. Niets anders was zo minimalistisch.

Maar gek genoeg kreeg hij, doordat zijn verhaal werd vervormd tot een verhaal over een auto-ongeluk, een kans het opnieuw te verzinnen; hij hoefde het zich alleen maar toe te eigenen. Toch kon hij dat nooit. Hij kon het nooit een ongeluk noemen, want dat was het niet. En was het nu trots of domheid om de ontsnappingsroute die hem werd geboden niet te nemen? Hij wist het niet.

En toen merkte hij nog iets. Hij zat weer midden in een aanval – een bijzonder vernederende, die begon toen hij net wilde weggaan na zijn werk in de bibliotheek en Willem daar een paar minuten voor het begin van zijn dienst al was – toen hij de bibliothecaresse, een vriendelijke, erudiete vrouw die hij graag mocht, hoorde vragen waarom hij van die aanvallen had. Mevrouw Eakeley en Willem hadden hem met z'n tweeën naar de pauzeruimte achterin gebracht en hij rook de verbrandesuikergeur van oude koffie, een geur waar hij sowieso een hekel aan had, zo scherp en agressief dat hij bijna moest overgeven.

'Een aanrijding,' hoorde hij Willem zeggen, als van de overkant van een groot zwart meer.

Maar pas die avond drong tot hem door wat Willem had gezegd, en welk woord hij had gebruikt: aanrijding, en niet ongeluk. Was dat met opzet? vroeg hij zich af. Wat wist Willem? Hij was zo wazig dat hij het Willem misschien zelfs gevraagd zou hebben als hij er was geweest, maar dat was hij niet: hij was naar zijn vriendin.

Niemand was er, besefte hij. De kamer was van hem. Hij voelde het beest in hem – dat hij zich voorstelde als mager, plukharig en maki-achtig, klaar om weg te sprinten, met snelle reflexen en natte donkere oogjes die het landschap voortdurend aftuurden op naderend gevaar – zich ontspannen en neerzakken op de bodem. Op dit soort momenten vond hij de universiteit het fijnst: hij was in een warme kamer, de volgende dag zou hij drie maaltijden krijgen en zo veel kunnen eten als hij wilde, en tussendoor zou hij colleges volgen, en niemand zou proberen hem pijn te doen of hem iets te laten doen wat hij niet wilde. Ergens in de buurt waren zijn kamergenoten – zijn vrienden – en hij had weer een dag overleefd zonder een van zijn geheimen prijs te geven, zodat er weer een dag meer stond tussen degene die hij was geweest en degene die hij nu was. Dat leek altijd weer een prestatie waarna je slapen mocht, en dat deed hij dus, hij sloot zijn ogen en bereidde zich voor op de volgende dag in de wereld.

~

Het was Ana geweest, zijn eerste en enige maatschappelijk werkster en de eerste persoon die hem nooit had verraden, die in ernst met hem over de universiteit had gepraat – de universiteit waar hij uiteindelijk op terecht was gekomen – en die ervan overtuigd was geweest dat hij daar zou worden toegelaten. Zij was niet de eerste die dit had gesuggereerd, maar wel de volhardendste.

'Ik zie niet in waarom niet,' zei ze. Dat was een van haar favoriete zinnen. Ze zaten met z'n tweeën achter Ana's huis, op Ana's veranda, bananencake te eten die was gebakken door Ana's vriendin. Ana gaf niets om de natuur (al die beestjes, al dat gewriemel, zei ze altijd), maar toen hij voorstelde om buiten te gaan zitten – voorzichtig, want in die tijd wist hij nog niet precies waar de grens lag van haar verdraagzaamheid jegens hem – had ze een klap tegen de armleuningen van haar stoel gegeven en zichzelf omhooggewerkt. 'Ik zie niet in waarom niet. Leslie!' riep ze naar de keuken, waar Leslie limonade aan het maken was. 'We zitten buiten!'

Haar gezicht was het eerste dat hij zag toen hij in het ziekenhuis uiteindelijk zijn ogen had geopend. Gedurende een lang moment kon hij zich niet herinneren waar hij was, wie hij was of wat er was gebeurd, en toen ineens hing haar gezicht boven het zijne en keek hem aan. 'Nou nou,' zei ze. 'Hij wordt wakker.'

Zij was er altijd, leek het, ongeacht het tijdstip waarop hij wakker werd. Soms was het overdag en hoorde hij in de wazige, half vloeibare momenten voor hij helemaal bij bewustzijn kwam de geluiden van het ziekenhuis: het muizengepiep van de schoenen van de verpleegkundigen, het geratel van een karretje en de dreunend omgeroepen berichten. Maar soms was het nacht, als alles om hem heen stil was en het hem langer kostte te beseffen waar hij was en waarom, al kwam het terug, altijd, en anders dan sommige inzichten werd het niet gemakkelijker of vager bij elke nieuwe keer dat hij het zich herinnerde. En soms was het noch dag, noch nacht, maar ergens daartussenin, en dan had het licht iets vreemds en stoffigs waardoor hij een moment lang dacht dat er misschien toch zoiets als een hemel was, en dat het hem misschien toch was gelukt daarin te komen. Maar dan hoorde hij Ana's stem en herinnerde hij zich weer waarom hij daar lag, en dan wilde hij zijn ogen meteen weer dichtdoen.

Op die momenten praatten ze nergens over. Ze vroeg of hij honger had, en ongeacht zijn antwoord had ze altijd een broodje voor hem. Ze vroeg of hij pijn had, en zo ja, hoe erg. In haar nabijheid had hij zijn eerste aanval gekregen, en de pijn was zo vreselijk geweest – bijna ondraaglijk, alsof iemand in hem graaide, zijn ruggengraat beetpakte als een slang en al schuddend probeerde los te maken van de zenuwstrengen – dat later, toen de chirurg hem vertelde dat het lichaam nooit meer helemaal kon herstellen van een 'trauma' zoals dat van hem, hij de betekenis daarvan had begrepen en zich had gerealiseerd dat het een kloppend, perfect gekozen woord was.

'Bedoelt u dat hij die aanvallen zijn hele leven zal houden?' had Ana gevraagd, en hij was haar dankbaar geweest voor haar verontwaardiging, vooral omdat hij te moe en te bang was om die zelf te kunnen opbrengen.

'Ik wou dat ik die vraag ontkennend kon beantwoorden,' zei de chirurg. En toen, tegen hem: 'Maar misschien worden ze in de toekomst minder hevig. Je bent nog jong. De ruggengraat heeft een prachtig herstellend vermogen.'

'Jude,' had ze gezegd toen de volgende kwam, twee dagen na de eerste. Hij kon haar stem horen, maar als uit de verte, en toen ineens vreselijk dichtbij, als ontploffingen in zijn hoofd. 'Houd mijn hand vast,' zei ze, en weer zwol haar stem aan en ebde terug, maar ze pakte zijn hand en hij kneep zo hard dat hij voelde hoe haar wijsvinger heel raar over haar ringvinger schoof, hij voelde hoe in zijn greep zowat elk botje van haar handpalm een nieuwe positie aannam, en daardoor kwam ze hem voor als iets teers en gecompliceerds, hoewel er niets teers aan haar was, in uiterlijk noch in houding. 'Tel,' had ze hem opgedragen toen het voor de derde keer gebeurde, en dat deed hij, tellen tot honderd, keer op keer, de pijn opdelend in porties die hij aankon. In die dagen, voordat hij merkte dat hij beter stil kon blijven liggen, lag hij, op zoek naar een iets minder oncomfortabele houding, op zijn bed te spartelen als een vis op het dek, met zijn vrije hand graaiend naar een fokkentouw om zich aan vast te klampen, terwijl het ziekenhuismatras onbuigzaam en onaangedaan bleef. Hij probeerde stil te zijn maar hoorde zichzelf vreemde dierengeluiden maken, zodat hij soms een bos voor zich zag, bevolkt met schreeuwuilen, herten en beren, en zich inbeeldde dat hij een daarvan was en dat de geluiden die hij maakte normaal waren en hoorden bij de eindeloze soundtrack van het bos.

Als het ophield gaf ze hem wat water, met een rietje in het glas zodat hij zijn hoofd niet hoefde op te tillen. Onder hem bokte en kantelde de vloer, en vaak werd hij misselijk. Hij was nooit op de oceaan geweest, maar hij stelde zich voor dat dat zo zou voelen, stelde zich voor dat de linoleumvloer door het water werd opgestuwd tot vibrerende heuvels. 'Goed zo,' zei ze terwijl hij dronk. 'Nog een slokje.'

'Het wordt wel minder,' zei ze, en dan knikte hij, omdat hij geen idee had hoe hij zou moeten leven als het níét minder werd. Zijn dagen waren nu uren: uren zonder pijn en uren met, en de onvoorspelbaarheid van dat schema – en van zijn lichaam, al was dat alleen in naam van hem, want hij had niets ervan onder controle – putte hem uit, en hij sliep en sliep, terwijl de dagen onbewoond vergleden.

Later zou hij de mensen voor het gemak vertellen dat hij pijn in zijn benen had, maar dat was niet echt waar: het was zijn rug. Soms kon hij zeggen wat de aanzet gaf tot de stuiptrekkingen, de pijn die dwars door zijn ruggengraat naar het ene of het andere been ging, als een houten stok die in brand was gestoken en in hem gepriemd: een foute beweging, te zwaar of te hoog tillen, gewoon vermoeidheid. Maar soms kon hij dat ook niet. En soms had hij voorafgaand aan de pijn een korte periode van gevoelloosheid, of pijnscheuten die bijna prettig waren, zo fel en flitsend, alleen maar elektrische tintelingen die op en neer gingen door zijn ruggengraat, en dan wist hij dat hij moest gaan liggen en wachten tot die cyclus voorbij was, een boetedoening die hij nooit kon ontlopen of vermijden. Maar soms overviel het hem plotsklaps, en die aanvallen waren de ergste: hij werd steeds benauwder bij de gedachte dat het op een vreselijk onhandig moment raak zou zijn, en voor elke belangrijke vergadering, elk belangrijk sollicitatiegesprek, elke rechtszitting waar hij moest pleiten smeekte hij zijn rug om zich koest te houden, hem de komende paar uur door te helpen zonder incident. Maar dat lag allemaal in de toekomst, en elke les die hij leerde, leerde hij in de loop van uren en uren van die aanvallen, verspreid over dagen, maanden en jaren.

De weken verstreken en ze bracht hem boeken en zei dat hij titels moest opschrijven waarin hij geïnteresseerd was, dan zou zij ze bij de bibliotheek halen, maar daar was hij nog te bedeesd voor. Hij wist dat ze zijn maatschappelijk werkster was en dat ze aan hem was toegewezen, maar pas na meer dan een maand, toen de artsen erover begonnen dat binnen een paar weken het gips eraf mocht, vroeg ze hem voor het eerst wat er gebeurd was.

'Dat kan ik me niet herinneren,' zei hij. In die tijd was dat zijn standaardantwoord. Ook dat was gelogen: op ongewenste momenten zag hij de koplampen van de auto, twee identieke witte lichten, op hem af vliegen en herinnerde hij zich dat hij zijn ogen had gesloten en zijn hoofd opzij had geworpen, alsof dat het onvermijdelijke kon voorkomen.

Ze wachtte. 'Het is oké, Jude,' zei ze. 'We weten in grote lijnen wat er gebeurd is. Maar ik wil dat je het me op enig moment vertelt, zodat we het erover kunnen hebben.' Ze had hem eerder vragen gesteld, wist hij dat nog? Er was kennelijk een moment geweest, kort nadat hij uit de operatiekamer was gekomen, waarop hij was bijgekomen, helder was geweest en al haar vragen had beantwoord, niet alleen over wat er die nacht was gebeurd, maar ook in de jaren ervoor – maar dat herinnerde hij zich echt totaal niet meer, en hij piekerde over wat hij precies had gezegd en hoe Ana erbij had gekeken.

Hoeveel had hij haar verteld? vroeg hij op zeker moment.

'Genoeg om me ervan te overtuigen dat er een hel bestaat, en dat die mannen daarin thuishoren.' Ze klonk niet boos, maar haar woorden waren dat wel, en hij sloot zijn ogen, onder de indruk en een beetje geschrokken dat de dingen die hem waren overkomen – hem! – zo'n passie, zo'n venijn konden oproepen.

Ze zag erop toe dat hij werd overgeplaatst naar zijn nieuwe thuis, zijn laatste: het echtpaar Douglass. Daar waren nog twee pleegkinderen, allebei meisjes, allebei jong: Rosie van acht, die downsyndroom had, en Agnes van negen met een open rug. Het huis was een doolhof van hellingen, niet fraai maar wel stevig en egaal, en anders dan Agnes kon hij zichzelf overal heen rollen zonder om hulp te hoeven vragen.

De familie Douglass was luthers, maar ze dwongen hem niet mee te gaan naar de kerk. 'Het zijn goede mensen,' zei Ana. 'Zij zullen je niet lastigvallen, en je bent er veilig. Denk je dat er een dankgebedje voor het eten vanaf kan, in ruil voor een beetje privacy en gegarandeerde veiligheid?' Ze keek hem aan en glimlachte. Hij knikte. 'Trouwens,' ging ze verder, 'als je het over zondige dingen wilt hebben, kun je mij altijd bellen.'

En inderdaad verkeerde hij vaker onder Ana's hoede dan onder die van het echtpaar Douglass. Hij sliep bij hen in huis en at er, en toen hij net begon te leren met krukken te lopen was meneer Douglass degene die op een stoel voor de badkamerdeur zat, klaar om naar binnen te komen als hij uitgleed en viel bij het in of uit de badkuip stappen (zijn evenwicht was nog niet goed genoeg om onder de douche te kunnen, zelfs niet met een looprek). Maar het was Ana die hem naar de meeste doktersafspraken bracht, Ana die met een sigaret tussen haar lippen achter in haar tuin stond te wachten terwijl hij zijn eerste trage stappen in haar richting zette, en ook Ana die hem ten slotte zover kreeg dat hij opschreef wat hij met dokter Traylor had meegemaakt en die zorgde dat hij niet voor de rechtbank hoefde te getuigen. Hij had gezegd dat hij het wel aankon, maar zij had hem verteld dat hij er nog niet klaar voor was en dat ze meer dan genoeg bewijs hadden om Traylor zelfs zonder zijn getuigenis voor jaren achter de tralies te krijgen, en toen hij dat hoorde kon hij toegeven dat hij opgelucht was: opgelucht om niet hardop dingen te hoeven zeggen waarvan hij niet wist hoe hij ze zeggen moest, en vooral opgelucht dat hij dokter Traylor niet weer hoefde te zien. Toen hij haar ten slotte de schriftelijke verklaring gaf – die hij zo sober mogelijk had gehouden, zich tijdens het schrijven inbeeldend dat het eigenlijk over iemand anders ging, iemand die hij ooit had gekend maar met wie hij nooit meer had hoeven praten – las ze die eenmaal onbewogen door, waarna ze hem toeknikte. 'Goed,' zei ze bruusk, en ze vouwde het document weer op en stopte het terug in de envelop. 'Goed gedaan,' voegde ze eraan toe, en toen ineens barstte ze uit in een woest, niet te stoppen gehuil. Ze wilde iets tegen hem zeggen maar moest zo erg huilen dat hij haar niet kon verstaan, en uiteindelijk was ze weggelopen, al had ze hem later die avond gebeld om zich te verontschuldigen.

'Het spijt me, Jude,' zei ze. 'Dat was erg onprofessioneel van me. Ik las wat je had opgeschreven en het was gewoon...' Ze zweeg een tijdje en haalde toen diep adem. 'Het zal niet weer gebeuren.'

Ana was ook degene die, toen de artsen besloten dat hij nog niet genoeg was aangesterkt om naar school te kunnen, een privéleraar voor hem zocht zodat hij de middelbare school kon afmaken, en degene die begon over de universiteit. 'Je bent echt slim, wist je dat?' vroeg ze hem. 'Jij zou echt overal heen kunnen. Ik heb een paar van je leraren in Montana gesproken en zij denken er net zo over. Heb je daar weleens over nagedacht? Ja? Waar zou je naartoe willen?' En toen hij dat tegen haar zei, voorbereid op een lachsalvo, knikte ze alleen maar: 'Ik zou niet weten waarom niet.'

'Maar,' begon hij, 'denk je dat iemand als ik zou worden aangenomen?'

Weer lachte ze niet. 'Je hebt inderdaad niet het meest... traditionele onderwijs genoten' – ze glimlachte – 'maar je testresultaten zijn fantastisch, en al denk jij waarschijnlijk dat het niet zo is, ik kan je vertellen dat jij meer weet dan de meeste, zo niet alle andere kinderen van jouw leeftijd.' Ze zuchtte. 'Misschien heb je toch nog íéts te danken aan broeder Luke.' Ze bestudeerde zijn gezicht. 'Dus ik zou niet weten waarom niet.'

Ze hielp hem met alles: ze schreef een van zijn aanbevelingsbrieven, hij mocht haar computer gebruiken om zijn toelatingsopstel te schrijven (hij schreef niet over het afgelopen jaar; hij schreef over Montana, en hoe hij daar had geleerd om wildemosterdplantjes en paddestoelen te zoeken), ze betaalde zelfs zijn inschrijfgeld.

Toen hij werd toegelaten – met een volledige studiebeurs, zoals Ana had voorspeld – zei hij tegen haar dat hij het allemaal aan haar te danken had.

'Bullshit,' zei ze. Tegen die tijd was ze zo ziek dat ze het alleen nog kon fluisteren. 'Je hebt het zelf gedaan.' Later zou hij de voorafgaande maanden de revue laten passeren en als het ware in het licht van een schijnwerper de tekenen van haar ziekte zien die hij in zijn stommiteit en zijn navelstaarderij stuk voor stuk had gemist: haar vermagering, haar vergelende ogen, haar vermoeidheid, die hij allemaal had toegeschreven aan – ja, aan wat? 'Je moet niet roken,' had hij twee maanden eerder nog tegen haar gezegd, intussen voldoende op zijn gemak bij haar om commando's uit te delen; de eerste volwassene bij wie hij dat had gedaan. 'Je hebt gelijk,' had ze gezegd, om met half toegeknepen ogen een flinke trek te nemen en naar hem te grijnzen toen hij een zucht slaakte.

Zelfs toen gaf ze het niet op. 'Jude, we moeten er echt over praten,' zei ze om de paar dagen, en als hij dan zijn hoofd schudde, zweeg ze. 'Morgen dan,' zei ze altijd. 'Beloof je het? Morgen gaan we erover praten.'

'Ik zie eigenlijk niet in waarom,' sputterde hij een keer tegen. Hij wist dat ze zijn dossier uit Montana had gelezen; hij wist dat ze wist wat hij was.

Ze was even stil. 'Als ik één ding heb geleerd,' zei ze, 'is het dat je over dit soort dingen moet praten wanneer ze nog vers zijn. Anders praat je er nooit meer over. Ik zal je leren hoe je erover kunt praten, want hoe langer je ermee wacht, hoe moeilijker het wordt, en dan gaat het binnen in je etteren en blijf je altijd denken dat het jouw schuld was. Natuurlijk is dat niet zo, maar je zult het altijd blijven denken.' Hij wist niet wat hij daarop moest zeggen, maar toen ze er de volgende dag weer over begon schudde hij zijn hoofd en liep weg van haar, ook al riep ze hem na. 'Jude,' zei ze een keer, 'ik heb je er te lang mee laten doorlopen zonder het aan te pakken. Het is mijn schuld.'

'Doe het voor mij, Jude,' zei ze op een ander moment. Maar hij kon het niet; hij kon de taal niet vinden om erover te praten, zelfs niet tegen haar. Bovendien wilde hij die jaren niet opnieuw beleven. Hij wilde ze vergeten, doen alsof ze bij iemand anders hoorden.

Begin juni was ze zo zwak dat ze niet meer rechtop kon zitten. Veertien maanden nadat ze elkaar hadden leren kennen was zíj degene in bed, en hij degene die naast haar zat. Leslie had dagdienst in het ziekenhuis, en zodoende waren ze vaak met z'n tweeën. 'Luister,' zei ze. Haar keel was uitgedroogd door een van haar medicijnen en elk woord deed haar zichtbaar pijn. Hij reikte naar de waterkan, maar ze wuifde ongeduldig. 'Voor je vertrek gaat Leslie met je winkelen; ik maak wel een lijst met dingen die je nodig hebt.' Hij begon te protesteren, maar ze viel hem in de rede. 'Niet doen, Jude. Hier heb ik de energie niet voor.'

Ze slikte. Hij wachtte. 'Je gaat het geweldig doen op de universiteit,' zei ze. Ze sloot haar ogen. 'Je medestudenten gaan je vragen stellen over je jeugd, heb je daar al over nagedacht?'

'Een beetje,' zei hij. Hij dacht nergens anders aan.

'Mmf,' gromde ze. Zij geloofde hem ook niet. 'Wat ga je tegen ze zeggen?' En toen sloeg ze haar ogen op en keek hem aan.

'Ik weet het niet,' gaf hij toe.

'Ah,' zei ze. Ze waren stil. 'Jude,' begon ze, en toen zweeg ze even. 'Je vindt je eigen manier wel om te spreken over wat er met je is gebeurd. Je zult wel moeten, als je ooit een intieme relatie met iemand wilt. Maar jouw leven... wat je ook denkt: jij hebt niets om je over te schamen, en niets ervan is jouw schuld geweest. Wil je dat onthouden?'

Dat was de enige keer dat ze in de buurt kwamen van een gesprek over het afgelopen jaar en over de jaren die eraan vooraf waren gegaan. 'Ja,' zei hij.

Ze keek hem dreigend aan. 'Beloof het me.'

'Ik beloof het.'

Maar zelfs toen kon hij haar niet geloven.

Ze zuchtte. 'Ik had je moeten dwingen meer te praten,' zei ze. Dat was het laatste wat ze tegen hem zei. Twee weken later – op 3 juli – was ze dood. De uitvaart was de week daarna. Intussen had hij een zomerbaantje in een plaatselijke bakkerij, waar hij in een ruimte achter de winkel taarten met fondant bestreek, en in de dagen na de begrafenis zat hij tot 's avonds laat op zijn werkplek, waar hij taart na taart van een laagje zuurstokroze glazuur voorzag terwijl hij probeerde niet aan haar te denken.

Eind juli verhuisde het echtpaar Douglass: meneer Douglass had een nieuwe baan gekregen in San Jose, en Agnes ging met hen mee; Rosie werd ondergebracht in een ander gezin. Hij mocht het echtpaar graag, maar toen ze zeiden dat hij contact met ze moest houden, wist hij dat hij dat niet zou doen – hij wilde zo ontzettend graag weg uit het leven waarin hij zat, het leven dat hij had gehad; hij wilde iemand zijn die bij niemand bekend was en die niemand kende.

Er werd een noodopvangplaats voor hem gevonden. Zo noemde de staat het: noodopvang. Hij had tegengeworpen dat hij oud genoeg was om zelfstandig te wonen (hij zag, niet erg realistisch, voor zich dat hij in de ruimte achter de bakkerswinkel zou slapen), en dat hij binnen twee maanden sowieso weg zou zijn, helemaal uit het systeem, maar niemand was het met hem eens. De opvangplaats was een slaapzaal, een bouwvallige grijze bijenkorf bevolkt door andere kinderen die – om wat ze hadden misdaan, om wat hun was misdaan of gewoon vanwege hun leeftijd – moeilijk plaatsbaar waren voor de staat.

Toen het moment was aangebroken dat hij daar weg kon, kreeg hij wat geld mee voor schoolspullen. Ze waren, merkte hij, vaag trots op hem; hij had misschien niet lang in het systeem gezeten, maar hij ging naar de universiteit, en nog wel een van de beste – hij zou voorgoed als een van hun successen worden geclaimd. Leslie nam hem mee naar de legerdump. Hij vroeg zich af – terwijl hij dingen uitkoos waarvan hij dacht dat hij ze nodig zou hebben: twee truien, drie shirts met lange mouwen, broeken, een grijze deken die leek op de viltige vulling die uit de bank in de huiskamer van de opvang puilde – of hij wel de juiste dingen kocht, de dingen die op Ana's lijst hadden kunnen staan. Hij kon de gedachte niet uit zijn hoofd zetten dat er op die lijst nog iets anders stond, iets essentieels dat hij volgens Ana nodig had, maar waar hij nu nooit meer achter zou kunnen komen. 's Nachts hunkerde hij naar die lijst, soms nog meer dan naar haar; hij kon hem zich voor de geest halen, met die grappige hoofdletterachtige uithalen midden in een woord, het vulpotlood waar ze altijd mee schreef, de gele schrijfblokjes – een overblijfsel van haar tijd als advocaat – waarop ze haar aantekeningen maakte. Soms stolden de letters tot woorden, en in zijn droom dacht hij dan triomfantelijk: aha, natuurlijk! Natuurlijk, dát heb ik nodig! Natuurlijk wist Ana dat! Maar 's morgens kon hij zich nooit herinneren wat dat voor dingen waren. Op die momenten wenste hij van de weeromstuit, onlogisch genoeg, dat hij haar nooit had ontmoet, en dacht hij dat het beslist erger was haar zo kort in zijn leven te hebben gehad dan helemaal nooit.

Hij kreeg een ticket voor de bus naar het noorden; Leslie kwam hem uitzwaaien op het busstation. Hij had zijn spullen in een extra dikke zwarte vuilniszak gestopt en die weer in de rugzak van de legerdump gedaan: alles wat hij bezat in één nette verpakking. In de bus staarde hij uit het raampje en dacht aan niets. Hij hoopte dat zijn rug hem tijdens de rit niet in de steek zou laten, en dat gebeurde ook niet.

Hij was als eerste in hun kamer aangekomen, en toen de tweede jongen binnenkwam – dat was Malcolm – met zijn ouders, koffers, boeken en luidsprekers, tv, telefoons, computers, koelkast en een scheepslading digitale gadgets bekroop hem een ziekmakende angst, en daarna woede, irrationeel genoeg tegen Ana gericht: hoe had ze hem in de waan kunnen laten dat hij hiervoor was toegerust? Wie kon hij zeggen dat hij was? Waarom had ze hem nooit verteld hoe armzalig, hoe lelijk, en wat een bloederig, modderig vod zijn leven eigenlijk was? Waarom had ze hem wijsgemaakt dat hij hier zou kunnen thuishoren?

Naarmate de maanden verstreken werd dat gevoel getemperd, maar verdwijnen deed het nooit: het leefde op hem voort als een dun laagje schimmel. Maar terwijl dat besef langzamerhand aanvaardbaarder begon te worden, werd iets anders dat steeds minder: het begon tot hem door te dringen dat zij de eerste en laatste persoon was geweest aan wie hij nooit iets hoefde uit te leggen. Zij wist dat hij zijn leven meedroeg op zijn huid, dat zijn biografie in zijn vlees en op zijn botten geschreven stond. Zij vroeg hem nooit waarom hij zelfs op de heetste dagen geen kleding met korte mouwen aan wilde, of waarom hij niet graag werd aangeraakt, of, het voornaamste, wat er met zijn benen en rug was gebeurd: dat wist ze al. In haar aanwezigheid had hij niets van de voortdurende angst of waakzaamheid gevoeld waartoe hij in de aanwezigheid van ieder ander veroordeeld leek; die alertheid was vermoeiend, maar werd ten slotte gewoon een deel van het leven, een gewoonte, net als een goede houding. Een keer had ze haar armen naar hem uitgestoken om (zo besefte hij later) hem te omhelzen, maar hij had in een reflex zijn handen voor zijn hoofd gehouden om zich te beschermen, en hoewel hij zich had geschaamd, had ze hem niet het gevoel gegeven dat hij belachelijk of overdreven reageerde. 'Ik ben een stomkop, Jude,' had ze in plaats daarvan gezegd. 'Sorry. Geen plotselinge bewegingen meer, beloofd.'

Maar nu was ze weg, en niemand kende hem. Zijn dossier was verzegeld. Op zijn eerste Kerstmis had Leslie hem via het adres van het bureau studentenzaken een kaart gestuurd, en hij had hem dagen gehouden, zijn laatste link met Ana, voor hij hem had weggegooid. Hij schreef nooit terug en hoorde nooit meer iets van Leslie. Dit was een nieuw leven. Hij was vastbesloten het niet voor zichzelf te verpesten.

Toch dacht hij soms terug aan hun laatste gesprekken, die hij voor zich uit fluisterde. Dat was 's nachts, als zijn kamergenoten – in diverse samenstellingen, afhankelijk van wie er op dat moment was – boven en naast hem sliepen. 'Laat dat zwijgen van je geen gewoonte worden,' had ze hem kort voor haar dood gewaarschuwd. En: 'Het is oké om boos te zijn, Jude, je hoeft het niet te verbergen.' Ze had zich in hem vergist, dacht hij altijd; hij was niet wat zij dacht dat hij was. 'Jij bent voor grote dingen voorbestemd, jongen,' had ze een keer gezegd, en hij wilde haar geloven, ook al kon hij dat niet. Maar in één ding had ze gelijk gehad: het werd inderdaad steeds moeilijker. Hij gaf zichzelf inderdaad de schuld. En hoewel hij elke dag probeerde te denken aan wat hij haar beloofd had, raakte dat van dag tot dag verder van hem af, en zijzelf ook, als een geliefd personage uit een lang geleden gelezen boek.

~

'Er zijn twee soorten mensen op de wereld,' zei rechter Sullivan altijd. 'Degenen die geneigd zijn te geloven en degenen die daar niet toe geneigd zijn. In mijn rechtszaal wordt het geloof op prijs gesteld. Geloof in álle dingen.'

Dit verkondigde de rechter vaak, om daarna zuchtend en steunend overeind te komen – hij was moddervet – en de kamer uit te waggelen. Dat gebeurde gewoonlijk aan het eind van de dag – althans Sullivans dag – als hij zijn raadkamer verliet en een praatje kwam maken met zijn griffiers, waarbij hij op de hoek van een van hun bureaus ging zitten en vaak ondoorgrondelijke toespraken hield, overvloedig doorspekt met pauzes, alsof zijn griffiers geen juristen maar stenografen waren en zijn woorden moesten opschrijven. Maar dat deed niemand, zelfs Kerrigan niet, die echt gelovig was, en de conservatiefste van hen drieën.

Nadat de rechter was vertrokken, grijnsde hij dan naar Thomas aan de andere kant van de kamer, die met een ik-kan-het-ook-niet-helpen-gezicht zijn blik ten hemel sloeg. Thomas was ook conservatief, maar een 'denkende conservatief', drukte hij hem altijd op het hart, 'en alleen al het feit dat ik dat onderscheid moet maken is dieptreurig'.

Thomas en hij waren in hetzelfde jaar bij de rechter begonnen, en toen hij in het voorjaar van zijn tweede masterjaar was benaderd door het informele wervingscomité van de rechter – of eigenlijk door zijn docent handelsrecht, die een oude vriend van de rechter was – was Harold degene geweest die hem had aangemoedigd om te solliciteren. Sullivan stond er onder zijn mederechters van zijn beroepshof om bekend dat hij altijd één griffier in dienst nam die er andere politieke opvattingen op na hield dan hijzelf; hoe extremer het verschil, hoe beter. (Zijn laatste liberale griffier was naderhand gaan werken voor een Hawaïaanse groepering die ijverde voor afscheiding van de Verenigde Staten, een carrièreswitch die de rechter zo'n kick van zelfvoldoening had bezorgd dat hij er bijna in was gebleven.)

'Sullivan heeft de pest aan me,' had Harold hem toen verteld, en hij had tevreden geklonken. 'Hij zal je aannemen, al was het maar om mij een hak te zetten.' Hij verkneukelde zich al bij die gedachte. 'Én omdat je de briljantste student bent die ik ooit heb gehad,' voegde hij eraan toe.

Bij dat compliment sloeg hij zijn ogen neer: Harolds lof werd hem gewoonlijk doorgebriefd via anderen en kwam hem zelden direct ter ore. 'Ik weet niet of ik liberaal genoeg voor hem ben,' had hij geantwoord. Hij was zeker niet liberaal genoeg voor Harold; dat was een van de dingen – zijn opinies, zijn interpretatie van de wet en de manier waarop hij die toepaste op het leven – waarover ze twistten.

Harold snoof. 'O jawel hoor,' had hij gezegd. 'Geloof me nou maar.'

Maar toen hij het jaar daarop naar Washington ging voor zijn sollicitatiegesprek, was de manier waarop Sullivan over het recht en over politieke filosofie sprak veel minder rigide en specifiek dan hij verwacht had. 'Ik heb gehoord dat je zingt,' zei Sullivan in plaats daarvan na een gesprek van een uur over wat hij had gestudeerd (de rechter had op dezelfde universiteit gezeten), zijn functie als redacteur bij het juridisch tijdschrift van de universiteit (dezelfde functie die de rechter had bekleed) en zijn mening over recente rechtszaken.

'Dat klopt,' antwoordde hij, terwijl hij zich afvroeg waar de rechter dat vandaan had. Hij zong graag, maar deed het zelden waar anderen bij waren. Had hij in Harolds kantoor gezongen en had die hem gehoord? Of soms zong hij in de rechtenbibliotheek, als hij laat op de avond bezig was boeken terug te zetten en de ruimte zo kalm en stil was als een kerk – had iemand hem daar gehoord?

'Zing eens iets voor me,' zei de rechter.

'Wat wilt u horen, meneer?' vroeg hij. Gewoonlijk zou hij veel zenuwachtiger zijn geweest, maar hij had al gehoord dat de rechter hem zou vragen het een of ander voor hem op te voeren (het verhaal ging dat hij een vorige kandidaat had laten jongleren), en Sullivan stond bekend als een operaliefhebber.

De rechter legde zijn dikke vinger tegen zijn dikke lippen en dacht na. 'Hm,' zei hij. 'Zing iets voor me dat iets zegt over jouzelf.'

Hij dacht even na en zong. Het verbaasde hemzelf wat hij had gekozen – 'Ich bin der Welt abhanden gekommen' van Mahler – zowel omdat hij niet eens zo dol was op Mahler als omdat het lied moeilijk uit te voeren was, traag, droevig en subtiel en niet bedoeld voor een tenor. En toch hield hij van het gedicht zelf, dat door zijn zangdocent op de universiteit was afgedaan als 'tweederangsromantiek', terwijl het volgens hem gewoon te lijden had onder een slechte vertaling. De eerste regel werd gewoonlijk geïnterpreteerd als 'Ik ben verloren voor de wereld', maar hij las het als 'Ik ben verloren gegáán voor de wereld', wat naar zijn mening minder zelfmedelijdend, minder melodramatisch was, en berustender, meer in verwarring. *Ik ben verloren gegaan voor de wereld/ Waaraan ik ooit veel tijd verdeed.* Het lied ging over het leven van een kunstenaar, wat hij beslist niet was. Maar hij begreep bijna instinctief het idee van het verliezen, het zich losmaken van de wereld, van verdwijnen in een ander oord waar afzondering en veiligheid heersen, van het dubbele verlangen naar ontsnapping en ontdekking. *Het laat mij volkomen onverschillig/ Of zij mij voor gestorven houdt./ Ik kan ook niets daartegen inbrengen/ Want voor de wereld ben ik werkelijk gestorven.*

Toen hij was uitgezongen opende hij zijn ogen, terwijl de rechter applaudisseerde en lachte. 'Bravo,' zei hij. 'Bravo! Ik ben alleen bang dat je helemaal het verkeerde beroep hebt gekozen.' Hij lachte opnieuw. 'Waar heb je zo leren zingen?'

'Bij de broeders, meneer,' had hij geantwoord.

'Aha, een katholieke jongen?' vroeg de rechter, terwijl hij breeduit in zijn stoel zat, zo te zien klaar om behaagd te worden.

'Ik ben katholiek opgevoed,' begon hij.

'Maar je bent het niet meer?' vroeg de rechter fronsend.

'Nee,' zei hij. Hij had er jaren aan gewerkt om de verontschuldiging uit zijn stem te krijgen wanneer hij dit zei.

Sullivan liet een neutraal gebrom horen. 'Nou ja, wat ze je ook hebben bijgebracht, het zal je tenminste iets van bescherming hebben gegeven tegen alles wat Harold Stein je de afgelopen drie jaar heeft proberen aan te praten,' zei hij. Hij keek naar zijn cv. 'Je bent zijn onderzoeksassistent?'

'Ja,' zei hij. 'Al meer dan twee jaar.'

'Jammer van zo'n knappe kop,' verklaarde Sullivan (het was onduidelijk of dat op hem of op Harold sloeg). 'Bedankt voor je komst, je hoort wel van ons. En bedankt voor het lied; je hebt een van de mooiste tenorstemmen die ik in lange tijd gehoord heb. Weet je zeker dat je in het juiste vak zit?' Daarbij glimlachte hij, de laatste keer dat hij Sullivan ooit met zo'n oprecht plezier zou zien lachen.

Terug in Cambridge vertelde hij Harold over zijn sollicitatiegesprek ('Zíng jij?' vroeg Harold hem, alsof hij zojuist had verteld dat hij kon vliegen) en zei dat hij zeker wist dat het niets zou worden. Een week later belde Sullivan: hij was aangenomen. Hij was verbaasd, maar Harold niet: 'Ik zei het je toch,' zei hij.

De volgende dag ging hij zoals gewoonlijk naar Harolds kantoor, maar Harold had zijn jas aan. 'Het normale werk wordt vandaag opgeschort,' kondigde hij aan. 'Ik wil dat je even wat inkopen met me gaat doen.' Dit was ongewoon, maar Harold wás ongewoon. Aan de rand van het trottoir hield hij de sleuteltjes omhoog: 'Wil jij rijden?'

'Ja hoor,' zei hij, en hij liep naar de bestuurderskant. Dit was de auto waarin hij had leren rijden, net een jaar geleden, met Harold naast zich, veel geduldiger buiten de collegezaal dan daarin. 'Goed zo,' had hij gezegd. 'De koppeling iets meer op laten komen – goed zo. Heel goed, Jude.'

Harold moest wat overhemden ophalen die hij had laten innemen, en ze reden naar de kleine, dure herenkledingwinkel aan het plein waar Willem in hun laatste bachelorjaar had gewerkt. 'Loop even mee naar binnen,' zei Harold. 'Ik heb hulp nodig om ze te dragen.'

'Mijn god, Harold, hoeveel hemden heb je wel niet gekocht?' vroeg hij. Harold had een onveranderlijke garderobe van blauwe hemden, witte hemden, bruine ribbroeken (voor de winter), linnen pantalons (voor lente en zomer) en truien in verschillende tinten groen en blauw.

'Stil, jij,' zei Harold.

Binnen ging Harold op zoek naar een verkoper en onder het wachten streek hij met zijn vingers over de opgerolde dassen in de toonkast, die glansden als taartjes. Malcolm had hem twee van zijn oude katoenen pakken gegeven, die hij had laten innemen en tijdens zijn beide zomerstages had gedragen, maar voor het sollicitatiegesprek met Sullivan had hij het pak van zijn kamergenoot moeten lenen, en hij had er de hele tijd voorzichtig in proberen te bewegen, zich bewust van de ruime snit en de fijne wollen stof.

Toen hoorde hij Harold zeggen: 'Dat is hem.' En toen hij zich omdraaide stond Harold naast een kleine man die een meetlint als een slang om zijn hals gedrapeerd had. 'Hij heeft twee pakken nodig – een donkergrijs en een marineblauw – en een stuk of tien hemden, een paar truien, wat dassen, sokken en schoenen – hij heeft niets.' Naar hem knikte hij en zei: 'Dit is Marco. Ik ben over een paar uur terug.'

'Wacht,' zei hij. 'Harold. Wat is dit?'

'Jude,' zei Harold, 'je moet iets hebben om aan te trekken. Niet dat ik nou zo'n expert op dat gebied ben, maar je kunt niet bij Sullivan komen aanzetten in de kleren die je nu aanhebt.'

Hij schaamde zich: over zijn kleren, over zijn tekortkomingen, over Harolds gulheid. 'Dat weet ik,' zei hij. 'Maar dit kan ik niet aannemen, Harold.'

Hij zou hebben doorgepraat, maar Harold ging tussen hem en Marco in staan en nam hem even apart. 'Jude,' zei hij, 'neem dit nou maar gewoon aan. Je hebt het verdiend. En wat belangrijker is: je hebt het nodig. Ik heb geen zin om vanwege jou een figuur te slaan tegenover Sullivan. Trouwens, ik heb al betaald en ik krijg mijn geld niet meer terug. Toch, Marco?' riep hij met een blik achterom.

'Dat klopt,' zei Marco onmiddellijk.

‘O, laat toch, Jude,’ zei Harold toen hij zag dat hij wilde protesteren. ‘Ik moet ervandoor.’ En hij beende zonder omkijken weg.

En zo stond hij ineens voor de driedelige spiegel toe te kijken terwijl Marco’s spiegelbeeld in de weer was bij zijn enkels, maar toen Marco aan de binnenkant van zijn bovenbeen zijn broeknaad wilde meten, deinsde hij in een reflex achteruit. ‘Rustig, rustig,’ zei Marco alsof hij een nerveus paard was, en hij klopte op zijn dij, ook alsof hij een paard was, en toen hij bij het andere been weer onwillekeurig een halve trap gaf, riep Marco: ‘Hé! Ik heb spelden in mijn mond, hoor!’

‘Sorry,’ zei hij, en hij hield zich in bedwang.

Toen Marco klaar was, bekeek hij zichzelf in zijn nieuwe pak: wat een anonimiteit, wat een bescherming. Al zou iemand per ongeluk over zijn rug strijken, dan nog had hij zo veel lagen aan dat diegene nooit in staat zou zijn de dikke littekens eronder te voelen. Alles was bedekt, alles was verborgen. Als hij stilstond kon hij iedereen zijn, een blanco, onzichtbaar iemand.

‘Misschien nog een centimetertje meer,’ zei Marco, terwijl hij het rugpand van het jasje in de taille bijeenhield. Hij veegde wat draadjes van zijn mouw. ‘Nu alleen nog naar een goede kapper.’

Hij trof Harold voor in de winkel bij de dassen aan, waar hij met een tijdschrift op hem zat te wachten. ‘Klaar?’ vroeg hij, alsof dit hele uitstapje zíjn idee was geweest en Harold hem maar had laten begaan.

Toen ze daarna samen iets aten probeerde hij Harold opnieuw te bedanken, maar telkens wanneer hij begon, onderbrak Harold hem met groeiend ongeduld. ‘Heeft iemand jou weleens verteld dat je soms maar gewoon iets moet aannemen, Jude?’ vroeg hij ten slotte.

‘Jij zegt dat je nooit gewoon iets moet aannemen,’ bracht hij Harold in herinnering.

‘Niet tijdens college en in de rechtszaal,’ zei Harold. ‘Maar wel in het leven. Want weet je, Jude, soms maken goede mensen iets aardigs mee. Maak je geen zorgen, dat gebeurt niet zo vaak als het zou moeten. Maar áls het gebeurt, dan mogen die goede mensen gewoon “dank je wel” zeggen en overgaan tot de orde van de dag, en misschien bedenken dat degene die zo aardig is geweest daar zelf ook een kick van krijgt en heus niet zit te wachten op een opsomming van alle redenen waarom degene voor wie die aardigheid bestemd is het niet zou verdienen of niet waard zou zijn.’

Toen hield hij zijn mond, en na het eten liet hij zich door Harold terugbrengen naar zijn appartement in Hereford Street. ‘Trouwens,’ zei

Harold terwijl hij uitstapte, 'je zag er echt, écht goed uit. Je bent een knappe jongen; ik hoop dat je dat al eens eerder hebt gehoord.' En toen, voor hij er iets tegen in kon brengen: 'Aannemen, Jude.'

Dus slikte hij in wat hij had willen zeggen. 'Dank je, Harold. Voor alles.'

'Heel graag gedaan, Jude,' zei Harold. 'Ik zie je maandag.'

Hij stond op het trottoir en keek Harolds auto na, en toen ging hij naar boven, naar zijn appartement op de eerste verdieping van een herenhuis dat grensde aan een studentenhuis van het MIT. De huiseigenaar, een gepensioneerde hoogleraar sociologie, woonde op de begane grond en verhuurde de overige drie verdiepingen aan master- en postmasterstudenten: op de bovenste verdieping zaten Santosh en Federico, die bezig waren met hun promotieonderzoek elektrotechniek aan het MIT, en op de tweede verdieping Janusz en Isidore, beiden promovendi aan Harvard – Janusz in biochemie en Isidore in Midden-Oosterse religies – en recht onder hen zaten hij en zijn huisgenoot Charlie Ma, wiens echte naam Chien-Ming Ma was en die door iedereen CM werd genoemd. CM was co-assistent in het Tufts Medical Center, en zijn dagindeling was bijna tegenovergesteld aan die van hem: als hij wakker werd was CM's deur dicht en hoorde hij diens snuivende, natte gesnurk, en als hij 's avonds om zeven uur thuiskwam van zijn werk bij Harold, was CM alweer weg. Voor zover hij CM te zien kreeg, vond hij hem aardig – hij kwam uit Taipei, had in Connecticut op kostschool gezeten en had een aanstekelijke, lome, kwajongensachtige grijns – en hij was een vriend van een vriend van Andy; via hem hadden ze elkaar leren kennen. Hoewel hij zo sloom overkwam dat hij wel de hele tijd stoned leek, was CM ook netjes, en hij hield van koken: soms kwam hij thuis en vond hij midden op tafel een bord vol gefrituurde dumplings, met daaronder een briefje waarop stond: eet mij, en heel af en toe kreeg hij een tekstbericht met het verzoek om voor hij naar bed ging de kip om te draaien in de marinade, of om onderweg naar huis een bosje koriander te kopen. Dat deed hij altijd, en als hij dan weer thuiskwam stond de kip te sudderen in een stoofpot of zat de koriander fijngehakt en wel in pannenkoekjes met sint-jakobsschelpen. Elke paar maanden of zo, als hun schema's een beetje op elkaar aansloten, kwamen ze met z'n zessen bijeen in het appartement van Santosh en Federico – dat was het grootste – om te eten en te pokeren. Janusz en Isidore zaten zich dan hardop zorgen te maken dat de meisjes dachten dat ze homo waren omdat ze altijd samen optrokken (CM wierp hem een veelbetekenende blik toe; hij had er twintig dollar op ingezet dat ze met elkaar sliepen maar probeerden te doen alsof ze hetero waren, wat hoe dan ook onmogelijk te bewijzen was), en Santosh en Federico klaagden dat hun studenten zo dom waren en dat de kwaliteit van de bachelorstudenten aan het MIT sinds hun tijd, vijf jaar eerder, dramatisch gekelderd was.

Het appartement van CM en hem was het kleinste, omdat de huisbaas de helft van hun verdieping had geannexeerd als opslagruimte. CM betaalde een aanzienlijk groter deel van de huur, dus die had de slaapkamer. Hij sliep in een hoek van de woonkamer, het gedeelte met de erker. Zijn bed was een slap noppenmatras en zijn boeken stonden in een rijtje onder de vensterbank, en hij had een lamp en een papieren kamerscherm, voor een beetje privacy. CM en hij hadden een grote houten tafel gekocht, die ze in de alkoof-eetkamer hadden gezet met twee metalen klapstoelen erbij, de ene overgenomen van Janusz en de andere van Federico. De ene helft van de tafel was van hem en de andere van CM, en beide helften waren bedolven door boeken en papieren en hun laptops, die allebei dag en nacht hun piepjes en geratel lieten horen.

Bezoekers stonden altijd versteld van hoe kaal de woning was, maar hem viel het niet meer op – of soms misschien een beetje. Nu zat hij bijvoorbeeld op de vloer tussen de drie kartonnen dozen waarin zijn kleren zaten, haalde zijn nieuwe truien, hemden, sokken en schoenen uit het witte zijdepapier en legde ze een voor een op zijn schoot. Het waren de mooiste spullen die hij ooit had bezeten, en het leek hem op de een of andere manier een schande ze in dozen te stoppen die bedoeld waren voor archiefmappen. Dus uiteindelijk pakte hij ze weer in en stopte ze voorzichtig terug in de tassen van de winkel.

Harolds royale geschenk zat hem niet lekker. Ten eerste was er het geschenk zelf: hij had nooit, maar dan ook nooit zoiets groots gekregen. Ten tweede zou hij het hem onmogelijk ooit helemaal kunnen terugbetalen. En ten derde was er de diepere betekenis van het gebaar: hij wist al enige tijd dat Harold hem respecteerde en zelfs van zijn gezelschap genoot. Maar was het mogelijk dat hij iemand was die belangrijk was voor Harold, dat hij voor Harold meer dan alleen een student was, een echte vriend? En als dat zo was, waarom voelde hij zich daar dan zo opgelaten bij?

Het had vele maanden geduurd voor hij zich echt op zijn gemak voelde bij Harold, niet in de collegezaal of in zijn kantoor, maar buiten de collegezaal, buiten kantoor. In het leven, zoals Harold zou zeggen. Als hij na een etentje bij Harold naar huis ging voelde hij vaak een golf van opluchting. Hij wist ook waarom, al wilde hij het zichzelf niet toegeven: van oudsher waren mannen – volwassen mannen, waar hij zichzelf nog niet toe rekende – om maar één reden in hem geïnteresseerd geweest, en zodoende had hij geleerd bang voor ze te zijn. Maar Harold leek niet zo'n man. (Al had broeder Luke ook niet zo'n man geleken.) Hij was bang voor alles, leek het soms wel, en dat haatte hij van zichzelf. Bangheid en haat, bangheid en haat: het leek vaak alsof dat de enige twee eigenschappen waren die hij bezat. Bangheid voor alle anderen en haat jegens zichzelf.

Hij had al van Harold gehoord voor hij hem ontmoette, want Harold was bekend. Hij was een genadeloze vragensteller: elke opmerking die je in zijn college maakte werd opgevangen en bestookt met een oneindige kanonnade van waarom-vragen. Hij was lang en goedgebouwd en had de gewoonte om in diepe concentratie of opwinding met zijn bovenlijf schuin naar voren in een kringetje rond te lopen.

Tot zijn teleurstelling was er veel dat hij zich gewoon niet kon herinneren van het eerstejaarscollege contractenrecht bij Harold. Hij kon zich bijvoorbeeld niet de details herinneren van de paper die hij had geschreven, die Harolds belangstelling had gewekt en had geleid tot gesprekken met hem buiten de collegezaal, en ten slotte tot een aanbod om een van zijn onderzoeksassistenten te worden. Hij kon zich niets bijzonder interessants herinneren wat hij tijdens de colleges gezegd had. Maar hij herinnerde zich wel hoe Harold op die eerste dag van het semester rondjes liep en hen snel toesprak met zijn lage stem.

'Jullie zijn eerstejaars rechten,' had Harold gezegd. 'Gefeliciteerd allemaal. Als eerstejaars krijgen jullie een standaardreeks vakken: contractenrecht, aansprakelijkheidsrecht, eigendomsrecht, burgerlijk procesrecht, en volgend jaar constitutioneel recht en strafrecht. Maar dat weten jullie allemaal al.

Wat jullie misschien niet weten, is dat die reeks vakken op een prachtige, eenvoudige manier de structuur van onze maatschappij zelf weerspiegelt, de mechanieken van wat een maatschappij, onze maatschappij, nodig heeft om te functioneren. Voor een samenleving heb je allereerst een institutioneel kader nodig: dat is constitutioneel recht. Je hebt een bestraffingssysteem nodig: dat is strafrecht. Je moet erop kunnen vertrouwen dat er een systeem is dat ervoor zorgt dat die andere systemen werken: dat is het burgerlijk procesrecht. Je moet een manier hebben om domein- en eigendomskwesties te regelen: dat is eigendomsrecht. Je moet erop kunnen vertrouwen dat er iemand financieel aansprakelijk is voor letsel dat jou door anderen is toegebracht: dat is aansprakelijkheidsrecht.

En ten slotte moet je erop kunnen vertrouwen dat mensen zich aan hun overeenkomsten houden, dat ze hun beloften nakomen: en dat is contractenrecht.'

Hij zweeg even. 'Nu wil ik niemand tekortdoen, maar ik wed dat de helft van jullie hier zit om ooit een graantje mee te kunnen pikken in de claimindustrie – kom er maar voor uit, toekomstige aansprakelijkheidsjuristen! – en de andere helft omdat jullie denken dat je de wereld gaat veranderen. Jullie zitten hier omdat het jullie droom is om voor het Hooggerechtshof te mogen pleiten, omdat jullie denken dat de ware uitdaging van het recht ligt in de ruimte tussen de regels van de grondwet in. Maar ik kan jullie vertellen: dat is niet zo. Het zuiverste, intellectueel uitdagendste, rijkste gebied van het recht is het contractenrecht. Contracten zijn geen simpele velletjes papier waarop je een baan wordt beloofd, of een huis, of een erfenis: in de zuiverste, meest ware en brede zin worden alle rechtsgebieden beheerst door het contract. Als we ervoor kiezen te leven in een samenleving, kiezen we ervoor te leven onder een contract en ons te houden aan de regels die dat contract ons oplegt – de grondwet zelf is een contract, zij het van de flexibele soort: de vraag hóé flexibel ligt precies in het snijpunt tussen recht en politiek – en volgens de al dan niet expliciete regels van dit contract beloven we niet te doden, onze belastingen te betalen en niet te stelen. Maar in dit geval zijn wij zowel de makers van het contract als degenen die erdoor gebonden zijn: als burgers van dit land hebben we vanaf onze geboorte de verplichting om die contractvoorwaarden te respecteren en te gehoorzamen, en dat doen we elke dag.

In deze colleges zullen jullie natuurlijk kennismaken met de praktische kanten van het contract – hoe je er een opstelt, hoe je het verbreekt, hoe bindend het is en hoe je het kunt ontbinden – maar er zal ook van jullie worden gevraagd het recht zelf als een reeks contracten te zien. Sommige daarvan zijn rechtvaardiger – en voor deze ene keer sta ik jullie toe zoiets te zeggen – dan andere. Maar rechtvaardigheid is niet de enige of zelfs maar de belangrijkste overweging in het recht: het recht is niet altijd rechtvaardig. Contracten zijn niet rechtvaardig, niet altijd. Maar soms zijn ze noodzakelijk, die onrechtvaardigheden, omdat ze noodzakelijk zijn voor een goed functioneren van de samenleving. In deze klas leren jullie het verschil tussen wat rechtvaardig en wat juist is, en, al even belangrijk, tussen wat rechtvaardig en wat noodzakelijk is. Jullie zullen leren welke verplichtingen we als leden van de samenleving jegens elkaar hebben, en hoever de samenleving zou moeten gaan in het afdwingen van die verplichtingen. Jullie zullen leren je leven – al onze levens – als een reeks overeenkomsten te zien, en dat zal jullie ertoe brengen niet alleen het recht, maar dit land zelf en jullie plaats daarin met andere ogen te bekijken.'

Hij was laaiend enthousiast geweest over Harolds toespraak, en in de weken daarna over hoe anders Harold dacht, hoe hij voor de zaal stond als een dirigent die de argumenten van een student uitrekte tot vreemde, onvoorstelbare vormen. Een keer was een vrij gemoedelijke discussie over het recht op privacy – van alle constitutionele rechten het meest gekoesterde en tegelijkertijd het vaagste, aldus Harold, die zo'n brede definitie van contracten hanteerde dat hij vaak de conventionele grenzen overschreed en zich vrolijk op andere rechtsgebieden begaf – aanleiding geweest tot een debat tussen hen tweeën over abortus, een ingreep die naar zijn gevoel onverdedigbaar was op morele gronden, maar noodzakelijk op sociale. 'Aha!' had Harold gezegd; hij was een van de weinige docenten bij wie er niet alleen ruimte was voor legale argumenten, maar ook voor morele. 'En, meneer St. Francis, wat gebeurt er wanneer we in het recht de zeden vervangen door *social governance*? Vanaf welk punt moeten een land en een volk hun moreel besef laten wijken voor maatschappelijke beheersbaarheid? Bestaat er zo'n punt? Ik ben er niet van overtuigd.' Maar hij had volgehouden en de studenten om hen heen waren stilgevallen en hadden het debat over en weer gevolgd.

Harold was auteur van drie boeken, maar het was zijn laatste, *De Amerikaanse handdruk: De beloften en gebreken van de Onafhankelijkheidsverklaring*, dat hem beroemd had gemaakt. Dit boek, dat hij al had gelezen voordat hij Harold voor het eerst had ontmoet, was een juridische interpretatie van de Onafhankelijkheidsverklaring: welke beloften daarin waren nagekomen en welke niet, en of die verklaring vandaag nog zo opgesteld zou kunnen worden, gezien de tendenzen in de hedendaagse jurisprudentie. ('Kortweg: nee,' volgens de recensie van de *Times*.) Nu was hij bezig met research voor zijn vierde boek, een soort opvolger van *De Amerikaanse handdruk*, over de grondwet, vanuit een vergelijkbaar perspectief.

'Maar het gaat alleen over de Bill of Rights en de wat meer sexy amendementen,' vertelde Harold hem tijdens het sollicitatiegesprek voor de baan als onderzoeksassistent.

'Ik wist niet dat sommige meer sexy waren dan andere,' zei hij.

'Natuurlijk zijn sommige meer sexy dan andere,' zei Harold. 'Alleen het elfde, twaalfde, veertiende en zestiende amendement zijn sexy. De rest is eigenlijk niet meer dan de neerslag van de politiek uit voorbije jaren.'

'Dus het dertiende is prut?' vroeg hij geamuseerd.

'Ik zeg niet dat het prut is,' zei Harold, 'alleen niet sexy.'

'Maar dat is toch wat neerslag betekent?'

Harold slaakte een dramatische zucht, pakte het woordenboek van zijn bureau, sloeg het open en bestudeerde het een tijdje. 'Ja, hèhè,' zei hij terwijl hij het terugsmeet boven op een stapel papieren, die naar de rand van het tafelblad gleed. 'Dat is de letterlijke betekenis. Maar ik heb het over de figuurlijke: de resten, het bezinksel – de *overblijfselen* van de voorbije politiek. Zo goed?'

'Ja,' zei hij en hij probeerde niet te lachen.

Op maandag, woensdag en vrijdag ging hij 's middags en 's avonds voor Harold werken, want dan was zijn studierooster het lichtst; op dinsdag en donderdag had hij 's middags werkgroepen op het MIT, waar hij bezig was met zijn master, en werkte hij 's avonds in de rechtenbibliotheek, en op zaterdag werkte hij 's ochtends in de bibliotheek en 's middags in een banketbakkerij genaamd Batter, vlak bij de medische faculteit, waar hij al sinds zijn bachelorjaren werkte en waar hij de speciale bestellingen deed: koekjes decoreren, honderden bloemblaadjes van suikergoed voor taarten maken en experimenteren met nieuwe recepten, waarvan er een, een taart met tien soorten noten, was uitgegroeid tot hét verkoopsucces. Ook 's zondags werkte hij bij Batter, en op een dag overhandigde Allison, de eigenares, die hem vaak de ingewikkeldste projecten toevertrouwde, hem een opdrachtformulier voor drie dozijn koekjes die eruit moesten zien als diverse soorten bacteriën. 'Ik dacht dat jij hier misschien wel raad mee zou weten,' zei ze. 'De vrouw van de klant is microbiologe en hij wil haar en haar lab verrassen.'

'Ik zal 'ns wat onderzoek doen,' zei hij terwijl hij het formulier aannam en de naam van de klant zag: Harold Stein. En dat had hij gedaan; hij had CM en Janusz om advies gevraagd en had koekjes gebakken in allerlei vormen – kromme druppels, bolletjes met spitse uitsteeksels en komkommertjes – waarop hij met diverse soorten glazuur het cytoplasma, het plasmamembraan en de ribosomen had getekend en die hij had voorzien van zweepstaartjes die uit stukjes dropveter bestonden. Hij typte een lijst met alle namen en stopte die erbij voordat hij de doos dichtdeed en er een touwtje omheen bond; hij kende Harold in die tijd nog niet zo goed, maar hij vond het leuk iets voor hem te maken, hem te imponeren, al was het anoniem. En hij vond het leuk zich af te vragen ter gelegenheid waarvan de koekjes bedoeld waren: een publicatie? Een verjaardag? Of was hij gewoon stapelgek op zijn vrouw? Was Harold Stein het soort man dat zomaar ineens met koekjes kwam aanzetten in het lab van zijn vrouw? Hij had zo'n vermoeden dat dat zomaar zou kunnen.

De week daarna vertelde Harold hem over de geweldige koekjes die hij bij Batter had gekocht. Zijn enthousiasme, dat een paar uur daarvoor tijdens het college nog gericht was geweest op de uniforme handelswet, had in de koekjes een nieuw onderwerp gevonden. Terwijl hij zijn lach zat te verbijten, hoorde hij Harold vertellen wat een geniale koekjes dat waren geweest, en dat ze op Julia's lab niet hadden geweten wat ze zagen, zo gedetailleerd en waarheidsgetrouw, en dat hij heel even de held van het lab was geweest: 'En dat lukt je niet zo een-twee-drie bij die lui daar, voor wie iedereen die zich met de humaniora bezighoudt toch eigenlijk een beetje debiel is.'

'Het klinkt alsof die koekjes door een echte fanaat waren gemaakt,' zei hij. Hij had Harold niet verteld dat hij bij Batter werkte en was ook niet van plan dat alsnog te doen.

'Dat is dan wel een fanaat die ik graag zou willen ontmoeten,' zei Harold. 'Ze smaakten nog heerlijk ook.'

'Hmm,' zei hij, en hij zon op een vraag die hij kon stellen om Harold op een ander onderwerp te brengen.

Harold had natuurlijk nog meer onderzoeksassistenten – twee tweedejaars en een derdejaars die hij alleen van gezicht kende – maar hun werkuren waren zo ingedeeld dat ze elkaar niet overlapten. Soms communiceerden ze door middel van briefjes of e-mails, waarin ze uitlegden waar ze in hun research waren gebleven, zodat de volgende de draad daar kon oppakken. Maar al halverwege zijn eerste jaar had Harold hem uitsluitend op het vijfde amendement gezet. 'Dat is een goede,' zei hij. 'Ongelofelijk sexy.' De twee tweedejaarsassistenten kregen het negende amendement en de derdejaars het tiende, en al wist hij heus wel dat het belachelijk was, toch kon hij een triomfantelijk gevoel niet onderdrukken, alsof hij iets speciaals had gekregen en de anderen niet.

Harolds eerste uitnodiging om bij hem thuis te komen eten was heel terloops gekomen, aan het eind van een koude, donkere middag in maart. 'Weet je dat zeker?' had hij aarzelend gevraagd.

Harold had hem bevreemd aangekeken. 'Natuurlijk,' zei hij. 'Gewoon, om te eten. Dat moet ook gebeuren, toch?'

Harold woonde in een huis van drie verdiepingen in Cambridge, aan de rand van de studentencampus. 'Ik wist niet dat je hier woonde,' zei hij terwijl Harold de oprit op reed. 'Dit is een van mijn lievelingsstraten. Ik liep hier elke dag om de weg naar de andere kant van de campus af te snijden.'

'Zoals de hele meute,' antwoordde Harold. 'Toen ik het vlak voor mijn scheiding kocht, jaren geleden, zaten er masterstudenten in al deze huizen; de luiken vielen van ellende naar beneden. De wietgeur was zo sterk dat je al stoned werd als je langsreed.'

Het sneeuwde, heel licht, maar toch was hij dankbaar dat het trapje naar de deur uit slechts twee treden bestond en dat hij niet bang hoefde te zijn dat hij zou uitglijden of Harolds hulp nodig zou hebben. Binnen rook het naar boter, paprika en zetmeel: pasta, dacht hij. Harold liet zijn aktentas op de grond vallen en gaf hem een vage rondleiding – 'Woonkamer, daarachter de werkkamer, keuken en eetkamer aan je linkerhand' – en hij werd voorgesteld aan Julia, die kort bruin haar had en net als Harold lang was. Hij vond haar meteen aardig.

'Jude!' zei ze. 'Eindelijk! Ik heb zo veel over je gehoord; wat leuk je nu eens te leren kennen.' Het klonk alsof ze het echt meende.

Aan tafel praatten ze. Julia kwam uit een intellectuele familie uit Oxford en woonde in Amerika sinds ze aan haar masteropleiding op Stanford was begonnen; Harold en zij hadden elkaar vijf jaar geleden via een vriendin leren kennen. Op haar lab werd een nieuw virus bestudeerd dat een variant van H5N1 leek te zijn en waarvan ze de genetische code probeerden te achterhalen.

'Is een van de problemen rond de microbiologie niet dat genomen als wapens gebruikt kunnen worden?' vroeg hij, en hij voelde, meer dan dat hij het zag, dat Harold zich naar hem toekeerde.

'Ja, dat klopt,' zei Julia, en terwijl ze hem vertelde over de controverses rond het werk van haar en haar collega's, wierp hij een blik op Harold, die naar hem zat te kijken en één wenkbrauw optrok, met een gelaatsuitdrukking die hij niet kon thuisbrengen.

Maar toen ging de conversatie over iets anders, en hij kon bijna zien hoe het gespreksonderwerp steeds verder verwijderd raakte van Julia's lab en onverbiddelijk in zijn richting verschoof, hij kon zien wat een goede procesadvocaat Harold zou zijn als hij wilde, hoe vaardig hij steeds opnieuw zijn positie bepaalde, bijna alsof hun gesprek vloeibaar was en hij het door een reeks buisjes en trechters liet stromen, elke ontsnappingsmogelijkheid eliminerend, tot het aankwam bij het onvermijdelijke eindpunt.

'Vertel eens, Jude,' vroeg Julia, 'waar ben je opgegroeid?'

'Voornamelijk in South Dakota en Montana,' zei hij, en hij voelde het beest in zijn binnenste rechtop gaan zitten, zich bewust van het gevaar maar niet in staat eraan te ontkomen.

'Hebben je ouders dan een ranch?' vroeg Harold.

In de loop van de jaren had hij geleerd om voorbereid te zijn op dit soort vragen, en ook om ze een andere kant op te buigen. 'Nee,' zei hij, 'maar veel mensen daar natuurlijk wel. Het platteland is er prachtig; zijn jullie weleens in het Westen geweest?'

Gewoonlijk was dit genoeg, maar niet voor Harold. 'Ha!' zei hij. 'Dat is de subtielste afleidingsmanoeuvre die ik in lange tijd heb gehoord.' Harold keek hem aan, zo indringend dat hij ten slotte zijn ogen neersloeg. 'Dat is zeker jouw manier om te zeggen dat je ons niet gaat vertellen wat ze doen?'

'O, Harold, laat die jongen met rust,' zei Julia, maar hij voelde hoe Harold hem aanstaarde en was opgelucht toen het etentje voorbij was.

Na die eerste avond bij Harold werd hun relatie dieper en tegelijkertijd moeilijker. Hij voelde dat hij Harolds nieuwsgierigheid had gewekt, die hij zich voorstelde als een hond met felle ogen en gespitste oren – een terriër, scherp en meedogenloos – en hij wist niet zo zeker of dat wel goed was. Hij wilde Harold beter leren kennen, maar tijdens het eten had hij weer gemerkt dat dat proces – iemand leren kennen – altijd zo veel heikeler was dan hij zich herinnerde. Hij vergat het steeds weer en werd er steeds weer aan herinnerd. Zoals wel vaker wenste hij dat al die stappen – het onthullen van intimiteiten, het onderzoeken van elkaars verleden – konden worden overgeslagen en hij direct kon worden geteleporteerd naar de volgende fase, waarin de relatie iets zachts, flexibels en comfortabels was waarin de grenzen van beide partijen werden begrepen en gerespecteerd.

Andere mensen zouden misschien nog een paar pogingen hebben gedaan iets uit hem te krijgen en hem vervolgens met rust gelaten hebben – andere mensen hádden hem met rust gelaten: zijn vrienden, zijn klasgenoten, zijn andere docenten – maar Harold gaf niet zo snel op. Zelfs zijn gebruikelijke strategieën, zoals tegen de vragenstellers zeggen dat hij liever dingen over hún leven wilde horen dan over het zijne praten: een tactiek met het voordeel dat die zowel waarheidsgetrouw als effectief was, werkten bij Harold niet. Hij wist nooit wanneer Harolds volgende aanval kwam, maar als dat gebeurde was hij onvoorbereid, en hij merkte dat hij, hoe meer tijd ze met elkaar doorbrachten, zich niet meer maar juist minder op zijn gemak ging voelen.

Dan zaten ze bijvoorbeeld in Harolds kantoor ergens over te praten

– zeg, de rechtszaak over positieve discriminatie aan de universiteit van Virginia die voor het Hooggerechtshof diende – en vroeg Harold ineens: 'Wat is eigenlijk jouw etnische achtergrond, Jude?'

'Heel divers,' antwoordde hij dan, en daarna probeerde hij op een ander onderwerp over te gaan, zelfs al moest hij daarvoor een stapel boeken op de grond laten vallen als afleidingsmanoeuvre.

Maar soms waren de vragen willekeurig en contextloos, en daar kon je je onmogelijk op voorbereiden, aangezien ze uit het niets kwamen. Op een avond waren Harold en hij tot laat aan het werk in Harolds kantoor en bestelde Harold iets te eten voor hen beiden. Als dessert had hij koekjes en brownies gekozen, en hij schoof de zakjes naar hem toe.

'Nee, dank je,' zei hij.

'Echt niet?' vroeg Harold met opgetrokken wenkbrauwen. 'Mijn zoon was hier gek op. We probeerden ze thuis voor hem te bakken, maar ze lukten nooit echt.' Hij brak een brownie in tweeën. 'Bakten jouw ouders veel voor jou toen je klein was?' Dit soort vragen werd gesteld met een uitgekiende achteloosheid die hij bijna ondraaglijk vond.

'Nee,' zei hij, terwijl hij deed alsof hij zijn aantekeningen doornam. Hij luisterde naar Harold die zat te kauwen en, hij wist het, te overwegen of hij het zou opgeven of zou doorvragen.

'Zie je je ouders vaak?' vroeg Harold hem plots op een andere avond.

'Ze zijn overleden,' zei hij zonder op te kijken van zijn papier.

'Wat naar, Jude,' zei Harold na een stilte, en door de oprechtheid in zijn stem keek hij op. 'De mijne ook. Vrij recent. Maar ik ben natuurlijk veel ouder dan jij.'

'Gecondoleerd,' zei hij. En toen, gissend: 'Je had vast een hechte band met ze.'

'Ja,' zei Harold. 'Heel hecht. Had jij een goede band met de jouwe?'

Hij schudde zijn hoofd. 'Nee, niet echt.'

Harold zweeg even. 'Maar ze waren vast trots op je,' zei hij ten slotte.

Elke keer als Harold hem vragen stelde over hemzelf voelde hij iets kouds door zich heen glijden, alsof hij van binnenuit verijsde en zijn zenuwen en organen door een laagje rijp werden beschermd. Maar op dat moment dacht hij dat hij zou kunnen breken, dat als hij iets zou zeggen het ijs uiteen zou spatten en hij zou barsten en versplinteren. Dus wachtte hij totdat hij wist dat hij normaal zou klinken voor hij Harold vroeg of hij de rest van de artikelen nu moest opzoeken of morgenochtend. Hij keek Harold echter niet aan en praatte tegen zijn notitieblok.

Het duurde lang voor Harold antwoord gaf. 'Morgen,' zei Harold zachtjes, en hij knikte en pakte zijn spullen om naar huis te gaan, zich bewust van Harolds blik, die hem volgde in zijn strompelgang naar de deur.

Harold wilde weten wat voor opvoeding hij had gehad, of hij broers en zussen had, wie zijn vrienden waren en wat hij met hen deed: hij was belust op informatie. Die laatste vragen kon hij tenminste beantwoorden, en hij vertelde over zijn vrienden, hoe ze elkaar hadden ontmoet en waar ze nu waren: Malcolm was bezig met zijn master aan Columbia, JB en Willem deden hun master aan Yale. Hij beantwoordde Harolds vragen over hen met graagte, hij praatte graag over hen, hij hoorde Harold graag lachen als hij verhalen over hen vertelde. Hij vertelde hem over CM, en dat Santosh en Federico in een soort strijd verwikkeld waren met de bachelorstudenten elektrotechniek die in het studentenhuis naast hen woonden, en dat hij op een ochtend wakker was geworden van een vloot op afstand bestuurbare, gemotoriseerde vliegtuigjes die van condooms waren gemaakt en die met veel lawaai voor zijn raam opstegen naar de derde verdieping, met bungelende bordjes eraan waarop stond: SANTOSH JAIN EN FEDERICO DE LUCA HEBBEN EEN MICROPENIS.

Maar als Harold die andere vragen begon te stellen voelde hij zich verstikt door hun zwaarte, frequentie en onvermijdelijkheid. En soms werd de lucht zo zwaar van de vragen die Harold hem níét stelde dat dat even benauwend was als wanneer hij het wel gedaan zou hebben. De mensen wilden zo veel weten, ze wilden zo veel antwoorden. En hij begreep dat heus wel: hij wilde ook antwoorden, hij wilde ook alles weten. Op zo'n moment was hij dankbaar voor zijn vrienden, voor hoe ze relatief weinig uit hem hadden proberen te krijgen, hoe ze hem ongemoeid hadden gelaten, een lege, monotone prairie met onder het gele oppervlak pieren en torren die door de zwarte aarde kronkelden, en botsplinters die langzaam tot steen verkalkten.

'Dat houdt je echt bezig, hè,' beet hij Harold een keer getergd toe op diens vraag of hij een relatie had, en daarna, toen hij hoorde wat voor toon hij had aangeslagen, onderbrak hij zichzelf en bood zijn verontschuldigingen aan. Ze kenden elkaar intussen bijna een jaar.

'Dát?' zei Harold, zonder acht te slaan op zijn verontschuldiging. 'Jíj houdt me bezig. Ik zie niet in wat daar vreemd aan is. Dit is het soort dingen waar vrienden met elkaar over praten.'

En toch, ondanks zijn ongemak, bleef hij terugkomen bij Harold, bleef hij ingaan op diens uitnodigingen om te komen eten, ofschoon er bij elke ontmoeting wel een moment kwam waarop hij wenste dat hij in lucht op kon gaan, of waarop hij bang was tegen te vallen.

Op een avond ging hij bij Harold eten en werd hij voorgesteld aan Harolds beste vriend, zijn voormalige studiegenoot Laurence, die in Boston aan het hof van appèl werkte, en diens vrouw Gillian, die Engels doceerde aan Simmons College. 'Jude,' zei Laurence, die een nog lagere stem had dan Harold, 'Harold vertelde me dat je ook nog een master doet aan het MIT. Op welk gebied?'

'Zuivere wiskunde,' antwoordde hij.

'Waarin verschilt dat van' – Gillian lachte – 'gewone wiskunde?'

'Nou, gewone ofwel toegepaste wiskunde is wat je zou kunnen omschrijven als praktische wiskunde,' zei hij. 'Die wordt gebruikt om problemen te verhelpen, oplossingen te bieden: op economisch gebied, in de elektrotechniek, op financieel-administratief gebied en ga zo maar door. Maar zuivere wiskunde is niet gericht op directe of per se voor de hand liggende praktische toepassingen. Het is puur een expressie van vorm, zogezegd – het enige wat erdoor bewezen wordt is de welhaast oneindige rekbaarheid van de wiskunde zelf, natuurlijk binnen de uitgangspunten aan de hand waarvan we die definiëren.'

'Heb je het dan over projectieve meetkunde, dat soort dingen?' vroeg Laurence.

'Dat kan het zijn, zeker. Maar dat niet alleen. Vaak is het alleen maar bewijs voor... voor de onmogelijke, maar consistente interne logica van de wiskunde zelf. Er zijn allerlei specialismen binnen de zuivere wiskunde: geometrische zuivere wiskunde, zoals je al zei, maar ook algebraische wiskunde, algoritmische wiskunde, cryptografie, informatietheorie en zuivere logica, wat is wat ik bestudeer.'

'En dat houdt in?' vroeg Laurence.

Hij dacht na. 'Mathematische logica, of zuivere logica, is in feite een gesprek tussen waarheden en onwaarheden. Ik zou bijvoorbeeld tegen jou kunnen zeggen: "Alle positieve getallen zijn reëel. Twee is een positief getal. Dan moet twee reëel zijn." Maar dat is niet echt waar, of wel? Het is een afgeleide, een aangenomen waarheid. Ik heb niet echt bewezen dat twee een reëel getal is, maar logischerwijze moet het waar zijn. Dus dan stel je eigenlijk een bewijs op voor het feit dat de logica van die twee beweringen reëel is, en oneindig toepasbaar.' Hij stopte met praten. 'Is dat te volgen?'

'*Video, ergo est*,' zei Laurence plotseling. Ik zie het, dus het is.

Hij glimlachte. 'En dát is nou toegepaste wiskunde. Maar zuivere wiskunde is meer...' Hij peinsde weer even. '*Imaginor, ergo est*.'

Laurence beantwoordde zijn glimlach en knikte. 'Heel goed,' zei hij.

'En nu heb ík een vraag,' zei Harold, die stil naar hen had zitten luisteren. 'Hoe en waarom ben jij in godsnaam op de rechtenfaculteit verzeild geraakt?'

Iedereen lachte, en hij ook. Die vraag was hem vaker gesteld (door dr. Li, in wanhoop, door zijn masterbegeleider, dr. Kashen, verbijsterd), en hij stemde zijn antwoord altijd af op zijn gehoor, want het echte antwoord – dat hij de middelen wilde hebben om zichzelf te beschermen, dat hij er zeker van wilde zijn dat niemand hem ooit nog iets kon doen – klonk te egoïstisch, oppervlakkig en onbenullig om hardop te zeggen (en zou sowieso een heleboel andere vragen oproepen). Bovendien wist hij intussen voldoende om te weten dat het recht slechts een vliesdun soort bescherming bood: als hij werkelijk veilig wilde zijn, had hij een door een vizier turende scherpschutter moeten worden, of een chemicus in zijn lab vol pipetten en vergiften.

Die avond zei hij echter: 'Maar rechten is niet zo heel anders dan zuivere wiskunde... Ik bedoel, de wet heeft in theorie toch ook een antwoord op elke vraag? Wetten zijn bij uitstek bedoeld om ertegenaan te duwen, ze op te rekken, en als ze geen oplossing kunnen bieden voor elke kwestie die ze beweren af te dekken, dan zijn het niet eens wetten, of wel soms?' Hij zweeg even om na te denken over wat hij zojuist gezegd had. 'Ik denk dat het verschil is dat in de wet, in het recht, vele wegen naar vele antwoorden leiden, en in wiskunde vele wegen naar één antwoord. En ook, lijkt me, dat het recht eigenlijk niet over de waarheid gaat: het gaat over bestuur. Wiskunde hoeft daarentegen niet gunstig, praktisch of bestuurlijk te zijn – zolang ze maar wáár is.

Maar ik denk dat een andere overeenkomst is dat in zowel wiskunde als recht het belangrijkste – of preciezer gezegd, het gedenkwaardigste – niet is dat de zaak wordt gewonnen of het bewijs geleverd, maar de schoonheid, de soberheid waarmee dat gebeurt.'

'Hoe bedoel je?' vroeg Harold.

'Nou,' zei hij, 'in het recht hebben we het over een mooi slotpleidooi of een mooie uitspraak, en wat we daarmee natuurlijk bedoelen is dat niet alleen de logica erachter mooi is, maar ook de manier waarop die wordt uitgedrukt. Zo doelen we, als we het in de wiskunde hebben over een mooi bewijs, op de eenvoud van dat bewijs, de... ik denk het elementaire eraan, de onvermijdelijkheid.'

'En zoiets als de laatste stelling van Fermat, wat vind je daarvan?' vroeg Julia.

'Dat is een perfect voorbeeld van een niet-mooi bewijs. Want het was misschien wel belangrijk dat die stelling werd opgelost, maar voor veel mensen – zoals mijn begeleider – was het een teleurstelling. Het bewijs ging maar door, honderden bladzijden lang, het was gebaseerd op zo veel uiteenlopende gebieden van de wiskunde, en het was zo... gewrongen, bijeengeknutseld eigenlijk, in zijn uitvoering, dat er nog steeds heel wat mensen aan het werk zijn om het op elegantere wijze te bewijzen, ook al is het bewijs al geleverd. Een mooi bewijs is beknopt, net als een mooie uitspraak. Het combineert niet meer dan een handvol concepten, zij het uit het hele wiskundige universum, en leidt in een relatief korte reeks stappen tot een grootse, nu algemeen geworden waarheid in de wiskunde: dat wil zeggen, een volkomen bewijsbare, onwrikbare absolute in een geconstrueerde wereld met zeer weinig onwrikbare absoluten.' Hij stopte om adem te halen, terwijl het ineens tot hem doordrong dat hij aan het praten en praten was geweest en dat de anderen hem stil zaten aan te kijken. Hij voelde zich rood worden, voelde de oude haat weer in zich binnenstromen als vervuild water. 'Sorry,' zei hij. 'Sorry. Het was niet mijn bedoeling zo door te draven.'

'Doe niet zo mal,' zei Laurence. 'Jude, volgens mij was dit het eerste werkelijk verhelderende gesprek dat ik de afgelopen tien jaar of langer hier bij Harold thuis heb gevoerd: dank je.'

Weer lachte iedereen, en Harold leunde met een vergenoegd gezicht achterover in zijn stoel. 'Zie je?' zag hij Harold over de tafel naar Laurence mimen, en Laurence knikte, en hij begreep dat dat over hem ging en was zijns ondanks gevleid, en ook verlegen: had Harold met zijn vriend over hem gepraat? Was dit een test voor hem geweest, een test waarvan hij niet had geweten dat hij die moest afleggen? Hij was opgelucht dat hij geslaagd was en Harold niet had beschaamd, en ook opgelucht dat hij, hoe ongemakkelijk hij zich hier soms ook voelde, zijn plaats in Harolds huis misschien wel volledig verdiend had en opnieuw zou kunnen worden uitgenodigd.

Elke dag vertrouwde hij Harold een beetje meer, en soms vroeg hij zich af of hij opnieuw in dezelfde fout verviel. Wat was beter, vertrouwen of argwaan? Kon je een echte vriendschap hebben als een deel van je altijd bedacht was op verraad? Soms had hij het gevoel dat hij misbruik maakte van Harolds gulheid, zijn vrolijke vertrouwen in hem, en soms dacht hij dat zijn behoedzaamheid uiteindelijk toch de wijste keuze was, want als het slecht mocht aflopen, dan zou hij het alleen aan zichzelf te wijten hebben. Maar het was moeilijk Harold niet te vertrouwen: Harold maakte hem dat moeilijk en, al even belangrijk, hij maakte het moeilijk voor zichzelf, want hij wílde Harold vertrouwen, hij wílde toegeven, hij wílde dat het beest in hem zichzelf in een slaap suste waaruit het nooit meer zou ontwaken.

In zijn tweede jaar als rechtenstudent was hij een keer tot 's avonds laat bij Harold gebleven, en toen ze de deur opendeden waren de stoep, de straat en de bomen bedolven onder een dikke laag sneeuw, en de vlokken joegen als een tornado in de richting van de deur, zo snel dat ze allebei een stap achteruit de gang in zetten.

'Ik bel een taxi,' zei hij, zodat Harold hem niet naar huis hoefde te brengen.

'Geen sprake van,' zei Harold. 'Je blijft hier.'

En zo overnachtte hij in de logeerkamer op de eerste verdieping, van Harold en Julia's slaapkamer gescheiden door een ruim vertrek met grote ramen dat ze als bibliotheek gebruikten en een kleine overloop. 'Hier heb je een T-shirt,' zei Harold terwijl hij hem iets zachts en grijs toewierp, 'en een tandenborstel.' Hij legde hem op de boekenkast. 'In de badkamer liggen extra handdoeken. Wil je nog iets? Water?'

'Nee,' zei hij. 'Dank je wel, Harold.'

'Geen dank, Jude. Welterusten.'

'Welterusten.'

Hij bleef een tijdje wakker liggen, behaaglijk onder het donzen dekbed en op het fluwelige matras, kijkend hoe het raam wit werd en luisterend naar het water dat gorgelend in de afvoer stroomde en het zachte, onverstaanbare gemompel van Harold en Julia, naar hoe een van hen op blote voeten van de ene plaats naar de andere liep, en ten slotte naar de stilte. In die minuten beeldde hij zich in dat ze zijn ouders waren en hij een weekend thuis was van de universiteit, dat dit zijn kamer was en hij de volgende dag zou opstaan en zou doen wat het ook maar mocht zijn dat volwassen kinderen met hun ouders deden.

In de zomer na dat tweede jaar nodigde Harold hem uit om naar hun huis in Truro, op Cape Cod, te komen. 'Je zult het er heerlijk vinden,' zei hij. 'Nodig je vrienden ook uit, zij vinden het vast ook fijn.' En zo reden ze op de donderdag voor Labor Day, zodra zijn stage en die van Malcolm waren afgelopen, met z'n allen vanuit New York naar het huis in het noorden, en gedurende dat lange weekend was Harolds aandacht op JB, Malcolm en Willem gericht. Hij keek ook naar hen, vol bewondering voor de manier waarop ze op al Harolds uitdagende stellingen een antwoord hadden, voor hoe gul ze waren met hun eigen leven, hoe ze verhalen over zichzelf konden vertellen waar ze om lachten en die ook Harold en Julia aan het lachen maakten, hoe gemakkelijk ze omgingen met Harold en Harold met hen. Hij ervoer het bijzondere genoegen om te zien hoe mensen van wie hij hield verliefd werden op andere mensen van wie hij hield. Vanaf het huis liep er een privépaadje naar een piepklein privéstrand, en 's ochtends gingen ze daar met z'n vieren naartoe om te zwemmen – zelfs hij zwom, in lange broek, onderhemd en een oud overhemd, waar niemand moeilijk over deed – en daarna op het zand te liggen bakken terwijl zijn opdrogende kleren zich geleidelijk aan losmaakten van zijn lichaam. Soms kwam Harold naar hen kijken of zelf ook zwemmen. 's Middags fietsten Malcolm en JB door de duinen, en Willem en hij volgden hen te voet en raapten onderweg stukjes schalieachtige schelp en de treurige skeletten van lang geleden opgepeuzelde heremietkreeften op, terwijl Willem zijn tred aanpaste aan de zijne. 's Avonds, als de lucht zoel was, maakten JB en Malcolm tekeningen, en Willem en hij lazen. Hij voelde zich high van zon, eten, zout en tevredenheid, en 's nachts sliep hij snel en vroeg in, en 's morgens werd hij voor de anderen wakker zodat hij in z'n eentje vanaf de veranda achter het huis over de zee kon uitkijken.

Wat gaat er met me gebeuren? vroeg hij de zee. Wat ís er met me aan het gebeuren?

De vakantie kwam ten einde en het herfstsemester begon, en al snel besefte hij dat een van zijn vrienden in de loop van dat weekend iets tegen Harold gezegd moest hebben, al wist hij zeker dat het niet Willem was, aan wie hij als enige uiteindelijk iets over zijn verleden had verteld, al was het niet bepaald veel geweest: drie feiten, het ene nog nietiger dan het andere en alle drie zonder betekenis, die bij elkaar nog niet eens het begin van een verhaal vormden. Zelfs de eerste zinnen van een sprookje bevatten meer details dan wat hij Willem had verteld: *Er waren eens een jongen en een meisje die diep in een kil bos woonden bij hun vader, die houthakker was, en hun stiefmoeder. De houthakker hield van zijn kinderen, maar hij was heel arm, en zo kwam het dat op een dag...* Dus wat Harold ook had gehoord, het kon alleen maar speculatie zijn, geschraagd door hun observaties, hun theorieën, gissingen en verzinsels. Maar wat het ook was, het was voldoende geweest om Harolds stroom vragen aan hem – over wie hij was geweest en waar hij vandaan kwam – te doen opdrogen.

Naarmate de maanden en vervolgens jaren verstreken, groeide er tussen hen een vriendschap waarin de eerste vijftien jaar van zijn leven ongezegd en onbesproken bleven, alsof ze nooit hadden plaatsgehad, alsof hij bij aankomst op de universiteit uit de doos van de fabrikant was gehaald en er achter in zijn nek een knopje was omgedraaid zodat hij met een siddering tot leven was gekomen. Hij wist dat die blanco jaren met Harolds eigen voorstellingen waren ingevuld en dat sommige van die voorstellingen erger waren dan wat er werkelijk was gebeurd en andere minder erg. Maar Harold vertelde hem nooit wat zijn vermoedens over hem waren, en hij wilde het niet echt weten.

Hij had zijn vriendschap met Harold en Julia nooit als iets contextgebondens gezien, maar hij was voorbereid op de waarschijnlijkheid dat zij die wel zo zagen. Dus toen hij naar Washington verhuisde voor zijn baan als griffier ging hij ervan uit dat Harold en Julia hem zouden vergeten en probeerde hij zich voor te bereiden op dat verlies. Maar zo ging het niet. Integendeel, ze stuurden e-mails en belden, en als een van hen in de stad was, gingen ze uit eten. In de zomers bracht hij met zijn vrienden een bezoek aan Truro, en met Thanksgiving gingen ze naar Cambridge. En toen hij twee jaar later naar New York verhuisde om bij het OM te gaan werken, was Harold bijna onrustbarend blij voor hem geweest. Ze hadden hem zelfs gevraagd of hij in hun appartement in de Upper West Side wilde wonen, maar hij wist dat ze daar vaak gebruik van maakten en was er niet zeker van hoe serieus dat aanbod was, dus sloeg hij het af.

Elke zaterdag belde Harold hem om naar zijn werk te vragen, en dan vertelde hij hem over zijn baas, Marshall, de substituut-aanklager, die het griezelige vermogen bezat om hele arresten van het Hooggerechtshof uit zijn hoofd op te zeggen, met gesloten ogen om het beeld van de betreffende bladzijde voor zijn geestesoog op te roepen, en met een stem die tijdens het opdreunen een doffe, robotachtige klank kreeg, maar zonder dat hij ooit een woord wegliet of toevoegde. Hij had altijd gedacht dat hij een goed geheugen bezat, maar dat van Marshall vond hij verbluffend.

In sommige opzichten deed het OM hem aan het tehuis denken: het werd vooral bevolkt door mannen, en er borrelde een eigenaardige, continue vijandschap, het sissend soort venijn dat vanzelf ontstaat wanneer een groep zeer competitiegerichte mensen van vergelijkbaar niveau in één kleine ruimte wordt gezet met als uitgangspunt dat slechts een enkeling de kans zal krijgen zich te onderscheiden. (Alleen waren het hier hun prestaties die van vergelijkbaar niveau waren, terwijl dat in het tehuis hun honger, hun behoeftigheid was geweest.) Het leek erop dat alle tweehonderd assistent-aanklagers van dezelfde vijf of zes universiteiten afkomstig waren, en bijna allemaal hadden ze op hun universiteit artikelen geschreven voor het juridische tijdschrift en deelgenomen aan pleitavonden. Hij zat in een team van vier personen dat voornamelijk aan zaken over aandelenfraude werkte, en zijn teamgenoten en hij hadden stuk voor stuk iets – een kwalificatie, een bijzondere eigenschap – wat hen naar ze hoopten boven de anderen uittilde: hij had zijn master van het MIT (waar niemand waarde aan hechtte, maar het was in elk geval iets opvallends) plus zijn tijd als griffier bij Sullivan, met wie Marshall op vriendschappelijke voet stond. Citizen, zijn beste vriend bij het OM, had in Cambridge gestudeerd en twee jaar als advocaat in Londen gewerkt voor hij naar New York verhuisde. En Rhodes, de derde van het trio, had na de universiteit met een Fulbright-beurs in Argentinië gestudeerd. (De vierde van hun team was een aartsluie jongen die Scott heette en die de baan volgens de geruchten alleen had gekregen omdat zijn vader met de president tenniste.)

Meestal werkte hij op kantoor, en soms, als Citizen, Rhodes en hij nog laat bezig waren en afhaaleten bestelden, moest hij denken aan vroeger, met zijn kamergenoten in Hood Hall. En hoewel hij Citizen en Rhodes prettig gezelschap vond en genoot van hun gerichte, enorme intelligentie, had hij op die momenten heimwee naar zijn vrienden, die zo anders dachten dan hij en door wie hij ook anders leerde denken. Midden in een gesprek met Citizen en Rhodes over logica herinnerde hij zich ineens een vraag die dr. Li hem had gesteld in zijn eerste jaar, toen hij bij hem op toelatingsgesprek kwam voor zijn werkgroep zuivere wiskunde. *Waarom zijn putdeksels rond?* Het was een makkelijke vraag, en makkelijk te beantwoorden, maar toen hij, terug in Hood, dr. Li's vraag herhaalde tegenover zijn kamergenoten, bleef het stil. Ten slotte zei JB op de dromerige toon van een rondtrekkende verhalenverteller: 'Lang, lang geleden zwierven er mammoeten over de aarde, en hun voetsporen lieten blijvende ronde afdrukken achter in de grond,' en ze waren allemaal in lachen uitgebarsten. Hij glimlachte bij die herinnering; soms wilde hij dat hij hersens had zoals die van JB, die verhalen konden scheppen waar anderen verrukt over zouden zijn, in plaats van zijn eigen hersens, die altijd maar zochten naar een verklaring, een verklaring die misschien wel juist was maar totaal niet romantisch, fantasievol of grappig.

'Haal de diploma's maar tevoorschijn,' fluisterde Citizen hem altijd toe als de aanklager in eigen persoon op hun verdieping verscheen en alle assistent-aanklagers als motten op hem af zwermden in een drom van grijze pakken. Zij en Rhodes voegden zich bij de zwerm, maar zelfs tijdens die bijeenkomsten maakte hij nooit melding van de enige kwalificatie waarvan hij wist dat die niet alleen de aandacht van Marshall maar ook van de aanklager zou trekken. Toen hij de baan had gekregen, had

Harold gevraagd of hij eens zijn naam moest laten vallen bij Adam, de aanklager, die een oude bekende van hem bleek te zijn. Maar hij had tegen Harold gezegd dat hij zeker wilde weten dat hij er op eigen kracht kon komen. Dat was waar, maar een belangrijker reden was dat hij aarzelde om Harold als een van zijn pluspunten aan te voeren, omdat hij bang was dat Harold er spijt van zou krijgen dat hij met hem geassocieerd werd. Daarom had hij niets gezegd.

Toch voelde het vaak alsof Harold er hoe dan ook bij was. Herinneringen ophalen aan de rechtenfaculteit (en daaruit voortvloeiend: opscheppen over je prestaties op de rechtenfaculteit) was een geliefd tijdverdrijf op het OM, en doordat zo veel van zijn collega's op dezelfde universiteit hadden gezeten als hij, waren er heel wat die Harold kenden (en de rest had van hem gehoord), en soms luisterde hij naar hun verhalen over werkgroepen die ze bij hem hadden gevolgd en hoe goed je je daarvoor moest voorbereiden, en dan was hij trots op Harold en ook – al wist hij dat het belachelijk was – trots op zichzelf omdat hij hem kende. Het jaar daarop zou Harolds boek over de grondwet verschijnen, en iedereen op kantoor zou het dankwoord lezen en zijn naam zien staan, waardoor zijn connectie met hem aan het licht zou komen, en velen van hen zouden iets vermoeden en hij zou in hun gezicht zien dat ze zich met vrees probeerden te herinneren wat ze misschien in zijn nabijheid over Harold hadden gezegd. Maar tegen die tijd zou hij al het gevoel hebben zich op eigen kracht naast Citizen en Rhodes een plaats te hebben veroverd en zijn eigen relatie met Marshall te hebben opgebouwd.

Maar hoe graag hij het ook had gewild, hoezeer hij er ook naar hunkerde, hij durfde Harold nog steeds niet echt zijn vriend te noemen: soms vroeg hij zich bezorgd af of hij zich hun hechte band niet alleen maar inbeeldde, die groter maakte dan hij was, en dan moest hij (tot zijn schaamte) *De mooie belofte* van zijn boekenplank halen en het dankwoord opslaan om Harolds woorden nogmaals te lezen, alsof dat zelf een contract was, een verklaring dat wat hij voor Harold voelde op zijn minst voor een deel wederzijds was. En toch bleef hij altijd voorbereid: deze maand houdt het op, zei hij telkens tegen zichzelf. En dan, aan het eind van de maand: volgende maand dan. Volgende maand wil hij niet meer met me praten. Hij probeerde zichzelf in een voortdurende staat van paraatheid te houden; hij probeerde zich voor te bereiden op de teleurstelling, al verlangde hij ernaar in het ongelijk te worden gesteld.

En toch zette hun vriendschap zich voort, een lange, snelle rivier die hem in zijn stroming had gevangen en meevoerde, waarheen kon hij niet zien. Op elk punt waarop hij dacht dat hij aan de grens stond van wat hun relatie zou zijn, gooide Harold of Julia de deur naar een andere kamer open en nodigden ze hem uit om binnen te komen. Hij maakte kennis met Julia's vader, een gepensioneerde longarts, en haar broer, universitair docent kunstgeschiedenis, toen die een keer voor Thanksgiving uit Engeland waren overgekomen, en als Harold en Julia naar New York kwamen, namen ze Willem en hem mee naar restaurants waar ze wel over hadden gehoord maar die zijzelf niet konden betalen. Ze kwamen voor het eerst in het appartement in Lispenard Street – Julia met beleefde blik, Harold gruwend – en in de week dat de radiatoren het op mysterieuze wijze begaven, lieten ze voor hem een setje sleutels van hun luxueuze appartement achter, waar het zo warm was dat Willem en hij na aankomst een uur lang als etalagepoppen simpelweg op de bank zaten, te verbijsterd over de plotse terugkeer van warmte in hun leven om zich te bewegen. En nadat Harold hem tijdens een aanval had meegemaakt – dat was tijdens de Thanksgiving na zijn verhuizing naar New York, en in zijn wanhoop (hij wist dat hij de trap niet op zou kunnen komen) had hij het vuur onder de pan waarin hij spinazie stond te roerbakken uitgedraaid en zichzelf naar de provisiekamer gesleept, waar hij met de deur dicht op de vloer was gaan liggen wachten – hadden ze hun huis heringericht, zodat bij zijn volgende bezoek de logeerkamer naar de begane grond was verplaatst, in de suite achter de woonkamer die Harolds werkkamer was geweest, en Harolds bureau, stoel en boeken naar de bovenverdieping waren verhuisd.

Maar zelfs na dit alles bleef hij diep van binnen voortdurend in afwachting van de dag waarop hij voor een deur zou staan en tevergeefs aan de knop zou draaien. Niet dat hij dat per se erg vond; het had iets beangstigends en onrustbarends zich ergens te bevinden waar hem niets verboden leek te zijn, waar alles hem werd aangeboden en er niets werd teruggevraagd. Hij probeerde hun te geven wat hij kon, maar besefte dat het niet veel was. En de dingen die Harold hem zo zonder meer gaf – antwoorden, genegenheid – kon hij niet op dezelfde manier teruggeven.

Op een dag toen hij hen al bijna zeven jaar kende, was hij in de lente bij hen thuis. Het was Julia's verjaardag; ze werd eenenvijftig, en omdat ze op haar vijftigste verjaardag in Oslo op een conferentie was geweest, had ze besloten dat dit haar grote feest zou worden. Harold en hij waren de woonkamer aan het schoonmaken – of beter gezegd: hij maakte schoon en Harold plukte hier en daar een boek uit de kast en vertelde hem verhalen over hoe hij eraan was gekomen, of sloeg het open zodat hij andermans namen erin geschreven zag. Zo was er een exemplaar van *The Leopard* met op het schutblad: 'Eigendom van Laurence V. Raleigh. Niet meenemen. Harold Stein, ik bedoel jou!!'

Hij had gedreigd het aan Laurence te vertellen, en Harold had hem op zijn beurt dreigend toegesproken. 'Dat zou ik maar laten, Jude, anders...'

'Anders wat?' had hij plagend gevraagd.

'Anders... dit!' had Harold gezegd en hij was op hem af gesprongen, en voordat hij kon beseffen dat Harold alleen maar wat dolde, was hij zo abrupt teruggedeinsd, zijn romp wegdraaiend om contact te vermijden, dat hij tegen de boekenkast was gebotst en een bobbelige aardewerken mok had omgestoten die Harolds zoon Jacob had gemaakt, zodat die op de grond viel en in drie stukken brak. Harold had een stap achteruit gedaan en er viel een plotselinge, afschuwelijke stilte, waarin hij bijna in huilen was uitgebarsten.

'Harold,' zei hij terwijl hij neerhurkte en de stukken opraapte. 'Het spijt me zo, het spijt me zo. Vergeef het me alsjeblieft.' Hij wilde zichzelf wel tegen de grond slaan, want hij wist dat dit het laatste was dat Jacob voor Harold had gemaakt voordat hij ziek werd. Boven zich hoorde hij alleen Harolds ademhaling.

'Harold, vergeef het me alsjeblieft,' herhaalde hij terwijl hij de stukken in zijn beide handen hield. 'Ik kan hem denk ik wel repareren... ik kan hem weer maken.' Hij kon zijn ogen niet losmaken van de mok, van het glanzende, boterige glazuur.

Hij voelde dat Harold naast hem neerhurkte. 'Jude,' zei Harold, 'het geeft niet. Het was een ongelukje.' Zijn stem was heel zacht. 'Geef me de scherven,' zei hij, maar hij was rustig en klonk niet boos.

Hij gehoorzaamde. 'Ik kan weggaan,' bood hij aan.

'Natuurlijk ga je niet weg,' zei Harold. 'Het geeft niet, Jude.'

'Maar het was van Jacob,' hoorde hij zichzelf zeggen.

'Ja,' zei Harold. 'En dat is het nog steeds.' Hij stond op. 'Kijk me aan, Jude,' zei hij, en dat deed hij uiteindelijk. 'Het geeft niet. Kom.' Harold stak zijn hand uit, en hij pakte hem en liet zich door Harold overeind trekken. Hij wilde op dat moment uitbrullen dat hij Harold, na alles wat die hem had gegeven, had terugbetaald door iets dierbaars, gemaakt door iemand die hem het allerdierbaarst was geweest, kapot te maken.

Harold ging met de mok in zijn handen naar boven, naar zijn werkkamer, en hij maakte zijn schoonmaakwerk in stilte af, terwijl de mooie dag om hem heen grauwde. Toen Julia thuiskwam, wachtte hij tot Harold haar vertelde hoe stom en onhandig hij was geweest, maar dat deed hij niet. Die avond tijdens het eten was Harold net als altijd, maar toen hij thuiskwam in Lispenard Street schreef hij Harold een echte, nette brief, waarin hij netjes zijn verontschuldigingen aanbood, en stuurde hem op.

En een paar dagen later kreeg hij een antwoord, ook in de vorm van een brief, die hij de rest van zijn leven zou bewaren.

'Lieve Jude,' schreef Harold, 'dank je voor je mooie (zij het onnodige) briefje. Ik ben blij met alles wat erin staat. Je hebt gelijk: die mok betekent veel voor me. Maar jij betekent meer. Dus kwel jezelf alsjeblieft niet langer.

Als ik een ander soort mens was, zou ik misschien zeggen dat dit hele incident een metafoor was voor het leven in het algemeen: dingen gaan kapot, en soms worden ze hersteld, en in de meeste gevallen realiseer je je dat ongeacht wat er kapotgaat het leven zich zo herschikt dat je gecompenseerd wordt voor je verlies, soms op prachtige wijze.

Trouwens... misschien ben ik eigenlijk toch wel zo'n soort mens.

Liefs, Harold.'

~

Nog niet eens zo veel jaar geleden koesterde hij – ondanks het feit dat hij beter wist, ondanks wat Andy hem al sinds zijn zeventiende voorhield – nog een klein beetje hardnekkige hoop dat hij beter zou kunnen worden. Op erg slechte dagen herhaalde hij de woorden van de chirurg uit Philadelphia – 'de ruggengraat heeft een prachtig herstellend vermogen' – bijna als een mantra in zichzelf. Een paar jaar nadat hij Andy had leren kennen, toen hij voor zijn master studeerde, had hij eindelijk zijn moed bijeengeraapt en dit aan hem voorgelegd, hardop de voorspelling geuit die hij koesterde en waar hij zich aan vasthield, hopend dat Andy zou knikken en zeggen: 'Precies. Het kost alleen tijd.'

Maar Andy had laatdunkend gesnoven. 'Heeft hij dat gezegd?' vroeg hij. 'Het wordt niet beter, Jude. Naarmate je ouder wordt, zal het verergeren.' Onder het praten had Andy naar zijn enkel gekeken, druk bezig met een pincet stukjes dood vlees te pulken uit een wond die daar onlangs in was ontstaan, toen hij plotseling bevroor, en zelfs zonder Andy's gezicht te zien wist hij dat die geïrriteerd was. 'Het spijt me, Jude,' zei hij terwijl hij opkeek, met zijn voet nog steeds in zijn hand. 'Het spijt me dat ik je niets anders kan zeggen.' En toen hij geen antwoord kon geven, zuchtte hij. 'Je bent geschokt.'

Dat was natuurlijk ook zo. 'Het is oké,' wist hij uit te brengen, maar hij kon Andy niet aankijken.

'Het spijt me, Jude,' herhaalde Andy zachtjes. Zelfs toen al had Andy twee standen: bruusk en vriendelijk, en beide had hij vaak meegemaakt, zelfs tijdens één afspraak.

'Maar één ding kan ik je wel beloven,' zei hij, terugkerend naar de enkel, 'ik zal er altijd zijn om voor je te zorgen.'

En dat was hij ook. Van alle mensen in zijn leven was Andy in sommige opzichten degene die het meeste van hem wist: Andy was de enige die hem als volwassene naakt had gezien, de enige die bekend was met elk fysiek aspect van zijn lichaam. Toen ze elkaar voor het eerst ontmoetten was Andy arts-assistent, en hij was in Boston gebleven voor zijn postdoctorale opleiding, en daarna waren ze een paar maanden na elkaar naar New York verhuisd. Hij was orthopedist, maar hij behandelde hem voor alles, van een vastzittende kou tot de problemen met zijn rug en benen.

'Zo,' was Andy's nuchtere commentaar toen hij op een dag in zijn onderzoekskamer slijm zat op te hoesten (dat was de vorige lente geweest, kort voor zijn negenentwintigste verjaardag, toen er op kantoor een bronchitis had rondgewaard), 'ben ik even blij dat ik me in orthopedie heb gespecialiseerd. Dit is zó'n goeie oefening voor me. Dit is precies wat ik altijd dacht te gaan doen met mijn opleiding.'

Hij moest lachen, maar had weer een hoestbui gekregen en Andy had hem op de rug geklopt. 'Als iemand me nou eens een echte internist zou aanbevelen, zou ik niet naar een chiropractor hoeven voor al mijn medische problemen,' zei hij.

'Hm,' zei Andy. 'Weet je, misschien moet je inderdaad naar een internist. God weet dat het mij een heleboel tijd zou schelen, en een fikse lading zorgen ook.' Maar hij zou nooit naar een andere arts dan Andy gaan, en hij dacht – hoewel ze het er nooit over hadden gehad – dat Andy dat ook niet echt wilde.

Vergeleken bij alles wat Andy over hem wist, wist hij relatief weinig over Andy. Hij wist dat ze aan dezelfde universiteit hadden gestudeerd en dat Andy tien jaar ouder was, en dat Andy's vader uit Gujarat kwam en zijn moeder uit Wales, en dat hij was opgegroeid in Ohio. Drie jaar eerder was Andy getrouwd, en tot zijn verbazing was hij uitgenodigd voor de bruiloft, een bescheiden feest in het huis van Andy's schoonouders in de Upper West Side. Hij had Willem overgehaald met hem mee te gaan en was nog verbaasder toen Andy's kersverse echtgenote, Jane, bij hun kennismaking haar armen om hem heen had geslagen en had gezegd: 'De beroemde Jude St. Francis! Ik heb zo veel over je gehoord!'

'O, echt?' had hij gezegd, terwijl de angst zijn gedachten binnendrong als een zwerm fladderende vleermuizen.

'Zo bedoel ik het niet,' had Jane met een glimlach gezegd (zij was ook arts, gynaecologe). 'Maar hij is dol op je, Jude; ik ben blij dat je bent gekomen.' Hij had ook kennisgemaakt met Andy's ouders, en aan het eind van de avond had Andy een arm om zijn nek geslagen en hem een harde, onhandige kus op de wang gegeven, wat hij nu elke keer deed als ze elkaar zagen. Andy zag er daarbij altijd ongemakkelijk uit, maar leek zich ook verplicht te voelen het te blijven doen, wat hij tegelijk grappig en aandoenlijk vond.

Er was veel aan Andy dat hij waardeerde, maar vooral waardeerde hij zijn onverstoorbaarheid. Nadat ze elkaar hadden ontmoet, nadat Andy het hem moeilijk had gemaakt niet bij hem onder controle te blijven door bij Hood Hall op de deur te komen bonzen nadat hij twee vervolgafspraken had gemist (die was hij niet vergeten; hij had gewoon besloten niet te gaan) en drie telefoontjes en vier e-mails had genegeerd, had hij zich neergelegd bij het feit dat het misschien zo slecht niet was om een arts te hebben – het leek hoe dan ook onvermijdelijk – en dat Andy misschien iemand was die hij kon vertrouwen. De derde keer dat ze elkaar zagen nam Andy zijn geschiedenis op, althans zo veel als hij daarvan wilde prijsgeven, en noteerde alles wat hij hem vertelde zonder commentaar of reactie.

En inderdaad had Andy pas jaren later – iets minder dan vier jaar geleden – een directe opmerking gemaakt over zijn jeugd. Dat gebeurde tijdens de eerste grote ruzie die hij met Andy had gehad. Ze hadden natuurlijk weleens kleine aanvaringen en meningsverschillen gehad, en een- of tweemaal per jaar gaf Andy hem een lange preek (hij bezocht Andy om de zes weken – zij het de laatste tijd iets vaker – en merkte altijd meteen, door de afgemeten manier waarop Andy hem begroette en hem onderzocht, dat De Preek er weer aankwam) over wat Andy zag als zijn verbijsterende, tergende onwil om fatsoenlijk voor zichzelf te zorgen, zijn gekmakende weigering in therapie te gaan en zijn bizarre afkeer van de pijnstillers die zijn leefkwaliteit waarschijnlijk zouden verhogen.

De ruzie was gegaan over wat Andy achteraf was gaan zien als een mislukte zelfmoordpoging. Het was vlak voor Nieuwjaar gebeurd; hij had zichzelf gesneden en was te dicht bij een ader gekomen, en dat had geresulteerd in een groot, morsig bloedbad waarin hij noodgedwongen Willem had betrokken. Die avond in de onderzoeksruimte had Andy niet met hem willen praten, zo kwaad was hij, en had hij zelfs zachtjes op hem staan foeteren terwijl hij de hechtingen zette, elk ervan zo keurig en fijntjes alsof hij aan het borduren was.

Al voor Andy op zijn volgende afspraak zijn mond had opengedaan, had hij geweten dat hij laaiend was. Hij had al overwogen helemaal niet op controle te komen, maar hij wist dat Andy hem dan gewoon zou blijven bellen – of erger, Willem zou bellen, of nog erger, Harold – tot hij kwam.

'Ik had je goddomme moeten laten opnemen,' waren Andy's eerste woorden, gevolgd door: 'Ik ben goddomme niet goed bij mijn hoofd.'

'Volgens mij overdrijf je een beetje,' was hij begonnen, maar Andy negeerde hem.

'Het is dat ik geloof dat je geen zelfmoord probeerde te plegen, anders had ik je linea recta laten opnemen,' zei hij. 'Alleen, statistisch gezien is het zelfmoordrisico bij iemand die zichzelf zo vaak en al zo veel jaar snijdt als jij minder groot dan bij iemand die zichzelf minder consequent verwondt.' (Andy was dol op statistieken. Soms verdacht hij hem ervan ze zelf te verzinnen.) 'Maar Jude, het is gestoord, en dat was veel te link. Of je gaat onmiddellijk in therapie, of ik laat je opnemen.'

'Dat kun je niet,' zei hij, zelf nu ook kwaad, hoewel hij wist dat Andy dat wel degelijk kon: hij had de bepalingen over onvrijwillige opname van de staat New York opgezocht, en die waren niet in zijn voordeel.

'Dat kan ik wel en dat weet je,' had Andy gezegd. Intussen schreeuwde hij bijna. Hun afspraken waren altijd na de kantooruren, omdat ze soms nog een tijdje bleven praten als Andy tijd had en in een goede bui was.

'Dan klaag ik je aan,' had hij absurd genoeg gezegd, en Andy had teruggeschreeuwd: 'Ga je gang! Weet je wel hoe geschift dit is, Jude? Heb je enig idee in wat voor positie je mij brengt?'

'Maak je geen zorgen,' had hij sarcastisch gezegd, 'ik heb geen familie. Niemand zal jou aanklagen voor dood door schuld.'

Toen had Andy een stap achteruit gedaan, alsof hij een klap had gekregen. 'Hoe durf je,' had hij langzaam gezegd. 'Je weet dat ik dat niet bedoel.'

En natuurlijk wist hij dat. Maar hij zei: 'Het zal wel. Ik ben weg.' En hij liet zich van de tafel glijden (gelukkig had hij zijn kleren nog aan; Andy had zijn preek afgestoken voor hij de kans had gekregen zich uit te kleden) en probeerde de kamer uit te lopen, hoewel de kamer uit lopen in zijn tempo niet bepaald impact had, en Andy posteerde zich snel in de deuropening.

'Jude,' zei hij in een van zijn plotse stemmingswisselingen, 'ik weet dat je niet in therapie wilt. Maar dit begint griezelig te worden.' Hij haalde diep adem. 'Heb je ooit ook maar tegen iemand gesproken over wat er als kind met je is gebeurd?'

'Dat heeft er helemaal niets mee te maken,' had hij gezegd, met een kil gevoel. Andy had nooit gezinspeeld op wat hij hem had verteld, en hij voelde zich verraden nu hij dat toch deed.

'Ammehoela,' had Andy gezegd, en die gekke uitdrukking – wie zei dat nu nog? – maakte hem zijns ondanks aan het glimlachen, en Andy, die zijn glimlach ten onrechte als spottend interpreteerde, sloeg andermaal om. 'Er zit iets ongelofelijk arrogants in die stijfkoppigheid van jou, Jude,' ging hij verder. 'Die pertinente weigering naar iemand te luisteren als het over jouw gezondheid of welzijn gaat, komt ofwel voort uit een pathologische neiging tot zelfdestructie, of het is één grote opgestoken middelvinger naar ons allemaal.'

Dat was aangekomen. 'En er zit iets ongelofelijk manipulatiefs in jouw dreigement me te laten opnemen als ik het even niet met je eens ben, en helemaal in dit geval, als ik je toch heb gezegd dat het een stom ongeluk was,' wierp hij Andy voor de voeten. 'Ik waardeer je hulp, echt. Ik zou niet weten wat ik zonder jou moest. Maar Andy, ik ben een volwassen man en je kunt mij niet de wet voorschrijven.'

'Weet je, Jude,' had Andy gezegd (nu weer op schreeuwsterkte). 'Je hebt gelijk. Ik kan jou niet voorschrijven wat je moet doen. Maar ik hoef jouw beslissingen ook niet te accepteren. Zoek maar een andere sukkel die je arts wil zijn. Ik doe het niet langer.'

'Prima,' had hij gesnauwd, en hij was weggegaan.

Hij kon zich niet herinneren ooit zo boos te zijn geweest over iets wat hemzelf aanging. Er waren veel dingen die hem boos maakten – onrecht in het algemeen, incompetentie, regisseurs die Willem een rol niet gaven die hij wilde – maar hij werd zelden boos over dingen die met hém gebeurden of waren gebeurd: de pijnlijkheden uit zijn verleden en in zijn heden waren dingen waar hij niet over probeerde te piekeren, het waren geen kwesties waarover hij zich dagenlang het hoofd brak om er betekenis aan te geven. Hij wist al waarom ze waren gebeurd: ze waren gebeurd omdat hij ze verdiend had.

Maar hij wist ook dat zijn boosheid niet terecht was. En hoezeer hij zijn afhankelijkheid van Andy ook verfoeide, hij was ook dankbaar dat hij hem had, en hij wist dat Andy zijn gedrag onlogisch vond. Maar het was Andy's werk om mensen beter te maken: Andy keek naar hem zoals híj naar een rammelende belastingwet keek, als iets wat ontward en hersteld moest worden; of hijzelf dacht dat hij hersteld kon worden deed er nauwelijks toe. Wat hij wél wilde herstellen waren de uitpuilende littekens die een afschuwelijke, onnatuurlijke topografie vormden op zijn rug, de uitgerekte huid die glom en strak stond als die van een gegrilde eend – de reden waarom hij geld wilde sparen – maar dat zou Andy's goedkeuring niet kunnen wegdragen, dat wist hij. 'Jude,' zou Andy zeggen als hij ooit zou horen wat hij van plan was, 'ik garandeer je dat het niet gaat lukken, en dan heb je al dat geld verspild. Doe het niet.'

'Maar ze zijn afzichtelijk,' zou hij mompelen.

'Echt niet, Jude,' zou Andy zeggen. 'Ik zweer het je, echt niet.'

(Maar hij zou het Andy sowieso niet vertellen, dus dat gesprek hoefde nooit gevoerd te worden.)

De dagen verstreken en hij belde Andy niet en Andy belde hem niet. Als voor straf kon hij 's nachts niet slapen van een kloppende pijn in zijn pols, en op zijn werk vergat hij het en sloeg er onder het lezen ritmisch mee tegen de zijkant van zijn bureau, een vervelende tic van jaren her die hij er niet uit kon krijgen. Toen waren de hechtingen een beetje gaan bloeden en had hij ze zo goed en kwaad als het ging moeten schoonmaken bij de wasbak in de toiletten.

'Wat is er toch?' vroeg Willem hem op een avond.

'Niets,' zei hij. Hij kon het Willem natuurlijk vertellen; die zou luisteren en op zijn typische Willem-manier 'Hm' zeggen, maar hij wist dat hij het met Andy eens zou zijn.

Een week na hun ruzie kwam hij thuis – het was een zondag en hij had door West-Chelsea gewandeld – en daar zat Andy op de stoep voor hun deur te wachten.

Hij was verbaasd hem te zien. 'Ha,' zei hij.

'Ha,' had Andy geantwoord. Ze stonden tegenover elkaar. 'Ik was er niet zeker van dat je de telefoon zou opnemen.'

'Natuurlijk wel.'

'Hoor eens,' zei Andy. 'Het spijt me.'

'Mij ook. Het spijt me, Andy.'

'Maar ik vind echt dat je hulp moet zoeken.'

'Ik weet dat je dat vindt.'

En op een of andere manier wisten ze het daarbij te laten: een wankele, van beide kanten onbevredigende wapenstilstand, met als brede gedemilitariseerde zone tussen hen in de kwestie van de therapie. Het compromis (al was het hem nu niet duidelijk hoe dat eigenlijk tot stand was gekomen) was dat hij aan het eind van elke controle zijn armen aan

Andy moest laten zien, en dat Andy ze controleerde op nieuwe snijwonden. Als hij er een vond, maakte hij daar een aantekening van in zijn status. Hij wist nooit precies wat een nieuwe uitbarsting van Andy zou uitlokken: soms waren er veel nieuwe snijwonden en bromde Andy alleen maar wat en maakte zijn notities, en soms waren er maar een paar nieuwe en wond Andy zich toch op. 'Je hebt je armen echt totaal aan gort gesneden, dat weet je toch, hè?' vroeg hij hem. Dan zei hij niets en liet Andy's preek over zich heen komen. Ergens begreep hij wel dat hij door Andy zijn werk niet te laten doen – wat tenslotte was: hem beter maken – gebrek aan respect toonde en Andy in zekere zin voor schut zette in zijn eigen praktijk. Het bijhouden van de score – soms wilde hij vragen of hij bij een bepaald aantal sneden een prijs kreeg, maar hij wist dat Andy daar boos om zou worden – was voor Andy een manier om althans te doen alsof hij de situatie kon beheersen, ook al kon hij dat niet: het verzamelen van gegevens als povere vervanging van echte behandeling.

En toen, twee jaar later, was er weer een wond ontstaan aan zijn linkerbeen, dat altijd het meest problematische was geweest, en werden de snijwonden terzijde geschoven voor het urgentere probleem van zijn been. De eerste keer dat hij zo'n wond had gekregen was minder dan een jaar na de aanrijding geweest, en die was snel geheeld. 'Maar dit zal niet de laatste zijn,' had de chirurg in Philadelphia gezegd. 'Bij letsel zoals dat van jou is alles – het vaatstelsel, het huidstelsel – zo beschadigd dat je dit soort wonden waarschijnlijk zo nu en dan zult blijven krijgen.'

Dit was de elfde, dus hoewel hij voorbereid was op het gevoel waarmee het gepaard ging, kon hij de oorzaak ervan nooit achterhalen (een insectenbeet? Had hij zich gestoten aan de hoek van een archiefkast? Het was altijd zoiets ergerlijk kleins, dat toch in staat was zijn huid te scheuren alsof die van papier was), en hij zou er altijd van blijven gruwen: de etter, de zieke, vissige geur, de kleine spleet die als de mond van een foetus verscheen en waaruit kleverige, ondefinieerbare vloeistoffen opborrelden. Het was onnatuurlijk, iets uit monsterfilms of mythen, om rond te lopen met een opening die maar niet dicht te krijgen was. Voortaan ging hij elke vrijdagavond naar Andy zodat die de wond kon debrideren, hem schoonmaken, het afgestorven weefsel weghalen en de omliggende huid nakijken op nieuwe huidgroei, terwijl hij met ingehouden adem zijn handen om de zijkanten van de tafel klemde en probeerde het niet uit te schreeuwen.

'Je moet het zeggen als het pijn doet, Jude,' had Andy gezegd, terwijl hij pufte en zweette en aftelde in zijn hoofd. 'Als je dit voelt is dat geen slecht, maar juist een goed teken. Het betekent dat de zenuwen nog leven en nog doen wat ze moeten doen.'

'Het doet pijn,' wist hij gesmoord uit te brengen.

'Op een schaal van één tot tien?'

'Zeven. Acht.'

'Sorry,' antwoordde Andy. 'Ik ben bijna klaar. Nog vijf minuten.'

Hij sloot zijn ogen en telde tot driehonderd, zichzelf dwingend om langzaam te gaan.

Als het voorbij was ging hij rechtop zitten, en dan kwam Andy naast hem zitten en gaf hem wat te drinken: een glaasje frisdrank, iets met veel suiker, en dan voelde hij hoe de kamer om hem heen weer helder werd, beetje bij wazig beetje. 'Langzaamaan,' zei Andy dan, 'anders word je misselijk.' Daarna keek hij toe terwijl Andy de wond opnieuw verbond – Andy was altijd op zijn kalmst als hij aan het hechten of aan het verbinden was – en op die momenten voelde hij zich zo zwak en kwetsbaar dat hij ja zou hebben gezegd op alles wat Andy maar voorstelde.

'Je gaat jezelf niet in je benen snijden,' zei Andy dan, eerder een mededeling dan een vraag.

'Nee, dat zal ik niet doen.'

'Want dat zou té krankzinnig zijn, zelfs voor jou.'

'Ik weet het.'

'Je lijf is zo aangetast dat dat flink zou gaan ontsteken.'

'Andy. Ik weet het.'

Hij had al een paar keer het idee gehad dat Andy achter zijn rug om met zijn vrienden praatte, want het kwam voor dat ze Andy-achtige woorden en formuleringen gebruikten, en nog vier jaar na Het Incident, zoals Andy het was gaan noemen, had hij het idee dat Willem 's ochtends het afval in de badkamer controleerde en moest hij extra voorzorgsmaatregelen nemen bij het weggooien van zijn scheermesjes, door ze in papier te wikkelen met ducttape eromheen en ze onderweg naar zijn werk in een afvalbak te gooien. 'Je ploeg,' noemde Andy hen. 'Wat voeren je ploeg en jij dezer dagen zoal uit?' (als hij in een goede bui was) en 'Ik ga die ploeg van je vertellen dat ze je verdomme in de gaten moeten houden' (als hij dat niet was).

'Waag het niet, Andy,' zei hij dan. 'En het is sowieso hun verantwoordelijkheid niet.'

'Natuurlijk wel,' was dan Andy's repliek. Zoals bij andere kwesties konden ze het hier niet over eens worden.

Maar nu was het een jaar en acht maanden geleden dat deze nieuwste wond was verschenen, en hij was nog steeds niet geheeld. Of beter gezegd, hij was geheeld, daarna weer opengegaan en daarna weer geheeld, en toen was hij vrijdag wakker geworden en had hij iets vochtigs en gomachtigs op zijn been gevoeld – onder aan zijn kuit, vlak boven de enkel – en had hij geweten dat hij weer open was gegaan. Hij had Andy nog niet gebeld – dat zou hij op maandag doen – maar het was belangrijk voor hem geweest deze wandeling te maken, omdat hij bang was dat die voorlopig, misschien voor maanden, de laatste zou zijn.

Hij bevond zich op Madison Avenue ter hoogte van 75th Street, heel dicht bij Andy's praktijk, en zijn been deed zo'n pijn dat hij afsloeg naar 5th Avenue en op een van de banken voor het muurtje van Central Park ging zitten. Zodra hij zat, werd hij overvallen door die welbekende duizeligheid, die draaierigheid in zijn maag, en hij wachtte voorovergebogen tot de stoep weer de stoep werd en hij zou kunnen opstaan. In die minuten voelde hij het verraad van zijn eigen lichaam, hoe de centrale, eentonige strijd in zijn leven soms bestond uit zijn onwil te accepteren dat hij er keer op keer door zou worden verraden, dat hij er niets van te verwachten had maar het toch moest blijven onderhouden. Zo veel tijd, zowel van hem als van Andy, ging heen met pogingen iets te repareren wat onherstelbaar was, iets wat al jaren geleden in verkoolde restjes op een afvalhoop had moeten belanden. En waarvoor? Zijn geest, nam hij aan. Maar daar zat – zoals Andy had kunnen zeggen – iets ongelofelijk arrogants in, alsof hij een rammelkast op de weg hield omdat hij sentimentele waarde hechtte aan de geluidsinstallatie die erin zat.

Als ik nog een paar blokken loop, ben ik zo in zijn praktijk, dacht hij, maar dat zou hij nooit hebben gedaan. Het was zondag. Andy verdiende het om af en toe vrij van hem te zijn, en bovendien was wat hij nu voelde niet iets wat hij nog nooit gevoeld had.

Hij wachtte nog een paar minuten en hees zich toen overeind, om na een halve minuut weer terug te zakken op de bank. Ten slotte kon hij echt weer staan. Hij was er nog niet klaar voor, maar kon zich al voorstellen dat hij naar de rand van het trottoir zou lopen, zijn hand zou opsteken om een taxi aan te houden en zijn hoofd tegen het zwarte vinyl van de achterbank zou laten leunen. Hij zou de stappen tellen om daar te komen, net zoals hij de stappen zou tellen die het hem kostte van de taxi naar zijn gebouw, van de lift naar het appartement en van de voordeur naar zijn kamer. Toen hij voor de derde keer had leren lopen – nadat zijn beenbeugels waren afgegaan – was Andy degene geweest die de fysiotherapeut instructies had gegeven (ze had het niet leuk gevonden, maar zijn aanwijzingen wel opgevolgd), en ook degene die, net als Ana vier jaar eerder, had toegekeken terwijl hij zonder hulp een afstand van twee meter, toen vijf, toen vijftien en toen dertig meter aflegde. Zelfs zijn manier van lopen – linkerbeen omhoog tot een hoek van bijna negentig graden met de grond, zodat er een rechthoekige negatiefruimte ontstond, rechterbeen er slepend achteraan – was ontwikkeld door Andy, die er urenlang met hem op had geoefend tot hij het zelf kon. Andy was degene die hem had verteld dat hij dacht dat hij wel zonder stok zou kunnen lopen, en toen hij dat ten slotte voor elkaar kreeg, had hij dat aan Andy te danken gehad.

Over niet zo heel veel uren zou het maandag zijn, hield hij zichzelf voor terwijl hij uit alle macht probeerde overeind te blijven, en Andy zou zoals gewoonlijk tijd voor hem maken, hoe druk hij het ook had. 'Wanneer merkte je dat hij was opengegaan?' zou Andy vragen, terwijl hij er zachtjes op drukte met een stukje gaas. 'Vrijdag,' zou hij antwoorden. 'Waarom heb je me toen niet gebeld, Jude?' zou Andy geïrriteerd zeggen. 'Ik hoop in elk geval dat je niet zo gek bent geweest ermee aan de wandel te gaan.' 'Nee, natuurlijk niet,' zou hij beweren, maar Andy zou hem niet geloven. Hij vroeg zich soms af of Andy hem niet alleen maar zag als een verzameling virussen en defecten: als je die weghaalde, wie was hij dan? Als Andy niet voor hem hoefde te zorgen, zou hij dan nog in hem geïnteresseerd zijn? Als hij op een dag op wonderbaarlijke wijze weer heel zou zijn, met een even soepel loopje als Willem en met JB's totale gebrek aan gêne, zoals hij in zijn stoel achterover kon leunen en zijn hemd onbekommerd van zijn heupen omhoog liet kruipen, of met Malcolms lange armen, aan de binnenkant glad als glazuur, wat zou hij dan nog zijn voor Andy? Wat zou hij dan nog zijn voor hen allemaal? Zouden ze hem minder aardig vinden? Aardiger? Of zou hij er dan achter komen – zoals hij vaak vreesde – dat wat hij voor vriendschap aanzag in werkelijkheid werd gemotiveerd door hun medelijden met hem? Hoeveel van wie hij was, was onlosmakelijk verbonden met wat hij niet kon? Wie zou hij zijn geweest, wie zou hij zijn, zonder de littekens, de snijwonden, de pijnen, de zweren, de botbreuken, de infecties, de spalken en de uitscheidingen?

Maar natuurlijk zou hij daar nooit achter komen. Een half jaar geleden hadden ze de wond onder controle gekregen en Andy had hem uit-en-te-na onderzocht alvorens een stroom waarschuwingen over hem uit te storten over wat hij moest doen als hij weer openging.

Hij had er maar half naar geluisterd. Die dag had hij om een of andere reden een luchtig gevoel, maar Andy was chagrijnig, en naast de preek over zijn been had hij nog een preek over zich heen gekregen over zijn snijden (te veel, vond Andy), en zijn algehele verschijning (te mager, vond Andy).

Hij had zijn been bewonderd, het heen en weer gedraaid en de plaats bekeken waar de wond eindelijk was dichtgegaan, terwijl Andy maar praatte en praatte. 'Luister je naar me, Jude?' had hij ten slotte gevraagd.

'Het ziet er goed uit,' zei hij tegen Andy, niet als antwoord, maar verlangend naar geruststelling. 'Vind je niet?'

Andy zuchtte. 'Het ziet er...' Toen viel hij stil, en toen hij opkeek zag hij dat Andy zijn ogen sloot als om zijn focus te verleggen en ze daarna weer opende. 'Het ziet er goed uit, Jude,' had hij zachtjes gezegd. 'Echt.'

Hij had op dat moment een enorme dankbaarheid voelen opwellen, omdat hij wist dat Andy niet vond dat het er goed uitzag en ook nooit zou vinden dat het er goed uitzag. Voor Andy was zijn lichaam één grote uitbarsting van gruwelen waar zij beiden continu alert op moesten zijn. Hij wist dat Andy vond dat hij zelfdestructief was, of onrealistisch, of dat hij zijn kop in het zand stak.

Maar wat Andy nooit van hem begreep was dit: hij was een optimist. Elke maand, elke week, koos hij ervoor zijn ogen te openen en nog een dag op de wereld te zijn. Dat deed hij wanneer hij zich zo afschuwelijk voelde dat hij soms door de pijn in een andere toestand leek te komen, een toestand waarin alles, zelfs het verleden dat hij zo hard probeerde te vergeten, leek te vervagen tot een grijs laagje waterverf. Dat deed hij wanneer zijn herinneringen alle andere gedachten verdrongen, wanneer het echte inspanning, echte concentratie vergde om zichzelf vast te kluisteren aan zijn huidige leven, om het niet uit te brullen van wanhoop en schaamte. Dat deed hij wanneer hij zo uitgeput was van steeds maar zijn best doen, wanneer wakker en levend zijn zo veel energie kostte dat hij liggend in bed redenen moest verzinnen om op te staan en het weer te proberen, terwijl het veel gemakkelijker zou zijn om naar de badkamer te gaan, het onder de wasbak vastgetapete plastic zakje met zijn wattenschijfjes, losse scheermesjes en rollen verband tevoorschijn te halen en zich gewoon over te geven. Dat waren de heel slechte dagen.

Het was echt een vergissing geweest, die avond voor Oud en Nieuw toen hij in de badkamer zat en dat scheermesje over zijn arm haalde: hij was nog half in slaap geweest, want anders was hij nooit zo onvoorzichtig. Maar toen hij zich realiseerde wat hij had gedaan, was er een minuut, of twee minuten – hij had geteld – dat hij werkelijk niet had geweten wat hij moest doen, dat daar blijven zitten en dit ongeluk te laten uitmonden in zijn eigen afloop gemakkelijker leek dan zelf de beslissing nemen, een beslissing die kringen zou veroorzaken die groter waren dan hijzelf, en die ook Willem, Andy en dagen en maanden van consequenties zouden omvatten.

Hij wist niet wat hem er ten slotte toe had gebracht zijn handdoek van de stang te grissen, die om zijn arm te winden, zich op te trekken en Willem wakker te maken. Maar met elke minuut die verstreek raakte hij verder en verder verwijderd van de andere optie, de gebeurtenissen ontvouwden zich met een snelheid waar hij geen controle over had, en hij verlangde terug naar dat jaar vlak na de aanrijding, voor hij Andy had ontmoet, toen het er nog op leek dat overal verbetering in zou kunnen komen en dat zijn toekomstige ik iets helders en schoons zou kunnen zijn, toen hij zo weinig wist maar zo veel hoop had, en het geloof dat zijn hoop op een dag misschien beloond zou worden.

~

Vóór New York was er de rechtenfaculteit geweest, en daarvoor de bachelorjaren, en weer daarvoor Philadelphia en de lange, trage tocht dwars door het land, en daarvoor Montana en het jongenstehuis, en voor Montana het Zuidwesten en de motelkamers, de eindeloze verlaten wegen en de uren in de auto. En weer daarvoor South Dakota en het klooster. En daarvoor? Een vader en een moeder, vermoedelijk. Of, realistischer, gewoon een man en een vrouw. En toen waarschijnlijk alleen een vrouw. En toen hij.

Van broeder Peter, die hem wiskundeles gaf en hem er altijd aan herinnerde dat hij veel geluk had gehad, had hij gehoord dat hij was gevonden in een vuilnisbak. 'In een vuilniszak vol eierschalen, oude sla en bedorven spaghetti... en jij,' zei broeder Peter. 'In het steegje achter de apotheek, je weet wel,' ook al wist hij het niet, aangezien hij het klooster zelden uit kwam.

Later beweerde broeder Michael dat zelfs dit niet waar was. 'Je lag niet in de vuilnisbak,' vertelde hij hem. 'Je lag náást de vuilnisbak.' Ja, gaf hij toe, er was wel een vuilniszak geweest, maar hij had erop gelegen, niet erin, en sowieso, wie wist er nou wat er in die zak zat, en wie kon dat wat schelen? Het was waarschijnlijker dat er weggegooide spullen uit de apotheek in zaten: karton, tissues, sluitstrips en piepschuimvlokken. 'Je moet niet alles geloven wat broeder Peter zegt,' zei hij, zoals wel vaker, en ook: 'Je moet niet zo toegeven aan die neiging jezelf interessant te maken,' wat hij altijd zei wanneer hij naar details vroeg over hoe hij in het klooster was terechtgekomen. 'Je kwam, je bent nu hier, en je moet je concentreren op je toekomst en niet op het verleden.'

Zij hadden het verleden voor hem gecreëerd. Hij was naakt gevonden, volgens broeder Peter (of alleen in een luier, volgens broeder Michael), maar hoe dan ook, men ging ervan uit dat hij, zoals zij het uitdrukten, was overgelaten aan de krachten van de natuur, want het was midden april en het vroor nog, en een pasgeborene had in dat weer niet lang kunnen overleven. Hij kon daar niet meer dan een paar minuten hebben gelegen, want hij was nog bijna warm toen ze hem vonden, en de sneeuw had het bandenspoor van de auto nog niet opgevuld, noch de voetstappen (sneakers, waarschijnlijk van een vrouw met maat 38) naar de vuilnisbak en toen ervandaan. Hij had geluk gehad dat ze hem hadden gevonden (het was voorbestemd dat ze hem hadden gevonden). Alles wat hij bezat – zijn naam, zijn geboortedag (een schatting), zijn onderkomen, zijn leven zelfs – bezat hij door hen. Hij mocht wel dankbaar zijn (ze verlangden geen dankbaarheid jegens henzelf; ze verlangden dankbaarheid jegens God).

Hij wist nooit waar ze antwoord op zouden geven en waarop niet. Een simpele vraag (Had hij gehuild toen ze hem vonden? Was er een briefje geweest? Hadden ze gezocht naar degene die hem had achtergelaten?) werd gewoonlijk snel afgedaan als onbekend of onverklaard, maar voor de meer ingewikkelde waren er stellige antwoorden.

'De staat kon niemand vinden die je wilde.' (Broeder Peter, opnieuw.) 'Daarom zeiden wij dat we je tijdelijk hier zouden houden, en de maanden werden jaren, en hier zit je dus. Einde verhaal. En maak nu die sommen af, want we hebben niet de hele dag.'

Maar waaróm kon de staat niemand vinden? Theorie één (geliefd bij broeder Peter): er waren gewoon te veel onbekende factoren, zoals zijn etnische afkomst, zijn ouders, mogelijke aangeboren gezondheidsproblemen en ga zo maar door. Waar kwam hij vandaan? Niemand wist het. Geen van de plaatselijke ziekenhuizen had een recente bevalling van een levendgeborene geregistreerd die overeenkwam met zijn gegevens. En dat baarde eventuele voogden zorgen. Theorie twee (die van broeder Michael): dit was een arme plaats in een arme regio in een arme staat. Los van het algemene medelijden – en er was medelijden geweest, dat mocht hij niet vergeten – was het wel even iets anders om nog een kind aan je huishouden toe te voegen, vooral als dat huishouden het al zo krap had. Theorie drie (die van pater Gabriel): hij was voorbestemd om hier te blijven. Het was Gods wil geweest. Dit was zijn thuis. En nu moest hij ophouden met zijn vragen.

En dan was er nog een vierde theorie, die ze bijna allemaal aanvoerden als hij zich misdroeg: hij was slecht, en van het begin af aan slecht geweest. 'Jij moet iets heel ergs hebben gedaan om zo te worden achtergelaten,' zei broeder Peter altijd nadat hij hem met de plank had geslagen, hem berispend terwijl hij daar stond en snikkend zijn verontschuldigingen stamelde. 'Misschien huilde je zo veel dat ze het gewoon niet meer konden verdragen.' En dan huilde hij nog harder, bang dat broeder Peter gelijk had.

Ondanks al hun interesse voor geschiedenis waren ze collectief geïrriteerd als hij interesse toonde in die van hemzelf, alsof hij maar bezig bleef met een bijzonder vermoeiende hobby waar hij eigenlijk al te oud voor was. Al snel leerde hij niet te vragen, althans niet direct, hoewel hij altijd alert was op losse brokjes informatie die hij op onwaarschijnlijke momenten kon opvangen uit onwaarschijnlijke bronnen. Met broeder Michael las hij *Great Expectations*, en hij wist de broeder te verleiden tot een lange uiteenzetting over hoe het leven van een weeskind eruitzag in negentiende-eeuws Londen, een stad die hem even onbekend was als Pierre, de hoofdstad van South Dakota, die zo'n honderdvijftig kilometer verderop lag. De les eindigde in een preek, zoals hij van tevoren had geweten, maar hij leerde er wel van dat hij, net als Pip, aan een familielid zou zijn meegegeven als er een gevonden had kunnen worden. Kennelijk waren die er dus niet. Hij was alleen.

Zijn hebberigheid was ook een slechte gewoonte die gecorrigeerd moest worden. Hij kon zich niet herinneren wanneer hij voor het eerst begon te verlangen naar iets wat hij kon bezitten, iets wat alleen van hem zou zijn. 'Niemand hier bezit iets,' werd hem verteld, maar was dat wel waar? Hij wist bijvoorbeeld dat broeder Peter een schildpadden kam had met de kleur van pasgetapt boomsap en net zo vol met licht, waarop hij heel trots was en waarmee hij elke ochtend zijn snor kamde. Op een dag was de kam weg, en broeder Peter had zijn geschiedenisles bij broeder Matthew onderbroken om hem aan zijn schouders heen en weer te schudden, schreeuwend dat hij de kam had gestolen en hem maar beter terug kon leggen, anders zwaaide er wat. (Later vond pater Gabriel de kam terug, hij was in de smalle ruimte tussen het bureau van de broeder en de radiator gevallen.) En broeder Matthew had een in stof gebonden eerste editie van *The Bostonians* met een zachtglanzende groene rug, die hij ooit voor Jude had opgehouden zodat hij naar het omslag kon kijken

('Niet aankomen! Niet aankomen, zeg ik toch!'). Zelfs broeder Luke, zijn lievelingsbroeder, die zelden sprak en nooit tegen hem uitvoer, had een vogel die door alle anderen als zijn eigendom werd beschouwd. Officieel was de vogel van niemand, zei broeder David, maar broeder Luke was degene geweest die hem had gevonden, verzorgd en gevoerd en naar wie het diertje toe vloog, dus als Luke hem wilde, dan mocht hij hem hebben.

Broeder Luke was verantwoordelijk voor de tuin en de kas van het klooster, en in de warme maanden hielp hij hem met kleine karweitjes. Hij had de andere broeders horen zeggen dat broeder Luke een rijk man was geweest voor hij naar het klooster kwam. Maar toen was er iets gebeurd, of had hij iets gedaan (welk van de twee werd nooit duidelijk), en hij had zijn geld ofwel verloren of weggegeven, en nu was hij hier, even arm als de anderen, hoewel de kas was gekocht met het geld van broeder Luke en sommige lopende kosten van het klooster met behulp van dat geld werden betaald. Iets in de manier waarop de andere broeders Luke meestal uit de weg gingen, gaf hem het idee dat hij misschien slecht was, al was broeder Luke nooit slecht, niet tegen hem.

Kort nadat broeder Peter hem had beschuldigd van het stelen van zijn kam stal hij werkelijk voor het eerst: een pakje crackers uit de keuken. Hij kwam op een ochtend voorbijgelopen op weg naar de kamer die ze voor zijn lessen hadden bestemd, die verlaten was, en het pakje lag op het aanrecht, net binnen handbereik, en hij had het in een impuls gepakt en was weggerend terwijl hij het wegstopte onder de kriebelige wollen tuniek die hij aanhad, een miniatuurversie van die van de broeders. Hij had een omweg gemaakt om het onder zijn kussen te verbergen, zodat hij te laat kwam in de les van broeder Matthew, die hem voor straf met een forsythiatwijg sloeg, maar zijn geheim vervulde hem van een warm, blij gevoel. Die avond, alleen in bed, at hij een van de crackers (die hij niet eens echt lekker vond) zorgvuldig op, waarbij hij hem in acht delen beet en elk stukje op zijn tong liet liggen tot het zacht en lijmachtig werd en hij het in zijn geheel kon doorslikken.

Daarna stal hij steeds meer. Er was in het klooster niets wat hij echt wilde hebben, niets wat echt de moeite waard was, dus hij pakte gewoon wat hij tegenkwam, zonder een echt plan of verlangen: voedsel wanneer hij het kon vinden, een zwarte klikklakknoop die hij tijdens een van zijn strooptochten na het ontbijt in broeder Michaels kamer op de vloer had gevonden, een pen van het bureau van pater Gabriel, weggegrist toen de pater zich midden in de les had omgedraaid om een boek te pakken, de kam van broeder Peter (die laatste diefstal was de enige geplande, maar hij kreeg er geen grotere kick van dan bij de andere). Hij stal lucifers en potloden en vellen papier – waardeloze troep, maar de troep van iemand anders – stopte ze onder zijn ondergoed en holde terug naar zijn slaapkamer om ze onder zijn matras te verstoppen, dat zo dun was dat hij 's nachts elke veer onder zijn rug kon voelen.

'Hou op met rondrennen of ik moet je een pak slaag geven!' schreeuwde broeder Matthew vaak terwijl hij snel naar zijn kamer ging.

'Ja, broeder,' antwoordde hij dan, en hij dwong zichzelf langzamer te lopen.

Op de dag dat hij zijn grootste buit bemachtigde werd hij betrapt: pater Gabriels zilveren aansteker, zo van zijn bureau af gegrist toen hij een preek aan zijn adres moest onderbreken om de telefoon op te nemen. Pater Gabriel had zich over zijn telefoon gebogen en hij had zijn arm uitgestrekt, de aansteker gepakt en het zware, koele gewicht in zijn handpalm verborgen tot hij eindelijk weg mocht. Eenmaal buiten het kantoor van de pater had hij hem vlug in zijn onderbroek gestopt en was zo snel hij kon terug naar zijn kamer gehold, tot hij zonder uit te kijken de hoek omsloeg en recht tegen broeder Pavel aan botste. Voor de broeder tegen hem kon schreeuwen was hij achteruitgesprongen, en de aansteker was uit zijn broek gevallen en op de tegels gekletterd.

Natuurlijk had hij slaag gekregen en hadden ze tegen hem geschreeuwd, en pater Gabriel had hem, naar hij verwachtte voor een laatste bestraffing, in zijn kantoor laten komen en hem verteld dat hij hem eens een lesje zou leren over het stelen van andermans spullen. Niet-begrijpend maar zo bang dat hij niet eens kon huilen, had hij toegekeken terwijl pater Gabriel zijn opgevouwen zakdoek over de opening van een fles olijfolie klemde en de olie daarna over de rug van zijn linkerhand wreef. En daarna had hij zijn aansteker – dezelfde die hij had gestolen – genomen en zijn hand onder de vlam gehouden totdat de ingevette plek vlam had gevat en zijn hele hand werd verzwolgen door een spookachtige witte gloed. Hij had gegild en gegild, en de pater had hem in zijn gezicht geslagen omdat hij gilde. 'Hou op met dat geschreeuw,' had hij geroepen. 'Dat krijg je ervan. Nu zul je nooit meer vergeten dat je niet mag stelen.'

Toen hij bij bewustzijn kwam lag hij weer in zijn bed en was zijn hand verbonden. Al zijn spullen waren weg, de gestolen spullen natuurlijk, maar ook de dingen die hij zelf had gevonden: de stenen en veren en pijlpunten, en het fossiel dat hij voor zijn vijfde verjaardag had gekregen van broeder Luke, het eerste cadeau dat iemand hem ooit had gegeven.

Daarna, nadat hij was betrapt, moest hij elke avond naar pater Gabriels kantoor komen en zich uitkleden, en dan onderzocht de pater hem van binnen op smokkelwaar. En later, toen het allemaal nog erger werd, dacht hij weleens terug aan het pakje crackers: had hij dat maar niet gestolen. Had hij al die narigheid maar niet over zichzelf afgeroepen.

Zijn woedeaanvallen begonnen na die onderzoeken 's avonds door pater Gabriel, die al snel werden uitgebreid met onderzoeken om twaalf uur 's middags door broeder Peter. Hij kreeg driftbuien waarbij hij zichzelf tegen de stenen muren van het klooster smeet en schreeuwde zo hard als hij kon, met de rug van zijn lelijke beschadigde hand (die een half jaar na dato nog steeds soms pijn deed, een hevige, aanhoudend kloppende pijn) tegen de gemeen harde hoeken van de houten eettafels sloeg of met zijn nek, zijn ellebogen, zijn wangen – al de gevoeligste, zachtste lichaamsdelen – tegen de zijkant van zijn lessenaar beukte. Hij kreeg die buien overdag en 's nachts, hij kon ze niet bedwingen, hij voelde ze over zich heen trekken als een mist en liet zichzelf erin meegaan, waarbij zijn lichaam en stem dingen deden die hem opwonden en afstootten, want hoeveel pijn hij achteraf ook had, hij wist dat het de broeders bang maakte, dat ze zijn woede, zijn lawaai en kracht vreesden. Ze sloegen hem met wat ze maar konden vinden, ze hadden voortaan een riem paraat die over een spijker aan de muur van het leslokaal hing, ze trokken een sandaal uit en sloegen hem zo lang dat hij de dag erna niet eens kon zitten, ze noemden hem een monster, ze wensten hem dood, ze zeiden dat ze hem op de vuilniszak hadden moeten laten liggen. En ook daarvoor was hij dankbaar, dat ze hem hielpen zich uit te putten, want hij kreeg het beest zelf niet gevangen en had hun assistentie nodig om het te laten inbinden, het achterwaarts terug in zijn kooi te drijven, totdat het zich weer wist te bevrijden.

Hij begon te bedplassen en moest vaker naar de pater, voor meer onderzoek, en hoe meer de pater hem onderzocht, hoe vaker hij in bed plaste. Pater Gabriel begon 's avonds langs te komen in zijn slaapkamer, en broeder Peter ook, en later ook broeder Matthew, en het werd almaar erger met hem: ze dwongen hem in zijn doorweekte nachthemd te slapen, ze dwongen hem er overdag in rond te lopen. Hij wist hoe erg hij stonk, naar urine en bloed, en hij schreeuwde, tierde en jankte, lessen verstorend, boeken van tafels af duwend zodat de broeders hem meteen een pak slaag moesten geven en de les erbij inschoot. Soms werd hij zo hard geslagen dat hij buiten bewustzijn raakte, en daar begon hij naar te hunkeren: die zwartheid, als de tijd verstreek zonder hem erin, als er dingen met hem werden gedaan maar hij het niet wist.

Soms waren er redenen voor zijn driftbuien, zij het redenen die alleen hij kende. Hij voelde zich de hele tijd zo vies, zo besmeurd, alsof hij van binnen een verrot gebouw was, zoals de verlaten kerk waar hij mee naartoe was genomen op een van zijn zeldzame uitstapjes buiten het klooster: de balken bespikkeld met schimmel, de dakspanten versplinterd en vol gaten van de termietennesten, dwars door het verwoeste dak de brutale driehoekjes witte lucht. In een geschiedenisles had hij gehoord over bloedzuigers, en dat vele jaren geleden werd gedacht dat die het ongezonde bloed uit een mens haalden door de ziekte domweg gulzig op te zuigen in hun dikke wormachtige lijfjes, en hij had in zijn vrije uur – na de les maar voor zijn corvee – door de beek aan de rand van het kloosterterrein gewaad, op zoek naar zijn eigen bloedzuigers. En toen hij er geen kon vinden, toen ze hem vertelden dat er in dat kreekje geen zaten, schreeuwde en schreeuwde hij tot hij zijn stem kwijtraakte, en zelfs toen kon hij niet stoppen, zelfs niet toen zijn keel aanvoelde alsof die volliep met warm bloed.

Een keer was hij in zijn kamer, en zowel pater Gabriel als broeder Peter was er, en hij probeerde niet te schreeuwen omdat hij had geleerd dat hoe stiller hij was, hoe sneller het voorbij was, en toen dacht hij dat hij op de gang, met de snelheid van een mot, broeder Luke langs zijn deur zag lopen, en hij had zich vernederd gevoeld, hoewel hij het woord voor vernedering toen nog niet kende. Dus de volgende dag was hij in zijn vrije tijd naar de tuin van broeder Luke gegaan en had hij al broeder Lukes narcissen onthoofd en de bloemen op een hoop voor de deur van zijn tuinschuur gegooid, met hun geribbelde kronen als opengesperde snavels in de lucht.

Toen hij later, weer alleen, bezig was met zijn corvee, had hij spijt gekregen, en door het verdriet waren zijn armen zwaar geworden en had hij de emmer water die hij van de ene naar de andere kant van de kamer zeulde laten vallen, waarop hij zich op de grond had geworpen en had geschreeuwd van wroeging en frustratie.

Bij het avondeten kreeg hij geen hap door zijn keel. Hij keek of hij broeder Luke zag, zich afvragend wanneer en hoe hij gestraft zou worden, en wanneer hij de broeder zijn verontschuldigingen zou moeten aanbieden. Maar hij was er niet. Van spanning liet hij de metalen melkkan vallen, de koude witte vloeistof spetterde over de vloer, en broeder Pavel, die naast hem zat, sleurde hem van de bank en duwde hem op de grond. 'Opruimen,' blafte broeder Pavel hem toe, terwijl hij hem een vaatdoek toegooide. 'En dat is alles wat je tot vrijdag te eten krijgt.' Het was woensdag. 'En nu naar je kamer.' Hij rende weg voordat de broeder van gedachten kon veranderen.

De deur naar zijn kamer – een omgebouwde kast aan het uiteinde van de eerste verdieping, boven de eetzaal, raamloos en net breed genoeg voor een kinderbed – werd altijd opengelaten, tenzij een van de broeders of de pater bij hem waren, in welk geval hij meestal werd gesloten. Maar al toen hij de hoek van het trapportaal om kwam, zag hij dat de deur dicht was, en een tijdje treuzelde hij in de rustige, lege hal, zich afvragend wat er op hem wachtte: waarschijnlijk een van de broeders. Of misschien een monster. Na het incident bij de beek dagdroomde hij soms dat de schaduwen waarmee de hoeken vol zaten reuzenbloedzuigers waren die zich met een zwaai oprichtten, hun donkere, in segmenten verdeelde vel glimmend van het vet, klaar om hem met hun natte, geluidloze gewicht te smoren. Ten slotte raapte hij al zijn moed bijeen en rende recht op de deur af, gooide hem open en zag alleen zijn bed met de modderbruine wollen deken, de doos tissues en zijn schoolboeken op de plank. En toen zag hij het, in de hoek, vlak bij het hoofdeinde van het bed: een glazen kan met een bos narcissen, met hun felgekleurde trechters die aan het uiteinde ribbelig waren.

Hij ging naast de kan op de vloer zitten en wreef een van de fluwelen kopjes van de bloemen tussen zijn vingers, en op dat moment was zijn verdriet zo immens, zo overweldigend, dat hij zichzelf wilde verscheuren, het litteken van zijn hand wilde rukken, zichzelf in stukken wilde rijten zoals hij met Lukes bloemen had gedaan.

Want waarom had hij broeder Luke dat aangedaan? Niet dat broeder Luke de enige was die aardig voor hem was – als hij niet gedwongen werd hem te straffen prees broeder David hem altijd en vertelde hem hoe snel hij was, en zelfs broeder Peter bracht regelmatig boeken uit de bibliotheek in de stad voor hem mee en besprak die naderhand met hem, waarbij hij naar zijn mening luisterde alsof hij werkelijk iemand was – maar Luke had hem niet alleen nooit geslagen, maar zelfs geprobeerd hem gerust te stellen, hem te laten weten dat hij aan zijn kant stond. De zondag daarvoor had hij het gebed voor de maaltijd moeten opzeggen, en terwijl hij aan pater Gabriels tafel stond, werd hij plotseling bevangen door een impuls om zich te misdragen, een handvol aardappelblokjes uit de schaal voor hem te graaien en ze door de zaal te smijten. Nu al voelde hij de schraperige sensatie in zijn keel van het geschreeuw dat hij zou laten horen, het schroeien van de riem die tegen zijn rug zwiepte, het donker waarin hij zou wegzinken, het draaierige licht van de dag waarin hij zou ontwaken. Hij zag zijn arm omhoogkomen langs zijn zij, zag zijn vingers zich openen als bloemblaadjes en in de richting van de schaal zweven.

En net op dat moment had hij opgekeken en broeder Luke gezien, die hem een knipoog gaf, ernstig en zo kort als het klikken van de sluiter van een camera, zodat hij zich eerst niet eens bewust was dat hij iets had gezien. En toen knipoogde Luke opnieuw, wat hem om de een of andere reden kalmeerde, en hij kwam weer bij zinnen, zegde zijn regels op en ging zitten, en de maaltijd verstreek zonder incidenten.

En nu stonden daar die bloemen. Maar voor hij kon nadenken over hun betekenis ging de deur open, en daar was broeder Peter, en hij stond op, wachtend in dat verschrikkelijke moment waar hij zich nooit op kon voorbereiden, waarop alles zou kunnen gebeuren en alles mogelijk was.

De volgende dag ging hij meteen na zijn lessen naar de kas, vastbesloten om iets tegen Luke te zeggen. Maar naarmate hij dichterbij kwam liet zijn vastberadenheid hem in de steek en hij lummelde wat rond, trapte naar steentjes en knielde om takjes op te rapen en weer weg te gooien in de richting van het bos dat het kloosterterrein omzoomde. Wat wilde hij eigenlijk zeggen? Hij stond op het punt zich om te draaien, zich terug te trekken onder een bepaalde boom aan de noordkant van het terrein, waar hij tussen de wortels een kuil had gegraven en een nieuwe verzameling spullen had aangelegd – al waren dat alleen maar voorwerpen die hij in het bos had gevonden en die zeker niemands eigendom waren: stenen, een tak die een beetje leek op een slanke hond die een sprong maakte – en waar hij het grootste deel van zijn vrije tijd doorbracht met het opgraven en in zijn handen houden van zijn bezittingen, toen hij zijn naam hoorde, zich omdraaide en zag dat het Luke was, die zijn hand groetend opstak en naar hem toe kwam.

'Ik dacht al dat jij het was,' zei broeder Luke toen hij vlakbij was – huichelachtig, zou hij veel later denken, want wie had het anders moeten zijn? Hij was het enige kind in het klooster – en ofschoon hij het probeerde, kon hij geen woorden vinden om zich tegenover Luke te verontschuldigen, geen woorden voor wat dan ook, en merkte in plaats daarvan dat hij huilde. Hij schaamde zich nooit als hij huilde, maar op dit moment wel, en hij wendde zich van broeder Luke af en hield de rug van zijn gehavende hand voor zijn ogen. Ineens besefte hij hoeveel honger hij had, en dat het pas donderdagmiddag was en hij tot de volgende dag niets te eten zou krijgen.

'Kom,' zei Luke, en hij voelde dat de broeder heel dicht bij hem op zijn knieën ging zitten. 'Niet huilen, niet huilen.' Maar zijn stem was zo vriendelijk dat hij nog harder moest huilen.

Broeder Luke stond op, en toen hij weer wat zei klonk zijn stem vrolijker. 'Hoor eens, Jude,' zei hij. 'Ik wil je iets laten zien. Kom mee.' Hij liep naar de kas, af en toe omkijkend om zich ervan te vergewissen dat hij achter hem aan kwam. 'Jude,' riep hij weer, 'kom mee.' En hij, onwillekeurig benieuwd, volgde hem naar de kas die hij zo goed kende, met een opkomende, onbekende gretigheid, alsof hij die nog nooit had gezien.

Als volwassene werd hij bij vlagen geobsedeerd door pogingen het exacte moment te bepalen waarop het allemaal zo grondig verkeerd begon te gaan, alsof hij dat zou kunnen bevriezen, in agar kon conserveren, omhooghouden en voor een klaslokaal kon vertellen: *hier gebeurde het. Hier is het begonnen.* Dan dacht hij: was het toen ik de crackers stal? Was het toen ik Lukes narcissen vernielde? Was het toen ik mijn eerste driftbui kreeg? En, nog onmogelijker: was het toen ik datgene deed, wat het dan ook was, wat haar ertoe bracht me achter die apotheek te leggen? En wat wás dat dan?

Maar eigenlijk wist hij het wel: het was toen hij die middag de kas in liep. Het was toen hij zich mee naar binnen liet nemen, toen hij alles opgaf om broeder Luke te volgen. Dat was het moment geweest. En daarna was het nooit meer goedgekomen.

~

Nog vijf treden en dan is hij bij hun voordeur, waar hij de sleutel niet in het slot kan krijgen omdat zijn handen trillen, hij vloekt en laat hem bijna vallen. En dan is hij binnen, en het zijn maar vijftien stappen van de voordeur naar zijn bed, maar toch moet hij halverwege stoppen, zich langzaam op de grond laten zakken en zich de laatste meters naar zijn kamer op zijn ellebogen voortslepen. Daar ligt hij een tijdje, terwijl alles om hem heen beweegt, tot hij sterk genoeg is om de deken over zich heen te trekken. Hij zal daar blijven liggen tot de zon weg is en het donker wordt in de flat, en dan zal hij zich eindelijk op zijn bed hijsen, waar hij zonder te eten, zijn gezicht te wassen of zich om te kleden in slaap zal vallen, klappertandend van de pijn. Hij zal alleen zijn, want Willem zal na de voorstelling met zijn vriendin uitgaan en pas heel laat thuiskomen.

Wanneer hij wakker wordt, zal het heel vroeg zijn en zal hij zich beter voelen, maar zijn wond zal in de loop van de nacht vocht hebben afgescheiden, en er zal pus zijn gelekt door het verband dat hij zondagochtend heeft aangebracht voor zijn wandeling, zijn rampzalige wandeling, en door die afscheiding zal zijn broek vastgekleefd zitten aan zijn huid. Hij zal Andy een tekstbericht sturen en dan nog een mailtje, en dan zal hij onder de douche gaan en voorzichtig het verband verwijderen, dat zal loskomen met flarden verrot vlees en klonters zwart geworden slijmdik bloed. Hij zal blazen en naar adem snakken om het niet uit te schreeuwen. Hij zal zich het gesprek herinneren dat hij met Andy had de vorige keer dat dit gebeurde, toen Andy opperde dat hij een rolstoel kon kopen voor het geval dat, en hoewel hij het idee weer in een rolstoel te moeten zitten verafschuwt, zal hij wensen dat hij er nu een had. Hij zal denken dat Andy gelijk had, dat zijn wandelingen een teken van zijn onvergeeflijke overmoed zijn, dat het feit dat hij doet alsof alles oké is, alsof hij niet echt gehandicapt is, egoïstisch is vanwege de consequenties die het met zich meebrengt voor anderen, mensen die nu al jaren, bijna tientallen jaren lang onbegrijpelijk, buitensporig goed en gul voor hem zijn.

Hij zal de douchekraan dichtdraaien, zich in de badkuip laten zakken en zijn wang tegen de tegels leggen en wachten tot hij zich beter voelt. Hij zal beseffen dat hij klem zit, gevangen in een lichaam dat hij verafschuwt, met een verleden dat hij verafschuwt, en dat hij die geen van beide ooit zal kunnen veranderen. Hij zal willen huilen van frustratie, afschuw en pijn, maar hij heeft niet meer gehuild sinds wat er met broeder Luke is gebeurd, waarna hij zich heeft voorgenomen nooit meer te huilen. Hij zal eraan herinnerd worden dat hij niets is, een lege bolster waarin de vrucht lang geleden verdroogd en verschrompeld is en nu zinloos rammelt. Hij zal die prikkeling, die huivering van weerzin voelen die hem op zijn gelukkigste en ellendigste momenten overvalt, het gevoel waardoor hij zich afvraagt wie hij wel denkt dat hij is dat hij zo veel mensen kan lastigvallen, dat hij het recht heeft door te gaan terwijl zelfs zijn eigen lichaam hem zegt dat hij moet stoppen.

Hij zal zitten, wachten en ademhalen, en hij zal dankbaar zijn dat het zo vroeg is, dat er geen kans bestaat dat Willem hem ontdekt en hem voor de zoveelste keer moet redden. Hij zal zich op de een of andere manier (al kan hij zich later niet herinneren hoe) overeind hijsen en uit de badkuip zien te komen, wat aspirine innemen en naar zijn werk gaan. Op zijn werk zullen de woorden vervagen en dansen op de bladzijden, en tegen de tijd dat Andy belt zal het pas zeven uur 's ochtends zijn, en hij zal tegen Marshall zeggen dat hij ziek is, Marshalls aanbod zijn auto te nemen afslaan maar zich wel – zo slecht voelt hij zich – door hem in een taxi laten helpen. Hij zal de rit naar het centrum maken die hij de vorige dag nog zo stom was te wandelen. En wanneer Andy opendoet, zal hij proberen beheerst te blijven.

'Judy,' zal Andy zeggen, en hij zal in zijn vriendelijke modus staan, vandaag zullen er van hem geen preken komen, en hij zal zich door Andy langs de lege wachtkamer laten leiden, want de praktijk is nog niet open, en zich de tafel op laten helpen waar hij zo veel uren heeft doorgebracht dat ze dagen vormen, hij zal zich zelfs door Andy laten helpen om zich uit te kleden, terwijl hij zijn ogen sluit en wacht op de korte, felle pijn als Andy de pleister van zijn been loshaalt en het doorweekte gaas eronder van de rauwe huid trekt.

Mijn leven, zal hij denken, mijn leven. Maar verder dan dat zal hij niet komen, en hij zal die woorden in zichzelf blijven herhalen – deels mantra, deels vloek, deels geruststelling – terwijl hij die andere wereld binnen glipt die hij bezoekt als de pijn zo hevig is, die wereld die nooit ver van zijn eigen wereld is, maar die hij zich naderhand nooit kan herinneren: mijn leven.

2

Je vroeg me ooit wanneer ik wist dat hij voor mij bestemd was, en ik vertelde je dat ik het altijd had geweten. Maar dat was niet waar, en dat besefte ik terwijl ik het zei – ik zei het omdat het mooi klonk, als iets wat iemand in een boek of film zou kunnen zeggen, en omdat we ons allebei zo ellendig en hulpeloos voelden, en omdat ik dacht dat we ons, als ik het zei, misschien allebei beter zouden voelen over de situatie zoals die voor ons lag, de situatie die we misschien hadden kunnen voorkomen – misschien ook niet – maar in elk geval niet hádden voorkomen. Dat was in het ziekenhuis; de eerste keer, moet ik erbij zeggen. Ik weet dat je het je herinnert: je was die ochtend aangekomen uit Colombo, na een hink-stap-sprong tussen steden, landen en tijdzones, zodat je een volle dag vóór je vertrek was geland.

Maar ik wil nu precies zijn. Ik wil precies zijn zowel omdat er geen reden is om dat niet te zijn, als omdat ik het moet zijn – ik heb er altijd naar gestreefd, streef er nog steeds altijd naar.

Ik weet niet goed waar te beginnen.

Misschien met een paar aardige woorden, maar daarom niet minder waar: ik mocht je meteen. Je was vierentwintig toen we kennismaakten, dus dan moet ik zevenenveertig geweest zijn. (Jezus.) Ik vond je apart: later had hij het vaak over je goedheid, en dat hoefde hij me nooit uit te leggen, want ik wist al dat je dat was. Het was de eerste zomer dat jullie groepje naar het buitenhuis kwam, en het was voor mij een heel vreemd weekend, en voor hem ook – voor mij omdat ik in jullie vieren zag wie en wat Jacob geweest had kunnen zijn, en voor hem omdat hij mij alleen als zijn docent kende, en me ineens in mijn korte broek en met een schort voor sint-jakobsschelpen van de barbecue zag scheppen en met jullie drieën zag discussiëren over van alles en nog wat. Maar zodra ik in staat was niet meer de hele tijd in jullie gezicht dat van Jacob te zien, kon ik van het weekend genieten, vooral ook omdat jullie drieën er zo van leken te genieten. Jullie zagen niets vreemds in de situatie: jullie waren jongens die ervan uitgingen dat de mensen jullie aardig zouden vinden, niet uit arrogantie, maar omdat het altijd zo geweest was en jullie geen reden hadden om te denken dat als je beleefd en vriendelijk was die beleefdheid en vriendelijkheid niet beantwoord zouden worden.

Hij had natuurlijk juist alle reden om dat te denken, al zou ik dat pas later ontdekken. In dat weekend sloeg ik hem gade tijdens de maaltijden en merkte ik dat hij tijdens erg verhitte debatten achteroverleunde in zijn stoel, alsof hij fysiek terugdeinsde uit de ring, en jullie allemaal observeerde, hoe vanzelfsprekend jullie mij uitdaagden zonder vrees me te provoceren, hoe achteloos jullie over de tafel heen naar de schalen met aardappelen, courgette en biefstuk reikten om meer op te scheppen, hoe jullie vroegen wat jullie wilden en dat ontvingen.

Wat me van dat weekend het helderst voor ogen staat is iets kleins. We waren aan het wandelen, jij en hij en Julia en ik, over dat paadje met aan weerszijden berken dat uitkwam bij het uitkijkpunt. (In die tijd was er een smal doorgangetje, weet je nog? Pas later groeide het daar dicht met bomen.) Ik liep naast hem, en jij en Julia liepen achter ons. Jullie praatten over – ach, ik weet het niet meer – insecten? Wilde bloemen? Jullie tweeën vonden altijd wel een gespreksonderwerp, jullie waren allebei dol op het buitenleven, allebei dol op dieren: dat vond ik heerlijk aan jullie, al kon ik het niet begrijpen. En toen tikte je hem even op zijn schouder, haalde hem in, knielde neer en strikte een van zijn schoenveters, die los was geraakt, en daarna liep je weer verder naast Julia. Het ging zo soepel, in één vloeiende beweging: stap naar voren, neerbuigen op de knie, je terugtrekken naast haar. Voor jou was het niets, je dacht er niet eens bij na, je onderbrak je gesprek niet eens. Je hield hem altijd in het oog (maar dat deden jullie allemaal), je zorgde voor hem op zo veel kleine manieren, dat zag ik allemaal in die paar dagen – al betwijfel ik of je je dit specifieke voorval zou herinneren.

Maar terwijl je dat deed, keek hij naar mij, en de blik op zijn gezicht... die kan ik nog steeds niet omschrijven, behalve door te zeggen dat ik op dat moment iets in me voelde afbrokkelen, als een toren van vochtig zand die te hoog is gebouwd: voor hem, voor jou, en ook voor mezelf. En in zijn gezicht wist ik dat mijn eigen gezicht weerspiegeld zou worden. De onmogelijkheid iemand te vinden die zoiets voor een ander doet, zo gedachteloos, zo elegant! Toen ik hem aankeek begreep ik voor het eerst sinds Jacobs dood wat mensen bedoelden als ze zeiden dat iemand je hart kon breken, dat iets hartverscheurend was. Ik had dat altijd sentimenteel gevonden, maar op dat moment besefte ik dat het misschien wel sentimenteel was, maar ook waar.

En dat was geloof ik het moment waarop ik het wist.

~

Ik had nooit verwacht iemands vader te worden, en niet omdat ik zelf slechte ouders heb gehad. Integendeel, ik had schatten van ouders: mijn moeder stierf toen ik heel jong was, aan borstkanker, en de vijf jaar daarna was ik alleen met mijn vader. Hij was arts, een huisarts die hoopte oud te worden met zijn patiënten.

We woonden aan West End Avenue, ter hoogte van 82nd Street; zijn praktijk was op de begane grond van het gebouw waar we woonden, en na schooltijd liep ik er altijd even binnen. Al zijn patiënten kenden me en ik was er trots op de zoon van de dokter te zijn, iedereen te begroeten, de baby's die hij ter wereld had helpen komen te zien opgroeien tot kinderen die naar me opkeken omdat ze van hun ouders te horen kregen dat ik de zoon van dokter Stein was, die naar een goede middelbare school ging, een van de beste in de stad, en dat zij als ze hard genoeg leerden daar misschien ook naartoe konden. 'Lieverd,' noemde mijn vader me, en als hij me tijdens die bezoekjes na schooltijd zag, legde hij zijn hand in mijn nek, zelfs toen ik boven hem uit groeide, en kuste me op mijn slaap. 'Lieverd van me,' zei hij dan, 'hoe was het op school?'

Toen ik acht was, trouwde hij met zijn assistente, Adele. Er was geen moment in mijn jeugd dat ik me niet bewust was van Adeles aanwezigheid: zij was degene die kleren met me ging kopen als ik die nodig had, zij kwam bij ons op Thanksgiving, zij pakte mijn verjaardagscadeautjes in. Het was niet zozeer dat Adele een moeder voor me was; voor mij was een moeder Adele.

Ze was ouder, ouder dan mijn vader, en ze was zo'n soort vrouw die mannen graag mogen en bij wie ze graag in de buurt zijn, zonder dat ze op het idee komen met ze te trouwen, wat een vriendelijke manier is om te zeggen dat ze niet knap was. Maar wie heeft knapheid nodig bij een moeder? Ik vroeg haar een keer of ze zelf kinderen wilde, en ze zei dat ik haar kind was en dat ze zich geen betere kon voorstellen, en het zegt alles wat je moet weten over mijn vader en Adele, hoe ik tegenover hen stond en hoe ze mij behandelden, dat ik die bewering van haar nooit in twijfel heb getrokken tot ik in de dertig was en mijn toenmalige vrouw en ik ruzieden over de vraag of we een tweede kind zouden nemen, een kind om Jacob te vervangen.

Zij was enig kind, net zoals ik, en mijn vader was ook enig kind: een familie van enige kinderen. Maar Adeles ouders leefden nog – die van mijn vader niet – en in de weekends gingen we helemaal naar Brooklyn, naar wat nu is opgeslokt door Park Slope, om hen op te zoeken. Ze woonden al bijna vijftig jaar in Amerika maar spraken nog steeds nauwelijks Engels: de vader praatte timide, de moeder expressief. Ze hadden een gedrongen postuur zoals Adele, en waren net zo aardig als zij. Adele sprak altijd Russisch met hen, en haar vader, die ik maar 'opa' noemde, opende een van zijn dikke vuisten en liet me zien wat erin zat: een houten vogelfluitje of een stuk felroze kauwgom. Zelfs toen ik al volwassen was en rechten studeerde, gaf hij me altijd iets, hoewel hij toen niet langer zijn winkel had, wat betekent dat hij die dingen ergens gekocht moet hebben. Maar waar? Ik stelde me altijd voor dat er misschien een geheime winkel bestond, vol speelgoed dat al generaties geleden uit de mode was geraakt, die desondanks trouw werd bezocht door oude geïmmigreerde mannen en vrouwen die de zaak draaiend hielden door er hun met spiralen beschilderde tollen in te slaan, kleine tinnen soldaatjes en bikkelspelletjes waarvan het rubberballetje al kleverig was voordat het plastic zakje werd opengescheurd.

Ik had altijd al de – uit het niets ontstane – theorie dat mannen die oud genoeg waren geweest om het tweede huwelijk van hun vader bewust mee te maken (dus oud genoeg om oordeelkundig te zijn) met hun stiefmoeder trouwden en niet met hun moeder. Maar ik trouwde niet met iemand als Adele. Mijn vrouw, mijn eerste vrouw, was koel en gereserveerd. Anders dan de andere meisjes die ik kende en die zichzelf altijd bagatelliseerden – hun intelligentie natuurlijk, maar ook hun verlangens, hun boosheid, angsten en zelfbeheersing – deed Liesl dat nooit. Op ons derde afspraakje kwamen we een café aan Macdougal Street uit en kwam er een man uit een beschaduwde portiek gestrompeld, die over haar heen braakte. Haar trui zat onder de klonters, zo'n pompoenkleurige plens, en ik herinner me met name een grote druppel aan het diamanten ringetje aan haar rechterhand, alsof de steen zelf een tumor had ontwikkeld. De mensen om ons heen hapten naar adem of slaakten een kreet, maar Liesl sloot alleen haar ogen. Een andere vrouw zou hebben gegild of gekrijst (ík zou hebben gegild of gekrijst), maar ik herinner me dat ze alleen een keer intens huiverde, alsof haar lichaam de walging erkende maar die ook afschudde, en toen ze haar ogen weer opendeed had ze zich vermand. Ze trok haar vest uit en gooide het in de dichtstbijzijnde afvalbak. 'Kom, we gaan,' zei ze. Ik had er de hele tijd verstomd, geschokt bij gestaan, maar op dat moment verlangde ik naar haar, en ik volgde haar waar ze me maar naartoe bracht, wat haar flat bleek te zijn, een onooglijk krot in Sullivan Street. De hele tijd hield ze haar rechterhand een beetje van haar lichaam af, met de klodder braaksel nog aan haar ring.

Noch mijn vader noch Adele was echt op haar gesteld, hoewel ze me dat nooit vertelden; ze waren beleefd en respecteerden mijn keuzes. In ruil daarvoor vroeg ik hun er nooit naar, dwong ik hen nooit om te liegen. Ik geloof niet dat het was omdat ze niet joods was – geen van mijn ouders was religieus, al weet ik zeker dat ze er ook niet blij om waren – maar ik denk omdat ze dachten dat ik te veel ontzag voor haar had. Of misschien is dat waar ik later in mijn leven op ben uitgekomen. Misschien was het omdat wat ik bewonderde als doortastendheid door hen werd gezien als frigiditeit, of kilheid. God ja, ze waren niet de eersten die dat dachten. Ze waren altijd beleefd tegen haar, en zij uiteraard tegen hen, maar ik denk dat ze liever een potentiële schoondochter hadden gehad die een beetje met hen flirtte, aan wie ze gênante verhalen over mijn kindertijd konden vertellen, die uit lunchen zou gaan met Adele en zou schaken met mijn vader. Iemand als jij, eigenlijk. Maar zo was Liesl niet en zo zou ze ook nooit worden, en toen ze dat eenmaal in de gaten hadden bleven zij ook een beetje terughoudend, niet als uitdrukking van hun ongenoegen maar uit een soort zelfdiscipline, om zichzelf eraan te herinneren dat er grenzen waren, haar grenzen, die ze moesten proberen te respecteren. Als ik bij haar was voelde ik me vreemd ontspannen, alsof bij zo veel krachtige doortastendheid zelfs het ongeluk niet bij ons zou durven aankloppen.

We hadden elkaar ontmoet in New York, waar ik rechten studeerde en zij medicijnen, en na ons afstuderen kreeg ik een baan als griffier in Boston en begon zij (een jaar ouder dan ik) aan haar co-schappen. Ze specialiseerde zich in de oncologie. Ik vond dat natuurlijk bewonderenswaardig, vanwege de onderliggende suggestie: niets geruststellenders dan een vrouw die anderen wil genezen, die je voor je ziet terwijl ze zich moederlijk over een patiënt buigt in een wolkenwitte laboratoriumjas. Maar Liesl wilde niet worden bewonderd: ze was geïnteresseerd in oncologie omdat het een van de moeilijkere vakgebieden was, omdat het cerebraler werd gevonden. Zij en de andere co-assistenten op de oncologieafdeling keken met spot naar de radiologen (te geldbelust), de cardiologen (te gezwollen en zelfingenomen), de kinderartsen (te sentimenteel), en vooral naar de chirurgen (onbeschrijflijk arrogant) en de dermatologen (daar kon je maar beter geen woord aan vuilmaken, hoewel ze natuurlijk regelmatig met hen samenwerkten). Wie ze wel mochten waren de anesthesisten (weird, wereldvreemd en perfectionistisch, en vatbaar voor verslavingen), de pathologen (nog cerebraler dan zij) en... nou, dat was het zo'n beetje. Soms kwam er een ploegje bij ons thuis en dan bleven ze lang natafelen onder het bespreken van gevallen en onderzoeken, terwijl hun partners – advocaten, historici, schrijvers en lagere wetenschappers – werden genegeerd tot we wegglipten naar de woonkamer om de diverse triviale, minder interessante dingen te bespreken waarmee wij onze dagen vulden.

We waren volwassen mensen, en het was best een gelukkig leven. Er was geen gezeur over dat we te weinig tijd met elkaar doorbrachten, niet van mijn kant en niet van de hare. We bleven in Boston gedurende de eerste fase van haar arts-assistentschap, en toen verhuisde zij terug naar New York voor de tweede fase. Ik bleef. Tegen die tijd werkte ik op een advocatenkantoor en had ik een tijdelijke aanstelling aan de rechtenfaculteit. We zagen elkaar in de weekenden, de ene keer in Boston, de andere keer in New York. En toen rondde zij haar specialisatie af en keerde terug naar Boston, we trouwden en kochten een huis, niet zo groot, niet dat wat ik nu heb, net aan de rand van Cambridge.

Mijn vader en Adele (en Liesls ouders trouwens ook; curieus genoeg waren dat veel meer gevoelsmensen dan zij, en tijdens onze schaarse bezoekjes aan Santa Barbara, als haar vader grapjes maakte en haar moeder borden met komkommerschijfjes en met peper bestrooide tomaten uit haar tuin voor me neerzette, zat zij erbij en keek ernaar met een gesloten gezicht alsof ze beschaamd of op zijn minst verward was over hun relatieve uitbundigheid) vroegen ons nooit of we kinderen wilden; ze dachten waarschijnlijk dat er nog een kansje was zolang ze niets vroegen. De waarheid was dat ik er niet echt behoefte aan had; ik had me nooit voorgesteld dat ik er een zou krijgen, ik werd niet warm of koud bij de gedachte. En dat leek voldoende reden om het niet te doen: een kind krijgen, dacht ik, was iets waar je actief naar moest verlangen, hunkeren zelfs. Geen onderneming voor de ambivalenten of passielozen. Liesl dacht er hetzelfde over, althans dat dachten we.

Maar toen, op een avond – ik was eenendertig, zij tweeëndertig, jong nog – kwam ik thuis en zat zij al op me te wachten in de keuken. Dat was ongebruikelijk; zij maakte langere dagen dan ik en ik zag haar gewoonlijk pas om een uur of acht, negen 's avonds.

'Ik moet met je praten,' zei ze plechtig, en ik was ineens bang. Ze zag het en glimlachte – ze was geen wrede persoon, Liesl, en ik wil niet de indruk wekken dat ze helemaal geen vriendelijkheid of zachtaardigheid bezat, want ze had beide in zich, was tot beide in staat. 'Het is geen slecht nieuws, Harold.' Toen lachte ze een beetje. 'Denk ik.'

Ik ging zitten. Ze ademde diep in. 'Ik ben zwanger. Ik weet niet hoe het komt. Waarschijnlijk heb ik een paar pillen overgeslagen en er niet meer aan gedacht. Het is bijna acht weken. Ik heb het vandaag bij Sally laten bevestigen.' (Sally was haar kamergenote uit hun studentenjaren, haar beste vriendin en haar gynaecologe.) Ze zei dit alles heel rap, in staccato, verteerbare zinnetjes. Toen viel ze stil. 'Ik slik een pil waarbij je niet ongesteld wordt, weet je, dus ik wist het niet.' En daarna, toen ik niets zei: 'Zeg 'ns iets.'

Ik kon eerst niets uitbrengen. 'Hoe voel je je?' vroeg ik.

Ze haalde haar schouders op. 'Ik voel me prima.'

'Mooi,' zei ik domweg.

'Harold,' zei ze, en ze ging tegenover me zitten, 'wat wil je?'

'Wat wil jíj?'

Ze haalde opnieuw haar schouders op. 'Ik weet wat ík wil. Ik wil weten wat jij wilt.'

'Je wilt het niet houden.'

Ze ontkende het niet. 'Ik wil horen wat jij wilt.'

'Wat als ik zeg dat ik het wil houden?'

Ze was erop bedacht. 'Dan zou ik er serieus over nadenken.'

Dat had ik ook weer niet verwacht. 'Lies,' zei ik, 'we moeten doen wat jij wilt.' Dat was niet alleen maar ruimhartigheid; het was voornamelijk laf. Hierbij, zoals bij zo veel dingen, liet ik de beslissing maar al te graag aan haar over.

Ze zuchtte. 'We hoeven de beslissing niet vanavond te nemen. We hebben wel wat tijd.' Vier weken, dat hoefde ze niet te vertellen.

In bed dacht ik na. Ik had de gedachten die alle mannen hebben wanneer een vrouw hun vertelt dat ze zwanger is: hoe zou de baby eruitzien? Zou ik hem leuk vinden? Zou ik ervan houden? En daarna, verpletterender: het vaderschap. Met alle bijbehorende verantwoordelijkheid, voldoening, sleur en mogelijkheden tot falen.

De volgende morgen praatten we er niet over, en de dag daarna praatten we er weer niet over. Op vrijdag, toen we naar bed gingen, zei ze slaperig: 'Morgen moeten we het erover hebben,' en ik zei: 'Absoluut.' Maar we deden het steeds niet, en toen was de negende week voorbij, en toen de tiende, en de elfde en de twaalfde, en toen was het te laat om gemakkelijk of ethisch verantwoord te kunnen ingrijpen, en ik geloof dat we allebei opgelucht waren. De beslissing was voor ons genomen – of beter gezegd: onze besluiteloosheid had de beslissing voor ons genomen – en we kregen een kind. Het was de eerste keer in ons huwelijk dat we zo wederzijds besluiteloos waren geweest.

We hadden gedacht dat het een meisje zou zijn, en dan hadden we haar Adele genoemd, naar mijn moeder, en Sarah, naar Sally. Maar het was geen meisje, en in plaats daarvan lieten we Adele (die zo blij was dat ze in tranen uitbarstte, een van de zeer zeldzame keren dat ik haar heb zien huilen) de eerste naam kiezen en Sally de tweede: Jacob More. (Waarom More, vroegen we aan Sally, die zei dat het verwees naar Thomas More.)

Ik ben nooit zo iemand geweest – jij ook niet, dat weet ik – die denkt dat de liefde voor een kind een superieure liefde is, een liefde die betekenisvoller, belangrijker en grootser is dan alle andere. Dat dacht ik niet vóór Jacob, en ook niet na hem. Maar het is wel een uitzonderlijke liefde, omdat die niet is gebaseerd op fysieke aantrekkingskracht, genot of intellect, maar op angst. Je hebt geen idee wat angst is tot je een kind hebt, en misschien is dat hetgeen ons ten onrechte doet geloven dat die liefde indrukwekkender is, omdat de angst zelf indrukwekkender is. Elke dag is je eerste gedachte niet: 'Ik hou van hem', maar: 'Hoe gaat het met hem?' Van de ene dag op de andere verandert de wereld in een hindernisbaan vol verschrikkingen. Als ik met hem in mijn armen stond te wachten tot ik kon oversteken, bedacht ik hoe absurd het was om te denken dat mijn kind, dat welk kind dan ook deze wereld kon overleven. Dat leek even onwaarschijnlijk als de overleving van een van die vlinders – je weet wel, die kleine witjes – die ik soms aan het eind van de lente door de lucht zag buitelen, slechts een paar millimeter verwijderd van een smak tegen een voorruit.

En ik kan je nog twee dingen vertellen die ik heb geleerd: het eerste is dat het niet uitmaakt hoe oud dat kind is, en wanneer of hoe het jouw kind werd. Zodra je besluit om iemand als jouw kind te zien verandert er iets, en alles wat je voorheen leuk aan hem vond, alles wat je voorheen voor hem voelde, wordt nu voorafgegaan door die angst. Het is niets biologisch: het is iets extrabiologisch, niet zozeer een vastbeslotenheid om de overleving van je genetische code veilig te stellen als wel een verlangen om te bewijzen dat je onkwetsbaar bent voor de listen en uitdagingen van het universum, om te triomferen over de krachten die willen vernietigen wat van jou is.

Het tweede is dit: wanneer je kind sterft, voel je alles wat je zou verwachten, gevoelens die door zo veel anderen al zo goed beschreven zijn dat ik niet eens de moeite zal nemen ze hier op te sommen, behalve dat ik wil zeggen dat alles wat over rouw geschreven is één pot nat is, en het is één pot nat met reden: omdat niemand werkelijk van de tekst afwijkt. Soms voel je wat meer van het een en minder van het ander, en soms voel je het in een andere volgorde, en soms langer of korter. Maar de gevoelens zijn altijd dezelfde.

Maar nu komt er iets wat niemand zegt: als het jouw kind is, voelt een deel van jou, een piepklein maar niettemin onmiskenbaar deel van jou, ook opluchting. Want eindelijk is het moment gekomen dat je al verwachtte, waar je voor vreesde, waarop je je hebt voorbereid sinds de dag dat je een kind kreeg.

Aha, zeg je bij jezelf, daar is het. Het is zover.

En daarna heb je nooit meer iets te vrezen.

~

Jaren geleden, na de publicatie van mijn derde boek, vroeg een journalist eens of je meteen kon zien of een student een goed hoofd voor rechten had of niet, en het antwoord is: soms. Maar vaak zit je ernaast: de student die de eerste helft van het semester zo slim leek wordt dat steeds minder naarmate het jaar vordert, en de student die je totaal niet opviel is degene van wie je ineens versteld staat, iemand die je dolgraag hardop hoort denken.

Vaak zijn het de in aanleg meest intelligente studenten die het in hun eerste jaar het moeilijkst hebben; de rechtenfaculteit is, met name in het eerste jaar, echt geen plaats waar creativiteit, abstract denken en fantasie beloond worden. In die zin denk ik vaak – op basis van horen zeggen, niet uit de eerste hand – dat het er een beetje op de kunstacademie lijkt.

Julia had een vriend, Dennys heette hij, die als kind veel talent voor tekenen had. Ze waren al bevriend sinds hun kindertijd, en ze liet me een keer een paar tekeningen zien die hij had gemaakt toen hij tien of twaalf was: schetsjes van op de grond pikkende vogels, van zijn ronde, blanco gezicht, van zijn vader, de plaatselijke dierenarts, die over de vacht van een grimassende terriër streek. Dennys' vader zag het nut van tekenlessen echter niet in, dus hij kreeg nooit formele scholing. Maar toen ze ouder werden en Julia ging studeren, ging Dennys naar de kunstacademie om te leren tekenen. In de eerste week, vertelde hij, mochten ze tekenen wat ze wilden, en het waren steevast Dennys' schetsen die er door de docent uit werden gepikt en aan de muur gehangen om te worden besproken en geprezen.

Maar toen werd hun geleerd hóé ze moesten tekenen; helemaal van het begin af aan, in feite. In week twee tekenden ze alleen maar ellipsen. Brede ellipsen, bolle ellipsen, platte ellipsen. In week drie tekenden ze cirkels:

driedimensionale cirkels, tweedimensionale cirkels. Toen werd het een bloem. Toen een vaas. Toen een hand. Toen een hoofd. Toen een lichaam. En met elke week echte oefening ging Dennys verder achteruit. Tegen het einde van het trimester hingen zijn tekeningen nooit meer aan de muur. Hij was te verkrampt geworden om te tekenen. Als hij nu een hond zag met lang haar dat over de grond onder hem streek, zag hij geen hond, maar een bol op een cilinder, en als hij die probeerde te tekenen was hij bezig met de proporties, niet met het vastleggen van de hondheid ervan.

Hij had besloten met zijn docent te gaan praten. Wij worden geacht jullie af te breken, Dennys, had zijn docent gezegd. Alleen de werkelijk getalenteerden zullen in staat zijn daaroverheen te komen.

'Kennelijk was ik niet een van de werkelijk getalenteerden,' zei Dennys altijd tegen ons. Hij werd in plaats daarvan advocaat en woonde in Londen met zijn partner.

'Arme Dennys,' zei Julia.

'O, welnee,' verzuchtte Dennys dan, maar wij waren niet overtuigd.

En op zo'n zelfde manier breekt de rechtenfaculteit iemands verstand af. Romanschrijvers, dichters en beeldend kunstenaars doen het meestal niet goed als rechtenstudent (tenzij het slechte romanschrijvers, dichters en beeldend kunstenaars zijn), maar wiskundigen, logici en wetenschappers ook niet per se. De eerste groep faalt omdat ze een eigen logica hebben, de tweede omdat logica alles is wat ze hebben.

Hij was echter vanaf het begin een goede student, een echte uitblinker, maar dat uitblinken werd vaak gecamoufleerd door een opzichtig niet-uitblinken. Uit de antwoorden die hij tijdens college gaf kon ik opmaken dat hij alles in zich had om een uitmuntend jurist te worden: het is geen toeval dat het recht een ambacht wordt genoemd, want net als alle ambachten vereist het allereerst een goed geheugen, wat hij bezat. Wat het vervolgens vereist – opnieuw: net als veel andere ambachten – is het vermogen het probleem voor je te zien… en dan, meteen daarna, de sliert problemen die eruit kunnen voortvloeien. Zoals een huis voor een aannemer niet alleen maar een bouwwerk is, maar een wirwar van leidingen die in de winter dichtvriezen, dakspanten die in de zomer uitzetten van het vocht, dakgoten waar in de lente een fontein van water uit stroomt, beton dat in de eerste herfstkou begint te barsten, zo is een huis voor een jurist weer iets anders. Een huis is een afgesloten kluis vol contracten, pandrechten, toekomstige rechtszaken en mogelijke overtredingen: het staat voor potentiële aanvallen op je eigendomsrecht, op je goederen, op je persoon, op je privacy.

Natuurlijk kun je niet de hele tijd letterlijk zo denken, je zou jezelf knettergek maken. Zodoende is voor de meeste juristen een huis uiteindelijk ook gewoon een huis, iets om in te richten, te repareren, te schilderen en dan weer leeg te halen. Maar er is een periode waarin elke rechtenstudent – elke goede rechtenstudent – zijn kijk op de een of andere manier voelt veranderen en zich realiseert dat het recht onontkoombaar is, dat geen enkele interactie, geen enkel aspect van het dagelijks leven ontkomt aan de lange grijpvingers ervan. Een straat wordt een onthutsende catastrofe, één groot tumult van overtredingen en mogelijke civiele procedures. Een huwelijk ziet eruit als een echtscheiding. De wereld wordt tijdelijk ondraaglijk.

Hij kon dat. Hij kon een zaak van begin tot eind overzien; dat is heel moeilijk, want je moet in staat zijn alle mogelijkheden, alle waarschijnlijke consequenties in je hoofd te houden en dan te kiezen over welke je je zorgen moet maken en welke je moet negeren. Maar wat hij óók deed – wat hij niet kon laten – was zich afvragen hoe het zat met de morele implicaties van de zaak. En dat is niet handig op de rechtenfaculteit. Sommige collega's van mij stonden niet eens toe dat hun studenten de woorden 'goed' of 'verkeerd' uitspraken. 'Goed heeft er niets mee te maken,' brulde een van mijn professoren ons altijd toe. 'Wat staat er in de wét? Wat zegt de wét?' (Rechtendocenten houden wel van een beetje theater, dat hebben we allemaal.) Een andere docent zei niets als die woorden vielen, maar liep naar de overtreder en overhandigde hem een papiertje, waarvan hij er altijd een voorraad in de binnenzak van zijn jasje had, waarop stond: *Drayman 241*. Drayman 241 was het adres van de filosofische faculteit.

Hier heb je bijvoorbeeld een hypothetisch geval: een footballteam moet naar een uitwedstrijd als een van hun busjes het begeeft. Daarom vragen ze aan de moeder van een van de spelers of ze haar busje mogen lenen. Goed, zegt ze, maar ik ga niet rijden. Dus zij vraagt de assistent-coach het team erheen te brengen in haar auto. Maar onderweg gebeurt er iets afschuwelijks: het busje slipt, raakt van de weg af en kantelt; alle inzittenden komen om.

Hier is geen sprake van een strafbaar feit. De weg was glad, de bestuurder was niet onder invloed. Het was een ongeluk. Maar dan spannen de ouders van het team, de vaders en moeders van de dode footballspelers, een rechtszaak aan tegen de eigenares van het busje. Het was haar auto, is hun argument, maar belangrijker: zij was degene die de bestuurder had aangesteld. Hij was slechts haar vertegenwoordiger, en dus is zij degene die verantwoordelijk is. Dus wat gebeurt er? Moeten de eisers de zaak winnen?

Studenten houden niet van deze casus. Ik geef hem niet zo vaak – in zijn extreemheid is hij eerder sensationeel dan instructief – maar als ik hem gaf, ging er altijd wel een stem in de collegezaal op die zei: 'Maar het is niet rechtvaardig!' En hoe irritant dat woord – rechtvaardig – ook is, het is belangrijk dat studenten dat idee nooit vergeten. 'Rechtvaardig' is nooit een antwoord, vertelde ik ze dan. Maar het is altijd een punt van overweging.

Hij had het er echter nooit over of iets rechtvaardig was. Rechtvaardigheid zelf leek hij weinig interessant te vinden, wat mij fascineerde, omdat mensen, en vooral jonge mensen, zeer geïnteresseerd zijn in wat rechtvaardig is. Rechtvaardigheid is een concept dat aan nette kinderen wordt geleerd: het is het leidende principe van peuterscholen, zomerkampen, speelplaatsen en voetbalveldjes. In de tijd dat Jacob nog naar school kon, dingen kon leren en kon denken en praten, wist hij wat rechtvaardigheid was en dat het belangrijk was, iets om hoog te houden. Rechtvaardigheid is voor gelukkige mensen, voor mensen die de mazzel hebben een leven te hebben geleid dat meer door zekerheden werd gekenmerkt dan door grilligheid.

Goed en verkeerd daarentegen zijn voor... nou, misschien niet ongelukkige mensen, maar gehavende mensen; bange mensen.

Of is dat iets wat ik nu pas denk?

'En, hebben de eisers die zaak gewonnen?' vroeg ik. Dat jaar, zijn eerste jaar, had ik die casus wel gegeven.

'Ja,' zei hij, en hij legde uit waarom: hij wist instinctief waarom ze gewonnen moesten hebben. En toen, je kon de klok erop gelijkzetten, hoorde ik heel kleintjes: 'Maar dat is niet rechtvaardig!' van achter in de zaal, en voor ik mijn eerste preek van het seizoen kon afsteken – 'Rechtvaardig is nooit een antwoord, enz. enz.' – zei hij rustig: 'Maar het is wel goed.'

Ik heb hem nooit kunnen vragen wat hij daarmee bedoelde. Het college was afgelopen, iedereen stond meteen op en rende bijna naar de deur, alsof het lokaal in brand stond. Ik weet nog dat ik bij mezelf dacht dat ik hem er de volgende les, later die week, naar moest vragen, maar ik vergat het. En toen vergat ik het weer, en weer. In de loop van de jaren dacht ik zo nu en dan terug aan dat gesprek, en elke keer dacht ik dan: ik moet hem vragen wat hij daarmee bedoelde. Maar dat deed ik vervolgens nooit. Ik weet niet waarom niet.

En dat werd het patroon bij hem: hij kende de wet. Hij had er gevoel voor. Maar dan, net als ik wilde dat hij ophield met praten, kwam hij met een moreel argument, begon hij over ethiek. Alsjeblieft, dacht ik dan, doe nou niet. De wet is simpel. Ze biedt ruimte voor minder nuances dan je zou denken. Ethiek en moraal hebben weliswaar een plaats in het recht, maar niet in de jurisprudentie. De moraal helpt ons om wetten te maken, maar de moraal helpt ons niet ze toe te passen.

Ik was bang dat hij het zichzelf moeilijker zou maken, dat hij de ware gave die hij bezat zou compliceren door – hoe vervelend ik het ook vind om dit over mijn vak te moeten zeggen – na te denken. Stop! wilde ik tegen hem zeggen. Maar dat heb ik nooit gedaan, want ten slotte besefte ik dat ik ervan genoot hem hardop te horen denken.

Uiteindelijk had ik me natuurlijk geen zorgen hoeven maken; hij leerde het te bedwingen, hij leerde goed of verkeerd er niet meer bij te halen. En zoals we weten heeft die neiging van hem hem er niet van weerhouden een groot advocaat te worden. Maar later was ik vaak verdrietig om hem, en om mezelf. Ik wilde dat ik er bij hem op had aangedrongen te stoppen met rechten, ik wilde dat ik hem had gezegd naar het equivalent van Drayman 241 te gaan. De vaardigheden die ik hem gaf waren uiteindelijk niet de vaardigheden die hij nodig had. Ik wilde dat ik hem met zachte hand in een richting had geduwd waar zijn geest zo soepel had kunnen zijn als ie was, waar hij zich niet in het keurslijf van een saaie denktrant had hoeven dwingen. Ik had het gevoel dat ik iemand die wist hoe hij een hond moest tekenen had veranderd in iemand die alleen nog wist hoe hij vormen op papier moest zetten.

Ik ben, als het over hem gaat, schuldig aan veel dingen. Maar soms voel ik me tegen alle logica in het schuldigst hierom. Ik hield het portier van dat busje open en vroeg hem in te stappen. En hoewel ik niet van de weg ben geraakt, heb ik hem wel naar een grimmige, koude, kleurloze plaats gebracht en hem daar laten staan, terwijl op de plaats waar ik hem had opgepikt het landschap glinsterde vol kleur, de hemel bruiste van het vuurwerk en hij met open mond stond te kijken.

3

Drie weken voordat hij naar Boston ging voor Thanksgiving kwam er een pakket voor hem, een grote, platte, onhandige kist met op alle zijden zijn naam en adres in zwarte viltstift, op zijn werk, waar het de hele dag naast zijn bureau stond tot hij het 's avonds laat kon openmaken.

Toen hij de afzender zag wist hij wat het was, maar toch had hij die onwillekeurige nieuwsgierigheid die je overvalt als je iets uitpakt, zelfs iets ongewensts. In de kist zag hij meerdere lagen bruin papier, daarna een paar lagen bubbelplastic, en daarna, in vellen wit papier gewikkeld, het schilderij zelf.

Hij draaide het om. 'Voor Jude, met veel liefs en verontschuldigingen, JB,' had JB op het doek gekrabbeld, vlak boven zijn handtekening: 'Jean-Baptiste Marion'. Achter op de lijst zat een envelop geplakt van JB's galerie, met daarin een brief waarop de authenticiteit en de datum van het schilderij werd gecertificeerd, aan hem geadresseerd en ondertekend door de zakelijk manager van de galerie.

Hij belde Willem, die al weg moest zijn uit het theater en waarschijnlijk onderweg naar huis was. 'Raad eens wat ik vandaag gekregen heb?'

Er viel maar een heel korte stilte voordat Willem antwoordde. 'Het schilderij.'

'Inderdaad,' zei hij, en hij zuchtte. 'Dus ik neem aan dat jij hierachter zit?'

Willem kuchte. 'Ik heb hem alleen maar gezegd dat hij geen keuze meer had, als hij tenminste wil dat je ooit weer met hem gaat praten.' Willem zweeg even, en hij hoorde de wind langs hem heen fluiten. 'Heb je hulp nodig om het naar huis te brengen?'

'Nee, dank je,' zei hij. 'Ik laat het voorlopig hier en haal het later wel op.' Hij omwikkelde het schilderij weer met alle lagen en zette het terug in de kist, die hij onder zijn computertafel schoof. Voor hij zijn computer afsloot begon hij aan een berichtje voor JB, maar stopte toen, wiste wat hij geschreven had en verliet het kantoor.

Hij was aan de ene kant verbaasd en aan de andere kant niet dat JB hem het schilderij toch had toegestuurd (en totaal niet verbaasd dat Willem degene was die hem ervan had overtuigd dat hij dat moest doen). Anderhalf jaar geleden, net toen Willems eerste voorstellingen van *The Malamud Theorem* begonnen, had een galerie aan de Lower East Side JB gevraagd of ze hem mochten vertegenwoordigen, en het afgelopen voorjaar had hij zijn eerste solo-expositie gehad, 'The Boys', een serie van vierentwintig schilderijen gebaseerd op foto's die hij had genomen van hen drieën. Zoals jaren geleden beloofd, had JB hem de foto's laten zien die hij wilde schilderen, en hoewel hij er veel had goedgekeurd (met tegenzin: hij had zich er meteen al beroerd bij gevoeld, maar hij wist hoe belangrijk de serie voor JB was), was JB uiteindelijk minder geïnteresseerd geweest in de goedgekeurde foto's dan in de foto's die hij niet wilde goedkeuren, waaronder een paar – inclusief een foto waarop hij in elkaar gedoken in bed lag, met open maar angstwekkend niet-ziende ogen, zijn linkerhand onnatuurlijk wijd gestrekt als de klauw van een monster – waarvan hij zich verontrustend genoeg niet eens kon herinneren dat JB ze had genomen. Dat was hun eerste ruzie geweest: JB die eerst fleemde, toen mokte, toen dreigde, toen schreeuwde, en daarna, toen hij hem niet op andere gedachten kon brengen, Willem probeerde over te halen een goed woordje voor hem te doen.

'Je beseft toch wel dat ik je eigenlijk niets verschuldigd ben?' had JB tegen hem gezegd zodra hij in de gaten kreeg dat zijn onderhandelingen met Willem op niets uitliepen. 'Ik bedoel, forméél hoef ik jouw toestemming niet te vragen. Forméél heb jij er geen fuck over te zeggen wat ik schilder. Dit is alleen maar heel beleefd van mij, weet je.'

Hij kon JB overstelpen met argumenten, maar daar was hij te boos voor. 'Je hebt het me beloofd, JB,' zei hij. 'Dat moet genoeg zijn.' Hij had eraan kunnen toevoegen: 'En je bent het me verschuldigd als mijn vriend,' maar een paar jaar eerder was tot hem doorgedrongen dat JB's definitie van vriendschap en de daarbij horende verantwoordelijkheden afweek van de zijne, en dat daar met hem niet over te discussiëren viel: je accepteerde het of niet, en hij had besloten het te accepteren, hoewel het hem de laatste tijd extreem veel geduld, energie en ergernis kostte om JB en zijn beperkingen te accepteren.

Uiteindelijk moest JB het wel opgeven, hoewel hij in de maanden voor de opening van zijn expositie zo nu en dan toespelingen had gemaakt op wat hij zijn 'verloren schilderijen' noemde, fantastische werken die hij had kunnen maken als hij, Jude, wat minder star, minder verlegen, minder krampachtig en (dit was van al JB's argumenten zijn favoriet) minder een cultuurbarbaar was geweest. Toch geneerde hij zich later over zijn eigen lichtgelovigheid, over hoe hij erop had vertrouwd dat zijn wensen gerespecteerd zouden worden.

De opening had plaatsgevonden op een donderdag aan het einde van april, kort na zijn dertigste verjaardag, een zo abnormaal koude avond dat de eerste blaadjes van de platanen waren bevroren en gebarsten, en toen hij de hoek naar Norfolk Street omsloeg, was hij blijven staan om de aanblik van de galerie te bewonderen, een felgouden doos van licht en zachtglanzende warmte die afstak tegen het kille, vlakke zwart van de nacht. Binnen zag hij direct Zwarte Henry Young en een vriend van hen van de rechtenfaculteit, en toen zo veel anderen – bekenden van de universiteit en hun diverse feestjes in Lispenard Street, en JB's tantes, en Malcolms ouders, en vroegere vrienden van JB die hij in geen jaren had gezien – dat het even duurde voor hij zich door de menigte heen naar de schilderijen zelf kon dringen.

Hij had altijd geweten dat JB talent had. Zij allemaal, iedereen: hoe afkeurend je ook af en toe over JB als persoon mocht denken, er was iets aan zijn werk dat je ervan kon overtuigen dat je het mis had, dat alle karakterfouten die je hem misschien had toegeschreven in werkelijkheid alleen maar bewezen hoe kleingeestig en humeurig jijzelf was, dat diep in JB iemand huisde met enorm veel begrip, diepgang en inlevingsvermogen. En die avond kostte het hem geen enkele moeite de intensiteit en schoonheid van de schilderijen te zien en voelde hij alleen een ongecompliceerde trots en dankbaarheid voor JB: voor de bekwaamheid waarmee het werk gemaakt was natuurlijk, maar ook voor zijn vermogen kleuren en beelden te creëren waarmee vergeleken alle andere kleuren en beelden flets en slap leken, zijn vermogen je de wereld opnieuw te laten zien. De schilderijen waren opgehangen in een lange rij die zich over de muren ontrolde als een notenbalk, en de tonen die JB had gecreëerd – diepe, paarsachtige tinten blauw en whiskykleurige gelen – hadden zo'n eigen karakter dat het was alsof JB een heel andere kleurentaal had ontwikkeld.

Hij stopte om *Willem and the Girl* te bewonderen, een van de schilderijen die hij al had gezien en zelfs had gekocht, waarop Willem was afgebeeld met zijn gezicht afgewend van de camera maar omkijkend, zodat het leek of hij de toeschouwer recht aankeek terwijl zijn blik eigenlijk gericht was op iemand anders, vermoedelijk een meisje dat precies in JB's gezichtslijn had gestaan. Hij hield van de uitdrukking op Willems gezicht, die hij heel goed kende, wanneer hij op het punt stond te glimlachen en zijn mond nog zacht was, met iets weifelends, maar de spiertjes rond zijn ogen al werden aangespannen en omhooggingen. De schilderijen waren niet chronologisch gerangschikt, en zo kwam hierna een schilderij van hemzelf van slechts een paar maanden geleden (hij liep snel voorbij die van hemzelf), en daarna een beeld van Malcolm met zijn zus, aan het meubilair te zien in Flora's eerste flat in de West Village, waar ze allang uit weg was (*Malcolm and Flora, Bethune Street*).

Hij keek rond naar JB en zag hem in gesprek met de galeriedirecteur, en op dat moment rekte JB zijn hals, ving zijn blik en zwaaide naar hem. 'Geniaal,' mimede hij over de hoofden van de mensen naar JB, en die grijnsde en mimede terug: 'Dank je.'

Maar toen was hij bij de derde en laatste wand beland en had hij ze gezien: twee schilderijen, allebei van hem, die JB hem geen van beide ooit had laten zien. Op het eerste was hij heel jong en hield hij een sigaret vast, en op het tweede, van zo'n twee jaar geleden, dacht hij, zat hij voorovergebogen op de rand van zijn bed met zijn voorhoofd tegen de muur, zijn benen en armen gekruist en zijn ogen dicht – dat was de houding die hij altijd aannam als hij net een aanval had gehad en zijn fysieke krachten verzamelde voor een poging weer op te staan. Hij herinnerde zich niet dat JB deze foto genomen had, en inderdaad, uit het perspectief ervan – de camera gluurde naar binnen om de hoek van de deur – werd hem duidelijk dat hij ook niet geacht werd zich dat te herinneren, omdat hij niet geacht werd überhaupt op de hoogte te zijn van het bestaan van die foto. Een moment lang vervaagde het geroezemoes in de zaal om hem heen en kon hij alleen maar kijken en kijken naar de schilderijen: zelfs in zijn ontdaanheid had hij de tegenwoordigheid van geest te begrijpen dat hij minder op de beelden zelf reageerde dan op de herinneringen en sensaties die ze opriepen, en dat zijn aangerande gevoel, doordat anderen deze documentatie van twee ellendige momenten uit zijn leven zagen, een persoonlijke reactie was, specifiek voor hemzelf. Voor ieder ander waren het twee contextloze schilderijen zonder betekenis, tenzij hij hun betekenis wilde bekendmaken. Maar o, wat waren ze voor hem moeilijk om naar te kijken, en hij wenste plotseling hevig dat hij alleen was.

Hij sleepte zich door het feestelijke etentje, dat eindeloos duurde en waarbij hij Willem hartgrondig miste, maar Willem had die avond een voorstelling en kon niet komen. Hij hoefde in elk geval geen woord te wisselen met JB, die het druk had met zijn bewonderaars, en tegen de mensen die naar hem toe kwamen – onder wie JB's galeriehouder – om hem te vertellen dat de laatste twee schilderijen, die van hem, de beste van de expositie waren (alsof hij daar op een of andere manier verantwoordelijk voor was), lukte het hem te glimlachen en te beamen dat JB een uitzonderlijk talent was.

Maar later, thuis, toen hij zichzelf weer onder controle had, was hij eindelijk vrij om tegenover Willem lucht te geven aan zijn gevoel verraden te zijn. En Willem had zonder enige aarzeling zijn kant gekozen en was zo boos geweest namens hem, dat hij zich even getroost had gevoeld en zich had gerealiseerd dat JB's dubbelhartigheid ook Willem had verrast.

Dit was de opmaat tot de tweede ruzie, die was begonnen met een confrontatie met JB in een café vlak bij JB's appartement, waarin JB een razend makend onvermogen aan de dag legde om sorry te zeggen: in plaats daarvan praatte en praatte hij maar over hoe mooi de schilderijen waren en over hoe hij ze op een dag zou waarderen, als hij eenmaal over zijn innerlijke problemen, wat die ook inhielden, heen was, en dat het toch ook weer niet zó erg was, en dat hij echt eens moest dealen met zijn onzekerheid, die sowieso nergens op sloeg, en dat dit hem daarbij misschien kon helpen, en dat iedereen behalve hijzelf wist hoe ongelofelijk knap hij was, en kon hij daar ook niet eens zijn conclusies uit trekken, dat hij misschien – nee, absolúút – zelf degene was die een verkeerde kijk had op zichzelf, en ten slotte dat de schilderijen al gemaakt waren, ze waren af, dus wat verwachtte hij nou helemaal? Zou hij gelukkiger zijn als ze werden vernietigd? Moest hij ze van de muur trekken en in de fik steken? Ze waren gezien en konden niet meer ongezien worden, dus waarom kon hij het niet gewoon accepteren en achter zich laten?

'Ik vraag je niet ze te vernietigen, JB,' had hij gezegd, zo woedend en verbijsterd door JB's bizarre logica en bijna beledigende stijfkoppigheid dat hij wel kon gillen, 'ik vraag je je verontschuldigingen aan te bieden.'

Maar JB kon dat niet, of wilde het niet, en ten slotte was hij opgestaan en weggelopen, en JB had niet geprobeerd hem tegen te houden.

Daarna was hij gewoon opgehouden met JB te praten. Willem probeerde het op zijn manier bij JB aan te kaarten, en ze hadden (zoals Willem hem vertelde) zelfs midden op straat tegen elkaar staan schreeuwen, en daarna praatte ook Willem niet meer met JB, en zo waren ze vanaf dat moment vooral van Malcolm afhankelijk voor nieuws over JB. Malcolm had met zijn kenmerkende vrijblijvendheid toegegeven dat hij vond dat JB volkomen ongelijk had, maar suggereerde tegelijkertijd dat zij beiden onrealistisch waren: 'Je weet dat hij zich niet gaat verontschuldigen, Judy,' zei hij. 'We hebben het hier over JB. Je verspilt je tijd.'

'Ben ik onredelijk?' vroeg hij na dit gesprek aan Willem.

'Nee,' zei Willem onmiddellijk. 'Dit kan gewoon niet, Jude. Hij heeft het verziekt, en hij moet zich verontschuldigen.'

De expositie was een doorslaand succes. *Willem and the Girl* werd op zijn werk bezorgd, evenals *Willem and Jude, Lispenard Street, II*, dat Willem had gekocht. *Jude, After Sickness* (de titel had hem, toen hij die hoorde, opnieuw zo'n boos en vernederd gevoel gegeven dat hij een moment lang ervoer wat de uitdrukking 'verblind door woede' betekende) werd verkocht aan een verzamelaar wiens aankopen werden beschouwd als een vorm van inzegening en een voorbode van toekomstig succes: hij kocht alleen op debuutexposities, en bijna iedere kunstenaar van wie hij werk had gekocht had vervolgens carrière gemaakt. Alleen het centrale werk van de expositie, *Jude with Cigarette*, bleef achter, en dat was te wijten aan een schokkend amateuristische fout: de galeriedirecteur had het verkocht aan een machtige Britse verzamelaar terwijl de eigenaar van de galerie het had verkocht aan het Museum of Modern Art.

'Prima dan,' zei Willem tegen Malcolm, wetend dat Malcolm zijn woorden zou doorbrieven aan JB. 'JB moet de galerie vertellen dat hij het schilderij houdt, en het gewoon aan Jude geven.'

'Dat kan toch niet,' zei Malcolm, zo verbijsterd alsof Willem had voorgesteld het doek in de vuilnisbak te gooien. 'Het gaat hier om het MoMA.'

'Ja, en?' zei Willem. 'Als hij zo fantastisch is, komt het MoMA nog wel een keer terug. Maar ik kan je wel vertellen dat dit echt de enige oplossing is als hij nog langer bevriend wil blijven met Jude.' Hij zweeg even. 'En met mij.'

Dus Malcolm bracht die boodschap over, en het vooruitzicht Willem als vriend te verliezen was voldoende geweest om ervoor te zorgen dat JB Willem belde en een ontmoeting eiste, waarop JB had gehuild en Willem voor verrader had uitgemaakt en had gezegd dat hij altijd Judes kant koos en kennelijk geen fuck gaf om zijn, JB's, carrière, terwijl hij, JB, Willem altijd in die van hem had gesteund.

Dit alles was in de loop van enkele maanden gebeurd, terwijl de lente overging in de zomer, en Willem en hij waren naar Truro gegaan zonder JB (en zonder Malcolm, die zei dat hij bang was om JB alleen te laten), en JB was met Memorial Day naar het huis van de familie Irvine in Aquinnah gegaan en zij met Independence Day, en de al lang geplande reis naar Kroatië en Turkije hadden Willem en hij met z'n tweeën gemaakt.

En toen was het herfst, en tegen de tijd dat Willem en JB elkaar voor de tweede keer troffen had Willem plotseling zijn eerste filmrol in de wacht gesleept, die van de koning in een bewerking van *The Girl with the*

Silver Hands, en moest hij in januari voor de opnames naar Sofia, en hij had promotie gekregen op zijn werk en was benaderd door een partner van Cromwell Thurman Grayson & Ross, een van de beste grote advocatenkantoren in de stad, en had de rolstoel die Andy dat jaar in mei voor hem had geregeld vaker wel dan niet nodig, en Willem had het na een jaar uitgemaakt met zijn vriendin en had nu iets met een kostuumontwerpster die Philippa heette, en zijn voormalige collega-griffier Kerrigan had een groeps-e-mail gestuurd naar iedereen met wie hij ooit had samengewerkt, waarin hij tegelijkertijd uit de kast kwam en het conservatisme hekelde, en Harold vroeg hem al een tijdje wie er dat jaar met Thanksgiving zou komen, en of hij een nacht langer kon blijven dan wie hij ook meenam, omdat Julia en hij iets met hem wilden bespreken, en hij had toneelstukken bezocht met Malcolm en exposities met Willem en had romans gelezen die hij met JB zou hebben besproken, aangezien zij tweeën de romanlezers van de groep waren: een hele lijst dingen waar ze het ooit met z'n vieren uit-en-te-na over zouden hebben gehad, maar die ze nu in plaats daarvan met z'n tweeën of drieën bespraken. In het begin had dat een gedesoriënteerd gevoel gegeven, na zo veel jaar als groepje van vier, maar hij was eraan gewend geraakt en hoewel hij JB miste – zijn grappige navelstaarderij, de manier waarop hij alles wat de wereld te bieden had kon zien met als enige focus de uitwerking die het op hem zou hebben – merkte hij ook dat hij niet in staat was hem te vergeven, en tegelijkertijd wél in staat zich zijn leven zonder hem voor te stellen.

En nu was, nam hij aan, hun ruzie voorbij, en was het schilderij van hem. Willem kwam die zaterdag met hem mee naar kantoor; hij pakte het uit en zette het tegen de muur en ze bekeken het met z'n tweeën in stilte, alsof het een zeldzaam, onbeweeglijk beest in de dierentuin was. Dit was het schilderij waarvan een foto had gestaan bij de recensie in de *Times*, en later bij het verhaal in *Artforum*, maar pas nu, in de veiligheid van zijn kantoor, kon hij het werkelijk op waarde schatten; als hij kon vergeten dat híj het was, kon hij bijna zien wat een prachtig beeld het was en waarom JB erdoor was gefascineerd: vanwege de vreemde, op het oog noch mannelijke noch vrouwelijke persoon die er zo bang en waakzaam uitzag in zijn kleren die van een ander geleend leken, en die de gebaren en houdingen van een volwassene imiteerde terwijl hij er duidelijk niets van begreep. Hij voelde niet langer iets voor die persoon, maar niets voor die persoon voelen was een bewuste wilsdaad geweest, zoals je afwenden van iemand op straat, ook al zag je hem voortdurend, en dag na dag doen alsof je hem niet kon zien, tot je dat op een dag echt niet meer kon... althans, dat kon je jezelf wijsmaken.

'Ik weet niet wat ik ermee ga doen,' gaf hij toe, met spijt, want hij wilde het schilderij niet en voelde zich toch schuldig dat Willem JB uit zijn leven had geschrapt omwille van hem, en wel vanwege iets waarnaar hij nooit meer van plan was te kijken.

'Ach,' zei Willem, en er viel een stilte. 'Je kunt het altijd nog aan Harold geven; ik weet zeker dat hij het prachtig zou vinden.' En toen wist hij dat Willem misschien altijd had geweten dat hij het schilderij niet wilde, en dat dat voor Willem niets had uitgemaakt, dat hij geen spijt had dat hij voor hem had gekozen en niet voor JB, en dat hij het hem niet kwalijk nam dat hij die beslissing had moeten nemen.

'Dat zou kunnen,' zei hij traag, al wist hij dat hij dat niet zou doen: Harold zou het inderdaad prachtig vinden (hij was er enthousiast over geweest toen hij de expositie had gezien) en zou het op een prominente plaats hangen, en telkens wanneer hij daar kwam zou hij ernaar moeten kijken. 'Sorry, Willem,' zei hij ten slotte, 'sorry dat ik je hiernaartoe heb gesleept. Ik denk dat ik het hier laat tot ik weet wat ik ermee moet.'

'Geen probleem,' zei Willem, en ze pakten het met z'n tweeën weer in en zetten het terug onder zijn bureau.

Willem vertrok, en hij zette zijn telefoon aan en stuurde ditmaal wel een berichtje naar JB: 'JB,' begon hij, 'dank je wel voor het schilderij en voor je verontschuldigingen. Beide betekenen heel veel voor me.' Hij stopte even om te bedenken hoe hij verder moest. 'Ik heb je gemist, en ik wil horen wat er allemaal gebeurt in je leven,' vervolgde hij. 'Bel me als je een keer tijd hebt om iets te gaan drinken.' Het was allemaal waar.

En ineens wist hij wat hij met het schilderij moest doen. Hij zocht het adres op van JB's zakelijk manager en schreef haar een brief waarin hij haar bedankte voor de toezending van *Jude with Cigarette* en haar meedeelde dat hij het aan het MoMA wilde schenken en vroeg of ze bij die transactie zou kunnen helpen.

Later keek hij op deze episode terug als een soort kantelpunt, het scharnier tussen een relatie die eerst het ene was en daarna iets anders werd: zijn vriendschap met JB natuurlijk, maar ook zijn vriendschap met Willem. Als twintiger had hij in bepaalde periodes als hij naar zijn vrienden keek zo'n pure, diepe tevredenheid gevoeld dat hij wilde dat de wereld om hen heen gewoon zou stoppen, dat geen van hen uit dat moment zou hoeven treden, waarop alles in evenwicht was en zijn genegenheid voor hen volmaakt was. Maar natuurlijk kon het nooit zo gaan: een tel later veranderde alles weer en vervloog het moment ongemerkt.

Het zou te melodramatisch, te definitief zijn geweest om te zeggen dat JB hierna voor hem voorgoed minder waard was geworden. Maar het was wel zo dat hij voor het eerst ging inzien dat de mensen die hij in de loop van de tijd was gaan vertrouwen hem op een dag toch konden verraden, en dat dit, hoe teleurstellend ook, tegelijkertijd onvermijdelijk was, en dat het leven hem gestaag voorwaarts zou drijven, omdat er naast iedereen die hem op de een of andere manier in de steek zou laten ten minste één persoon was die dat nooit zou doen.

~

Naar zijn mening (en die van Julia) had Harold de neiging Thanksgiving ingewikkelder te maken dan nodig. Elk jaar sinds hij de feestdagen voor het eerst bij Harold en Julia had doorgebracht, beloofde Harold hem – gewoonlijk aan het begin van november, als hij nog vol enthousiasme was voor zijn project – dat hij hem dit jaar zou verbluffen door die allerdufste Amerikaanse culinaire traditie op zijn kop te zetten. Harold begon altijd met grote ambities: voor hun eerste gezamenlijke Thanksgiving, negen jaar eerder, toen hij in zijn tweede jaar rechten zat, had Harold aangekondigd dat hij canard à l'orange ging maken, met kumquats in plaats van sinaasappels.

Maar toen hij bij Harolds huis aankwam met de walnotentaart die hij de avond ervoor had gebakken, stond Julia in haar eentje in de deuropening om hem te verwelkomen. 'Niks over de eend zeggen,' fluisterde ze terwijl ze hem op zijn wang kuste. In de keuken haalde een verhit uitziende Harold een grote kalkoen uit de oven.

'Hou je mond,' waarschuwde Harold hem.

'Wat zou ik moeten zeggen?' vroeg hij.

Dit jaar vroeg Harold hem wat hij zou denken van forel. 'Forel gevuld met andere dingen,' voegde hij eraan toe.

'Ik hou wel van forel,' had hij behoedzaam geantwoord. 'Maar weet je, Harold, eigenlijk hou ik ook echt van kalkoen.' Elk jaar hadden ze een variatie op dit gesprek, waarbij Harold verschillende diersoorten of andere eiwitrijke ingrediënten voorstelde – gestoomde Chinese zwartpootkip, filet mignon, tofu met judasoren, een salade van gerookte witvis op zelfgebakken roggebrood – als alternatieven voor de kalkoen.

'Niemand houdt echt van kalkoen, Jude,' zei Harold ongeduldig. 'Ik weet waar je mee bezig bent: beledig me niet door te doen alsof jij er wel van houdt omdat je niet gelooft dat ik in staat ben iets anders te maken. We eten forel, punt uit. En kun je ook weer die taart van vorig jaar bakken? Ik denk dat die goed zal smaken bij dat wijntje dat ik heb gekocht. Stuur maar een lijst met wat je nodig hebt.'

Het verbazingwekkende, dacht hij altijd, was dat Harold in het algemeen helemaal niet zo veel gaf om eten (of wijn). In feite had hij een beroerde smaak en nam hij hem vaak mee naar middelmatige en veel te dure restaurants, waar Harold dan zielstevreden saaie schotels met aangebrand vlees en als bijgerecht fantasieloze, snotgare pasta verorberde. Hij had het elk jaar met Julia (die ook weinig om eten gaf) over Harolds vreemde fixatie: Harold had talloze obsessies en sommige waren onverklaarbaar, met name deze, vooral omdat hij er zo in volhardde.

Volgens Willem was Harolds zoektocht naar de heilige Thanksgivinggraal deels als gimmick begonnen, maar in de loop van de jaren veranderd in iets serieuzers, en kon hij zichzelf er nu niet meer van weerhouden, al wist hij dat hij nooit zou slagen.

'Maar weet je,' zei Willem, 'het gaat eigenlijk alleen maar om jou.'

'Hoe bedoel je?' had hij gevraagd.

'Het is een performance voor jou,' had Willem gezegd. 'Het is zijn manier om je te vertellen dat hij genoeg om je geeft om indruk op je te willen maken, zonder feitelijk te zeggen dat hij om je geeft.'

Hij had dit onmiddellijk weggewuifd: 'Dat lijkt me niet, Willem.' Maar soms deed hij in zichzelf alsof Willem misschien wel gelijk had, en dan voelde hij zich belachelijk en een beetje sneu vanwege de blijdschap die die gedachte hem gaf.

Willem was de enige die dit jaar meekwam met Thanksgiving: tegen de tijd dat JB en hij het hadden bijgelegd had JB al plannen om met Malcolm naar zijn tantes te gaan, en toen hij had geprobeerd dat af te zeggen waren ze kennelijk zo geïrriteerd geweest dat hij had besloten ze niet nog meer tegen de haren in te strijken.

'En, wat wordt het dit jaar?' vroeg Willem. Ze zaten in de trein naar Harold en Julia, de woensdag voor Thanksgiving. 'Eland? Hert? Schildpad?'

'Forel,' zei hij.

'Forel!' antwoordde Willem. 'Nou, forel is een makkie. Wie weet wordt het werkelijk forel dit jaar.'

'Maar wel met een of andere vulling, zei hij.'

'O. Dan neem ik het terug.'

Ze zaten met z'n achten rond de tafel: Harold en Julia, Laurence en Gillian, Julia's vriend James en diens verkering Carey, en Willem en hij.

'Heerlijk forelletje, Harold,' zei Willem terwijl hij zijn tweede stuk kalkoen aansneed, en iedereen lachte.

Op welk moment, vroeg hij zich af, was hij opgehouden zich zo nerveus en misplaatst te voelen bij Harolds dinertjes? Zijn vrienden hadden daar zeker bij geholpen. Harold mocht graag met ze redetwisten, JB allerlei extreme en aan het racistische grenzende uitspraken ontlokken, Willem plagerig vragen wanneer hij zich nou eindelijk ging settelen en met Malcolm over constructie- en esthetische trends praten. Hij wist dat Harold het heerlijk vond om met hen om te gaan en dat zij er ook van genoten, en hem gaf het de kans om gewoon te zitten luisteren terwijl zij waren wie ze waren, zonder de noodzaak te voelen eraan mee te doen; ze waren een vlucht papegaaien die hun bonte verentooi voor elkaar opschudden en zich zonder valsheid of vrees aan hun gelijken lieten zien.

Hét gespreksonderwerp tijdens het diner was James' dochter, die in de zomer zou gaan trouwen. 'Ik ben een oude man,' klaagde James, en Laurence en Gillian, wier dochters nog met hun bachelor bezig waren en de vakantie doorbrachten in Carmel, in het vakantiehuis van een vriendin van hen, maakten meelevende geluiden.

'Nu we het er toch over hebben,' zei Harold met een blik naar hem en Willem, 'wanneer gaan jullie twee je nou eens settelen?'

'Ik denk dat hij het over jou heeft,' zei hij met een glimlach naar Willem.

'Harold, ik ben tweeëndertig!' protesteerde Willem, en iedereen lachte terwijl Harold tegensputterde: 'Wat ís dat, Willem? Is dat een uitleg? Is dat een verdediging? Tweeëndertig is geen zestien!'

Maar hoe hij ook van de avond genoot, ergens bleef hij tegelijk rusteloos en nerveus, bezorgd over het gesprek dat Harold en Julia de volgende dag met hem wilden hebben. Hij had het onderweg ten slotte aan Willem verteld, en op sommige momenten, als ze met z'n tweeën iets aan het doen waren (de kalkoen vullen, de aardappelen blancheren, de tafel dekken), probeerden ze te raden wat Harold hem te zeggen zou kunnen hebben. Na het diner trokken ze hun jas aan en gingen er in de achtertuin verder op zitten broeden.

Hij wist in elk geval dat er niets met hen aan de hand was, want dat was het eerste wat hij had gevraagd en Harold had hem verzekerd dat Julia en hij kerngezond waren. Maar wat kon het dan zijn?

'Misschien vindt hij dat ik te veel om ze heen hang,' opperde hij. Misschien had Harold simpelweg genoeg van hem.

'Onmogelijk,' zei Willem, zo snel en overtuigd dat het hem opluchtte.

Ze zwegen. 'Misschien heeft een van hen een nieuwe baan aangeboden gekregen en gaan ze verhuizen?'

'Daar heb ik ook al aan gedacht. Maar ik denk niet dat Harold ooit zou weggaan uit Boston. En Julia ook niet.'

Er bleven niet veel opties over, althans geen die een gesprek met hem noodzakelijk maakten: misschien gingen ze het huis in Truro verkopen (maar waarom zouden ze dat met hem moeten bespreken, hoeveel hij ook van dat huis hield?). Misschien gingen Harold en Julia uit elkaar (maar ze gedroegen zich niet anders dan anders tegenover elkaar). Misschien gingen ze de flat in New York verkopen en wilden ze weten of hij geïnteresseerd was (onwaarschijnlijk: hij wist zeker dat ze die flat nooit zouden verkopen). Misschien wilden ze de flat verbouwen en moest hij een oogje in het zeil houden.

En toen werden hun speculaties specifieker en onwaarschijnlijker: misschien wilde Julia uit de kast komen (of misschien Harold). Misschien was Harold 'herboren' als christen (of misschien Julia). Misschien wilden ze hun baan opzeggen om in het noorden van New York in een ashram te gaan wonen. Misschien wilden ze een ascetisch leven gaan leiden in een afgelegen vallei in Kasjmir. Misschien wilden ze samen naar de plastisch chirurg voor een opknapbeurt. Misschien was Harold naar het Republikeinse kamp geswitcht. Misschien had Julia God gevonden. Misschien was Harold benoemd tot minister van Justitie. Misschien was Julia door de Tibetaanse overheid in ballingschap gespot als de volgende reïncarnatie van de pänchen lama en vertrok ze in haar eentje naar Dharamsala. Misschien werd Harold presidentskandidaat voor de socialisten. Misschien wilden ze in het centrum een restaurant openen gespecialiseerd in kalkoen gevuld met andere soorten vlees. Intussen zaten ze allebei zo te gieren van het lachen, zowel door de nerveuze, zelftroostende hulpeloosheid van het niet-weten als door de absurditeit van hun verzinsels, dat ze voorover op hun stoel zaten en de kraag van hun jas tegen hun mond drukten om het lawaai te dempen, terwijl hun bevriezende tranen op hun wangen prikten.

Maar in bed keerde hij terug naar de gedachte die als een tentakel uit een duister hoekje van zijn hoofd was gekropen en zich zijn bewustzijn had binnengedrongen als een dunne groene wijnrank: misschien had een van hen iets ontdekt over wie hij ooit was geweest? Misschien zou hem bewijsmateriaal worden voorgelegd: een doktersattest, een foto, een (dit was het nachtmerriescenario) filmbeeld? Hij had al besloten dat hij niet zou ontkennen, zich niet zou verdedigen. Hij zou erkennen dat het waar was, hij zou zich verontschuldigen, hij zou uitleggen dat hij hen nooit had willen misleiden, hij zou hun aanbieden voortaan uit hun buurt te blijven, en daarna zou hij weggaan. Hij zou alleen vragen of ze zijn geheim wilden bewaren en het niet wilden doorvertellen. Hij oefende op de woorden: *Het spijt me, Harold. Het spijt me, Julia. Ik heb jullie nooit in verlegenheid willen brengen.* Maar dat was natuurlijk een waardeloos excuus. Misschien had hij dat nooit gewild, maar dat maakte geen verschil: hij zou het wel hebben gedaan; hij hád het gedaan.

Willem vertrok de volgende ochtend; hij had die avond een voorstelling. 'Bel me zodra je het weet, oké?' vroeg hij, en Jude knikte. 'Het komt goed, Jude,' verzekerde Willem hem. 'Wat het ook is, we komen er wel uit. Maak je geen zorgen, oké?'

'Je weet dat ik dat toch doe,' zei hij, en hij probeerde Willems glimlach te beantwoorden.

'Ja, weet ik,' zei Willem. 'Maar probeer het. En bel me.'

De rest van de dag hield hij zichzelf bezig met schoonmaakklusjes – er viel altijd genoeg te doen in het huis, aangezien zowel Harold als Julia een sloddervos was – en tegen de tijd dat ze aan tafel gingen voor een vroeg avondmaal van door hem bereide kalkoenstoofpot met bietensalade, voelde hij zich bijna zweverig van de zenuwen en kon hij alleen maar doen alsof hij at, terwijl hij het eten op zijn bord heen en weer schoof, hopend dat Harold en Julia het niet merkten. Na het eten begon hij de borden te stapelen om ze naar de keuken te brengen, maar Harold hield hem tegen. 'Laat staan, Jude,' zei hij. 'Misschien kunnen we nu even praten?'

Hij voelde zich trillerig worden van paniek. 'Ik moet ze echt afspoelen, anders koekt alles aan,' protesteerde hij zwakjes, en hij hoorde hoe stom hij klonk.

'Kan me niet schelen,' zei Harold, en hoewel hij wist dat het Harold echt koud liet wat er al dan niet vastkoekte op zijn borden, vroeg hij zich een tel lang af of zijn nonchalance niet té nonchalant was, geen echte zorgeloosheid maar eerder een nabootsing daarvan. Maar uiteindelijk kon hij niet anders dan de borden neerzetten en hem schoorvoetend volgen naar de woonkamer, waar Julia koffie inschonk voor Harold en zichzelf, en thee voor hem.

Hij liet zich op de bank zakken, Harold nam plaats in de stoel links van hem en Julia op de doorgezakte, met geborduurde zijde beklede poef tegenover hem: hun vertrouwde plaatsen, met de lage tafel tussen hen in, en hij wenste dat dit moment zou blijven stilstaan, want stel dat dit voor hem het laatste hier zou zijn, de laatste keer dat hij in deze warme, donkere kamer zou zitten met al zijn boeken en zijn doordringende zoete geur van troebel appelsap en het blauw met vuurrode Turkse tapijt dat in opbollende plooien onder de salontafel lag, en de plek op het kussen van de bank waar de stof dun was geworden en hij de witte mousselinen voering eronder kon zien, al die dingen waaraan hij van zichzelf gehecht had mogen raken omdat ze van Harold en Julia waren, en omdat hij zichzelf had toegestaan hun huis als het zijne te gaan zien.

Een tijdje zaten ze alle drie van hun thee en koffie te drinken en keken ze geen van allen naar elkaar, en hij probeerde te doen alsof dit een gewone avond was, hoewel ze op een gewone avond geen van drieën zo stil zouden zijn.

'Nou,' begon Harold ten slotte, en hij zette zijn kopje op tafel en bereidde zich voor. Wat hij ook zegt, hield hij zich nogmaals voor, probeer geen excuses te bedenken. Wat hij ook zegt, accepteer het en bedank hem voor alles.

Er viel opnieuw een lange stilte. 'Dit is moeilijk om te zeggen,' ging Harold verder, en hij draaide zijn mok in zijn hand. Hij dwong zichzelf te wachten tot Harold zou verdergaan. 'Ik had eigenlijk een tekst voorbereid, toch?' vroeg hij aan Julia, en ze knikte. 'Maar ik ben zenuwachtiger dan ik had verwacht.'

'Ik weet het,' zei ze. 'Maar het gaat prima.'

'Ha!' antwoordde Harold. 'Maar lief van je om te liegen.' Hij glimlachte naar haar, en Jude had het gevoel dat alleen zij tweeën in de kamer zaten, en dat ze even vergeten waren dat hij er ook was. Maar toen verzonk Harold opnieuw in stilte, zoekend naar wat hij zou gaan zeggen.

'Jude, ik – wij – kennen je nu bijna tien jaar,' zei Harold eindelijk, en hij zag hoe Harolds blik naar hem ging en toen weer wegdwaalde, naar ergens boven Julia's hoofd. 'En in die jaren ben je ons heel dierbaar geworden, ons allebei. Je bent natuurlijk onze vriend, maar we zien je als meer dan een vriend, als iemand die meer voor ons betekent.' Hij keek naar Julia en ze knikte hem nogmaals toe. 'Dus ik hoop dat je dit niet te... aanmatigend, of zo, zult vinden, maar we vragen ons al een tijdje af of je zou willen overwegen je door ons te laten... nou ja, adopteren.' Nu keerde hij zich weer naar hem toe en glimlachte. 'Je zou onze wettige zoon worden, en onze wettige erfgenaam, en ooit zal dit alles' – hij maakte een overdreven weids gebaar met zijn vrije arm – 'van jou zijn, als je wilt.'

Hij zweeg. Hij kon niets uitbrengen, kon niet reageren; hij voelde zijn eigen gezicht niet eens, had geen idee wat voor uitdrukking erop lag, en

Julia viel snel in. 'Jude,' zei ze, 'als je het niet wilt, om welke reden dan ook, dan begrijpen we dat volkomen. Het is nogal wat. Als je nee zegt, verandert dat niets aan onze gevoelens voor jou, toch, Harold? Je zult hier altijd, altijd welkom zijn, en we hopen dat je altijd deel zult blijven uitmaken van ons leven. Eerlijk, Jude, we zullen niet boos zijn, en je hoeft je er niet rot over te voelen.' Ze keek hem aan. 'Wil je erover nadenken?'

En toen voelde hij de verdoving wegtrekken, hoewel zijn handen als het ware ter compensatie begonnen te trillen, en hij pakte een van de losse kussens en sloeg zijn armen eromheen om ze te verbergen. Pas na een paar pogingen was hij in staat iets te zeggen, maar toen hij dat deed, kon hij hen geen van beiden aankijken. 'Ik hoef er niet over na te denken,' zei hij, en zijn stem klonk hemzelf vreemd en schril in de oren. 'Harold, Julia... maken jullie een grapje? Er is niets – niets – wat ik ooit liever heb gewild. Mijn hele leven niet. Ik had alleen nooit gedacht...' Hij stokte; hij kwam niet uit zijn woorden. Ze waren allemaal een tijdje stil, toen was hij eindelijk in staat hen beiden aan te kijken. 'Ik dacht dat jullie me gingen vertellen dat jullie niet meer met me wilden omgaan.'

'O, Jude,' zei Julia, en Harold keek verbijsterd. 'Hoe kwam je daar nou bij?' vroeg hij.

Maar hij schudde zijn hoofd, niet in staat het hun uit te leggen.

Ze vielen weer stil, en toen glimlachten ze alle drie – Julia naar Harold, Harold naar hem, hij naar het kussen – niet wetend hoe ze een einde moesten maken aan dat moment, niet wetend hoe het verder moest. Ten slotte klapte Julia in haar handen en stond op. 'Champagne!' zei ze, en ze liep de kamer uit.

Harold en hij stonden ook op en keken elkaar aan. 'Weet je het zeker?' vroeg Harold hem zacht.

'Net zo zeker als jij,' antwoordde hij even zacht. Er hing een flauwe, voor de hand liggende grap in de lucht over hoeveel deze scène op een huwelijksaanzoek leek, maar hij had het hart niet die te maken.

'Je beseft toch wel dat je voor de rest van je leven aan ons vastzit?' zei Harold met een glimlach, terwijl hij zijn hand op zijn schouder legde, en hij knikte. Hij hoopte dat Harold geen woord meer zou zeggen, want als hij dat wel deed, zou hij gaan huilen of overgeven of flauwvallen of schreeuwen of ontploffen. Hij was zich ineens bewust hoe uitgeput, hoe volkomen óp hij was, evenzeer door de spanning van de afgelopen weken als door de hunkering, de ontbering, het zo vurige – en zichzelf nooit toegegeven – verlangen van de dertig jaar die achter hem lag, zodat hij tegen de tijd dat ze hun glazen klonken en hij eerst door Julia en daarna door Harold werd omhelsd – door Harold te worden vastgepakt was zo ongewoon en intiem dat hij bijna ineenkromp – opgelucht was toen Harold zei dat hij die stomme afwas moest laten staan en naar bed moest gaan.

Eenmaal in zijn kamer moest hij wel een half uur op bed liggen voor hij er ook maar over kon denken om zijn telefoon te pakken. Hij had het nodig de soliditeit van het bed onder zich te voelen, het gladde katoenen laken tegen zijn wang, de vertrouwde vering van het matras als hij zich bewoog. Hij moest zichzelf verzekeren dat dit zijn wereld was, met hem nog steeds erin, en dat wat er was gebeurd echt gebeurd was. Plotseling dacht hij aan een gesprek dat hij eens met broeder Peter had gehad, toen hij de broeder had gevraagd of die dacht dat hij ooit geadopteerd zou worden en de broeder had gelachen. 'Nee,' had hij gezegd, zo stellig dat hij het nooit meer had durven vragen. En ofschoon hij heel jong geweest moest zijn, herinnerde hij zich glashelder dat dat 'nee' van de broeder zijn vastberadenheid alleen maar had vergroot, hoewel hij zoiets natuurlijk helemaal niet in de hand had.

Hij was zo hoteldebotel dat hij vergat dat Willem al op het toneel stond toen hij belde, maar toen Willem hem in de pauze terugbelde lag hij nog steeds op dezelfde plaats op het bed, in dezelfde opgerolde houding, zijn hand nog over de telefoon.

'Jude,' zuchtte Willem toen hij het vertelde, en hij kon horen hoe puur blij Willem voor hem was. Alleen Willem – en Andy, en tot op zekere hoogte Harold – wist in grote lijnen hoe hij was opgegroeid: het klooster, het tehuis, zijn tijd bij de familie Douglass. Tegenover alle anderen probeerde hij er zo lang mogelijk omheen te draaien, tot hij uiteindelijk maar zei dat zijn ouders waren overleden toen hij klein was en dat hij in de pleegzorg was opgegroeid, wat hun meestal de mond snoerde. Maar Willem kende de waarheid, en hij wist dat Willem wist dat dit zijn onmogelijkste, hartgrondigste verlangen was. 'Jude, wat fantastisch. Hoe voel je je?'

Hij probeerde te lachen. 'Alsof ik het ga verprutsen.'

'Dat ga je niet.' Ze zwegen allebei. 'Ik wist niet eens dat je iemand die meerderjarig is kúnt adopteren.'

'Tja, het komt niet veel voor, maar het kan wel. Zolang beide partijen ermee instemmen. Het wordt meestal gedaan vanwege de erfenis.' Hij deed nog een poging te lachen. (Hou daarmee op, vitte hij innerlijk op zichzelf.) 'Ik kan me niet zo veel herinneren van wat ik hierover heb geleerd bij familierecht, maar wat ik wel weet is dat ik een nieuwe geboorteakte krijg, met hun namen erop.'

'Wauw,' zei Willem.
'Ja,' zei hij.
Hij hoorde op de achtergrond iemand op commanderende toon 'Willem' roepen. 'Je moet gaan,' zei hij tegen Willem.
'Shit,' zei Willem. 'Maar jemig, Jude, gefeliciteerd. Niemand verdient dit meer dan jij.' Hij riep over zijn schouder terug naar degene die hem had geroepen. 'Ik moet gaan,' zei hij. 'Vind je het goed als ik Harold en Julia schrijf?'
'Tuurlijk,' zei hij. 'Maar Willem, vertel het niet aan de anderen, oké? Ik wil het even laten bezinken.'
'Ik zal niets zeggen. Tot morgen. En Jude…' Maar hij zei niets meer, of kon niets zeggen.
'Ja,' zei hij. 'Ik weet het, Willem. Ik voel me net zo.'
'Ik hou van je,' zei Willem, en toen was hij weg, zodat een antwoord niet nodig was. Hij wist nooit wat hij moest zeggen als Willem dat tegen hem zei, en toch verlangde hij er altijd naar dát hij het zei. Het was een avond vol onmogelijke dingen, en hij vocht tegen zijn slaap om zo lang mogelijk bewust en alert te zijn, om alles wat er was gebeurd op zich in te laten werken en in zichzelf te herhalen, de wensen van een heel leven die uitkwamen in een paar luttele uren.

De volgende dag, terug in de flat, lag er een briefje van Willem dat hij moest opblijven, en toen Willem thuiskwam had hij ijs bij zich en een worteltaart, die ze met z'n tweeën opaten hoewel ze geen van beiden dol waren op zoetigheid, en champagne, die ze dronken, ook al moest hij de ochtend erna vroeg op. De volgende paar weken vlogen om: Harold handelde het papierwerk af en stuurde hem formulieren om te tekenen – de adoptieaanvraag, een verklaring om zijn geboorteakte te wijzigen, een verzoek om informatie over zijn mogelijke strafblad – die hij tijdens de lunchpauze naar de bank bracht om te laten beëdigen; hij wilde niet dat iemand op het werk ervan wist, behalve de paar mensen die hij had ingelicht: Marshall, Citizen en Rhodes. Hij vertelde het aan JB en Malcolm, die aan de ene kant precies reageerden zoals hij had verwacht – JB met een stortvloed van niet-grappige geintjes, alsof hij hoopte dat er een tussen zou zitten dat wel werkte; Malcolm met allerlei steeds detaillistischer vragen over hypothetische mogelijkheden waar hij geen antwoord op had – en aan de andere kant oprecht blij voor hem waren. Hij vertelde het aan Zwarte Henry Young, die tijdens de rechtenstudie twee colleges bij Harold had gevolgd en hem bewonderde, en aan JB's vriend Richard, met wie hij een band had sinds een bijzonder lang en saai feestje bij Ezra een jaar eerder, toen zij tweeën, de enige semi-nuchtere mensen in de kamer, een gesprek hadden gevoerd dat was begonnen met de Franse welvaartsstaat en toen in verschillende andere onderwerpen was uitgemond. Hij vertelde het aan Phaedra, die het op een gillen zette, en aan een andere studievriend, Elijah, die het ook uitgilde.

En natuurlijk vertelde hij het aan Andy, die hem eerst alleen maar aanstaarde en toen knikte, alsof hij had gevraagd of Andy misschien een extra verband had dat hij kon meenemen. Maar daarna barstte hij uit in een reeks zeehondachtige geluiden, half blaffend, half niezend, en was het tot hem doorgedrongen dat Andy huilde. Toen hij dat zag, was hij tegelijkertijd geschokt en ietwat hysterisch, onzeker wat hij ermee aanmoest. 'Ga weg,' zei Andy tussen de geluiden door. 'Godsamme, ik meen het Jude, ga weg,' dus dat deed hij. De volgende dag ontving hij op zijn werk een boeket rozen zo groot als een gardeniastruik, met een briefje in Andy's boze blokletters, waarin stond:

GODSAMME JUDE, IK SCHAAM ME ZO DAT IK DIT NAUWELIJKS OP PAPIER KRIJG. VERGEEF ME ALSJEBLIEFT VOOR GISTEREN. IK BEN ONGELOFELIJK BLIJ VOOR JE EN DE ENIGE VRAAG IS WAAROM HAROLD ER ZO GODVERGETEN LANG OVER GEDAAN HEEFT. IK HOOP DAT JE DIT BESCHOUWT ALS EEN TEKEN DAT JE BETER VOOR JEZELF MOET ZORGEN, ZODAT JE OOIT DE KRACHT ZULT HEBBEN OM HAROLDS INCONTINENTIELUIERS TE VERSCHONEN ALS HIJ DUIZEND JAAR IS, WANT JE WEET BEST DAT HIJ HET JE NIET GEMAKKELIJK GAAT MAKEN DOOR ALS IEDER NORMAAL MENS OP EERBIEDWAARDIGE LEEFTIJD TE STERVEN. GELOOF ME, OUDERS ZIJN LASTPOSTEN. (MAAR OOK GEWELDIG, NATUURLIJK.) LIEFS, ANDY.

Dit was, daarover waren Willem en hij het eens, een van de beste brieven die ze ooit hadden gelezen.

Maar toen was de extatische maand voorbij en werd het januari, en Willem vertrok naar Bulgarije voor filmopnames, en de oude angsten kwamen terug, nu vergezeld van nieuwe angsten. Ze stonden op de rol van de rechtbank voor 15 februari, had Harold hem verteld, en met een beetje schuiven kon Laurence zelf de zitting leiden. Nu de datum zo dichtbij kwam, was hij zich er scherp en onontkoombaar van bewust dat hij het voor zichzelf kon verpesten, en hij begon, eerst onbewust en vervolgens fanatiek, Harold en Julia te mijden, ervan overtuigd dat die, als ze te veel, te actief werden herinnerd aan wat ze in feite zouden krijgen, van gedachten zouden veranderen. Dus toen ze in de tweede week van januari naar de stad kwamen voor een toneelstuk, deed hij alsof hij voor zijn werk naar Washington moest, en tijdens hun wekelijkse telefoontjes probeerde hij heel weinig te zeggen en het gesprek kort te houden. Elke dag nam de onwaarschijnlijkheid van de situatie in zijn hoofd grotere en levendiger vormen aan; telkens wanneer hij de weerspiegeling van zijn lelijke, zombieachtige strompelgang in de zijgevel van een gebouw zag, werd hij niet goed: wie zou dít nou ooit willen? Het idee dat hij bij iemand anders kon horen leek steeds belachelijker, en hoe zou Harold, als hij hem ook nog maar één keer zag, niet tot dezelfde conclusie kunnen komen? Hij wist dat het hem niet zo veel zou moeten uitmaken – hij was immers een volwassene en wist dat de adoptie meer een ceremoniële dan een werkelijk sociologische betekenis had – maar hij verlangde ernaar met een aanhoudend vuur dat elke logica tartte, en hij zou het niet kunnen verdragen als het hem nu werd afgenomen, niet nu iedereen om wie hij gaf zo blij voor hem was, niet nu hij er zo dichtbij was.

Hij was er al eerder dichtbij geweest. Het jaar na zijn aankomst in Montana, toen hij dertien was, had het tehuis deelgenomen aan een grote adoptiebeurs met deelnemers uit drie staten. November was nationale adoptiemaand, en op een koude ochtend hadden ze te horen gekregen dat ze hun nette kleren moesten aantrekken en waren ze twee schoolbussen in gejaagd en in twee uur naar Missoula gereden, waar ze de bus uit en de conferentiezaal van een hotel in werden gedreven. Hun bussen waren als laatste aangekomen en de zaal zat al vol kinderen, jongens aan de ene kant en meisjes aan de andere. In het midden van de zaal stond een lange rij tafels, en terwijl hij naar zijn kant liep, zag hij dat daar stapels ringbanden op lagen met op de etiketten: Jongens, baby's; Jongens, peuters; Jongens, 4-6; Jongens, 7-9; Jongens, 10-12; Jongens, 13-15; Jongens, 15+. Daarin, was hun verteld, zaten bladen met foto's, namen en informatie over hen: waar ze vandaan kwamen, wat hun etnische achtergrond was, informatie over hun schoolprestaties, welke sporten ze graag deden en welke talenten en hobby's ze hadden. Wat, vroeg hij zich af, stond er op zijn blad over hem? Welke talenten konden er voor hem zijn verzonnen, welk ras, welke oorsprong?

De oudere jongens, wier namen en gezichten in de 15+-klapper zaten, wisten dat ze nooit geadopteerd zouden worden, en zodra de begeleiding zich omdraaide, glipten ze de achteruitgang uit om, zo wist iedereen, joints te gaan roken. De baby's en peuters hoefden alleen maar baby's en peuters te zijn; zij zouden als eersten worden uitgekozen en wisten het niet eens. Maar terwijl hij toekeek vanuit de hoek waar hij naartoe was geslenterd, zag hij dat sommige jongens – degenen die oud genoeg waren om al eerder zo'n beurs te hebben meegemaakt, maar nog jong genoeg om hoop te koesteren – een strategie hadden. Hij zag de nukkigen goedlachs worden, de ruige pestkoppen grappig en speels, terwijl de jongens die elkaar binnen de muren van het tehuis verafschuwden, samen speelden en stoeiden op een manier die er overtuigend vriendelijk uitzag. Hij zag de jongens die een grote bek tegen de medewerkers hadden, die elkaar verrot scholden in de gangen, glimlachen en babbelen met de volwassenen, hun verhoopte ouders, die in een rij de zaal in kwamen. Hij keek toe terwijl de agressiefste en gemeenste jongen, een veertienjarige die Shawn heette en die hem een keer in de badkamer op de grond had gepind, met zijn knieën in zijn schouderbladen, op zijn eigen naamkaartje wees terwijl het echtpaar met wie hij had staan praten naar de klappers toe liep. 'Shawn!' riep hij hun na. 'Shawn Grady!' en iets in zijn hese, hoopvolle stem, waarin hij de moeite, de inspanning om juist niet hoopvol te klinken kon horen, maakte dat hij voor het eerst medelijden met Shawn kreeg en daarna boos werd op de man en de vrouw die, dat zag hij, eigenlijk in de 'Jongens, 7-9'-klapper bladerden. Maar die gevoelens trokken snel weer weg, want in die dagen probeerde hij niets te voelen: geen honger, geen pijn, geen boosheid, geen verdriet.

Hij had geen trucjes, hij had geen vaardigheden, hij kon niet charmeren. Toen hij in het tehuis was aangekomen, was hij zo ijzig geweest dat ze hem het jaar daarvoor hadden thuisgelaten, en een jaar later was hij niet zo zeker dat hij erop vooruitgegaan was. Hij dacht weliswaar steeds minder vaak aan broeder Luke, maar zijn dagen buiten het klaslokaal waren één groot waas; het grootste deel van de tijd had hij het gevoel dat hij zweefde en probeerde hij te doen alsof hij niet echt deel uitmaakte van zijn eigen leven, wensend dat hij onzichtbaar was en slechts hopend dat hij niet werd opgemerkt. Er overkwam hem weleens iets, maar hij vocht niet terug zoals hij vroeger zou hebben gedaan; soms, als hem pijn werd gedaan, vroeg het gedeelte van hem dat nog bij bewustzijn was zich af wat de broeders nu van hem zouden denken: weg waren zijn woedeaanvallen, zijn driftbuien, zijn worstelingen. Nu was hij de jongen die ze altijd hadden gewild dat hij was. Nu streefde hij ernaar iemand te zijn die onzichtbaar was, een aanwezigheid zo ijl, licht en onstoffelijk dat hij helemaal geen lucht scheen te verplaatsen.

Hij was dan ook verbaasd – even verbaasd als de begeleiders – toen hij die avond hoorde dat hij een van de kinderen was die door een echtpaar was uitgekozen: het echtpaar Leary. Had hij een vrouw en een man naar hem zien kijken, misschien zelfs naar hem zien lachen? Misschien. Maar de middag was, zoals de meeste middagen, in een mist verstreken, en al tijdens de busrit naar huis was hij aan de slag gegaan om hem te vergeten.

Hij zou op proef een weekend naar het echtpaar gaan, het weekend voor Thanksgiving, zodat ze konden kijken of het een beetje klikte. Die donderdag werd hij naar hun huis gebracht door Boyd, een van de begeleiders, die lesgaf in klussen en loodgieten en die hij niet zo goed kende. Hij wist dat Boyd wist wat sommige andere begeleiders met hem deden, en hoewel hij hen nooit tegenhield, deed hij er ook nooit aan mee.

Maar toen hij op het punt stond uit de auto te stappen, op de oprit voor het huis van de familie Leary – een bakstenen huis van twee verdiepingen, aan alle kanten omringd door braakliggende, donkere velden – greep Boyd zijn onderarm en trok hem naar zich toe, zodat hij ineens klaarwakker was.

'Verkloot dit niet, St. Francis,' zei hij. 'Dit is je kans, hoor je me?'

'Ja meneer,' had hij gezegd.

'Nou, ga dan maar.' Boyd liet hem los, en hij liep naar mevrouw Leary, die in de deuropening stond.

Mevrouw Leary was dik, maar haar man was ronduit gigantisch, met grote rode handen die eruitzagen als wapentuig. Ze hadden twee dochters, allebei in de twintig en allebei getrouwd, en het leek hun leuk een jongen in huis te hebben, iemand die meneer Leary – die grote landbouwmachines repareerde en ook zelf gewassen verbouwde – kon helpen op de akker. Ze zeiden dat ze hem hadden gekozen omdat hij rustig en beleefd overkwam, en een rouwdouwer wilden ze niet; ze wilden iemand die hard werkte, iemand die het zou waarderen om een thuis en een dak boven zijn hoofd te hebben. Ze hadden in de klapper gelezen dat hij kon werken en schoonmaken, en dat hij het goed deed op de boerderij bij het tehuis.

'Je naam, die is wel een beetje raar,' zei mevrouw Leary.

Hij had hem nooit raar gevonden, maar hij zei: 'Ja mevrouw.'

'Wat zou je ervan vinden om een andere naam te krijgen?' vroeg mevrouw Leary. 'Bijvoorbeeld Cody? Dat heb ik altijd een leuke naam gevonden, Cody. Dat is een beetje minder... nou ja, dat past een beetje meer bij ons, eigenlijk.'

'Cody is leuk,' zei hij, al had hij er niet echt een mening over: Jude, Cody, het maakte hem niet uit hoe hij genoemd werd.

'Nou, goed,' zei mevrouw Leary.

Die avond, alleen, zei hij de naam hardop tegen zichzelf: Cody Leary. Cody Leary. Kon het mogelijk zijn dat hij dit huis binnen kwam als de ene persoon en dan, alsof het een betoverde plek was, werd veranderd in een andere? Ging dat zo simpel, zo snel? Weg zou Jude St. Francis zijn, en met hem broeder Luke, broeder Peter en pater Gabriel en het klooster en de begeleiders van het tehuis, en zijn schaamte, angst en viesheid, en in zijn plaats kwam Cody Leary, die ouders zou hebben, en een eigen kamer, en die in staat zou zijn om zelf te kiezen wie hij wilde worden.

De rest van dat weekend verstreek rustig, zo rustig dat hij met elke dag, met elk uur, delen van zichzelf voelde wakker worden, voelde dat de wolken die hij rondom zichzelf verzameld had uiteendreven en oplosten, voelde dat hij naar de toekomst keek en de plaats voor zich zag die hij daarin zou kunnen hebben. Hij deed zijn uiterste best om beleefd te zijn en hard te werken, en dat was niet moeilijk: hij stond 's ochtends vroeg op en maakte ontbijt voor het echtpaar Leary (mevrouw Leary prees hem daar zo luid en uitbundig voor dat hij gegeneerd naar de vloer glimlachte), hij deed de afwas en hielp meneer Leary zijn gereedschap schoon te maken en een lamp opnieuw te bedraden, en hoewel er dingen waren waar hij niets aan vond – de saaie kerkdienst die ze op zondag bijwoonden, de gebeden die hij onder toezicht moest opzeggen voor hij naar bed mocht – waren die heus niet erger dan de dingen die hij niet prettig vond aan het tehuis, het waren dingen waarvan hij wist dat hij ze kon doen zonder wrokkig of ondankbaar over te komen. Hij voelde wel dat het echtpaar Leary niet het soort mensen was dat zich zou gedragen zoals ouders in boeken deden, zoals de ouders waar hij naar hunkerde misschien zouden doen, maar hij wist hoe hij zijn ijver moest tonen, hij wist hoe hij ze tevreden kon stellen. Hij was nog steeds bang voor de grote rode handen van meneer Leary, en wanneer hij met hem alleen in de schuur werd gelaten was hij trillerig en op zijn hoede, maar er was in elk geval alleen meneer Leary om bang voor te zijn, niet een hele groep meneer Leary's, zoals vroeger, of in het tehuis.

Toen Boyd hem op zondagavond kwam ophalen, was hij blij over hoe hij het had gedaan en zelfs vol vertrouwen. 'Hoe ging het?' vroeg Boyd, en hij kon naar waarheid antwoorden: 'Goed.'

Door de laatste woorden die mevrouw Leary tegen hem had gezegd – 'Ik heb zo het idee dat we jou binnenkort veel vaker zullen zien, Cody' – wist hij zeker dat ze op maandag zouden bellen en dat hij heel gauw, misschien zelfs die vrijdag al, Cody Leary zou zijn, en het tehuis de zoveelste plaats die hij achter zich had gelaten. Maar de maandag verstreek, en dinsdag en woensdag, en toen was het de volgende week, en hij werd niet naar de kamer van het hoofd geroepen, en zijn brief aan het echtpaar Leary werd niet beantwoord, en elke dag bleef de oprijlaan naar de slaapvertrekken een lang, leeg pad, en niemand kwam hem halen.

Twee weken na het weekend ging hij ten slotte naar Boyd in zijn werkplaats, waar hij op donderdagavond altijd tot laat bleef. Hij wachtte tot na etenstijd buiten in de kou, terwijl de sneeuw onder zijn voeten knerpte, en toen zag hij Boyd eindelijk de deur uit komen.

'Jesis,' zei Boyd toen hij hem zag, want hij botste bijna tegen hem op toen hij zich omdraaide. 'Hoor jij niet in de slaapzaal te zijn, St. Francis?'

'Alstublieft,' smeekte hij. 'Alstublieft, zeg het me, komen meneer en mevrouw Leary me halen?' Maar al voordat hij Boyds gezicht zag, wist hij wat het antwoord was.

'Ze zijn van gedachten veranderd,' zei Boyd, en hoewel hij noch bij de begeleiders noch bij de jongens bekendstond om zijn vriendelijkheid, klonk hij op dat moment bijna vriendelijk. 'Het is voorbij, St. Francis. Het gaat niet door.' Hij stak zijn hand naar hem uit, maar hij dook eronderdoor, en Boyd liep hoofdschuddend weg.

'Wacht!' riep hij, zich hernemend, en hij rende zo snel hij kon door de sneeuw achter Boyd aan. 'Laat me het nog een keer proberen,' zei hij. 'Zeg me wat ik fout heb gedaan, dan probeer ik het nog een keer.' Hij voelde de oude hysterie over zich heen komen, voelde in hem de overblijfselen van de jongen die stennis schopte en schreeuwde, die een zaal stil kon krijgen met zijn gegil.

Maar Boyd schudde opnieuw zijn hoofd. 'Zo werkt het niet, St. Francis,' zei hij, en toen stopte hij en keek hem recht aan. 'Hoor eens,' zei hij, 'over een paar jaar ben je hier weg. Ik weet dat dat lang lijkt, maar dat is het niet. En dan ben je volwassen en kun je doen wat je wilt. Je hoeft alleen maar deze paar jaar door te komen.' En toen draaide hij zich definitief om en liep met rustige stappen weg van hem.

'Hoe dan? Boyd, vertel me dan hoe! Hoe, Boyd, hoe?' riep hij hem achterna, vergetend dat hij hem moest aanspreken met 'meneer' en niet met 'Boyd'.

Die avond kreeg hij zijn eerste driftbui in jaren, en hoewel de straf hier min of meer hetzelfde was als in het klooster, gold dat niet voor het bevrijdende gevoel dat het hem ooit had bezorgd, alsof hij vloog: nu was hij iemand die beter wist, wiens kreten niets zouden veranderen, en het enige wat zijn geschreeuw hem opleverde was dat hij weer tot zichzelf kwam, zodat alles, elke pijn, elke belediging scherper, feller, plakkeriger en weergalmender aanvoelde dan ooit.

Hij zou nooit, nooit te weten komen wat hij verkeerd had gedaan, dat weekend bij meneer en mevrouw Leary. Hij zou nooit te weten komen of het iets was geweest waar hij controle over had gehad of niet. En van alle dingen van het klooster en het tehuis die hij uit alle macht probeerde weg te poetsen, deed hij het meest zijn best om dat weekend te vergeten, en de bijbehorende schaamte dat hij zichzelf had wijsgemaakt iemand te kunnen zijn waarvan hij wist dat hij het niet was.

Maar nu, nu er nog maar zes weken, vijf weken, vier weken waren tot de dag van de rechtszitting, dacht hij er natuurlijk voortdurend aan. Nu Willem weg was en er niemand was om zijn uren en activiteiten in het oog te houden, bleef hij op totdat de zon de hemel alweer begon te verlichten, en hij poetste en schrobde met een tandenborstel de ruimte onder de koelkast en bleekte elk smal voegje tussen de badkamertegels. Hij poetste om zichzelf niet te snijden, want hij sneed zich zo veel dat zelfs hij wist hoe krankzinnig, hoe destructief hij bezig was; zelfs hij was bang voor zichzelf, zowel door wat hij aan het doen was als door zijn onvermogen het in bedwang te houden. Hij had een nieuwe methode ontwikkeld waarbij hij het randje van het scheermes op zijn huid liet balanceren en dan zo diep mogelijk naar beneden drukte, zodat er wanneer hij het mesje terugtrok – als een bijlblad uit de stronk van een boom – een halve seconde was waarop hij de twee kanten van zijn vlees opzij kon trekken en alleen een schone witte guts zag, als het vetrandje van een plak spek, voordat het bloed opkwam en een poeltje vormde in de snee. Hij voelde zich duizelig, alsof hij was volgepompt met helium; voedsel smaakte naar verrotting en hij stopte met eten tenzij het echt moest. Hij bleef op kantoor tot de schoonmakers aan hun avonddienst begonnen en lawaaierig als muizen door de gangen trokken, en bleef daarna thuis op; hij werd wakker met een hart dat zo snel bonkte dat hij diep moest inademen om zichzelf te kalmeren. Alleen zijn werk en de telefoontjes van Willem dwongen hem tot normaliteit, anders was hij het huis nooit uit gegaan en had hij zich gesneden tot hij hele piramides vlees van zijn armen had gehaald en door de gootsteen weggespoeld. Hij had een visioen waarin hij stukken van zichzelf wegsneed – eerst van zijn armen, daarna van zijn benen, zijn romp, hals en gezicht – tot hij alleen nog maar uit botten bestond, een skelet dat zich zuchtend, ademend en wankelend door het leven bewoog op zijn poreuze, brosse staken.

Hij zag Andy nu nog maar om de zes weken en had zijn laatste afspraak tweemaal uitgesteld omdat hij bang was voor wat Andy zou zeggen. Maar iets minder dan vier weken voor de grote dag ging hij dan toch naar zijn praktijk en nam plaats in een van de onderzoekskamers, tot Andy om de hoek keek om te zeggen dat het wat later werd.

'Geen haast,' zei hij.

Andy bekeek hem met half samengeknepen ogen. 'Ik kom zo,' zei hij ten slotte, en toen was hij weg. Een paar minuten later kwam zijn assistente Callie binnen. 'Ha Jude,' zei ze, 'de dokter wil dat ik je gewicht noteer. Wil je even op de weegschaal gaan staan?'

Dat wilde hij niet, maar hij wist dat Callie er niets aan kon doen, dus hij kwam van de tafel af en liep schoorvoetend naar de weegschaal, en keek niet naar de cijfers terwijl Callie ze op zijn status noteerde, hem bedankte en de kamer verliet.

'Nou,' zei Andy nadat hij, zijn status bestuderend, was binnengekomen. 'Waar zullen we het eerst over hebben, je extreme gewichtsverlies of je extreme gesnij?'

Hij wist niet wat hij daarop moest zeggen. 'Waarom denk je dat ik me extreem veel heb gesneden?'

'Dat zie ik altijd aan je,' zei Andy. 'Dan word je een beetje... een beetje blauwachtig onder de ogen. Je merkt het waarschijnlijk zelf niet eens. En je hebt je trui aan over het patiëntenhemd. Dat doe je altijd als het heel erg is.'

'O,' zei hij. Hij was het zich niet bewust geweest.

Ze zwegen, en Andy trok zijn kruk naar de tafel en vroeg: 'Wanneer is de dag?'

'15 februari.'

'Oké,' zei Andy. 'Binnenkort.'

'Ja.'

'Waar maak je je zorgen over?'

'Ik maak me zorgen...' begon hij, en toen stopte hij en probeerde het opnieuw. 'Ik maak me zorgen dat Harold erachter komt wat ik echt ben, en dan niet langer...' Hij zweeg weer even. 'En ik weet niet wat erger is: als hij er van tevoren achter komt, wat betekent dat het definitief niet doorgaat, of als hij er later achter komt en beseft dat ik hem heb bedrogen.' Hij zuchtte: tot nog toe was hij niet in staat geweest dit uit te spreken, maar nu hij het had gedaan, wist hij dat dit zijn angst was.

'Jude,' zei Andy voorzichtig, 'wat is er volgens jou zo slecht aan jezelf dat hij je niet zou willen adopteren?'

'Andy,' zei hij smekend, 'dwing me niet het te zeggen.'

‘Maar ik weet het echt niet!’

‘De dingen die ik heb gedaan,’ zei hij, ‘de ziektes die ik eraan heb overgehouden.’ Hij stamelde voort, vol afschuw van zichzelf. ‘Het is walgelijk; ik ben walgelijk.’

‘Jude,’ begon Andy, en terwijl hij sprak liet hij om de paar woorden een pauze vallen, zodat het leek of hij zich een weg baande door een mijnenveld, zo weloverwogen en traag ging hij voort. ‘Je was een kind, je was nog klein. Die dingen wérden met jou gedaan. Je hoeft jezelf niets, helemaal niets kwalijk te nemen, nooit, in de verste verte niet.’

Andy keek hem aan. ‘En zelfs al was je géén kind geweest, zelfs al was je een of andere geile jongen geweest die alles wilde neuken wat los en vast zat en een lading soa’s had opgelopen, dan zou dat nóg niets zijn om je over te schamen.’ Hij zuchtte. ‘Kun je me proberen te geloven?’

Hij schudde zijn hoofd. ‘Ik weet het niet.’

‘Ik weet het wel,’ zei Andy. Ze waren stil. ‘Ik wou dat je in therapie ging, Jude,’ zei hij, en zijn stem klonk bedroefd. Hij kon niet reageren, en na een paar minuten stond Andy op. ‘Goed,’ zei hij, en hij klonk vastberaden, ‘laten we ze eens bekijken.’ Hij trok zijn trui uit en stak zijn armen naar voren. Aan Andy’s gezicht kon hij zien dat het erger was dan hij had verwacht, en toen hijzelf omlaagkeek en zich probeerde voor te stellen dat hij een vreemde was, zag hij in flitsen wat Andy zag: de proppen verband die her en der op de verse snijwonden waren aangebracht, de half geheelde wonden met hun fragiele streepjes van nog groeiend littekenweefsel, één geïnfecteerde snee waar zich een brokkelig kapje opgedroogd pus op had gevormd.

‘En,’ zei Andy na een lange stilte, toen hij bijna klaar was met zijn rechterarm, waarop hij de geïnfecteerde wond had schoongemaakt en de andere wonden had ingesmeerd met antibiotische crème, ‘hoe zit het met je extreme gewichtsverlies?’

‘Ik vind niet dat het extreem is.’

‘Jude,’ zei Andy, ‘zes kilo in nog geen acht weken is extreem, en je had daarvoor al niet bepaald zes kilo te veel.’

‘Ik heb gewoon geen honger,’ zei hij ten slotte.

Andy zei niets meer tot hij klaar was met beide armen, slaakte toen een zucht, ging weer zitten en begon iets op zijn notitieblok te schrijven. ‘Ik wil dat je drie volledige maaltijden per dag eet, Jude,’ zei hij, ‘plus een van de dingen op deze lijst. Elke dag. En dit komt dus boven op de gewone maaltijden, begrepen? Anders ga ik je ploeg bellen en zorg ik dat ze elke maaltijd bij je komen zitten kijken, en geloof me, dat wil je niet.’

Hij scheurde het blaadje van zijn blok en gaf het hem. 'En dan wil ik je over een week weer hier zien. Geen smoesjes.'

Hij bekeek de lijst – BOTERHAM MET PINDAKAAS. BOTERHAM MET KAAS. BOTERHAM MET AVOCADO. 3 EIEREN (MET DOOIER!). BANANENSMOOTHIE – en stopte hem in zijn broekzak.

'En dan is er nog iets wat je moet doen,' zei Andy. 'Als je midden in de nacht wakker wordt en jezelf wilt gaan snijden, wil ik dat je in plaats daarvan mij belt. Maakt niet uit hoe laat het is: je belt mij, oké?' Hij knikte. 'Ik meen het, Jude.'

'Het spijt me, Andy,' zei hij.

'Dat weet ik,' zei Andy. 'Maar je hoeft je niet te verontschuldigen – althans niet tegen mij.'

'Tegen Harold.'

'Nee,' verbeterde Andy hem. 'Ook niet tegen Harold. Alleen tegen jezelf.'

Hij ging naar huis en nam een paar happen van een banaan, tot die als zand in zijn mond werd, daarna kleedde hij zich om en ging verder met de ramen van de woonkamer, die hij de avond ervoor was begonnen te lappen. Hij boende ze, verschoof de bank een klein stukje zodat hij op een van de armleuningen kon staan, zonder te letten op de pijnscheuten in zijn rug bij het erop en eraf klimmen, en sjouwde de emmer met vuil water langzaam naar het bad. Toen hij klaar was met de woonkamer en Willems kamer had hij zo veel pijn dat hij naar de badkamer moest kruipen, en na zichzelf te hebben gesneden rustte hij uit, met zijn arm boven zijn hoofd en de badmat om zich heen geslagen. Zijn telefoon ging. Gedesoriënteerd ging hij rechtop zitten, om zich vervolgens kreunend naar zijn slaapkamer te verplaatsen – waar de wekker op drie uur 's nachts stond – en een zeer chagrijnige (maar alerte) Andy aan te horen.

'Ik bel te laat,' raadde Andy. Hij zei niets. 'Luister, Jude,' ging Andy verder. 'Als je hier niet mee ophoudt, zal ik je moeten laten opnemen. Én dan bel ik Harold en vertel hem waarom. Reken maar.' Hij zweeg even. 'Trouwens,' voegde hij eraan toe, 'ben je het niet moe, Jude? Je hoeft jezelf dit niet aan te doen, weet je. Je hebt dit niet nodig.'

Hij wist niet wat het was, misschien gewoon de kalmte in Andy's stem, de stelligheid waarmee hij het zei, waardoor hij besefte dat hij het dit keer meende zoals nooit tevoren; of misschien was het alleen maar het besef dat hij inderdaad moe was, zo moe dat hij eindelijk bereid was iemand anders' bevelen op te volgen, maar in elk geval deed hij in de week daarna wat hem was opgedragen. Hij at zijn maaltijden, zelfs wanneer het voedsel door een vreemde alchemie veranderde in modder, in slachtafval: hij dwong zichzelf tot kauwen en slikken, kauwen en slikken. Het waren geen grote maaltijden, maar toch maaltijden. Andy belde elke nacht om twaalf uur, en Willem belde elke ochtend om zes uur (hij kon het niet opbrengen hem te vragen of Andy contact met hem had opgenomen, en Willem begon er zelf nooit over). De uren ertussenin waren het moeilijkst, en hoewel hij niet helemaal kon ophouden met snijden, wist hij het te beperken: tweemaal, dan stopte hij. Bij gebrek aan het snijden voelde hij hoe hij naar eerdere vormen van bestraffing werd getrokken: voordat hij had geleerd zich te snijden was er een periode geweest waarin hij zich keer op keer tegen de buitenmuur van de motelkamer wierp waar hij met broeder Luke zat, tot hij uitgeput neerviel op de grond, en zijn linkerzij was voortdurend bont en blauw geweest van de bloeduitstortingen. Dat deed hij nu niet, maar hij herinnerde zich het gevoel, de bevredigende klap van zijn lichaam tegen de muur, het afschuwelijke plezier om zichzelf tegen iets zo massiefs aan te smakken.

Op vrijdag ging hij naar Andy, die niet blij was (hij was niet aangekomen) maar hem evenmin de les las (hij was ook niet afgevallen), en de dag erop vloog hij naar Boston. Hij vertelde niemand dat hij daarheen ging, zelfs Harold niet. Hij wist dat Julia op een conferentie in Costa Rica was, maar Harold, dat wist hij ook, was thuis.

Julia had hem zes jaar daarvoor een setje sleutels gegeven toen hij voor Thanksgiving aankwam op een tijdstip waarop zowel zij als Harold toevallig een vergadering had, dus hij liet zichzelf binnen, schonk een glas water in en dronk dat leeg terwijl hij uitkeek over de achtertuin. Het was even voor twaalf uur 's middags en Harold stond waarschijnlijk nog op de tennisbaan, dus hij ging naar de woonkamer om op hem te wachten. Maar hij viel in slaap, en werd wakker toen Harold aan zijn schouder schudde en nadrukkelijk zijn naam herhaalde.

'Harold,' zei hij terwijl hij rechtop ging zitten, 'sorry, sorry; ik had moeten bellen.'

'Jezus,' zei Harold ademloos; hij rook koud en doordringend. 'Is alles in orde, Jude? Wat is er aan de hand?'

'Niets, niets,' zei hij, en al voor hij het zei hoorde hij hoe absurd zijn uitleg was, 'ik dacht, ik ga even langs.'

'O,' zei Harold, die een ogenblik stilviel. 'Fijn je te zien.' Hij ging in zijn stoel zitten en keek hem aan. 'We hebben de laatste paar weken niet veel van je gezien of gehoord.'

'Ik weet het,' zei hij. 'Het spijt me.'

Harold haalde zijn schouders op. 'Je hoeft je nergens voor te verontschuldigen. Ik ben alleen blij dat alles oké is.'

'Ja,' zei hij. 'Alles is oké.'

Harold hield zijn hoofd schuin. 'Je ziet er niet zo best uit.'

Hij glimlachte. 'Ik heb een griepje gehad.' Hij staarde naar het plafond alsof daar zijn tekst te lezen viel. 'De forsythia hangt scheef, weet je.'

'Ik weet het. Het heeft nogal gewaaid deze winter.'

'Als je wilt help ik je hem op te binden.'

Harold keek hem een lang moment aan; zijn mond bewoog een beetje, alsof hij tegelijk wel en niet iets wilde zeggen. Ten slotte zei hij: 'Ja. Laten we dat gaan doen.'

Buiten was het onverwacht, bijtend koud, en ze begonnen allebei te snuffen. Hij hield de stok vast en Harold timmerde hem de grond in, hoewel de aarde bevroren was en in aardewerkachtige brokken uiteenbarstte terwijl hij dat deed. Toen ze hem diep genoeg hadden gekregen, gaf Harold hem stukken twijndraad aan en hij bond de middelste takken van de struik aan de stok, strak genoeg om ze stevig vast te zetten, maar niet zo strak dat ze verstikt zouden raken. Hij werkte rustig door, zorgde ervoor de knopen goed aan te trekken, brak een paar zijtakken af die te ver waren doorgebogen om te herstellen.

'Harold,' zei hij toen hij halverwege was, 'ik wilde ergens met je over praten, maar... ik weet niet waar ik moet beginnen.' Stomkop, zei hij bij zichzelf. Dit is zó'n stom idee. Je bent zó stom geweest dat je dacht dat dit alles ooit echt zou kunnen gebeuren. Hij opende zijn mond om verder te gaan, sloot hem en opende hem weer: hij was een vis die domweg bellen blies, en hij wilde dat hij nooit hierheen gekomen was, er nooit over was begonnen.

'Jude,' zei Harold, 'vertel het me. Wat het ook is.' Hij stopte. 'Ben je van gedachten veranderd?'

'Nee,' zei hij. 'Nee, zoiets is het niet.' Ze zwegen. 'Jij?'

'Nee, natuurlijk niet.'

Hij legde de laatste knoop en kwam overeind. Harold hielp hem opzettelijk niet. 'Ik wil je dit niet vertellen,' zei hij, en hij keek neer op de forsythia met haar kale, stakerige lelijkheid. 'Maar ik moet wel, want... want ik wil je niet misleiden. Maar Harold... Ik denk dat jij mij ziet als een bepaald iemand, die ik niet ben.'

Harold was stil. 'Wat voor iemand denk ik dan dat jij bent?'

'Een goed iemand,' zei hij. 'Een fatsoenlijk iemand.'

'Tja,' zei Harold, 'je hebt gelijk. Dat denk ik inderdaad.'

'Maar... dat ben ik niet,' zei hij, en hij voelde dat zijn ogen ondanks de kou begonnen te branden. 'Ik heb dingen gedaan die... die goede mensen niet doen,' ging hij zwakjes verder. 'En ik vind dat je dat over mij moet weten. Dat ik vreselijke dingen gedaan heb, dingen waarvoor ik me schaam, en als je ervan wist zou je je schamen dat je mij kende, laat staan dat je familie van me zou willen zijn.'

'Jude,' zei Harold ten slotte, 'ik kan me niets voorstellen wat jij gedaan zou kunnen hebben waardoor mijn gevoelens voor jou zouden veranderen. Het maakt mij niet uit wat je vroeger hebt gedaan. Of liever gezegd: het maakt me wel uit, ik zou heel graag meer willen horen over je leven voordat wij elkaar leerden kennen. Maar ik heb altijd het gevoel gehad, heel sterk het gevoel gehad, dat je daar niet over wilde praten.' Hij stopte en wachtte. 'Wil je er nu over praten? Wil je het me vertellen?'

Hij schudde zijn hoofd. Hij wilde het wel en niet, allebei. 'Ik kan het niet,' zei hij. In zijn onderrug voelde hij de eerste tekenen van onheil zich ontvouwen, een zwart zaadje dat zijn stekelige uitlopers spreidde. Niet nu, smeekte hij zichzelf, niet nu, een smeekbede even onmogelijk als de bede die hij werkelijk bedoelde: niet nu en niet later, nooit.

'Nou,' verzuchtte Harold, 'zonder specifieke informatie kan ik je niet specifiek geruststellen, dus ik geef je gewoon een algemene, allesomvattende geruststelling, waarvan ik hoop dat je die zult geloven. Jude: wat het ook is, ik verzeker je dat ik er, of je het me nu ooit zult vertellen of niet, nooit spijt van zal krijgen dat je mijn familie wordt of bent.' Hij ademde diep in en stak zijn rechterhand op. 'Jude St. Francis, als je toekomstige ouder spreek ik je hierbij vrij van... van alles waarvan je wilt worden vrijgesproken.'

En was dit wat hij eigenlijk wilde? Absolutie? Hij keek naar Harolds gezicht, zo vertrouwd dat hij met zijn ogen dicht elke rimpel kon zien, dat ondanks de gezwollen taal en de formaliteit van zijn verklaring ernstig stond, zonder glimlach. Kon hij Harold geloven? *Het moeilijkste is niet de kennis te vinden*, zei broeder Luke een keer tegen hem nadat hij had bekend dat hij het moeilijk vond in God te geloven. *Het moeilijkste is erin te geloven.* Hij had het gevoel het ook nu niet goed te hebben gedaan: niet goed te hebben gebiecht, niet van tevoren te hebben bepaald wat voor antwoord hij verlangde. Zou het ergens niet gemakkelijker zijn geweest als Harold hem had verteld dat hij gelijk had, dat ze misschien nog eens goed moesten nadenken over de adoptie? Hij zou er natuurlijk kapot van zijn geweest, maar dat zou een oud gevoel zijn, iets wat hij begreep. In Harolds weigering hem te laten gaan lag een toekomst waar hij geen voorstelling van had, waarin iemand hem werkelijk voor altijd wilde hebben, en dat was een realiteit die hij nooit eerder had ervaren, waarop hij niet was voorbereid, waarin hij de weg niet kende. Harold zou voorgaan en hij zou hem volgen, tot hij op een dag wakker zou worden en Harold weg zou zijn, en hij weerloos en vastgelopen zou achterblijven in een vreemd land, zonder iemand om hem de weg naar huis te wijzen.

Harold wachtte op zijn antwoord, maar de pijn viel niet meer te ontkennen en hij wist dat hij moest uitrusten. 'Harold,' zei hij. 'Sorry, maar ik denk... ik denk dat ik maar beter even kan gaan liggen.'

'Ga maar,' zei Harold, niet beledigd, 'ga maar.'

In zijn kamer gaat hij op het dekbed liggen en sluit zijn ogen, maar na afloop van de aanval is hij uitgeput, en hij neemt zich voor een paar minuten te slapen en dan op te staan om te kijken wat Harold in huis heeft. Als hij bruine suiker heeft, zal hij iets bakken: er stond een kom sharonfruit in de keuken, dus misschien maakt hij wel een sharontaart.

Maar hij wordt niet wakker. Niet als Harold in het volgende uur komt kijken, de rug van zijn hand tegen zijn wang houdt en een deken over hem heen legt, en niet als Harold opnieuw komt kijken, vlak voor het avondeten. Hij slaapt door het geluid van zijn mobiele telefoon heen, om middernacht en opnieuw om zes uur 's ochtends, en door het geluid van de vaste telefoon om half een en dan weer om half zeven, en door Harolds gesprekken, eerst met Andy en daarna met Willem. Hij slaapt tot laat in de ochtend, tot na de lunch, en wordt pas wakker als hij Harolds hand op zijn schouder voelt en Harolds stem hoort die zijn naam zegt en hem vertelt dat zijn vlucht over een paar uur vertrekt.

Voordat hij wakker wordt, droomt hij over een man die in een veld staat. De gelaatstrekken van de man ziet hij niet, maar hij is lang en mager, en hij helpt een andere, oudere man om het casco van een tractor vast te koppelen aan een truck. Aan de witachtige weidsheid van de hemel en de typische, intens droge kou, die op de een of andere manier puurder aanvoelt dan waar ook, merkt hij dat hij in Montana is.

Hij kan het gezicht van de man nog steeds niet zien, maar hij denkt dat hij weet wie het is, hij herkent zijn lange stappen en de manier waarop hij met gekruiste armen naar de andere man luistert. 'Cody!' roept hij in zijn droom, en de man draait zich om, maar hij is te ver weg, dus hij weet niet zeker of de man onder de rand van zijn baseballpet hetzelfde gezicht heeft als hij.

~

De vijftiende is een vrijdag, en hij neemt vrij van zijn werk. Er is even sprake geweest van een feestelijk diner op donderdagavond, maar uiteindelijk wordt het een vroege lunch op de dag van de ceremonie (zoals JB het noemt). De rechtszitting is om tien uur, en na afloop komt iedereen naar Harold en Julia om te eten.

Harold had een cateraar willen inschakelen, maar hij wilde per se zelf koken, en wat er nog rest van donderdagavond brengt hij in de keuken door. Het bakwerk doet hij die avond – de chocolade-walnoottaart waar Harold van houdt, de tarte tatin waar Julia van houdt, het zuurdesembrood waar ze allebei van houden – en hij peutert vijf kilo krab schoon, mengt het krabvlees met ei, uien, peterselie en broodkruim en bakt er koekjes van. Hij schilt de aardappelen, schrapt de wortels en snijdt de uiteinden van de spruitjes, zodat hij er de volgende dag alleen maar even wat olie doorheen hoeft te scheppen voor ze de oven in kunnen. Hij gooit de vijgen uit de verpakkingen in een kom. Die worden gegrild voor op het roomijs, afgemaakt met honing en balsamico. Dit zijn alle lievelingsgerechten van Harold en Julia en hij is blij ze te maken, blij hun iets te kunnen geven, hoe klein ook. De hele avond lopen Harold en Julia de keuken in en uit, en hoewel hij zegt dat ze dat niet moeten doen, wassen ze de vaat en de pannen die hij vuilmaakt, schenken hem glazen water en wijn in en vragen of ze kunnen helpen, al zegt hij dat ze rustig moeten blijven zitten. Ten slotte gaan ze naar bed, en hoewel hij belooft dat hij ook naar bed gaat, blijft hij op in de lichte, stille keuken, en zingt zachtjes terwijl hij zijn handen bezighoudt om de waanzin op afstand te houden.

De afgelopen dagen zijn heel moeilijk geweest, een van de moeilijkste periodes die hij zich kan heugen, zo moeilijk dat hij op een nacht zelfs Andy heeft gebeld na hun vaste telefoontje om middernacht, en toen Andy aanbood om om twee uur 's nachts naar een koffietent te komen, nam hij dat aanbod aan en ging erheen, omdat hij echt weg móést uit het appartement, dat ineens vol onweerstaanbare verleidingen leek: scheermesjes natuurlijk, maar ook messen, scharen en lucifers, en trappen waar hij zich vanaf kon gooien. Als hij nu naar zijn kamer gaat, weet hij dat hij zich er niet van zal kunnen weerhouden om direct door te lopen naar de badkamer, waar al heel lang een tas met een identieke inhoud als die in Lispenard Street onder de wasbak zit geplakt; zijn armen zeuren van verlangen, maar hij is vastbesloten niet te zwichten. Hij heeft zowel deeg als beslag over en besluit een vlaai met cranberry's en pijnboompitten te maken, en misschien ook een ronde, platte taart met schijfjes sinaasappel en honing erop: tegen de tijd dat ze allebei uit de oven komen zal het bijna licht zijn, en dan is het gevaar geweken en heeft hij zichzelf met succes gered.

Malcolm en JB zullen de volgende dag beiden naar de rechtbank komen; ze nemen de vroege vlucht. Maar Willem, die er ook zou zijn, is verhinderd: hij heeft vorige week gebeld om te zeggen dat de opnames uitliepen, waardoor hij pas op de achttiende terugkomt in plaats van de veertiende. Hij weet dat er niets aan te doen is, maar toch heeft hij hevig verdriet over Willems afwezigheid: een feestdag als deze zonder Willem is geen feestdag. 'Bel me meteen als het voorbij is,' had Willem gezegd. 'Ik baal ontzettend dat ik er niet bij kan zijn.'

Wel heeft hij Andy uitgenodigd tijdens een van hun middernachtelijke telefoontjes, waar hij steeds meer aan gehecht is geraakt: die gesprekken gaan over ditjes-en-datjes, kalmerende, normale dingen: de nieuwe kandidaat voor het Hooggerechtshof, de meest recente wet voor de gezondheidszorg (hij vond hem goed, Andy niet), een biografie van Rosalind Franklin die ze allebei gelezen hadden (hij vond het een aardig boek, Andy niet), de verbouwing waar Andy en Jane middenin zaten. Hij vindt het leuk om Andy nu met oprechte verontwaardiging te horen zeggen: 'Jude, dat méén je niet!', wat hij gewoonlijk te horen kreeg als hij zich weer eens te veel gesneden had of een amateuristisch verband had aangebracht, maar ditmaal als reactie op wat hij heeft gezegd over een film, de burgemeester, een boek of zelfs een bepaalde verfkleur. Toen hij er eenmaal achter kwam dat Andy hun gesprekken niet zou aangrijpen om hem de mantel uit te vegen of een preek te geven, praatte hij ontspannen en kwam hij zelfs wat meer over Andy zelf te weten. Andy vertelde hem over zijn tweelingbroer Beckett, die ook medisch specialist was, hartchirurg, en in San Francisco woonde, en aan wiens vriendje Andy zo'n hekel had dat hij snode plannen bedacht om te zorgen dat Beckett hem dumpte; en over Janes ouders, die hun huis op Shelter Island aan Andy en Jane schonken; en over het feit dat Andy op de middelbare school in het footballteam had gezeten, wat voor zijn ouders wat ál te Amerikaans was; en dat hij zijn derde studiejaar in Siena had doorgebracht, waar hij iets had gehad met een meisje uit Lucca en tien kilo was aangekomen. Niet dat Andy en hij nooit over Andy's privéleven spraken – dat deden ze tot op zekere hoogte na elk consult – maar aan de telefoon praat hij meer en kan hij doen alsof Andy gewoon zijn vriend is en niet zijn arts, ook al is die illusie in tegenspraak met het telefoongesprek zelf.

'Voel je niet verplicht, hoor,' zei hij er meteen achteraan, toen hij Andy uitnodigde voor de zitting in de rechtbank.

‘Ik kom heel graag,’ zei Andy. ‘Ik vroeg me al af wanneer je het zou vragen.’

Toen voelde hij zich rot. ‘Ik wilde je niet het gevoel geven dat je nóg meer tijd moest besteden aan die rare patiënt van je die je het leven toch al zo zuur maakt,’ zei hij.

‘Je bent niet alleen maar mijn rare patiënt, Jude,’ zei Andy. ‘Je bent ook mijn rare vriend.’ Hij zweeg even. ‘Althans, dat hoop ik.’

Hij glimlachte aan de andere kant van de lijn. ‘Natuurlijk ben ik dat. Het is me een eer jouw rare vriend te zijn.’

Dus Andy kwam ook; hij zou dezelfde middag weer terugvliegen, maar Malcolm en JB bleven logeren en op zaterdag zouden ze met z’n drieën weggaan.

Bij aankomst was hij verbaasd en vervolgens ontroerd toen hij zag hoe grondig Harold en Julia het huis hadden schoongemaakt, en hoe trots ze op hun werk waren. ‘Kijk!’ zei de een of de ander telkens en dan wezen ze naar een tafel, een stoel of een stukje vloer, normaal in beslag genomen door stapels boeken of kranten, maar nu vrij van rommel. Overal stonden bloemen – winterbloemen: groepjes decoratieve kolen, kornoeljetakken en witte narcissen met hun zoete, licht fecale geur – en de boeken waren rechtgezet in de boekenkasten, en zelfs de slijtplek op de bank was gerepareerd.

‘En kijk eens hier, Jude,’ zei Julia terwijl ze haar arm in de zijne haakte en hem de grijsgroen geglazuurde schaal op het tafeltje in de gang liet zien, die al kapot was geweest zo lang hij hen kende en waar de afgebroken scherven, bedekt met stof, permanent in hadden gelegen. Maar nu was hij gerepareerd, afgewassen en glanzend gewreven.

‘Wauw,’ zei hij telkens wanneer hij op iets nieuws werd gewezen, en hij grijnsde als een idioot, blij omdat zij zo blij waren. Het had hem nooit iets uitgemaakt of hun huis schoon was of niet – wat hem betrof hadden ze te midden van Ionische zuilen van oude kranten kunnen leven, met hele kolonies vette ratten die piepten als je er per ongeluk op ging staan – maar hij wist dat zij dachten dat hij het wel vervelend vond en dat ze zijn neiging om alles onophoudelijk, tot vervelens toe schoon te maken ten onrechte voor een verwijt hielden, hoezeer hij hun ook keer op keer probeerde duidelijk te maken dat het dat niet was. Tegenwoordig maakte hij schoon om zichzelf te weerhouden, zichzelf af te leiden van andere dingen, maar tijdens zijn studie had hij schoongemaakt om de anderen zijn dankbaarheid te tonen: dit was iets wat hij goed kon en altijd had gedaan, en zij gaven hem zo veel en hij hun zo weinig. JB, die graag in viezigheid leefde, zag het nooit. Malcolm, die was opgegroeid met een huishoudster, zag het altijd en bedankte hem altijd. Alleen Willem had het niet prettig gevonden. 'Hou op, Jude,' had hij op een dag gezegd, en hij had zijn pols gepakt toen hij JB's vuile shirts van de grond raapte. 'Je bent onze werkster niet.' Maar hij had er niet mee kunnen stoppen, toen niet en nu niet.

Tegen de tijd dat hij het aanrecht een laatste keer schoonveegt is het bijna half vijf, en hij wankelt naar zijn kamer, stuurt Willem een tekstbericht met het verzoek hem niet te bellen en valt in een korte, diepe slaap. Als hij wakker wordt maakt hij het bed op, gaat onder de douche, kleedt zich aan en keert terug naar de keuken, waar Harold met een mok koffie in zijn hand aan het aanrecht *The New York Times* staat te lezen.

'Zo,' zegt Harold als hij opkijkt. 'Wat zie jij er knap uit.'

Hij schudt in een reflex van nee, maar de waarheid is dat hij een nieuwe das heeft gekocht, de dag ervoor naar de kapper is geweest en zich zo niet knap, dan toch op z'n minst toonbaar voelt, iets waar hij altijd naar streeft. Hij ziet Harold zelden in pak, maar ook hij draagt er nu een, en de plechtigheid van deze dag maakt hem ineens verlegen.

Harold lacht hem toe. 'Jij bent afgelopen nacht kennelijk druk bezig geweest. Heb je nog wel wat slaap gekregen?'

Hij lacht terug. 'Genoeg.'

'Julia is zich aan het klaarmaken,' zegt Harold, 'maar ik heb iets voor je.'

'Voor mij?'

'Ja,' zegt Harold en hij pakt een leren doosje, ongeveer zo groot als een honkbal, dat naast zijn koffiemok ligt, en geeft het hem. Hij maakt het open en erin ligt Harolds horloge met zijn ronde witte wijzerplaat en sobere, rechttoe-rechtaancijfers. Er zit een nieuw zwart krokodillenleren bandje aan.

'Toen ik dertig werd, kreeg ik dit van mijn vader,' zegt Harold als hij niet reageert. 'Het was van hem. En jij bent nog steeds dertig, dus in dat opzicht houd ik me dan tenminste aan de traditie.' Hij neemt hem het doosje uit handen, haalt het horloge eruit en draait het om, zodat hij de initialen kan zien die erin gegraveerd staan: SS/HS/JSF. 'Saul Stein,' zegt Harold. 'Dat was mijn vader. HS, dat ben ik, en JSF ben jij.' Hij geeft hem het horloge terug.

Hij laat zijn duimtop zachtjes over de initialen glijden. 'Dat kan ik niet aannemen, Harold,' zegt hij ten slotte.

'Natuurlijk wel,' zegt Harold. 'Het is voor jou, Jude. Ik heb al een nieuwe gekocht, dus je kunt het niet teruggeven.'

Hij voelt dat Harold naar hem kijkt. 'Dank je wel,' zegt hij na een tijdje. 'Dank je wel.' Iets anders schijnt hij niet te kunnen zeggen.

'Graag gedaan,' zegt Harold, en dan zeggen ze een paar tellen geen van beiden iets, tot hij bij zinnen komt, zijn horloge losgespt, Harolds – nu zijn – horloge omdoet en zijn arm omhooghoudt voor Harold, die knikt. 'Mooi,' zegt hij. 'Staat je goed.'

Hij wil net iets (wat?) antwoorden als hij hoort, en daarna ziet, wie eraan komen: JB en Malcolm, beiden eveneens in pak.

'De deur was niet op slot,' zegt JB, terwijl Malcolm een zucht slaakt. 'Harold!' JB omhelst hem. 'Gefeliciteerd! Het is een jongen!'

'Die heeft Harold beslist nog niet gehoord,' zegt Malcolm, en hij zwaait naar Julia, die de keuken binnen komt.

Andy komt als volgende aan, en daarna Gillian; Laurence zullen ze bij de rechtbank treffen.

De bel gaat opnieuw. 'Verwachten we nog iemand?' vraagt hij aan Harold, die zijn schouders ophaalt. 'Ga jij even, Jude?'

Dus hij doet open, en daar staat Willem. Hij staart Willem een tel aan, en dan, voor hij zichzelf tot kalmte kan manen, springt Willem op hem af als een civetkat en omhelst hem zo stevig dat hij even dreigt om te vallen. 'Ben je verbaasd?' zegt Willem in zijn oor, en hij hoort aan zijn stem dat hij glimlacht. Voor de tweede keer die ochtend is hij sprakeloos.

De derde keer komt op de rechtbank. Ze gaan er in twee auto's naartoe, en in de zijne (met Harold achter het stuur en Malcolm op de passagiersstoel), legt Willem uit dat zijn vertrekdatum echt was uitgesteld, maar toen de wijziging werd teruggedraaid had hij het alleen aan de anderen verteld en niet aan hem, zodat zijn komst een verrassing zou zijn. 'Ja, nog bedankt, Willem,' zegt Malcolm, 'ik moest JB bewaken als een CIA-agent om te voorkomen dat hij het zou doorvertellen.'

Ze gaan niet naar de familierechtbank, maar naar het hof van appèl aan Pemberton Square. In het zaaltje van Laurence – die er vreemd uitziet in zijn toga: het is een dag waarop iedereen verkleed is – leggen Harold en Julia en hij hun geloften jegens elkaar af. Laurence straalt, en dan begint iedereen foto's van elkaar te nemen in verschillende poses en opstellingen. Hij is de enige die er geen neemt, omdat hij op alle foto's staat.

Met Harold en Julia staat hij te wachten tot Malcolm heeft uitgevonden hoe zijn gigantische, ingewikkelde camera werkt, als JB 'Jude!' roept en ze alle drie zijn kant op kijken en JB afdrukt. 'Hebbes,' zegt JB. 'Bedankt.'

'JB, ik hoop niet dat dit voor...' begint hij, maar dan kondigt Malcolm aan dat hij zover is, en draaien ze zich gehoorzaam alle drie naar hem.

Tegen het middaguur zijn ze weer thuis, en al gauw druppelen de mensen binnen: Gillian en Laurence, James en Carey, Julia's collega's en die van Harold, van wie hij er sommigen niet meer gezien heeft sinds hij colleges bij ze volgde. Zijn oude stemdocent komt, en ook dr. Li, zijn docent wiskunde, en dr. Kashen, zijn masterbegeleider, Allison, zijn vroegere baas bij Batter, en een gezamenlijke vriend van hen allemaal uit Hood Hall, Lionel, die natuurkunde doceert aan Wellesley. Het is een komen en gaan van mensen die afkomstig zijn van en op weg zijn naar lessen, vergaderingen of rechtszaken. Aanvankelijk had hij niet veel zin gehad in een bijeenkomst met zo veel mensen – zou het feit dat Harold en Julia zijn ouders werden geen vragen wekken, ja, die zelfs aanmoedigen, over de reden waarom hij geen ouders had? – maar als de uren verstrijken en niemand vragen stelt, niemand informatie eist over de kwestie waarom hij eigenlijk een nieuw stel ouders nodig heeft, merkt hij dat hij zijn angsten vergeet. Hij weet dat het een soort opschepperij is om anderen over de adoptie te vertellen, en opschepperij blijft nooit zonder gevolgen, maar hij kan het niet laten. Alleen deze ene keer, smeekt hij wie het dan ook maar is die gaat over de bestraffing van slecht gedrag. Laat me dit, wat mij is overkomen, voor deze ene keer vieren.

Voor zo'n feestje bestaan geen etiquetteregels, en daarom hebben de gasten die zelf maar verzonnen: Malcolms ouders hebben een magnum champagne gestuurd en een kistje super-Toscaanse wijn van een wijngaard in de omgeving van Montalcino waar ze voor een deel eigenaar van zijn. JB's moeder heeft hem een juten zak met historische narcissenbollen meegegeven voor Harold en Julia en een kaart voor hem; zijn tantes hebben een orchidee gestuurd. De aanklager stuurt een gigantische kist fruit, met een kaart die ook is ondertekend door Marshall, Citizen en Rhodes. Sommige mensen hebben wijn en bloemen bij zich. Allison, die Harold al jaren geleden heeft verklapt dat hij de schepper van de bacteriekoekjes was, komt met een grote doos koekjes naar zijn ontwerp, wat hem een rood hoofd bezorgt en Julia een kreet van verrukking ontlokt. De rest van de dag is een en al heerlijkheid: alles wat hij die dag doet gaat perfect, alles wat hij zegt komt er goed uit. De mensen steken hun handen naar hem uit en hij deinst niet terug; ze raken hem aan en hij laat ze. Zijn gezicht doet pijn van het glimlachen. Tientallen jaren van bevestiging, van genegenheid zijn in deze ene middag gepropt, en hij geniet er met volle teugen van, duizelend door de vreemdheid van dit alles. Hij vangt een gesprekje tussen Andy en dr. Kashen op over een project in Gurgaon voor de ondergrondse opslag van chemisch afval, hij ziet dat Willem geduldig staat te luisteren naar zijn oude docent aansprakelijkheidsrecht, hoort JB aan dr. Li uitleggen waarom de New Yorkse artscene totaal verknipt is en bespiedt Malcolm en Carey bij hun pogingen het grootste krabkoekje uit de berg te halen zonder de rest overhoop te gooien.

Aan het begin van de avond is iedereen weg en zitten ze met z'n zessen onderuitgezakt in de woonkamer: Harold, Julia, Malcolm, JB, Willem en hij. Het huis is weer een rommel. Julia zegt iets over koken, maar iedereen – zelfs hij – heeft te veel gegeten en niemand, zelfs JB niet, moet eraan denken. JB heeft Harold en Julia een portret van hem gegeven, voorafgegaan door de woorden: 'Het is niet gebaseerd op een foto, alleen op schetsen.' Op het schilderij, door JB in waterverf en inkt op een dik vel papier gemaakt, staan zijn gezicht en hals, en de stijl is anders dan hij met JB's werk associeert: soberder en met uitbundiger gebaren geschilderd in een somber, grijzig palet. Op het schilderij zweeft zijn rechterhand onder aan zijn hals, alsof hij op het punt staat zichzelf bij de keel te grijpen en te wurgen, zijn mond is niet helemaal dicht en zijn pupillen zijn heel groot, als die van een kat in het halfduister. Het is onmiskenbaar hem: hij herkent zelfs het gebaar, hoewel hij zich op dit moment niet kan herinneren wat het betekent of welke emotie erbij hoort. Het gezicht is iets groter dan levensgroot, en ze staren er allemaal zwijgend naar.

'Het is echt een goed werk,' zegt JB ten slotte, en hij klinkt tevreden. 'Laat het me weten als je het ooit wilt verkopen, Harold,' en eindelijk lacht iedereen.

'JB, wat ongelofelijk mooi, dank je wel,' zegt Julia, en Harold herhaalt haar woorden. Zoals altijd wanneer hij geconfronteerd wordt met JB's schilderijen van hem vindt hij het moeilijk de schoonheid van het kunstwerk zelf te scheiden van de afkeer die hij voelt voor zijn eigen beeltenis, maar hij wil niet lomp zijn, dus hij herhaalt hun lofprijzingen.

'Wacht, ik heb ook iets,' zegt Willem. Hij gaat naar de slaapkamer en komt terug met een houten beeld, zo'n vijfenveertig centimeter hoog, van een man met baard in een hortensiablauw gewaad, met een kronkelende vlammenkrans rondom zijn rossige haar, die zijn rechterarm schuin voor zijn borst houdt en zijn linkerarm naast zijn zij laat hangen.

'Wie de fuck is die gast?' vraagt JB.

'Die gast is de heilige Judas, ook wel bekend als Judas Thaddeüs,' zegt Willem. Hij zet hem op de salontafel en draait hem naar Julia en Harold toe. 'Ik heb hem gevonden in een klein antiekwinkeltje in Boekarest,' vertelt hij. 'Ze zeiden dat hij eindnegentiende-eeuws is, maar ik weet het niet. Misschien is het gewoon handvaardigheid van het platteland. Maar ik vond hem toch mooi. Hij is knap en statig, zoals onze Jude.'

'Dat ben ik met je eens,' zegt Harold, terwijl hij het beeld oppakt en in zijn handen houdt. Hij streelt het geplooide gewaad van het beeld, zijn vuurkrans. 'Waarom staat zijn hoofd in brand?'

'Dat symboliseert dat hij erbij was op Pinksteren en de Heilige Geest ontving,' hoort hij zichzelf zeggen. De oude kennis is nooit ver weg en klautert nu uit de kelder van zijn hersenen omhoog. 'Hij was een van de apostelen.'

'Hoe weet jij dat?' vraagt Malcolm, en Willem, die naast hem zit, raakt even zijn arm aan. 'Natuurlijk weet jij dat,' zegt Willem zachtjes. 'Ik vergeet het altijd,' en hij voelt een golf van dankbaarheid jegens Willem, niet omdat hij het zich herinnert, maar omdat hij het altijd vergeet.

'De patroonheilige van verloren zaken,' voegt Julia eraan toe, terwijl ze het beeldje van Harold overneemt, en de woorden wellen direct in hem op: *Bid voor ons, Sint-Judas, helper en beschermer van de hopelozen, bid voor ons.* Toen hij een kind was, zei hij dit gebed 's avonds als laatste op, en pas toen hij ouder werd begon hij zich te schamen voor zijn naam, voor hoe hij daarmee aan de wereld werd voorgesteld, en vroeg hij zich af of de broeders die naam hadden bedoeld zoals hij zeker wist dat anderen hem zagen: als een bespotting, een diagnose, een voorspelling. En toch voelde het soms alsof die naam als enige werkelijk van hem was, en hoewel er momenten waren geweest waarop hij een andere naam had kunnen of zelfs moeten aannemen, had hij dat nooit gedaan. 'Dank je wel, Willem,' zegt Julia. 'Ik vind hem prachtig.'

'Ik ook,' zegt Harold. 'Dit is allemaal hartstikke lief van jullie.'

Ook hij heeft een cadeau bij zich voor Harold en Julia, maar in de loop van de dag is hem dat steeds nietiger en dwazer gaan voorkomen. Jaren geleden heeft Harold eens laten vallen dat Julia en hij tijdens hun huwelijksreis een opvoering van Schuberts vroege liederen hadden bijgewoond in Wenen. Maar welke ze mooi hadden gevonden kon Harold zich niet herinneren, en daarom heeft hij zelf maar een lijstje gemaakt en dat uitgebreid met een paar andere liederen waar hij van houdt, vooral Bach en Mozart, en vervolgens een kleine geluidscabine gehuurd en een cd opgenomen waarop hij ze zingt: zo eens in de twee maanden vraagt Harold of hij voor hem wil zingen, maar daar is hij altijd te verlegen voor. Nu vindt hij het echter een misplaatst prulgeschenk, en daarbij vreselijk opschepperig, en schaamt hij zich over zijn eigen verwaandheid. Toch kan hij het niet over zijn hart verkrijgen het ding weg te gooien. Dus wanneer iedereen opstaat, zich uitrekt en goedenacht zegt, glipt hij weg en steekt de cd en de brieven die hij aan Julia en Harold heeft geschreven tussen twee boeken – een gehavend, stoffig exemplaar van *Common Sense* en een stukgelezen exemplaar van *White Noise* – op een van de onderste planken, waar ze misschien wel tientallen jaren onopgemerkt zullen blijven zitten.

Normaal gesproken slapen Willem en JB samen in de werkkamer boven, aangezien Willem de enige is die JB's gesnurk kan verdragen, en slaapt Malcolm beneden met hem. Maar die avond oppert Malcolm, als iedereen zijn bed opzoekt, dat hij best samen met JB boven kan slapen, zodat Willem en hij kunnen bijpraten.

'Slaap zoet, tortelduifjes,' roept JB hun vanaf de trap toe.

Terwijl ze zich klaarmaken voor de nacht vertelt Willem hem meer verhalen van de filmset: over de hoofdrolspeelster, die zo zweette dat haar hele gezicht om de twee takes bijgepoederd moest worden; over de hoofdrolspeler, die de Duivel speelde en de hele tijd bij de opnameassistenten in het gevlij probeerde te komen door biertjes voor ze te kopen en ze te vragen wie er wilde voetballen, maar vervolgens een woedeaanval kreeg toen hij zijn eigen tekst niet kende; over de negenjarige Britse jongen die het zoontje van de actrice speelde en die Willem bij de cateringtafel had aangesproken met het advies om toch vooral geen crackers te eten, want dat waren lege calorieën, en was hij niet bang om dik te worden? Willem praat en praat, en hij lacht onder het tandenpoetsen en wast zijn gezicht.

Maar als de lichten uit zijn en ze allebei in het donker liggen, hij in het bed, Willem (na een discussie waarin hij Willem probeerde over te halen om het bed te nemen) op de bank, zegt Willem vriendelijk: 'Het appartement is echt belachelijk schoon.'

'Ik weet het,' zegt hij kleintjes. 'Het spijt me.'

'Dat hoeft niet,' zegt Willem. 'Maar Jude… was het heel naar?'

Hij begrijpt op dat moment dat Andy in elk geval íéts heeft gezegd over wat er aan de hand was, en dus besluit hij een eerlijk antwoord te geven. 'Het was niet best,' geeft hij toe, en dan, omdat hij niet wil dat Willem zich schuldig voelt, 'maar nou ook weer niet afschuwelijk.'

Ze zijn allebei stil. 'Ik wou dat ik er had kunnen zijn,' zegt Willem.

'Je was er toch,' verzekert hij hem. 'Maar Willem… ik heb je gemist.'

Heel zachtjes zegt Willem: 'Ik heb jou ook gemist.'

'Bedankt dat je bent gekomen,' zegt hij.

'Natuurlijk ben ik gekomen, Judy,' zegt Willem van de andere kant van de kamer. 'Ik zou hoe dan ook zijn gekomen.'

Hij is stil, savoureert deze belofte en slaat hem in zich op zodat hij eraan kan denken op momenten waarop hij het het hardst nodig heeft. 'Denk je dat het goed is gegaan?' vraagt hij.

'Is dat een vraag?' zegt Willem, en hij hoort dat hij rechtop gaat zitten. 'Heb je Harolds gezicht gezien? Hij zag eruit alsof de eerste president van de Green Party zojuist was verkozen, wapenbezit niet langer was toegestaan en de Red Sox heilig waren verklaard, en dat allemaal op dezelfde dag.'

Hij lacht. 'Denk je dat echt?'

'Dat wéét ik. Hij was echt heel, heel gelukkig, Jude. Hij houdt van je.'

Hij glimlacht in het donker. Hij wil Willem keer op keer dat soort dingen horen zeggen, een eindeloze herhaling van beloften en belijdenissen, maar hij weet dat dat soort wensen genotzuchtig zijn, dus hij gaat over op een ander onderwerp en ze praten over kleine, onbenullige dingetjes tot eerst Willem en daarna hij in slaap valt.

Een week later is zijn luchthartigheid gerijpt tot iets anders: een tevreden, stil gevoel. De afgelopen week heeft hij elke nacht aan één stuk door geslapen, met dromen die niet over het verleden gaan, maar over het heden: maffe dromen over werk, zonnige, absurde dromen over zijn vrienden. In de nu bijna twintig jaar dat hij zich snijdt is het de eerste volle week geweest waarin hij niet midden in de nacht wakker is geworden, omdat hij geen behoefte heeft gehad aan het scheermesje. Misschien is hij genezen, denkt hij voorzichtig. Misschien is dit wat hij al die tijd nodig heeft gehad, en nu het is gebeurd, is hij beter. Hij voelt zich geweldig, een ander mens: geheeld, gezond en rustig. Hij is iemands zoon, en soms is die wetenschap zo overweldigend dat hij zich voorstelt dat het een fysieke vorm aanneemt, alsof het glanzend, in goud op zijn borst geschreven staat.

Hij is terug in hun flat. Willem is er ook. Willem heeft een tweede beeldje van Sint-Judas Thaddeüs meegebracht, dat ze in de keuken zetten, maar deze Sint-Judas is groter, hol en van keramiek, met een gleuf in zijn achterhoofd, en aan het eind van elke dag stoppen ze daar hun kleingeld in; als hij vol is, gaan ze er een echt goede fles wijn van kopen en die opdrinken, en dan beginnen ze overnieuw.

Hij weet het nog niet, maar in de komende jaren zal hij keer op keer Harolds toewijding op de proef stellen, zichzelf tegen Harolds beloften aan smakken om te zien of ze overeind blijven. Hij zal zich er niet eens van bewust zijn dat hij dat doet. Maar het zal toch gebeuren, omdat hij Harold en Julia ergens nooit helemaal zal geloven; hoezeer hij dat ook wil en hoezeer hij ook denkt dat hij hen gelooft, hij zal het niet kunnen en er altijd van overtuigd blijven dat ze hem uiteindelijk moe zullen worden, dat ze er op een dag spijt van krijgen zich met hem te hebben ingelaten. Daarom zal hij ze uitdagen, omdat hij dan, als het onvermijdelijke einde van hun relatie gekomen is, achterom zal kunnen kijken en zeker zal weten dat híj dat veroorzaakt heeft, en dat niet alleen, maar hij zal zelfs weten welk specifiek incident het veroorzaakt heeft en zal zich nooit hoeven afvragen of erover hoeven piekeren wat hij verkeerd heeft gedaan, of wat hij beter had kunnen doen. Maar dat is de toekomst. Op dit moment is zijn geluk compleet.

Die eerste zaterdag na zijn thuiskomst uit Boston gaat hij zoals gewoonlijk naar Felix' huis; meneer Baker heeft hem verzocht een paar minuten eerder te komen. Ze hebben een kort gesprekje en dan gaat hij naar de benedenverdieping, waar Felix, pingelend op de pianotoetsen, op hem wacht in de muziekkamer.

'Zeg Felix,' zegt hij in de pauze die ze inlassen na de pianoles en Latijn, maar voor Duits en wiskunde, 'ik hoor net van je vader dat je volgend jaar weggaat, naar school?'

'Ja,' zegt Felix terwijl hij naar zijn voeten kijkt. 'In september. Papa heeft daar ook op school gezeten.'

'Dat hoorde ik,' zegt hij. 'Wat vind je ervan?'

Felix haalt zijn schouders op. 'Ik weet het niet,' zegt hij ten slotte. 'Papa zegt dat je me dit voorjaar en deze zomer gaat bijspijkeren.'

'Dat zal ik doen,' belooft hij. 'Voor die school begint ben jij zo goed voorbereid dat ze geen idee hebben wat ze overkomt.' Felix' hoofd is nog steeds gebogen, maar hij ziet de bovenkant van zijn wangen een beetje opbollen en weet dat de jongen glimlacht, een heel klein beetje.

Hij weet niet waarom hij zegt wat hij nu zegt: is het empathie, zoals hij hoopt, of is het opschepperij, een opzichtige verwijzing naar de onwaarschijnlijke, wonderlijke wending die zijn leven de afgelopen maanden heeft genomen? 'Weet je, Felix,' begint hij, 'ik had ook nooit vrienden, heel lang niet, tot ik al veel ouder was dan jij.' Hij voelt, meer dan dat hij het ziet, dat Felix zijn oren spitst. 'Ik wilde ze ook hebben,' gaat hij verder, heel langzaam nu, omdat hij er zeker van wil zijn dat de woorden er goed uit komen. 'En ik vroeg me altijd af of ik ooit een vriend zou krijgen, en hoe, en wanneer.' Hij laat zijn wijsvinger over de donkere notenhouten tafel glijden, over de rug van Felix' wiskundeboek, naar beneden langs zijn koude glas water. 'En toen ging ik naar de universiteit, en daar ontmoette ik mensen die, om wat voor reden dan ook, besloten dat ze mijn vrienden waren, en zij hebben me geleerd om... alles, eigenlijk. Zij maakten me, en maken me nog steeds, tot een beter iemand dan ik echt ben.

Je zult nu nog niet begrijpen wat ik bedoel, maar op een dag wel: de enige truc voor vriendschap is volgens mij dat je mensen uitzoekt die beter zijn dan jij – niet slimmer of populairder, maar aardiger, guller en vergevingsgezinder – en dat je die waardeert om wat je van ze kunt leren, dat je je best doet naar ze te luisteren als ze je iets over jezelf vertellen, hoe slecht – of goed – het ook is, en dat je ze vertrouwt, wat het allermoeilijkste is. Maar ook het allermooiste.'

Ze zwijgen allebei een hele tijd en luisteren naar het getik van de metronoom, die kuren heeft en soms spontaan begint, zelfs nadat hij hem heeft stopgezet. 'Je gaat vrienden maken, Felix,' zegt hij ten slotte. 'Echt. Ze maken zal minder moeite kosten dan ze houden, maar ik kan je vertellen dat het de moeite waard zal zijn. Veel meer dan bijvoorbeeld Latijnse les.' En nu kijkt Felix op en glimlacht, en hij glimlacht terug. 'Oké?' vraagt hij.

'Oké,' zegt Felix, nog steeds glimlachend.

'Wat wil je nu doen, Duits of wiskunde?'

'Wiskunde,' zegt Felix.

'Goede keuze,' zegt hij, en hij trekt Felix' wiskundeboek naar zich toe. 'Laten we verdergaan waar we gebleven waren.' En Felix slaat de juiste bladzijde op en ze beginnen.

III

Illusies

1

Tijdens hun tweede jaar in Hood Hall woonde er in de kamers naast die van hen een drietal lesbiennes, vierdejaarsstudentes die in een band speelden die Backfat heette en die om onduidelijke redenen sympathie hadden opgevat voor JB (en na verloop van tijd ook voor Jude, daarna voor Willem, en ten slotte, zij het niet helemaal van harte, voor Malcolm). Nu, vijftien jaar nadat zij vieren waren afgestudeerd, woonden twee van de lesbiennes als stel in Brooklyn. JB was de enige die hen regelmatig sprak: Marta was arbeidsjurist bij een non-profitorganisatie en Francesca decorontwerper.

'Groot nieuws!' zei JB op een vrijdag in oktober toen ze met elkaar aten. 'De Bitches van Bushwick hebben gebeld: Edie is in de stad!' Edie was de derde van het trio, een forse, emotionele Amerikaanse van Koreaanse afkomst die tussen San Francisco en New York pendelde en altijd net een of andere onwaarschijnlijke carrièreswitch leek te maken: de laatste keer dat ze haar hadden gezien, stond ze op het punt naar Grasse te vertrekken voor een opleiding tot 'neus', en een krappe acht maanden eerder had ze net een cursus Afghaans koken afgerond.

'En waarom is dat groot nieuws?' vroeg Malcolm, die de drie hun onverklaarbare antipathie jegens hem nooit helemaal had vergeven.

'Nou,' zei JB, en hij liet grijnzend een stilte vallen. 'Ze is in transitie!'

'Wordt ze een mán?' vroeg Malcolm. 'Dat meen je niet, JB. Ze heeft zolang we haar kennen nooit genderdysfore neigingen vertoond!' Een jaar eerder was een vroegere collega van Malcolm van geslacht veranderd en sindsdien was Malcolm een zelfbenoemd expert op dat gebied en had hij hun de les gelezen over hun intolerantie en onwetendheid, totdat JB ten slotte had uitgeroepen: 'Jezus, Malcolm, ik ben een veel ergere trans dan Dominic ooit zal zijn!'

'Nou, toch is het zo,' ging JB verder. 'De Bitches geven een feest voor haar en we zijn allemaal uitgenodigd.'

Ze kreunden. 'JB, over vijf weken vertrek ik al naar Londen en ik moet nog waanzinnig veel doen,' protesteerde Willem. 'Ik heb geen tijd om een hele avond naar het geklaag van Edie Kim te luisteren, en dat helemaal in Bushwick.'

'Maar je kan niet zomaar besluiten om níét te gaan!' riep JB uit. 'Ze vroegen uitdrukkelijk naar jou! Francesca nodigt een of ander meisje uit dat je ergens van kent en je weer wil zien. Als je niet gaat, denken ze allemaal dat je je tegenwoordig te goed voor ze voelt. En er komen massa's andere mensen die we in geen eeuwigheid hebben gezien...'

'Maar misschien heeft het wel een reden dat we ze nooit meer zien,' zei Jude.

'... en bovendien liggen de vrouwen toch wel op je te wachten, Willem. Een uurtje naar Brooklyn kan er best vanaf. Bushwick is ook weer niet het einde van de wereld. En Judy kan ons rijden.' Het jaar daarvoor had Jude een auto gekocht, en hoewel het geen bijzonder flitsend model was, werd JB er graag in rondgereden.

'Wat? Ik ga niet,' zei Jude.

'Waarom niet?'

'Ik weet niet of het je is opgevallen, JB, maar ik zit in een rolstoel. En voor zover ik me herinner hebben Marta en Francesca geen lift.'

'Da's het verkeerde huis,' antwoordde JB triomfantelijk. 'Zie je nou hoelang geleden het is? Ze zijn verhuisd. Waar ze nu wonen is een lift, dat weet ik zeker. Een goederenlift, om precies te zijn.' Hij leunde achterover en roffelde met zijn vuist op tafel terwijl de rest berustend zweeg. 'Oké, *let's go*!'

Dus spraken ze die zaterdag af bij Jude in Greene Street en gingen ze met zijn auto naar Bushwick, waar hij op zoek naar een parkeerplaats rondjes reed om het blok waar Marta en Francesca woonden.

'Daar was plaats, waar we net langskwamen,' zei JB na tien minuten.

'Daar mag je alleen laden en lossen,' vertelde Jude hem.

'Als je die invalidenkaart neerlegt, kunnen we staan waar we willen,' zei JB.

'Die gebruik ik liever niet, dat weet je.'

'Als je die niet gebruikt, wat heb je dan aan een auto?'

'Jude, ik geloof dat daar een plekje is,' zei Willem, JB negerend.

'Zeven blokken van waar we moeten zijn,' mopperde JB.

'Hou je mond, JB,' zei Malcolm.

Eenmaal op het feest werden ze allemaal door iemand meegesleept naar een andere hoek. Willem zag dat Jude resoluut werd meegetroond door Marta; *help*, vormde Jude geluidloos met zijn mond, maar Willem glimlachte en zwaaide even. *Zet 'm op*, mimede hij terug, en Jude wierp hem een wanhopige blik toe. Willem wist dat Jude liever niet was gegaan, dat hij niet gedwongen wilde zijn steeds opnieuw uit te leggen waarom hij in een rolstoel zat, maar hij had hem gesmeekt: 'Laat me niet in m'n eentje gaan.'

'Je gaat niet in je eentje. Je gaat met JB en Malcolm.'

'Je weet best wat ik bedoel. Drie kwartier, dan smeren we 'm. Als JB en Malcolm langer willen blijven, moeten ze zelf maar zien hoe ze terugkomen.'

'Een kwartier.'

'Een half uur.'

'Oké dan.'

Intussen was Willem verstrikt geraakt in de netten van Edie Kim, die er in grote lijnen nog hetzelfde uitzag als toen ze studeerden, misschien wat gezetter, maar dat was het enige. Hij omhelsde haar. 'Edie,' zei hij, 'gefeliciteerd.'

'Bedankt, Willem,' zei Edie. Ze lachte naar hem. 'Je ziet er fantastisch uit. Echt fantastisch.' JB had altijd de theorie gehad dat Edie verliefd op hem was, maar hij had dat nooit geloofd. 'Ik heb echt genoten van *The Lacuna Detectives*. Je was echt fantastisch in die rol.'

'O,' zei hij. 'Bedankt.' Hij had een bloedhekel aan *The Lacuna Detectives*. Het bizarre verhaal draaide om een stel detectives met bovennatuurlijke gaven die in het onderbewuste konden kijken van mensen met geheugenverlies, maar het schieten van de film was zo rampzalig verlopen – de regisseur was zo'n tiran dat Willems tegenspeler na twee weken was opgestapt en vervangen moest worden, en dat er elke dag wel iemand huilend van de set was gerend – dat hij er zelf nooit naar had gekeken. 'Maar vertel 's,' zei hij, in een poging het gesprek in andere banen te leiden, 'wanneer...'

'Waarom zit Jude in een rolstoel?' vroeg Edie.

Hij zuchtte. Twee maanden geleden, toen Jude de rolstoel voor het eerst sinds zijn eenendertigste weer regelmatig was gaan gebruiken, na een periode van vier jaar dat het niet nodig was geweest, had hij hun allemaal ingeprent wat ze op deze vraag moesten antwoorden. 'Het is niet permanent,' zei Willem nu. 'Hij heeft alleen een infectie aan zijn been en daardoor doet het pijn als hij een lang stuk moet lopen.'

'God, die arme jongen,' zei Edie. 'Marta zegt dat hij weg is bij het OM en een dikke baan heeft bij een of ander advocatenkantoor.' JB had Edie er ook altijd van verdacht dat ze verliefd was op Jude, en dat leek Willem heel goed mogelijk.

'Ja, een paar jaar al,' zei hij, terwijl hij zocht naar een manier om van onderwerp te veranderen, want hij vond het niet prettig om voor Jude te spreken; hij had dolgraag over Jude willen praten en hij wist wat hij wel en niet over hem of namens hem kon zeggen, maar hij hield niet van de samenzweerderige, vertrouwelijke toon waarop mensen naar hem vroegen, alsof ze dachten dat hij zich tot confidenties zou laten verleiden over dingen waar Jude zelf niets over kwijt wilde. (Alsof hij dat ooit zou doen.) 'Trouwens, Edie, dit is een spannende tijd voor je.' Hij zweeg even. 'Sorry... wil je eigenlijk nog wel Edie worden genoemd?'

Edie fronste haar voorhoofd. 'Waarom niet?'

'Nou...' Hij aarzelde. 'Ik wist niet hoe ver je was in het proces, en...'

'Welk proces?'

'Eh, je bent toch in transitie?' Hij had erover moeten ophouden toen hij Edies verwarring zag, maar dat deed hij niet. 'JB zei dat je aan het switchen was?'

'Ja, naar een andere carrière,' zei Edie, nog steeds met een frons. 'Ik ga in Hongkong freelancen als consultant veganisme voor middelgrote horecabedrijven. Wacht even, dacht jij dat ik van geslacht ging veranderen?'

'O god,' zei hij, en twee verschillende gedachten galmden op gelijke sterkte door zijn hoofd: ik draai JB zijn nek om, en: ik kan niet wachten om dit aan Jude te vertellen. 'Edie, het spijt me echt vreselijk.'

Hij herinnerde zich uit hun studententijd dat Edie onvoorspelbaar was: ze kon over haar toeren raken van kleine, kinderachtige dingen (hij had haar eens hartverscheurend zien snikken omdat het bovenste bolletje van haar ijshoorntje op haar nieuwe schoenen was getuimeld), maar grote dingen (het overlijden van haar zus of de breuk met haar vriendin, die zich met veel gekrijs en gegooi van sneeuwballen had afgespeeld op de binnenplaats, terwijl heel Hood Hall uit het raam hing om toe te kijken) leken haar onberoerd te laten. Hij wist niet zeker in welke categorie zijn blunder viel, en Edie leek daar zelf ook over te twijfelen, want van ontsteltenis vertrok ze haar kleine mond tot allerlei uitdrukkingen. Maar ten slotte begon ze te lachen en riep iets naar iemand aan de andere kant van de kamer – 'Hannah! Hannah! Kom eens! Dit moet je horen!' – en hij haalde opgelucht adem, verontschuldigde zich nog eens, feliciteerde haar nog eens en maakte zich uit de voeten.

Hij begon aan de oversteek van de kamer in de richting van Jude. Na jaren, bijna decennia van dit soort feesten hadden zij tweeën hun eigen gebarentaal ontwikkeld, een pantomime waarbij elk gebaar hetzelfde betekende – red me – zij het met meer of minder urgentie. Meestal was het uitwisselen van blikken genoeg om elkaar hun vertwijfeling duidelijk te maken, maar op een feestje zoals dit, waar de loft alleen werd verlicht door kaarsen en het aantal gasten tijdens zijn korte gesprekje met Edie vertienvoudigd leek te zijn, was vaak explicietere lichaamstaal vereist. Als je je hand in je nek legde, betekende dat dat de ander je onmiddellijk moest bellen, als je aan je horlogebandje frunnikte, zei je 'kom hierheen en neem mijn plaats in of meng je in elk geval in het gesprek' en als je aan je linkeroorlelletje trok, was dat 'haal me hier weg, nú'. Uit zijn ooghoeken had hij gezien dat Jude al tien minuten continu aan zijn oorlelletje trok, en nu zag hij dat Marta gezelschap had gekregen van een vrouw met een zuur gezicht van wie hij zich vaag herinnerde dat hij haar op een vorig feest had ontmoet (en acuut een hekel aan haar had gekregen). Ze stonden met z'n tweeën dreigend en bezitterig over Jude gebogen, en in het kaarslicht zagen ze er kwaadaardig uit, alsof Jude een kind was dat er zojuist op was betrapt dat hij een stukje drop van hun koekhuisje had afgebroken en ze probeerden te besluiten of ze hem zouden stoven met pruimen of bakken met raapjes.

Hij had het geprobeerd, zou hij later tegen Jude zeggen, hij had het echt geprobeerd, maar hij bevond zich aan de ene kant van de kamer en Jude aan de andere, en hij werd steeds weer aangeklampt door mensen die hij in geen jaren had gezien en, nog irritanter, mensen die hij een paar weken eerder nog had gezien. Terwijl hij langzaam vorderde, zwaaide hij naar Malcolm en wees in Judes richting, maar Malcolm haalde met een hulpeloos gebaar zijn schouders op en mimede 'Wát?', en hij maakte een wegwuivend gebaar terug: laat maar.

Ik moet hier weg zien te komen, dacht hij terwijl hij zich een weg baande door de menigte, maar eigenlijk had hij over het algemeen geen hekel aan dit soort feesten, sterker nog, ergens had hij er zelfs wel plezier in. Vermoedelijk gold dat, zij het in mindere mate, ook voor Jude, want hij redde zich uitstekend op feestjes en iedereen wilde altijd met hem praten, en hoewel zij tweeën onderling vaak klaagden dat JB hen maar bleef meeslepen naar dit soort gelegenheden en dat die zo oervervelend waren, wisten ze allebei dat ze gewoon konden weigeren te gaan als ze echt niet wilden, maar dat zelden deden; waar zouden ze immers anders hun seinsysteem kunnen gebruiken, die taal die op de hele wereld maar twee sprekers had?

De afgelopen jaren, nu de universiteit en de persoon die hij was geweest steeds verder achter hem lagen, vond hij het soms ontspannend om mensen uit die tijd te zien. Hij plaagde JB ermee dat hij in zijn hart nog steeds in Hood Hall woonde, maar in werkelijkheid had hij er bewondering voor dat JB heel veel van zijn (en hun) vriendschappen van toen in stand had gehouden, en de meeste ervan had weten in te passen in zijn huidige leven. Ondanks zijn verzameling vrienden van vroeger zag en onderging JB het leven heel sterk in het hier en nu, en in zijn nabijheid hadden zelfs de hardnekkigste nostalgici minder de neiging zich te verliezen in bespiegelingen over de toppen en dalen uit het verleden en gingen ze in plaats daarvan een gesprek aan met de persoon tegenover hen zoals die nú was. Hij waardeerde het ook dat de mensen die JB had gekozen om contact mee te houden over het algemeen niet onder de indruk waren van wie hij was geworden (voor zover je tenminste kon zeggen dat hij iemand geworden was). Sommigen gedroegen zich tegenwoordig anders in zijn gezelschap – vooral het laatste jaar of daaromtrent – maar de meesten hadden het druk met hun eigen leven, interesses en bezigheden, en die waren zo specifiek en soms zo marginaal dat ze Willems verrichtingen niet zagen als belangrijker of minder belangrijk dan die van henzelf. JB's vrienden waren dichters, performancekunstenaars, academici, moderne dansers en filosofen – Malcolm had eens opgemerkt dat hij vriendschap had gesloten met iedereen van hun universiteit die het minst kans maakte om geld te gaan verdienen – die leefden van subsidies, gastkunstenaarschappen, beurzen en toelages. Voor JB's assortiment van oud-Hood Hallers werd succes niet afgemeten aan je bezoekersaantallen (zoals voor zijn agent en zijn manager) of je tegenspelers of recensies (zoals voor zijn medestudenten van de masteropleiding), maar louter en alleen aan de kwaliteit van je werk en of je er trots op was. (Mensen hadden dat letterlijk zo tegen hem gezegd op dit soort feesten: 'O, ik heb *Black Mercury 3081* niet gezien. Maar was je trots op jouw aandeel erin?' Nee, hij was er niet trots op. Hij had een zwaarmoedige intergalactische wetenschapper annex jiu-jitsumeester gespeeld die in z'n eentje een gigantisch ruimtemonster wist te verslaan. Maar hij was er wel tevreden over: hij had er hard voor gewerkt en zijn spel serieus genomen, en meer verlangde hij niet.) Soms vroeg hij zich af of hij voor de gek werd gehouden, of die hele club rond JB misschien zelf een kunstwerk was, een performance waarin de rivaliteit en beslommeringen en ambities uit de echte wereld – de wereld die voortpruttelde op geld, hebzucht en afgunst – werden genegeerd en alles in plaats daarvan draaide om het pure plezier in het werk. Soms had hij het gevoel dat het zuiverend was, in de beste betekenis van het woord: hij zag die feesten en de tijd die hij met de Hoodies doorbracht als iets louterends en helends, iets waardoor hij weer werd wie hij eens was geweest, toen hij dolblij was met een rolletje in *Noises Off* bij het studententoneel en van zijn kamergenoten verwachtte dat ze elke avond zijn tekst met hem oefenden.

'Een carrière-mikwe,' zei Jude met een glimlach toen hij hem dit vertelde.

'Een vrijemarkt-douche,' was zijn tegenbod.

'Een ambitie-klysma.'

'Oe, da's een goeie!'

Maar soms, zoals vanavond, hadden de feestjes het tegenovergestelde effect. Soms merkte hij dat hij zich stoorde aan het etiket dat de anderen op hem hadden geplakt, het beperkende en onveranderlijke ervan: hij was voor altijd Willem Ragnarsson uit Hood Hall, unit acht, iemand die slecht was in wiskunde en goed met meisjes, een eenvoudige en overzichtelijke identiteit, zijn persoonlijkheid neergezet met twee snelle penseelstreken. Niet dat ze er zo ver naast zaten – het had iets deprimerends om in een branche te werken waar hij als intellectueel werd beschouwd simpel en alleen omdat hij bepaalde bladen en websites niet las en vanwege de universiteit die hij had bezocht – maar zijn leven, dat toch al klein was, ging er nog kleiner door lijken.

En soms bespeurde hij in de onwetendheid van zijn vroegere studiegenoten over zijn carrière iets koppigs en moedwilligs, alsof ze hem die misgunden: vorig jaar had hij op een feest in Red Hook staan praten met Arthur, een man die bij de Hood-kliek hoorde en altijd aanwezig was op dit soort bijeenkomsten; vroeger had hij in Dillingham Hall gewoond, waar alle losers zaten, en tegenwoordig gaf hij een obscuur maar gerespecteerd wetenschappelijk tijdschrift over digitale cartografie uit.

'En wat heb jij de laatste tijd zoal gedaan, Willem?' vroeg Arthur uiteindelijk, na tien minuten te hebben gepraat over het laatste nummer van *The Histories*, dat een driedimensionale weergave bevatte van de Indochinese opiumroute tussen 1839 en 1842.

Op dat moment kreeg hij het gevoel van desoriëntatie dat hem bij deze gelegenheden af en toe overviel. Soms werd precies diezelfde vraag hem op een schertsende, ironische manier gesteld, bij wijze van felicitatie, en dan glimlachte hij en speelde het spelletje mee – 'Niet veel eigenlijk, ik zit nog steeds in de bediening bij Ortolan. We hebben op het moment een fantastische zandvis met tobiko op het menu' – maar soms wisten mensen het echt niet. Dat kwam tegenwoordig steeds minder vaak voor, en als het gebeurde, dan was het iemand die op cultureel gebied dusdanig onder een steen leefde dat zelfs het lezen van *The New York Times* al als een rebelse daad gold of, vaker, iemand die zijn of haar afkeuring – nee, volstrekte afwijzing – van hem, zijn leven en zijn werk wilde laten blijken door er met grote hardnekkigheid onkundig van te blijven.

Hij kende Arthur niet goed genoeg om te weten in welke categorie hij viel (maar wel goed genoeg om hem niet sympathiek te vinden, met zijn gewoonte om zo dichtbij te komen dat Willem nu letterlijk met zijn rug tegen de muur stond), dus antwoordde hij eenvoudigweg: 'Ik acteer.'

'O ja?' vroeg Arthur doodleuk. 'In iets waarvan ik gehoord kan hebben?'

Die vraag – niet de vraag zelf, maar Arthurs achteloze en spottende toon – irriteerde hem ook weer, maar hij liet het niet merken. 'Nou,' zei hij langzaam, 'voornamelijk in indies. Vorig jaar heb ik er een gedaan die *The Kingdom of Frankincense* heet, en volgende maand vertrek ik voor de opnames van *The Unvanquished*, de verfilming van het boek, weet je wel?' Arthurs blik was blanco. Willem zuchtte; hij was bekroond voor zijn rol in *The Kingdom of Frankincense*. 'En er draait er net eentje die ik een paar jaar geleden heb gedaan: *Black Mercury 3081*.'

'Klinkt interessant,' zei Arthur met een verveeld gezicht. 'Maar ik geloof niet dat ik er ooit van heb gehoord. Hm. Ik zal ze eens opzoeken. Nou, mooi voor je, Willem.'

Hij had de pest aan de manier waarop bepaalde mensen 'mooi voor je, Willem' zeiden, alsof zijn werk een soort illusie van gesponnen suiker was, een verzinsel waarmee hij zichzelf en anderen zoet hield, en niet iets wat werkelijk bestond. En die avond had hij er extra de pest over in, omdat het raam net achter Arthurs hoofd toevallig uitzicht bood op een door schijnwerpers verlicht reclamebord op het dak van een gebouw, nog geen vijftig meter verderop, waarop zijn gezicht te zien was – toegegeven, hij keek nors, maar hij probeerde zich dan ook een enorm, zachtpaars, met de computer gefabriceerd buitenaards wezen van het lijf te houden – en de tekst BINNENKORT: BLACK MERCURY 3081 in letters van een halve meter hoog. Op dat soort momenten was hij teleurgesteld in de Hoodies. Ze zijn niet beter dan ieder ander, besefte hij dan. Als puntje bij paaltje komt, zijn ze gewoon jaloers en proberen ze me een rotgevoel te geven. En stom genoeg voel ik me nog rot ook. Later ergerde hij zich aan zichzelf: dit is wat je altijd gewild hebt, hield hij zichzelf voor. Dus wat kan het jou schelen wat andere mensen ervan vinden? Maar als je acteerde, hoorde daar onverbrekelijk bij dat het je iets kon schelen wat andere mensen vonden (soms had hij het gevoel dat dat het enige was waar het om draaide), en hoe graag hij ook mocht denken dat hij immuun was voor de mening van anderen, alsof hij er op de een of andere manier boven stond om zich daar druk over te maken, dat was duidelijk niet het geval.

'Ik weet dat het infantiel klinkt,' zei hij na afloop van het feest tegen Jude. Hij geneerde zich voor zijn irritatie en zou daar nooit met iemand anders over hebben gepraat.

'Het klinkt helemaal niet infantiel,' zei Jude. Ze reden vanuit Red Hook terug naar het centrum. 'Arthur is gewoon een klootzak, Willem. Dat is hij altijd geweest. En zijn jarenlange studie van Herodotus heeft het er niet beter op gemaakt.'

Hij kon een glimlach niet onderdrukken. 'Ik weet het niet,' zei hij. 'Soms heb ik het gevoel dat wat ik doe zo... zo nutteloos is.'

'Hoe kun je dat zeggen, Willem? Je bent een geweldige acteur, echt waar. En je...'

'Ga nou niet zeggen dat ik zo veel mensen een fijne avond bezorg.'

'Dat wou ik helemaal niet zeggen. Je films zijn niet erg geschikt om wie dan ook een fijne avond te bezorgen.' (Willem was gespecialiseerd geraakt in het spelen van duistere, gecompliceerde personages – vaak heimelijk gewelddadig, meestal in de knoop met hun geweten – die niet altijd even sympathiek waren. 'Ragnarsson de Verschrikkelijke', noemde Harold hem.)

'Behalve aliens, natuurlijk.'

'Ja, behalve aliens. Hoewel... die slacht je op het eind toch altijd allemaal af? Maar Willem, ik kijk er heel graag naar, en veel andere mensen ook. Dat is toch ook iets waard? Hoeveel mensen kunnen zeggen dat ze anderen even hun dagelijks leven doen vergeten?' En toen hij geen antwoord gaf: 'Weet je, misschien moeten we maar niet meer naar die feesten gaan, want het beginnen voor ons allebei ongezonde exercities in masochisme en zelfhaat te worden.' Jude keek hem aan en grijnsde. 'En jij zit dan tenminste nog in de culturele sector. Ik zou net zo goed voor een wapenhandelaar kunnen werken. Dorothy Wharton vroeg me vanavond hoe ik het vond om elke ochtend wakker te worden met het besef dat ik de vorige dag weer een deel van mijn ziel had verkocht.'

Eindelijk lachte Willem echt. 'Nee, dat méén je niet.'

'Jawel. Het was net of ik met Harold praatte.'

'Ja, als Harold een blanke vrouw met dreadlocks was geweest.'

Jude glimlachte. 'Dat zeg ik: net of ik met Harold praatte.'

Maar eigenlijk wisten ze allebei heel goed waarom ze naar dit soort feestjes bleven gaan: omdat er verder nog maar weinig gelegenheden waren waarop zij vieren elkaar zagen, en zo'n feestje soms wel de enige gelegenheid leek waar ze gedeelde herinneringen konden creëren, alsof ze hun vriendschap levend moesten houden door af en toe een handjevol aanmaakhoutjes op een nog maar net smeulend, zwart roetend vuur te gooien. Het was hun manier om te doen alsof alles nog hetzelfde was.

Het gaf hun ook de mogelijkheid om te doen alsof er niets aan de hand was met JB, terwijl ze alle drie wisten dat er iets fout ging. Willem kon er niet helemaal de vinger op leggen – JB kon op zijn eigen manier bijna net zo ontwijkend zijn als Jude in bepaalde gesprekken – maar hij wist dat JB eenzaam, ongelukkig en onzeker was, en dat dat geen normale gevoelens voor hem waren. Hij had het idee dat JB – die zo dol was geweest op het studentenleven met zijn structuren, hiërarchieën en microwereldjes waarin hij feilloos zijn weg had kunnen vinden – bij elk feest weer probeerde de ongedwongen, moeiteloze kameraadschap op te roepen die ze vroeger hadden gehad, toen hun professionele identiteit nog in nevelen was gehuld en ze werden verenigd door hun ambities en niet verdeeld door hun dagelijkse werkelijkheid. Daarom organiseerde JB die uitjes en daarom gingen ze allemaal braaf mee, zoals ze altijd hadden gedaan, waarmee ze hem het kleine genoegen gunden de leider te zijn, degene die altijd alles voor hen besliste.

Hij had JB graag weer eens een-op-een gezien, zonder anderen erbij, maar als JB niet met zijn studievrienden was, hing hij de laatste tijd in andere kringen rond, die voornamelijk bestonden uit meelopers in de kunstscene die alleen geïnteresseerd leken te zijn in grote hoeveelheden drugs gevolgd door ruige seks, en dat sprak Willem domweg niet aan. Hij bracht steeds minder tijd in New York door – in de afgelopen drie jaar maar acht maanden – en als hij dan eens thuis was, had hij twee tegenovergestelde wensen: aan de ene kant wilde hij tijd doorbrengen met zijn vrienden en aan de andere kant verlangde hij ernaar absoluut niets te doen.

Maar nu bleef hij proberen bij Jude te komen, die uiteindelijk was vrijgelaten door Marta en haar verzuurde vriendin en intussen in gesprek was met hun vriendin Carolina (toen hij dat zag, voelde hij zich weer schuldig, omdat hij Carolina al in geen maanden had gesproken en wist dat ze boos op hem was), totdat Francesca voor hem opdook en hem opnieuw voorstelde aan een vrouw die Rachel heette en vier jaar geleden assistent-dramaturg was geweest bij een productie van *Cloud Nine* waarin hij had gespeeld. Hij vond het leuk haar weer te zien – destijds had hij haar aardig gevonden, en ze was knap – maar terwijl hij met haar stond te praten wist hij al dat het niet verder zou gaan dan een gesprek. Tenslotte had hij niet overdreven: over vijf weken had hij weer opnames. Dit was niet het moment om verstrikt te raken in iets nieuws en ingewikkelds, en hij had niet echt de energie voor weer een van die onenightstands, die gek genoeg op een bepaald punt net zo vermoeiend werden als een langere affaire.

Nadat hij een minuut of tien met Rachel had gepraat zoemde zijn telefoon, en hij excuseerde zich en las het berichtje van Jude: *Ik ga. Wil je gesprek met de toekomstige mw. Ragnarsson niet onderbreken. Zie je thuis.*

'Shit,' zei hij, en daarna tegen Rachel: 'Sorry.' Plotseling was de betovering van het feest verbroken en wilde hij alleen nog maar weg. Hun bezoek aan dit soort feesten was een soort toneelstukje dat ze met z'n vieren voor zichzelf opvoerden, en als een van de spelers het toneel had verlaten, leek het weinig zin te hebben door te gaan. Hij nam afscheid van Rachel, die eerst verbluft keek en daarna regelrecht vijandig toen ze besefte dat hij echt wegging en haar niet meevroeg, en toen van een aantal anderen – Marta, Francesca, JB, Malcolm, Edie, Carolina – van wie minstens de helft hem dat zeer kwalijk leek te nemen. Het kostte hem nog een half uur om de deur uit te komen, en op weg naar beneden sms'te hij Jude hoopvol terug: *Ben je er nog? Ga nu*, en toen hij geen antwoord kreeg: *Zit in metro. Moet eerst even langs mijn flat. Tot zo.*

Hij nam lijn L naar 8th Avenue en liep toen in zuidelijke richting de paar blokken naar zijn appartement. Dit was zijn favoriete periode in de stad, eind oktober, en hij vond het altijd jammer als hij er dan niet was. Hij woonde op de hoek van Perry Street en West 4th Street, op de tweede verdieping, en zijn ramen bevonden zich op gelijke hoogte met de toppen van de ginkgobomen; voor hij hier introk had hij ervan gedroomd in het weekend tot laat in bed te blijven liggen en naar de werveling van gele blaadjes te kijken als ze door de wind van de takken werden gerukt. Maar dat had hij nooit gedaan.

Hij had geen bijzondere gevoelens voor de woning, behalve dat die van hem was en dat het zijn eerste en grootste aankoop was geweest nadat hij zijn studielening had afbetaald. Toen hij zo'n anderhalf jaar geleden naar woonruimte was gaan zoeken, had hij alleen geweten dat hij in downtown Manhattan wilde wonen en dat er een lift moest zijn, zodat Jude op bezoek kon komen.

'Stel je je niet een beetje overdreven afhankelijk op?' had zijn toenmalige vriendin, Philippa, plagerig maar tegelijk ook niet-plagerig gevraagd.

'Vind je?' had hij gevraagd, onbegrip veinzend, al wist hij best wat ze bedoelde.

'Kom op, Willem,' zei Philippa, lachend om haar ergernis te verbergen. 'Het ís gewoon zo.'

Hij haalde zijn schouders op, niet beledigd. 'Ik kan niet ergens gaan wonen waar hij niet langs kan komen,' zei hij.

Ze zuchtte. 'Dat weet ik.'

Hij wist dat Philippa niets tegen Jude had. Ze mocht hem graag, en dat was wederzijds; Jude had zelfs een keer voorzichtig gezegd dat hij vond dat Willem meer tijd met Philippa moest doorbrengen als hij in de stad was. Toen Philippa en hij pas met elkaar omgingen – ze was kostuumontwerper, voornamelijk voor het theater – hadden zijn vriendschappen haar geamuseerd, was ze er zelfs gecharmeerd van geweest. Ze had ze gezien als teken van zijn loyaliteit, betrouwbaarheid en standvastigheid, wist hij. Maar naarmate ze langer samen waren en ouder werden, was er iets veranderd en was de hoeveelheid tijd die hij doorbracht met JB, Malcolm en vooral Jude een teken geworden van zijn fundamentele onvolwassenheid, zijn weigering om de vertrouwdheid van het ene leven – het leven met hen – achter zich te laten voor de onzekerheid van een ander leven, met haar. Ze had hem nooit gevraagd ze helemaal op te geven – een van de dingen die hij leuk aan haar had gevonden was juist dat ze zo'n hechte band had met haar eigen vriendengroep en dat ze allebei een avond op stap konden gaan met hun eigen clubje, naar hun eigen restaurant, met hun eigen gesprekken, en dan na afloop bij elkaar konden komen, zodat twee afzonderlijke avonden eindigden in één gezamenlijke – maar uiteindelijk verlangde ze toch een soort overgave van hem, een toewijding aan haar en hun relatie die zijn andere relaties naar de achtergrond drong.

En daar kon hij zich niet toe zetten. Maar hij vond dat hij haar meer had gegeven dan ze wilde inzien. In hun laatste twee jaar samen was hij met Thanksgiving niet naar Harold en Julia gegaan en met Kerst niet naar de familie Irvine, zodat hij in plaats daarvan mee kon naar haar ouders in Vermont; hij had zijn jaarlijkse vakantie met Jude laten schieten, was met haar naar feesten, bruiloften, dinertjes en voorstellingen van haar vrienden gegaan en had bij haar gelogeerd als hij in de stad was, had toegekeken terwijl ze ontwerpen schetste voor *The Tempest* en had haar dure kleurpotloden geslepen toen zij sliep en hij, met zijn hoofd nog in een andere tijdzone, door de flat dwaalde, een boek pakte en weer weglegde, tijdschriften opensloeg en dichtdeed en doelloos de voorraadpotten pasta en cornflakes in de provisiekast rechtzette. Dat had hij allemaal van harte en zonder wrevel gedaan. Maar het was niet genoeg geweest en vorig jaar waren ze, na bijna vier jaar samen, zonder veel ophef en volgens hem op een goede manier uit elkaar gegaan.

Toen meneer Irvine hoorde dat ze uit elkaar waren, schudde hij zijn hoofd (het was op Flora's babyshower). 'Jullie beginnen echt een stelletje Peter Pans te worden met z'n vieren,' zei hij. 'Willem, hoe oud ben je nou? Zesendertig? Ik snap niet wat er met jullie aan de hand is. Jullie verdienen geld. Jullie hebben iets bereikt. Vinden jullie het niet eens tijd om wat minder aan elkaar te klitten en een beetje volwassen te worden?'

Maar hoe moest je volwassen zijn? Was een leven als stel echt de enige juiste keuze? (Maar één keuze wás helemaal geen keuze.) 'Is dat na duizenden jaren evolutie en sociale ontwikkeling onze enige optie?' had hij aan Harold gevraagd toen ze de afgelopen zomer in Truro waren, en Harold had gelachen. 'Hoor eens, Willem,' had hij gezegd, 'volgens mij doe je het prima. Ik weet dat ik je weleens doorzaag over een burgermansleven, en ik ben het eens met Malcolms vader dat het leven als stel prachtig is, maar het enige wat echt belangrijk is, is dat je een goed mens bent, wat jij al bent, en dat je van je leven geniet. Je bent jong. Je hebt nog jaren de tijd om te bedenken wat je wilt en hoe je wilt leven.'

'En als dít nou is hoe ik wil leven?'

'Dan is dat prima,' zei Harold. Hij lachte naar Willem. 'Jullie hebben een leven waar elke man van droomt, weet je dat? Waarschijnlijk zelfs John Irvine.'

De laatste tijd vroeg hij zich af of overdreven afhankelijkheid eigenlijk wel zo erg was. Hij had plezier in zijn vriendschappen en deed er niemand kwaad mee, dus wat maakte het uit of hij overdreven afhankelijk was of niet? En hoezo was onderlinge afhankelijkheid in een vriendschap eerder overdreven dan in een relatie? Waarom was zo'n vriendschap prijzenswaardig als je zevenentwintig was maar fout op je zevenendertigste? Waarom was vriendschap niet net zo goed als een relatie? Waarom zelfs niet beter? Twee mensen die dag in, dag uit bij elkaar bleven, niet gebonden door seks, fysieke aantrekkingskracht, geld, kinderen of bezit, maar alleen door de gezamenlijke wens om door te gaan, de wederzijdse trouw aan een verbintenis die niet in regels was vast te leggen. Vriendschap was getuige zijn van elkaars gestage reeks tegenslagen, lange episodes van eentonigheid en incidentele successen. Het was je vereerd voelen dat je getuige mocht zijn van de somberste momenten van een ander, en weten dat jij op jouw beurt somber mocht zijn in zijn gezelschap.

Meer dan over zijn mogelijke onvolwassenheid maakte hij zich zorgen over zijn kwaliteiten als vriend. Hij was er altijd trots op geweest een goede vriend te zijn, want vriendschap was voor hem altijd belangrijk geweest. Maar was hij er eigenlijk wel goed in? Neem nou de kwestie-JB: een goede vriend zou intussen wel iets bedacht hebben. En een goede vriend zou zeker een betere manier hebben bedacht om met Jude om te gaan, in plaats van als een mantra voor zichzelf te blijven herhalen dat er gewoon geen betere manier wás om met Jude om te gaan, en dat als die er wel was, als iemand (Andy? Harold? Iemand anders?) wel een methode kon bedenken, hij die met alle liefde zou volgen. Terwijl hij zichzelf dat voorhield, wist hij dat dit smoesjes waren.

Andy wist het ook. Vijf jaar geleden had Andy hem opgebeld toen hij in Sofia zat en was tegen hem tekeergegaan. Het was de eerste keer dat hij in een film speelde, en toen hij heel laat op de avond de telefoon opnam en Andy hoorde zeggen: 'Als jij echt zo'n goede vriend bent, had je je weleens wat vaker mogen laten zien de laatste tijd,' was hij meteen in de verdediging geschoten, omdat hij wist dat Andy gelijk had.

'Wacht even,' had hij gezegd terwijl hij rechtop ging zitten, en elk restje slaperigheid werd verjaagd door woede en angst.

'Die jongen zit zich verdomme in z'n eigen huis aan flarden te snijden, hij bestaat zo langzamerhand alleen nog maar uit littekenweefsel, hij ziet eruit als een wandelend geraamte, en waar ben jij, Willem?' vroeg Andy. 'En kom me niet aan met "Ik heb opnames". Waarom hou je hem niet in de gaten?'

'Ik bel hem elke dag,' begon hij, zelf ook met stemverheffing.

Andy liet hem niet uitspreken. 'Je wíst dat dit moeilijk voor hem zou worden. Je wíst dat hij zich nog kwetsbaarder zou voelen door de adoptie. Waarom heb je dan geen veiligheidsmaatregelen genomen, Willem? Waarom doen je andere zogenaamde vrienden niks?'

'Omdat hij niet wil dat ze weten dat hij zichzelf snijdt, dáárom niet! En ik wist helemáál niet dat het zo moeilijk voor hem zou worden, Andy,' zei hij. 'Hij vertelt me nooit iets! Hoe had ik dat moeten weten?'

'Gewoon! Omdat je het zou moeten snappen! Gebruik je stomme harses een keertje, Willem!'

'Schreeuw godverdomme niet zo!' schreeuwde hij. 'Je bent alleen maar boos omdat hij jóúw patiënt is en omdat jíj geen manier kan bedenken om hem te helpen, en daarom geef je mij de schuld.'

Toen hij het zei, had hij er meteen al spijt van, en daarna zaten ze allebei zwijgend in hun telefoon te hijgen. 'Andy,' begon hij.

'Nee,' zei Andy. 'Je hebt gelijk, Willem. Het spijt me. Het spijt me.'

'Nee, het spijt *míj*,' zei hij. Hij was opeens heel verdrietig bij de gedachte aan Jude in de lelijke badkamer in Lispenard Street. Voor zijn vertrek had hij overal gezocht naar Judes scheermesjes – onder het deksel van de spoelbak van de wc, achter in het medicijnkastje, zelfs onder de laden in de kast, die hij er stuk voor stuk uit had gehaald om ze van alle kanten te kunnen bekijken – maar hij had ze niet gevonden. Toch had Andy gelijk: het *wás* zijn verantwoordelijkheid. Hij *hád* er meer aan moeten doen. En dat had hij niet gedaan, dus hij had inderdaad gefaald.

'Nee,' zei Andy. 'Het spijt me heel erg, Willem, er is geen enkel excuus voor. En je hebt gelijk, ik weet niet wat ik moet beginnen.' Hij klonk vermoeid. 'Het is alleen... Hij heeft zo'n kloteleven gehad, Willem. En hij vertrouwt jou.'

'Ik weet het,' mompelde hij. 'Ik weet dat hij me vertrouwt.'

En daarom hadden ze een plan bedacht, en toen hij weer thuis was had hij beter op Jude gelet, iets wat bijzonder weinig had opgeleverd. In de maand na de adoptie was Jude anders dan hij hem kende, dat wel. Hij kon er niet precies de vinger op leggen: of Jude op een bepaalde dag ongelukkig of gelukkig was kon hij sowieso alleen bij hoge uitzondering vaststellen. Het was niet zo dat hij normaal gesproken neerslachtig rondslofte en geen emoties toonde en dat dat toen opeens veranderde; in wezen waren zijn gedrag, zijn ritme en zijn manier van doen hetzelfde als vroeger. Maar toch was er iets veranderd, en een korte periode had hij het vreemde gevoel gehad dat de Jude die hij kende was vervangen door een andere Jude, en dat die andere Jude, die wissel-Jude, iemand was aan wie hij alles kon vragen, iemand die misschien grappige verhalen over huisdieren, vrienden en gênante momenten uit zijn jeugd had, iemand die alleen lange mouwen droeg tegen de kou en niet omdat hij iets wilde verbergen. Hij had besloten Jude zo vaak en zo veel mogelijk op zijn woord te geloven, want hij was tenslotte niet zijn arts. Hij was zijn vriend. Het was zijn taak hem te behandelen zoals hij behandeld wilde worden, niet als een voorwerp van observatie.

Zodoende nam zijn waakzaamheid op een gegeven moment af en uiteindelijk verdween de andere Jude terug naar het land van de elfen en de sprookjes en werd zijn plaats weer ingenomen door de Jude die hij altijd had gekend. Maar eens in de zoveel tijd werd hij ineens opgeschrikt door iets wat hem eraan herinnerde dat hij van Jude alleen wist wat Jude wenste te onthullen: als hij weg was voor filmopnames belde hij Jude dagelijks, meestal op een afgesproken tijdstip, en op een bepaalde dag in het afgelopen jaar had hij gebeld en hadden ze een normaal gesprek gevoerd – Jude klonk niet anders dan anders en ze hadden samen gelachen om een verhaal van Willem – toen hij op de achtergrond duidelijk en onmiskenbaar hoorde dat er iets werd omgeroepen, zo'n oproep die je alleen in ziekenhuizen hoort: 'Attentie dr. Nesarian, dr. Nesarian naar operatiekamer 3.'

'Jude?' had hij gevraagd.

'Maak je geen zorgen, Willem,' zei hij. 'Alles is in orde. Ik had alleen een kleine infectie; ik geloof dat Andy een beetje aan het doordraaien is.'

'Wat voor infectie? Jezus, Jude!'

'Een bloedvergiftiging, maar het stelt niks voor. Echt niet, Willem, als het ernstig was zou ik het je verteld hebben.'

'Nee, Jude, dat zou je helemaal niet. En trouwens, een bloedvergiftiging ís ernstig.'

Er viel een korte stilte. 'Ik zou het je wel verteld hebben, Willem.'

'Weet Harold ervan?'

'Nee,' zei hij scherp. 'En je mag niets tegen hem zeggen.'

Na dit soort woordenwisselingen bleef hij perplex en verontrust achter, waardoor hij de rest van de avond zat te piekeren over de gesprekken die ze eerder die week hadden gehad, op zoek naar aanwijzingen dat er iets mis was geweest die hij domweg over het hoofd had gezien. Op momenten dat hij mild en welwillend gestemd was, stelde hij zich Jude voor als een goochelaar met maar één truc: zichzelf onzichtbaar maken, en daar werd hij jaar na jaar beter in, zodat hij nu alleen maar één flap van zijn zijden cape voor zijn ogen langs hoefde te halen en ogenblikkelijk onzichtbaar was, zelfs voor de mensen die hem het best kenden. Maar op andere momenten verfoeide hij die truc, net als het jaar in, jaar uit Judes geheimen bewaren en daar nooit iets voor terugkrijgen behalve de karigste snippertjes informatie, en nooit de kans krijgen ook maar een poging te doen hem te helpen of zich openlijk zorgen om hem te maken. Het is niet eerlijk, dacht hij op die momenten. Dit is geen vriendschap. Het is wel iets, maar geen vriendschap. Hij had het gevoel dat iemand hem in een soort samenzwering had gemanipuleerd waar hij nooit deel van had willen uitmaken. Alles wat Jude hun kenbaar maakte, wees erop dat hij niet geholpen wilde worden. En toch kon Willem dat niet aanvaarden. De vraag was hoe je iemands wens om met rust te worden gelaten negeerde, zelfs als je daarmee de vriendschap in gevaar bracht. Het was een geniepige paradox: hoe kun je iemand helpen die niet geholpen wil worden, terwijl je beseft dat je geen echte vriend bent als je níét probeert te helpen? Praat tegen me, zou hij af en toe wel tegen Jude willen schreeuwen. Vertel me iets. Vertel me wat ik moet doen om je zover te krijgen dat je tegen me gaat praten.

Op een feestje had hij Jude eens aan iemand horen vertellen dat hij hem, Willem, alles vertelde, en hij was tegelijk gevleid en verbijsterd geweest, want in werkelijkheid wist hij helemaal niets. Hij vond het soms ongelofelijk dat hij zo veel gaf om iemand die weigerde hem het soort dingen te vertellen die vrienden elkaar normaal gesproken toevertrouwden: hoe zijn leven was geweest voordat ze elkaar leerden kennen, wat zijn angsten waren, waar hij naar hunkerde, tot wie hij zich aangetrokken voelde, de gênante en droevige details van het dagelijks leven. Omdat hij niet met Jude zelf kon praten, wenste hij vaak dat hij het met Harold over Jude kon hebben, om uit te zoeken hoeveel die wist en of ze (samen met Andy) al hun kennis bij elkaar konden schrapen om misschien tot een soort oplossing te komen. Maar dat was dagdromerij, want Jude zou het hem nooit vergeven, en dan zou hij in plaats van de band die hij nu met hem had helemaal niets meer hebben.

In zijn flat keek hij snel zijn post door – hij kreeg zelden iets interessants: alles wat met zaken te maken had ging naar zijn agent of zijn advocaat en alle persoonlijke post ging naar Judes adres – pakte het script dat hij vorige week per ongeluk had laten liggen toen hij hier na de sportschool langs was gegaan, en vertrok weer; hij had zijn jas niet eens uitgetrokken.

Sinds hij het appartement een jaar eerder had gekocht, had hij er in totaal zes weken doorgebracht. In de slaapkamer stond een bedbank en in de woonkamer stonden de salontafel uit Lispenard Street, de gekraste Eames-glasvezelstoel die JB op straat had gevonden en zijn dozen met boeken. Maar verder niets. In theorie was het de bedoeling dat Malcolm de woning renoveerde, dat hij de kleine, bedompte werkkamer naast de keuken verbouwde tot een eethoek en nog een hele rits andere zaken aanpakte, maar alsof Malcolm Willems desinteresse aanvoelde, had hij de verbouwing onder aan zijn prioriteitenlijstje gezet. Soms klaagde Willem daarover, maar hij wist dat het niet Malcolms schuld was: per slot van rekening had hij Malcolms e-mails over het lakwerk of de tegels nooit beantwoord, noch die over de afmetingen van de in te bouwen boekenkast en de muurbank, terwijl Malcolm zijn goedkeuring nodig had voordat hij de planken op maat kon bestellen. Nog maar kortgeleden had hij zijn advocaat opdracht gegeven Malcolm de papieren te sturen die hij nodig had om met de verbouwing te beginnen, en de volgende week zouden ze eindelijk om de tafel gaan zitten en dan zou hij een paar beslissingen nemen, zodat het appartement halverwege januari, als hij terugkwam, misschien niet volledig getransformeerd zou zijn maar, beloofde Malcolm, er op z'n minst een stuk beter zou uitzien.

Intussen woonde hij nog steeds min of meer bij Jude, sinds hij direct na de breuk met Philippa naar diens flat in Greene Street was verhuisd. Hij gebruikte zijn onvoltooide appartement en de belofte die hij Andy had gedaan als excuses voor zijn schijnbaar eeuwigdurende verblijf in Judes logeerkamer, maar in werkelijkheid had hij behoefte aan Judes gezelschap en de constante factor van zijn aanwezigheid. Als hij van huis was, in Engeland, Ierland, Californië, Frankrijk, Tanger, Algerije, India, de Filippijnen of Canada, had hij behoefte aan een beeld van wat hem thuis in New York wachtte, en in dat beeld ontbrak Perry Street volkomen. Thuis betekende voor hem Greene Street, en als hij ver weg en eenzaam was dacht hij aan Greene Street, aan zijn kamer daar en hoe Jude en hij in de weekends, als Jude klaar was met zijn werk, tot laat op de avond zaten te praten en het dan leek alsof de tijd werd vertraagd en opgerekt, waardoor hij het idee had dat de nacht eeuwig zou kunnen duren.

En nu ging hij eindelijk naar huis. Hij rende de trap af, de voordeur uit en de straat op. Het was een koude avond geworden en hij liep snel, bijna op een draf, en genoot er zoals altijd van om in z'n eentje over straat te lopen, alleen in een stad met zo veel inwoners. Dat was een van de dingen die hij het meest miste. Op een filmset was je nooit alleen. Er liep een regieassistent mee naar je caravan en mee terug naar de set, zelfs als dat een stukje van vijftig meter was. Toen hij nog maar pas op sets rondliep was hij eerst verrast, daarna geamuseerd en ten slotte geërgerd geweest over de filmcultuur, die een verregaande infantilisering van de acteur in de hand leek te werken. Soms had hij het gevoel dat hij rechtop was vastgesnoerd aan een dolly en van de ene plek naar de andere werd gereden: er liep iemand mee naar de make-up en naar de kostuumafdeling. Daarna werd hij naar de set gebracht, en dan terug naar zijn caravan, waar hij een paar uur later weer werd opgehaald en begeleid naar de set.

'Zorg dat ik hier nooit aan gewend raak,' droeg hij Jude op, nee, smeekte hij hem bijna. Dat was het standaardzinnetje waarmee hij al zijn verhalen besloot: over de lunches, waarbij men aparte groepen vormde naar status en kaste – de acteurs en regisseur aan de ene tafel, de cameramensen aan een andere, de mensen van het licht en geluid aan een derde, de grips aan een vierde, de kostuumafdeling aan een vijfde – en er werd gebabbeld over je work-outs, restaurants die je wilde proberen, diëten die je volgde, personal trainers, sigaretten (hoe je ernaar snakte) en facelifts (hoe hard je die nodig had), en over de leden van de crew, die een hartgrondige hekel aan acteurs hadden maar tegelijk pijnlijk gevoelig waren voor het kleinste beetje aandacht dat ze van hen kregen; over de valsheid van de haar- en make-upmensen, die verbijsterend veel wisten over het leven van de acteurs, doordat ze hadden geleerd zich muisstil te houden en zich volkomen onzichtbaar te maken terwijl ze haarstukken vastzetten en foundation aanbrachten en luisterden naar actrices die door de telefoon tegen hun vriendjes krijsten en acteurs die fluisterend een amoureus tête-à-tête regelden voor 's avonds laat, allemaal terwijl ze bij hen in de stoel zaten. Op die sets besefte hij dat hij terughoudender was dan hij altijd had gedacht, en ook hoe makkelijk en verleidelijk het was om te gaan denken dat het leven op de set – waar alles voor je werd gedaan en waar je letterlijk in de schijnwerpers werd gezet – het echte leven was.

Hij had eens meegemaakt dat hij op de gemarkeerde plek klaarstond en de cinematograaf nog een laatste aanpassing maakte om vervolgens naar hem toe te komen, zijn hand voorzichtig om zijn gezicht te leggen – 'Zijn haar!' brulde de opnameleider waarschuwend – en het een paar centimeter schuin naar links te duwen, daarna naar rechts en toen weer naar links, alsof hij een vaas precies op de juiste plek op een schoorsteenmantel zette.

'Niet bewegen, Willem,' had hij gewaarschuwd, en Willem had beloofd dat niet te doen en zelfs nauwelijks meer ademgehaald, maar eigenlijk had hij bijna de slappe lach gekregen. Hij moest opeens aan zijn ouders denken – aan wie hij, verwarrend genoeg, steeds vaker dacht naarmate hij ouder werd – en aan Hemming, en een halve seconde lang zag hij ze links van hem aan de rand van de set staan, net te ver weg om hun gezicht te kunnen zien, maar de uitdrukking daarop had hij zich toch niet kunnen voorstellen.

Hij vond het fijn om al die dingen aan Jude te vertellen, en in zijn verhalen werden zijn dagen op de set grappig en vrolijk. Hij had niet gedacht dat het leven van een acteur zo zou zijn, maar wat had hij nou geweten van het leven van een acteur? Hij bereidde zich altijd goed voor, hij kwam altijd op tijd, hij was beleefd tegen iedereen, hij deed wat de cinematograaf hem vertelde en ging alleen tegen de regisseur in als dat absoluut noodzakelijk was. Maar zelfs nu, zo veel films later – twaalf in de afgelopen vijf jaar, waarvan acht in de afgelopen twee jaar – en na alle absurde dingen die hij heeft meegemaakt, is het meest onwezenlijke moment voor hem nog steeds de minuut voordat de camera begint te draaien. Hij gaat op de eerste plek staan die voor hem is gemarkeerd, en daarna op de tweede; de cameraman laat weten dat hij klaarstaat.

'Styling!' roept de opnameleider, en de haar- en make-upmensen en kleedsters komen aanrennen, storten zich op hem als op een prooi en plukken aan zijn haar, trekken zijn shirt recht en kriebelen met hun zachte kwasten over zijn oogleden. Het duurt maar een halve minuut, maar in die halve minuut, terwijl hij daar met neergeslagen ogen staat om te zorgen dat er geen poeder in komt en de handen van anderen bezitterig over zijn lijf en hoofd voelt gaan alsof die niet meer van hem zijn, heeft hij het vreemde gevoel dat hij er niet meer is, dat hij tijdelijk weg is en zijn hele leven slechts een verzinsel. In die seconden tolt er een draaikolk van beelden door zijn geest, te snel en chaotisch om ze allemaal te kunnen thuisbrengen: de scène die ze gaan draaien natuurlijk, en de scène die ze hiervoor hebben gedraaid, maar ook alles wat hem bezighoudt, altijd, de dingen die hij ziet en hoort en zich herinnert voordat hij 's avonds in slaap valt: Hemming en JB en Malcolm en Harold en Julia. Jude.

Ben jij gelukkig? had hij Jude eens gevraagd (ze waren ongetwijfeld dronken).

Ik geloof niet dat geluk iets voor mij is, had Jude na een stilte gezegd, alsof Willem hem iets te eten had aangeboden dat hij niet lustte. Maar wel voor jou, Willem.

Terwijl er aan hem gesjord en geplukt wordt, bedenkt hij dat hij Jude had moeten vragen wat hij daarmee bedoelde: waarom het iets voor hem was en niet voor Jude. Maar tegen de tijd dat de scène erop staat zal hij zich die vraag niet meer herinneren, noch het gesprek dat er aanleiding toe gaf.

'Start geluid!' brult de opnameleider, en de visagisten en kleedsters stuiven weg.

'Geluid loopt,' antwoordt de geluidsman.

'Start camera,' roept de cameraman; dan wordt de scène aangekondigd en klinkt de klap.

En dan doet hij zijn ogen open.

2

Op een zaterdagochtend kort nadat hij zesendertig is geworden, doet hij zijn ogen open en ondergaat dat vreemde, heerlijke gevoel dat hij soms heeft, het besef dat zijn leven wolkeloos is. Hij stelt zich Harold en Julia in Cambridge voor, die slaperig door de keuken lopen, koffie in hun vlekkerige, afgeschilferde mokken gieten en de dauw van de kranten in plasticfolie schudden, en Willem, in de lucht, die vanuit Kaapstad naar hem toe vliegt. Hij haalt zich voor de geest hoe Malcolm in zijn bed in Brooklyn tegen Sophie aan ligt, en dan, omdat hij in een optimistische stemming is, hoe JB veilig ligt te snurken in zijn bed aan de Lower East Side. Hier in Greene Street slaakt de radiator zijn sissende zucht. De lakens ruiken naar zeep en zonlicht. Boven hem hangt de kroonluchter van stalen buizen die Malcolm een maand geleden heeft opgehangen. Onder hem ligt een glanzende zwarthouten vloer. Het is stil in het appartement, dat nog steeds onmogelijk van omvang en mogelijkheden en potentie is, en helemaal van hem.

Hij strekt zijn tenen naar het voeteneind en trekt ze dan omhoog naar het plafond: niets. Hij schuift heen en weer met zijn rug over het matras: niets. Hij trekt zijn knieën op naar zijn borst: niets. Niets doet er pijn, niets dreigt er pijn te gaan doen: zijn lichaam is weer van hem en doet voor hem wat hij ook maar bedenkt, zonder te klagen of sabotage te plegen. Hij sluit zijn ogen, niet omdat hij moe is maar omdat het moment volmaakt is en hij weet hoe je daarvan moet genieten.

Dit soort momenten duren nooit lang – soms hoeft hij alleen maar te gaan zitten of hij wordt er als met een klap in zijn gezicht aan herinnerd dat hij het eigendom van zijn lichaam is en niet andersom – maar sinds hij een paar jaar geleden achteruit begon te gaan doet hij zijn best de hoop op te geven dat het ooit nog beter zal worden, en probeert zich in plaats daarvan te concentreren op de minuten van respijt en er dankbaar voor te zijn, waar en wanneer zijn lichaam ook maar besluit hem die minuten te schenken. Na een tijdje gaat hij langzaam zitten en daarna net zo langzaam staan. En hij voelt zich nog steeds geweldig. Een goede dag, concludeert hij, en hij loopt naar de badkamer, langs de rolstoel die in een hoek van zijn slaapkamer staat te mokken als een nukkig monster.

Hij maakt zijn toilet en pakt wat papieren om even te werken terwijl hij wacht. Meestal is hij het grootste deel van de zaterdag op kantoor – dat is tenminste één ding dat niet is veranderd sinds de dagen dat hij zijn wandelingen maakte... o, die wandelingen! Was híj dat werkelijk, iemand die moeiteloos als een geit naar de Upper East Side en terug kon trippelen, al die achttien kilometer op eigen kracht? – maar vandaag heeft hij een afspraak met Malcolm om met hem naar zijn kleermaker te gaan, want Malcolm gaat trouwen en moet een pak hebben.

Ze weten niet helemaal zeker of Malcolm echt gaat trouwen of niet. Ze denken van wel. In de afgelopen drie jaar zijn Sophie en hij uit elkaar gegaan, bij elkaar gekomen, weer uit elkaar gegaan en opnieuw bij elkaar gekomen. Maar in het afgelopen jaar heeft Malcolm meerdere malen met Willem over bruiloften gepraat, en of Willem vond dat ze een overbodige uitspatting waren of niet, en met JB over sieraden, en of vrouwen het echt menen als ze zeggen dat ze niet van diamanten houden of dat ze alleen willen horen hoe het klinkt, en met hem over huwelijkse voorwaarden.

Hij heeft Malcolms vragen zo goed mogelijk beantwoord en hem daarna de naam gegeven van iemand die hij van zijn studie kent en die als notaris is gespecialiseerd in familierecht. 'O,' zei Malcolm, en hij schoof achteruit alsof hij hem de naam van een huurmoordenaar had gegeven. 'Ik geloof niet dat ik dat al nodig heb, Jude.'

'Oké,' zei hij, en hij nam het kaartje terug, want Malcolm leek het niet eens te willen aanraken. 'Nou, zeg het maar als het zover is.'

En toen vroeg Malcolm een maand geleden of hij hem kon helpen een pak uit te zoeken. 'Ik heb niet eens een fatsoenlijk pak, dat is toch idioot?' vroeg hij. 'Vind je niet dat ik er een hoor te hebben? Vind je niet dat ik er eens wat, eh, volwassener of zo uit zou moeten zien? Denk je niet dat dat zakelijk gezien verstandig zou zijn?'

'Ik vind dat je er prima uitziet, Mal,' zei hij. 'En ik geloof niet dat je hulp nodig hebt op zakelijk gebied. Maar als je een pak wilt, natuurlijk, ik help je graag.'

'Bedankt,' zei Malcolm. 'Ik bedoel, ik vind gewoon dat ik er een moet hebben. Voor het geval dat ik het een keer ergens voor nodig heb, je weet wel.' Hij zweeg even. 'Waanzinnig trouwens dat je een eigen kleermaker hebt.'

Hij glimlachte. 'Het is niet míjn kleermaker,' zei hij. 'Het is gewoon iemand die kleren maakt, waaronder die van mij.'

'God,' zei Malcolm, 'Harold heeft echt een monster geschapen.'

Hij lachte omdat dat van hem werd verwacht. Maar hij heeft vaak het gevoel dat een pak het enige is waardoor hij er normaal uitziet. In de maanden dat hij in een rolstoel zat waren die pakken een manier om zijn cliënten het vertrouwen te geven dat hij deskundig was, en tegelijk om zichzelf het vertrouwen te geven dat hij bij de anderen hoorde, dat hij zich in elk geval hetzelfde kon kleden als zij. Hij vindt zichzelf niet ijdel, eerder secuur: in zijn jeugd speelden de jongens van het tehuis soms honkbal tegen de jongens van de plaatselijke school, die pesterig hun neus dichtknepen als ze het veld op kwamen. 'Jullie moeten in bad!' schreeuwden ze. 'Jullie stinken! Jullie stinken!' Maar ze wasten zich wel degelijk: elke ochtend gingen ze verplicht onder de douche, en dan pompten ze de vettige roze zeep in hun handpalmen en op waslapjes en schrobden hun huid rauw terwijl een van de begeleiders heen en weer liep langs de rij douchekoppen en met een dunne handdoek mepte naar de jongens die zich misdroegen of schreeuwde naar degenen die zich niet fanatiek genoeg schoonboenden. Zelfs nu nog is hij als de dood om weerzin te wekken door onverzorgd, vies of slonzig te zijn. 'Lelijk zul je altijd blijven, maar dat betekent niet dat je er niet netjes uit kunt zien,' zei pater Gabriel altijd tegen hem, en hoewel pater Gabriel het vaak mis had, weet hij dat hij hier gelijk in had.

Malcolm komt, begroet hem met een omhelzing en begint dan zoals altijd de etage te inspecteren: hij maakt zijn lange nek nog langer en draait langzaam om zijn as, zodat zijn blik als de lichtbundel van een vuurtoren door de kamer gaat, waarbij hij keurende geluidjes maakt.

Hij beantwoordt Malcolms vraag al bij voorbaat: 'Volgende maand, Mal.'

'Dat zei je drie maanden geleden ook al.'

'Ik weet het. Maar nu meen ik het echt. Nu heb ik het geld. Althans, aan het eind van de maand dan.'

'Maar daar hebben we het al over gehad.'

'Dat is waar. En Malcolm, het is ongelofelijk gul van je. Maar ik ben niet van plan je er niet voor te betalen.'

Hij woont hier alweer ruim vier jaar en is al vier jaar niet in staat het te laten verbouwen omdat hij er steeds geen geld voor had, en hij had er geen geld voor omdat hij de koopsom aan het afbetalen was. Intussen heeft Malcolm ontwerpen gemaakt, slaapkamermuren geplaatst, geholpen met het uitkiezen van een bank, die als een grijs ruimteschip midden in de woonkamer staat, en een paar kleinere problemen aangepakt, waaronder de vloeren. 'Dat is waanzin,' heeft hij destijds tegen Malcolm gezegd. 'Je moet het allemaal weer opnieuw doen als de verbouwing achter de rug is.' Maar Malcolm zei dat hij het toch wilde doen: de vloerverf was een nieuw product dat hij wilde uitproberen, en zolang hij er nog niet echt aan de gang kon zou Greene Street zijn laboratorium zijn, waar hij een beetje kon experimenteren, als Jude er geen bezwaar tegen had (en dat had hij natuurlijk niet). Maar verder ziet het appartement er nog ongeveer net zo uit als toen hij er kwam wonen: een lange rechthoek op de vijfde verdieping van een gebouw in het zuiden van SoHo, met ramen aan drie kanten, in de west- en in de oostgevel en in de hele zuidelijke muur, waar ze uitzicht bieden op een parkeerterrein. Zijn kamer en badkamer liggen aan de oostkant en kijken uit op het dak van een plomp gebouw aan Mercer Street; Willems kamers – of de kamers die hij nog steeds als Willems kamers beschouwt – liggen aan de westkant en hebben uitzicht op Greene Street. In het midden van de etage bevinden zich een keuken en een derde badkamer. En verder is er een zee van ruimte tussen de twee woongedeeltes, met zwarte vloeren die glanzen als pianotoetsen.

Het is nog steeds onwennig voor hem om zo veel ruimte te hebben, en nog vreemder om het zich te kunnen veroorloven. Maar dat kun je echt, moet hij soms tegen zichzelf zeggen, net als wanneer hij zich in de supermarkt afvraagt of hij een bakje van de zwarte olijven zal kopen die hij lekker vindt; ze zijn zo zout dat zijn mond ervan samentrekt en er tranen in zijn ogen springen. Toen hij nog maar net in de stad woonde, waren ze een uitspatting: hij kocht ze eens per maand, een glimmende lepel vol. Elke avond at hij er één, hij zoog het vruchtvlees langzaam van de pit terwijl hij pleitnota's zat te lezen. Je kunt ze kopen, zegt hij tegen zichzelf. Je hebt er het geld voor. Maar dat vergeet hij nog vaak.

Dat hij in Greene Street woont en er meestal een bakje olijven in de koelkast staat, komt door zijn baan bij Rosen Pritchard & Klein, een van de meest invloedrijke en prestigieuze advocatenkantoren van de stad, waar hij advocaat en sinds iets meer dan een jaar partner is. Vijf jaar geleden werkte hij met Citizen en Rhodes aan een geval van effectenfraude bij Thackery Smith, een grote handelsbank, en kort nadat er een schikking was bereikt werd hij benaderd door Lucien Voigt, die hij kende als hoofd van de afdeling Procesvoering bij Rosen Pritchard & Klein en die Thackery Smith had vertegenwoordigd in hun onderhandelingen.

Voigt nodigde hem uit voor een drankje. Hij was onder de indruk van zijn werk, vooral in de rechtszaal, zei hij. Net als Thackery Smith. Hij had trouwens al eerder van hem gehoord, want hij had samen met rechter

Sullivan in de redactie van het juridische tijdschrift van hun universiteit gezeten, en hij had wat meer informatie over hem vergaard. Had hij weleens overwogen weg te gaan bij het OM en over te lopen naar de slechteriken?

Hij zou liegen als hij zei van niet. Overal om hem heen gingen mensen weg. Hij wist dat Citizen in gesprek was met een internationaal advocatenkantoor in Washington. Rhodes overwoog als intern jurist bij een bank te gaan werken. Hijzelf was al door twee andere kantoren benaderd en had tegen allebei nee gezegd. Ze hielden allemaal van het OM. Maar Citizen en Rhodes waren ouder dan hij, en Rhodes en zijn vrouw wilden een kind, dus moesten ze echt geld gaan verdienen. Geld, geld: het was soms het enige waarover ze praatten.

Ook hij dacht aan geld, hoe kon hij anders? Elke keer dat hij thuiskwam van een feestje bij een van de vrienden van JB of Malcolm leek Lispenard Street weer een beetje armoediger, een beetje minder draaglijk. Elke keer dat de lift kapot was en hij al die trappen op moest en dan in de hal op de grond moest gaan zitten met zijn rug tegen hun voordeur voordat hij het kon opbrengen zichzelf binnen te laten, droomde hij ervan om ergens te wonen waar alles het altijd deed. Elke keer dat hij boven aan de trap naar de metro stond en zich voorbereidde op de afdaling, met zijn hand stevig om de leuning en bijna hijgend van inspanning, wenste hij dat hij een taxi kon nemen. En dan waren er nog andere, grotere angsten: in zijn donkerste momenten zag hij zichzelf, met een huid die als perkament over zijn ribben lag, als oude man nog steeds in Lispenard Street wonen en stelde hij zich voor dat hij zich op zijn ellebogen naar de badkamer moest werken omdat hij niet meer kon lopen. In dat toekomstbeeld was hij alleen: geen Willem, JB, Malcolm of Andy, geen Harold of Julia. Hij was stokoud en er was niemand anders, hij was alleen over en moest voor zichzelf zorgen.

'Hoe oud ben je?' vroeg Voigt.

'Eenendertig,' zei hij.

'Eenendertig is jong,' zei Voigt, 'maar je zult niet altijd jong blijven. Wil je echt oud worden bij het OM? Je weet wat ze zeggen over assistent-aanklagers: mannen die hun beste tijd gehad hebben.' Hij had het over compensatie en een versneld traject naar het partnerschap. 'Wil je er in elk geval over nadenken?'

'Dat zal ik doen,' zei hij.

En dat deed hij. Hij sprak er niet over met Citizen of Rhodes – of Harold, want hij wist al wat die zou zeggen – maar wel met Willem, en samen wogen ze de onmiskenbare voordelen af tegen de onmiskenbare nadelen: de werktijden (maar nu was hij ook al altijd op zijn werk, betoogde Willem), de eentonigheid, de grote kans dat zijn collega's klootzakken waren (maar afgezien van Citizen en Rhodes waren ze dat nu ook al, betoogde Willem). En natuurlijk het feit dat hij dan de mensen zou verdedigen die hij de afgelopen zes jaar had vervolgd: leugenaars, oplichters en dieven, de bevoorrechten en machtigen die zich voordeden als slachtoffers. Hij was anders dan Harold of Citizen, hij was pragmatisch: hij wist dat je voor een carrière als jurist altijd iets moest opgeven, ofwel het geld ofwel je idealen, maar toch zat het hem dwars, het verloochenen van wat hij wist dat rechtvaardig was. En waarvoor? Om ervoor te zorgen dat hij niet die oude, eenzame en invalide man zou worden? Het leek hem de ergste vorm van zelfzucht, de ergste vorm van eigenliefde om het goede te verwerpen, enkel en alleen uit angst dat zijn leven anders onaangenaam en ellendig zou worden.

En toen, twee weken na zijn gesprek met Voigt, kwam hij op een vrijdagavond heel laat thuis. Hij was uitgeput; de wond aan zijn rechterbeen deed zo veel pijn dat hij die dag zijn rolstoel had moeten gebruiken, en hij was zo blij dat hij thuis was, terug in Lispenard Street, dat hij wel kon huilen: over een paar minuten zou hij binnen zijn, en dan zou hij een nat waslapje, warm en stomend uit de magnetron, om zijn kuit slaan en in de behaaglijke warmte gaan zitten. Maar toen hij op de liftknop drukte, hoorde hij alleen het geknars van de tandwielen, het zwakke geluid dat het hijsmechanisme maakte als het kapot was.

'Nee!' riep hij. 'Nee!' Zijn stem echode door de hal en hij sloeg met zijn vlakke hand keer op keer tegen de liftdeur. 'Nee, nee, nee!' Hij pakte zijn aktentas en slingerde hem op de grond, zodat zijn papieren eruit vlogen. Om hem heen zweeg het gebouw, niet tot helpen bereid.

Uiteindelijk bedaarde hij en stopte beschaamd en boos zijn papieren terug in zijn tas. Hij keek op zijn horloge: het was elf uur. Willem speelde in een stuk, *Cloud Nine*, maar om deze tijd zou hij niet meer op het toneel staan. Hij belde hem, maar er werd niet opgenomen. Toen begon hij in paniek te raken. Malcolm was op vakantie in Griekenland. JB zat in een kunstenaarskolonie. Andy was net de vorige week vader geworden van een dochter, Beatrice, dus die kon hij niet bellen. Er was maar een beperkt aantal mensen door wie hij zich wilde laten helpen, bij wie hij zich in elk geval enigszins kon voorstellen dat hij zich aan hen zou vastklampen als een luiaard aan een tak en zich de vele trappen naar boven op zou laten slepen.

Maar op dat moment had hij een irrationeel, wanhopig verlangen om zo snel mogelijk zijn huis binnen te komen. Dus stond hij op, klemde zijn aktentas onder zijn linkerarm en klapte met zijn rechterhand zijn rolstoel in, die te duur was om in de hal achter te laten. Moeizaam begon hij de trap te beklimmen, met zijn linkerzij dicht tegen de muur en met zijn rechterhand om een van de spaken van de rolstoel geslagen. Hij vorderde langzaam, want hij moest op zijn linkerbeen hinken en vermijden dat er gewicht op zijn rechter rustte of de rolstoel tegen zijn wond stootte. Zo ging hij naar boven, en na elke drie treden stopte hij even om uit te rusten. Het waren honderdtien treden van de hal naar de vierde verdieping, en na de vijftigste trilde hij zo dat hij een half uur moest gaan zitten. Steeds opnieuw belde en sms'te hij Willem. Bij het vierde telefoontje sprak hij het bericht in waarvan hij had gehoopt het nooit te hoeven inspreken: 'Willem, ik heb echt hulp nodig. Alsjeblieft, bel me. Alsjeblieft.' Hij had een visioen van Willem die meteen terugbelde en zei dat hij eraan kwam, maar hij wachtte en wachtte en Willem belde niet, en ten slotte lukte het hem weer op te staan.

Op de een of andere manier had hij het gered. Maar hij kan zich verder niets van die nacht herinneren; toen hij de volgende dag wakker werd, lag Willem op het kleed naast zijn bed te slapen en was Andy in slaap gevallen in de stoel die ze kennelijk uit de woonkamer naar zijn kamer hadden gesleept. Hij had een dikke tong en was versuft en misselijk, waardoor hij wist dat Andy hem een pijnstiller moest hebben ingespoten, waar hij een enorme hekel aan had: hij zou zich dagenlang gedesoriënteerd en geconstipeerd voelen.

De volgende keer dat hij wakker werd was Willem weg, maar Andy zat naar hem te kijken.

'Jude, je moet hier als de sodemieter weg,' zei hij rustig.

'Ik weet het,' antwoordde hij.

'Jude, hoe kwam je erbij om het alleen te proberen?' vroeg Willem hem later, toen hij terug was van de supermarkt en nadat Andy, die intussen was vertrokken, hem naar de wc had geholpen – hij kon niet lopen, Andy moest hem dragen – en hem daarna weer in bed had gelegd, nog steeds in zijn kleren van de vorige dag. Willem was na de voorstelling naar een feestje gegaan en had zijn telefoon niet gehoord; toen hij zijn berichten eindelijk had afgeluisterd, was hij zo snel mogelijk naar huis gekomen, had hem stuiptrekkend op de grond gevonden en had Andy gebeld. 'Waarom heb je Andy niet gebeld? Waarom ben je niet naar een cafetaria gegaan om op me te wachten? Waarom heb je Richard niet gebeld?

Waarom heb je Philippa niet gebeld en gezegd dat ze me moest opsporen? Waarom heb je Citizen niet gebeld, of Rhodes, of Eli, of Phaedra, of een van de Henry Youngs, of...'

'Ik weet het niet,' zei hij mistroostig. De logica van de zieken was onmogelijk uit te leggen aan iemand die gezond was, en hij had niet genoeg energie om het te proberen.

De week erna nam hij contact op met Lucien Voigt en besprak de voorwaarden van de aanstelling met hem. En toen hij het contract had getekend belde hij Harold, die vijf lange seconden zweeg voordat hij diep inademde en van wal stak.

'Ik snap het gewoon niet, Jude,' zei hij. 'Echt niet. Ik heb nooit de indruk gehad dat je een geldwolf was. Ben je dat? Nou ja, blijkbaar wel. Je had – je hebt nog steeds – een fantastische carrière bij het OM. Daar doe je werk dat ertoe doet. En waar geef je dat allemaal voor op? Om misdadigers te gaan verdedigen? Mensen die zo geprivilegieerd zijn, die zo zeker weten dat ze niet gepakt zullen worden dat die mogelijkheid niet eens bij ze opkomt. Mensen die denken dat de wet bedoeld is voor anderen, die minder dan een bedrag met acht nullen per jaar verdienen. Mensen die denken dat de wet alleen van toepassing is als je van een bepaald ras bent of in een bepaalde belastingschijf valt.'

Terwijl Harold zich steeds meer opwond, bleef hij zwijgen, want hij wist dat Harold gelijk had. Ze hadden het nooit met zo veel woorden besproken, maar hij wist dat Harold er altijd van uit was gegaan dat hij een carrière in overheidsdienst zou maken. In de loop van de jaren had Harold ontgoocheld en bedroefd gepraat over getalenteerde voormalige studenten van hem die hij bewonderde en die hun baan hadden opgezegd – bij het OM, bij het ministerie van Justitie, bij kantoren van pro-deo-advocaten – om voor het bedrijfsleven te gaan werken. 'De samenleving kan niet naar behoren functioneren zonder uitstekende juristen die het op zich nemen om daarvoor te zorgen,' zei Harold vaak, en hij was het altijd met hem eens geweest. En hij was het nog steeds met hem eens, zodat hij zichzelf nu niet kon verdedigen.

'Heb je er helemaal niets tegen in te brengen?' vroeg Harold uiteindelijk.

'Het spijt me, Harold,' zei hij. Harold zweeg. 'Je bent zo boos op me,' mompelde hij.

'Ik ben niet boos, Jude,' zei Harold. 'Ik ben teleurgesteld. Weet je wel hoe bijzonder je bent? Weet je wat je allemaal voor elkaar zou kunnen krijgen als je bleef? Je zou rechter kunnen worden als je dat wilde, je zou ooit bij een gerechtshof of zelfs bij de Hoge Raad kunnen werken. Maar dat zal nu niet meer gebeuren. Nu word je de zoveelste advocaat bij het zoveelste advocatenkantoor en ga je al het goede werk dat je had kunnen doen juist bestrijden. Het is gewoon zo zonde, Jude, het is zo zonde.'

Hij deed er weer het zwijgen toe. Hij herhaalde Harolds woorden in zijn hoofd: zo zonde, zo zonde. Harold zuchtte. 'Maar waar gaat het nou eigenlijk om?' vroeg hij. 'Gaat het om geld? Is dat het punt? Waarom heb je niet gezegd dat je geld nodig had, Jude? Ik kan best iets missen. Draait dit allemaal om geld? Vertel me wat je nodig hebt, Jude, dan help ik je graag.'

'Harold,' begon hij, 'dat is zo... zo lief van je. Maar... dat kan ik niet aannemen.'

'Gelul,' zei Harold. 'Je *wílt* het gewoon niet. Ik bied je een manier aan om je baan te houden, Jude, en om niet te hoeven overstappen naar een baan waar je een hekel aan zult krijgen, omdat je er werk moet doen waar je een hekel aan hebt – dat staat als een paal boven water – en ik verwacht er niets voor terug, ik stel geen voorwaarden. Het zou me een plezíér doen om je hier geld voor te geven.'

O, Harold, dacht hij. 'Harold,' zei hij verdrietig, 'het soort bedragen dat ik nodig heb zijn niet de bedragen die jij kunt missen. Geloof me.'

Harold zweeg even, en toen hij weer sprak was zijn toon anders. 'Jude, zit je op de een of andere manier in de problemen? Je kunt het me gerust vertellen. Wat het ook is, ik help je.'

'Nee,' zei hij, maar hij had wel kunnen huilen. 'Nee, Harold, alles is in orde.' Hij sloeg zijn rechterhand om zijn verbonden kuit, die voortdurend en onveranderlijk pijn deed.

'Nou, gelukkig,' zei Harold. 'Maar Jude, waar kun je dan zo veel geld voor nodig hebben, afgezien dan om een huis te kopen, waar Julia en ik je mee zullen helpen, hoor je me?'

Soms merkte hij dat hij tegelijk gefrustreerd en gefascineerd was door Harolds gebrek aan fantasie: in Harolds wereldbeeld hadden mensen ouders die trots op ze waren, spaarden ze alleen voor huizen en vakanties en vroegen ze om dingen als ze die wilden; hij scheen zich vreemd genoeg niet bewust te zijn van een universum waarin die zaken misschien geen vaststaande gegevens waren, waarin niet iedereen hetzelfde verleden en dezelfde toekomst had. Maar het was heel onaardig van hem om zo te denken, en hij deed dat ook zelden; meestal had hij juist bewondering voor Harolds onwrikbare optimisme, zijn onvermogen of weigering om cynisch te zijn, om in elke situatie het onheil of de ellende te zien. Hij hield van Harolds onschuld, die des te opmerkelijker was als je bedacht wat hij doceerde en wat hij had verloren. Dus hoe kon hij Harold vertellen dat hij rekening moest houden met rolstoelen, die om de paar jaar vervangen moesten worden en niet helemaal werden gedekt door de verzekering? Hoe kon hij vertellen dat Andy, die niet samenwerkte met zorgverzekeraars, hem nooit een rekening stuurde en hem ook nooit een rekening had gestuurd, maar dat misschien op een dag wel zou willen doen, en dat hij er dan niet over peinsde om hem niet te betalen? Hoe kon hij vertellen dat Andy het de laatste keer dat zijn wond was opengegaan, kortgeleden, had gehad over een ziekenhuisopname en misschien ergens in de toekomst een amputatie? Hoe kon hij vertellen dat dat laatste een verblijf in het ziekenhuis, revalidatie en een prothese betekende? Hoe kon hij vertellen over de laserbehandeling die hij wilde voor zijn rug, om zijn schild van littekens te laten wegbranden? Hoe kon hij Harold over zijn grootste angsten vertellen: zijn eenzaamheid, zijn angst om die oude man met een katheter en een magere, kale borst te worden? Hoe kon hij Harold vertellen dat hij niet droomde van trouwen of kinderen krijgen, maar van genoeg geld om op een dag iemand te kunnen betalen die voor hem zorgde als hij dat nodig had, iemand die vriendelijk voor hem zou zijn en hem privacy en waardigheid zou gunnen? En ja, dan waren er de dingen waarnaar hij verlangde: hij wilde ergens wonen waar de lift werkte. Hij wilde naar believen een taxi kunnen nemen. Hij wilde een besloten gelegenheid zoeken om te zwemmen, omdat de beweging goed was voor zijn rug en omdat wandelen er niet meer in zat.

Maar dat kon hij Harold allemaal niet vertellen. Hij wilde niet dat Harold zou weten hoe krakkemikkig hij eigenlijk was, wat een wrak hij zich had verworven. En dus zei hij niets en vertelde Harold dat hij ervandoor moest en dat hij hem binnenkort weer zou spreken.

Al voordat hij met Harold had gepraat, had hij zich erop voorbereid dat hij zich zou moeten schikken in zijn nieuwe baan, omdat er niets anders op zat, maar hij merkte tot zijn verontrusting, daarna verbazing, toen vreugde en tot slot lichte afschuw dat hij er plezier in had. Hij had bij het Openbaar Ministerie al ervaring opgedaan met farmaceutische bedrijven, en daarom kreeg hij aanvankelijk vooral zaken in die branche: hij werkte aan de ontwikkeling van een anticorruptiebeleid in opdracht van een onderneming die een dochtermaatschappij in Azië opende en reisde daarvoor heen en weer naar Tokio, samen met de senior partner die het project toegewezen had gekregen; het was een kleine, overzichtelijke en goed uitvoerbare klus en daarmee een uitzondering. De andere zaken waren gecompliceerder en liepen langer, soms oneindig lang: zijn meeste uren gingen zitten in het opstellen van een verweerschrift voor een andere cliënt van het kantoor, een gigantisch farmaceutisch conglomeraat, tegen een aanklacht van fraude met overheidsgelden. En toen er in zijn derde jaar bij Rosen Pritchard & Klein een onderzoek wegens effectenfraude werd ingesteld naar de beleggingsmaatschappij waar Rhodes voor werkte, vroegen die hem voor de verdediging, waarmee zijn partnerschap gegarandeerd was: in tegenstelling tot zijn meeste directe collega's had hij ervaring in de rechtszaal, maar hij had altijd geweten dat hij een keer een cliënt binnen moest brengen, en de eerste was het moeilijkst te vinden.

Hij zou het nooit aan Harold hebben bekend, maar hij vond het zowaar leuk om een onderzoek te leiden dat in gang was gezet door een klokkenluider, hij vond het leuk om langs de grenzen te schuren van de Foreign Corrupt Practices Act, om de wet op te rekken als een elastiekje, tot net voorbij het punt dat er spanning op komt, precies zover dat het met een pijnlijke tik tegen je vinger aan springt als je het loslaat. Overdag maakte hij zichzelf wijs dat het puur een intellectuele oefening was, dat zijn werk alleen maar liet zien hoe flexibel de wet was. Maar 's avonds dacht hij soms aan wat Harold zou zeggen als hij hem eerlijk zou vertellen wat hij deed, en dan hoorde hij zijn woorden weer: zo zonde, zo zonde. Waar was hij mee bezig? vroeg hij zich op die momenten af. Was hij door deze baan gecorrumpeerd of was hij altijd al te koop geweest en had hij zichzelf alleen verbeeld dat dat niet zo was?

Het is allemaal binnen de wet, voerde hij dan aan tegen de Harold in zijn hoofd.

Dat het mogelijk is, betekent nog niet dat je het moet doen, wierp de Harold in zijn hoofd tegen.

En Harold had ook niet helemaal ongelijk gehad, want hij miste het OM wel degelijk. Hij miste het gevoel rechtschapen te zijn en zich omringd te weten door bevlogen, gedreven strijders voor de goede zaak. Hij miste Citizen, die terug was gegaan naar Londen, Marshall, met wie hij af en toe nog iets ging drinken, en Rhodes, die hij wat vaker zag maar die grijs was geworden en permanent afgepeigerd was, terwijl hij zich hem herinnerde als vrolijk en uitgelaten, iemand die nuevo-tangomuziek opzette en een denkbeeldige vrouw door de kamer leidde als ze nog laat op kantoor waren en begonnen in te kakken, alleen maar om de aandacht van hem en Citizen los te weken van hun beeldscherm en hen aan het lachen te maken. Ze werden ouder, allemaal. Het beviel hem bij Rosen

Pritchard en hij mocht de mensen die er werkten, maar hij zat nooit 's avonds laat met ze te discussiëren over de zaken die ze behandelden of de boeken die ze lazen, want zo'n soort kantoor was het niet. De collega's van zijn leeftijd hadden een ongelukkige vriendin of vriend thuis (of waren zelf iemands ongelukkige vriendin of vriend), terwijl de ouderen in de fase waren dat ze gingen trouwen. Op de weinige momenten dat ze over iets anders spraken dan over het werk waar ze mee bezig waren, ging het over verlovingen, zwangerschappen en huizen kopen. Ze discussieerden niet over de wet, niet voor de lol en ook niet uit liefde voor het vak.

Het kantoor moedigde de advocaten aan pro-deowerk te doen, en hij ging als vrijwilliger aan de slag bij een non-profitbureau dat gratis juridisch advies verstrekte aan mensen in de kunstensector. De organisatie had elke middag en avond zogenaamde atelieruren, spreekuren waarop kunstenaars konden langskomen om een jurist te raadplegen, en elke woensdagavond ging hij vroeg weg van zijn werk, om zeven uur, en zat drie uur lang in hun kantoor met krakende vloeren aan Broome Street in SoHo om kleine uitgevers van radicale traktaten te helpen die een stichting wilden oprichten, en schilders met geschillen over intellectueel eigendom, en dansgroepen, fotografen, schrijvers en filmers met contracten die ofwel zo ver buiten de wet stonden dat ze geen betekenis hadden (hij kreeg er een voorgelegd dat met potlood op een papieren handdoekje was geschreven) of zo nodeloos ingewikkeld dat de kunstenaars ze niet begrepen – zelfs hij begreep ze nauwelijks – en ze toch maar getekend hadden.

Ook zijn vrijwilligerswerk viel niet in goede aarde bij Harold; hij merkte dat Harold het futiel vond. 'Zijn die kunstenaars ook een beetje góéd?' vroeg Harold. 'Waarschijnlijk niet,' antwoordde hij. Maar het was niet aan hem om te beoordelen of de kunstenaars goed waren of niet, dat deden al genoeg andere mensen. Hij was er alleen om ze de praktische hulp te bieden die maar weinigen onder hen kregen, doordat de meesten in een wereld leefden die niets ophad met praktische zaken. Hij wist dat het een romantisch idee was, maar hij bewonderde hen: hij bewonderde iedereen die jaar in, jaar uit kon leven op niets concreters dan hoop, zelfs als hij met de dag ouder en onbekender werd. En hij beschouwde de tijd die hij erin stak, ook heel romantisch, als zijn saluut aan zijn vrienden, die allemaal het soort leven leidden waar hij vol verwondering naar keek: hij vond ze enorm succesvol en was trots op ze. Anders dan hij hadden zij geen duidelijke weg gehad om te volgen, en toch hadden ze koppig verder geploeterd. Zij brachten hun dagen door met het maken van mooie dingen.

Zijn vriend Richard zat in het bestuur van het bureau, en soms kwam hij op woensdag langs op weg naar huis – hij was kortgeleden naar SoHo verhuisd – om even een praatje met hem te maken als hij tijd had tussen twee cliënten door, of zijn hand naar hem op te steken als hij bezet was. Op een avond vroeg Richard hem na de atelieruren mee naar zijn huis om iets te drinken, en ze liepen in westelijke richting over Broome Street en staken Centre, Lafayette, Crosby, Broadway en Mercer Street over voordat ze in zuidelijke richting Greene Street insloegen. Richard woonde in een smal stenen gebouw dat de kleur van roet had aangenomen en in de gevel een hoge garagedeur had, en rechts daarvan een stalen deur met bovenin een raampje ter grootte van een gezicht. Er was niet echt een hal, maar een grauwe gang met een tegelvloer en aan het plafond drie kale peertjes, bungelend aan hun snoer. De gang maakte een bocht naar rechts en kwam uit bij een industriële lift die wel wat van een kloostercel weg had en zo groot was als hun woonkamer in Lispenard Street met Willems slaapkamer erbij; nadat Richard op een knop had gedrukt schoof het ratelende traliehek sidderend dicht, maar de lift gleed soepel omhoog door een schacht van kale bouwblokken. Op de tweede verdieping stopte hij, en Richard duwde de traliedeur opzij en draaide met zijn sleutel de massieve, grimmige, dubbele stalen deuren naar zijn appartement open.

'Mijn god,' zei hij, toen hij naar binnen stapte en Richard een paar lampen aandeed. De houten vloeren waren met witkalk bewerkt, net als de muren. Hoog boven hen twinkelden en glinsterden een heleboel kroonluchters – oude, glazen, nieuwe, stalen – die ongeveer om de meter waren opgehangen, op wisselende hoogte, dus toen ze dieper de grote ruimte in liepen, voelde hij buisvormige glazen kralen over zijn kruin strijken en moest Richard, die nog langer was dan hij, af en toe bukken om te zorgen dat ze niet tegen zijn voorhoofd kwamen. Er waren geen scheidingsmuren, maar bijna aan het andere uiteinde stond een ondiepe, vrijstaande glazen vitrine die net zo hoog en breed was als de voordeuren, en toen hij dichterbij kwam, zag hij dat er een gigantische honingraat met de waaierachtige vorm van een sierlijk stuk hoornkoraal in stond. Achter de glazen vitrine lag een matras met een deken eroverheen, en ervoor lag een harig wit berberkleed met spiegeltjes die schitterden in het licht van de lampen, en er stonden een witte bank met wollen bekleding en een tv, een eigenaardig eilandje van huiselijkheid te midden van een uitgestrekt dor landschap. Het was het grootste appartement dat hij ooit had gezien.

'Het is geen echte,' zei Richard, toen hij hem naar de honingraat zag kijken. 'Die heb ik van was gemaakt.'

'Hij is schitterend,' zei hij, en Richard bedankte hem met een knikje.

'Kom mee,' zei hij, 'dan krijg je een rondleiding.'

Hij gaf hem een biertje en ontgrendelde toen een deur naast de koelkast. 'De brandtrap,' zei hij. 'Een prachtding. Ziet er echt uit als een afdaling naar de hel, vind je niet?'

'Ja,' beaamde hij, en hij keek door de deuropening naar de trap die leek te verdwijnen in de duisternis. En toen stapte hij achteruit omdat hij zich opeens onbehaaglijk voelde, hoewel hij tegelijk vond dat hij zich aanstelde, en Richard, die het kennelijk niet had gemerkt, deed de deur weer dicht en vergrendelde hem.

Ze namen de lift naar de eerste verdieping, waar Richards atelier was, en Richard liet hem zien waar hij aan werkte. 'Ik noem ze schijnbeelden,' zei hij, en hij liet hem iets vasthouden wat hij eerst aanzag voor een witte berkentak maar wat in werkelijkheid van gebakken klei was gemaakt, en daarna een steen, rond en glad en licht van gewicht, die uit essenhout was gesneden en bewerkt op een draaibank, maar een solide en zware indruk maakte, en een vogelskelet van honderden kleine porseleinen onderdeeltjes. In de lengte werd de ruimte doorsneden door een rij van zeven glazen vitrines, kleiner dan die boven met de honingraat van was, maar per stuk toch wel net zo groot als een van de openslaande ramen, en in elk daarvan lag een grillige, afbrokkelende berg van een onsmakelijk ogende, donkergele substantie die op rubber maar ook op vlees leek. 'Dat zijn echte honingraten, of dat waren het,' vertelde Richard. 'Ik heb de bijen er een tijdje aan laten werken en daarna heb ik ze laten gaan. De namen verwijzen naar hoelang ze in gebruik zijn geweest, hoelang ze hebben gefungeerd als thuis en toevluchtsoord.'

Ze gingen zitten op de leren bureaustoelen met wieltjes die Richard gebruikte als hij werkte, dronken bier en praatten: over Richards werk, over zijn volgende expositie, waarvan de opening over een half jaar zou zijn, en over de nieuwe schilderijen van JB.

'Je hebt ze nog niet gezien, hè?' vroeg Richard. 'Ik ben twee weken geleden langs zijn atelier gegaan en ze zijn echt goed, het beste wat hij ooit heeft gemaakt.' Hij glimlachte. 'Er zijn er heel wat van jou bij, weet je.'

'Ik weet het,' zei hij, en hij probeerde een grimas te onderdrukken. 'Hé, Richard, hoe heb je dit atelier eigenlijk gevonden?' vroeg hij om van onderwerp te veranderen. 'Het is fantastisch.'

'Het is van mij.'

'Echt? Heb je het gekocht? Jeetje, wat volwassen van je.'

Richard lachte. 'Nee, het hele gebouw is van mij.' Hij legde het uit: zijn grootouders hadden een importfirma en toen zijn vader en zijn tante nog klein waren hadden ze zestien gebouwen in het centrum gekocht, allemaal voormalige fabrieken, om hun goederen in op te slaan: zes in SoHo, zes in TriBeCa en vier in Chinatown. Alle vier hun kleinkinderen hadden voor hun dertigste verjaardag een van de gebouwen gekregen. Als ze vijfendertig werden – wat Richard vorig jaar was geworden – kregen ze er nog een. Als ze veertig werden, kregen ze er een derde bij. Het laatste kregen ze als ze vijftig werden.

'Mocht je kiezen?' vroeg hij, met de mengeling van verrukking en ongeloof die hij altijd voelde als hij dit soort verhalen hoorde: alleen al over het feit dat dergelijke rijkdom bestond en dat je daar zo achteloos over kon praten, laat staan dat iemand die hij al zo lang kende die rijkdom bezat. Daardoor besefte hij weer hoe naïef en wereldvreemd hij kennelijk nog steeds was; hij kon zich zo'n fortuin helemaal niet voorstellen, kon zich niet voorstellen dat mensen die hij kende zo'n fortuin hádden. Zelfs na al die jaren, zelfs nu hij door zijn leven in New York en vooral door zijn baan toch beter zou moeten weten, stelde hij zich de rijken nog steeds niet voor als Ezra of Richard of Malcolm, maar zoals ze werden afgebeeld in stripverhalen en spotprenten: oudere mannen met een glimmend kaal hoofd en worstvingers, die gewichtig uit auto's met donkergetinte ramen stapten in hun dure pak, en die een magere, kille echtgenote en een groot huis met glanzende vloeren hadden.

'Nee,' zei Richard grinnikend, 'ze hebben ons de gebouwen gegeven die ze het best bij onze persoonlijkheid vonden passen. Mijn humeurige neef kreeg een gebouw aan Franklin Street dat vroeger werd gebruikt om azijn in op te slaan.'

Hij lachte. 'En wat werd hier opgeslagen?'

'Dat zal ik je laten zien.'

En dus stapten ze weer de lift in, deze keer naar de derde verdieping, en nadat Richard de deur had opengemaakt en het licht aangedaan, zag hij enorme stapels pallets, bijna tot aan het plafond, met wat op het eerste gezicht bakstenen leken. 'Maar geen gewóne bakstenen,' zei Richard. 'Terracotta sierstenen, geïmporteerd uit Umbrië.' Hij pakte er een van een aangebroken pallet en gaf die aan hem. Hij draaide de steen rond en ging met zijn hand over de blazen in het dunne lichtgroene glazuur. 'De vierde en vijfde verdieping staan er ook vol mee,' zei Richard. 'Ze zijn bezig ze aan een groothandel in Chicago te verkopen, en dan komen die verdiepingen leeg.' Hij glimlachte. 'Nu snap je waarom ik hier zo'n goede lift heb.'

Ze liepen door de hangende tuin van kroonluchters terug naar Richards woonruimte en Richard gaf hem nog een biertje. 'Hoor eens,' zei hij, 'ik moet iets belangrijks met je bespreken.'

'Vertel op.' Hij zette het flesje op tafel en leunde naar voren.

'De stenen zijn er aan het eind van het jaar waarschijnlijk allemaal uit,' zei Richard. 'De vierde en vijfde verdieping zijn precies hetzelfde als deze – de leidingschachten op dezelfde plaats, drie badkamers – en de vraag is of jij een etage zou willen hebben.'

'Richard,' zei hij, 'dat zou ik dolgraag willen. Maar hoeveel huur vraag je?'

'Ik heb het niet over huren, Jude,' zei Richard. 'Ik heb het over kopen.' Richard had er al met zijn vader over gepraat, die juridisch adviseur van zijn grootouders was: ze zouden het gebouw officieel splitsen en dan zou hij er een aandeel in kopen. De enige voorwaarde die Richards familie stelde was dat hij of zijn erfgenamen, als ze ooit tot verkoop besloten, hun het eerste recht gunden om het appartement terug te kopen. Ze zouden hem een redelijke prijs vragen en hij zou Richard een maandelijks bedrag betalen dat van de koopsom zou worden afgetrokken. De familie Goldfarb had dit al eerder gedaan – de vriendin van de humeurige neef had een jaar geleden een etage van het azijnpakhuis gekocht – en dat was iedereen goed bevallen. Kennelijk had het een of ander belastingvoordeel als ze een gebouw splitsten zodat er ten minste twee eigenaren waren, en daarom probeerde Richards vader alle kleinkinderen over te halen dat te doen.

'Waarom doe je dit?' vroeg hij zacht toen hij was bekomen van de schok. 'Waarom vraag je mij?'

Richard haalde zijn schouders op. 'Het is hier een beetje eenzaam,' zei hij. 'Niet dat ik de deur bij je plat zal lopen, maar het lijkt me prettig als ik niet het enige levende wezen in het gebouw ben. En jij bent een van de weinige, zo niet de enige van mijn vrienden met verantwoordelijkheidsgevoel. En ik vind je prettig gezelschap. En verder...' Hij haperde. 'Beloof me dat je niet boos zult worden.'

'O god,' zei hij. 'Maar ik beloof het.'

'Willem heeft me verteld wat er is gebeurd, weet je wel, toen je afgelopen jaar naar boven wilde en de lift stuk was. Daar hoef je je niet voor te schamen, Jude. Hij maakt zich gewoon zorgen om je. Ik heb hem gezegd dat ik je dit toch al wilde gaan vragen, en hij dacht – hij denkt – dat je hier heel lang zou kunnen blijven wonen: de rest van je leven, eigenlijk. Hier zal de lift nooit kapotgaan. En als hij dat toch doet, ben ik vlakbij. Ik bedoel... je kunt natuurlijk ook iets anders kopen, maar ik hoop dat je wilt overwegen hier te komen wonen.'

Op dat moment was hij niet boos, maar voelde hij zich kwetsbaar, niet alleen tegenover Richard maar ook tegenover Willem. Hij deed zijn best zijn problemen voor Willem verborgen te houden, niet omdat hij hem niet vertrouwde, maar omdat hij niet wilde dat Willem minder over hem ging denken, hem ging zien als iemand die zorg en hulp nodig had. Hij wilde dat Willem, en de anderen ook, hem beschouwden als sterk en betrouwbaar, als iemand naar wie ze toe konden komen met hun eigen problemen, in plaats van dat hij altijd een beroep op hen moest doen. Hij voelde zich opgelaten als hij dacht aan de gesprekken die over hem waren gevoerd – tussen Willem en Andy, tussen Willem en Harold (wat ongetwijfeld vaker gebeurde dan hij vreesde), en nu tussen Willem en Richard – en was ook verdrietig dat Willem zich zo vaak zorgen over hem maakte, dat hij over hem moest nadenken zoals hij dat over Hemming zou doen als die nog had geleefd: als iemand voor wie je moest zorgen, voor wie je besluiten moest nemen. Hij zag zichzelf weer als oude man: was het mogelijk dat Willem dat beeld ook voor ogen had, dat ze dezelfde angst deelden, dat het Willem net zo onvermijdelijk leek als hemzelf dat hij zo zou eindigen?

Toen dacht hij aan een gesprek dat hij eens met Willem en Philippa had gehad: Philippa zat te fantaseren hoe Willem en zij op een dag, als ze oud waren, het huis van haar ouders en de bijbehorende boomgaard in het zuiden van Vermont zouden overnemen. 'Ik zie het al helemaal voor me,' had ze gezegd. 'De kinderen zijn weer bij ons ingetrokken, omdat ze het in de echte wereld niet redden, en zij hebben ook weer zes kinderen, met namen als Buster en Carrot en Vixen, die in hun nakie rondrennen en niet naar school hoeven, en door Willem en mij tot in de eeuwigheid onderhouden moeten worden...'

'Wat doen je kinderen?' vroeg hij, altijd praktisch, zelfs in scherts.

'Oberon maakt installatiekunst waarbij hij alleen eetbaar materiaal gebruikt en Miranda bespeelt een citer met snaren van draad,' zei Philippa, en hij lachte. 'Ze blijven eeuwig voor hun masters studeren, zodat Willem door moet werken tot hij zo versleten is dat ik hem in een rolstoel de set op moet rijden' – ze onderbrak zichzelf en bloosde, maar na een kleine hapering ging ze verder – 'om al hun studies en geëxperimenteer te betalen. Ik kan niet als kostuumontwerper blijven werken, maar moet een bedrijfje in biologische appelmoes beginnen om onze schulden te betalen, plus het onderhoud van het huis, want dat is één gigantisch grote bouwval, aangevreten door termieten, en we hebben een enorme, rustieke houten tafel die groot genoeg is om met z'n twaalven omheen te zitten.'

'Met z'n dertienen,' zei Willem opeens.

'Waarom met z'n dertienen?'

'Omdat Jude ook bij ons woont.'

'O ja?' vroeg hij op luchtige toon, maar hij was blij en opgelucht dat hij deel uitmaakte van Willems voorstelling van zijn oude dag.

'Natuurlijk. Jij krijgt het gastenhuisje, waar Buster je elke ochtend je boekweitwafels brengt, omdat je ons zo spuugzat bent dat je het niet kunt opbrengen om aan tafel te komen, en na het ontbijt kom ik bij je buurten om te ontsnappen aan Oberon en Miranda, die van me verwachten dat ik intelligente en bemoedigende opmerkingen maak over hun laatste verrichtingen.' Willem grijnsde naar hem en hij lachte terug, hoewel hij zag dat Philippa niet meer glimlachte maar strak naar de tafel keek. Toen keek ze op en ontmoetten hun blikken elkaar een halve seconde, waarna ze de hare snel afwendde.

Kort daarna kreeg hij het gevoel dat Philippa's houding tegenover hem was veranderd. Niemand anders merkte het – misschien zijzelf niet eens – maar terwijl ze vroeger, als hij thuiskwam en zij aan tafel zat te schetsen, gezellig met elkaar praatten terwijl hij een glas water dronk en naar haar tekeningen keek, gaf ze hem nu alleen nog maar een knikje en zei: 'Willem is een boodschap halen,' of: 'Hij komt zo,' ook al had hij niets gevraagd (ze was altijd welkom in Lispenard Street, of Willem er nu was of niet), en dan bleef hij nog even hangen tot duidelijk was dat ze niet wilde praten, waarna hij zich in zijn kamer terugtrok om te werken.

Hij snapte wel hoe het kwam dat Philippa misschien een hekel aan hem had: Willem nodigde hem altijd uit om met ze mee te gaan en betrok hem overal bij, zelfs bij hun verre toekomst, zelfs bij Philippa's dagdroom over hun oude dag. Sindsdien zorgde hij ervoor dat hij al Willems uitnodigingen afsloeg, zelfs voor dingen waar Philippa en hij niet als stel naartoe gingen: als ze naar een feest bij Malcolm gingen waar hij ook voor was uitgenodigd vertrok hij op een ander moment, en met Thanksgiving vroeg hij Philippa ook mee naar Boston, al kwam ze uiteindelijk niet. Hij had zelfs geprobeerd met Willem te praten over wat hij bespeurde, om hem bewust te maken van wat er volgens hem speelde.

'Mag je haar niet?' had Willem bezorgd gevraagd.

'Je weet best dat ik Philippa graag mag,' had hij geantwoord. 'Maar ik denk... ik denk gewoon dat je meer met haar alleen op stap moet gaan, Willem, met z'n tweetjes. Ze vindt het vast vervelend dat ik er altijd bij ben.'

'Heeft ze dat tegen je gezégd?'

'Nee, Willem, natuurlijk niet. Dat vermoed ik alleen. Door mijn enorme ervaring met vrouwen, snap je?'

Later, toen Willem en Philippa uit elkaar gingen, zou hij zich heel schuldig voelen, alsof hij de enige oorzaak was. Maar al eerder had hij zich afgevraagd of Willem niet ook tot de conclusie was gekomen dat geen enkele vriendin met serieuze bedoelingen zijn voortdurende aanwezigheid in Willems leven zou tolereren; hij vroeg zich af of Willem probeerde andere plannen voor hem te bedenken, zodat hij níét zou eindigen in een huisje op de lap grond die Willem op een dag samen met zijn vrouw zou bezitten, zodat hij niet Willems zielige vrijgezelle vriend zou zijn, een nutteloze herinnering aan het kinderlijke leven dat hij achter zich had gelaten. Ik zal alleen blijven, besloot hij. Hij zou niet degene zijn die Willem beroofde van zijn kans op geluk: hij wílde juist dat Willem die boomgaard kreeg, en dat door termieten aangevreten huis en de kleinkinderen, en de echtgenote die jaloers was als hij tijd en aandacht aan anderen besteedde. Hij wilde dat Willem alles kreeg wat hij verdiende, alles wat hij maar wenste. Hij wilde dat al Willems dagen vrij waren van zorgen, verplichtingen en verantwoordelijkheden, zelfs als híj die zorg en verplichting en verantwoordelijkheid was.

De week daarna stuurde Richards vader – een lange, glimlachende, sympathieke man die hij drie jaar geleden op Richards eerste expositie had ontmoet – hem het contract, dat hij samen met een vroegere studiegenoot van de rechtenfaculteit, een vastgoedjurist, bestudeerde, en het bouwkundig rapport, dat hij aan Malcolm gaf. Hij was bijna misselijk geworden toen hij de prijs hoorde, maar zijn studievriend zei dat hij het moest doen: 'Het is een ongelofelijk mooie deal, Jude. Voor deze prijs vind je echt nooit, maar dan ook nooit meer iets van die afmetingen in die buurt.' En nadat Malcolm eerst het rapport had gelezen en daarna de ruimte had gezien, zei hij hetzelfde: doen.

Dus had hij het gedaan. En al waren de familie Goldfarb en hij een relaxed tienjarig afbetalingsplan overeengekomen, een rentevrije huurkoopovereenkomst, hij was vastbesloten de etage zo snel mogelijk af te betalen. Elke twee weken reserveerde hij de helft van zijn loon voor de aflossing en de andere helft gebruikte hij om te sparen en om van te leven. Tijdens hun wekelijkse telefoongesprek vertelde hij Harold dat hij verhuisd was ('Goddank,' zei Harold, die nooit iets in Lispenard Street had gezien), maar zei er niet bij dat hij iets had gekocht, omdat hij niet wilde dat Harold zich geroepen zou voelen eraan mee te betalen. Uit Lispenard Street nam hij alleen zijn matras, zijn lamp, de tafel en een stoel mee, die hij allemaal bij elkaar in één hoek van de ruimte zette. 's Avonds, als hij opkeek van zijn werk, bedacht hij soms wat een krankzinnig besluit het was geweest: hoe kon hij zo veel ruimte ooit vullen? Hoe kon het ooit vertrouwd gaan voelen? Het deed hem denken aan Boston, aan Hereford Street, en hoe hij daar alleen maar had gedroomd van een slaapkamer, een deur die hij op een dag misschien dicht kon doen. Zelfs in Washington, toen hij voor Sullivan werkte, had hij in de woonkamer geslapen van een tweekamerflat die hij deelde met een medewerker van een Congreslid die hij zelden zag; in Lispenard Street had hij voor het eerst van zijn leven een eigen kamer gehad, een echte kamer met een echt raam, helemaal voor zichzelf alleen. Maar een jaar nadat hij naar Greene Street was verhuisd liet Malcolm de muren plaatsen en begon de ruimte wat vertrouwder te voelen, en nog een jaar later kwam Willem bij hem wonen en toen voelde het nog vertrouwder. Hij zag Richard minder dan hij had gedacht – ze waren allebei veel op reis – maar op zondagavond daalde hij soms af naar zijn atelier om hem te helpen met een van zijn projecten, en dan polijstte hij een bosje twijgen glad met schuurpapier of knipte de schachten uit een wolk pauwenveren. Richards atelier was het soort plek waar hij als kind dol op zou zijn geweest, want overal stonden bakken en schalen met wonderbaarlijke dingen: takjes, stenen, gedroogde kevers, veren, piepkleine, felgekleurde opgezette vogeltjes en allerlei blokken van een zachte, lichtgetinte houtsoort, en soms wilde hij dat hij zijn werk in de steek kon laten en gewoon op de grond mocht gaan zitten om te spelen, iets waarvoor hij het als kind meestal te druk had gehad.

Aan het einde van het derde jaar had hij de etage afbetaald, en toen was hij meteen begonnen met sparen voor de verbouwing. Dat ging sneller dan hij had gedacht, deels door iets wat bij Andy was voorgevallen. Op een dag, toen hij naar de praktijk was gegaan voor zijn afspraak, kwam Andy met een grimmige en tegelijk vreemd triomfantelijke blik de spreekkamer binnen lopen.

'Wat is er?' vroeg hij, en Andy gaf hem zwijgend een artikel dat hij uit een wetenschappelijk tijdschrift had gesneden. Hij las het: het was een rapport over een recent ontwikkelde semi-experimentele laserbehandeling voor het risicoloos verwijderen van keloïden, die zeer veelbelovend had geleken, maar nu op de middellange termijn nadelige effecten bleek te hebben: het woekerende littekenweefsel werd weliswaar verwijderd, maar de patiënten ontwikkelden rauwe wonden die op brandwonden leken en de huid onder de littekens werd aanmerkelijk kwetsbaarder, gevoeliger voor barstjes en kloven, wat blaarvorming en infecties tot gevolg had.

'Dit wil je laten doen, hè?' vroeg Andy hem, terwijl hij met het artikel in zijn hand zat, niet in staat een woord uit te brengen. 'Ik kén je, Judy. En ik weet dat je een afspraak hebt gemaakt bij die kwakzalver Thompson. Ontken het maar niet, want ze hebben gebeld voor je dossier. Ik heb het niet gestuurd. Doe het alsjeblieft niet, Jude. Ik meen het. Het laatste wat jij kan gebruiken zijn open wonden op je rug, die op je benen zijn al erg genoeg.' En toen hij geen antwoord gaf: 'Zeg eens iets.'

Hij schudde zijn hoofd. Andy had gelijk: hier had hij ook voor gespaard. Behalve zijn jaarlijkse bonussen en het grootste deel van zijn spaargeld had hij ook al het geld dat hij lang geleden met de bijlessen aan Felix had verdiend in zijn huis gestoken, maar de afgelopen maanden, toen hij wist dat hij zijn laatste afbetalingen deed, was hij opnieuw gaan sparen voor de laserbehandeling. Hij had het allemaal zorgvuldig gepland: eerst zou hij de behandeling ondergaan en dan zou hij verder sparen voor de verbouwing. Hij zag het voor zich: zijn rug net zo glad als de vloeren; de dikke, rigide, wormachtige rijen littekens zouden in een paar seconden verdampen, en daarmee alle overblijfselen van de tijd die hij in het tehuis en in Philadelphia had doorgebracht; de sporen van die jaren zouden van zijn lichaam worden gewist. Hij deed zo zijn best om die tijd te vergeten, elke dag weer, maar hoe hij ook zijn best deed, het was er altijd om hem eraan te herinneren, het bewijs dat het echt was gebeurd, al pretendeerde hij van niet.

'Jude,' zei Andy, en hij kwam naast hem zitten op de onderzoekstafel. 'Ik weet dat je teleurgesteld bent. En ik beloof je dat ik het meteen laat weten als er een effectieve en veilige behandeling voorhanden is. Ik weet dat het je dwarszit en ik ben altijd op de uitkijk voor je. Maar er is nu gewoon niks, en ik kan je dit niet met een gerust geweten laten ondergaan.' Hij zweeg; ze zwegen allebei. 'Ik had het je misschien vaker moeten vragen, Jude, maar... doen ze pijn? Heb je er last van? Voelt de huid strak aan?'

Hij knikte. 'Hoor eens,' zei Andy na een korte stilte, 'er zijn wel crèmes die ik je kan geven en die het wat beter kunnen maken, maar dan heb je iemand nodig die je helpt ze 's avonds in te masseren, anders werken ze niet. Zou je dat door iemand willen laten doen? Willem? Richard?'

'Dat kan ik niet,' zei hij tegen het tijdschriftartikel in zijn handen.

'Nou, ik geef je in elk geval een recept mee,' zei Andy, 'en ik laat je zien hoe het moet – maak je geen zorgen, ik heb het aan een heuse dermatoloog gevraagd, dit is niet een of andere zelfbedachte methode – maar ik weet niet hoeveel effect het heeft als je het zelf doet.' Hij liet zich van de tafel glijden. 'Kun je je schort opendoen en je naar de muur draaien?'

Dat deed hij, en hij voelde Andy's handen op zijn schouders liggen en langzaam over zijn rug naar beneden bewegen. Hij dacht dat Andy misschien, zoals hij soms deed, iets zou zeggen als 'Het ziet er niet zo slecht uit, Jude' of 'Je hoeft je hier echt niet voor te schamen', maar deze keer deed hij dat niet, hij liet zijn handen alleen langs zijn rug glijden alsof er lasers in zijn handpalmen zaten, of iets anders wat vlak boven hem zweefde en hem genas, zodat de huid eronder weer gezond en gaaf werd. Ten slotte zei Andy dat hij zijn schort weer dicht mocht doen, en nadat hij dat had gedaan draaide hij zich om. 'Het spijt me echt, Jude,' zei Andy, en deze keer was het Andy die hém niet kon aankijken.

'Zullen we ergens een hapje gaan eten?' vroeg Andy toen ze klaar waren en hij zijn kleren weer aantrok, maar hij schudde zijn hoofd. 'Ik moet terug naar mijn werk.' Andy zei niets, maar hield hem even tegen toen hij wegging. 'Jude, het spijt me, ik meen het. Ik vind het echt niet leuk om je hoop de bodem in te slaan.' Hij knikte: dat wist hij wel, maar op dat ogenblik kon hij zijn gezelschap niet verdragen en wilde hij alleen maar weg.

Maar, houdt hij zichzelf voor – hij is vastbesloten om realistischer te worden en niet meer te denken dat hij zichzelf kan genezen – het feit dat hij zich niet kan laten behandelen betekent dat hij nu wel het geld heeft om Malcolm serieus met de verbouwing te laten beginnen. In de jaren sinds hij hier woont, heeft hij Malcolm doortastender en inventiever zien worden in zijn werk, en daardoor zijn de ontwerpen uit het begin al vele malen veranderd, herzien en verbeterd: zelfs hij kan zien dat ze blijk geven van een groeiende esthetische vrijmoedigheid, een zelfverzekerde eigen stijl. Kort voordat hijzelf bij Rosen Pritchard & Klein ging werken, had Malcolm zijn baan bij Ratstar opgezegd en was met twee voormalige collega's en Sophie, een kennis van zijn architectuuropleiding, een bureau begonnen met de naam Bellcast; hun eerste opdracht was de verbouwing geweest van het pied-à-terre van een vriend van Malcolms ouders. Bellcast deed vooral woonhuizen voor particulieren, maar vorig jaar hadden ze hun eerste belangrijke overheidsopdracht gekregen, voor een fotografiemuseum in Doha, en Malcolm was net als Willem en hijzelf steeds vaker de stad uit.

'Je moet het belang van rijke ouders kennelijk niet onderschatten,' had een of andere klootzak op een van JB's feestjes zuur gemompeld toen hij hoorde dat Bellcast als tweede was geëindigd in een competitie om in Los Angeles een gedenkteken te mogen ontwerpen voor Amerikanen van Japanse afkomst die in de oorlog geïnterneerd waren geweest, en JB was tegen hem gaan schreeuwen voordat Willem en hij daar de kans toe hadden; zij tweeën hadden over JB's hoofd heen naar elkaar geglimlacht, trots dat hij Malcolm zo vurig verdedigde.

En zo zag hij bij elke nieuwe herziening van het ontwerp voor Greene Street gangen verschijnen en weer verdwijnen, de keuken groter worden en daarna weer krimpen, en boekenkasten verhuizen van de noordelijke, raamloze muur naar de zuidelijke muur met ramen en weer terug. Op een van de tekeningen stonden helemaal geen muren meer – 'Het is een lóft, Judy, dat moet je respecteren,' had Malcolm aangevoerd, maar hij was resoluut geweest: hij had een slaapkamer nodig, met een deur die hij dicht en op slot kon doen – en op een andere had Malcolm geprobeerd de ramen op het zuiden helemaal af te schermen, terwijl die ramen juist de reden waren dat hij de vijfde verdieping had gekozen, en Malcolm gaf later toe dat het een idioot idee was geweest. Maar hij heeft er plezier in om Malcolm aan het werk te zien en het ontroert hem dat hij er zo veel tijd in steekt – veel meer dan hijzelf – om te bedenken hoe hij hier aangenaam zou kunnen leven. En nu gaat het gebeuren. Nu heeft hij zo veel gespaard dat Malcolm zijn wildste ontwerpfantasieën kan uitleven. Nu heeft hij genoeg voor elk meubelstuk dat Malcolm hem ooit heeft aangeraden te kopen, voor elk kleed en elke vaas.

Dezer dagen discussieert hij met Malcolm over diens recentste plannen. De laatste keer dat ze naar de tekeningen keken, drie maanden geleden, zag hij iets rond de wc in de grootste badkamer wat hij niet kon thuisbrengen. 'Wat is dat?' vroeg hij aan Malcolm.

'Steunbeugels,' zei Malcolm kordaat, alsof het minder te betekenen had als hij het snel zei. 'Judy, ik weet wat je gaat zeggen, maar...' Maar hij was al bezig de tekeningen nauwkeuriger te bestuderen en tuurde naar Malcolms piepkleine notaties in de badkamer, waar hij in de doucheruimte en rond het bad ook stalen stangen had toegevoegd, en in de keuken, waar hij sommige aanrechtbladen lager had gemaakt.

'Maar ik zit niet eens in een rolstoel,' zei hij, onaangenaam verrast.

'Maar Jude,' begon Malcolm, en toen zweeg hij, en hij wist wat hij wilde zeggen: dat is wel zo geweest. En het zal weer zo zijn. Maar hij zei het niet. 'Dit is gewoon volgens de richtlijnen,' zei hij in plaats daarvan.

'Mal,' zei hij, en het ergerde hemzelf dat dit hem zo aangreep. 'Ik snap het. Maar ik wil niet dat het een invalidenappartement wordt.'

'Dat wordt het niet, Jude. Het wordt jóúw appartement. Maar denk je niet dat het misschien, gewoon uit voorzorg...'

'Nee, Malcolm. Haal ze weg. Ik meen het.'

'Maar denk je niet dat we, puur uit praktische overwegingen...'

'Begin jíj over praktische overwegingen? De man die wilde dat ik in een ruimte van vijfhonderd vierkante meter zonder muren ging wonen?' Hij onderbrak zichzelf. 'Het spijt me, Mal.'

'Het geeft niet, Jude,' zei Malcolm. 'Ik snap het. Echt.'

Nu staat Malcolm grijnzend voor zijn neus. 'Ik moet je iets laten zien,' zegt hij, terwijl hij met een rol papier heen en weer zwaait alsof het een dirigeerstok is.

'Dank je, Malcolm,' zegt hij. 'Maar kunnen we daar niet beter straks naar kijken?' Hij heeft een afspraak moeten maken met de kleermaker en wil niet te laat komen.

'Het duurt maar heel even,' zegt Malcolm, 'en dan laat ik ze bij je achter.' Hij komt naast hem zitten en rolt de stapel vellen uit, laat hem één kant vasthouden en legt uit wat hij heeft veranderd en aangepast. 'Aanrechten terug op standaardhoogte,' zegt Malcolm terwijl hij naar de keuken wijst. 'Geen steunbeugels in de douche, maar ik heb je wel deze rand gegeven waar je op kunt zitten, voor het geval dat. Ik zweer je dat het er goed uitziet. Die rond de wc heb ik laten zitten; denk er in elk geval over na, oké? We installeren ze pas op het laatst, en als je het echt heel vreselijk vindt, laten we ze weg, maar... maar ik zou het doen, Judy.' Hij knikt met tegenzin. Op dat moment weet hij het nog niet, maar jaren later zal hij Malcolm dankbaar zijn dat hij voorzorgsmaatregelen heeft getroffen voor zijn toekomst, al was dat destijds tegen zijn zin: hij zal blij zijn dat de doorgangen in zijn appartement breed zijn en de badkamer en keuken extra groot, zodat een rolstoel er helemaal in kan ronddraaien, dat de deuropeningen ruim zijn, dat er waar mogelijk schuif- in plaats van gewone deuren zitten, dat er in de grootste badkamer geen kastjes onder de wastafel zitten, dat de hoogste roeden in de kasten met een druk op een knop door middel van perslucht omlaagkomen, dat er een soort bankje is ingebouwd in het bad en, ten slotte, dat Malcolm de discussie over de steunbeugels rond de wc heeft gewonnen. Hij zal een soort bittere verwondering voelen dat nóg iemand in zijn leven – na Andy, Willem en Richard – zijn toekomst heeft voorzien en heeft geweten hoe onvermijdelijk die was.

Na hun bezoek aan de kleermaker, waar Malcolms maten worden genomen voor een marineblauw en een donkergrijs pak en waar Franklin, de kleermaker, hem bij binnenkomst vraagt waarom hij hem twee jaar niet heeft gezien – 'Ik weet vrij zeker dat dat mijn schuld is,' zegt Malcolm met een glimlach – gaan ze lunchen. Het is fijn om eens een zaterdag vrij te zijn, denkt hij, terwijl ze rozenwaterlimonade drinken en geroosterde, met za'atar bestrooide bloemkool eten in het drukke Israëlische restaurant vlak bij Franklins kleermakerij. Malcolm is enthousiast dat hij aan de verbouwing kan beginnen, en hij ook. 'De timing is echt perfect,' blijft Malcolm maar zeggen. 'Ik zal zorgen dat alles maandag bij de gemeente ligt, dan is het goedgekeurd tegen de tijd dat ik klaar ben in Doha en kan ik meteen beginnen, en dan kun jij tijdelijk je intrek nemen in Willems flat.' Malcolm is net klaar met de laatste werkzaamheden bij Willem, waar hij meer toezicht op heeft gehouden dan Willem zelf; op het laatst zocht hij zelfs de verfkleuren voor Willem uit. Het is heel mooi geworden, vindt hij, dus het is helemaal geen straf om daar het komende jaar te bivakkeren.

Als ze klaar zijn met lunchen is het nog vroeg, en buiten op de stoep blijven ze even staan. Het heeft de hele week geregend, maar vandaag is de lucht blauw, en hij voelt zich nog steeds sterk en zelfs een beetje rusteloos, dus vraagt hij Malcolm of ze een stukje zullen lopen. Hij ziet dat Malcolm aarzelt en hem met een snelle blik van top tot teen opneemt, alsof hij wil peilen waartoe hij in staat is, maar dan glimlacht hij en knikt, en ze lopen eerst naar het westen en dan naar het noorden, in de richting van Greenwich Village. In Mulberry Street komen ze langs het huis waar JB woonde voordat hij verder naar het oosten van de stad verhuisde, en ze zijn even stil, omdat ze allebei – dat weet hij zeker – aan JB denken, zich afvragen wat hij op dit moment doet, en ergens wel weten maar ergens ook niet waarom hij de laatste tijd niet reageert op alle telefoontjes, tekstberichtjes en mailtjes van hen en van Willem. Zij drieën hebben tientallen gesprekken met elkaar, met Richard, met Ali en met de twee Henry Youngs gehad over wat ze konden doen, maar bij elke poging die ze hebben gedaan om JB te vinden, wist hij hen te ontlopen, heeft hen voor de deur laten staan of simpelweg genegeerd. 'We zullen moeten wachten tot het erger wordt,' had Richard op een gegeven moment gezegd, en hij vreest dat Richard gelijk heeft. Soms lijkt het alsof JB niet meer een van hen is, en ze kunnen alleen maar wachten tot hij in een crisissituatie terechtkomt die alleen zij kunnen oplossen, zodat ze zichzelf weer zijn leven in kunnen parachuteren.

'Oké, Malcolm, ik moet het vragen,' zegt hij aan het begin van het stuk van Hudson Street dat in het weekend uitgestorven is, met trottoirs zonder bomen en zonder mensen. 'Ga je met Sophie trouwen of niet? Dat willen we allemaal weten.'

'God, Jude, dat weet ik echt niet,' begint Malcolm, maar hij klinkt opgelucht, alsof hij er al die tijd op heeft gewacht dat iemand die vraag stelde. Misschien is dat ook zo. Hij zet de potentiële negatieve kanten op een rijtje (trouwen is zo burgerlijk, het voelt zo alsof je dan vastzit, hij geeft eigenlijk niet veel om een bruiloft maar is bang dat Sophie dat wel doet, zijn ouders zullen zich ermee gaan bemoeien, het idee de rest van zijn leven met een andere architect door te brengen heeft iets deprimerends, Sophie en hij zijn medeoprichters van het bureau, dus wat zal er met Bellcast gebeuren als het tussen hen misgaat?), en de positieve kanten, die ook nogal negatief klinken (als hij Sophie niet ten huwelijk vraagt, is hij bang dat ze bij hem weggaat, zijn ouders zeuren er voortdurend over en daar wil hij graag vanaf, hij houdt echt van Sophie en weet dat hij geen betere vrouw zal vinden, hij is achtendertig en heeft het gevoel dat hij íéts moet doen). Terwijl hij naar Malcolm luistert, probeert hij niet te glimlachen: dit heeft hij altijd leuk gevonden aan Malcolm, dat hij op papier en in zijn ontwerpen zo besluitvaardig kan zijn en tegelijk in de rest van zijn leven zo in tweestrijd, en dat hij daar zo onbevangen met hen over praat. Malcolm is nooit iemand geweest die zich cooler, zelfverzekerder of aardiger voordoet dan hij is, en naarmate ze ouder worden, krijgt hij steeds meer waardering en bewondering voor die innemende ongekunsteldheid, dat volledige vertrouwen in zijn vrienden en hun mening.

'Wat denk jij, Jude?' vraagt Malcolm uiteindelijk. 'Eigenlijk wil ik hier al een tijdje met je over praten. Kunnen we niet beter ergens gaan zitten? Heb je tijd? Ik weet dat Willem thuiskomt.'

Hij zou zich meer kunnen gedragen als Malcolm, denkt hij; hij zou zijn vrienden om hulp kunnen vragen, hij zou zich kwetsbaar kunnen opstellen in hun gezelschap. Dat is hij per slot van rekening eerder geweest, alleen was dat niet uit vrije wil. Maar zij hebben hem altijd goed behandeld, ze hebben nooit iets gedaan om hem onzeker te maken, zou hij daar geen conclusies uit moeten trekken? Misschien gaat hij Willem bijvoorbeeld toch vragen hem met zijn rug te helpen: als Willem zijn uiterlijk weerzinwekkend vindt, zal hij dat nooit zeggen. En Andy had gelijk, het is te moeilijk om de crèmes zelf aan te brengen, dus uiteindelijk is hij ermee opgehouden, al heeft hij ze niet weggegooid.

Hij probeert te bedenken hoe hij het onderwerp bij Willem zou kunnen aansnijden, maar merkt dat hij zelfs in gedachten niet verder komt dan het eerste woord, 'Willem'. En op dat moment weet hij dat hij het toch niet zal kunnen vragen. Niet omdat ik je niet vertrouw, zegt hij in gedachten tegen Willem, met wie hij dit gesprek nooit zal voeren. Maar omdat ik het niet kan verdragen dat je me ziet zoals ik werkelijk ben. Als hij tegenwoordig aan zichzelf denkt als oude man is hij in zijn verbeelding nog steeds alleen, maar dan in Greene Street, en in deze fantasieën ziet hij Willem in een huis in een groene, bosrijke omgeving – de Adirondacks of de Berkshires – en is Willem gelukkig, omringd door mensen die van hem houden; een paar keer per jaar komt hij hem opzoeken in Greene Street en dan brengen ze de middag samen door. In deze visioenen zit hij altijd, dus het is niet duidelijk of hij nog kan lopen of niet, maar hij weet dat hij altijd heel blij is om Willem te zien en dat hij in staat is bij het afscheid te zeggen dat Willem zich niet ongerust hoeft te maken omdat hij heel goed voor zichzelf kan zorgen, en dat hij Willem die verzekering geeft alsof het een zegening is, blij dat hij de kracht heeft gehad om Willems idylle niet te bederven met zijn behoeften, zijn eenzaamheid, zijn verlangens.

Maar dat ligt nog vele jaren in de toekomst, houdt hij zichzelf voor. Nu staat Malcolm tegenover hem en kijkt hem hoopvol en gespannen aan, in afwachting van zijn antwoord.

'Hij komt pas vanavond thuis,' zegt hij tegen Malcolm. 'We hebben de hele middag, Mal. Ik heb alle tijd die je maar wilt.'

3

De laatste keer dat JB een poging – een serieuze poging – deed om met de drugs te stoppen, was in het weekend van Independence Day. Er was verder niemand in de stad. Malcolm was met Sophie naar haar ouders in Hamburg. Jude was met Harold en Julia in Kopenhagen. Willem was op een filmset in Cappadocië. Richard zat in Wyoming, in een kunstenaarskolonie. Oosterse Henry Young was in Reykjavik. Alleen hij was er nog, en als hij niet zo vastbesloten was geweest, was hij ook de stad ontvlucht. Dan was hij in Beacon geweest, waar Richard een huis had, of in Quogue, waar Ezra een huis had, of in Woodstock, waar Ali een huis had, of... nou ja. Er waren tegenwoordig niet zo veel anderen meer die hem hun huis lieten gebruiken, en bovendien had hij met de meesten geen contact omdat ze hem op zijn zenuwen werkten. Maar hij had een pesthekel aan New York in de zomer. Alle dikke mensen hadden een pesthekel aan New York in de zomer: alles plakte altijd overal aan vast, huid aan huid, huid aan stof. Je was nooit echt droog. Maar toch stond hij daar, voor de deur van zijn atelier op de tweede verdieping van het witte bakstenen gebouw in Kensington, en terwijl hij het slot opendraaide en naar binnen ging, wierp hij onwillekeurig een blik door de gang naar het andere eind, waar Jackson zijn atelier had.

JB was niet verslaafd. Oké, hij gebruikte drugs. Oké, veel drugs. Maar hij was niet verslaafd. Andere mensen waren verslaafd. Jackson was verslaafd. En Zane, en Hera. Massimo en Topher: ook verslaafd. Soms had hij het gevoel dat hij als enige niet over het randje was gegleden.

En toch dachten veel mensen van wel, dat wist hij. Daarom was hij in de stad terwijl hij ergens buiten had moeten zijn: vier dagen geen drugs, alleen werk, dat zou ze de mond wel snoeren.

Vandaag, vrijdag, was dag één. De airco in zijn atelier was kapot, dus het eerste wat hij deed was alle ramen openzetten, en nadat hij zachtjes op Jacksons deur had geklopt om er zeker van te zijn dat die er niet was, zette hij ook de deur open. Dat deed hij normaal nooit, zowel vanwege Jackson als vanwege de herrie. Zijn atelier was een van de veertien kamers op de tweede etage van een gebouw met vier verdiepingen. De kamers waren alleen bedoeld als atelier, maar hij schatte dat zo'n twintig procent van de huurders er illegaal woonde. Bij de zeldzame gelegenheden dat hij voor tien uur 's morgens in zijn atelier was, zag hij mensen in hun boxershorts door de gangen sloffen, en als hij naar het toilet aan het eind van de gang ging stond daar altijd wel iemand zich te wassen, zich te scheren of zijn tanden te poetsen bij de wastafel, en dan knikte hij – 'Hé man, gaat ie?' – en kreeg hij een knikje terug. Helaas deed de sfeer van het geheel niet zozeer denken aan een studentenhuis als wel aan een gesticht. Dat deprimeerde hem. Hij had best een ander atelier kunnen vinden, een betere ruimte waar hij meer privacy had, maar hij had dit genomen (moest hij tot zijn schaamte bekennen) omdat het gebouw hem herinnerde aan de campus en hij had gehoopt dat het hem misschien weer het gevoel uit zijn studententijd zou geven. Maar dat was niet zo.

Het gebouw zou bovendien een 'lawaaiarme' locatie zijn, wat dat ook mocht inhouden, maar behalve de kunstenaars waren er ook bands – trashbands met een knipoog, folkbands met een knipoog, akoestische bands met een knipoog – die er een ruimte hadden gehuurd, zodat het in de gang altijd een teringherrie was van alle instrumenten van de verschillende bands, die samensmolten tot één langgerekt gehuil van rondzingende gitaren. De bands mochten daar helemaal niet zijn, dus als de eigenaar van het gebouw, een zekere meneer Chen, eens in de paar maanden langskwam voor een verrassingsinspectie, hoorde JB zelfs met zijn deur dicht de kreten door de gangen kaatsen, want elk geschreeuwd alarmsignaal werd herhaald en doorgegeven totdat de waarschuwing over alle vijf de verdiepingen galmde – 'Chen!' 'Chen!' 'Chen!' – zodat het stil was tegen de tijd dat meneer Chen naar binnen stapte, zo tegennatuurlijk stil dat hij meende het fijnwrijven van de pigmenten op de wrijfsteen bij zijn ene buurman en het gekras van de spirograaf over het doek van zijn andere buurman te kunnen horen. En dan stapte meneer Chen in zijn auto en reed weg, en weerklonken de kreten in omgekeerde richting – 'Veilig!' 'Veilig!' 'Veilig!' – waarna het kabaal weer oprees als een zwerm schetterende cicaden.

Toen hij zeker wist dat de hele verdieping verder uitgestorven was (god, waar wás iedereen? Was hij echt de laatste mens op aarde?), trok hij zijn shirt uit en na een korte aarzeling ook zijn broek, en begon zijn atelier op te ruimen, iets wat hij in geen maanden had gedaan. Hij liep heen en weer naar de vuilnisbakken bij de dienstlift en propte ze vol met oude pizzadozen, lege bierblikjes, stukjes papier met gekrabbelde tekeningetjes, penselen waarvan de haren zo hard als stro waren doordat hij ze niet had schoongemaakt en paletten met waterverf die in klei was veranderd doordat hij die niet vochtig had gehouden.

Opruimen was saai, vooral als je nuchter was. Hij overpeinsde, zoals vaker, dat geen van de zogenaamde goede dingen die je zogenaamd zouden overkomen als je meth gebruikte hem waren overkomen. Andere mensen die hij kende waren er mager van geworden of hadden non-stop anonieme seks, of urenlange vlagen van opruim- en schoonmaakwoede die ze op hun huis of atelier koelden. Maar hij bleef dik. Zijn libido was verdwenen. Zijn atelier en zijn flat waren nog steeds rampgebieden. Goed, hij werkte heel lang achter elkaar – wel twaalf tot veertien uur – maar dat kon hij niet aan de meth toeschrijven, want hij was altijd een harde werker geweest. Als het op schilderen of tekenen aankwam, had hij zich altijd heel goed kunnen concentreren.

Nadat hij ongeveer een uur bezig was geweest spullen van de grond te rapen, zag het atelier er nog precies zo uit als toen hij begon en hunkerde hij naar een sigaret, die hij niet had, of iets te drinken, wat hij ook niet had en dat was maar goed ook, want het was pas twaalf uur. Hij wist dat hij een kauwgombal in de zak van zijn jeans had, groef hem op – hij was een beetje klam van de hitte – en stopte hem in zijn mond, waarna hij languit en met gesloten ogen op de grond ging liggen, de betonnen vloer koel onder zijn rug en dijen, en zich al kauwend voorstelde dat hij ergens anders was, niet in Brooklyn in juli bij een temperatuur van over de dertig graden.

Hoe voel ik me? vroeg hij zichzelf.

Oké, antwoordde hij.

De therapeut bij wie hij tegenwoordig kwam, had gezegd dat hij zich dat moest afvragen. 'Zie het als een soundcheck,' zei hij. 'Een manier om terug te komen bij jezelf: hoe voel ik me? Wil ik gebruiken? Als ik wil gebruiken, waaróm dan? Het is een manier om met jezelf te communiceren, om je impulsen te onderzoeken in plaats van er gewoon aan toe te geven.' Wat een imbeciel, had JB gedacht. Dat dacht hij nog steeds. En toch kon hij die vraag, net als veel andere imbeciele dingen, maar niet uit zijn gedachten zetten. Nu vroeg hij zich op de gekste momenten onwillekeurig af hoe hij zich voelde. Soms was het antwoord: 'Alsof ik wil gebruiken,' en dat deed hij dan, al was het maar om zijn therapeut duidelijk te maken hoe imbeciel zijn methode was. Zie je? zei hij dan in gedachten tegen Giles, die niet eens doctor was, maar gewoon master.

Daar gaat je zelfonderzoekstheorie. Wat had je verder nog, Giles? Wat krijgen we nog meer?

Het was niet JB's idee geweest om naar Giles te gaan. Een half jaar geleden, in januari, hadden zijn moeder en tantes een mini-interventie met hem gehouden: eerst had zijn moeder herinneringen opgehaald aan wat een slim en voorlijk kind hij was geweest, en moest je hem nu zien, en daarna speelde zijn tante Christine de *bad cop* door tegen hem te gaan schreeuwen dat hij alle kansen had vergooid die haar zus hem had geboden en dat hij onuitstaanbaar was geworden, en toen had zijn tante Silvia, altijd al de zachtaardigste van de drie, hem erop gewezen dat hij heel getalenteerd was en dat ze hem allemaal terug wilden, en of hij al eens had overwogen zich te laten behandelen? Hij was niet in de stemming geweest voor een interventie, zelfs niet voor een bedaarde en knusse interventie als deze (zijn moeder had gezorgd voor zijn favoriete cheesecake, waar ze met z'n vieren van hadden gegeten terwijl ze zijn tekortkomingen bespraken), onder andere omdat hij nog steeds boos op ze was. Een maand eerder was zijn oma overleden en zijn moeder had er een hele dag over gedaan om hem te bellen. Ze beweerde dat ze hem niet had kunnen bereiken omdat hij zijn telefoon niet opnam, maar hij wist zeker dat hij op de dag van haar overlijden nuchter was geweest en dat zijn telefoon de hele dag aan had gestaan, en snapte niet precies waarom zijn moeder tegen hem loog.

'JB, het zou oma heel veel verdriet hebben gedaan als ze wist wat er van je was geworden,' had zijn moeder tegen hem gezegd.

'Jezus, mam, flikker op,' had hij vermoeid gereageerd, omdat hij haar gelamenteer en gesnik zat was, en Christine was opgesprongen en had hem een klap in zijn gezicht gegeven.

Daarna had hij ermee ingestemd naar Giles te gaan (een vriend van een vriend van Silvia), bij wijze van verontschuldiging tegenover Christine en natuurlijk tegenover zijn moeder. Helaas was Giles echt een idioot, en tijdens hun sessies (die zijn moeder betaalde, want hij was niet van plan zijn geld te verspillen aan therapie en al helemaal niet aan slechte therapie) beantwoordde hij zijn fantasieloze vragen – Hoe zou het komen dat je je zo aangetrokken voelt tot drugs, JB? Wat hebben ze je te bieden, denk je? Hoe zou het komen dat je in de afgelopen jaren zo veel meer bent gaan gebruiken? Hoe zou het komen dat je Malcolm en Jude en Willem niet zo vaak meer spreekt? – met opmerkingen waarvan hij wist dat ze hem zouden aanspreken. Hij liet af en toe iets vallen over zijn overleden vader, over de grote leegte en het gevoel van gemis dat hij door dat verlies had, over de oppervlakkigheid van het kunstwereldje en zijn angst dat hij alle hooggespannen verwachtingen niet kon waarmaken, en dan zag hij Giles' pen driftig over zijn schrijfblok dansen en voelde hij tegelijk minachting voor die stomme Giles en walging over zijn eigen onvolwassenheid. Je therapeut in de maling nemen, dat was – zelfs als de therapeut in kwestie er gewoon om vroeg – iets voor een negentienjarige, niet voor iemand van negenendertig.

Maar hoewel Giles een idioot was, merkte JB dat hij toch over zijn vragen ging nadenken, omdat het dingen waren die hij zichzelf ook al had afgevraagd. En hoewel Giles ze elk afzonderlijk aan de orde stelde, wist hij dat ze in werkelijkheid onlosmakelijk met elkaar verbonden waren, en als het grammaticaal en taalkundig mogelijk was geweest om ze allemaal samen in één grote vraag te stellen, zou dat de zuiverste uitdrukking zijn van waarom hij zich nu op dit punt bevond.

Om te beginnen, zou hij tegen Giles zeggen, was het nooit zijn bedoeling geweest om drugs zo lekker te gaan vinden. Dat klonk als een open deur en een domme opmerking, maar JB kende daadwerkelijk mensen – meestal rijk, meestal wit, meestal saai, meestal zonder liefhebbende ouders – die waren gaan gebruiken omdat ze dachten dat ze er misschien interessanter, imponerender of boeiender van zouden worden, of gewoon omdat de tijd er sneller door ging. Zijn vriend Jackson was bijvoorbeeld zo iemand. Maar hij niet. Hij had natuurlijk altijd al drugs gebruikt – dat deed iedereen – maar in zijn studententijd en toen hij in de twintig was had hij drugs beschouwd als het equivalent van toetjes, waar hij ook dol op was: een consumptieartikel dat hij als kind niet had mogen hebben en dat nu vrijelijk beschikbaar was. Drugs gebruiken was net zoiets als na het avondeten een portie mierzoete cornflakes nemen en daarna het restje melk uit de kom slurpen als suikerrietsap: een voorrecht van volwassenen, een voorrecht waar hij graag van genoot.

Vragen twee en drie: wanneer en waarom waren drugs zo belangrijk voor hem geworden? Ook die kon hij beantwoorden. Toen hij tweeëndertig was, had hij zijn eerste expositie gehad. Na die expositie waren er twee dingen gebeurd: ten eerste was hij echt beroemd geworden. Er stonden artikelen over hem in de kunstbladen, maar ook in tijdschriften en kranten die werden gelezen door mensen die Sue Williams niet van Sue Coe konden onderscheiden. En ten tweede was zijn vriendschap met Jude en Willem eraan gegaan.

Misschien was dat iets te sterk uitgedrukt. Maar hun vriendschap was veranderd. Hij had iets slechts gedaan – dat gaf hij toe – en Willem had de kant van Jude gekozen (en eigenlijk had het hem niet hoeven te verbazen dat Willem Judes kant koos, want als hij hun hele vriendschap onder de loep nam, was het maar al te duidelijk: keer op keer op keer koos Willem Judes kant), en hoewel ze allebei zeiden dat ze het hem hadden vergeven, was het een kentering in hun relatie geweest. Die twee, Jude en Willem, waren samen een eenheid geworden, zij tweeën tegen de rest van de wereld, tegen hém (waarom had hij dat nooit eerder gezien?), ze waren twee handen op één buik. Terwijl hij altijd had gedacht dat híj met Willem een eenheid vormde.

Maar goed, dat was dus niet zo. Wie bleef er dan voor hem over? Malcolm niet, want Malcolm had uiteindelijk een relatie met Sophie gekregen en zij vormden hun eigen eenheid. Dus wie zou dan zijn partner zijn, wie zou met hem een eenheid vormen? Niemand, leek het. Ze hadden hem in de steek gelaten.

En daarna hadden ze hem jaar na jaar meer in de steek gelaten. Hij had altijd geweten dat hij de eerste van hen vieren zou zijn die succes kreeg. Dat was geen arrogantie, hij wist het gewoon. Hij werkte harder dan Malcolm en was ambitieuzer dan Willem. (Jude rekende hij niet tot de deelnemers aan deze race, want Judes carrière speelde zich op een heel ander vlak af, een vlak waar hij weinig mee had.) Hij was erop voorbereid geweest dat hijzelf degene was die rijk zou worden, of beroemd, of alom gerespecteerd, en terwijl hij over rijkdom, roem en respect droomde, wist hij al dat hij altijd vrienden met hen alle drie zou blijven, dat hij ze nooit zou opgeven voor wie dan ook, hoe verleidelijk dat misschien ook zou zijn. Hij hield van hen, ze hoorden bij hem.

Maar hij had er niet op gerekend dat zij hém in de steek zouden laten, dat zij hem zouden ontgroeien door hun eigen successen. Malcolm had zijn eigen bedrijf. Jude was blijkbaar zo indrukwekkend goed in wat hij deed, dat toen hij JB afgelopen voorjaar had vertegenwoordigd in een belachelijk conflict met een verzamelaar die hij voor het gerecht wilde slepen omdat de man had beloofd dat hij een vroeg schilderij van zichzelf terug kon kopen maar daarop was teruggekomen, de advocaat van de verzamelaar zijn wenkbrauwen had opgetrokken toen JB had gezegd dat hij maar contact moest opnemen met Jude St. Francis, zijn advocaat. 'St. Francis?' had de advocaat van de tegenpartij gevraagd. 'Hoe kom je aan hém?' Hij had het aan Zwarte Henry Young verteld, maar die was helemaal niet verbaasd geweest. 'Klopt,' had hij gezegd. 'Jude staat erom bekend dat hij ijskoud en levensgevaarlijk is. Hij wint die zaak voor je, JB, maak je geen zorgen.' Hij was geschokt geweest: zíjn Jude? Iemand die pas in hun tweede jaar had durven opkijken om hem recht in de ogen te zien? Levensgevaarlijk? Hij kon het zich gewoonweg niet voorstellen. 'Ik weet het,' zei Zwarte Henry Young toen hij zijn ongeloof ventileerde. 'Maar als hij aan het werk is, wordt hij een ander mens, JB. Ik heb hem een keer in de rechtszaal gezien en hij was bijna angstaanjagend, zó spijkerhard. Als ik hem niet had gekend, had ik gedacht dat het een enorme hufter was.' En Zwarte Henry Young bleek gelijk te hebben: hij kreeg zijn schilderij terug, plus schriftelijke excuses van de verzamelaar.

En dan was er natuurlijk Willem. In een akelig, bekrompen hoekje van zijn geest had JB van z'n levensdagen niet verwacht dat Willem zo succesvol zou worden. Niet dat hij het hem niet had gegund, maar hij had gewoon nooit gedacht dat het zou gebeuren. Willem, met zijn gebrek aan competitiezin, Willem de bedachtzame, Willem, die tijdens hun studie een hoofdrol in *Look Back in Anger* had afgeslagen om voor zijn zieke broer te gaan zorgen. Aan de ene kant had hij het begrepen, maar aan de andere kant... zijn broer was niet stervende geweest, toen nog niet, en zelfs zijn eigen moeder had gezegd dat hij niet moest komen. Zijn vrienden, die hem vroeger nodig hadden gehad – om het leven een beetje kleurrijk en opwindend te maken – hadden dat nu niet meer. Hij zag zichzelf niet graag als iemand die wilde dat zijn vrienden, nou ja, misschien niet direct mislukten, maar in elk geval zwaar naar hem opkeken, maar misschien was hij dat wel.

Wat hij zich niet had gerealiseerd over succes was dat mensen er saai van werden. Van mislukken werden mensen ook saai, maar op een andere manier: mensen die mislukten, streefden voortdurend naar één ding, naar succes. Maar succesvolle mensen hadden ook maar één streven: het handhaven van hun succes. Het was het verschil tussen hardlopen en hardlopen op de plaats: hardlopen is weliswaar altijd saai, maar iemand die hardloopt, heeft in elk geval steeds een andere omgeving en een ander uitzicht. Maar ook op dit vlak leken Jude en Willem iets te hebben waar het hem aan ontbrak, iets wat hen beschermde tegen de verstikkende verveling die het hebben van succes met zich meebracht, tegen de eentonigheid van elke ochtend wakker worden met het besef dat je een succes was en dat je dag in, dag uit moest blijven doen wat je deed om dat succes te handhaven, want als je ermee stopte, was je geen succes meer en dan werd je een mislukkeling. Soms dacht hij dat het onderscheid tussen hem en Malcolm aan de ene kant en Jude en Willem aan de andere niet was gelegen in ras of rijkdom, maar in het onuitputtelijke vermogen van Jude en Willem om zich te verwonderen: hun jeugd was zo schraal en grauw geweest in vergelijking met de zijne, dat het leek alsof ze als volwassenen voortdurend vol verbijstering om zich heen keken. In juni van het jaar dat ze waren afgestudeerd hadden Malcolms ouders hun allemaal een ticket naar Parijs gegeven, waar ze een appartement – 'een piepklein appartementje,' had Malcolm op verdedigende toon genuanceerd – in het zevende arrondissement bleken te hebben. JB was aan het begin van de middelbare school met zijn moeder naar Parijs geweest, en toen aan het eind nog een keer met zijn klas, en weer in de zomer tussen het tweede en derde jaar van zijn studie, maar pas toen hij het gezicht van Jude en Willem had gezien, was niet alleen de schoonheid van de stad maar ook de bekoring die ervan uitging duidelijk tot hem doorgedrongen. Daar benijdde hij hen om, om dat vermogen zich nog steeds te verwonderen (hoewel hij besefte dat het in elk geval bij Jude een compensatie was na een lange, akelige jeugd), hun vertrouwen dat het leven, de volwassenheid, steeds weer verbazingwekkende ervaringen voor hen in petto zou hebben, dat die fantastische jaren nog niet achter hen lagen. Hij herinnerde zich ook nog hun reactie toen ze voor het eerst sushi aten – alsof ze Helen Keller waren toen het tot haar doordrong dat die koele plens op haar hand een naam had en dat ze die kon leren – die hem tegelijk ongeduldig en intens jaloers had gemaakt. Hoe zou het zijn om als volwassene nog steeds de genoegens van het leven te ontdekken?

En dat, dacht hij soms, was de reden dat hij zo graag high was: niet, zoals veel mensen dachten, omdat hij daarmee aan het leven van alledag kon ontsnappen, maar omdat het leven van alledag er wat minder alledaags door leek. Voor een korte periode – en die werd met de week korter – was de wereld schitterend en nog onontdekt.

Op andere momenten vroeg hij zich af of het de wereld was die kleurloos was geworden, of dat het zijn vrienden waren. Wanneer was iedereen zo op elkaar gaan lijken? Maar al te vaak had hij het idee dat de mensen om hem heen voor het laatst echt interessant waren geweest in hun studententijd. Daarna waren ze langzaam maar zeker net als alle anderen geworden. Neem de leden van Backfat: tijdens hun studie waren ze met z'n drieën topless helemaal langs de oever van de Charles gelopen, vlezig en verleidelijk schommelend met hun weelderige vormen, als protest tegen bezuinigingen op Planned Parenthood, de organisatie voor geboorteregeling (niemand wist precies wat het verband was met topless lopen, maar oké), hadden ze fantastische concerten in de kelder van Hood Hall gegeven en een beeltenis van een antifeministisch Senaatslid in brand gestoken op de binnenplaats. Maar nu hadden Francesca en Marta het over kinderen krijgen en verhuizen van hun loft in Bushwick naar een negentiende-eeuws herenhuis in Boerum Hill, en ging Edie deze keer écht een eigen bedrijf beginnen, en toen hij vorig jaar had geopperd dat het tijd werd voor een reünieconcert van Backfat hadden ze allemaal gelachen, terwijl het niet bedoeld was als grapje. Zijn hardnekkige nostalgie maakte hem neerslachtig en vroegoud, maar toch kon hij het idee niet loslaten dat de meest glorieuze jaren, de jaren waarin alles in neonletters geschreven leek te zijn, voorbij waren. Iedereen was destijds zo veel leuker geweest. Wat was er gebeurd?

Een kwestie van leeftijd, vermoedde hij. En daarmee samenhangend: banen. Geld. Kinderen. De dingen die je deed om de dood op een afstand te houden, om zeker te weten dat je ertoe deed, de dingen die houvast boden, die het leven samenhang en inhoud gaven. De mars voorwaarts, die werd gedicteerd door conventies en door de biologische klok en waar zelfs de meest vrije geest geen weerstand aan kon bieden.

Maar dat waren zijn kennissen. Wat hij werkelijk wilde weten, was wanneer zijn vriénden zo burgerlijk waren geworden en waarom hem dat niet eerder was opgevallen. Malcolm was natuurlijk altijd al burgerlijk geweest, maar om de een of andere reden had hij van Willem en Jude meer verwacht. Hij wist hoe naar het klonk (en daarom zei hij het nooit hardop), maar hij dacht vaak dat zijn gelukkige jeugd een vloek was. Stel dat hem in plaats daarvan iets interessants was overkomen. Het enige interessante in zijn jeugd was dat hij op een overwegend witte middelbare school had gezeten, en zelfs dat was niet echt interessant. Goddank was hij geen schrijver, want dan had hij niets gehad om over te schrijven. En dan had je iemand als Jude, die een afwijkende jeugd had gehad en er afwijkend uitzag, maar die – wist JB – juist uit alle macht probeerde om in geen enkel opzicht af te wijken. JB had best graag het uiterlijk van Willem gehad, natuurlijk, maar hij zou een moord op iets kleins en donzigs hebben gedaan om eruit te zien als Jude, om te lopen met een mysterieuze slepende gang die eigenlijk meer een soort glijden was, en om Judes gezicht en lichaam te hebben. Maar Jude deed voornamelijk zijn best om stil in een hoekje te staan en naar beneden te kijken, alsof niemand dan zou merken dat hij bestond. Aan het begin van hun studie, toen Jude zo kinderlijk en mager was geweest dat het hem letterlijk pijn deed om te zien, was dat treurig en enigszins begrijpelijk geweest, maar tegenwoordig, nu hij was uitgegroeid tot een knappe man, kon het JB razend maken, vooral doordat Judes schroom zo vaak botste met zijn eigen plannen.

'Wil je de rest van je leven graag volkomen middelmatig, saai en doorsnee zijn?' had hij Jude eens gevraagd (dat was tijdens hun tweede grote ruzie, toen hij Jude probeerde over te halen naakt te poseren, een poging waarvan hij al van tevoren had geweten dat die tot mislukken gedoemd was).

'Ja, JB,' had Jude gezegd, en hij had hem aangekeken met de blik die hij soms tevoorschijn toverde en die zo blanco en nietszeggend was dat het intimiderend en zelfs enigszins griezelig was. 'Dat is inderdaad precies wat ik wil.'

Soms verdacht hij Jude ervan maar één ding echt te willen: in Cambridge bij Harold en Julia logeren en spelen dat ze een gezinnetje waren. Vorig jaar bijvoorbeeld was JB uitgenodigd voor een cruise door een van zijn verzamelaars, een waanzinnig vermogende en invloedrijke mecenas die een jacht had dat heen en weer voer tussen de Griekse eilanden en vol hing met moderne meesterwerken die elk museum graag zou bezitten, ware het niet dat ze in de badkamer van een schip hingen.

Malcolm was aan het werk geweest in Doha of ergens anders, maar Willem en Jude waren in de stad, en hij had Jude gebeld om te vragen of hij meewilde. De verzamelaar zou hun reis betalen. Hij zou zijn vliegtuig sturen. Vijf dagen op een jacht. Hij wist niet eens waarom hij dit gesprek eigenlijk voerde. Hij had ze gewoon een sms'je moeten sturen: 'Kom naar Teterboro Airport. Neem zonnebrand mee.'

Maar nee, hij had het gevraagd, en Jude had hem bedankt. En daarna had hij gezegd: 'Maar dan is het Thanksgiving.'

'Nou en?' had hij gevraagd.

'JB, heel erg bedankt voor de uitnodiging,' had Jude herhaald, terwijl hij zijn oren niet kon geloven. 'Het klinkt geweldig. Maar ik moet naar Harold en Julia.'

Hij was met stomheid geslagen geweest. Natuurlijk was hij ook zeer gesteld op Harold en Julia, en hij zag net als de anderen hoe goed ze voor Jude waren en hoe hij door hun vriendschap iets minder gekweld leek, maar hé, ze woonden in Boston! Hij kon naar ze toe wanneer hij maar wilde. Maar Jude zei nee, en dat was dat. (En omdat Jude nee had gezegd zei Willem natuurlijk ook nee, en uiteindelijk had hij met hen tweeën en Malcolm in Boston gezeten, knarsetandend van ergernis over het tafereeltje rond de tafel – plaatsvervangende ouders, vrienden van de plaatsvervangende ouders, veel middelmatig eten, een gezelschap van uitsluitend progressieven die hooglopende discussies voerden over het beleid van de Democraten, waarbij veel werd geschreeuwd over onderwerpen waar ze het nota bene allemaal over eens waren – dat zo clichématig en banaal was dat hij het wel kon uitgillen van frustratie en dat tegelijkertijd bizar genoeg zo'n charme had voor Jude en Willem.)

Wat was er eerder geweest: zijn omgang met Jackson of het besef dat zijn vrienden saai waren? Hij had Jackson ontmoet na de opening van zijn tweede expositie, bijna vijf jaar na zijn eerste. Die had als titel 'Everyone I've Ever Known Everyone I've Ever Loved Everyone I've Ever Hated Everyone I've Ever Fucked', en dat was precies wat er te zien was: honderdvijftig geschilderde portretten op dun board van 38 bij 56 centimeter van iedereen die hij ooit had gekend. De serie was geïnspireerd op een schilderij dat hij van Jude had gemaakt en op de dag van Judes adoptie aan Harold en Julia had gegeven. (God, wat hield hij van dat schilderij. Hij had het moeten houden. Of het moeten omwisselen: Harold en Julia zouden ook blij zijn geweest met een minder fantastisch werk, zolang het maar een portret van Jude was. De laatste keer dat hij in Cambridge was, had hij serieus overwogen het te stelen, het stiekem van het haakje in de gang te lichten en in zijn weekendtas te stoppen voordat hij wegging.) Ook 'Everyone I've Ever Known' was weer een succes geworden, al was het niet de serie die hij eigenlijk had willen maken, want dat was de serie waar hij nu aan werkte.

Jackson exposeerde bij dezelfde galerie, en hoewel JB van zijn bestaan wist, had hij hem nog nooit ontmoet en was hij, toen hij tijdens het diner ter ere van de opening aan hem werd voorgesteld, verrast dat hij hem zo graag mocht en dat hij onverwacht grappig bleek te zijn, want Jackson was niet het type waar hij van nature naartoe trok. Ten eerste had hij een enorme hekel aan Jacksons werk, echt een pesthekel: hij maakte assemblages, maar van de meest infantiele en voor de hand liggende soort, zoals een blikje tonijn met de benen van een barbiepop eronder gelijmd. O god, had JB gedacht toen hij dat voor het eerst op de website van de galerie had gezien. Heeft híj dezelfde galerie als ik? Hij beschouwde het niet eens als kunst maar eerder als provocatie, hoewel alleen een middelbare scholier – uit de onderbouw dan – het provocerend zou vinden. Jackson vond dat zijn stukken deden denken aan Kienholz, wat JB beledigend vond, en hij hield niet eens van Kienholz.

Ten tweede was Jackson rijk, zo rijk dat hij nog geen dag in zijn leven had gewerkt. Zo rijk dat zijn galeriehouder ermee had ingestemd hem te laten exposeren om zijn vader een plezier te doen (dat zei iedereen tenminste, en hij hoopte bij god dat het waar was). Zo rijk dat alle werken op zijn exposities altijd werden verkocht, volgens de geruchten doordat zijn moeder – die was gescheiden van zijn vader, de fabrikant van een of ander essentieel frutseltje in vliegtuigmotoren, toen Jackson nog klein was en was hertrouwd met de uitvinder van een of ander essentieel frutseltje bij harttransplantaties – al zijn werk opkocht en het veilde, zodat de prijs steeg, waarna ze het weer terugkocht, zodat Jacksons verkoopcijfers tot enorme hoogte werden opgedreven. In tegenstelling tot andere rijke mensen die hij kende – onder wie Malcolm en Richard en Ezra – pretendeerde Jackson maar zelden dat hij niet rijk was. JB had de soberheid van de anderen altijd huichelachtig en irritant gevonden, maar nadat hij een keer had meegemaakt dat Jackson, toen ze allebei high, giechelig en uitgehongerd waren, met een klap een briefje van honderd dollar neerlegde voor twee candybars en tegen de caissière zei dat ze het wisselgeld maar moest houden, was hij tot bezinning gekomen. De achteloosheid waarmee Jackson met geld omging had iets obsceens, en dat herinnerde JB eraan dat hijzelf, hoe graag hij ook anders mocht denken, net zo goed saai, burgerlijk en het kind van zijn moeder was.

Ten derde was Jackson niet eens knap. JB nam aan dat hij hetero was – er hingen in elk geval altijd meisjes om hem heen, meisjes met een glad en leeg gezicht, die door Jackson neerbuigend werden behandeld maar als stofvlokken achter hem aan bleven dwarrelen – maar JB had nog nooit iemand ontmoet met zo weinig sexappeal. Jackson had heel licht haar, bijna wit, zat onder de pukkels, en zijn tanden waren ooit ongetwijfeld goed verzorgd geweest maar hadden de grauwe kleur van stof aangenomen, terwijl de ruimtes ertussen waren dichtgeslibd met botergele tandsteen, waarvan de aanblik JB deed walgen.

Zijn vrienden hadden een enorme hekel aan Jackson, en naarmate duidelijk werd dat Jackson en zijn vriendengroep – eenzame rijke meisjes zoals Hera en quasikunstenaars zoals Massimo en zelfbenoemde kunstcritici zoals Zane, veelal oud-klasgenoten van Jackson van de waardeloze middelbare school waar hij was beland nadat hij van elke andere particuliere school in New York af was gestuurd, inclusief de school waar JB op had gezeten – blijvertjes waren in JB's leven, hadden ze alle drie geprobeerd met hem over Jackson te praten.

'Je hebt het er altijd over dat Ezra zo'n patser is,' had Willem gezegd. 'Maar wat is precies het verschil met Jackson, behalve dan dat dat ook nog een ongelofelijke hufter is?'

Jackson was inderdaad een hufter, en in zijn gezelschap was JB ook een hufter. Een paar maanden geleden, tijdens zijn vierde of vijfde poging om te stoppen met drugs, had hij Jude gebeld. Het was vijf uur 's middags en hij was net wakker geworden en voelde zich zo afschuwelijk, zo onvoorstelbaar oud, uitgeput en gewoon óp – zijn huid glibberig, zijn tanden ruw, zijn ogen kurkdroog – dat hij voor het eerst had verlangd naar de dood, alleen maar om niet eeuwig dóór te hoeven gaan. Er moet iets veranderen, zei hij bij zichzelf. Ik moet stoppen met Jackson. Ik moet stoppen. Alles moet stoppen. Hij miste zijn vrienden, miste hun onschuld en onbedorvenheid, miste het om de interessantste van hen te zijn en miste het dat hij bij hen nooit zijn best hoefde te doen.

Daarom had hij Jude gebeld (die verdomde Willem was natuurlijk weer eens de stad uit en van Malcolm wist je nooit of hij niet hysterisch zou reageren) en had hem gevraagd, gesmeekt, om na zijn werk langs te komen. Hij vertelde hem waar precies de rest van de meth lag (onder de losse halve vloerplank rechts onder het bed) en waar zijn pijpje was, en vroeg hem alles door de wc te spoelen, alles weg te gooien.

'Luister, JB,' had Jude gezegd. 'Ga naar dat café in Clinton Street, oké? Neem je schetsboek mee. Bestel iets te eten. Ik kom zo snel mogelijk die kant op, meteen na deze vergadering. En dan stuur ik je als ik klaar ben een sms'je dat je thuis kunt komen, goed?'

'Oké,' had hij gezegd. En hij was opgestaan, had een lange douche genomen, waarbij hij zich nauwelijks had gewassen maar alleen onder het stromende water had gestaan, en daarna had hij precies gedaan wat Jude had gezegd: hij had zijn schetsboek en potloden gepakt. Hij was naar het café gegaan. Hij had een halve clubsandwich met kip gegeten en koffie gedronken. En hij had gewacht.

En terwijl hij zat te wachten, zag hij Jackson buiten langs het raam lopen, met zijn vieze haar en spitse kin, net een mangoest op zijn achterpoten. Met zijn zelfvoldane rijkeluisloopje en het pedante glimlachje op zijn gezicht dat JB er wel vanaf zou willen timmeren, liep Jackson voorbij, en hij keek toe met een onverschilligheid alsof Jackson een willekeurige lelijke vent was die hij op straat zag lopen, niet een lelijke vent die hij bijna elke dag zag. En toen, net voordat hij uit het zicht verdween, draaide Jackson zich om en keek naar binnen, keek hem recht aan en grijnsde zijn lelijke grijns, en hij keerde op zijn schreden terug en liep het café binnen, alsof hij al die tijd had geweten dat JB daar was, alsof hij enkel en alleen uit het niets was verschenen om JB eraan te herinneren dat JB nu van hem was, dat er geen ontkomen aan was, dat JB was voorbestemd te doen wat Jackson wilde wanneer Jackson dat wilde, en dat hij nooit meer de zeggenschap over zijn eigen leven zou krijgen. Voor het eerst was hij bang voor Jackson, en hij raakte in paniek. Wat is er gebeurd? vroeg hij zich af. Hij was Jean-Baptiste Marion, híj maakte de plannen, anderen volgden hém, niet andersom. Jackson zou hem nooit laten gaan, besefte hij, en hij was angstig. Hij was van iemand anders, hij was iemands bezit. Hoe zou hij ooit weer van zichzelf kunnen worden? Hoe kon hij weer worden wie hij was geweest?

'Hé man,' zei Jackson, totaal niet verrast, alsof hij JB met de kracht van zijn gedachten hierheen had getransporteerd.

Wat kon hij zeggen? 'Hé,' zei hij.

Toen ging zijn telefoon: Jude, die zei dat de kust veilig was en dat hij terug kon komen. 'Ik moet weg.' Hij stond op, maar toen hij vertrok liep Jackson achter hem aan.

Hij zag Judes uitdrukking veranderen toen hij Jackson naast hem ontwaarde. 'JB,' zei hij kalm. 'Ik ben blij je te zien. Ben je zover? Dan gaan we.'

'Waarnaartoe?' vroeg hij dom genoeg.

'Naar mijn huis,' zei Jude. 'Je zei toch dat je me zou helpen met die doos waar ik niet bij kan?'

Maar hij was zo beduusd, nog zo in de war, dat hij het niet begreep. 'Wat voor doos?'

'De doos op die hoge plank in de kast, waar ik niet bij kan,' zei Jude, die Jackson nog steeds negeerde. 'Ik heb je hulp nodig, want in m'n eentje kan ik niet op de ladder klimmen.'

Toen had hij het moeten snappen, want Jude praatte nooit over dingen die hij niet kon. Hij kreeg een uitweg aangeboden en was te dom om dat in te zien.

Maar Jackson niet. 'Ik geloof dat je vriend je uit mijn buurt wil hebben,' zei hij spottend tegen JB. Zo noemde Jackson hen altijd, hoewel hij hen allemaal meer dan eens had ontmoet. Je vrienden. JB's vrienden.

Jude keek hem aan. 'Dat klopt,' zei hij, nog steeds op die kalme, onverstoorbare toon. 'Dat wil ik inderdaad.' Daarna keerde hij zich naar hem. 'JB, kom je mee?'

O, hij wilde dolgraag. Maar hij kon het op dat moment niet. Hij zou nooit weten waarom niet, maar hij kon het niet. Hij stond machteloos, zo machteloos dat hij dat niet eens kon verbergen. 'Ik kan het niet,' fluisterde hij tegen Jude.

'JB,' zei Jude, en hij pakte zijn arm en trok hem in de richting van de stoeprand, terwijl Jackson met zijn domme, honende lachje toekeek. 'Kom mee. Je hoeft hier niet te blijven. Kom mee, JB.'

Toen was hij gaan huilen, niet luidruchtig en niet langdurig, maar toch was het huilen. ‘JB,’ zei Jude weer, met zachte stem. ‘Kom mee. Je hoeft niet terug te gaan.’

Maar hij hoorde zichzelf ‘Dat kan ik niet’ zeggen. ‘Dat kan ik niet. Ik wil naar boven. Ik wil naar huis.’

‘Dan ga ik met je mee naar binnen.’

‘Nee. Nee, Jude. Ik wil alleen zijn. Dank je wel. Maar ga alsjeblieft naar huis.’

‘JB,’ begon Jude, maar hij draaide zich om en rende weg, stak de sleutel met kracht in de voordeur en stormde de trap op, in het besef dat Jude hem zo snel niet zou kunnen volgen, maar met Jackson geniepig grijnzend in zijn kielzog, terwijl achter hem Judes geroep bleef klinken – ‘JB! JB!’ – tot hij binnen was (Jude had opgeruimd: de gootsteen was leeg, de afwas stond schoon in het afdruiprek) en hem niet meer kon horen. Hij zette zijn telefoon uit, want Jude belde hem, en schakelde de zoemer van de voordeur uit, want Jude drukte steeds weer op de bel.

En toen legde Jackson een paar lijntjes van de coke die hij had meegebracht en snoven ze die, en zo werd de avond dezelfde avond die hij al honderden keren had meegemaakt: dezelfde cadans, dezelfde wanhoop, hetzelfde afschuwelijke gevoel van stilstand.

‘Het is een mooie jongen, die vriend van je,’ hoorde hij Jackson op een gegeven moment laat op die avond zeggen. ‘Jammer alleen van...’ En hij stond op en imiteerde Judes manier van lopen, een slingerende persiflage die er helemaal niet op leek, waarbij hij zijn mond liet openhangen alsof hij achterlijk was en zijn handen schokkend voor zich uit stak. JB was te high om te protesteren, te high om iets te kunnen uitbrengen, en dus knipperde hij alleen met zijn ogen en keek toe hoe Jackson door de kamer hompelde, terwijl de tranen in zijn ogen prikten en hij tevergeefs probeerde woorden te vinden om Jude te verdedigen.

De volgende dag werd hij laat wakker, op zijn buik op de grond vlak bij de keuken. Hij liep om Jackson heen, die voor zijn boekenkast lag te slapen, en ging zijn slaapkamer in, waar hij zag dat Jude ook zijn bed had opgemaakt, en om de een of andere reden moest hij daar weer bijna om huilen. Hij tilde voorzichtig de plank rechts onder het bed op en stak zijn hand in de ruimte: er lag niets. En dus ging hij op de sprei liggen en trok één kant ervan helemaal over zich heen, zelfs over zijn hoofd, zoals hij ook altijd deed toen hij klein was.

Terwijl hij probeerde in slaap te vallen, dwong hij zichzelf na te denken over de vraag waarom hij met Jackson omging. Niet dat hij dat niet wist, maar hij schaamde zich als hij eraan dacht. Hij was met Jackson gaan optrekken om te bewijzen dat hij niet afhankelijk was van zijn vrienden, dat hij niet gevangenzat in zijn leven, dat hij zijn eigen beslissingen kon en zou nemen, al waren het slechte. Op zijn leeftijd kende je alle vrienden die je ooit zou krijgen. Je kende de vrienden van je vrienden. Het leven werd steeds kleiner. Jackson was dom, onvolwassen, boosaardig en geen type voor hem, geen type om zijn tijd aan te verdoen. Dat wist hij. En daarom ging hij ermee door: om zijn vrienden te verbijsteren, om ze te laten zien dat hij zich niet liet beperken door hun verwachtingen van hem. Het was dom, dom, dom. Het was overmoedig. En zelf was hij de enige die eronder leed.

'Het is gewoon onmogelijk dat je die vent écht aardig vindt,' had Willem een keer gezegd. En hoewel hij precies had geweten wat Willem bedoelde, had hij gedaan alsof hij het niet snapte, alleen om dwars te liggen.

'Waarom is dat onmogelijk, Willem?' had hij gevraagd. 'Ik kan enorm met hem lachen. Hij wil écht dingen ondernemen. Hij is er écht als ik iemand nodig heb. Waarom is het dan onmogelijk? Nou?'

Met de drugs was het hetzelfde verhaal. Drugs gebruiken was niet hardcore, het was niet stoer, hij werd er niet interessanter van. Maar het week af van het standaardbeeld. Als je tegenwoordig serieus met kunst bezig was, gebruikte je geen drugs. Zelfs het idéé van mateloosheid was verdwenen, dat was iets van de beatgeneration, de Abstract Expressionists, de op-art en de pop-art. Tegenwoordig rookte je hooguit een beetje wiet. En heel af en toe, als je heel ironisch bezig wilde zijn, snoof je misschien een lijntje coke. Maar meer niet. Dit was het tijdperk van de zelfdiscipline, van de deprivatie in plaats van inspiratie, en in elk geval zocht je je inspiratie niet meer in drugs. Richard, Ali, Oosterse Henry Young, de mensen die hij respecteerde gebruikten niets: geen drugs, geen suiker, geen cafeïne, geen zout, geen vlees, geen gluten, geen nicotine. Ze waren artiesten in ascese. In zijn opstandige momenten probeerde hij zichzelf wijs te maken dat gebruiken zo passé was, zo afgezaagd dat het weer helemaal hot was. Maar hij wist dat het niet waar was. Net zoals hij wist dat het niet waar was dat hij echt plezier had in de seksfeesten die soms in Jacksons galmende flat in Williamsburg werden gehouden, waar wisselende groepen dunne, donszachte mensen elkaar blindelings betastten, en waar hij de neiging had gehad te lachen toen er de eerste keer een jongen was, te schriel en jong en haarloos om echt JB's type te zijn, die tegen hem zei dat hij wilde dat JB toekeek terwijl hij zijn eigen bloed opzoog uit een snee die hij zichzelf zou toebrengen. Maar hij hád niet gelachen en in plaats daarvan gezien hoe de jongen zich in zijn biceps sneed en daarna zijn hoofd opzijdraaide om het bloed op te likken, als een kitten dat zichzelf schoonwast, en hij had een steek van verdriet gevoeld. 'O, JB, ik wil gewoon een leuke witte jongen,' had zijn ex en tegenwoordig goede vriend Toby eens tegen hem geklaagd, en hij moest een beetje glimlachen nu hij er weer aan dacht. Voor hem gold hetzelfde. Hij wilde alleen maar een leuke witte jongen, niet dit zielige salamanderachtige wezen, zo bleek dat hij bijna doorschijnend was, die zijn eigen bloed oplikte in de minst erotische pose die je je kon voorstellen.

Maar naast alle vragen die hij kon beantwoorden, was er één waar hij het antwoord niet op wist: hoe kwam hij hier weer uit? Hoe moest hij stoppen? Hier zat hij dan, letterlijk gevangen in zijn atelier, letterlijk de gang in glurend uit angst dat Jackson er aankwam. Hoe moest hij aan Jackson ontsnappen? Hoe kreeg hij zijn leven terug?

De avond nadat hij Jude had gevraagd zijn voorraad weg te gooien had hij hem eindelijk teruggebeld, en Jude had gevraagd of hij kwam, en hij had geweigerd, dus was Jude naar hem toe gekomen. Hij had naar de muur zitten staren terwijl Jude eten voor hem had klaargemaakt, garnalenrisotto, en nadat hij hem een bord had gegeven, leunde Jude op het aanrecht en keek toe hoe hij at.

'Mag ik nog wat?' vroeg hij toen hij zijn eerste bord leeg had, en Jude schepte weer op. Hij had niet beseft dat hij zo'n honger had, en zijn hand trilde toen hij de lepel naar zijn mond bracht. Hij dacht aan de zondagse avondmaaltijden bij zijn moeder, waar hij sinds de dood van zijn oma niet meer heen was gegaan.

'Ga je me niet de les lezen?' vroeg hij uiteindelijk, maar Jude schudde zijn hoofd.

Nadat hij had gegeten, zat hij op de bank naar de tv te kijken met het geluid uit zonder werkelijk iets te zien, maar gerustgesteld door het flikkeren en in elkaar overvloeien van de beelden, en Jude deed de afwas en kwam daarna naast hem op de bank zitten om aan een pleitnota te werken.

Een van Willems films was op tv – die waarin hij een zwendelaar in een Iers plaatsje speelde, met een web van littekens op zijn ene wang – en hij bleef op die zender hangen, niet om de film te volgen maar om naar Willems gezicht te kijken, en naar zijn geluidloos bewegende mond. 'Ik mis Willem,' zei hij, en toen besefte hij hoe ondankbaar dat klonk. Maar Jude legde zijn pen neer en keek naar het scherm. 'Ik ook,' zei hij, en samen staarden ze naar hun vriend, die zo ver weg was.

'Niet weggaan,' zei hij tegen Jude toen hij in slaap zakte. 'Je moet me niet alleen laten.'

'Ik ga niet weg,' zei Jude, en JB wist dat hij daarvan op aankon.

Toen hij de volgende ochtend vroeg wakker werd lag hij nog steeds op de bank, maar nu onder zijn dekbed, en de tv was uit. Jude was er ook: hij sliep nog, weggezakt in de kussens aan de andere kant van de uit losse elementen bestaande bank. Ergens was hij altijd een beetje beledigd geweest door Judes weigering iets over zichzelf prijs te geven, door zijn terughoudendheid en geslotenheid, maar op dat moment voelde hij alleen maar dankbaarheid en bewondering voor hem, en hij was op de stoel naast hem gaan zitten om zijn gezicht van dichtbij te bestuderen, het gezicht dat hij zo graag schilderde, met het dikke haar van een complexe kleur, dat hij nooit kon zien zonder eraan te denken hoeveel mengwerk en hoeveel tinten er nodig waren om het precies weer te geven.

Ik kan het, had hij in stilte tegen Jude gezegd. Ik kan het.

Maar blijkbaar kon hij het niet. Hij was in zijn atelier, het was pas één uur 's middags en hij wilde zo ontzettend graag iets roken dat hij niets anders voor zich zag dan het pijpje, het glas berijpt door restanten van wit poeder, en dit was nog maar dag één van zijn poging om niet te gebruiken, maar nu al was hij belachelijk, maakte hij zichzelf belachelijk. Om hem heen stonden de enige dingen waar hij iets om gaf, de schilderijen uit zijn volgende serie, 'Seconds, Minutes, Hours, Days', waarvoor hij Malcolm, Jude en Willem een hele dag had gevolgd en alles had gefotografeerd wat ze deden, en daarna van alle drie acht à tien beelden had gekozen om te schilderen. Hij had besloten van ieder van hen een doorsneewerkdag vast te leggen, allemaal in dezelfde maand van hetzelfde jaar, en had elk schilderij als titel hun naam gegeven, gevolgd door de plek en het tijdstip van de foto.

Willems foto's waren het verst weg genomen: hij was naar Londen gegaan, waar Willem op locatie bezig was met opnames voor een film genaamd *Latecomers*, en de beelden die hij had gekozen waren een combinatie van Willem op de set en Willem als zichzelf. Van alle drie had hij een favoriet schilderij en van Willem was dat *Willem, London, October 8, 9:08 a.m.*, waarop hij in de stoel bij de make-up naar zijn spiegelbeeld zat te staren, terwijl de visagiste met de vingertoppen van haar linkerhand zijn kin omhooghield en met haar rechterhand poeder aanbracht op zijn wangen. Willem had zijn ogen neergeslagen, maar toch zag je duidelijk dat hij naar zichzelf keek, en hij hield zijn handen om de houten armleuningen van de stoel geklemd alsof hij in een achtbaan zat en bang was dat hij eruit viel als hij losliet. De tafel voor hem lag vol met slijpkrullen van pasgeslepen wenkbrauwpotloden die eruitzagen als flarden kant, open make-updozen waarin elke tint een andere kleur rood was, alle schakeringen rood die je je kon voorstellen, en verfrommelde tissues met nog meer rood, alsof er bloed aan zat. Van Malcolm had hij een opname gekozen die 's avonds laat van enige afstand was gemaakt en waarop hij thuis aan zijn keukenbar een van zijn fantasiegebouwen zat te vouwen van vierkante velletjes rijstpapier. Zijn voorkeur voor *Malcolm, Brooklyn, October 23, 11:17 p.m.* had niet zozeer te maken met de compositie of de kleur, maar met een persoonlijker reden: tijdens hun studie had hij Malcolm vaak geplaagd met de bouwwerkjes die hij maakte en op zijn vensterbank zette, maar in werkelijkheid had hij ze altijd mooi gevonden en had hij graag toegekeken als Malcolm ze maakte: dan vertraagde zijn ademhaling en zat hij heel stil, en verdween zijn voortdurende gejaagdheid, die soms bijna tastbaar leek, een aanhangsel dat bij hem hoorde zoals een staart bij een dier.

Hij werkte zonder bepaalde volgorde aan alle schilderijen door elkaar, maar voor de serie van Jude lukte het hem niet helemaal om de kleuren zo te krijgen als hij wilde, dus daarvan had hij er nog het minst af en verkeerden er nog veel in een vroege fase. Toen hij de foto's had bekeken, was het hem opgevallen dat de dagen van zijn vrienden werden gekenmerkt en glans kregen door een zekere consistentie in koloriet: hij had Willem gevolgd op de dagen dat hij moest acteren in een ruimte die een grote flat in Belgravia moest voorstellen, en daar was het licht uitgesproken goudkleurig geweest, de tint van bijenwas. Later, toen ze weer terug waren in het appartement in Notting Hill dat Willem huurde, had hij foto's van hem genomen toen hij zat te lezen, en ook daar was het licht gelig geweest, zij het minder stroperig en knisperiger, als de schil van een late appel. Malcolms wereld daarentegen was blauwig: zijn steriele kantoor met werkbladen van wit marmer in 22nd Street en het huis dat hij en Sophie hadden gekocht in Cobble Hill nadat ze waren getrouwd. En die van Jude was grijzig, maar een zilverig grijs, een tint die karakteristiek was voor gelatinezilverdrukken en heel moeilijk weer te geven bleek met acrylverf, al had hij voor Judes schilderijen de kleuren aanzienlijk verdund in een poging dat satijnige licht vast te leggen. Voordat hij begon, moest hij eerst een manier vinden om grijs een helder en zuiver aanzien te geven, en dat was frustrerend, want het enige wat hij wilde was schilderen en hij zat niet te wachten op al dat geklooi met kleuren.

Maar dat je gefrustreerd raakte van je schilderijen – en het was onmogelijk om je werk niet te zien als een collega, alsof het soms besloot om inschikkelijk te zijn en mee te werken, en een andere keer om tegendraads en stijfkoppig te zijn, als een humeurige peuter – tja, dat hoorde er gewoon bij. Je moest stug blijven doorgaan, dan kwam het op een dag goed.

Maar net als zijn belofte aan zichzelf – 'je gaat het niet redden!' snerpte het driftig op en neer springende kwelgeestje in zijn hoofd, 'je gaat het niet redden!' – maakten ook zijn schilderijen hem belachelijk. Hij had besloten dat hij voor deze serie ook een reeks doeken van een van zijn eigen dagen zou maken, maar hij had al bijna drie jaar lang geen dag kunnen vinden die het waard was te worden vastgelegd. Hij had het geprobeerd: op tientallen dagen had hij honderden foto's van zichzelf genomen. Maar als hij er later naar keek, eindigden ze allemaal hetzelfde: met drugs. Of de fotoreeks eindigde vroeg op de avond, en dan wist hij dat dat kwam doordat hij high was geweest, te high om te blijven fotograferen. En er was nog meer aan de foto's dat hem niet beviel: hij wilde niet dat Jackson deel uitmaakte van de weergave van zijn leven, en toch was Jackson er altijd. Hij hield niet van de sullige glimlach die hij op zijn eigen gezicht zag als hij high was, hij hield er niet van om te zien hoe zijn gezicht naarmate de dag wegzonk in de nacht veranderde van dik en verwachtingsvol naar dik en begerig. Dat was niet de versie van hemzelf die hij wilde schilderen. Maar de laatste tijd was hij gaan denken dat het de versie van hemzelf was die hij juist wel zou moeten schilderen: dit was tenslotte zijn leven. Dit was wie hij tegenwoordig was. Soms werd hij wakker in het donker en dan wist hij niet waar hij was of hoe laat en welke dag het was. Dagen: zelfs het begrip dag was belachelijk geworden. Hij kon niet meer precies bepalen wanneer er een dag begon of eindigde. 'Help,' zei hij op dat soort momenten hardop. 'Help.' Maar hij wist niet aan wie die smeekbede gericht was of wat hij ervan verwachtte.

En nu was hij moe. Hij had het geprobeerd. Het was vrijdagmiddag half twee, de vrijdag voor het weekend van Independence Day, op 4 juli. Hij trok zijn kleren aan. Hij deed de ramen van zijn atelier dicht, draaide de deur op slot en liep de trappen van het verlaten gebouw af. 'Chen,' zei hij, en zijn stem klonk luid door het trappenhuis; hij deed alsof hij een waarschuwing uitzond naar zijn collega-kunstenaars, een bericht overbracht aan iemand die misschien zijn hulp nodig had. 'Chen, Chen, Chen.' Hij ging naar huis om iets te roken.

Hij werd wakker van een vreselijk lawaai, het lawaai van machines, van metaal dat langs metaal schuurde, en begon in zijn kussen te schreeuwen om het te overstemmen tot hij besefte dat het de zoemer was, en toen hees hij zich langzaam overeind en slofte naar de deur. 'Jackson?' vroeg hij, terwijl hij de knop van de intercom indrukte, en hij hoorde hoe angstig hij klonk, hoe onzeker.

Er was een korte stilte. 'Nee, wij zijn het,' zei Malcolm. 'Laat ons erin.' Dat deed hij.

En toen waren ze er allemaal, Malcolm en Jude en Willem, alsof ze waren gekomen om hem te zien optreden. 'Willem,' zei hij. 'Ik dacht dat jij in Cappadocië zat.'

'Ik ben gisteren teruggekomen.'

'Maar ik dacht dat je tot' – hij wist dit – 'tot 6 juli wegbleef. Dat heb je gezegd.'

'Het is 7 juli,' zei Willem kalm.

Toen begon hij te huilen, maar hij was uitgedroogd en daardoor kwamen er geen tranen, alleen geluiden. 7 juli: hij was zo veel dagen kwijt. Hij herinnerde zich er niets van.

'JB,' zei Jude, die dicht bij hem kwam staan, 'we halen je hieruit. Kom met ons mee. We zorgen dat je hulp krijgt.'

'Oké,' zei hij, nog steeds huilend. 'Oké, oké.' Hij hield zijn deken om zich heen geslagen, want hij was verkleumd, maar hij liet zich door Malcolm meenemen naar de bank, en toen Willem met een trui naar hem toe kwam stak hij zijn armen gehoorzaam omhoog, zoals hij als kind had gedaan als zijn moeder hem aankleedde. 'Waar is Jackson?' vroeg hij aan Willem.

'Jackson zal je niet lastigvallen,' hoorde hij Jude zeggen, ergens boven hem. 'Maak je geen zorgen, JB.'

'Willem,' zei hij, 'sinds wanneer ben je mijn vriend niet meer?'

'Ik ben nog steeds je vriend, JB,' zei Willem, en hij kwam naast hem zitten. 'Je weet dat ik van je hou.'

Hij leunde achteruit in de bank en sloot zijn ogen; hij hoorde Jude en Malcolm zachtjes met elkaar praten en daarna hoorde hij dat Malcolm naar de andere kant van de woning liep, naar zijn slaapkamer, en dat de vloerplank werd opgetild en weer op zijn plaats viel en de wc werd doorgetrokken.

'We zijn klaar,' hoorde hij Jude zeggen, en hij stond op, Willem stond samen met hem op, Malcolm kwam naar hem toe en legde zijn arm om zijn rug en als groepje schuifelden ze naar de deur, waar hij door een vreselijke angst werd overvallen: als hij naar buiten ging, wist hij zeker dat hij Jackson zou zien, dat hij net zo plotseling zou opduiken als die dag in het café.

'Ik kan niet mee,' zei hij, en hij bleef staan. 'Ik wil niet mee, dwing me niet om mee te gaan.'

'JB,' begon Willem, en er was iets aan Willems stem, aan zijn hele aanwezigheid, dat hem opeens redeloos woedend maakte, en hij schudde Malcolms arm van zich af en keerde zich naar Willem, terwijl de energie opeens door zijn lijf stroomde. 'Jij hebt niks te zeggen over mijn doen en laten, Willem,' zei hij. 'Je bent er nooit en je hebt me nooit gesteund en je hebt me nooit gebeld, en nou kan je niet zomaar binnenstappen om me voor gek te zetten – die arme, domme, gestoorde JB, hier komt Willem de Held, ik zal hem wel even redden – alleen omdat je daar toevallig zin in hebt, oké? Dus laat me met rust en flikker op.'

'JB, ik weet dat je in de war bent,' zei Willem, 'maar niemand zet je voor gek, en ik al helemaal niet.' Maar voordat hij begon te praten, had JB hem snel en ogenschijnlijk samenzweerderig naar Jude zien kijken en om de een of andere reden maakte dat hem nog razender. Waar was de tijd gebleven dat ze elkaar allemaal begrepen, dat Willem en hij elk weekend uitgingen, dat ze de volgende dag terugkwamen om de verhalen van die nacht aan Malcolm en Jude te vertellen, Jude, die nooit ergens naartoe ging, die nooit verhalen over zichzelf vertelde? Hoe kon het dat híj nu degene was die helemaal alleen was? Waarom hadden ze hem overgelaten aan die gier van een Jackson? Waarom hadden ze niet harder voor hem gevochten? Waarom had hij alles voor zichzelf verpest? Waarom hadden ze dat laten gebeuren? Hij wilde ze te gronde richten, hij wilde dat ze zich net zomin als hij nog menselijk zouden voelen.

'En jij,' zei hij terwijl hij zich naar Jude keerde. 'Vind je het fijn om te weten hoe gestoord ik ben? Vind je het fijn om altijd al onze geheimen te horen en zelf geen fuck te vertellen? Wat denk je eigenlijk wel, Jude? Denk je dat je lid van de club kan zijn zonder ooit iets te hoeven zeggen, zonder ons ooit ook maar ene moer te hoeven vertellen? Nou, zo werkt het dus niet, en we zijn je allemaal spuugzat.'

'Zo is het genoeg, JB,' zei Willem scherp terwijl hij hem bij zijn schouder pakte, maar hij was plotseling sterk en wrong zich los uit Willems greep, hij was onverwacht lichtvoetig en dribbelde als een bokser naar de boekenkast. Hij keek naar Jude, die met een roerloos gezicht en heel grote ogen stond te kijken, bijna alsof hij wachtte tot JB verderging, tot hij hem nog meer zou kwetsen. De eerste keer dat hij Judes ogen had geschilderd, was hij naar een dierenwinkel gegaan om foto's te maken van een ruwe grasslang, omdat zijn kleur er zo op leek. Maar op dat ogenblik waren ze donkerder, bijna de tint van een gladde grasslang, en hij had de absurde gedachte dat hij wou dat hij zijn verf bij de hand had, want hij wist dat hij de tint nu feilloos kon mengen.

'Zo werkt het niet,' zei hij weer tegen Jude. En toen, voor hij het wist, gaf hij Jacksons imitatie van Jude weg, die afschuwelijke parodie: hij liet zijn mond openhangen zoals Jackson had gedaan, jammerde als een imbeciel en sleepte met zijn rechterbeen alsof dat van steen was. 'Ik ben Jude,' brabbelde hij. 'Ik ben Jude St. Francis.' Een paar seconden lang klonk alleen zijn stem in de kamer en waren zijn bewegingen de enige beweging, en in die seconden wilde hij wel ophouden maar kon het niet. En toen was Willem naar hem toe gerend, en het laatste wat hij had gezien was dat Willem zijn vuist naar achteren trok, en het laatste wat hij had gehoord was het kraken van bot.

Hij werd wakker en wist niet waar hij was. Ademhalen ging moeizaam. Er zat iets op zijn neus, besefte hij. Maar toen hij zijn hand wilde optillen om eraan te voelen, lukte dat niet. Daarna keek hij naar beneden, zag dat zijn polsen vastgebonden waren en begreep dat hij in het ziekenhuis lag. Hij sloot zijn ogen en wist het weer: Willem had hem in zijn gezicht gestompt. Toen herinnerde hij zich ook weer waarom, en hij kneep zijn ogen heel stijf dicht en kermde zonder geluid te maken.

Het ogenblik ging voorbij en hij deed zijn ogen weer open. Hij draaide zijn hoofd naar links, waar een lelijk blauw gordijn hem het zicht op de deur belemmerde. En daarna draaide hij zijn hoofd naar rechts, naar het vroege ochtendlicht, en zag Jude, die zat te slapen in de stoel naast zijn bed. De stoel was te klein om in te slapen en hij had zich opgevouwen in een houding die er vreselijk uitzag: zijn knieën opgetrokken tegen zijn borst, zijn ene wang op zijn knieën, zijn armen rond zijn onderbenen.

Je weet dat je zo niet moet gaan zitten slapen, Jude, zei hij in gedachten tegen hem. Als je straks wakker wordt, heb je pijn in je rug. Maar zelfs als hij zijn arm had kunnen uitsteken om hem wakker te maken, had hij het niet gedaan.

O god, dacht hij. O god. Wat heb ik gedaan?

Het spijt me, Jude, zei hij in gedachten, en deze keer kon hij wel echt huilen: de tranen dropen in zijn mond, die toch al overliep van het slijm dat hij niet kon wegvegen. Maar hij was stil, hij maakte geen geluid. Het spijt me, Jude, het spijt me zo, herhaalde hij in zichzelf, en toen fluisterde hij de woorden hardop, maar zachtjes, zo zachtjes dat hij alleen zijn mond open en dicht hoorde gaan, verder niets. Vergeef me, Jude. Vergeef me.

Vergeef me.

Vergeef me.

Vergeef me.

IV

Het axioma van gelijkheid

1

Op de avond voordat hij naar Boston gaat voor de bruiloft van hun vriend Lionel, krijgt hij een bericht van dr. Li waarin staat dat dr. Kashen is overleden. 'Een hartaanval; het is heel snel gegaan,' schrijft dr. Li. De begrafenis is op vrijdagmiddag.

De volgende ochtend rijdt hij rechtstreeks naar de begraafplaats en van de begraafplaats naar het huis van dr. Kashen, een houten gebouw van drie verdiepingen in Newton waar de hoogleraar altijd eindejaarsdiners gaf voor al zijn masterstudenten van dat moment. De regel was dat bij die gelegenheid niet over wiskunde werd gerept. 'Verder mogen jullie over alles praten,' zei hij altijd, 'maar geen wiskunde.' Alleen op die avondjes bij dr. Kashen was hij de minst sociaal onaangepaste persoon in de kamer (en niet toevallig ook de minst briljante), en de hoogleraar liet hem gewoonlijk het spits afbijten: 'En, Jude,' zei hij dan. 'Wat zijn jouw interesses dezer dagen?' Minstens twee van zijn studiegenoten – beiden promovendi – waren licht autistisch en hij zag hoeveel moeite het hun kostte een gesprek te voeren, hoeveel moeite ze hadden met de tafeletiquette, dus voorafgaand aan deze dinertjes deed hij wat onderzoek naar de laatste ontwikkelingen binnen de onlinegames (waar de ene van hield) en tennis (waar de andere van hield), zodat hij hun vragen kon stellen waar ze een antwoord op hadden. Dr. Kashen wilde dat zijn studenten ooit in staat zouden zijn een baan te vinden, en naast het geven van wiskundecolleges zag hij het ook als zijn taak hen wat socialer te maken, hun te leren hoe ze zich in gezelschap moesten gedragen.

Soms was ook dr. Kashens zoon Leo, een jaar of vijf ouder dan zij, bij die diners aanwezig. Hij was ook autistisch, maar anders dan bij Donald en Mikhail was dat bij hem direct zichtbaar en dermate ernstig dat hij weliswaar de middelbare school had afgemaakt, maar het op de universiteit niet langer dan een semester had uitgehouden en alleen maar een baan als programmeur bij het telecombedrijf had kunnen krijgen, waar hij dag in, dag uit in een kamertje schermen vol code zat na te kijken. Hij was enig kind en woonde bij dr. Kashen, net als dr. Kashens zus, die jaren geleden, na het overlijden van zijn vrouw, bij hen was ingetrokken.

Aangekomen in het huis praat hij met Leo, die er wezenloos uitziet en mompelend van hem wegkijkt, en daarna met de zus van dr. Kashen, een voormalige docent wiskunde aan Northeastern University.

'Jude,' zegt ze, 'wat leuk je te zien. Bedankt dat je bent gekomen.' Ze houdt zijn hand vast. 'Mijn broer had het altijd over jou, weet je dat?'

'Hij was een geweldige docent,' antwoordt hij. 'Ik heb zo veel van hem geleerd. Mijn welgemeende condoleances.'

'Dank je,' zegt ze. 'Het is heel onverwachts gebeurd. En die arme Leo...' Ze kijken naar Leo, die in het niets staart. 'Ik weet niet hoe hij hierop zal reageren.' Ze geeft hem een afscheidskus. 'Nogmaals bedankt.'

Buiten is het gruwelijk koud en het ijs plakt op de voorruit. Hij rijdt langzaam naar het huis van Harold en Julia, laat zichzelf binnen en roept hun namen. 'Daar is hij dan!' zegt Harold, die plotseling opdoemt uit de keuken, zijn handen afdrogend aan een theedoek. Harold omhelst hem, iets waar hij op zeker moment mee begonnen is, en hoe lastig hij dat ook vindt, hij denkt dat het nog lastiger zou zijn te proberen uit te leggen waarom hij liever zou hebben dat Harold ermee ophield. 'Wat een droevig nieuws van Kashen, Jude. Ik was geschokt toen ik het hoorde; nog geen twee maanden geleden kwam ik hem tegen op de tennisclub, en toen zag hij er heel fit uit.'

'Dat was hij ook,' zegt hij terwijl hij zijn sjaal afwikkelt en Harold zijn jas ophangt. 'En nog niet eens zo oud: vierenzeventig.'

'Jezus,' zegt Harold, die net vijfenzestig is geworden. 'Fijn vooruitzicht. Zet je spullen maar even in je kamer en kom dan naar de keuken. Julia zit in een vergadering, maar ze komt over een uurtje thuis.'

Hij zet zijn tas in de logeerkamer – 'Judes kamer', zeggen Harold en Julia, 'jouw kamer' – kleedt zich om en gaat naar de keuken, waar Harold in een pan op het fornuis staat te turen als in een put. 'Ik probeer bolognesesaus te maken,' zegt hij zonder zich om te draaien, 'maar er gaat iets mis; het begint de hele tijd te schiften, zie je dat?'

Hij kijkt. 'Hoeveel olijfolie heb je gebruikt?'

'Veel.'

'Wat is veel?'

'Nou, véél. Kennelijk te veel.'

Hij glimlacht. 'Laat mij maar.'

'Godzijdank,' zegt Harold en hij gaat opzij. 'Ik hoopte al dat je dat zou zeggen.'

Tijdens het eten praten ze over Julia's favoriete onderzoeker, van wie ze vermoedt dat hij naar een ander lab wil overstappen, over de laatste roddels binnen de rechtenfaculteit, over de bloemlezing die Harold aan het samenstellen is van artikelen over het arrest uit 1954 waarin rassensegregatie ongrondwettig werd verklaard, en over een van de tweelingdochters van Laurence die gaat trouwen, en dan zegt Harold met een grijns: 'Nou, Jude, de grote verjaardag komt eraan.'

'Nog maar drie maanden!' roept Julia vrolijk, en hij kreunt. 'Wat ga je doen?' vraagt ze.

'Waarschijnlijk niets,' zegt hij. Hij heeft zelf niets gepland en Willem uitdrukkelijk verboden om iets te organiseren. Twee jaar geleden heeft hij in Greene Street een groot feest voor Willem georganiseerd, en hoewel zij vieren altijd zeiden dat ze met z'n allen ergens heen zouden gaan elke keer als een van hen veertig werd, is het niet zo uitgepakt. Willem was op zijn eigenlijke verjaardag in Los Angeles voor filmopnames, maar na afloop zijn ze op safari gegaan in Botswana. Maar alleen zij tweeën: Malcolm was bezig met een project in Beijing en JB… tja, Willem had niet voorgesteld hem mee te vragen, en hij ook niet.

'Je moet wel íéts doen,' zegt Harold. 'We zouden een feestelijk etentje kunnen houden, hier of in New York.'

Hij glimlacht, maar schudt zijn hoofd. 'Veertig is veertig,' zegt hij. 'Gewoon een jaar.' Toch had hij als kind nooit verwacht dat hij zo oud zou worden: in de maanden na de aanrijding had hij soms dromen waarin hij volwassen was, en hoewel die dromen heel vaag waren – hij wist nooit helemaal zeker waar hij woonde of wat hij aan het doen was in zijn droom, maar meestal liep hij rond en soms rende hij zelfs – was hij er altijd jong in; zijn verbeelding reikte nooit tot aan de middelbare leeftijd.

Om het gesprek ergens anders op te brengen, vertelt hij hun over de begrafenis van dr. Kashen, waarop dr. Li heeft gesproken. 'Wiskundigen worden er door mensen die niet van wiskunde houden altijd van beschuldigd dat ze wiskunde ingewikkeld maken,' had dr. Li gezegd. 'Maar iedereen die wel van wiskunde houdt, weet dat het eigenlijk omgekeerd is: wiskunde beloont eenvoud, en eenvoud wordt door wiskundigen ten hoogste gewaardeerd. Het zal dan ook niemand verbazen dat Walters favoriete axioma het eenvoudigste binnen de wiskunde was: het axioma van de lege verzameling.

Het axioma van de lege verzameling is het nul-axioma. Het stelt dat er een begrip "niets" moet bestaan, een begrip "nul": waarde nul, nul elementen. De wiskunde gaat ervan uit dat het niets bestaat, maar is dat bewezen? Nee. Maar het móét bestaan.

Als we nu op de filosofische toer gaan, en dat doen we vandaag, dan kunnen we zeggen dat het leven zélf het axioma van de lege verzameling is. Het begint met nul en het eindigt met nul. We weten dat beide toestanden bestaan, maar we zijn ons van die beide ervaringen niet bewust: het zijn toestanden die noodzakelijkerwijs deel uitmaken van het leven, ook al kunnen ze niet als leven worden ervaren. We nemen aan dat het niets bestaat, maar bewijzen kunnen we dat niet. Toch móét het bestaan. Daarom geef ik er de voorkeur aan te denken dat Walter niet is doodgegaan, maar in plaats daarvan voor zichzelf het axioma van de lege verzameling heeft bewezen, dat hij het bewijs heeft geleverd van het bestaan van nul. Ik weet dat niets hem gelukkiger had kunnen maken. Een heldere geest verlangt een heldere uitkomst, en Walter had een buitengewoon heldere geest. Dus ik zeg hem nu vaarwel; ik wens hem het antwoord op het axioma waar hij zo veel van hield.'

Ze zitten dit alle drie even in stilte te overpeinzen. 'Ik hoop niet dat dat ook jouw favoriete axioma is,' zegt Harold opeens, en hij lacht. 'Nee hoor,' zegt hij.

De volgende ochtend slaapt hij uit en die avond gaat hij naar de bruiloft, waar hij bijna iedereen kent aangezien de beide bruidegommen in Hood Hall woonden. De gasten die niet van Hood afkomstig zijn – Lionels collega's van Wellesley en Sinclairs collega's van Harvard, waar hij Europese geschiedenis doceert – klonteren samen als om bescherming bij elkaar te zoeken en maken een verveelde en verwonderde indruk. Het is een ongedwongen, wat chaotische bruiloft – Lionel geeft alle gasten bij binnenkomst een taak, die door de meesten wordt verwaarloosd: hij moet erop toezien dat iedereen het gastenboek tekent; Willem wordt geacht de mensen naar hun tafel te begeleiden – en de mensen lopen rond en zeggen dat ze dankzij Lionel en Sinclair, dankzij deze bruiloft, dit jaar niet naar hun twintigste reünie van de universiteit hoeven. Ze zijn er alle vier: Willem met zijn vriendin Robin, Malcolm met Sophie en JB met zijn nieuwe vriendje, die hij nog niet heeft ontmoet, en al voordat hij op de naamkaartjes heeft gekeken weet hij dat ze aan dezelfde tafel zullen zitten. 'Jude!' zeggen mensen die hij in geen jaren heeft gezien. 'Hoe gaat het ermee? Waar is JB? Ik heb Willem net gesproken! Ik heb Malcolm net gezien!' En dan: 'Zijn jullie vier nog altijd zo close?'

'We praten allemaal nog steeds met elkaar,' zegt hij, 'en het gaat fantastisch met ze.' Dat is het antwoord dat Willem en hij van tevoren hebben bedacht. Hij vraagt zich af wat JB zegt: of hij eromheen draait zoals Willem en hij, of vierkant liegt, of in een oprisping van JB-achtige directheid de waarheid vertelt: 'Nee. We spreken elkaar nauwelijks. De laatste tijd spreek ik alleen Malcolm nog.'

Hij heeft JB al vele maanden niet gezien. Natuurlijk hoort hij wel over hem: via Malcolm, via Richard, via Zwarte Henry Young. Maar hij gaat niet meer met hem om, want zelfs bijna drie jaar na dato is hij niet in staat hem te vergeven. Hij heeft het vele malen geprobeerd. Hij weet hoe koppig, hoe kleingeestig, hoe onbarmhartig het van hem is. Maar hij kan het niet. Als hij JB ziet, ziet hij weer voor zich hoe die zijn imitatie van hem ten beste geeft en op dat moment alles bevestigt wat hij altijd heeft gevreesd en gedacht over hoe hij er zelf uitziet, alles wat hij altijd heeft gevreesd en gedacht over hoe anderen hem zien. Alleen had hij nooit gedacht dat zijn vríénden hem zo zagen, althans, hij had nooit gedacht dat ze hem dat zouden vertellen. De raakheid van de imitatie doet hem pijn, maar het feit dat die van JB afkomstig is, daar is hij kapot van. Soms ziet hij, als hij 's avonds laat niet in slaap kan komen, weer voor zich hoe JB zich met gekromde rug en openhangende mond voortsleept, zijn handen als klauwen voor zich uit: *Ik ben Jude. Ik ben Jude St. Francis.*

Nadat ze JB die avond naar het ziekenhuis hadden gebracht en hadden laten opnemen – JB liep er wezenloos en kwijlend bij toen ze hem naar binnen brachten, maar had zich toen hersteld en was boos en agressief geworden, hij had rauwe kreten naar hen geschreeuwd, uitgehaald naar de ziekenbroeders en zich losgewrongen uit hun greep tot ze hem hadden gesedeerd en hem slap de gang door hadden gesleept – was Malcolm per taxi vertrokken en Willem en hij waren met een andere taxi naar hun huis in Perry Street gegaan.

In de taxi had hij Willem niet kunnen aankijken, en nu er geen afleiding meer was – geen formulieren om in te vullen, geen artsen om mee te praten – had hij het ondanks de drukkende hitte van de nacht koud gekregen, en zijn handen waren gaan trillen, en Willem had zijn arm uitgestoken, zijn rechterhand gepakt en die de rest van de lange, stille rit naar het centrum in zijn linkerhand gehouden.

Tijdens de herstelperiode was hij er voor JB geweest. Hij besloot te blijven tot JB beter was; hij kon hem op dat moment niet in de steek laten, niet na al die jaren van vriendschap. Zij drieën wisselden elkaar af en na zijn werk zat hij vaak met een boek naast JB's ziekenhuisbed. Soms was JB wakker, maar meestal niet. Hij was aan het afkicken maar de arts had ook een nierontsteking ontdekt, en zodoende bleef hij op de algemene afdeling van het ziekenhuis, terwijl vloeistoffen zijn arm in druppelden en zijn gezicht langzaam minder opgezwollen werd. Als hij wakker was vroeg JB hem om vergeving, soms dramatisch en smekend, en soms, als hij helderder was, rustig. Dat waren de gesprekken die hij het moeilijkst vond.

'Jude, het spijt me zo,' zei JB dan. 'Ik was zo totaal doorgedraaid. Zeg alsjeblieft dat je me vergeeft. Ik heb me zo gruwelijk misdragen. Ik hou van je, dat weet je. Ik zou je nooit pijn willen doen, nooit.'

'Ik weet dat je doorgedraaid was, JB,' zei hij dan. 'Ik weet het.'

'Zeg me dan dat je me vergeeft. Alsjeblieft, Jude.'

Dan zweeg hij. 'Het komt wel goed, JB,' zei hij, maar die woorden – ik vergeef je – kreeg hij niet over zijn lippen. 's Avonds, in z'n eentje, zei hij ze keer op keer: ik vergeef je, ik vergeef je. Het zou zo simpel zijn, vermaande hij zichzelf. JB zou zich er beter door voelen. Zeg het, commandeerde hij zichzelf terwijl JB hem aankeek met ogen waarin het oogwit vlekkerig en geel was. Zeg het. Maar hij kon het niet. Hij wist dat JB zich daardoor nog rotter voelde; hij wist het, maar hij kreeg het toch niet over zijn lippen. De woorden lagen als stenen onder zijn tong. Hij kon ze niet loslaten, hij kón het gewoon niet.

Later, toen JB hem elke nacht op schelle, pedante toon vanuit de afkickafdeling belde, hoorde hij zwijgend zijn monologen aan over hoezeer hij zijn leven had gebeterd en dat hij zich realiseerde dat hij van niemand afhankelijk was behalve zichzelf, en dat híj, Jude, moest beseffen dat het leven uit meer dan alleen werk bestond, dat hij elke dag in het moment moest leven en van zichzelf moest leren houden. Hij luisterde, ademde in en uit en zei niets. En toen was JB uit het ziekenhuis gekomen en moest hij weer wennen aan het gewone leven, en een paar maanden hadden ze allemaal heel weinig van hem gehoord. Hij was zijn huurappartement kwijtgeraakt en tijdelijk bij zijn moeder ingetrokken tot hij zijn leven weer op orde had.

Maar toen, op een dag, belde hij. Dat was begin februari, bijna op de kop af zeven maanden nadat ze hem naar het ziekenhuis hadden gebracht, en JB wilde met hem afspreken om te praten. Hij stelde een café voor, Clementine, vlak bij Willem, en terwijl hij zich tussen de dicht opeenstaande tafeltjes door een weg baande naar een plaats helemaal achterin, besefte hij waarom hij dit café had uitgekozen: omdat het hier zo klein en krap was dat JB zijn imitatie van hem niet ten beste zou kunnen geven, en toen dat tot hem doordrong voelde hij zich stom en laf.

Ze hadden elkaar lang niet gezien, en JB boog zich over de tafel heen en omhelsde hem licht, voorzichtig, voor hij ging zitten.

'Je ziet er goed uit,' zei hij.

'Dank je,' zei JB. 'Jij ook.'

Ze praatten een dik kwartier over JB's leven: hij was bij een steungroep voor ex-crystal-methverslaafden gegaan. De komende paar maanden zou hij nog bij zijn moeder blijven, om dan te besluiten wat hij ging doen. Hij was weer aan de slag gegaan en werkte door aan de serie waar hij eerder mee bezig was geweest.

'Dat is fantastisch, JB,' zei hij. 'Ik ben trots op je.'

En toen viel er een stilte en staarden ze allebei naar andere mensen. Een paar tafeltjes verderop zat een meisje met een lange gouden ketting die ze steeds om haar vingers wond en weer losliet. Hij keek toe terwijl ze met haar vriend praatte, haar ketting draaiend en weer loslatend, tot ze opkeek en hij zijn blik afwendde.

'Jude,' begon JB, 'ik wilde je nogmaals, maar nu volkomen nuchter, vertellen dat het me spijt. Het was afschuwelijk van me. Het was...' Hij schudde zijn hoofd. 'Het was zo wreed. Ik kan geen...' Hij stopte opnieuw, en er viel een stilte. 'Het spijt me,' zei hij. 'Het spijt me.'

'Dat weet ik, JB,' zei hij, en hij voelde een soort verdriet dat hij nooit eerder gevoeld had. Andere mensen waren wreed tegen hem geweest, hadden hem een rotgevoel bezorgd, maar dat waren geen mensen geweest van wie hij hield, geen mensen van wie hij altijd had gehoopt dat ze hem zagen als een onbeschadigd, heel iemand. JB was de eerste geweest.

En toch was JB ook een van de eersten geweest die zijn vriend was geworden. Toen hij in de eerste jaren van zijn studie de aanval had gekregen waarbij zijn kamergenoten hem naar het ziekenhuis hadden gebracht, waar hij Andy had ontmoet, was het – had Andy hem later verteld – JB geweest die hem naar binnen had gedragen en ook JB die had geëist dat hij voorrang kreeg, die op de eerste hulp zo'n stampij had gemaakt dat hij er zelf uit was gezet, maar pas nadat er een arts was opgeroepen.

Hij zag JB's liefde voor hem in zijn portretten van hem. Hij herinnerde zich dat hij tijdens een van de zomers in Truro eens had toegekeken terwijl JB een schets maakte en aan de uitdrukking op JB's gezicht, zijn glimlachje en de talmende, subtiele manier waarop zijn lange onderarm over het papier bewoog had gezien dat hij iets tekende wat voor hem grote waarde had, iets wat hem dierbaar was. 'Wat teken je?' had hij gevraagd, en JB had zich naar hem toe gewend en het schetsblok omhooggehouden, en hij had gezien dat het een tekening van hem was, van zijn gezicht.

O, JB, dacht hij. O, wat zal ik je missen.

'Kun je het me vergeven, Jude?' vroeg JB, en hij keek hem aan.

Hij had geen woorden, hij kon alleen maar zijn hoofd schudden. 'Ik kan het niet, JB,' zei hij ten slotte. 'Ik kan het niet. Ik kan niet naar je kijken zonder te zien...' Hij stopte. 'Ik kan het niet,' herhaalde hij. 'Het spijt me, JB, het spijt me echt.'

'O,' zei JB en hij slikte. Ze zaten daar een hele tijd zonder iets te zeggen.

'Ik zal je altijd het allerbeste toewensen,' zei hij tegen JB, die langzaam knikte, zonder hem aan te kijken.

'Nou,' zei JB ten slotte, en hij stond op, en hijzelf stond ook op en stak zijn hand uit naar JB, die ernaar keek alsof het iets vreemds was, iets wat hij nog nooit had gezien: onderzoekend, turend. Ten slotte pakte hij hem, maar in plaats van hem te schudden, drukte hij zijn lippen erop en hield ze daar. En toen liet JB zijn hand los en stommelde halsoverkop, tegen de tafeltjes op botsend, 'sorry, sorry' zeggend, het café uit.

Zo nu en dan ziet hij JB nog, vooral op feestjes, altijd in groepen, en dan doen ze beleefd en vriendelijk tegen elkaar. Ze maken een praatje, en dat is het pijnlijkste. JB heeft nooit meer geprobeerd hem te omhelzen of kussen; hij komt met zijn hand al uitgestoken op hem af, en hij beantwoordt het gebaar en dan schudden ze elkaar de hand. Hij heeft JB bij de opening van 'Seconds, Minutes, Hours, Days' bloemen gestuurd met een summier kaartje, en heeft de vernissage overgeslagen, maar is de zaterdag erna op weg naar zijn werk wel naar de galerie gegaan, waar hij een uur lang rustig van schilderij naar schilderij is gelopen. JB was van plan geweest zichzelf in deze serie op te nemen, maar had dat uiteindelijk niet gedaan: alleen Malcolm, Willem en hij stonden erop. Het waren prachtige schilderijen, en terwijl hij ze bekeek dacht hij niet zozeer aan het leven van de afgebeelden, maar aan het leven van degene die ze had gecreëerd: zo veel van deze schilderijen waren gemaakt toen JB er het miserabelst, het meest hulpeloos aan toe was, en toch waren ze zelfverzekerd en subtiel, en als je ze zag, dacht je onwillekeurig aan de empathie, de tederheid en de charme van degene die ze gemaakt had.

Malcolm is met JB bevriend gebleven, maar hij vond het wel nodig zich daarvoor tegenover hem te verontschuldigen. 'Welnee, Malcolm,' had hij gezegd, zodra Malcolm het had opgebiecht en hem om goedkeuring had gevraagd. 'Je moet absoluut vrienden met hem blijven.' Hij wil niet dat JB door hen allen in de steek gelaten wordt; hij wil niet dat Malcolm het gevoel heeft dat hij zijn loyaliteit jegens hem moet bewijzen door JB te verstoten. Hij wil dat JB een vriend heeft die hem al kent sinds zijn achttiende, sinds hij de grappigste, de slimste van de hele school was en hijzelf en ieder ander dat wist.

Maar Willem heeft nooit meer met JB gesproken. Zodra JB van de afkickafdeling kwam heeft Willem hem gebeld en gezegd dat hij niet langer zijn vriend kon zijn, en dat JB wel wist waarom niet. En dat was dat. Het heeft hem verbaasd en verdrietig gestemd, omdat hij JB en Willem altijd graag samen zag lachen en discussiëren en hen graag uithoorde over hun leven: ze waren allebei zo onbevangen, zo uitgesproken; ze waren zijn afgezanten naar een minder geremde, vrolijker wereld. Ze wisten altijd overal plezier aan te beleven en dat heeft hij altijd in ze bewonderd, immens dankbaar dat ze het met hem wilden delen.

'Zeg Willem,' zei hij een keer, 'ik hoop niet dat je niet meer met JB praat vanwege wat er tussen hem en mij is voorgevallen.'

'Natuurlijk is het vanwege wat er tussen hem en jou is voorgevallen,' zei Willem.

'Maar dat is toch geen reden,' zei hij.

'Natuurlijk wel,' zei Willem. 'Ik kan geen betere reden bedenken.'

Hij had nog nooit een vriendschap verbroken, dus hij had niet geweten dat het zo'n traag, droevig en moeilijk proces zou zijn. Richard weet dat Willem en hij niet meer met JB praten, maar hij weet niet waarom niet, althans niet van hem. Nu, jaren later, neemt hij het JB niet eens meer kwalijk; hij kan het alleen niet vergeten. Hij merkt dat er ergens in zijn binnenste iets zit, klein maar niet weg te redeneren, dat zich steeds blijft afvragen of JB het nog een keer zal doen; hij merkt dat hij bang is om met hem alleen te zijn.

Twee jaar geleden, het eerste jaar dat JB niet naar Truro kwam, vroeg Harold hem of er iets aan de hand was. 'Je hebt het nooit meer over hem,' zei hij.

'Nou,' begon hij, niet wetend hoe hij verder moest. 'We zijn niet echt... we zijn niet echt meer bevriend, Harold.'

'Wat vervelend om te horen, Jude,' zei Harold na een stilte, en hij knikte. 'Kun je me vertellen wat er is gebeurd?'

'Nee,' zei hij, terwijl hij zich concentreerde op de radijsjes, waarvan hij de toppen aan het afsnijden was. 'Het is een lang verhaal.'

'Is het herstelbaar, denk je?'

Hij schudde zijn hoofd. 'Dat denk ik niet.'

Harold zuchtte. 'Wat vervelend voor je, Jude,' herhaalde hij. 'Dat moet naar zijn.' Hij bleef even stil. 'Ik zag jullie vieren altijd heel graag samen, weet je. Jullie hadden iets bijzonders.'

Hij knikte weer. 'Ik weet het. Ik ben het met je eens. Ik mis hem.'

Hij mist JB nog steeds, en dat zal wel altijd zo blijven. Hij mist hem met name bij gelegenheden als deze bruiloft, waar ze ooit de hele avond met z'n vieren zouden hebben gepraat en gelachen om de anderen, benijdenswaardig en bijna aanstootgevend in hun gedeeld plezier, hun plezier in elkaar. Nu knikken JB en Willem elkaar over de tafel heen toe, Malcolm ratelt maar door in een poging de spanning te verhullen, en zij vieren – in zijn gedachten zullen ze altijd zij vieren, wij vieren blijven – stellen de andere drie mensen aan hun tafel overdreven geïnteresseerde vragen, lachen hard om hun grapjes en gebruiken hen zonder dat ze het weten als menselijk schild. Hij zit naast JB's vriend – de leuke witte jongen waar JB altijd naar heeft verlangd – een twintiger, net klaar met zijn studie verpleegkunde en overduidelijk smoorverliefd op JB. 'Hoe was JB als student?' vraagt Oliver en hij zegt: 'Niet veel anders dan nu: grappig, scherpzinnig, totaal gestoord en slim. En getalenteerd. Hij is altijd al één bonk talent geweest.'

'Hm,' zegt Oliver peinzend, terwijl hij naar JB kijkt, die zo te zien wat overdreven aandachtig zit te luisteren naar Sophie. 'Ik zie JB eigenlijk helemaal niet als een grappig iemand.' En dan kijkt ook hij naar JB en vraagt zich af of Oliver JB misschien verkeerd interpreteert, of dat JB werkelijk een ander mens is geworden, iemand die hij niet meer zou herkennen als de persoon die hij zo veel jaar heeft gekend.

Aan het eind van de avond worden er handen geschud en wangen gezoend, en als Oliver – door JB duidelijk niet ingelicht – tegen hem zegt dat ze eens met z'n drieën moeten afspreken omdat hij hem, een van JB's oudste vrienden, altijd heeft willen leren kennen, glimlacht hij en zegt iets vaags, en hij zwaait naar JB alvorens naar buiten te gaan, waar Willem op hem wacht.

'Hoe vond jij het?' vraagt Willem.

'Oké,' zegt hij en hij lacht terug. Volgens hem vindt Willem dit soort ontmoetingen met JB nog moeilijker dan hij. 'En jij?'

'Oké,' zegt Willem. Zijn vriendin komt aangereden; ze overnachten in een hotel. 'Ik bel je morgen, goed?'

Terug in Cambridge laat hij zichzelf binnen in het stille huis en loopt zo zacht hij kan naar zijn badkamer, waar hij het zakje onder de losse tegel bij het toilet vandaan wurmt en zich snijdt tot hij met een volkomen leeg gevoel zijn armen boven de badkuip laat hangen en kijkt naar het rood kleurende porselein. Zoals altijd wanneer hij JB heeft gezien vraagt hij zich af of hij de juiste beslissing heeft genomen. Hij vraagt zich af of ze alle vier – Willem, JB, Malcolm en hij – die nacht langer dan gewoonlijk wakker zullen liggen, denkend aan elkaars gezicht en aan de prettige en onprettige gesprekken die ze in meer dan twintig jaar vriendschap met elkaar hebben gevoerd.

O, was ik maar een beter mens, denkt hij. Was ik maar een ruimhartiger mens. Was ik maar minder egocentrisch. Was ik maar dapperder.

Dan staat hij op en grijpt zich vast aan de handdoekenstang, want hij heeft zich vannacht te veel gesneden en voelt zich zwak. Hij loopt naar de grote spiegel in de slaapkamer, aan de binnenkant van de kastdeur. In zijn appartement in Greene Street hangen geen grote spiegels. 'Geen spiegels,' had hij tegen Malcolm gezegd. 'Ik hou er niet van.' Eigenlijk wil hij niet met zijn spiegelbeeld worden geconfronteerd, wil hij zijn lichaam, zijn naar hem terugstarende gezicht niet zien.

Maar hier bij Harold en Julia hangt wel een spiegel. Hij staat er een paar seconden voor, zichzelf beschouwend, en dan neemt hij de gebochelde houding aan van JB, die avond. JB had gelijk, denkt hij. Hij had gelijk. En dat is de reden waarom ik het hem niet vergeven kan.

Nu laat hij zijn mond openvallen. Nu hompelt hij rond in een kringetje. Nu sleept hij met zijn been. Zijn gesteun klinkt door het kalme, stille huis.

~

Op de eerste zaterdag van mei zijn Willem en hij voor wat ze het Laatste Avondmaal noemen in een klein, peperduur sushirestaurant vlak bij zijn kantoor aan 56th Street. Het restaurant heeft maar zes couverts, allemaal aan een brede, fluwelige cipressenhouten bar, en in de drie uur die ze daar doorbrengen zijn zij de enige gasten.

Hoewel ze allebei wisten dat het een duur avondje zou worden, staan ze paf als ze de rekening zien, om vervolgens alle twee in lachen uit te barsten, al weet hij niet of dat nou ligt aan de absurditeit om zo veel geld aan een etentje uit te geven, aan het feit dat ze dat hebben gedaan, of aan het feit dat ze het kúnnen doen.

'Ik betaal,' zegt Willem, maar terwijl hij naar zijn portemonnee grijpt komt de ober terug met Judes creditcard, die hij heeft afgegeven toen Willem naar de wc was.

'Godsamme, Jude,' zegt Willem, en hij grijnst. 'Het is het Laatste Avondmaal,' zegt hij. 'Als je terugkomt mag je mij op een taco trakteren.'

'Áls ik terugkom,' zegt Willem; dat is al een tijdje hun running gag. 'Dank je wel, Jude. Het was niet de bedoeling dat jij dit betaalde.'

Het is de eerste warme avond van het jaar en hij zegt tegen Willem dat die, als hij hem werkelijk voor het etentje wil bedanken, een wandeling met hem mag maken. 'Hoe ver?' vraagt Willem op zijn hoede. 'We gaan niet helemaal te voet terug naar SoHo, Jude.'

'Niet ver.'

'Dat is je geraden, want ik ben bekaf.' Dit is Willems nieuwe strategie, en hij is er heel blij mee: in plaats van hem te vertellen dat hij bepaalde dingen niet moet doen omdat het niet goed is voor zijn rug of benen, probeert Willem het te laten klinken alsof hij het zelf niet kan, om hem ervanaf te brengen. Dezer dagen is Willem altijd te moe om te wandelen, heeft hij te veel spierpijn of is het te koud of te warm. Hij weet dat die dingen niet waar zijn. Nadat ze op een zaterdagmiddag een paar musea hadden bezocht, had Willem gezegd dat hij niet van Chelsea naar Greene Street kon lopen ('Ik ben te moe'), en dus hadden ze een taxi genomen. Maar de volgende dag had Robin bij de lunch gezegd: 'Was het geen prachtige dag gisteren? Toen Willem thuis was hebben we een kilometer of – twaalf, toch, Willem? – hardgelopen, helemaal heen en weer langs de snelweg.'

'O ja?' had hij gevraagd, en hij had naar Willem gekeken, die schaapachtig lachte: 'Tja, ik was ineens over mijn dipje heen.'

Ze lopen in zuidelijke richting en slaan een zijstraat van Broadway in, zodat ze niet over Times Square hoeven. Willems haar is donker geverfd voor zijn volgende rol en hij heeft een baard, zodat hij niet onmiddellijk herkenbaar is, maar ze hebben geen van beiden zin om in een drom toeristen terecht te komen.

Na deze avond zal hij Willem waarschijnlijk ruim een half jaar niet zien. Op dinsdag vertrekt Willem naar Cyprus voor zijn rol in *The Iliad* en *The Odyssey*; in beide films speelt hij Odysseus. Ze worden na elkaar gedraaid en gaan na elkaar in première, maar hebben allebei dezelfde cast en ook dezelfde regisseur. De draailocaties bevinden zich verspreid over heel Zuid-Europa en Noord-Afrika en daarna in Australië, waar een paar oorlogsscènes worden gedraaid, en vanwege het intensieve draaischema en de verre reisafstanden is het onduidelijk of er veel tijd zal zijn om tussendoor naar huis te komen, al is het maar één keer. Het zijn de meest gecompliceerde en ambitieuze filmopnames die Willem ooit heeft meegemaakt, en hij is er nerveus over. 'Het wordt een geweldige ervaring, Willem,' stelt hij hem gerust.

'Of een geweldige ramp,' zegt Willem. Hij is niet somber, dat is Willem nooit, maar Jude merkt wel dat hij gespannen is en graag goed wil presteren, en zich ongerust maakt dat hij op de een of andere manier zal tegenvallen. Maar dat doet hij voor elke film, en toch – zoals hij Willem voorhoudt – zijn ze allemaal goed geworden, meer dan goed. Bij zichzelf denkt hij dat dit een van de redenen is dat Willem altijd werk zal hebben, en goed werk ook: omdat hij het serieus neemt, omdat hij zich zo verantwoordelijk voelt.

Hijzelf ziet de komende maanden echter met vrees tegemoet, vooral omdat Willem de afgelopen anderhalf jaar zo aanwezig is geweest. Eerst had hij een rol in een klein project van maar een paar weken met Brooklyn als basis. En daarna speelde hij in een toneelproductie genaamd *The Maldivian Dodo,* over twee broers, beiden ornitholoog, van wie de ene langzaam wegzinkt in een onbestemd soort waanzin. De hele looptijd van dat stuk, dat hij, zoals al Willems stukken, meerdere keren heeft gezien, gingen ze elke donderdagavond laat samen uit eten. Toen hij voor de derde keer ging kijken, zag hij JB met Oliver zitten, een paar rijen voor hem maar meer naar links in de zaal, en de hele voorstelling dwaalde zijn blik telkens naar JB om te zien of hij bij dezelfde regels lachte of geconcentreerd zat te luisteren, en hij besefte dat dit de eerste voorstelling van Willem was die zij drieën niet minstens eenmaal als groepje hadden bijgewoond.

'Moet je horen,' zegt Willem terwijl ze over 5th Avenue lopen, waar geen mensen zijn, alleen helverlichte etalages en wat los afval dat rondwervelt in de lichte bries – plastic zakjes, door de wind opgeblazen tot kwallen, en wapperend krantenpapier – 'ik heb Robin beloofd om iets met je te bespreken.'

Hij wacht af. Hij heeft erop gelet met Robin en Willem niet dezelfde fout te maken als met Philippa en Willem: als Willem hem vraagt om met hen tweeën ergens naartoe te gaan, vraagt hij altijd of dat al met Robin besproken is (uiteindelijk heeft Willem gezegd dat hij dat niet de hele tijd hoefde te vragen; Robin wist hoeveel hij voor hem betekende en had daar geen probleem mee, en als ze er wel een probleem mee mocht hebben, dan was dat háár probleem), en hij probeert op Robin over te komen als een onafhankelijk iemand die heus niet bij hen zal intrekken als hij oud is. (Hij weet niet precies hoe hij die boodschap moet overbrengen, en is er dus niet zeker van of het gelukt is.) Maar hij mag Robin graag. Ze is een docent klassieke talen aan Columbia die twee jaar geleden als consultant is ingeschakeld bij de voorbereiding van de films, en ze heeft een spits gevoel voor humor dat hem op de een of andere manier aan JB doet denken.

'Oké,' zegt Willem, hij haalt diep adem en hij zet zich schrap. O nee, denkt hij. 'Herinner je je Robins vriendin Clara?'

'Natuurlijk,' zegt hij. 'Die heb ik ontmoet bij Clementine.'
'Ja!' zegt Willem triomfantelijk. 'Die bedoel ik!'
'Jezus, Willem, doe me een lol; dat is nog geen week geleden.'
'Weet ik, weet ik. Nou, hoe dan ook: ze is geïnteresseerd in jou.'
Hij is stomverbaasd. 'Hoe bedoel je?'
'Ze heeft Robin gevraagd of je single bent.' Hij zwijgt even. 'Ik heb gezegd dat ik niet dacht dat je op zoek was, maar dat ik het zou vragen. Dus. Hierbij.'
Het is zo'n idiote gedachte dat het even duurt voor hij begrijpt wat Willem bedoelt, en als het tot hem doordringt blijft hij staan en lacht, gegeneerd en ongelovig. 'Dat meen je niet, Willem,' zegt hij. 'Dat is belachelijk.'
'Hoezo is dat belachelijk?' vraagt Willem, ineens serieus. 'Hoezo?'
'Willem.' Hij herneemt zich. 'Het is reuze vleiend, maar...' Hij maakt een schamper geluid en lacht opnieuw. 'Het is absurd.'
'Wat is absurd?' vraagt Willem, en hij voelt dat het gesprek een andere wending neemt. 'Dat iemand zich tot jou aangetrokken voelt? Dit is niet de eerste keer dat dat gebeurt, hoor. Jij ziet het alleen niet omdat je het niet toelaat.'
Hij schudt zijn hoofd. 'Ander onderwerp.'
'Nee,' zegt Willem. 'Zo makkelijk kom je er niet vanaf, Jude. Waarom is het belachelijk? Waarom is het absurd?'
Hij voelt zich plotseling zo benauwd dat hij daadwerkelijk blijft staan, midden op het trottoir op het kruispunt van 5th Avenue en 54th Street, en kijkt of hij ergens een taxi ziet. Maar natuurlijk zijn er geen taxi's.
Terwijl hij over een antwoord nadenkt, herinnert hij zich een moment een paar dagen na die avond bij JB thuis, toen hij Willem had gevraagd of JB niet, al was het maar voor een deel, gelijk had gehad: ergerde Willem zich aan hem? Vertelde hij hun echt niet genoeg?
Willem was zo lang stil gebleven dat hij het antwoord al wist voor het kwam. 'Hoor eens, Jude,' zei Willem langzaam, 'JB was... JB was niet goed bij zijn hoofd. Ik zal je nooit zat zijn. En je bent niet verplicht mij je geheimen te vertellen.' Hij zweeg even. 'Maar ja, ik zou wel graag willen dat je meer van jezelf met mij zou delen. Niet omdat ik die informatie wil, maar om jou misschien ergens mee te kunnen helpen.' Hij zweeg en keek hem aan. 'Dat is alles.'
Sindsdien probeert hij Willem meer dingen te vertellen. Maar er zijn zo veel onderwerpen die hij na Ana, nu vijfentwintig jaar geleden, nooit meer met iemand heeft besproken, dat hij merkt dat het hem letterlijk

aan de taal ontbreekt. Zijn verleden, zijn angsten, wat hem is aangedaan, wat hij zichzelf heeft aangedaan: het zijn onderwerpen die alleen bespreekbaar zijn in talen die hij niet beheerst: Farsi, Urdu, Mandarijn, Portugees. Eén keer heeft hij geprobeerd een paar dingen op te schrijven, omdat hij dacht dat dat gemakkelijker zou zijn, maar dat was niet zo; het is hem niet duidelijk hoe hij zichzelf zou moeten uitleggen aan zichzelf.

'Je vindt wel je eigen manier om te spreken over wat er met je is gebeurd,' had Ana gezegd, herinnert hij zich. 'Je zult wel moeten, als je ooit een intieme relatie met iemand wilt.' Zoals zo vaak wenst hij dat hij haar toen de kans had gegeven met hem te praten, dat hij zich door haar had laten leren hoe het moest. Zijn zwijgen was begonnen als iets beschermends, maar in de loop van de jaren is het veranderd in iets bijna tirannieks, iets wat hém onderdrukt in plaats van andersom. Nu kan hij geen uitweg meer vinden, zelfs al wil hij het. Hij stelt zich voor dat hij in een kleine waterbel drijft, aan alle kanten omgeven door wanden, plafonds en vloeren van metersdik ijs. Hij weet dat er een uitweg is, maar hij is niet goed uitgerust; hij heeft geen gereedschap om mee aan de slag te gaan en hij krabt met zijn nagels vruchteloos aan het gladde ijs. Hij had gedacht dat hij zichzelf door te verzwijgen wie hij was beter te verteren maakte, minder vreemd. Maar nu maakt juist datgene wat hij verzwijgt hem tot een vreemde, iemand die medelijden en zelfs argwaan wekt.

'Jude?' dringt Willem aan. 'Waarom is dat absurd?'

Hij schudt zijn hoofd. 'Het is gewoon zo.' Hij begint weer te lopen.

Een blok lang zeggen ze niets. Dan vraagt Willem: 'Jude, wil jij ooit een relatie?'

'Ik heb nooit gedacht dat ik die zou krijgen.'

'Maar dat is niet wat ik vraag.'

'Ik weet het niet, Willem,' zegt hij, niet in staat Willem recht aan te kijken. 'Dat soort dingen lijkt me gewoon niet weggelegd voor iemand als ik.'

'Wat bedoel je daarmee?'

Hij schudt opnieuw zijn hoofd zonder iets te zeggen, maar Willem vraagt door. 'Omdat je wat gezondheidsproblemen hebt? Is dat de reden?'

Gezondheidsproblemen, zegt iets zuurs en sardonisch in zijn hoofd. Wat een joekel van een eufemisme. Maar dat zegt hij niet hardop. 'Willem,' zegt hij smekend, 'wil je hier alsjeblieft over ophouden? We hebben zo'n fijne avond gehad. Dit is onze laatste avond en dan zie ik je een hele tijd niet meer. Kunnen we het alsjeblieft over iets anders hebben? Alsjeblieft?'

Willem zwijgt tot ze weer een blok verder zijn en hij denkt dat het onderwerp is afgesloten, maar dan zegt Willem: 'Weet je, toen het net aan was tussen Robin en mij vroeg ze me of je homo of hetero was, en ik moest haar antwoorden dat ik dat niet wist.' Hij zwijgt even. 'Ze was geschokt. Ze zei steeds: "Je beste vriend sinds jullie pubers waren, en dat weet je niet?" Philippa stelde me ook altijd vragen over jou. En dan zei ik hetzelfde als tegen Robin: dat je nogal gesloten bent en ik altijd heb geprobeerd je privacy te respecteren.

Maar dat zijn nou het soort dingen die ik van je zou willen horen, Jude. Niet om iets met die informatie te kunnen doen, maar gewoon omdat het me een beter idee zou geven van wie je bent. Ik bedoel, misschien ben je geen van beide. Misschien allebei. Misschien interesseert het je gewoon niet. Dat maakt mij niet uit.'

Hij antwoordt niet, hij kan niets uitbrengen, en ze lopen nog twee blokken verder: 38th Street, 37th Street. Hij is zich ervan bewust dat zijn rechtervoet over het trottoir sleept, zoals altijd wanneer hij moe of mistroostig is, te moe of mistroostig om meer moeite te doen, en hij is blij dat Willem links van hem loopt, wat de kans vergroot dat hij het niet merkt.

'Soms ben ik bang dat je jezelf wijsmaakt dat je op de een of andere manier onaantrekkelijk bent, of dat niemand van je kan houden, en dat bepaalde ervaringen voor jou onbereikbaar zijn. Dat zijn ze niet, Jude: iedereen zou in zijn handen mogen knijpen om jou als partner te krijgen,' zegt Willem een blok later. Nu is het genoeg, denkt hij. Aan Willems toon hoort hij dat er een langere toespraak aankomt en hij begint het echt benauwd te krijgen, zijn hart bonst in een vreemd ritme.

'Willem,' zegt hij, zich naar hem toe draaiend, 'het lijkt me toch beter als ik een taxi neem; ik begin moe te worden... ik kan maar beter naar bed gaan.'

'Kom op, zeg.' Willems stem klinkt zo geïrriteerd dat hij innerlijk ineenkrimpt. 'Sorry, hoor. Maar jezus, je kunt toch niet zomaar weglopen als ik over iets belangrijks met je wil praten.'

Hierop blijft hij staan. 'Je hebt gelijk,' zegt hij. 'Het spijt me. En ik ben je echt dankbaar, Willem. Maar dit is voor mij gewoon te moeilijk om te bespreken.'

'Álles is voor jou te moeilijk om te bespreken,' zegt Willem, en opnieuw krimpt hij ineen. Willem slaakt een zucht. 'Sorry. Ik blijf altijd maar denken dat ik ooit op een dag met je zal praten, écht praten, en dan doe ik het toch niet omdat ik bang ben dat je je voor me afsluit en dan helemaal niets meer wilt zeggen.' Ze zwijgen en hij voelt zich terechtgewezen, want hij weet dat Willem gelijk heeft: dat is precies wat er gebeurt. Een paar jaar geleden had Willem geprobeerd het snijden aan te kaarten. Dat was ook tijdens een wandeling geweest, en op een zeker punt was het gesprek zo onverdraaglijk geworden dat hij een taxi had aangehouden en in blinde paniek de auto in was gesprongen, weg van Willem, die verbijsterd op het trottoir achterbleef en hem nariep; zodra de taxi wegscheurde had hij zichzelf vervloekt. Willem was ziedend geweest, hij had zich verontschuldigd, ze hadden het bijgelegd. Maar Willem is nooit op dat gesprek teruggekomen en hij evenmin. 'Maar Jude, vertel me één ding: ben je nooit eenzaam?'

'Nee,' zegt hij ten slotte. Een stelletje loopt lachend voorbij en hij denkt terug aan het begin van hun wandeling, toen zij ook lachten. Hoe heeft hij het voor elkaar gekregen deze avond te verpesten, de laatste keer in maanden dat hij Willem zal zien? 'Je hoeft je om mij geen zorgen te maken, Willem. Met mij zal het altijd goed gaan. Ik zal me altijd kunnen redden.'

En dan slaakt Willem een zucht en zakt in, hij ziet er zo verslagen uit dat hij zich ineens schuldig voelt. Maar ook opgelucht, want hij voelt dat Willem niet weet wat hij nu moet zeggen. Zo meteen kan hij een ander onderwerp aansnijden en de avond tot een prettig einde brengen, en ontsnappen. 'Dat zeg je altijd.'

'Het is ook altijd waar.'

Er valt een lange, lange stilte. Ze staan voor een Koreaans barbecuerestaurant en de lucht is zwaar en geurig van stoom en de rook van geroosterd vlees. 'Kan ik gaan?' vraagt hij ten slotte, en Willem knikt. Hij loopt naar de rand van het trottoir, steekt zijn arm op en een taxi komt naast hem tot stilstand.

Willem opent het portier voor hem en dan, als hij wil instappen, slaat hij zijn armen om hem heen en drukt hem tegen zich aan, en ten slotte beantwoordt hij het gebaar. 'Ik zal je missen,' zegt Willem in zijn nek. 'Zorg je goed voor jezelf als ik weg ben?'

'Ja,' zegt hij. 'Dat beloof ik.' Hij doet een stap naar achteren en kijkt hem aan. 'Tot november dan.'

Willem vertrekt zijn gezicht, maar het wordt niet echt een glimlach. 'Tot november,' zegt hij hem na.

In de taxi merkt hij dat hij echt moe is, en hij laat zijn voorhoofd tegen het vettige raampje leunen en sluit zijn ogen. Tegen de tijd dat hij thuis is voelt hij zich zo zwaar als een lijk, en in het appartement begint hij zich, zodra hij de deur achter zich op slot heeft gedaan, uit te kleden: schoenen, trui, overhemd, hemd en broek vormen een spoor over de vloer terwijl hij naar de badkamer loopt. Zijn handen trillen hevig als hij het zakje van onder de wasbak loshaalt, en hoewel hij niet had verwacht zich die avond te hoeven snijden – overdag of op de vroege avond had niets daarop gewezen – hunkert hij er nu bijna naar. Hij heeft allang geen ongeschonden huid meer op zijn onderarmen en maakt nu nieuwe sneden over oude, zaagt met de rand van het scheermesje door het taaie, webbige littekenweefsel: als de nieuwe wonden helen vormen ze wratachtige ribbels, en hij ziet met walging, ontzetting en tegelijk fascinatie hoe ernstig hij zichzelf heeft mismaakt. De laatste tijd gebruikt hij de crème die Andy hem voor zijn rug heeft gegeven op zijn armen en hij denkt dat het helpt, iets: de huid voelt wat losser, de littekens een beetje zachter en soepeler.

De doucheruimte die Malcolm in deze badkamer heeft gemaakt is gigantisch, zo groot dat hij daar nu met zijn benen voor zich uitgestrekt op de vloer zit als hij zich snijdt, en als hij klaar is spoelt hij het bloed zorgvuldig weg, want de vloer is een grote marmeren vlakte, en zoals Malcolm hem keer op keer heeft verteld: als marmer eenmaal vlekt, valt er niets meer aan te doen. En dan ligt hij in bed, licht in het hoofd maar niet echt slaperig, en hij staart naar het donkere, kwikachtige schijnsel van de kroonluchter in de kamer vol schaduwen.

'Ik ben eenzaam,' zegt hij hardop, en de woorden worden door het stille appartement geabsorbeerd als bloed dat in katoen trekt.

Die eenzaamheid is een recente ontdekking, en het is een ander gevoel dan de eenzaamheden die hij eerder heeft gekend: het is niet de eenzaamheid van een kind zonder ouders, of van wakker liggen naast broeder Luke in een motelkamer en je best doen om niet te bewegen, hem niet te wekken, terwijl de maan harde witte strepen licht op het bed werpt, of die van toen hij was weggelopen uit het tehuis, die keer dat het hem lukte en hij de nacht doorbracht in de holte tussen de wortels van een eik, die hem als twee benen omsloten, en waar hij zich zo klein mogelijk had gemaakt. Hij dacht toen dat hij eenzaam was, maar nu realiseert hij zich dat wat hij voelde geen eenzaamheid was, maar angst. Nu heeft hij niets meer te vrezen. Nu heeft hij voor zijn eigen bescherming gezorgd: hij heeft dit appartement met zijn driedubbele slot op de deuren, en hij heeft geld. Hij heeft ouders, hij heeft vrienden. Hij zal nooit meer iets hoeven doen wat hij niet wil om aan eten te komen, of transport, of onderdak, of ontsnapping.

Hij heeft niet tegen Willem gelogen: hij is niet voor een relatie bestemd en heeft ook nooit gedacht dat hij dat wel was. Hij is nooit jaloers op zijn vrienden geweest vanwege hun relaties; dat zou zoiets zijn als een kat die wil blaffen als een hond: het zou nooit bij hem opkomen hen daarom te benijden omdat het iets onmogelijks is, omdat het hem wezensvreemd is. Maar de laatste tijd doen de mensen alsof het iets is wat hij wel zou kunnen hebben, of zou moeten wíllen hebben, en hoewel hij weet dat dat deels vriendelijk bedoeld is, ervaart hij het als een beschimping: als ze tegen hem zouden zeggen dat hij een topatleet zou kunnen worden zou dat even bot en wreed zijn.

Van Malcolm en Harold valt het te verwachten; van Malcolm omdat hij gelukkig is en slechts één weg naar het geluk ziet – de zijne – en daarom af en toe aanbiedt een date voor hem te regelen of vraagt of hij op zoek is en het dan raar vindt als hij het aanbod afslaat; van Harold omdat hij weet dat er één aspect van het ouderschap is waar Harold het meest van geniet: zichzelf een plaats te geven in zijn leven en er zo diep mogelijk in te wortelen. Intussen kan hij daar zelf soms ook van genieten; het ontroert hem dat iemand voldoende belang in hem stelt om hem te commanderen, teleurgesteld te zijn over beslissingen die hij neemt, verwachtingen voor hem te koesteren en een bezitterig soort verantwoordelijkheid over hem te aanvaarden. Twee jaar geleden zaten Harold en hij in een restaurant en was Harold hem de mantel aan het uitvegen over zijn baan bij Rosen Pritchard, die hem feitelijk medeplichtig maakte aan frauduleuze praktijken, toen het tot hen beiden doordrong dat de ober boven hen uittorende met zijn notitieblokje in de aanslag.

'Neem me niet kwalijk,' zei de ober. 'Zal ik zo meteen terugkomen?'

'Nee hoor,' zei Harold en hij pakte zijn menukaart. 'Ik was even mijn zoon aan het uitfoeteren, maar dat kan ook nadat we besteld hebben.' De ober had hem een meelevend glimlachje geschonken en hij had teruggelachen, verrukt van het feit dat iemand publiekelijk aanspraak op hem maakte, dat hij eindelijk deel uitmaakte van de categorie zoons en dochters. Later had Harold zijn tirade hervat en hij had gedaan alsof hij zich die aantrok, maar eigenlijk was hij de hele avond gelukkig geweest, tevreden tot in elke cel van zijn lijf, en hij had zo'n brede glimlach op zijn gezicht gehad dat Harold hem uiteindelijk had gevraagd of hij dronken was.

Maar nu begint ook Harold hem vragen te stellen. 'Wat een fantastische plek is dit toch,' zei hij toen hij een maand geleden in de stad was voor het verjaardagsdinertje dat hij Willem uitdrukkelijk maar vergeefs had verboden te organiseren. De dag erna kwam Harold langs en bleef, zoals altijd, maar jubelen over hoe mooi zijn appartement was, in dezelfde bewoordingen als altijd: 'Wat een fantastische plek is dit toch', 'Zo heerlijk schoon hier', 'Knap werk van Malcolm', en de laatste tijd ook: 'Het is wel gigantisch, Jude. Voel je je niet eenzaam hier in je eentje?'

'Nee, Harold,' zei hij. 'Ik ben graag alleen.'

'Hm,' bromde Harold. 'Willem maakt een gelukkige indruk. Die Robin lijkt me een aardig meisje.'

'Dat is ze ook,' zei hij, terwijl hij thee zette voor Harold. 'En ik geloof dat hij echt gelukkig is.'

'Wil jij dat zelf ook niet?' vroeg Harold.

Hij zuchtte. 'Nee Harold, ik heb het prima zo.'

'En Julia en ik dan?' vroeg Harold. 'Wij zouden je zo graag met iemand zien.'

'Je weet dat ik jou en Julia graag blij maak,' zei hij en hij probeerde zijn stem neutraal te houden. 'Maar ik ben bang dat ik op dit punt niets voor jullie kan betekenen. Hier.' Hij gaf Harold zijn kopje aan.

Soms vraagt hij zich af of 'eenzaamheid' een gevoel is dat hij überhaupt zou hebben als hem niet duidelijk was gemaakt dat hij zich eenzaam hóórt te voelen, dat er iets vreemds en onacceptabels aan zijn leven is. Allerlei mensen vragen hem steeds of hij iets mist waarnaar hij nooit heeft verlangd omdat dat niet eens bij hem was opgekomen, omdat hij nooit heeft gedacht dat hij het zou kunnen krijgen: Harold en Malcolm natuurlijk, maar ook Richard, wiens vriendin India, ook beeldend kunstenaar, zo'n beetje bij hem inwoont, en ook mensen die hij minder vaak ziet: Citizen, Elijah, Phaedra en zelfs Kerrigan, zijn vroegere collega uit zijn tijd bij Sullivan, die hem een paar maanden geleden kwam opzoeken toen hij met zijn echtgenoot in de stad was. Sommigen vragen het op medelijdende toon, anderen argwanend: de eerste groep heeft met hem te doen omdat ze ervan uitgaan dat hij niet uit vrije wil maar noodgedwongen single is, en de tweede groep staat een beetje vijandig tegenover hem omdat ze denken dat hij single is uit vrije wil, een flagrante overtreding van een fundamentele wet voor volwassenen.

Single zijn op je veertigste is hoe dan ook iets anders dan single zijn op je dertigste, en met elk jaar wordt het minder begrijpelijk, minder benijdenswaardig en zieliger, ongepaster. De afgelopen vijf jaar heeft hij elk dinertje voor de partners van Rosen Pritchard alleen bijgewoond, en een jaar geleden, toen hij equitypartner werd, nam hij ook alleen deel aan de jaarlijkse vergaderretraite voor alle partners. De week voor het evenement was Lucien op een vrijdagavond zijn kantoor binnengekomen en gaan zitten om de zaken van die week door te nemen, zoals hij wel vaker deed. Ze kregen het over de retraite, die dit jaar in Anguilla zou plaatsvinden en waar zij tweeën hartgrondig tegen opzagen, anders dan de andere partners, die deden alsof, maar er in feite – daar waren Lucien en hij het over eens – reikhalzend naar uitkeken.

'Gaat Meredith ook mee?' vroeg hij.

'Ja.' Er viel een stilte en hij wist al wat er kwam. 'Neem jij nog iemand mee?'

'Nee,' zei hij.

Weer stilte; Lucien staarde naar het plafond. 'Jij hebt nog nooit iemand meegenomen naar dat soort evenementen, of wel?' vroeg Lucien op zorgvuldig terloops gehouden toon.

'Nee,' zei hij, en toen Lucien niets terugzei: 'Probeer je me soms iets duidelijk te maken?'

'Nee, natuurlijk niet,' zei Lucien, en hij beantwoordde zijn blik. 'Dit is niet het soort kantoor waar dat soort dingen wordt bijgehouden, dat weet je.'

Hij voelde een golf van boosheid en gêne opkomen. 'Kennelijk toch wel. Lucien, als het managementteam er iets over zegt, dan hoor ik dat graag van je.'

'Heus niet, Jude,' zei Lucien. 'Je weet hoe hoog iedereen hier jou heeft zitten. Ik denk alleen – en ik spreek nu voor mezelf, niet uit naam van het kantoor – dat ik graag zou willen dat jij ook iemand zou vinden.'

'Oké, bedankt,' zei hij mat. 'Ik zal je advies in overweging nemen.'

Maar hoezeer hij er ook op gebrand is normaal over te komen, hij wil geen relatie voor de buitenwereld; hij wil er een omdat het tot hem is doorgedrongen dat hij eenzaam is. Hij is zo eenzaam dat hij het soms fysiek voelt, een natte klont vuile was die tegen zijn borstkas drukt. Hij kan niet van het gevoel afkomen. De mensen doen er zo gemakkelijk over, alsof je het alleen maar hoeft te willen en dan komt alles voor elkaar. Hij weet wel beter: een relatie hebben zou betekenen dat hij zich naakt aan iemand zou moeten laten zien, wat hij nog steeds nooit gedaan heeft, behalve aan Andy; het zou een confrontatie betekenen met zijn eigen lichaam, dat hij zeker tien jaar niet in ontklede staat heeft gezien; zelfs onder de douche kijkt hij niet naar zichzelf. En het zou betekenen dat hij seks zou hebben met iemand, wat hij sinds zijn vijftiende niet meer heeft gehad en wat hem zo veel angst aanjaagt dat alleen al bij de gedachte zijn maag volloopt met iets kouds en klefs. Toen hij nog niet zo lang bij Andy kwam vroeg die hem weleens of hij seksueel actief was, tot hij als antwoord gaf dat hij het zou laten weten als het ooit gebeurde en Andy er tot dat moment niet meer naar hoefde te vragen. Dus vroeg Andy het nooit meer, en hij had er ook nooit over hoeven beginnen. Geen seks hebben: dat was een van de beste dingen aan volwassen zijn.

Maar hoe bang hij ook voor seks is, hij wil toch worden aangeraakt, hij wil iemand anders' handen op zich voelen, al vervult de gedachte daaraan hem ook van angst. Soms kijkt hij naar zijn armen en wordt hij bevangen door zo'n hevige zelfhaat dat hij nauwelijks adem krijgt: wat er van zijn lichaam is geworden lag grotendeels buiten zijn controle, maar voor zijn armen is hij helemaal zelf verantwoordelijk, daar kan hij alleen zichzelf de schuld van geven. Toen hij met het snijden was begonnen, sneed hij in zijn benen – alleen de kuiten – en voor hij leerde het met beleid te doen, haalde hij het mesje kriskras over zijn huid, zodat het leek alsof hij door hoog gras had gelopen en vol willekeurige diagonale schrammen zat. Niemand zag het; niemand kijkt naar andermans kuiten. Zelfs broeder Luke had hem er niet over lastiggevallen. Maar nu is het onmogelijk het níét te zien: zijn armen, zijn rug, zijn benen vol diepe striemen waaruit het beschadigde huid- en spierweefsel is verwijderd, inkepingen zo groot als duimafdrukken waar ooit de schroeven van de beugels door zijn vlees en botten zijn geboord, satijnige poeltjes huid waar de brandwonden van de aanrijding hebben gezeten en de plaatsen waar zijn wonden zijn dichtgegaan, waar het vlees er nu ietwat kraterachtig uitziet, omringd door een blijvende dofbronzen rand. Met kleren aan is hij een andere persoon, maar zonder wordt hij onthuld zoals hij echt is, de jaren van rot tekenen zich af op zijn huid, zijn vlees getuigt van zijn verleden met al zijn laagheid en verloedering.

In Texas had hij een keer een klant gehad die er grotesk uitzag: zo dik dat zijn buik als een aanhangsel van vlees tussen zijn benen hing, helemaal onder de eczeemkorsten en met zo'n droge huid dat er bij elke beweging spookachtige schilfertjes opstoven van zijn armen en rug. Hij was misselijk geworden toen hij de man zag, maar aan de andere kant maakten ze hem allemaal misselijk, dus in zekere zin was deze man niet erger of minder erg dan de anderen. Terwijl hij de man pijpte en diens buik tegen zijn hals drukte, had de man gehuild en verontschuldigend 'Sorry, sorry' gezegd, met zijn vingertoppen boven op zijn hoofd. De man had lange vingernagels, allemaal even dik en verhoornd, en die trok hij over zijn schedel, maar zachtjes, als de tanden van een kam. En op de een of andere manier is het alsof hij in de loop van de jaren is veranderd in die man, want hij weet dat als iemand hem te zien zou krijgen die persoon ook zou walgen en misselijk zou worden van zijn misvormingen. Hij wil niet dat iemand, zoals hij na afloop, kokhalzend boven de wc moet staan en zijn mond moet volproppen met handenvol vloeibare zeep, half brakend van de smaak, in een poging zichzelf weer schoon te krijgen.

Hij zal nooit meer iets hoeven te doen wat hij niet wil in ruil voor voedsel of onderdak, dat weet hij nu eindelijk. Maar wat is hij bereid te doen om zich minder alleen te voelen? Zou hij alles wat hij zo zorgvuldig heeft opgebouwd en beschermd kunnen vernietigen voor intimiteit? Hoeveel vernedering is hij bereid te verdragen? Hij weet het niet; hij vreest het antwoord.

Maar de laatste tijd wordt die vrees overtroffen door de angst dat hij niet eens de kans zal krijgen om erachter te komen. Wat betekent het om mens te zijn als hij dat nooit kan ervaren? En toch, houdt hij zichzelf voor: eenzaamheid is geen honger, ontbering of ziekte. Je gaat er niet dood aan. De beëindiging ervan is niet iets waar hij recht op heeft. Hij heeft een beter leven dan vele anderen, een beter leven dan hij ooit had verwacht. Naast al het andere ook nog een partner willen lijkt nogal hebberig en aanmatigend.

De weken gaan voorbij. Willem heeft een onregelmatig draaischema en belt hem op de gekste tijdstippen: om een uur 's nachts, om drie uur 's middags. Hij klinkt moe, maar klagen ligt niet in Willems aard, dus hij klaagt niet. Hij vertelt hem over het landschap, de archeologische opgravingen waar ze mogen filmen, de kleine tegenvallers op de set. Als Willem er niet is heeft hij steeds meer de neiging binnen te blijven en niets te ondernemen, en hij weet dat dat niet gezond is. Zodoende zorgt hij ervoor dat zijn weekends gevuld zijn met evenementen, feestjes en diners. Hij gaat naar exposities in musea, naar toneelstukken met Zwarte Henry Young en naar galeries met Richard. Felix, die hij zo lang geleden bijles heeft gegeven, is nu leadzanger van een punkband, The Quiet Americans, en hij haalt Malcolm over om mee te gaan naar hun optreden. Hij vertelt Willem over wat hij heeft gezien en gelezen, over gesprekken met Harold en Julia, Richards nieuwste project, zijn pro-deoklanten bij de kunstenaarsorganisatie, over het verjaardagsfeestje van Andy's dochter en Phaedra's nieuwe baan, over wie hij heeft gesproken en wat ze hebben gezegd.

'Nog vijfenhalve maand,' zegt Willem aan het eind van een gesprek.

'Nog vijfenhalve maand,' herhaalt hij.

Die donderdag gaat hij bij Rhodes eten in diens nieuwe appartement dicht bij Malcolms ouderlijk huis, dat Rhodes, zoals hij hem in december bij een drankje vertelde, nachtmerries bezorgt: hij schrikt midden in de nacht wakker terwijl de financiële overzichten aan zijn geestesoog voorbijtrekken en de materie waaruit zijn leven is opgetrokken – schoolgeld, hypotheken, onderhoudskosten en belastingen – wordt samengevat in schrikbarend hoge cijfers. 'En dat is inclusief de hulp van mijn ouders,' zei hij. 'En Alex wil nóg een kind. Jude, ik ben vijfenveertig en het is al met me gedaan; met een derde kind erbij moet ik doorwerken tot mijn tachtigste.'

Gelukkig ziet Rhodes er vanavond wat ontspannener uit, met een blos op zijn wangen en in zijn hals. 'Jezus, man, hoe krijg je het toch voor elkaar om jaar na jaar zo slank te blijven?' zegt hij. Toen ze elkaar vijftien jaar geleden leerden kennen op het OM had Rhodes nog het uiterlijk van een lacrossespeler, een en al spieren en pezen, maar sinds hij bij de bank werkt is hij aangekomen en snel oud geworden.

'Ik denk dat je op zoek bent naar het woord "schriel",' antwoordt hij.

Rhodes lacht. 'Dat denk ik niet,' zegt hij, 'maar ik zou er vandaag de dag wat voor geven om schriel genoemd te worden.'

Ze zijn met z'n elven en Rhodes moet zijn bureaustoel uit zijn werkkamer halen en het bankje uit Alex' garderobekamer. Zo gaat dat bij de etentjes van Rhodes, herinnert hij zich: het eten is altijd perfect, er staan altijd bloemen op tafel, maar er gaat ook altijd iets mis met de gastenlijst en de tafelschikking: Alex nodigt iemand uit die ze net heeft ontmoet en vergeet dat aan Rhodes door te geven of Rhodes vergist zich in de telling, en wat bedoeld was als een formele, strak georganiseerde aangelegenheid wordt in plaats daarvan chaotisch en ongedwongen. 'Shit!' zegt Rhodes, zoals altijd, maar hij is altijd de enige die het vervelend vindt.

Alex komt links van hem te zitten en ze praten over haar baan als hoofd public relations bij het modemerk Rothko, waar ze tot ontsteltenis van Rhodes net is opgestapt. 'Mis je het al?' vraagt hij.

'Nog niet,' zegt ze. 'Ik weet dat Rhodes er niet blij mee is' – ze glimlacht – 'maar daar komt hij wel overheen. Het lijkt me gewoon beter dat ik thuis ben zolang de kinderen klein zijn.'

Hij vraagt naar het buitenhuis dat de twee hebben gekocht in Connecticut (nog iets waar Rhodes over wakker ligt), en ze vertelt over de eindeloze verbouwing die nu al de derde zomer in gaat, en hij kreunt medelevend. 'Rhodes zei dat jij iets was gaan bekijken in Columbia County,' zegt ze. 'Heb je het uiteindelijk gekocht?'

'Nog niet,' zegt hij. Het was van tweeën één geweest: ofwel het huis, ofwel Richard en hij zouden de begane grond verbouwen, de garage bruikbaar maken en een fitnessruimte met een klein zwembad laten aanleggen, met een golfstroom, zodat je kon zwemmen zonder je te verplaatsen, en uiteindelijk had hij gekozen voor de verbouwing. Nu zwemt hij elke ochtend in alle privacy; zelfs Richard komt de sportruimte niet in als hij daar is.

'We wilden eigenlijk wachten met het huis,' geeft Alex toe. 'Maar we hadden niet echt een keus, want we wilden ook dat de kinderen een tuin hadden zolang ze klein waren.'

Hij knikt; dit verhaal heeft hij al eerder gehoord, van Rhodes. Vaak voelt het alsof Rhodes, net als bijna al zijn leeftijdgenoten bij Rosen Pritchard, in een parallel universum leeft. Hun wereld wordt beheerst door kinderen, kleine despoten wier behoeften – school, vakantiekampen, activiteiten en bijlessen – bepalend zijn voor elke beslissing, nu en in de komende tien, vijftien, achttien jaar. Het ouderschap geeft hun leven als volwassene onverbiddelijk doel en richting: de kinderen bepalen de duur en bestemming van de vakantie van dat jaar; zij bepalen of er geld overblijft en zo ja, waaraan dat wordt uitgegeven; zij geven vorm aan een dag, een week, een jaar, een leven. Kinderen zijn een soort landkaart: het enige wat je hoeft te doen is de route volgen die ze je voorleggen op de dag dat ze geboren worden.

Hij en zijn vrienden daarentegen hebben geen kinderen, en in hun afwezigheid strekt de wereld zich voor hen uit, met zo veel mogelijkheden dat het bijna benauwend is. Zonder kinderen is je status als volwassene nooit zeker; een kinderloze volwassene creëert de volwassenheid voor zichzelf en hoe inspirerend dat vaak ook is, het is ook een toestand van voortdurende onzekerheid, voortdurende twijfel. Althans voor sommige mensen; in elk geval voor Malcolm, die hem laatst een lijstje voorlegde met argumenten voor en tegen kinderen krijgen met Sophie, vergelijkbaar met zijn lijstjes van vier jaar geleden, toen hij moest beslissen of hij überhaupt met Sophie wilde trouwen.

'Ik weet het niet, Mal,' zei hij toen hij Malcolms lijst had aangehoord. 'Het klinkt alsof je redenen om wél kinderen te willen zijn ingegeven door het idee dat je dat moet, niet omdat je ze echt wilt.'

'Ja, natuurlijk heb ik het idee dat het moet,' zei Malcolm. 'Heb jij nooit het gevoel dat we allemaal eigenlijk nog steeds leven alsof we zelf kinderen zijn, Jude?'

'Nee,' zei hij. En dat was ook zo: zijn leven leek zo weinig op dat uit zijn kindertijd als hij zich maar kon voorstellen. 'Je klinkt als je vader,

Mal. Jouw leven zal niet minder waard of minder gerechtvaardigd zijn als je geen kinderen krijgt.'

Malcolm had een zucht geslaakt. 'Misschien niet, misschien heb je gelijk.' En met een glimlachje: 'Ik bedoel, echt willen doe ik ze niet.'

Hij glimlachte terug. 'Nou, je kunt er toch mee wachten. Misschien kun je op een dag wel een sneue dertigplusser adopteren.'

'Misschien,' zei Malcolm weer. 'Dat schijnt in bepaalde delen van het land een rage te zijn.'

Nu excuseert Alex zich en gaat naar de keuken om Rhodes te helpen, die haar steeds paniekeriger roept – 'Alex. Alex! *Alex!*' – en hij draait zich om naar degene rechts van hem, die hij niet van andere avondjes bij Rhodes kent, een donkerharige man met een neus die eruitziet alsof hij gebroken is geweest: bovenaan gaat hij radicaal de ene kant op, om vlak onder de neusbrug even radicaal van koers te veranderen.

'Caleb Porter.'

'Jude St. Francis.'

'Laat mc raden: katholiek.'

'Laat me raden: jij niet.'

Caleb lacht. 'Helemaal juist.'

Ze raken aan de praat en Caleb vertelt hem dat hij net vanuit Londen, waar hij de afgelopen tien jaar directeur is geweest van een modemerk, naar New York is verhuisd om de nieuwe CEO van Rothko te worden. 'Alex nodigde me gisteren zo aardig en spontaan uit, en ik dacht' – hij haalt zijn schouders op – 'waarom niet? Het is ofwel dit, een lekker maal met aardige mensen, of eindeloos woningen bekijken op internet in een hotelkamer.' Vanuit de keuken klinkt een paukenachtig gekletter van vallend staal en Rhodes' gevloek. Caleb kijkt hem met opgetrokken wenkbrauwen aan en hij glimlacht. 'Maak je geen zorgen,' stelt hij hem gerust. 'Dat is normaal.'

Tijdens de rest van het diner doet Rhodes zijn best om een gesprek met de hele groep op gang te brengen, maar dat werkt niet; de tafel is te breed en hij is zo onverstandig geweest om vrienden bij elkaar te zetten, en zodoende blijft hij in gesprek met Caleb. Hij is negenenveertig, is opgegroeid in Marin County en heeft sinds hij in de dertig was niet meer in New York gewoond. Ook hij heeft rechten gestudeerd, hoewel hij er naar eigen zeggen nooit iets van heeft kunnen gebruiken in zijn werk.

'Nooit?' vraagt hij. Hij is altijd sceptisch wanneer mensen dat zeggen; hij gelooft het niet als ze beweren dat hun rechtenstudie een grote vergissing is geweest, drie weggegooide jaren. Al beseft hij ook wel dat hij ongewoon sentimenteel tegenover de rechtenfaculteit staat, waaraan hij niet alleen zijn levensonderhoud, maar in veel opzichten zelfs zijn leven te danken heeft.

Caleb peinst even. 'Nou ja, misschien niet nooit, maar niet zoals je zou verwachten,' zegt hij ten slotte. Hij heeft een zware, trage, behoedzame stem, tegelijk geruststellend en op de een of andere manier een beetje dreigend. 'Wat me uiteindelijk wel goed van pas is gekomen is, geloof het of niet, burgerlijk procesrecht. Ken jij toevallig iemand die modeontwerper is?'

'Nee,' zegt hij. 'Maar veel vrienden van mij zijn beeldend kunstenaar.'

'Nou, dan weet je hoe anders die denken: hoe beter de kunstenaar, des te groter de waarschijnlijkheid dat er geen zaken mee te doen zijn. Serieus. Ik heb de afgelopen, pak 'm beet, twintig jaar bij vijf modehuizen gewerkt en het is gewoon fascinerend om de patronen in hun gedrag te zien: ze weigeren zich allemaal aan deadlines te houden, kunnen nooit binnen het budget blijven en van personeelsmanagement hebben ze al helemaal geen kaas gegeten; zo veel overeenkomsten dat je je afvraagt of je nou een gebrek aan die eigenschappen moet hebben om dat soort baan te krijgen of dat het juist aan de baan ligt dat dat soort begripslacunes ontstaat. Wat je in mijn positie dus moet doen in zo'n bedrijf is een managementsysteem opzetten en dan zorgen dat je dat kunt afdwingen, onder dreiging met straf. Hoe kan ik het je uitleggen: je kunt ze niet gewoon vertellen dat het goed voor de zaken is om zus of zo te doen; dat zegt ze helemaal niks, althans sommigen niet, al roepen ze nog zo hard dat ze het begrijpen. Nee, je moet het presenteren als het ordereglement van hun eigen kleine wereldje en ze ervan overtuigen dat als ze die regels niet naleven, hun hele wereld instort. Zolang je ze daarvan kunt doordringen, kun je van ze gedaan krijgen wat jij nodig hebt. Het is om compleet gestoord van te worden.'

'Waarom blijf je dan met ze werken?'

'Omdat... juist omdát ze zo anders denken. Het is fascinerend. Sommigen van hen zijn vrijwel analfabeet: ze geven je aantekeningen en dan zie je dat ze nauwelijks een zin op papier kunnen krijgen. Maar als je dan staat te kijken hoe ze tekenen of stoffen draperen, of gewoon kleuren combineren, dat is... ik weet niet. Gewoon wonderbaarlijk. Ik kan het niet beter uitleggen.'

'Nee... ik weet precies wat je bedoelt,' zegt hij, denkend aan Richard, JB, Malcolm en Willem. 'Het is alsof je toegang krijgt tot een manier van denken die je je niet eens kunt voorstellen met behulp van taal, laat staan omschrijven.'

'Precies,' zegt Caleb, en hij glimlacht voor het eerst.

Het diner komt ten einde en terwijl ze aan de koffie zitten, haalt Caleb zijn benen onder de tafel vandaan. 'Ik ga er eens vandoor,' zegt hij. 'Volgens mij zit ik nog in de Londense tijdzone. Maar het was leuk met je kennis te maken.'

'Insgelijks,' zegt hij. 'Ik vond het heel gezellig. En sterkte met het opzetten van een managementsysteem bij Rothko.'

'Bedankt, dat zal ik nodig hebben,' zegt Caleb, en dan, net voordat hij opstaat, bevriest hij even in zijn beweging en vraagt: 'Heb je zin om een keer ergens met me te gaan eten?'

Een paar tellen is hij verlamd. Maar dan berispt hij zichzelf: hij heeft niets te vrezen. Caleb is net terug in de stad; hij weet hoe moeilijk het moet zijn iemand te vinden om mee te praten, hoe moeilijk het is om aansluiting te vinden wanneer al je vrienden in jouw afwezigheid een gezin zijn begonnen en vreemden voor je zijn geworden. Een beetje praten, verder niets. 'Ja, leuk,' zegt hij, en ze wisselen kaartjes uit.

'Blijf maar zitten,' zegt Caleb als hij overeind wil komen. 'Ik bel je.' Hij kijkt toe hoe Caleb, die langer is dan hij dacht, minstens vijf centimeter langer dan hij, en breed in de schouders, met zijn basstem afscheid neemt van Alex en Rhodes en dan zonder omkijken wegloopt.

De volgende dag krijgt hij een berichtje van Caleb, en ze spreken af voor die donderdagavond. Aan het eind van de middag belt hij Rhodes om te bedanken voor het etentje en naar Caleb te vragen.

'Tot mijn schande heb ik hem niet eens gesproken,' zegt Rhodes. 'Alex had hem op het allerlaatste moment uitgenodigd. Dat bedoel ik nou, met die etentjes: waarom nodigt ze iemand uit die het bedrijf overneemt waar zij net is opgestapt?'

'Dus je weet niets over hem?'

'Helemaal niets. Volgens Alex heeft hij een goede naam en heeft Rothko van alles uit de kast gehaald om hem terug te halen uit Londen. Meer weet ik niet. Hoezo?' Hij hóórt Rhodes bijna glimlachen. 'Wou je je klantenkring soms uitbreiden buiten de glamourwereld van aandelen en de farmaceutische industrie?'

'Je hebt me door, Rhodes,' zegt hij. 'Nogmaals bedankt, en ook aan Alex.'

Het wordt donderdag en hij treft Caleb in een Japans restaurantje in West-Chelsea. Nadat ze hebben besteld zegt Caleb: 'Weet je, tijdens dat etentje zat ik de hele tijd naar je te kijken en me af te vragen waar ik je van kende, en toen schoot het me ineens te binnen: een schilderij van Jean-Baptiste Marion. De creative director van mijn vorige bedrijf had dat schilderij; hij probeerde het trouwens op de zaak af te boeken, maar dat terzijde. Het is een afbeelding van jouw gezicht van redelijk dichtbij, en je staat ergens buiten; achter jou zie je een straatlantaarn.'

'Ja,' zegt hij. Dit is hem al een paar keer overkomen en het brengt hem telkens van zijn apropos. 'Ik weet precies welk werk je bedoelt, het komt uit "Seconds, Minutes, Hours, Days", de derde serie.'

'Dat klopt,' zegt Caleb, en hij glimlacht. 'Zijn Marion en jij close?'

'Niet meer zo,' zegt hij, en zoals altijd doet het hem pijn dat toe te geven. 'Maar als student waren we huisgenoten; ik ken hem al jaren.'

'Geweldige serie,' zegt Caleb, en ze hebben het over JB's andere werk, over Richard, met wiens werk Caleb ook bekend is, en Oosterse Henry Young, over het gebrek aan fatsoenlijke Japanse restaurants in Londen, over Calebs zus, die met haar tweede man en hun uitgebreide kinderschaar in Monaco woont, over Calebs ouders, die na een lang ziekbed zijn overleden toen hij in de dertig was en over het huis in Bridgehampton dat Caleb voor de zomer onderhuurt van zijn vroegere studiegenoot, die tijdelijk in Los Angeles zit. En dan praten ze zo uitgebreid over Rosen Pritchard en de financiële bende die de vorige CEO van Rothko heeft achtergelaten dat hij ervan overtuigd raakt dat Caleb niet alleen een vriend, maar wellicht ook een advocaat zoekt, en hij begint te overpeinzen wie binnen het kantoor de geschikte persoon zou zijn om dit nieuwe bedrijf bij onder te brengen. Hij denkt: dit is een klant voor Evelyn, een van de jonge partners die ze een jaar geleden bijna kwijtraakten aan nota bene een modeconcern, waar ze bedrijfsjurist zou zijn geworden. Evelyn zou dit account goed aankunnen: ze is slim, ze is geïnteresseerd in de mode-industrie, het zou een goede match zijn.

Daar zit hij aan te denken als Caleb ineens vraagt: 'Ben je single?' En dan, lachend: 'Waarom kijk je me zo aan?'

'Sorry,' zegt hij, stomverbaasd maar teruglachend. 'Ja, ik ben single. Maar... ditzelfde gesprek had ik pas nog met mijn vriend.'

'Wat zei je vriend dan?'

'Hij zei...' begint hij, maar dan valt hij stil, gegeneerd en verward door de plotselinge verandering van onderwerp, van toon. 'Niets,' zegt hij, en Caleb glimlacht alsof hij het gesprek met zijn vriend zojuist heeft naverteld en dringt niet aan. Dan bedenkt hij dat deze avond stof biedt voor een verhaal om aan Willem te vertellen, en met name dit laatste gedeelte. Jij wint, Willem, zal hij zeggen, en als Willem het onderwerp opnieuw wil aansnijden zal hij dat toelaten, besluit hij, dan zal hij zijn vragen niet meer ontwijken.

Hij betaalt en ze lopen naar buiten, waar het regent, niet hard, maar wel zo gestaag dat er geen taxi's zijn en de straten glimmen als drop. 'Mijn auto staat hier verderop,' zegt Caleb. 'Kan ik je een lift geven?'

'Vind je het niet vervelend?'

'Helemaal niet.'

Ze rijden naar het centrum en tegen de tijd dat ze bij Greene Street aankomen regent het dat het giet, zo hevig dat ze door de voorruit geen omtrekken meer kunnen onderscheiden, alleen nog kleuren, rood en geel glinsterende lichten, en de stad is teruggebracht tot luid getoeter en neerkletterende regen op het dak, zo hard dat ze elkaar door de herrie nauwelijks nog kunnen verstaan. Ze stoppen en hij staat op het punt om uit te stappen als Caleb hem zegt te wachten: hij heeft een paraplu en brengt hem wel even naar het gebouw, en voor hij kan protesteren stapt Caleb uit en klikt een paraplu open, en samen lopen ze dicht tegen elkaar aan onder de paraplu het gebouw in. De deur valt achter hen in het slot en daar staan ze, in de donkere hal.

'Chique entree,' zegt Caleb droog, terwijl hij omhoogkijkt naar het kale peertje. 'Al heeft het wel een soort fin-de-siècleklasse.' Hij lacht, en Caleb glimlacht. 'Weten ze bij Rosen Pritchard dat je zo woont?' vraagt hij, en voor hij antwoord kan geven buigt Caleb zich naar hem toe en kust hem heel hard, zodat hij met zijn rug tegen de deur wordt gedrukt en Calebs armen een kooi om hem heen vormen.

Op dat moment gaat zijn verstand op nul en worden de wereld en hijzelf weggevaagd. Het is lang, heel lang geleden dat iemand hem heeft gekust, en hij herinnert zich het machteloze gevoel dat hij daarbij kreeg, en dat broeder Luke altijd zei dat hij gewoon zijn mond moest opendoen, ontspannen en het over zich heen laten komen, en dat doet hij nu ook – uit ingesleten gewoonte en omdat hij niet anders kan – en hij wacht tot het voorbij is, terwijl hij de seconden telt en door zijn neus probeert te ademen.

Ten slotte doet Caleb een stap naar achteren en kijkt hem aan, en na een tijdje kijkt hij terug. En dan doet Caleb het nogmaals, dit keer met zijn handen om zijn gezicht, en hij krijgt het gevoel dat hij als kind altijd had als hij werd gekust: dat zijn lichaam niet van hemzelf is, dat elk gebaar dat hij maakt al vastligt, reflex na reflex, en hij niet anders kan dan toegeven aan wat er ook maar komt.

Voor de tweede keer stopt Caleb en doet een stap naar achteren, terwijl hij hem aankijkt en zijn wenkbrauwen optrekt zoals tijdens het etentje bij Rhodes, in afwachting van zijn reactie. 'Ik dacht dat je op zoek was naar een advocaat,' zegt hij ten slotte, en die woorden zijn zo idioot dat hij voelt dat zijn hoofd begint te gloeien.

Maar Caleb lacht niet. 'Nee,' zegt hij. Er valt weer een lange stilte, die wordt verbroken door Caleb. 'Vraag je niet of ik mee naar boven kom?' vraagt hij.

'Ik weet het niet,' zegt hij, en ineens wilde hij dat Willem er was, hoewel dit niet het soort probleem is waar Willem hem ooit mee geholpen heeft en in feite ook niet het soort probleem dat Willem überhaupt als een probleem zou zien. Hij weet wat een flegmatiek, behoedzaam iemand hij is, en hoewel hij door dat flegma en die behoedzaamheid gegarandeerd op geen enkele bijeenkomst ooit de interessantste, opwindendste of meest sprankelende persoon zal zijn, hebben ze hem tot nu toe wel beschermd en ervoor gezorgd dat hij als volwassene kan leven zonder goorheid en vunzigheid. Toch vraagt hij zich soms af of hij zichzelf niet zo heeft geisoleerd dat hij een essentieel onderdeel van het menselijk bestaan heeft verwaarloosd: misschien is hij werkelijk klaar voor een relatie. Misschien is er genoeg tijd overheen gegaan en zal het nu anders zijn. Misschien heeft hij ongelijk en Willem gelijk: misschien is dit geen ervaring die hem voorgoed ontzegd is. Misschien is hij minder afstotelijk dan hij denkt. Misschien kan hij dit echt. Misschien zal hij toch niet gekwetst worden. Op dat moment komt het hem voor dat Caleb als een geest uit de fles is gekomen, voortgebracht door zijn diepste angst en zijn vurigste hoop, en als een test zijn leven is binnengevallen: aan de ene kant is er alles wat hij kent, de patronen van zijn bestaan, regelmatig en banaal als het geplok van een lekkende kraan, en daar is hij eenzaam maar veilig, beschut tegen alles wat hem pijn zou kunnen doen. Aan de andere kant zijn er golven, tumult, stortbuien en opwinding: alles waar hij geen controle over heeft, alles wat potentieel afschuwelijk of extatisch is, alles wat hij in zijn hele volwassen leven heeft geprobeerd te vermijden, alles waarvan het ontbreken zijn leven bloedeloos maakt. In zijn binnenste aarzelt het beest, het richt zich op en klauwt in de lucht alsof hij rondtast naar een antwoord.

Doe het niet, hou jezelf niet voor de gek; wat je jezelf ook probeert wijs te maken, je weet wat je bent, zegt de ene stem.

Neem het risico, zegt de andere stem. Je bent eenzaam. Je moet het proberen. Dat is de stem die hij altijd negeert.

Dit doet zich misschien nooit meer voor, gaat de stem verder, en dat zet hem aan het denken.

Het gaat fout, zegt de eerste stem, en dan zwijgen beide stemmen en wachten af wat hij doet.

Hij weet niet wat hij moet doen, hij weet niet wat er zal gebeuren. Hij moet erachter komen. Alles wat hij heeft geleerd zegt hem weg te gaan; alles waar hij op hoopt zegt hem te blijven. Wees dapper, zegt hij tegen zichzelf. Wees eindelijk eens een keer dapper.

Dus kijkt hij Caleb aan. 'Kom mee,' zegt hij, en hoewel hij nu al bang is, begint hij aan de lange wandeling door de smalle gang naar de lift alsof hij geen vrees kent, en naast het gesleep van zijn rechtervoet over het beton hoort hij Calebs tikkende voetstappen, het getinkel van de regendruppels die van de brandtrap vallen en het gebonk van zijn bange hart.

~

Een jaar geleden heeft hij de verdediging op zich genomen van een gigantisch farmaceutisch bedrijf, Malgrave & Baskett, waarvan het management door een groep aandeelhouders werd aangeklaagd wegens malversaties, wanbeleid en verwaarlozing van hun fiduciaire plichten. 'Goh,' zei Lucien, 'hoe ze daar nou bij komen?'

'Tja,' verzuchtte hij. Het was algemeen bekend dat het bij Malgrave & Baskett een zootje was. In de afgelopen paar jaar, voor ze Rosen Pritchard in de arm hadden genomen, was het bedrijf verzeild geraakt in twee processen die waren aangespannen door klokkenluiders (de een beweerde dat een van de fabrieken gevaarlijk verouderd was, de ander dat een andere fabriek verontreinigde producten leverde). Daarnaast was het bedrijf gedagvaard in het kader van een onderzoek naar een grootschalig omkoopschandaal waarbij een keten verpleeghuizen betrokken was, en ervan beschuldigd een van zijn bestverkopende geneesmiddelen illegaal op de markt te brengen voor alzheimerpatiënten, terwijl het alleen was goedgekeurd voor de behandeling van schizofrenie.

Zodoende heeft hij de afgelopen elf maanden vijftig huidige en voormalige directeuren en topmanagers van Malgrave & Baskett gesproken en een rapport opgesteld waarin de aantijgingen worden weerlegd. Hij heeft nog vijftien andere advocaten in zijn team, en op een avond hoorde hij een paar van hen het bedrijf aanduiden als 'Malversant & Patser'.

'Waag het niet dat binnen gehoorsafstand van de klant te zeggen,' vermaande hij hen. Het was al laat, twee uur 's nachts; hij wist dat ze moe waren. Als hij Lucien was geweest had hij ze uitgekafferd, maar hij was zelf ook moe. Een week eerder was een van de juristen die aan deze zaak werkten, een jonge vrouw, rond drie uur 's nachts van haar bureaustoel gekomen, had om zich heen gekeken en was in elkaar gezakt. Hij had een ambulance gebeld en iedereen naar huis gestuurd, op voorwaarde dat ze om negen uur de volgende ochtend weer present zouden zijn; hij was zelf nog een uur gebleven en toen ook naar huis gegaan.

'Je hebt hén naar huis laten gaan en bent zelf gebleven?' vroeg Lucien de volgende dag. 'Waar moet dat heen, St. Francis? Goddank doe je niet zo soft als je moet pleiten, anders konden we wel inpakken. De wederpartij moest eens weten wat voor doetje ze eigenlijk tegenover zich hebben.'

'Dus die arme Emma Gersch krijgt geen bloemetje van de zaak?'

'O, dat heeft ze al gekregen,' zei Lucien terwijl hij opstond en zijn kantoor uit slenterde. 'Met een kaartje: "Emma, kom bij en kom terug. Én gauw, anders zwaait er wat. Liefs van je familie bij Rosen Pritchard."'

Hij genoot van rechtszittingen, van pleiten voor een rechtbank – dat kon je niet vaak genoeg doen – maar in de zaak van Malgrave & Baskett streefde hij juist naar verwerping van de aanklacht door de rechter voordat het zou uitlopen op een vervelend, jarenlang voortsudderend proces vol onderzoek en onthullingen. Hij schreef het verzoekschrift tot seponering en begin september werd de zaak van de rol geschrapt.

'Ik ben trots op je,' zegt Lucien die avond. 'Ze hebben bij Malversant & Patser geen idee hoe ze boffen met jou; die aanklacht stond als een huis.'

'Tja, bij Malversant & Patser hebben ze van wel meer dingen geen idee,' zegt hij.

'Da's waar. Maar ja, kennelijk kun je de grootste randdebiel zijn zolang je maar slim genoeg bent om de juiste advocaat in te huren.' Hij staat op. 'Ga je nog ergens heen dit weekend?'

'Nee.'

'Ga iets ontspannends doen, man. Naar buiten. Uit eten. Je ziet er niet al te best uit.'

'Goeienacht, Lucien!'

'Oké, oké, ik ga al. En gefeliciteerd, ik meen het. Dit is echt een klapper.'

Hij blijft nog twee uur op kantoor, waar hij paperassen sorteert en opruimt in een poging de constant aanslibbende papierstroom in bedwang te houden. Hij voelt zich niet opgelucht of triomfantelijk na dit soort successen, alleen maar vermoeid, maar het is wel een vermoeidheid van de simpele, welverdiende soort, alsof hij er een dag fysieke arbeid op heeft zitten. Elf maanden gesprekken, onderzoek, nog meer gesprekken, het natrekken van feiten, schrijven, herschrijven, en dan is het in één klap voorbij en komt er een andere zaak voor in de plaats.

Ten slotte gaat hij naar huis, waar hij ineens zo uitgeput is dat hij op weg naar de slaapkamer even op de bank gaat zitten en een uur later gedesoriënteerd en met een droge mond wakker wordt. De afgelopen maanden heeft hij zijn vrienden niet veel gezien of gesproken; zelfs zijn gesprekken met Willem zijn de laatste tijd korter dan gewoonlijk. Deels is dat te wijten aan Malversant & Patser en het koortsachtige werk dat hun zaak heeft gevergd, maar voor de rest kan het worden toegeschreven aan zijn nog steeds voortdurende verwarring omtrent Caleb, over wie hij Willem niets heeft verteld. Maar dit weekend is Caleb naar Bridgehampton, en hij is blij even alleen te zijn.

Na drie maanden weet hij nog steeds niet wat hij voor Caleb voelt. Hij weet niet eens zeker of Caleb hem eigenlijk wel leuk vindt. Of beter gezegd: hij weet dat Caleb graag met hem praat, maar er zijn momenten dat hij naar hem zit te kijken met op zijn gezicht een uitdrukking die grenst aan afschuw. 'Je bent echt knap,' zei Caleb een keer met verbazing in zijn stem, en hij had zijn kin vastgepakt en zijn gezicht naar zich toe gedraaid. 'Maar...' En hoewel die zin niet werd afgemaakt, voelde hij wat Caleb wilde zeggen: maar er klopt iets niet. Maar toch stoot je me af. Maar ik snap niet waarom ik je niet leuk vind, niet echt.

Hij weet bijvoorbeeld dat Caleb een hekel heeft aan de manier waarop hij loopt. Een paar weken nadat ze iets met elkaar kregen zat Caleb op de bank en ging hij een fles wijn halen, en toen hij terugkwam merkte hij dat Caleb hem zo nadrukkelijk zat aan te staren dat hij er nerveus van werd. Hij schonk de wijn in en ze dronken, en toen zei Caleb: 'Weet je, toen ik je voor het eerst zag zat je aan tafel, dus ik wist niet dat je kreupel liep.'

'Dat is waar,' zei hij, en hij hield zichzelf voor dat dit niet iets was waarvoor hij zich hoefde te verontschuldigen: hij had Caleb niet om de tuin geleid, het was niet zijn bedoeling geweest hem te misleiden. Hij haalde diep adem en probeerde luchtig en ietwat nieuwsgierig te klinken. 'Zou je me niet mee uit hebben gevraagd als je het geweten had?'

'Ik weet het niet,' zei Caleb na een korte stilte. 'Ik weet het niet.' Hij had ter plekke door de grond willen zakken, zijn ogen willen sluiten en de tijd terugspoelen tot voordat hij Caleb had ontmoet. Hij zou de uitnodiging van Rhodes hebben afgeslagen, hij zou zijn kleine leven hebben voortgezet; hij zou het verschil nooit hebben geweten.

Maar Calebs hekel aan zijn manier van lopen valt in het niet bij diens afkeer van zijn rolstoel. De eerste keer dat Caleb overdag naar hem toe was gekomen, had hij hem een rondleiding door het appartement gegeven. Hij is trots op zijn loft; nog elke dag is hij dankbaar daar te mogen wonen, en hij kan nauwelijks geloven dat het zijn huis is. Malcolm heeft Willems suite, zoals ze het noemen, zo gelaten, hem alleen wat ruimer gemaakt en er een werkkamer aan toegevoegd in de noordhoek, vlak bij de lift. Dan is er de lange open ruimte met een piano, en een zitruimte met uitzicht op het zuiden, en aan de raamloze noordzijde een door Malcolm ontworpen tafel met daarachter een boekenkast over de hele wand tot aan de keuken, die volhangt met kunstwerken van zijn vrienden en vrienden van zijn vrienden, en andere stukken die hij in de loop van de jaren heeft gekocht. De hele oostkant van het appartement is van hem: van de slaapkamer op het noorden kom je door de garderobekamer in de badkamer met ramen op het oosten en het zuiden. Hoewel hij de luxaflex in het appartement meestal omlaag heeft, kun je ze allemaal tegelijk optrekken en dan wordt de ruimte één grote rechthoek van puur licht, met een fascinerend dun laagje tussen jou en de buitenwereld. Hij heeft vaak het idee dat het appartement één grote leugen is: het wekt de suggestie dat de bewoner ervan open, levenslustig en joviaal is, en zo iemand is hij natuurlijk niet. Lispenard Street, met zijn schemerige nissen, donkere gangetjes en zo vaak overgeschilderde muren dat je richeltjes en bultjes kon voelen waar motten en wantsen tussen twee lagen ingekapseld zaten, gaf veel beter weer hoe hij is.

Voor Calebs bezoek had hij het appartement laten stralen van het zonlicht, en hij zag dat Caleb onder de indruk was. Ze liepen langzaam door de kamers, Caleb keek naar de kunstwerken, stelde vragen over sommige ervan – hoe hij eraan kwam, wie de maker was – en zei iets over de werken die hij herkende.

En toen kwamen ze bij de slaapkamer. Hij liet Caleb het schilderij achter in de kamer zien, waarop Willem was afgebeeld in de make-upstoel, een van de schilderijen uit 'Seconds, Minutes, Hours, Days' dat hij had gekocht, toen Caleb vroeg: 'Van wie is die rolstoel?'

Hij volgde Calebs blik. 'Van mij,' zei hij na een korte stilte.

'Hoezo?' vroeg Caleb bevreemd. 'Je kunt toch lopen?'

Hij wist niet wat hij moest zeggen. 'Soms heb ik hem nodig,' zei hij ten slotte. 'Zelden. Ik gebruik hem niet zo vaak.'

'Goed,' zei Caleb. 'Dat mag ik hopen.'

Hij was verbijsterd; was dit een uitdrukking van bezorgdheid of een bedreiging? Maar voor hij kon bedenken hoe hij het moest opvatten of wat hij erop moest antwoorden, draaide Caleb zich om en liep verder naar zijn garderobekamer, en hij ging hem achterna om de rondleiding te vervolgen.

Een maand later had hij aan het eind van de avond met Caleb afgesproken voor diens kantoor in het randgebied van het Meatpacking District, in westelijk Manhattan. Caleb maakte ook lange dagen: het was begin juli en over acht weken was de presentatie van Rothko's voorjaarscollectie. Hij was die dag met de auto, maar het was een droge avond, dus hij stapte uit en wachtte in zijn rolstoel onder een straatlantaarn tot Caleb naar beneden kwam, pratend met iemand. Hij wist dat Caleb hem had gezien – hij had zijn hand opgestoken en Caleb had hem een nauwelijks zichtbaar knikje gegeven: ze waren allebei niet zo uitbundig – en hij keek naar Caleb tot die zijn gesprek beëindigde en de andere man wegliep.

'Ha,' zei hij toen Caleb naar hem toe kwam.

'Waarom zit je in je rolstoel?' vroeg Caleb.

Een paar tellen kon hij niets uitbrengen, en toen hij begon te praten kwam het er stamelend uit. 'Vandaag had ik hem nodig,' zei hij ten slotte.

Caleb zuchtte en wreef zich in de ogen. 'Ik dacht dat je hem niet gebruikte.'

'Dat doe ik ook niet,' zei hij, zo beschaamd dat hij voelde dat het zweet hem uitbrak. 'Niet echt. Ik gebruik hem alleen als het echt niet anders kan.'

Caleb knikte, maar bleef in zijn neusbrug knijpen. Hij ontweek zijn blik. 'Hoor eens,' zei hij ten slotte, 'ik denk dat we toch maar niet uit eten moeten gaan. Jij voelt je kennelijk niet goed, en ik ben moe. Ik moet slapen.'

'O,' zei hij ontdaan. 'Dat geeft niet. Ik begrijp het.'

'Oké dan,' zei Caleb. 'Ik bel je.' Hij keek Caleb na terwijl die met zijn grote stappen de straat uit liep en de hoek om sloeg, en daarna stapte hij in zijn auto, reed naar huis en sneed zichzelf tot hij zo bloedde dat hij zijn grip op het mesje verloor.

De volgende dag was een vrijdag, en Caleb liet helemaal niets van zich horen. Nou, dat was het dan, dacht hij. En het was prima zo: Caleb vond het niet prettig dat hij in een rolstoel zat. Hij ook niet. Hij kon het Caleb moeilijk kwalijk nemen dat die niet kon accepteren wat hijzelf niet accepteerde.

Maar op zaterdagochtend belde Caleb toen hij net weer bovenkwam na het zwemmen. 'Sorry van donderdagavond,' zei Caleb. 'Het komt waarschijnlijk bizar en harteloos over, die... afkeer die ik van je rolstoel heb.'

Hij ging op een van de stoelen rond de eettafel zitten. 'Ik vind het helemaal niet bizar,' zei hij.

'Ik heb je verteld dat mijn ouders sinds ik volwassen werd bijna voortdurend ziek waren,' zei Caleb. 'Mijn vader had multiple sclerose en mijn moeder... niemand wist wat ze had. Ze werd ziek toen ik ging studeren en is nooit meer beter geworden. Ze had aangezichtspijn, hoofdpijn: ze had eigenlijk altijd wel wat, en hoewel ik er niet aan twijfel dat dat echt zo was, stoorde het mij ontzettend dat ze nooit beter leek te willen worden. Ze gaf het gewoon op, net als hij. Overal om hen heen kon je aan allerlei dingen zien dat ze zich aan hun ziektes hadden overgegeven: eerst wandelstokken, toen rollators, toen rolstoelen, toen scootmobielen, en potten met pillen, tissues, de eeuwige stank van pijnstillende crèmes, zalfjes en god weet wat nog meer.'

Hij stopte even. 'Ik wil met je blijven omgaan,' vervolgde hij. 'Maar... maar die spullen van iemand die ziek, zwak en misselijk is, die kan ik niet om me heen hebben. Ik trek het gewoon niet. Ik heb er de pest aan. Ik vind het gênant. Het maakt me... niet gedeprimeerd maar razend, alsof ik ertegen in moet gaan.' Hij zweeg opnieuw. 'Ik wist gewoon niet dat jij zo was toen ik je leerde kennen,' zei hij ten slotte. 'Ik dacht dat ik er wel mee kon leven. Maar dat weet ik niet zo zeker meer. Kun je dat begrijpen?'

Hij slikte; hij kon wel huilen. Maar hij begreep het, want hij dacht er net zo over als Caleb. 'Jawel,' zei hij.

En toch, hoe onwaarschijnlijk ook, waren ze elkaar blijven zien. Hij staat er nog steeds versteld van hoe snel en grondig Caleb zich heeft binnengedrongen in zijn leven. Het lijkt wel een sprookje: een vrouw die aan de rand van een donker bos woont, hoort iemand aankloppen en doet de deur van haar huisje open. En hoewel het maar even duurt en ze niemand ziet, glippen er in die paar seconden tientallen geesten en demonen haar huis binnen, en ze zal nooit meer van ze af komen, nooit meer. Zo voelt het soms. Ging het zo ook bij andere mensen? Hij weet het niet; hij durft het niet te vragen. Hij betrapt zich erop dat hij oude gesprekken die hij ooit met anderen over hun relaties heeft gevoerd of heeft opgevangen opnieuw afspeelt in zijn hoofd en probeert aan de hand van hun relaties te peilen hoe normaal die van hem is, op zoek naar aanknopingspunten over hoe hij zich moet gedragen.

En dan is er de seks, die erger is dan hij had verwacht: hij was vergeten hoe pijnlijk het ook alweer was, hoe vernederend, hoe weerzinwekkend, hoe onprettig hij het vond. Hij heeft een hekel aan de houdingen, de standjes die erbij komen kijken, allemaal even krenkend omdat hij er zo hulpeloos en zwak in is; hij heeft een hekel aan de smaken en de geuren. Maar de ergste hekel heeft hij aan de geluiden: het lijfelijke geklets van vlees op vlees, het gekerm en gegrom als van gewonde dieren, de dingen die tegen hem worden gezegd, misschien prikkelend bedoeld maar in zijn beleving alleen maar kleinerend. Hij beseft dat hij ergens altijd heeft gedacht dat het als volwassene beter zou gaan, alsof het gebeuren louter door zijn leeftijd in iets subliems en prettigs zou veranderen. Als student, als twintiger en daarna als dertiger hoorde hij anderen er zo vol plezier, zo verrukt over praten en dan dacht hij: ben je dáár zo enthousiast over? Serieus? Zo herinner ik het me helemaal niet. En toch kan het niet zo zijn dat hij gelijk heeft en alle anderen – de hele mensheid, duizenden jaren lang – ongelijk. Dus kennelijk is er iets aan seks wat hij niet begrijpt. Kennelijk doet hij iets verkeerd.

Toen ze die eerste avond op zijn etage kwamen, wist hij wat Caleb verwachtte. 'We moeten het rustig aan doen,' zei hij tegen hem. 'Het is lang geleden.'

Caleb keek hem aan in het donker; hij had het licht niet aangedaan. 'Hoelang?' vroeg hij.

'Lang,' was alles wat hij zeggen kon.

En enige tijd is Caleb geduldig geweest. Maar toen niet meer. Op een avond probeerde Caleb hem zijn kleren uit te trekken, maar hij wurmde zich los. 'Ik kan het niet, Caleb... echt niet. Ik wil niet dat je me ziet.' Het vergde het uiterste van hem dit te zeggen, en hij was zo bang dat hij het koud kreeg.

'Waarom niet?' vroeg Caleb.

'Ik heb littekens,' zei hij. 'Op mijn rug en mijn benen, en op mijn armen. Heel erge; ik wil niet dat je ze ziet.'

Hij wist eigenlijk niet hoe Caleb zou reageren. Zou hij zeggen: dat valt vast wel mee? En moest hij dan alsnog zijn kleren uittrekken? Of zou hij zeggen: laat eens zien, en moest hij dan zijn kleren uittrekken, en zou Caleb opstaan en weggaan? Hij zag Caleb aarzelen.

'Het is geen prettig gezicht,' zei hij. 'Ze zijn walgelijk.'

En dat leek voor Caleb de doorslag te geven. 'Nou, ik hoef toch ook niet je hele lichaam te zien? Alleen de relevante delen.' En die avond had hij daar half naakt, half aangekleed liggen wachten tot het voorbij was, dieper vernederd dan als Caleb erop had gestaan dat hij zich toch helemaal uitkleedde.

Maar ondanks deze teleurstellingen is het toch ook weer niet afschuwelijk met Caleb. Hij houdt van Calebs trage, bedachtzame manier van spreken, hoe hij praat over de modeontwerpers met wie hij heeft gewerkt, zijn inzicht in kleuren en zijn waardering voor kunst. Hij vindt het fijn dat hij met hem over zijn werk kan praten – over Malversant & Patser – en dat Caleb niet alleen begrijpt voor welke uitdagingen de rechtszaak hem stelt, maar die ook boeiend vindt. Hij vindt het fijn dat Caleb aandachtig naar zijn verhalen luistert en dat uit zijn vragen blijkt hóé aandachtig. Dat Caleb het werk van Willem, Richard en Malcolm bewondert en hem naar hartelust over hen laat praten. Hij vindt het fijn hoe Caleb voor hij weggaat zijn gezicht in zijn handen neemt en het in een soort zegenend gebaar even vasthoudt. Hij houdt van Calebs stevige lijf, zijn fysieke kracht: hij vindt het fijn te zien hoe hij beweegt, zo ongedwongen en op zijn gemak in zijn eigen lichaam, net als Willem. Hij houdt van het gebaar waarmee Caleb soms in zijn slaap een bezitterige arm over hem heen legt. Hij houdt ervan om naast Caleb wakker te worden. Hij houdt van dat ietwat vreemde aan Caleb, de lichte dreiging die van hem uitgaat: hij is anders dan alle andere mensen die hijzelf om zich heen heeft verzameld sinds zijn studententijd, mensen van wie hij weet dat ze hem nooit zullen kwetsen, mensen die allemaal op hun eigen wijze uitgesproken aardig zijn. Als hij bij Caleb is voelt hij zich tegelijk menselijker en minder menselijk.

De eerste keer dat Caleb hem sloeg was hij verbaasd, maar ergens ook niet. Het gebeurde eind juli, hij was rond middernacht vanuit zijn werk naar Caleb gegaan. Die dag had hij zijn rolstoel gebruikt, want de laatste tijd ging het steeds mis met zijn voeten; wat het was wist hij niet, maar hij had er nauwelijks gevoel in, en hij had het ontregelende idee dat hij onderuit zou gaan als hij zou proberen te lopen. Maar bij Caleb aangekomen had hij de stoel in de auto laten liggen en was heel langzaam naar de voordeur gelopen, waarbij hij zijn voeten om de beurt onnatuurlijk hoog optilde zodat hij niet zou struikelen.

Vanaf het moment dat hij het appartement binnen kwam wist hij dat hij niet had moeten komen: hij zag dat Caleb een rotbui had en voelde zijn boosheid benauwend en zwaar in de lucht hangen. Caleb had eindelijk een woning gevonden in het Flower District, maar hij had nog niet veel uitgepakt en hij was prikkelbaar en gestrest, hij perste zijn kaken steeds op elkaar en dan hoorde je zijn tanden knarsen. Maar hij had eten meegenomen en begaf zich voetje voor voetje naar het aanrecht om het neer te zetten, ondertussen luchtig babbelend om Caleb af te leiden van zijn geschuifel, in een krampachtige poging de sfeer te verlichten.

'Waarom loop je zo?' onderbrak Caleb hem.

Hij gaf tegenover Caleb niet graag toe dat hij nóg iets mankeerde; dat kon hij niet nog een keer opbrengen. 'Loop ik vreemd?' vroeg hij.

'Ja man, je lijkt het monster van Frankenstein wel.'

'Sorry,' zei hij. Ga weg, zei zijn innerlijke stem. Ga weg, nu. 'Ik had het niet in de gaten.'

'Hou ermee op, dan. Het ziet er idioot uit.'

'Oké,' zei hij zacht, en hij schepte een lepel curry in een kom voor Caleb. 'Hier,' zei hij, maar terwijl hij de kom naar Caleb bracht, zich inspannend om normaal te lopen, struikelde hij met zijn rechtervoet over zijn linker en liet de kom vallen, zodat de groene curry op het tapijt spatte.

Later zou hij zich herinneren dat Caleb niets zei, zich alleen maar razendsnel omdraaide en hem een klap gaf met de rug van zijn hand, en dat hij achterover was gevallen, met zijn hoofd op de vloerbedekking. 'Ga mijn huis uit, Jude,' hoorde hij Caleb zonder stemverheffing zeggen al voordat zijn gezichtsvermogen terug was. 'Ga weg; ik kan je niet meer zien.' Dus dat had hij gedaan, hij was overeind gekrabbeld en in zijn monsterlijke tred de woning uit gehobbeld en had Caleb achtergelaten met de troep die hij had gemaakt.

De dag erop verschenen er verkleuringen in zijn gezicht, de huid rond zijn linkeroog kreeg onwaarschijnlijk mooie tinten paars, amber en flesgroen. Toen hij aan het eind van de week naar Andy ging voor zijn afspraak, was zijn wang mosgroen en zat zijn oog bijna dicht. Het bovenste ooglid was zacht en gezwollen en had een glanzend rode kleur.

'Godallemachtig, Jude,' zei Andy toen hij hem zag. 'Wat is er in hemelsnaam met jou gebeurd?'

'Rolstoeltennis,' zei hij, en hij grijnsde zelfs, een grijns die hij de avond ervoor in de spiegel had geoefend met een wang die vertrok van de pijn. Hij had alles uitgezocht: waar de wedstrijden werden gespeeld, hoe vaak, en hoeveel leden de club had. Hij had een verhaaltje verzonnen, voor zichzelf gerepeteerd en aan collega's op kantoor verteld tot het natuurlijk klonk, komisch zelfs: een forehand van een tegenstander die in het universiteitsteam had gezeten, hij die niet snel genoeg was weggedraaid, de dreun waarmee de bal zijn gezicht had geraakt.

Dat alles vertelde hij Andy terwijl die hoofdschuddend luisterde. 'Nou, Jude,' zei hij, 'ik ben blij dat je iets nieuws probeert, maar jezus, is dit nou wel zo'n goed idee?'

'Je zegt zelf altijd dat ik niet te veel moet lopen,' herinnerde hij Andy.

'Ja, ja, dat weet ik,' zei Andy. 'Maar je hebt toch het zwembad, is dat niet genoeg? En je had sowieso meteen hiernaartoe moeten komen toen het gebeurd was.'

'Het is maar een blauw oog,' zei hij.

'Maar wel een lelijk kreng van een blauw oog. Jezus, Jude.'

'Nou ja,' zei hij, en hij probeerde luchtig, zelfs een beetje uitdagend te klinken. 'Ik wilde je trouwens ook spreken over mijn voeten.'

'Vertel het eens.'

'Ik heb zo'n raar gevoel: alsof ze zijn ingemetseld in een betonnen doodskist. Ik voel niet waar ze zijn... ik heb er geen controle over. Als ik een voet optil en weer neerzet voel ik aan mijn kuit dat mijn voet op de grond staat, maar in de voet zelf voel ik het niet.'

'O, Jude,' zei Andy. 'Dat is een symptoom van zenuwbeschadiging.' Hij zuchtte. 'Het goede nieuws, naast het feit dat dit je al die tijd bespaard is gebleven, is dat het niet permanent is. Het slechte nieuws is dat ik je niet kan vertellen wanneer het ophoudt of wanneer het misschien weer terugkomt. En het andere slechte nieuws is dat het enige wat we kunnen doen behalve afwachten is je pijnstillers geven, waarvan ik nu al weet dat je ze niet wilt slikken.' Hij zweeg even. 'Jude, ik weet dat je niet dol bent op het gevoel dat je ervan krijgt,' zei Andy, 'maar er zijn nu betere op de markt dan toen jij twintig of zelfs dertig was. Wil je die niet eens proberen? Laat me je in elk geval wat lichte pillen geven voor je gezicht; dat moet toch verdomd veel pijn doen.'

'Valt wel mee,' loog hij. Maar hij liet zich uiteindelijk toch een recept meegeven.

'En niet te veel lopen,' zei Andy nadat hij zijn gezicht had onderzocht. 'En hang dat racket in godsnaam aan de wilgen!' En toen hij wegging: 'En denk maar niet dat we het niet meer over je snijwonden gaan hebben!' Want sinds hij iets met Caleb had, was hij zich meer gaan snijden.

Terug in Greene Street parkeerde hij zijn auto op de korte oprit voor de garage van het gebouw, en hij stak net zijn sleutel in het slot van de buitendeur toen hij iemand zijn naam hoorde roepen en Caleb uit zijn auto zag stappen. Hij zat in zijn rolstoel en probeerde snel naar binnen te gaan. Maar Caleb was sneller dan hij en hield de dichtvallende deur tegen, en toen waren ze weer alleen met z'n tweeën in de hal.

'Je had niet moeten komen,' zei hij tegen Caleb, die hij niet kon aankijken.

'Jude, luister naar me,' zei Caleb. 'Het spijt me verschrikkelijk. Echt waar. Het werd me gewoon... Het is zo'n rottijd op het werk, het is daar zo'n godvergeten klerezooi... Ik had eerder deze week al willen komen, maar het was zo druk dat ik niet eens weg kon... en ik heb het allemaal op jou afgereageerd. Het spijt me, echt.' Hij hurkte naast hem neer. 'Jude. Kijk me aan.' Hij zuchtte. 'Het spijt me verschrikkelijk.' Hij nam zijn gezicht in zijn handen en draaide het naar zich toe. 'Dat arme gezicht van je,' zei hij zachtjes.

Hij snapt zelf nog steeds niet waarom hij Caleb die avond mee naar boven heeft laten komen. Als hij eerlijk tegen zichzelf is, heeft hij het idee dat er iets onvermijdelijks, ja zelfs heel in de verte iets van opluchting zat in het feit dat Caleb hem sloeg: van het begin af aan had hij verwacht dat zijn arrogantie, zijn idee dat hij kon krijgen wat ieder ander had, op de een of andere manier zou worden afgestraft, en hier was het dan eindelijk. Dat krijg je ervan, zei de stem in zijn hoofd. Dat krijg je als je doet alsof je iemand bent van wie je weet dat je het niet bent, als je je inbeeldt dat je even goed bent als andere mensen. Hij herinnert zich hoe bang JB voor Jackson was en dat hij die angst begreep, dat hij begreep hoe je door een ander mens kon worden gegijzeld, hoe iets wat zo simpel leek – van die ander weglopen – voor jouw gevoel zo moeilijk kon zijn. Hij ziet in Caleb wat hij ooit in broeder Luke zag: iemand aan wie hij zich ondoordacht heeft toevertrouwd, op wie hij zo veel hoop had gevestigd, van wie hij hoopte dat die hem zou kunnen redden. Maar zelfs toen duidelijk werd dat ze dat niet zouden doen, zelfs toen zijn hoop was verzuurd, was hij niet in staat zich uit hun greep los te maken, niet in staat weg te gaan. Er zit een soort symmetrie in zijn relatie met Caleb: ze zijn de geschondene en de schender, de wankelende hoop afval en de jakhals die hem doorsnuffelt. Ze bestaan alleen voor elkaar: hij heeft met niemand uit Calebs leven kennisgemaakt en niemand uit zijn leven voorgesteld aan Caleb. Ze weten allebei dat wat ze doen schandelijk is. Wat hen bindt is hun wederzijdse weerzin en ongemak: Caleb tolereert zijn lichaam en hij tolereert Calebs walging.

Hij heeft altijd geweten dat hij, als hij een relatie met iemand wilde, iets in ruil zou moeten geven. En hij weet dat hij nooit iets beters dan Caleb zal kunnen krijgen. In elk geval is Caleb niet pervers, geen sadist. Alles wat nu met hem gedaan wordt, is al eerder met hem gedaan; dat houdt hij zichzelf keer op keer voor.

Eind september gaat hij een weekend naar het strandhuis van Calebs kennis in Bridgehampton, waar Caleb tot begin oktober bivakkeert. De presentatie van de voorjaarscollectie van Rothko is goed verlopen en Caleb is de laatste tijd ontspannener, zelfs lief tegen hem. Hij heeft hem maar één keer opnieuw geslagen, een klap met zijn vuist tegen zijn borstbeen waardoor hij op de grond viel, maar heeft onmiddellijk daarna zijn verontschuldigingen aangeboden. Verder is er niets noemenswaardigs gebeurd: Caleb slaapt 's woensdags en donderdags in Greene Street en neemt op vrijdag de auto naar de kust. Hij gaat vroeg naar kantoor en blijft daar tot 's avonds laat. Na zijn succes met Malversant & Patser had hij verwacht het eventjes rustig aan te kunnen doen, maar dat is niet zo: er is een nieuwe cliënt, een investeringsbedrijf dat wordt verdacht van aandelenfraude, en nog steeds voelt hij zich schuldig als hij eens een zaterdag vrij neemt.

Behalve dat schuldgevoel is het een perfecte zaterdag en ze brengen het grootste deel van de dag buiten door, allebei aan het werk. 's Avonds legt Caleb steaks op de grill. Hij zingt erbij, en hij onderbreekt zijn werk om naar hem te luisteren en weet dat ze allebei gelukkig zijn en dat voor heel even al hun ambivalentie ten aanzien van elkaar niet meer dan een vlokje stof is, vluchtig en gewichtloos. Die avond gaan ze vroeg naar bed, Caleb dwingt hem niet tot seks en hij slaapt diep, beter dan hij in weken geslapen heeft.

Maar de volgende ochtend merkt hij al voor hij helemaal wakker is dat de pijn in zijn voeten is teruggekeerd. Die was twee weken geleden totaal onverwachts verdwenen, maar nu is hij er weer, en als hij opstaat merkt hij ook dat het erger is geworden: het is alsof zijn benen bij zijn enkels ophouden en zijn voeten tegelijk gevoelloos zijn en hevig pijn doen. Om te kunnen lopen moet hij ernaar kijken; hij heeft visuele informatie nodig om te weten dat hij een voet optilt en ook weer dat hij hem neerzet.

Hij zet tien stappen, maar elke stap gaat moeizamer: de beweging is zo lastig en kost zo veel mentale energie dat hij misselijk wordt en weer op de rand van het bed neerzakt. Laat Caleb je zo niet zien, waarschuwt hij zichzelf, maar dan herinnert hij zich: Caleb is gaan rennen, zoals elke ochtend. Hij is alleen.

Dus hij heeft wat tijd. Hij sleept zich met behulp van zijn armen naar de badkamer en onder de douche. Hij denkt aan de reserverolstoel in zijn auto. Caleb zal er toch geen bezwaar tegen hebben dat hij die haalt, vooral niet als hij er verder gezond uitziet en dit kan doen voorkomen als een kleine terugval, wat probleempjes, alleen vandaag. Hij was van plan de volgende ochtend heel vroeg terug te rijden naar de stad, maar als het nodig is kan hij ook eerder gaan, al wil hij dat liever niet; het was gisteren zo fijn. Misschien kan het vandaag weer zo worden.

Hij zit aangekleed op de bank in de huiskamer te wachten en te doen alsof hij een processtuk leest als Caleb terugkomt. In wat voor stemming is niet meteen duidelijk, maar gewoonlijk is hij na het rennen goedgehumeurd, ja zelfs toegeeflijk.

'Ik heb wat van de overgebleven steak in plakjes gesneden,' zegt hij tegen Caleb. 'Zal ik eieren voor je bakken?'

'Nee, laat mij maar,' zegt Caleb.

'Hoe ging het rennen?'

'Lekker. Super.'

'Caleb,' zegt hij en hij probeert zijn toon luchtig te houden, 'hoor eens… ik heb een probleempje met mijn voeten; alleen maar wat neveneffecten van een zenuwbeschadiging die af en toe opspeelt, maar lopen gaat nu echt heel moeilijk. Vind je het erg als ik de rolstoel uit mijn auto haal?'

Caleb zegt een tijdje niets en drinkt alleen zijn flesje water leeg. 'Maar je kunt nog wel lopen, toch?'

Hij dwingt zichzelf Calebs blik te beantwoorden. 'Nou… op zich wel. Maar…'

'Jude,' zegt Caleb, 'ik weet dat je arts het hier waarschijnlijk niet mee eens is, maar ik moet zeggen dat ik het een beetje… wat zal ik zeggen… slap vind dat jij altijd maar de makkelijkste weg neemt. Ik denk dat je soms gewoon je kiezen op elkaar moet zetten, snap je? Dit is nou precies wat ik bedoelde met mijn ouders: altijd maar toegeven aan het minste pijntje. Volgens mij moet je gewoon even doorzetten. Als je kúnt lopen, doe het dan ook. Je moet niet de hele tijd zielig gaan doen als je weet dat het niet nodig is.'

'O,' zegt hij. 'Oké. Ik begrijp het.' Hij schaamt zich diep, alsof hij zojuist iets smerigs en illegaals heeft gevraagd.

'Ik ga even douchen,' zegt Caleb na een stilte, en hij loopt weg.

De rest van de dag probeert hij zich zo min mogelijk te bewegen en Caleb vraagt niets van hem, alsof hij geen reden wil hebben om boos op hem te worden. Caleb maakt de lunch klaar, die ze samen opeten op de bank, terwijl ieder op zijn eigen laptop zit te werken. De keuken en woonkamer vormen één grote zonnige ruimte, met ramen over de hele lengte die uitzien op het gazon en daarachter het strand, en als Caleb in de keuken met het avondeten bezig is en met zijn rug naar hem toe staat, benut hij die tijd om zich als een worm naar het toilet op de gang toe te werken. Hij wil naar de slaapkamer gaan om meer aspirine uit zijn tas te halen, maar dat is te ver, en in plaats daarvan wacht hij op zijn knieën in de deuropening tot Caleb zich weer naar het fornuis toekeert, om dan terug te kruipen naar de bank, waar hij de hele dag heeft gezeten.

'Eten,' roept Caleb, en hij haalt diep adem en duwt zichzelf omhoog, tot stand. Zijn voeten zijn zwaar en log als blokken beton, en terwijl hij ze in het oog houdt begint hij aan de tocht naar de tafel. Voor zijn gevoel duurt het minuten, uren voor hij bij de stoel is, en op zeker moment kijkt hij op en ziet hij dat Caleb naar hem kijkt met gespannen kaken en een uitdrukking die op haat lijkt.

'Schiet op,' zegt Caleb.

Ze eten in stilte. Hij houdt het nauwelijks uit. Het geschraap van het mes over het bord: ondraaglijk. Het geknap van een sperzieboon die onnodig hard wordt doorgebeten door Caleb: ondraaglijk. Het gevoel van voedsel in zijn mond, dat verandert in een klont naamloos vlezig beest: ondraaglijk.

'Caleb,' begint hij heel zacht, maar Caleb geeft geen antwoord, duwt alleen zijn stoel naar achteren, staat op en loopt naar de gootsteen.

'Breng me je bord,' zegt Caleb en hij kijkt toe. Langzaam staat hij op en begint aan de lange reis naar de keuken, goed kijkend waar hij zijn voet neerzet voor hij aan een nieuwe stap begint.

Later zal hij zich afvragen of hij het moment forceerde, of hij die twintig stappen met een beetje meer concentratie had kunnen zetten zonder te vallen. Maar dat is niet wat er gebeurt. Hij brengt zijn rechtervoet een halve seconde eerder in beweging dan zijn linkervoet is geland en hij valt, en het bord valt voor hem aan diggelen op de vloer. En dan, zo vliegensvlug alsof hij het heeft zien aankomen, staat daar Caleb, trekt hem aan zijn haren omhoog en geeft hem met zijn vuist een klap in het gezicht, zo hard dat hij door de lucht vliegt en als hij neerkomt met zijn schedelbasis de rand van de tafel raakt. Door zijn val gaat de fles wijn omver en de inhoud gutst over de vloer, waarop Caleb een brul uitstoot, de fles beetpakt en hem er een klap mee in zijn nek geeft.

'Caleb,' zegt hij, happend naar adem, 'alsjeblieft, alsjeblieft!' Hij is nooit iemand geweest die om genade smeekte, zelfs niet als kind, maar op de een of andere manier is hij toch zo geworden. Als kind gaf hij weinig om zijn leven, en op dit moment zou hij willen dat dat nog steeds zo was. 'Alsjeblieft,' zegt hij. 'Caleb, vergeef me, alsjeblieft... Het spijt me, het spijt me.'

Maar Caleb, dat weet hij, is niet langer een mens. Hij is een wolf, een coyote. Hij is één bonk spierkracht en razernij. En voor Caleb is hij niets, een prooi, een wegwerpding. Hij wordt naar de rand van de bank gesleept en weet wat er nu gaat komen. Maar toch blijft hij smeken. 'Alsjeblieft, Caleb. Niet doen, Caleb, alsjeblieft.'

Als hij weer bijkomt ligt hij op de grond achter de bank en is het stil om hem heen. 'Hallo?' roept hij, zich ergerend aan het trillen van zijn stem, maar hij hoort niets. Hij hoeft ook niets te horen; op de een of andere manier weet hij dat hij alleen is.

Hij gaat rechtop zitten. Hij trekt zijn onderbroek en broek omhoog en buigt zijn vingers, zijn handen, brengt zijn knieën naar zijn borst en weer terug, beweegt zijn schouders naar voren en naar achteren en draait zijn hoofd naar links en naar rechts. In zijn nek zit iets plakkerigs, maar als hij kijkt wat het is ziet hij tot zijn opluchting geen bloed, maar wijn. Alles doet pijn, maar niets is gebroken.

Hij kruipt naar de slaapkamer, knapt zich snel op in de badkamer, pakt zijn spullen en stopt ze in zijn tas. Hij haast zich naar de deur. Heel even is hij bang dat zijn auto is verdwenen en hij vastzit, maar de auto staat naast die van Caleb op hem te wachten. Hij kijkt op zijn horloge: het is middernacht.

Op handen en knieën baant hij zich een weg over het gazon, met zijn tas pijnlijk over een schouder geslingerd; de zestig meter tussen het terras en de auto worden kilometers. Hij is zo moe dat hij wil uitrusten, maar weet dat hij dat niet moet doen.

In de auto kijkt hij niet in de spiegel; hij start de motor en rijdt weg. Maar een half uur later, zodra hij weet dat hij ver genoeg van het huis vandaan is, begint hij zo hevig te trillen dat de auto slingert, en hij stopt langs de kant van de weg en legt zijn voorhoofd op het stuur.

Hij wacht tien, twintig minuten. Dan draait hij zich om, hoewel alleen al die beweging een marteling is, en haalt de telefoon uit zijn tas. Hij toetst het nummer van Willem in en wacht.

'Jude!' zegt Willem verbaasd. 'Ik wilde je net bellen.'

'Ha Willem,' zegt hij, en hij hoopt dat zijn stem normaal klinkt. 'Zeker telepathie.'

Ze praten een paar minuten en dan vraagt Willem: 'Is alles oké?'

'Natuurlijk,' zegt hij.

'Je klinkt een beetje raar.'

Willem, wil hij zeggen. Willem, was je maar hier. Maar in plaats daarvan zegt hij: 'Sorry, ik heb een beetje hoofdpijn.'

Ze praten nog even verder, en vlak voor ze ophangen vraagt Willem: 'Weet je zeker dat alles oké is?'

'Ja,' zegt hij. 'Het gaat prima.'

'Oké,' zegt Willem. 'Oké.' En dan: 'Nog vijf weken.'

'Nog vijf.' Hij verlangt zo intens naar Willem dat hij nauwelijks lucht krijgt.

Nadat ze hebben opgehangen wacht hij nog tien minuten tot het trillen is weggeëbd. Dan start hij de auto en rijdt door naar huis.

De volgende dag dwingt hij zichzelf in de badkamerspiegel te kijken en slaakt bijna een kreet van schaamte, verdriet en ontzetting. Hij ziet er zo toegetakeld, zo onthutsend lelijk uit dat het zelfs voor zijn doen extreem is. Hij maakt zich zo toonbaar mogelijk en trekt zijn favoriete pak aan. Caleb heeft hem in zijn zij geschopt en elke beweging, elke ademhaling doet zeer. Voor hij van huis gaat maakt hij een afspraak bij de tandarts, want hij voelt dat een van zijn voortanden loszit, en ook een afspraak met Andy voor die avond.

Hij gaat naar zijn werk. 'Deze look flatteert je niet, St. Francis,' zegt een van de andere senior partners, die hij graag mag, tijdens het ochtendoverleg van het managementteam, en iedereen lacht.

Hij glimlacht geforceerd. 'Ik ben bang dat je gelijk hebt,' zegt hij. 'En helaas moet ik jullie meedelen dat mijn carrière als toekomstig paralympisch tenniskampioen voortijdig is gesneuveld.'

'Ik ben er niet rouwig om,' zegt Lucien terwijl iedereen rond de tafel overdreven teleurgestelde geluiden maakt. 'Jij krijgt je portie agressie wel in de rechtbank. Van nu af aan moet dat maar je enige vechtsport zijn.'

Die avond in Andy's praktijk krijgt hij de volle laag. 'Wat zei ik nou over dat tennissen, Jude?'

'Ik weet het,' antwoordt hij. 'Ik doe het nooit meer, Andy. Beloofd.'

'Wat is dit?' vraagt Andy terwijl hij zijn vingers op zijn nek legt.

Hij slaakt een theatrale zucht. 'Ik draai me om en ineens krijg ik zo'n gemene backhand in mijn nek.' Hij wacht tot Andy iets zegt, maar dat doet hij niet, hij smeert de wond alleen in met antibiotische zalf en doet er een verband over.

De volgende dag wordt hij op zijn werk door Andy gebeld. 'Ik moet je even persoonlijk spreken,' zegt Andy. 'Het is belangrijk. Kunnen we ergens afspreken?'

Hij is verontrust. 'Is alles goed?' vraagt hij. 'Is er iets met je aan de hand, Andy?'

'Met mij is alles oké,' zegt Andy, 'maar ik moet je spreken.'

Aan het eind van de middag neemt hij een vroege eetpauze en ze treffen elkaar in een café vlak bij zijn kantoor dat gefrequenteerd wordt door de Japanse bankiers die in de toren naast die van Rosen Pritchard werken. Als hij aankomt zit Andy er al, en hij legt zachtjes zijn hand op zijn ongeschonden wang.

'Ik heb een biertje voor je besteld,' zegt Andy.

Ze drinken in stilte en dan zegt Andy: 'Jude, ik wilde je gezicht zien als ik je dit vroeg. Maar doe je… doe je dit zelf, die verwondingen?'

'Wat?' vraagt hij verbaasd.

'Die tennisongelukjes,' zegt Andy, 'is dat eigenlijk iets anders? Gooi je jezelf van de trap of tegen een muur of zo?' Hij haalt diep adem. 'Ik weet dat je dat als kind hebt gedaan. Doe je het nu weer?'

'Nee, Andy,' zegt hij. 'Nee. Ik doe dit niet zelf. Ik zweer het je. Ik zweer het je bij… bij Harold en Julia. Ik zweer het je bij Willem.'

'Oké,' zegt Andy en hij laat zijn adem los. 'Ik bedoel, dat is een hele opluchting. Een hele opluchting om te weten dat je alleen maar een stijfkop bent die niet naar z'n arts luistert, wat natuurlijk niets nieuws is. En eentje die duidelijk niet kan tennissen.' Andy glimlacht en hij dwingt zichzelf terug te lachen.

Andy bestelt nog twee biertjes en een tijdlang zeggen ze niets. 'Weet je, Jude,' zegt Andy langzaam, 'ik breek me al jarenlang het hoofd over de vraag wat ik met jou aan moet. Nee, niets zeggen, laat me even uitpraten. Ik heb al heel wat nachten wakker gelegen – en nog steeds – met de vraag of ik wel de juiste beslissingen neem als het om jou gaat: ik heb al zo vaak op het punt gestaan om je te laten opnemen, om Harold of Willem te bellen en ze te zeggen dat we de koppen bij elkaar moeten steken en jou naar een ziekenhuis moeten brengen. Ik heb gepraat met studiegenoten van me die psychiater zijn en ze verteld over jou, over die patiënt die me zo na aan het hart ligt, en ze gevraagd wat zij in mijn positie zouden doen. Ik heb al hun adviezen aangehoord. Ik heb zelfs mijn eigen psychiater om advies gevraagd. Maar niemand kan me met zekerheid zeggen wat het juiste antwoord is.

Ik pieker me er al tijden suf over. Maar ik heb altijd gedacht… In zo veel opzichten functioneer je op zo'n hoog niveau, en je hebt zo'n bizarre maar onmiskenbaar succesvolle balans in je leven bereikt dat ik dacht dat ik het, weet ik veel, niet in de war moest schoppen. Snap je? Dus ik heb je met dat snijden jaar in, jaar uit je gang laten gaan, en elk jaar, elke keer dat ik je zie, vraag ik me af of ik daar wel goed aan doe en of – en zo ja, hoe – ik niet meer zou moeten doen om te zorgen dat je hulp krijgt, om te zorgen dat je ophoudt jezelf zo te mishandelen.'

'Sorry, Andy,' fluistert hij.

'Nee Jude,' zegt Andy. 'Het is niet jouw schuld. Jij bent de patiënt. Het is mijn taak om uit te zoeken wat het beste voor jou is, en ik heb het gevoel… Ik weet niet of ik dat wel goed doe. Dus toen jij binnenkwam met een bont en blauw gezicht was het eerste wat ik dacht dat ik toch de verkeerde beslissing had genomen. Snap je dat?' Andy kijkt hem aan en opnieuw ziet hij hem tot zijn verbazing vluchtig zijn ogen afvegen. 'Al die jaren,' zegt Andy, en ze zwijgen weer allebei.

'Andy,' zegt hij, en hij kan zelf wel huilen. 'Ik zweer je dat ik mezelf niets aandoe. Alleen maar snijden.'

'Alleen maar snijden!' herhaalt Andy, en hij lacht met een vreemd schril geluid. 'Nou, gezien de context is dat waarschijnlijk een reden om blij te zijn. "Alleen maar snijden." Je snapt toch wel hoe verknipt het is, hè, dat dat zo'n opluchting voor me is?'

'Ik snap het,' zegt hij.

De dinsdag verglijdt in de woensdag en dan de donderdag; de pijn in zijn gezicht wordt erger, neemt af en wordt weer erger. Hij heeft zich er zorgen over gemaakt dat Caleb misschien zou bellen, of erger nog, ineens voor de deur zou staan, maar de dagen gaan voorbij en dat gebeurt niet; misschien is hij in Bridgehampton gebleven. Misschien is hij overreden door een auto. Gek genoeg merkt hij dat hij niets voelt: geen angst, geen haat, helemaal niets. Het ergste is gebeurd en nu is hij vrij. Hij heeft een relatie gehad en het was afschuwelijk, en nu hoeft hij er nooit meer aan te beginnen, want hij heeft zichzelf nu wel bewezen dat hij er niet toe in staat is. Zijn tijd met Caleb heeft al zijn angsten bevestigd over wat anderen van hem en zijn lichaam vinden, en zijn volgende taak is dat te leren accepteren, en wel zonder verdriet. Hij weet dat hij zich in de toekomst nog steeds eenzaam zal voelen, maar nu heeft hij een antwoord op die eenzaamheid: nu weet hij zeker dat eenzaamheid beter is dan wat het ook moge zijn – doodsangst, schaamte, afkeer, ontzetting, vervoering, opwinding, verlangen, verachting – dat hij bij Caleb voelde.

Die vrijdag heeft hij afgesproken met Harold, die in de stad is voor een symposium op de universiteit. Hij had Harold al geschreven om hem te waarschuwen voor hoe hij eruitziet, maar die reageert evengoed met geschokte uitroepen en overdreven bezorgdheid en vraagt hem wel tien keer of het echt wel gaat.

Ze hebben afgesproken in een van Harolds favoriete restaurants, waar het vlees afkomstig is van runderen die de chef eigenhandig heeft grootgebracht op een farm ten noorden van de stad en de groenten van de daktuin op het gebouw, en terwijl ze zitten te praten en hun voorgerecht eten – hij zorgt ervoor alleen rechts te kauwen en zijn nieuwe tand te ontzien – merkt hij dat er iemand naast hun tafel staat; als hij opkijkt ziet hij dat het Caleb is, en hoewel hij zichzelf heeft wijsgemaakt dat hij niets voelt, wordt hij onmiddellijk overspoeld door een hevige angst.

In hun tijd samen heeft hij Caleb nooit dronken meegemaakt, maar hij weet direct dat hij dat nu is, en dat hij in een gevaarlijke bui is. 'Je secretaresse heeft me verteld waar je was,' zegt Caleb. 'Jij bent zeker Harold,' zegt hij en hij steekt zijn hand uit naar Harold, die het gebaar met een verbijsterde uitdrukking op zijn gezicht beantwoordt.

'Jude?' zegt Harold, maar hij kan geen woord uitbrengen.

'Caleb Porter,' zegt Caleb, en hij schuift naast hem op de bank in hun halfronde zitje, dicht tegen hem aan. 'Je zoon en ik hebben verkering.'

Harold kijkt beurtelings naar Caleb en naar hem en opent zijn mond, sprakeloos voor het eerst sinds hij hem kent.

'Nou moet je me toch eens wat vertellen,' zegt Caleb tegen Harold, terwijl hij zich naar hem vooroverbuigt alsof hij hem een geheim wil vertellen, en hij staart naar Calebs vosachtig knappe gezicht met de donkere, glinsterende ogen. 'Zeg eens eerlijk, zou je soms niet liever een normale zoon willen hebben en geen mankepoot?'

Een moment zegt niemand een woord, en hij voelt iets, een elektrische stroom, door de lucht knetteren. 'Wie ben jij in godsnaam?' sist Harold, en dan ziet hij hoe Harolds uitdrukking verandert, de verbijstering op zijn gezicht slaat zo snel om in afkeer en daarna woede dat hij er heel even niet meer uitziet als een mens, maar als een demon in Harolds kleren. En dan verandert zijn gelaatsuitdrukking opnieuw en ziet hij dat iets in Harolds gezicht verhardt, alsof zijn spieren ter plekke verstenen.

'Jij hebt dit gedaan,' zegt hij heel langzaam tegen Caleb. En dan, ontzet, tegen hem: 'Het was geen tennis, hè, Jude. Deze vent heeft dit gedaan.'

'Harold, niet...' begint hij, maar Caleb heeft zijn pols gepakt en knijpt er zo hard in dat hij het gevoel heeft dat die elk moment kan breken. 'Vuile leugenaar,' zegt hij. 'Je bent een mankepoot en een leugenaar en je kan helemaal niks in bed. En je had gelijk: je bent walgelijk. Niet om aan te zien.'

'Maak godverdomme dat je wegkomt,' zegt Harold tussen zijn opeengeklemde kaken door. Ze spreken alle drie op fluistersterkte, maar het gesprek voelt zo luid en de rest van het restaurant zo stil dat hij zeker weet dat iedereen hen kan horen.

'Harold, niet doen,' smeekt hij. 'Hou op, alsjeblieft.'

Maar Harold luistert niet. 'Ik bel de politie,' zegt hij, en Caleb schuift van de bank en staat op, en ook Harold staat op. 'Maak dat je wegkomt, en gauw,' herhaalt Harold, en nu kijkt echt iedereen hun kant op, en hij schaamt zich zo diep dat hij misselijk wordt.

'Harold,' dringt hij aan.

Aan de onvaste manier waarop Caleb zich beweegt ziet hij dat hij stomdronken is; hij geeft Harold een duw tegen zijn schouder en Harold staat op het punt hem een duw terug te geven als hij eindelijk zijn stem hervindt en 'Harold!' roept, en Harold keert zich naar hem toe en laat zijn arm zakken. Dan kijkt Caleb hem aan met dat glimlachje van hem, draait zich om en loopt weg, tussen een paar obers door die stilletjes om hem heen zijn komen staan.

Harold staat een moment lang naar de deur te staren, en dan loopt hij Caleb achterna, maar als hij wanhopig 'Harold!' roept, komt hij terug.

'Jude...' begint Harold, maar hij schudt zijn hoofd. Hij is zo boos, zo ziedend dat zijn vernedering haast wordt overstemd door zijn woede. Om hen heen worden de conversaties hervat. Hij geeft hun ober een seintje, overhandigt zijn creditcard en krijgt hem voor zijn gevoel binnen een paar tellen terug. Vandaag heeft hij zijn rolstoel niet bij zich, een feit dat hem van een enorme, bittere dankbaarheid vervult, en bij het verlaten van het restaurant heeft hij het gevoel dat hij nog nooit zo lichtvoetig is geweest, zich nog nooit zo snel en doelgericht heeft voortbewogen.

Buiten giet het. Zijn auto staat een blok verderop en hij schuifelt naast een zwijgende Harold over het trottoir. Hij is zo witheet dat hij Harold het liefst niet eens een lift zou geven, maar ze zijn in Oost-Manhattan, vlak bij Avenue A, en in deze regen zal Harold nooit een taxi kunnen vinden.

'Jude,' zegt Harold zodra ze in de auto zitten, maar hij onderbreekt hem zonder zijn blik van de weg af te wenden. 'Ik heb je gesméékt je mond te houden, Harold,' zegt hij. 'Maar je moest zo nodig. Waarom, Harold? Is mijn leven voor jou soms één grote grap? Zijn mijn problemen voor jou alleen maar een podium om de held uit te hangen?' Hij weet zelf niet eens wat hij bedoelt, heeft geen idee wat hij wil zeggen.

'Nee, Jude, natuurlijk niet,' zegt Harold op kalme toon. 'Het spijt me... ik kon me niet inhouden.'

Om de een of andere reden kalmeert hem dat, en gedurende een paar blokken luisteren ze zwijgend naar het zwiepen van de ruitenwissers.

'Heb je echt wat met hem gehad?' vraagt Harold.

Hij geeft een stroef, afgemeten knikje. 'Maar nu niet meer?' vraagt Harold, en hij schudt zijn hoofd. 'Goed,' mompelt Harold. En dan, heel zachtjes: 'Heeft hij je geslagen?'

Hij moet wachten tot hij zichzelf weer onder controle heeft voor hij kan antwoorden. 'Een paar keer maar,' zegt hij.

'O, Jude,' zegt Harold met een stem die hij nog nooit van hem heeft gehoord.

'Mag ik je toch nog één ding vragen?' zegt Harold als ze voorbij 6th

Avenue zijn en langzaam 15th Street in rijden. 'Waarom wilde je een relatie met iemand die je zo behandelde?'

Hij rijdt nog een blok verder zonder antwoord te geven, bezig te bedenken wat hij daarop zou kunnen zeggen, hoe hij zijn motieven zo zou kunnen verwoorden dat Harold ze zou begrijpen. 'Ik was eenzaam,' zegt hij ten slotte.

'Jude,' zegt Harold, en dan onderbreekt hij zichzelf. 'Dat begrijp ik. Maar waarom hij?'

'Harold,' zegt hij, en hij hoort hoe vreselijk, hoe miserabel hij klinkt, 'als je er zo uitziet als ik, kun je niet al te kieskeurig zijn.'

Er volgt weer een stilte, en dan zegt Harold: 'Stop eens even.'

'Wat?' zegt hij. 'Dat kan niet. Er zitten auto's achter me.'

'Stoppen,' herhaalt Harold, en als hij doorrijdt buigt Harold zich voor hem langs, geeft het stuur een ruk naar rechts en parkeert de auto op een lege plaats voor een brandkraan. De bestuurder achter hen rijdt met een langgerekt, waarschuwend getoeter voorbij.

'Jezus, Harold!' gilt hij. 'Wat doe je in godsnaam? Dat scheelde helemaal niks!'

'Luister naar me, Jude,' zegt Harold langzaam, en hij wil hem bij zijn schouder pakken, maar hij drukt zich tegen het raampje, weg van Harolds handen. 'Jij bent de mooiste, de allermooiste persoon die ik ooit van mijn leven heb ontmoet.'

'Hou op,' zegt hij, 'hou op. Hou alsjeblieft op.'

'Kijk me aan, Jude,' zegt Harold, maar dat kan hij niet. 'Echt waar. Ik kan wel janken dat jij dat niet ziet.'

'Harold,' zegt hij bijna kermend, 'alsjeblieft, alsjeblieft. Als je ook maar iets om me geeft, hou dan op.'

'Jude,' zegt Harold en hij steekt zijn hand weer naar hem uit, maar hij krimpt ineen en brengt zijn armen omhoog om zich te beschermen. Vanuit zijn ooghoeken ziet hij dat Harold langzaam zijn hand laat zakken.

Na een tijdje legt hij zijn handen weer om het stuur, maar ze trillen zo dat hij de auto niet kan starten, dus hij stopt ze onder zijn bovenbenen en wacht. 'O, god,' hoort hij zichzelf telkens zeggen, 'o, god.'

'Jude,' zegt Harold opnieuw.

'Laat me met rust, Harold,' zegt hij, en nu klapperen zijn tanden ook en is het lastig om te praten. 'Alsjeblieft.'

Minutenlang zitten ze daar in stilte. Hij concentreert zich op het geluid van de regen, het verkeerslicht dat op rood, groen en oranje springt, en hij telt zijn ademhalingen. Ten slotte houdt het trillen op. Hij start de auto en rijdt in westelijke richting en dan naar het noorden, naar Harolds appartement.

'Blijf vannacht hier,' zegt Harold terwijl hij zich naar hem toe draait, maar hij schudt zijn hoofd en staart voor zich uit. 'Kom dan in elk geval mee naar boven voor een kop thee en wacht even tot je je wat beter voelt,' maar hij schudt weer zijn hoofd. 'Jude,' zegt Harold, 'het spijt me echt, alles, de hele toestand.' Hij knikt, maar kan nog steeds niets uitbrengen. 'Bel je me als ik iets kan doen?' dringt Harold aan, en hij knikt nogmaals. En dan brengt Harold langzaam, alsof hij een wild dier is, zijn hand omhoog en streelt hem tweemaal over zijn achterhoofd alvorens uit te stappen en het portier zachtjes te sluiten.

Hij neemt de West Side Highway naar huis. Hij heeft zo veel pijn, voelt zich zo leeg; maar nu is zijn vernedering compleet. Dit is wel genoeg straf, denkt hij, zelfs voor hem. Hij gaat naar huis, zich snijden, en dan zal hij een begin maken met het vergeten van dit alles, vooral deze avond, maar ook de vier maanden die eraan vooraf zijn gegaan.

In Greene Street zet hij de auto in de parkeergarage en zoeft in de lift langs de stille verdiepingen omhoog, zich vastklampend aan de traliedeur; anders zou hij op de grond zakken, zo moe is hij. Richard is voor dat hele najaar als gastkunstenaar in Rome en het gebouw omgeeft hem als een graftombe.

Hij stapt zijn donkere appartement binnen en tast naar de lichtknop, als iets hem hard raakt op de gezwollen helft van zijn gezicht en hij zelfs in het donker zijn nieuwe tand door de lucht ziet vliegen.

Het is natuurlijk Caleb, hij hoort hem en ruikt zijn adem nog voordat Caleb de masterschakelaar omzet en het appartement ineens in een duizelingwekkend schijnsel baadt, feller dan daglicht; hij kijkt op en ziet Caleb boven hem uittorenen, op hem neerkijken. Zelfs dronken is hij nog beheerst, en nu is zijn dronkenschap deels door razernij verdreven en is zijn blik star en gefocust. Hij voelt dat Caleb hem bij zijn haar grijpt, voelt dat hij een klap krijgt tegen de rechterkant – de goede kant – van zijn gezicht, voelt dat zijn hoofd naar achteren slaat.

Caleb heeft nog steeds niets gezegd, en nu sleurt hij hem naar de bank, de enige geluiden zijn Calebs gestage ademhaling en zijn eigen verstikte happen naar lucht. Caleb duwt hem met zijn gezicht in de kussens en houdt zijn hoofd met één hand vast, terwijl hij met zijn vrije hand aan zijn kleren begint te sjorren. Dan raakt hij in paniek en stribbelt tegen, maar Caleb drukt een arm tegen zijn nek zodat hij verlamd is en niet meer kan bewegen; hij voelt hoe hij stukje bij beetje aan de lucht wordt blootgesteld – zijn rug, zijn armen, de achterkant van zijn benen – en als alles uit is, trekt Caleb hem weer overeind en duwt hem weg, maar hij valt en landt op zijn rug.

'Sta op,' zegt Caleb. 'Nu.'

Hij gehoorzaamt; er stroomt iets uit zijn neus, bloed of slijm, dat zijn ademhaling belemmert. Hij staat rechtop; nog nooit heeft hij zich zo naakt, zo kwetsbaar gevoeld. Toen hij klein was kon hij uit zijn lichaam treden en ergens anders naartoe gaan als hem dingen overkwamen. Dan deed hij alsof hij een zielloos ding was, een gordijnroede, een ventilator aan het plafond, een emotieloze, niets voelende getuige van de scène die zich onder hem afspeelde. Hij bekeek zichzelf zonder ook maar iets te voelen: geen medelijden, geen boosheid, niets. Maar nu merkt hij dat hij zichzelf, hoe hij het ook probeert, hier niet weg kan krijgen. Hij is in dit appartement, zíjn appartement, hij staat voor een man die hem minacht en hij weet dat dit het begin en niet het einde is van een lange nacht, een nacht die hij over zich heen zal moeten laten komen. Hij heeft over deze nacht geen controle, hij zal die niet kunnen tegenhouden.

'Mijn god,' zegt Caleb nadat hij een tijdje naar hem heeft staan kijken; dit is de eerste keer dat hij hem helemaal naakt ziet. 'Mijn god, je bent dus echt mismaakt. Het is echt waar.'

Om de een of andere reden worden ze hierdoor, door deze uitspraak, beiden bij zinnen gebracht, en hij merkt dat hij voor het eerst in tientallen jaren huilt. 'Alsjeblieft,' zegt hij. 'Alsjeblieft, Caleb, het spijt me.' Maar Caleb heeft hem al in zijn nek gegrepen en duwt hem, sleept hem half, naar de voordeur. Ze stappen in de lift, gaan naar beneden en dan wordt hij de lift uit gesleurd en door de gang in de richting van de buitendeur geduwd. Hij is intussen hysterisch, hij vraagt Caleb keer op keer op smekende toon wat hij doet, wat hij gaat doen. Bij de deur tilt Caleb hem op, een moment lang wordt zijn gezicht omlijst door het vieze raampje dat uitkijkt op Greene Street, en dan trekt Caleb de deur open en wordt hij in zijn blote lijf naar buiten geduwd, de straat op.

'Nee!' schreeuwt hij, half binnen, half buiten. 'Caleb, alsjeblieft!' Hij slingert heen en weer tussen uitzinnige hoop en radeloze angst dat er iemand voorbijkomt. Maar het regent te hard, er komt niemand voorbij. De regen klettert in een woest patroon op zijn gezicht.

'Smeek het me,' schreeuwt Caleb om boven de regen uit te komen, en dat doet hij, op verzoenende toon. 'Smeek me te blijven,' beveelt Caleb. 'Bied je verontschuldigingen aan,' en dat doet hij keer op keer terwijl zijn mond volloopt met zijn eigen bloed, zijn eigen tranen.

Ten slotte wordt hij naar binnen gehaald en terug naar de lift gesleurd, waar Caleb dingen tegen hem zegt en hij zich steeds maar blijft verontschuldigen, Caleb nazeggend zoals hem bevolen wordt: 'Ik ben afstotelijk. Ik ben walgelijk. Ik ben waardeloos. Het spijt me, het spijt me.'

In het appartement laat Caleb hem los en hij valt, zijn benen zakken onder hem weg en Caleb schopt hem zo hard in zijn buik dat hij overgeeft, en dan nog eens in zijn rug, en hij glijdt over die prachtige, schone vloeren van Malcolm het braaksel in. Zijn mooie appartement, denkt hij, waar hij altijd veilig is geweest. Dit overkomt hem in zijn mooie appartement, te midden van zijn mooie spullen, spullen die hem in vriendschap gegeven zijn, spullen die hij heeft gekocht met zelfverdiend geld. Zijn mooie appartement met zijn afsluitbare deuren, waar hij gevrijwaard had moeten zijn van kapotte liften en de vernedering zichzelf op zijn armen naar boven te moeten slepen, waar hij zich altijd menselijk en ongeschonden had moeten voelen.

Dan wordt hij weer opgetild en verplaatst, maar het is moeilijk te zien waarheen: zijn ene oog zit al dicht en door het andere ziet hij wazig, zijn gezichtsvermogen valt steeds even weg.

Maar dan dringt het tot hem door dat Caleb hem naar de deur van de brandtrap sleept. Dat is het enige authentieke detail van de oude loft dat Malcolm heeft behouden, omdat dat moest, maar ook omdat het nononsensekarakter, de onverhulde lelijkheid hem beviel. Nu schuift Caleb de grendel opzij en staat hij ineens boven aan de donkere, steile trap. 'Als een afdaling naar de hel,' herinnert hij zich Richards commentaar. Aan één kant is hij plakkerig van het braaksel, en hij voelt andere dingen stromen – wat, daar wil hij niet aan denken – langs andere lichaamsdelen: zijn gezicht, zijn hals, zijn bovenbenen.

Hij jammert nu van pijn en angst en klampt zich vast aan het deurkozijn, en dan hoort hij, meer dan dat hij het ziet, dat Caleb een paar stappen naar achteren zet en op hem af stormt, en even later wordt hij in zijn rug getrapt en vliegt hij het gat van de brandtrap in.

Terwijl hij door de lucht zeilt denkt hij ineens aan dr. Kashen. Of niet per se aan dr. Kashen, maar aan de vraag die Kashen hem stelde toen hij bij hem solliciteerde naar een promotieplaats: 'Wat is jouw favoriete axioma?' (Dé gespreksopener van nerds, had CM ooit gezegd.)

'Het axioma van gelijkheid,' had hij gezegd, en Kashen had goedkeurend geknikt. 'Dat is een mooie.'

Volgens het axioma van gelijkheid is x altijd gelijk aan x: het gaat ervan uit dat als je een theoretisch iets hebt, genaamd x, dit altijd gelijkwaardig aan zichzelf moet zijn, dat het iets uniek heeft, iets wat zo onreduceerbaar is dat aangenomen mag worden dat het voor altijd absoluut, onveranderbaar equivalent aan zichzelf is, zo elementair dat het nooit kan worden veranderd. Maar te bewijzen is dat niet. Altijd, absoluut, nooit: dat zijn de woorden die net zo goed als getallen een rol spelen in de wereld van de wiskunde. Niet iedereen hield van het axioma van gelijkheid – dr. Li had het ooit 'koket' en 'popperig' genoemd, een axioma als een waaierdans – maar wat hij er altijd aan had bewonderd was dat het zo ongrijpbaar was, dat de schoonheid van de vergelijking zelf altijd in de weg werd gezeten door de pogingen haar te bewijzen. Het was het soort axioma dat je tot waanzin kon drijven, dat je totaal kon beheersen en gemakkelijk een heel leven kon vullen.

Maar nu weet hij zeker hoe wáár dat axioma is, want het is bewezen door hemzelf, door zijn eigen leven. Wie ik was zal altijd blijven wie ik ben, beseft hij. De context mag dan veranderd zijn: hij mag dan in deze flat wonen en een fijne baan hebben waar hij goed mee verdient; hij mag dan ouders hebben en vrienden van wie hij houdt; hij mag dan gerespecteerd worden, en in de rechtbank zelfs gevreesd. Maar in essentie is hij dezelfde persoon, een persoon die anderen afkeer inboezemt, een persoon geknipt om verafschuwd te worden. En in die microseconde waarin hij zich in de lucht bevindt, tussen de extase van het vliegen en de vrees voor de landing, die ongetwijfeld verschrikkelijk zal zijn, weet hij dat x altijd gelijk zal zijn aan x, wat hij ook doet, hoeveel jaar er ook komt te liggen tussen hem en het klooster, hem en broeder Luke, hoeveel hij ook verdient of hoe hard hij ook zijn best doet om alles te vergeten. Dat is het laatste wat hij denkt terwijl hij met zijn schouder op het beton smakt en de wereld voor één gezegend moment onder hem vandaan schiet: x = x, denkt hij. x = x, x = x.

2

Toen Jacob nog heel klein was, zes maanden of zo, kreeg Liesl longontsteking. Zoals de meeste gezonde mensen was ze een vreselijke patiënt: knorrig, prikkelbaar en vooral verbijsterd over de ongewone situatie waarin ze was terechtgekomen. 'Ik ben nóóit ziek,' zei ze steeds, alsof er ergens een vergissing was gemaakt, alsof zij iets op haar bordje had gekregen wat eigenlijk voor een ander was bedoeld.

Omdat Jacob een wat ziekelijke peuter was – niets dramatisch, maar in zijn korte leventje was hij al tweemaal verkouden geweest en al voordat ik wist hoe zijn glimlach eruitzag, wist ik hoe zijn hoest klonk: een verbazend volwassen geluid – besloten we dat het beter was als Liesl een paar dagen naar Sally ging om uit te rusten en beter te worden, terwijl ik thuisbleef met Jacob.

Over het algemeen vond ik dat ik het best goed deed met mijn zoon, maar in de loop van dat weekend moet ik wel twintig keer mijn vader hebben gebeld om zijn advies te vragen over alle kleine mysteries die zich voordeden, of om hem te horen bevestigen wat ik al wist maar van de zenuwen was vergeten: hij maakte vreemde geluiden die op hikjes leken maar eigenlijk te onregelmatig waren voor hikjes; wat was dat? Zijn ontlasting was een beetje dun; betekende dat iets? Hij sliep graag op zijn buik maar Liesl zei dat hij op zijn rug moest liggen, en toch had ik altijd gehoord dat op de buik slapen prima was; klopte dat? Natuurlijk had ik dat allemaal ook wel kunnen opzoeken, maar ik wilde stellige antwoorden, en ik wilde ze horen van mijn vader, die niet alleen de juiste antwoorden had maar ook de juiste manier om ze te geven. Zijn stem stelde me gerust. 'Maak je geen zorgen,' zei hij aan het eind van elk gesprek. 'Je doet het prima. Je weet hoe het moet.' Hij wist me ervan te overtuigen dat dat zo was.

Toen Jacob ziek werd, belde ik mijn vader minder vaak: ik vond het onverdraaglijk om met hem te praten. De vragen die ik nu voor hem had – Hoe kwam ik hierdoorheen? Wat moest ik erna? Hoe kon ik lijdzaam toezien terwijl mijn kind doodging? – waren vragen die ik niet eens over mijn lippen kreeg, en die hij zeker niet zou kunnen beantwoorden zonder in tranen uit te barsten.

Hij was net vier toen we merkten dat er iets niet in orde was. Elke ochtend bracht Liesl hem naar de kleuterschool en elke middag na mijn laatste college haalde ik hem op. Hij had een ernstig gezichtje en kwam daardoor over als een somberder kind dan hij in werkelijkheid was: thuis dartelde hij rond, trap op, trap af, en ik rende hem achterna, en als ik op de bank lag te lezen plofte hij pardoes boven op me. Die speelsheid van hem werkte aanstekelijk op Liesl; soms renden die twee lachend en gillend door het huis, en dat was mijn favoriete drukte, mijn favoriete achtergrondlawaai.

Het was oktober toen hij last van vermoeidheid kreeg. Op een dag kwam ik hem halen en alle andere kleuters, al zijn vriendjes en vriendinnetjes, krioelden pratend en springend door elkaar, en toen ik ging kijken waar mijn zoon was zag ik hem in een hoekje van het lokaal, waar hij in foetushouding op zijn mat lag te slapen. Een van de juffen zat bij hem en toen ze me zag, wenkte ze me. 'Ik denk dat hij iets onder de leden heeft,' zei ze. 'Hij is al een paar dagen wat lusteloos, en na het middageten was hij zo moe dat we hem maar hebben laten slapen.' Het was een school naar ons hart: op andere scholen moesten de kinderen proberen te lezen of kregen ze les, maar deze school, zeer geliefd bij universiteitsdocenten, was zoals een school zou moeten zijn voor een kind van vier: het enige wat ze leken te doen was luisteren naar mensen die voorlazen, dingen knutselen en samen naar de dierentuin gaan.

Ik moest hem naar de auto dragen, maar toen we thuiskwamen werd hij wakker en was hij in orde: hij at het hapje dat ik voor hem klaarmaakte en luisterde naar me toen ik hem voorlas, voordat we samen aan het bouwwerk van de dag begonnen. Voor zijn verjaardag had hij van Sally een blokkendoos gekregen, mooie houten blokken in een soort kristalvormen, die je op allerlei manieren op elkaar kon stapelen; elke dag bouwden we iets nieuws midden op de tafel, en als Liesl thuiskwam legde Jacob haar uit wat we gemaakt hadden – een dinosaurus, de toren van een astronaut – en nam Liesl er een foto van.

Die avond vertelde ik Liesl wat Jacobs juf had gezegd en de dag erop ging Liesl met hem naar de huisarts, die zei dat hij zo te zien volkomen normaal was, niets afwijkends te vinden. Toch hielden we hem de dagen daarna goed in de gaten: had hij meer of minder energie? Sliep hij langer dan normaal, at hij minder dan normaal? We wisten het niet. Maar we waren bang: niets zo angstwekkend als een lusteloos kind. Het woord alleen al komt me nu voor als een eufemisme voor een afschuwelijk lot.

En toen raakte alles ineens in een stroomversnelling. Met Thanksgiving gingen we naar mijn ouders, en we zaten aan het diner toen Jacob ineens helemaal blokkeerde. Het ene moment was hij er nog bij, en het moment daarop werd hij zo stijf als een plank en gleed hij zo van zijn stoel onder tafel terwijl zijn ogen omhoogdraaiden en er een vreemd, hol klikgeluid uit zijn keel kwam. Het duurde maar tien seconden of zo, maar het was afschuwelijk, zo afschuwelijk dat ik nu nog dat afschuwelijke klikgeluid hoor, de afschuwelijke beweginloosheid van zijn hoofdje zie en zijn beentjes op en neer door de lucht zie zwaaien.

Mijn vader rende weg om een vriend van hem in het New York-Presbyterian te bellen, en daar haastten we ons naartoe. Jacob werd opgenomen en wij vieren bleven de hele nacht bij hem in de kamer – mijn vader en Adele lagen op hun jassen op de grond en Liesl en ik zaten aan weerszijden van zijn bed, niet in staat elkaar aan te kijken.

Zodra hij stabiel was gingen we naar huis, waar Liesl contact opnam met Jacobs kinderarts, een andere studiegenoot van haar, om afspraken te regelen met de beste neuroloog, de beste geneticus, de beste immunoloog – we wisten niet wat hij had, maar wat het ook was, ze wilde er zeker van zijn dat Jacob de beste artsen kreeg. En toen begonnen de maanden waarin we de ene specialist na de andere afliepen, Jacobs bloed lieten prikken, een hersenscan lieten maken, zijn reflexen lieten testen, in zijn ogen lieten turen en zijn gehoor lieten onderzoeken. Het hele proces slokte ons volledig op en was zeer frustrerend – tot ik al die artsen ontmoette had ik nooit geweten dat er zo veel manieren bestonden om te zeggen 'ik weet het niet' – en soms duizelde het me als ik bedacht hoe moeilijk, hoe ronduit onmogelijk het moest zijn voor ouders die niet onze connecties hadden, die niet zo veel wetenschappelijke vorming en kennis hadden als Liesl. Maar al die kennis maakte het niet makkelijker om Jacob te zien huilen als hij werd geprikt, zo vaak dat één ader, die in zijn linkerarm, het begon te begeven, en al die connecties konden niet voorkomen dat hij steeds zieker werd en steeds meer aanvallen kreeg, waarbij hij met het schuim op zijn mond begon te schokken en een akelig soort oergrom uitstootte, veel te laag voor een kind van vier, terwijl zijn hoofdje heen en weer rolde en zijn handjes verkrampten.

Tegen de tijd dat we de diagnose hadden – een extreem zeldzame neurodegeneratieve aandoening met de naam Nishiharasyndroom, zo zeldzaam dat er bij genetisch onderzoek doorgaans niet eens op werd getest – was hij bijna blind. Dat was in februari. In juni, toen hij vijf werd, praatte hij nauwelijks nog. In augustus dachten we niet dat hij nog iets hoorde.

De aanvallen kwamen steeds korter op elkaar. We probeerden het ene medicijn na het andere; we probeerden combinaties. Liesl had een vriend die neuroloog was, die ons vertelde over een nieuw medicijn dat nog niet was goedgekeurd in de VS maar in Canada wel al verkrijgbaar was; die vrijdag reden Liesl en Sally binnen twaalf uur op en neer naar Montreal. Dat medicijn werkte een tijdje, hoewel hij er vreselijke uitslag van kreeg en bij de minste aanraking zijn mond opensperde en geluidloos gilde, en dan stroomden de tranen hem uit de ogen. 'Sorry, jochie,' zei ik dan smekend, ook al wist ik dat hij me niet kon horen, 'sorry, sorry.'

Op mijn werk kon ik me nauwelijks concentreren. Dat jaar gaf ik parttime les; het was mijn tweede jaar aan de universiteit, mijn derde semester. Als ik over de campus liep, ving ik flarden van gesprekken op – iemand had het erover dat ze het wilde uitmaken met haar vriend, iemand had het over een slecht cijfer voor een tentamen, iemand had het over zijn verstuikte enkel – en dan werd ik razend. Stelletje stomme, kleinzerige, egoïstische navelstaarders, wilde ik roepen. Stelletje pestlijers, ik heb de pest aan jullie. Jullie problemen zijn geen problemen. Mijn zoon gaat dood. Soms was mijn verachting zo diep dat ik er misselijk van werd. Laurence gaf in die tijd ook les aan de universiteit en nam mijn colleges over als ik met Jacob naar het ziekenhuis moest. We hadden medische verzorging aan huis maar gingen zelf met hem naar elke afspraak, zodat we konden bijhouden hoe snel hij ons ontglipte. In september keek zijn arts ons aan nadat hij hem had onderzocht. 'Niet lang meer,' zei hij, en hij was heel tactvol, wat nog het ergste was.

Laurence kwam elke woensdag- en zaterdagavond, Gillian elke dinsdag en donderdag, Sally elke zondag en maandag en Nathan, een vriend van Liesl, elke vrijdag. Als ze er waren, kookten ze of maakten het huis schoon, en dan zaten Liesl en ik bij Jacob en praatten tegen hem. Ergens in dat jaar was zijn groei tot stilstand gekomen, en zijn armpjes en beentjes waren week geworden doordat ze niet werden gebruikt: ze waren slap, alsof er niet eens botten in zaten, en als je hem vasthield moest je zorgen dat je zijn ledematen dicht tegen je aan hield, anders bungelden ze gewoon naar beneden en leek het alsof hij dood was. Begin september deed hij zijn ogen helemaal niet meer open, hoewel er soms wel iets uit kwam: tranen of een gelige, brokkelige afscheiding. Alleen zijn gezicht bleef rond, en dat kwam doordat hij zulke enorme doses steroïden binnenkreeg. Door een of ander medicijn had hij op zijn vuurrode wangen een eczeemachtige uitslag gekregen, die altijd ruw en verhit aanvoelde.

Half september trokken Adele en mijn vader bij ons in, en ik kon zijn blik niet verdragen. Ik wist dat hij wist hoe het was om kinderen te zien sterven, en ik wist hoe pijnlijk het voor hem was dat het míjn kind was. Ik had het gevoel te hebben gefaald: ik had het gevoel dat dit een straf was omdat ik Jacob niet vuriger had gewenst toen hij ons werd gegeven. Ik had het gevoel dat als ik minder ambivalent tegenover het krijgen van kinderen had gestaan dit nooit gebeurd zou zijn, dat dit bedoeld was om me erop te wijzen hoe stom en dwaas het van me was geweest niet te beseffen wat een geschenk ik had gekregen, een geschenk waar zo veel mensen naar verlangden, maar dat ik had willen terugsturen. Ik schaamde me: ik zou nooit de vader zijn die mijn vader was, en ik vond het vreselijk dat hij getuige was van mijn falen.

Voor Jacob werd geboren had ik mijn vader op een avond gevraagd of hij nog wijze raad voor me had. Ik vroeg het voor de grap, maar hij vatte het serieus op, zoals alle vragen die ik hem stelde. 'Hmm,' zei hij. 'Tja, het moeilijkste aan ouder-zijn is je verwachtingen bijstellen. Hoe beter je dat kunt, des te beter zal het je afgaan.'

In die tijd had ik weinig oog voor dit advies, maar toen Jacob almaar zieker werd, dacht ik er steeds vaker aan en besefte ik hoezeer hij gelijk had. We zeggen allemaal dat we willen dat onze kinderen gelukkig zijn, alleen maar gelukkig en gezond, maar dat is niet wat we willen. We willen dat ze zijn zoals wij, of beter dan wij. In dat opzicht hebben wij mensen weinig fantasie. We zijn niet toegerust voor de mogelijkheid dat ze minder goed zouden kunnen uitvallen. Dat zou misschien ook te veel gevraagd zijn. Waarschijnlijk is dat een evolutionaire noodgreep: als iedereen zo helder en specifiek voor ogen had wat er gruwelijk mis kon gaan, dan zou geen mens ooit aan kinderen beginnen.

Toen we er net achter waren gekomen dat Jacob ziek was, dat er iets mis was, probeerden we allebei uit alle macht onze verwachtingen bij te stellen. Zo hadden we nooit expliciet gezegd dat we wilden dat hij naar de universiteit ging; daar gingen we gewoon van uit, en ook dat hij een master zou halen, omdat wij dat allebei hadden gedaan. Maar toen we die eerste nacht in het ziekenhuis zaten na zijn eerste aanval zei Liesl, die altijd al een planner was geweest en het briljante vermogen had om vijf, nee, tien stappen vooruit te denken: 'Weet je, wat het ook is, hij kan nog altijd een lang en gezond leven hebben. Er zijn fantastische scholen waar hij naartoe kan. Er zijn plaatsen waar hij kan leren zichzelf te redden.' Ik snauwde haar af, ik wierp haar voor de voeten dat ze hem veel te snel, te makkelijk afschreef. Later schaamde ik me daarover. Later kreeg ik bewondering voor haar: voor de snelheid, de soepelheid waarmee ze zich aanpaste aan het feit dat het kind dat ze voor ogen had gehad niet het kind was dat ze in werkelijkheid had gekregen. Ik kreeg er bewondering voor dat ze, veel eerder dan ik, wist dat de essentie van een kind niet ligt in wat het in jouw naam zal bereiken, maar in het plezier dat het je schenkt, in welke vorm dan ook, zelfs als dat een vorm is die nauwelijks als plezier herkenbaar is; en nog belangrijker, in het plezier dat jij het kind mag schenken. Voor de rest van Jacobs leven liep ik één stap achter op Liesl: ik bleef dromen dat hij beter zou worden, weer zou worden zoals hij geweest was, terwijl zij alleen dacht aan het leven dat hij in de gegeven omstandigheden kon hebben. Misschien kon hij naar een speciale school. Oké, hij kon helemaal niet naar school, maar misschien kon hij naar een speelgroep. Oké, een speelgroep was niet haalbaar, maar misschien kon hij toch een lang leven hebben. Oké, hij zou geen lang leven hebben, maar misschien wel een kort maar gelukkig leven. Oké, hij kon geen kort maar gelukkig leven hebben, maar misschien wel een kort leven in waardigheid: dat konden we hem geven, en meer zou ze niet voor hem verwachten.

Ik was tweeëndertig toen hij geboren werd, zesendertig toen we de diagnose kregen en zevenendertig toen hij stierf. Dat gebeurde op 10 november, iets minder dan een jaar na zijn eerste aanval. We hielden een dienst op de universiteit, en zelfs in mijn apathische toestand zag ik alle mensen – onze ouders, onze vrienden en collega's en Jacobs vriendjes, die nu op de basisschool zaten, met hun ouders – die waren gekomen en die hadden gehuild.

Mijn ouders keerden terug naar New York. Liesl en ik gingen na een tijdje weer aan het werk. Maandenlang spraken we nauwelijks met elkaar. We konden elkaar niet eens aanraken. Deels was dat uitputting, maar ook schaamden we ons: voor ons wederzijdse falen, voor het oneerlijke maar hardnekkige gevoel dat de ander beter had gekund, niet tot het uiterste was gegaan. Een jaar nadat Jacob was gestorven hadden we ons eerste gesprek over de vraag of we nog een kind moesten nemen, en hoewel het beleefd begon, eindigde het met de afschuwelijkste verwijten: dat ik Jacob helemaal niet had gewild, dat zij hem zelf nooit had gewild, dat ik was tekortgeschoten, dat zij was tekortgeschoten. We braken het gesprek af, we boden elkaar onze verontschuldigingen aan. We probeerden opnieuw te praten, maar elke keer liep het op ruzie uit. Het waren geen gesprekken waarna het weer goed kon komen, en ten slotte gingen we scheiden.

Het verbaast me nu hoe radicaal we ophielden met elkaar te communiceren. De scheiding verliep heel soepel, heel makkelijk; misschien te soepel, te makkelijk. Ik vroeg me onwillekeurig af wat ons vóór Jacob had samengebracht; als hij er niet was geweest, hoe en waarvoor zouden we dan bij elkaar zijn gebleven? Pas later kon ik me weer herinneren waarom ik van Liesl had gehouden, wat ik in haar had gezien en bewonderd. Maar in die tijd waren we als twee mensen die één moeilijke, slopende missie hadden gehad, en nu was die missie voorbij en was het tijd om uit elkaar te gaan en terug te keren naar ons normale leven.

Jarenlang spraken we elkaar niet – niet uit verbittering, maar vanwege iets anders. Zij verhuisde naar Portland. Kort nadat ik Julia had leren kennen, kwam ik Sally toevallig tegen – zij was ook verhuisd, naar Los Angeles – die op bezoek was bij haar ouders en me vertelde dat Liesl was hertrouwd. Ik vroeg Sally haar mijn beste wensen over te brengen, en Sally zei dat ze dat zou doen.

Soms googelde ik haar: ze gaf les aan de medische faculteit van de universiteit van Oregon. Een keer had ik een student die zo sterk leek op hoe we ons Jacob altijd hadden voorgesteld, dat ik haar bijna belde. Maar ik deed het nooit.

En toen belde ze mij op een dag. Na zestien jaar. Ze was in de stad voor een symposium en vroeg of ik met haar wilde lunchen. Het was eigenaardig, tegelijk vreemd en onmiddellijk vertrouwd, om haar stem te horen, die stem waarmee ik duizenden gesprekken had gevoerd over zowel belangrijke als triviale zaken. Die stem die ik voor Jacob had horen zingen terwijl hij lag te schudden in haar armen, die stem die ik had horen zeggen: 'Dit is de allermooiste!' terwijl ze een foto nam van de blokkentoren van die dag.

We spraken af in een restaurant vlak bij de campus van de medische faculteit dat toen ze daar als arts-assistent woonde gespecialiseerd was in wat ze 'hummus de luxe' noemden, in die tijd voor ons een traktatie. Nu zat daar een tentje met als specialiteit ambachtelijke gehaktballen, maar gek genoeg rook het er nog steeds naar hummus.

We kregen elkaar in het vizier: ze zag eruit zoals ik me haar herinnerde. We omhelsden elkaar en gingen zitten. We praatten een tijdje over ons werk, over Sally en haar nieuwe vriendin, over Laurence en Gillian. Ze vertelde me over haar echtgenoot, een epidemioloog, en ik vertelde haar over Julia. Ze had op haar drieënveertigste een tweede kind gekregen, een dochter. Ze liet me een foto zien. Het was een mooi meisje, sprekend Liesl. Dat zei ik en ze glimlachte. 'En jij?' vroeg ze. 'Heb jij ooit nog een kind gekregen?'

Ja, zei ik, ik had onlangs een van mijn voormalige studenten geadopteerd. Ik kon zien dat ze verbaasd was, maar ze glimlachte, feliciteerde me en vroeg naar hem en hoe het zo gekomen was, en ik vertelde het.

'Wat fijn, Harold,' zei ze toen ik was uitgesproken. En toen: 'Je houdt vast heel veel van hem.'

'Ja,' zei ik.

Ik zou je graag willen vertellen dat dat het begin van een soort tweedefasevriendschap tussen ons was, dat we contact hielden en jaarlijks met elkaar praatten over Jacob, over wat er van hem had kunnen worden. Het liep anders, maar niet op een vervelende manier. Ik vertelde haar tijdens die lunch wel over die student die me zo van mijn stuk had gebracht, en ze zei dat ze precies begreep wat ik bedoelde en dat zij ook studenten had gehad – of op straat jonge mannen had zien voorbijkomen – die ze dacht te kennen, om pas later te beseffen dat ze zich had voorgesteld dat dat onze zoon was die levend en wel, ver van ons, niet langer deel van ons, vrijelijk door de wereld liep zonder enig besef dat wij misschien al die tijd naar hem hadden lopen zoeken.

Ik nam afscheid met een omhelzing en wenste haar alle goeds. Ik zei haar dat ik om haar gaf. Zij zei diezelfde dingen. Geen van beiden zeiden we dat we contact zouden houden; ik mag graag denken dat we elkaar daarvoor te veel respecteerden.

Toch hoorde ik in de loop van de jaren soms onverwachts van haar. Dan kreeg ik een mailtje waarin alleen maar stond: 'Weer gesignaleerd', en wist ik wat ze bedoelde, want ik stuurde dat soort mailtjes ook naar haar: 'Harvard Square, ong. 25 j., 1 m 85, mager, wietgeur.' Toen haar dochter afstudeerde stuurde ze me een kaartje, en daarna een voor haar dochters bruiloft, en weer een bij de geboorte van haar kleinkind.

Ik hou van Julia. Zij is ook wetenschapper, maar ze is altijd zo anders geweest dan Liesl – even vrolijk als Liesl beheerst was, even uitbundig als Liesl ingetogen was, en vol onschuldig plezier en enthousiasme. Maar hoeveel ik ook van haar hou, vele jaren heb ik het gevoel gehad dat wat ik met Liesl had diepgaander, intenser was. Wij hadden samen iemand gemaakt, en we hadden hem samen zien sterven. Soms had ik gevoel dat er een fysieke band tussen ons was, een lang touw helemaal tussen Boston en Portland: als zij aan haar uiteinde trok, voelde ik dat aan mijn kant. Waar zij ook ging, waar ik ook ging, altijd was er dat glanzende gevlochten koord dat werd uitgerekt, onder druk kwam te staan, maar nooit knapte, zodat we bij elke beweging werden herinnerd aan wat nooit meer terug zou komen.

~

Nadat Julia en ik hadden besloten dat we hem zouden adopteren, zo'n half jaar voor we het hem echt vroegen, vertelde ik het aan Laurence. Ik wist dat Laurence hem heel graag mocht, hem respecteerde en vond dat hij mij goeddeed, en ik wist ook dat Laurence – omdat hij nu eenmaal zo was – met bedenkingen zou komen.

Dat gebeurde ook. We hadden een lang gesprek. 'Je weet hoe graag ik hem mag,' zei hij, 'maar zeg nou zelf, Harold, hoeveel weet je eigenlijk van die jongen?'

'Niet veel,' zei ik. Maar ik wist dat hij niet paste in Laurence' somberste scenario: ik wist dat hij geen dief was, dat hij mij en Julia niet 's nachts in ons bed zou komen vermoorden. En dat wist Laurence ook.

Natuurlijk wist ik ook, zonder er zeker over te zijn, zonder echt bewijs, dat er ergens in zijn leven iets heel erg fout was gegaan. Toen jullie voor het eerst met z'n allen in Truro waren, ging ik een keer 's avonds laat naar beneden en trof in de keuken JB aan, die aan tafel zat te tekenen. Ik heb JB altijd een ander mens gevonden als hij alleen was, als hij zeker wist dat hij geen show hoefde op te voeren, en ik ging zitten, keek wat hij aan het tekenen was – schetsen van jullie allemaal – en vroeg hem naar zijn studie, en hij vertelde me over mensen wier werk hij bewonderde, van wie ik driekwart niet eens kende.

Toen ik de keuken uit liep om weer naar boven te gaan, riep JB me terug. 'Hoor eens,' zei hij. Hij klonk gegeneerd. 'Ik wil niet bot doen of zo, maar je moet hem niet zo veel vragen stellen.'

Ik ging weer zitten. 'Hoezo niet?'

Hij voelde zich duidelijk opgelaten, maar was vastberaden. 'Hij heeft geen ouders,' zei hij. 'Ik weet niet hoe het precies zit, maar hij wil er niet eens met ons over praten. Althans niet met mij.' Hij zweeg even. 'Volgens mij is er als kind iets akeligs met hem gebeurd.'

'Wat voor akeligs?' vroeg ik.

Hij schudde zijn hoofd. 'We weten het niet zeker, maar we denken aan ernstig fysiek misbruik. Is het je niet opgevallen dat hij nooit zijn kleren uittrekt en zich nooit laat aanraken? Ik denk dat hij misschien is geslagen of...' Hij zweeg. Hijzelf was geliefd en beschermd; hij had de moed niet om te bedenken wat er na dat 'of' zou kunnen komen, en ik ook niet. Maar het was me natuurlijk wel opgevallen; ik had hem die vragen niet gesteld om hem een ongemakkelijk gevoel te bezorgen, maar zelfs toen ik zag dat ze wel dat effect hadden, had ik ze niet voor me kunnen houden.

'Harold,' zei Julia vaak als hij 's avonds weg was, 'je maakt hem verlegen.'

'Weet ik, weet ik,' zei ik dan. Ik wist dat achter dat zwijgen van hem niets goeds school en ik wilde dat verhaal aan de ene kant helemaal niet horen, maar aan de andere kant juist wel.

Ongeveer een maand voor de adoptie rond was, kwam hij een keer totaal onverwacht langs in het weekend: ik kwam thuis van het tennissen en daar lag hij op de bank te slapen. Hij was gekomen om met me te praten, om te proberen me iets op te biechten. Maar uiteindelijk kon hij dat niet.

Die avond belde Andy, in paniek omdat hij hem niet kon bereiken, en toen ik Andy vroeg waarom hij hem eigenlijk om middernacht belde, begon hij meteen vaag te doen. 'Hij heeft het de afgelopen tijd nogal moeilijk,' zei hij.

'Vanwege de adoptie?' vroeg ik.

'Daar kan ik niet echt iets over zeggen,' zei hij stijfjes; zoals je weet hield Andy zich niet altijd even strikt aan de geheimhoudingsplicht, maar zo wel, dan met grote toewijding. En toen belde jij met je eigen vage verhalen.

De dag erop vroeg ik Laurence om uit te zoeken of Jude in zijn jeugd met justitie of jeugdzorg in aanraking was geweest. Ik wist dat het niet waarschijnlijk was dat hij iets zou vinden, en zelfs al vond hij wat, dan zou het dossier niet openbaar zijn.

Wat ik dat weekend tegen hem gezegd had, meende ik: wát hij ook had gedaan, het maakte voor mij geen verschil. Ik kende hem. De persoon die hij was geworden was degene die er voor mij toe deed. Ik vertelde hem dat het voor mij niet belangrijk was wie hij daarvoor was geweest. Maar dat was natuurlijk naïef: ik adopteerde degene die hij was, maar degene die hij was geweest kreeg ik erbij, en wie dat was, wist ik niet. Later speet het me dat ik hem niet duidelijker had gemaakt dat die persoon, wie het ook was, iemand was die ik ook wilde. Later bleef ik me maar afvragen hoe het voor hem zou zijn geweest als ik hem twintig jaar eerder had gevonden, toen hij nog een kind was. Of zo niet twintig, dan tien of zelfs vijf jaar eerder. Wie zou hij zijn geweest, en wie zou ik zijn geweest?

Laurence' speurwerk leverde niets op en ik was opgelucht en teleurgesteld. De ceremonie vond plaats; het was een prachtige dag, een van de allermooiste. Ik heb er nooit spijt van gehad. Maar zijn vader zijn is nooit gemakkelijk geweest. Hij had allerlei regels die hij zichzelf in de loop van tientallen jaren had opgelegd, gebaseerd op lessen die iemand hem geleerd moet hebben – waar hij geen recht op had, waar hij niet van mocht genieten, wat hij niet mocht hopen of wensen, waar hij niet naar mocht verlangen – en het kostte me een paar jaar om erachter te komen wat die regels waren, en nog langer om een manier te verzinnen om hem te overtuigen van de onjuistheid ervan. Dat was erg moeilijk: het waren de regels die hem hadden helpen overleven, de regels die de wereld voor hem begrijpelijk maakten. Hij was ontzettend gedisciplineerd – in alles – en net als waakzaamheid is discipline iets waar je iemand bijna niet vanaf kunt brengen.

Al even moeizaam waren mijn (en jouw) pogingen hem af te brengen van bepaalde ideeën over zichzelf, over hoe hij eruitzag, wat hij al of niet verdiende, wat hij waard was en wie hij was. Tot op heden heb ik nooit iemand ontmoet die zo exact, zo radicaal gespleten was als hij: iemand die op sommige gebieden zo volkomen zelfverzekerd kon zijn en op andere zo volkomen hulpeloos. Ik weet nog dat ik hem een keer in actie zag op de rechtbank en een gevoel kreeg van zowel ontzag als verkilling. Hij verdedigde een van die farmaceutische bedrijven die hem zijn naam als advocaat hadden bezorgd, in een federale rechtszaak die door een klokkenluider was aangespannen. Het was een spraakmakende, belangrijke zaak, die nu in tientallen syllabi staat, maar hij was heel, heel kalm; ik heb zelden zo'n kalme procespartij gezien. In de getuigenbank zat de klokkenluider in kwestie, een vrouw van middelbare leeftijd, en hij was zo vasthoudend, zo meedogenloos, zo messcherp dat de hele zaal zwijgend naar hem zat te kijken. Niet één keer verhief hij zijn stem, niet één keer werd hij sarcastisch, maar ik zag dat hij genoot, dat dit, die getuige pakken op inconsistenties in haar verklaring – kleine dingetjes, piepklein, zo klein dat een andere advocaat ze waarschijnlijk over het hoofd had gezien – hem voldoening schonk, dat hij er plezier in had. Hij was een vriendelijke persoon (zij het niet ten opzichte van zichzelf), vriendelijk in zijn manier van doen en spreken, maar in die rechtszaal verdampte al die vriendelijkheid en bleef er iets bruuts en kouds achter. Dit was een maand of zeven na het incident met Caleb, vijf maanden voor het incident dat zou volgen, en terwijl ik toekeek hoe hij de verklaringen van de getuige voor haar herhaalde zonder zijn aantekeningen ook maar één keer te raadplegen, met een kalm, knap en zelfverzekerd gezicht, bleef ik voor me zien hoe hij op die afschuwelijke avond in de auto van me wegdraaide en zich met zijn handen afschermde toen ik zijn hoofd wilde aanraken, alsof ik de zoveelste was die hem kwaad wilde doen. Zijn hele bestaan was gespleten: het viel uiteen in wie hij op zijn werk was en degene daarbuiten; in wie hij op dat moment was en degene die hij was geweest; in wie hij op de rechtbank was en degene in die auto, zo opgesloten in zichzelf dat ik er bang van werd.

Die avond ijsbeerde ik na thuiskomst door de kamer, overpeinzend wat ik over hem had ontdekt, wat ik had gezien, hoe ik me had moeten inhouden om het niet uit te schreeuwen toen ik hem de dingen hoorde zeggen die hij zei – nog erger dan Caleb, dan wat Caleb had gezegd, was het om te horen dat hij het geloofde, dat hij zo'n vertekend beeld van zichzelf had. Waarschijnlijk had ik altijd al geweten dat hij zo dacht, maar het hem zo glashard horen zeggen was erger dan ik me had kunnen voorstellen. Nooit zal ik het moment vergeten dat hij zei: 'Als je er zo uitziet als ik, kun je niet al te kieskeurig zijn.' Nooit zal ik de vertwijfeling, woede en machteloosheid vergeten die ik voelde toen ik hem dat hoorde zeggen. Nooit zal ik zijn gezicht vergeten toen hij Caleb zag, toen Caleb naast hem ging zitten en ik veel te traag in de gaten kreeg wat er gebeurde. Hoe kun je jezelf iemands vader noemen als je kind zo over zichzelf denkt? Dit was iets anders dan een verwachting die je kon bijstellen. Waarschijnlijk had ik, doordat ik nog nooit een volwassen kind had gehad, geen idee gehad hoeveel daar eigenlijk bij kwam kijken. Ik vond het niet erg dat allemaal te moeten leren; ik voelde me alleen dom en klunzig omdat ik het me niet eerder had gerealiseerd. Per slot van rekening was ik zelf een volwassene met een vader geweest en had ik continu diens hulp ingeroepen.

Ik belde Julia, die op een symposium over nieuwe ziekten in Santa Fe was, en vertelde haar wat er was gebeurd, en ze slaakte een lange, bedroefde zucht. 'Harold,' begon ze, en toen viel ze stil. We hadden het er weleens over gehad hoe zijn leven vóór ons zou zijn geweest, en hoewel we er allebei naast zaten, bleek later dat haar vermoedens meer in de richting kwamen, ofschoon ik ze in die tijd belachelijk, te onwaarschijnlijk had gevonden.

'Tja,' zei ik.

'Je moet hem bellen.'

Maar dat had ik al gedaan. Ik belde, belde nog eens, en de telefoon ging keer op keer over.

Die nacht lag ik wakker terwijl mijn bezorgdheid werd afgewisseld door het soort droombeelden dat je als man hebt: geweren, huurmoordenaars, wraak. Ik fantaseerde dat ik Gillians neef belde, die rechercheur was in New York, en Caleb Porter liet arresteren. Dat ik jou belde en jij, Andy en ik hem voor zijn appartement opwachtten en hem vermoordden.

De volgende ochtend ging ik al voor acht uur van huis, ik kocht bagels en sinaasappelsap en ging naar Greene Street. Het was een grijze dag, klam en benauwd, en ik belde driemaal aan, elke keer een paar tellen, alvorens een stukje naar achteren te lopen en te kijken of ik iets zag op de vijfde verdieping.

Ik stond op het punt nogmaals op de bel te drukken toen ik zijn stem door de intercom hoorde: 'Hallo?'

'Ik ben het,' zei ik. 'Mag ik boven komen?' Geen antwoord. 'Ik wil mijn verontschuldigingen aanbieden. Ik moet je even zien. Ik heb bagels bij me.'

Weer een stilte. 'Hallo?' zei ik.

'Harold,' zei hij, en ik hoorde dat zijn stem vreemd klonk. Gesmoord, alsof zijn mond een extra rij tanden had gekregen die bij het spreken in de weg zaten. 'Als ik je binnenlaat, beloof je dan dat je niet boos wordt en niet gaat schreeuwen?'

Toen viel ik zelf stil. Wat had dit te betekenen? 'Ja,' zei ik, en na een paar seconden klikte de deur open.

Ik stapte de lift uit en een ogenblik lang zag ik niets, alleen dat prachtige appartement met zijn muren van licht. En toen hoorde ik mijn naam, keek naar beneden en zag hem.

De bagels vielen bijna uit mijn handen. Ik voelde mijn ledematen verstenen. Hij zat op de grond, steunend op zijn rechterhand, en toen ik naast hem neerknielde draaide hij zijn gezicht weg en bracht zijn linkerhand omhoog alsof hij zichzelf wilde afschermen.

'Hij had de reservesleutels meegenomen,' zei hij, en zijn gezicht was zo opgezwollen dat zijn lippen nauwelijks bewegingsruimte hadden. 'Hij was hier toen ik gisteravond thuiskwam.' Toen draaide hij zich naar me toe, en zijn gezicht was een gevild en binnenstebuiten gekeerd dier dat in de hitte was blijven liggen, zodat de organen tot een afgrijselijke vleesmassa waren versmolten: het enige wat ik van zijn ogen kon zien was de lange wimperlijn eromheen, als een veegje zwart tegen zijn wangen, die afschuwelijk blauw waren, het blauw van schimmel, van bederf. Ik dacht dat hij misschien aan het huilen was, maar hij huilde niet. 'Het spijt me, Harold, het spijt me zo.'

Ik wachtte tot ik zeker wist dat ik niet zou gaan schreeuwen – niet tegen hem; gewoon schreeuwen om iets onzegbaars uit te drukken – voor ik iets zei. 'We gaan je weer oplappen,' zei ik. 'We gaan de politie bellen, en dan...'

'Nee,' zei hij. 'Geen politie.'

'Dat moet,' zei ik, 'Jude, dat moet echt.'

'Nee,' zei hij. 'Ik ga geen aangifte doen. Dat...' Hij ademde diep in. 'Dat is te vernederend. Dat kan ik niet aan.'

'Oké,' zei ik, en ik bedacht dat ik dat later met hem kon bespreken. 'Maar wat als hij terugkomt?'

Hij schudde zijn hoofd heel even. 'Dat doet hij niet,' zei hij met zijn nieuwe prevelstem.

Ik begon duizelig te worden van de inspanning om geen gehoor te geven aan mijn verlangen naar buiten te rennen, Caleb op te sporen en hem te vermoorden, van de inspanning om te moeten accepteren dat iemand hem dit had aangedaan, en van hem, zo'n waardig iemand die altijd zo netjes en beheerst voor de dag kwam, zo tot moes geslagen, zo hulpeloos te zien. 'Waar is je rolstoel?' vroeg ik.

Hij stootte een soort blatend geluid uit en zei iets, zo zacht dat ik hem moest vragen het te herhalen, al zag ik hoeveel pijn het praten hem kostte. 'Onder aan de trap,' zei hij ten slotte, en dit keer wist ik zeker dat hij huilde, hoewel zijn ogen niet eens ver genoeg open konden voor tranen. Hij begon te trillen.

Intussen trilde ik zelf ook. Ik liet hem daar op de vloer achter en haalde zijn rolstoel, die zo hard de trap af was gegooid dat hij tegen de achterste muur was gestuiterd en halverwege de derde verdieping was terechtgekomen. Op de terugweg merkte ik dat er iets plakkerigs op de vloer lag, en bij de eettafel zag ik een grote, felle plas braaksel dat tot een brij was gestold.

'Sla je arm om mijn nek,' zei ik, en dat deed hij, en toen ik hem optilde schreeuwde hij het uit, en ik zei sorry en zette hem in zijn stoel. Terwijl ik dat deed, merkte ik dat de rug van zijn shirt – hij droeg zo'n grijs thermoshirt waar hij graag in sliep – onder het bloed zat, vers bloed en oud bloed, en de achterkant van zijn broek was ook bebloed.

Ik liep bij hem weg, belde Andy en zei dat het een spoedgeval was. Gelukkig was Andy dat weekend in de stad gebleven, en hij zou twintig minuten later op zijn praktijk zijn.

Ik bracht Jude er met de auto naartoe. Ik hielp hem met uitstappen – hij leek zijn linkerarm liever niet te gebruiken en hield zijn rechtervoet een stukje van de grond, en hij maakte een vreemd, vogelachtig geluid terwijl ik mijn arm om zijn romp sloeg om hem in de stoel te helpen – en toen Andy opendeed en hem zag, was ik even bang dat die moest braken.

'Jude,' zei Andy zodra hij iets kon uitbrengen, en hij hurkte naast hem neer, maar Jude gaf geen antwoord.

Zodra we hem in een onderzoekskamer hadden geïnstalleerd, spraken we elkaar bij de receptie. Ik vertelde hem over Caleb. Ik vertelde wat ik dacht dat er gebeurd was. Ik vertelde wat ik dacht dat hij mankeerde: dat zijn linkerarm vermoedelijk gebroken was, dat er iets met zijn rechterbeen was, dat hij bloedde en waar, dat er overal op de vloer bloed lag. Ik vertelde dat hij geen aangifte wilde doen.

'Oké,' zei Andy. Hij was geschokt, ik zag het. Hij bleef maar slikken. 'Oké, oké.' Hij zweeg en wreef in zijn ogen. 'Wacht je even hier?'

Veertig minuten later kwam hij de onderzoekskamer uit. 'Ik breng hem naar het ziekenhuis voor een paar röntgenfoto's,' zei hij. 'Ik ben er vrijwel zeker van dat zijn linkerpols gebroken is, en ook een paar ribben. En als zijn been ook...' Zijn stem stokte. 'Als dat zo is, dan hebben we echt een probleem.' Hij leek te zijn vergeten dat ik ook in de kamer was. Toen hernam hij zich. 'Ga maar naar huis,' zei hij. 'Ik bel je als ik bijna klaar ben.'

'Ik blijf,' zei ik.

'Nee, Harold,' zei hij, en toen, op vriendelijker toon: 'Je moet zijn kantoor bellen; het is uitgesloten dat hij deze week nog aan het werk kan.' Hij zweeg even. 'Hij zei... hij zei dat je moest zeggen dat hij een auto-ongeluk had gehad.'

Toen ik wilde weglopen zei hij zachtjes: 'Hij had mij verteld dat hij tenniste.'

'Ik weet het,' zei ik. Op dat moment had ik met ons beiden te doen, dat we zo stom waren geweest. 'Dat heeft hij mij ook verteld.'

Ik ging met zijn sleutels terug naar Greene Street. Een hele tijd, minutenlang, stond ik daar in de deuropening de woning in te kijken. Het wolkendek was wat minder dik geworden, maar veel zon was er niet nodig om – zelfs met de luxaflex dicht – dat appartement licht te maken. Ik had het altijd een hoopvolle plaats gevonden, met zijn hoge plafonds, zijn ordelijkheid en zijn uitzicht, zijn belofte van transparantie.

Met hem als bewoner waren er uiteraard veel schoonmaakmiddelen aanwezig en ik ging aan de slag. Ik dweilde de vloeren; dat plakkerige was opgedroogd bloed. Het viel moeilijk te onderscheiden doordat de vloeren zo donker waren, maar ik rook het, een zware, wilde geur die je onmiddellijk herkent. Hij had zo te zien geprobeerd de badkamer schoon te maken, maar ook daar was het marmer besmeurd met bloed, dat bij het opdrogen de roestig-roze tinten van een zonsondergang had gekregen; die vlekken gingen er bijna niet uit, maar ik deed mijn best. Ik keek in de afvalbakken, ik denk op zoek naar bewijsmateriaal, maar er lag niets: ze waren allemaal geleegd en schoongemaakt. Zijn kleren van de avond ervoor lagen verspreid rond de bank in de woonkamer. Het overhemd was zo gescheurd, door klauwen leek het bijna, dat ik het weggooide; het pak bracht ik naar de stomerij. Verder was het appartement keurig opgeruimd. Ik was met angst in mijn hart de slaapkamer binnen gegaan, bang daar kapotte lampen en rondslingerende kleren aan te treffen, maar alles lag er zo onverstoord bij dat je had kunnen denken dat er helemaal niemand woonde, dat het een modelwoning was, een reclame voor een benijdenswaardig leven. De persoon die hier woonde was iemand die feesten gaf, die zorgeloos en zelfverzekerd door het leven ging, die 's avonds de luxaflex optrok en danste met zijn vrienden, en de passanten in Greene Street en Mercer Street keken omhoog naar die in de lucht zwevende rechthoek van licht en stelden zich voor dat de bewoners verheven waren boven angst en ongeluk, boven alle zorgen.

Ik stuurde een e-mail naar Lucien, die ik één keer had ontmoet en die trouwens bevriend was met een vriend van Laurence, met het bericht dat er een vreselijk auto-ongeluk was gebeurd en dat Jude in het ziekenhuis lag. Ik ging naar de buurtsuper en kocht dingen die hij gemakkelijk zou kunnen eten: soep, pudding, vruchtensap. Ik zocht het adres van Caleb Porter op en herhaalde het bij mezelf – West 29th Street 50, appartement 17J – tot het in mijn hoofd zat. Ik belde de slotenmaker, zei dat het een spoedgeval was en dat alle sloten vervangen moesten worden: van de voordeur, de lift en de deur van het appartement. Ik zette de ramen open zodat de geuren van bloed en schoonmaakmiddel door de klamme buitenlucht konden worden meegevoerd. Aan de secretaresse van de rechtenfaculteit gaf ik door dat ik wegens onverwachte familieomstandigheden die week geen college kon geven. Ik sprak berichten in voor een paar collega's met de vraag of ze voor me konden invallen. Ik overwoog mijn oude studievriend te bellen die als aanklager voor de staat New York werkte. Ik zou hem, zonder Judes naam te noemen, uitleggen wat er gebeurd was. Ik zou vragen hoe we Caleb Porter konden laten arresteren.

'Maar je zegt dat het slachtoffer geen aangifte wil doen?' zou Avi zeggen.

'Eh... nee,' zou ik moeten toegeven.

'Kan hij worden overgehaald?'

'Dat denk ik niet,' zou ik moeten toegeven.

'Nou, Harold,' zou Avi verbaasd en geïrriteerd zeggen. 'Dan weet ik het ook niet. Jij weet evengoed als ik dat ik niets kan beginnen als het slachtoffer zijn mond niet wil opendoen.' Ik herinner me dat ik dacht – en dat gebeurt me niet vaak – hoe broos ons rechtsstelsel eigenlijk was, zo afhankelijk van onzekere factoren, een systeem dat maar zo weinig soelaas bood en van zo weinig nut was voor degenen die de bescherming ervan het hardst nodig hadden.

En toen ging ik naar zijn badkamer, voelde onder de wasbak, vond het zakje met scheermesjes en wattenschijfjes en gooide het in de vuilverbrander. Ik had de pest aan dat zakje. Ik had er de pest over in dat ik wist dat ik het zou vinden.

Zeven jaar eerder was hij in het begin van mei naar ons huis in Truro gekomen. Het was een ongepland bezoekje: ik zat daar om te proberen te schrijven, er waren goedkope tickets, ik zei dat hij ook moest komen en tot mijn verbazing – hij was toen al niet weg te branden uit het kantoor van Rosen Pritchard – ging hij erop in. Hij was vrolijk die dag, en ik ook. Ik liet hem achter in de keuken, waar hij een rodekool aan het fijnsnijden was, en ging naar boven met de loodgieter, die een nieuw toilet in onze badkamer kwam installeren, en toen dat gedaan was vroeg ik of hij even naar de wasbak in de badkamer op de begane grond kon kijken, die van Judes kamer, want die lekte.

Dat deed hij, hij draaide iets vast en verving iets anders, en toen hij uit de badkamer kwam gaf hij me iets. 'Dit zat onder de wasbak,' zei hij.

'Wat is het?' vroeg ik terwijl ik het pakje aannam.

Hij haalde zijn schouders op. 'Geen idee. Maar het zat verdomde goed vastgeplakt, met ducttape.' Terwijl ik sullig naar het zakje stond te gapen pakte hij zijn spullen, stak zijn hand op en liep weg; ik hoorde hem gedag zeggen tegen Jude en fluitend de deur uit lopen.

Ik keek naar het zakje. Het was gewoon een doorzichtig plastic zakje met daarin een setje van tien scheermesjes, afzonderlijk verpakte ontsmettende doekjes, stukjes gaas die tot elastische vierkantjes waren opgevouwen en rollen verband. Ik stond daar met dat zakje in mijn handen en ik wist waar het voor diende, ook al had ik het bewijs nooit gezien en zelfs nog nooit iets dergelijks onder ogen gehad. Ik wist het gewoon.

Ik liep naar de keuken en daar stond hij een kom aardappeltjes af te spoelen, nog steeds vrolijk. Hij neuriede zelfs heel zacht een liedje, wat hij alleen deed als hij zich heel tevreden voelde, zoals een kat snort als hij in z'n eentje in de zon ligt. 'Had het maar gezegd, dat je iemand nodig had om het toilet te installeren,' zei hij zonder op te kijken. 'Ik had het best kunnen doen, dat had je weer een rekening bespaard.' Hij wist hoe al die dingen moesten: loodgieterswerk, elektra, timmerwerk, tuinieren. We waren een keer samen naar Laurence geweest zodat hij Laurence kon uitleggen hoe die de jonge wildeappelboom achter in zijn tuin op een veilige manier kon overplanten naar een plaats met meer zon.

Een tijdje stond ik daar naar hem te kijken. Er ging zo veel tegelijk door me heen dat de som ervan nul was, een doffe gevoelloosheid veroorzaakt door een overmaat aan gevoel. Ten slotte zei ik: 'Jude,' en hij keek op. 'Wat is dit?' vroeg ik, en ik hield het zakje omhoog.

Hij bevroor, met één hand boven de kom, en ik herinner me dat ik keek naar de waterdruppeltjes die aan zijn vingertoppen parelden en in de kom vielen, alsof hij zich had gesneden en water bloedde. Hij opende zijn mond en deed hem weer dicht.

'Het spijt me, Harold,' zei hij heel zacht. Hij liet zijn hand zakken en droogde hem langzaam af aan de theedoek.

Dat maakte me kwaad. 'Ik vraag niet om excuses, Jude,' zei ik. 'Ik vraag je wat dit is. En kom me niet aan met "dat is een zak met scheermesjes". Wat ís dit? Waarom heb je het onder je wasbak vastgeplakt?'

Hij staarde me lang aan met die blik van hem – je weet wat ik bedoel: dat je hem ziet terugdeinzen terwijl hij je aankijkt, dat je de poorten in hem ziet dichtgaan en in het slot vallen, de bruggen opgetakeld ziet worden boven de gracht. 'Je weet waar het voor is,' zei hij ten slotte, nog steeds heel zacht.

'Ik wil het uit jouw mond horen.'

'Ik heb het gewoon nodig,' zei hij.

'Zeg me wat je hiermee doet.' Ik keek hem aan.

Hij staarde naar de kom aardappels. 'Soms moet ik me snijden,' zei hij ten slotte. 'Het spijt me, Harold.'

En ineens raakte ik in paniek, en mijn paniek maakte me irrationeel. 'Wat betekent dat in godsnaam?' vroeg ik hem; misschien schreeuwde ik zelfs.

Nu stapte hij achteruit naar het aanrecht, alsof ik hem zou kunnen aanvliegen en hij de afstand wilde vergroten. 'Ik weet het niet,' zei hij. 'Het spijt me, Harold.'

'Hoe vaak is soms?' vroeg ik.

Hij was nu ook in paniek, ik zag het. 'Ik weet het niet,' zei hij. 'Dat verschilt.'

'Doe een schatting. Geef me een idee.'

'Ik weet het niet,' zei hij wanhopig, 'ik weet het niet. Een paar keer per week.'

'Een paar keer per week!' riep ik, en toen zweeg ik. Ineens moest ik weg uit die keuken. Ik pakte mijn jas van de stoel en propte het plastic zakje in de binnenzak. 'Als ik terugkom, ben jij híér,' zei ik, en ik liep de deur uit. (Hij was een wegloper: als hij dacht dat Julia of ik boos op hem was, maakte hij zich altijd zo snel mogelijk uit de voeten, alsof hij een aanstootgevend voorwerp was dat verwijderd moest worden.)

Ik liep de trap af naar het strand en toen de duinen in, bevangen door het soort woede dat gepaard gaat met het besef dat je enorme steken hebt laten vallen, met de zekerheid dat je tekortschiet. Dat was de eerste keer dat ik me realiseerde dat wij, net zoals hij twee personen was tegenover ons, ook twee personen waren tegenover hem: we zagen van hem wat we wilden en stonden onszelf toe verder niets te zien. We waren zo slecht toegerust. Met de meeste mensen is het makkelijk: hun tegenvallers zijn onze tegenvallers, hun verdriet is begrijpelijk, hun buien van zelfkritiek drijven snel over en zijn bespreekbaar. Maar die van hem niet. We wisten niet hoe we hem moesten helpen, omdat ons voorstellingsvermogen niet toereikend was om te kunnen vaststellen wat zijn problemen waren. Maar dat is gepraat achteraf.

Toen ik terugkeerde naar het huis was het bijna donker en door het raam zag ik zijn schim heen en weer lopen in de keuken. Ik ging in een stoel op de veranda zitten en wilde dat Julia er was, in plaats van bij haar vader in Engeland.

De achterdeur ging open. 'Het eten is klaar,' zei hij zachtjes, en ik stond op om naar binnen te gaan.

Hij had een van mijn lievelingsmaaltjes bereid: de zeebaars die ik de dag ervoor had gekocht had hij gepocheerd, met aardappels uit de oven zoals hij wist dat ik ze het liefst at, met veel tijm en worteltjes, en een koolsalade waarvan ik wist dat die was aangemaakt met mijn favoriete dressing met mosterdzaad. Maar ik had nergens trek in. Hij schepte mijn bord vol en daarna dat van hemzelf en ging zitten.

'Het ziet er prachtig uit,' zei ik. 'Dank je dat je dit hebt klaargemaakt.' Hij knikte. We keken allebei naar ons bord, naar zijn heerlijke maaltijd die we geen van beiden zouden eten.

'Jude,' zei ik, 'ik moet je mijn excuses aanbieden. Het spijt me echt; ik had nooit zo mogen weglopen.'

'Dat geeft niet,' zei hij, 'ik begrijp het.'

'Nee, het was fout van me. Ik was alleen zo kwaad.'

Hij keek weer naar zijn bord. 'Weet je waarom ik kwaad was?' vroeg ik.

'Omdat... omdat ik dat heb binnengebracht in jouw huis.'

'Nee,' zei ik. 'Daarom niet. Jude, dit huis is niet alleen maar van mij of van Julia, het is ook jouw huis. Ik wil dat je weet dat je alles hier binnen kunt brengen wat je thuis ook hebt.

Ik ben boos omdat je jezelf zo toetakelt.' Hij keek niet op. 'Weten je vrienden dat je dit doet? En Andy?'

Hij knikte nauwelijks zichtbaar. 'Willem weet het,' zei hij met gedempte stem. 'En Andy.'

'En wat vindt Andy ervan?' vroeg ik terwijl ik dacht: goddomme, Andy.

'Hij vindt... hij vindt dat ik in therapie moet gaan.'

'En doe je dat?' Hij schudde zijn hoofd en ik voelde mijn woede weer opkomen. 'Waarom niet?' vroeg ik, maar hij zei niets. 'Heb je ook zo'n zakje in Cambridge?' vroeg ik, en na een korte stilte keek hij op en knikte weer.

'Jude,' zei ik, 'waarom doe je jezelf dat aan?'

Lange tijd was hij stil, en ik ook. Ik luisterde naar de zee. Ten slotte zei hij: 'Een paar redenen.'

'Zoals?'

'Soms omdat ik me heel rot voel of me schaam en er behoefte aan heb om wat ik voel een fysieke vorm te geven,' begon hij, en hij keek me even aan alvorens zijn ogen weer neer te slaan. 'En soms omdat ik te veel dingen voel en er behoefte aan heb helemaal niets te voelen; dit helpt die dingen uit te vlakken. Soms ook omdat ik me gelukkig voel en mezelf eraan moet herinneren dat dat niet goed is.'

'Waarom niet?' vroeg ik zodra ik weer kon spreken, maar hij schudde alleen zijn hoofd en gaf geen antwoord, en ik viel ook stil.

Hij haalde diep adem. 'Hoor eens,' zei hij ineens heel gedecideerd terwijl hij me recht aankeek, 'als je de adoptie terug wilt draaien, heb ik daar alle begrip voor.'

Dat was geen moment bij me opgekomen, en ik was zo verbijsterd dat ik boos werd. Ik stond op het punt hem iets toe te blaffen toen ik naar hem keek en zag dat hij zich groot hield, dat hij doodsbang was: hij hield het werkelijk voor mogelijk dat ik dat zou willen. Hij zou er echt begrip voor hebben als ik zou zeggen dat ik dat wilde. Dat was wat hij verwachtte. Later besefte ik dat hij zich in die jaren vlak na de adoptie voortdurend afvroeg hoe permanent het was, welke daad van hem voor mij aanleiding zou zijn hem te verstoten.

'Dat zou ik nooit doen,' zei ik zo stellig als ik kon.

Die avond probeerde ik met hem te praten. Hij schaamde zich voor wat hij deed, dat zag ik wel, maar hij begreep oprecht niet waarom ik het zo erg vond, waarom jij, Andy en ik er zo ontdaan over waren. 'Het is niet dodelijk,' zei hij steeds, alsof dat ons probleem was, 'ik heb het onder controle.' Naar een psychiater wilde hij niet, maar waarom niet kon hij me niet vertellen. Hij vond het niet prettig om zich te snijden, dat merkte ik, maar hij kon zich ook geen leven zonder voorstellen. 'Ik heb het nodig,' bleef hij maar volhouden, 'ik heb het nodig. Het maakt dingen goed.' 'Maar er moet toch een tijd in je leven zijn geweest waarin je dit níét deed?' vroeg ik, en toen schudde hij zijn hoofd en herhaalde: 'Ik heb het nodig. Harold, het helpt me, neem dat nou maar van me aan.'

'Maar waaróm heb je het nodig?' vroeg ik.

Hij schudde zijn hoofd. 'Het geeft me controle over mijn leven,' zei hij ten slotte.

Uiteindelijk was er niets meer wat ik kon zeggen. 'Deze hou ik.' Ik hield het zakje omhoog, en hij ademde scherp in en knikte. 'Jude,' zei ik, en hij keek me aan. 'Als ik dit weggooi, ga je dan een nieuwe maken?'

Hij zat heel stil naar zijn bord te kijken. 'Ja,' zei hij.

Natuurlijk gooide ik het toch weg, ik stopte het diep in een vuilniszak die ik naar de afvalcontainer aan het eind van de weg bracht. We ruimden zwijgend de keuken op – we waren allebei uitgeput en hadden geen van beiden een hap gegeten – en toen ging hij naar bed, en ik ook. In die tijd probeerde ik nog zijn persoonlijke ruimte in acht te nemen, anders had ik hem vastgepakt en tegen me aan gedrukt, maar dat deed ik niet.

Maar terwijl ik wakker lag dacht ik aan hem, aan zijn slanke vingers die zich begerig om het scheermesje sloten, en ik ging naar beneden, naar de keuken. Ik pakte de grote beslagkom uit de la onder de oven en begon die vol te stoppen met alle scherpe dingen die ik kon vinden: messen, scharen, kurkentrekkers en kreeftvorken. En toen liep ik ermee naar de woonkamer, waar ik met de kom in mijn armen in mijn stoel ging zitten, die ene met uitzicht over de zee.

Ik werd wakker van een geluid. De houten vloer van de keuken kraakte; ik ging in het donker rechtop zitten, hield mezelf in bedwang en hoorde zijn voetstappen, de duidelijke zachte stap van zijn linkervoet gevolgd door het slepen van zijn rechter, en daarna een la die open- en een paar tellen later weer dichtging. Toen een andere la, en nog een, tot hij elke la en elk kastje had geopend en weer gesloten. Hij had het licht niet aangedaan – er was maanlicht genoeg – en ik zag voor me hoe hij in de ineens mesloze wereld van de keuken stond, terwijl tot hem doordrong dat ik alles van hem had afgepakt: zelfs de vorken had ik weggehaald. Met ingehouden adem zat ik te luisteren naar de stilte in de keuken. Een moment lang was het net alsof we een gesprek voerden, een gesprek zonder woorden en zonder elkaar te zien. En toen hoorde ik eindelijk dat hij zich omdraaide en dat zijn voetstappen zich verwijderden, terug naar zijn kamer.

Toen ik de volgende avond weer in Cambridge was, ging ik naar zijn badkamer en vond daar nog zo'n zakje, precies hetzelfde als dat in Truro, en gooide het weg. Maar daarna heb ik nooit meer van die zakjes gevonden, in Cambridge noch in Truro. Hij moet een andere plaats hebben gevonden om ze te verbergen die ik nooit heb ontdekt, want het was uitgesloten dat hij die mesjes met zich meenam in het vliegtuig. Maar als ik in Greene Street kwam zocht ik altijd een gelegenheid om een kijkje te nemen in zijn badkamer. Daar verstopte hij de zakjes op dezelfde oude bekende plaats, en elke keer trok ik het los, stopte het in mijn zak en gooide het naderhand weg. Natuurlijk moet hij hebben geweten dat ik dat deed, maar we hebben het er nooit over gehad. Elke keer was het vervangen. Het is niet één keer gebeurd dat ik ging kijken maar het niet vond, tot hij erachter kwam dat hij het ook voor jou moest verbergen. Toch bleef ik het ook toen altijd controleren: elke keer dat ik in zijn appartement was, of later in jullie buitenhuis of de flat in Londen, ging ik naar zijn badkamer en zocht naar dat zakje. Ik heb het nooit meer gevonden. Malcolms badkamers waren zo sober, zo strakbelijnd, en toch zag hij zelfs daar kans het zodanig te verstoppen dat ik het nooit meer zou vinden.

In de loop van de jaren deed ik verschillende pogingen de kwestie aan te kaarten. De dag nadat ik het eerste zakje had gevonden belde ik Andy en gaf hem de volle laag, en anders dan je zou verwachten liet hij me uitrazen. 'Ik weet het,' zei hij. 'Ik weet het.' En toen: 'Harold, ik bedoel dit niet sarcastisch of retorisch. Vertel me: wat moet ik doen?' En natuurlijk wist ik niet wat ik daarop moest zeggen.

Jij bent degene die het verst met hem is gekomen. Toch weet ik dat je jezelf verwijten maakte. Ik maakte mezelf ook verwijten. Omdat ik iets deed wat erger is dan aanvaarding: ik tolereerde het. Ik deed bewust alsof ik niet wist dat hij dat deed, omdat het te moeilijk was om er een oplossing voor te vinden en omdat ik, tegen beter weten in, van hem wilde genieten zoals hij zich aan ons wilde laten zien. Ik maakte mezelf wijs dat ik hem in zijn waarde liet, terwijl ik bewust deed alsof ik niet wist dat hij die waardigheid in talloze nachten opofferde. Ik berispte hem en probeerde hem tot rede te brengen in de wetenschap dat dat niets uithaalde, en ook al wist ik dat, toch probeerde ik het niet op een andere, drastischer manier, die de afstand tussen ons had kunnen vergroten. Ik wíst dat het laf van me was, want ik heb Julia nooit iets over dat zakje verteld, ik heb haar nooit verteld wat ik die dag in Truro over hem te weten was gekomen. Uiteindelijk kwam ze erachter, en ik heb haar zelden zo boos gezien. 'Hoe kon je dit al die tijd laten gebeuren?' vroeg ze me. 'Hoe kon je dit zo lang laten doorgaan?' Ze heeft nooit gezegd dat ze mij persoonlijk verantwoordelijk hield, maar ik wist dat ze dat deed, en hoe kon ze anders? Dat deed ik zelf ook.

En hier stond ik nu in zijn appartement, waar hij een paar uur geleden, terwijl ik wakker lag, in elkaar was geslagen. Ik ging op de bank zitten met mijn mobiele telefoon in mijn hand, in afwachting van Andy's telefoontje om me te laten weten dat Jude klaar was om aan me teruggegeven te worden, klaar om aan mijn zorgen te worden overgedragen. Ik draaide de luxaflex tegenover me open, ging weer zitten en staarde naar de stalen lucht tot alle wolken in elkaar overvloeiden, tot ik helemaal niets meer kon zien, alleen maar een grijze mist, terwijl de dag langzaam overging in nacht.

~

Andy belde om zes uur die avond, negen uur nadat ik Jude bij hem had gebracht, en hij wachtte me op bij de deur. 'Hij ligt te slapen in de onderzoekskamer,' zei hij. En daarna: 'Gebroken linkerpols, vier gebroken ribben, godzijdank geen breuken in zijn benen. Geen hersenschudding, gelukkig. Een fractuur in het staartbeen. Schouder uit de kom, heb ik teruggezet. Bloeduitstortingen over zijn hele rug en bovenlijf; hij is duidelijk geschopt. Maar geen interne bloedingen. Zijn gezicht lijkt erger dan het is: zijn ogen en neus zijn oké, niets gebroken, en ik heb de kneuzingen met ijs gekoeld, wat jij ook moet doen, regelmatig.

Open striemen op zijn benen. Dat is wel zorgelijk. Ik heb een recept voor antibiotica voor je uitgeschreven; om te beginnen een lage dosis ter preventie, maar als hij zegt dat hij het warm heeft, of koud, moet je het me direct laten weten; een infectie daar is wel het allerlaatste wat hij kan gebruiken. Zijn rug ligt open...'

'Hoe bedoel je, ligt open?' vroeg ik.

Hij keek ongeduldig. 'Ontveld,' zei hij. 'Waarschijnlijk is hij met een riem geslagen, maar dat wilde hij me niet vertellen. Ik heb de wonden verbonden, maar ik geef je deze antibiotische zalf mee, en je moet vanaf morgen de wonden schoonhouden en het verband vervangen. Hij zal wel niet willen dat jij dat doet, maar het ziet er te lelijk uit. Een briefje met alle instructies zit hierin.'

Hij overhandigde me een plastic zak, en ik keek erin: potjes met pillen, rollen verband, tubes zalf. 'Dit zijn pijnstillers,' zei Andy terwijl hij er iets uit haalde. 'Daar heeft hij een hekel aan, maar hij zal ze nodig hebben. Laat hem om de twaalf uur een pil innemen: één 's ochtends en één 's avonds. Hij zal er suf van worden, dus laat hem niet in z'n eentje naar buiten gaan en zorg dat hij niets tilt. Hij zal er ook misselijk van worden, maar je moet toch zorgen dat hij wat binnenkrijgt: iets simpels, rijst of bouillon. Probeer hem in zijn rolstoel te houden; hij zal toch wel geen zin hebben om veel te bewegen.

Ik heb zijn tandarts gebeld en een afspraak gemaakt voor maandag om negen uur, want hij is een paar tanden kwijt. Het voornaamste is dat hij zo veel mogelijk slaapt; ik kom morgenmiddag langs en deze week verder elke avond. Laat hem beslist niet naar zijn werk gaan – al denk ik ook niet dat hij daar zin in zal hebben.'

Hij viel even abrupt stil als hij van wal was gestoken, en we stonden daar zonder iets te zeggen. 'Het is toch godverdomme niet te geloven,' zei Andy ten slotte. 'Die gore klootzak. Ik heb zin om die hufter op te zoeken en hem te vermoorden.'

'Ja,' zei ik. 'Ik ook.'

Hij schudde zijn hoofd. 'Hij wilde niet dat ik aangifte deed,' zei hij. 'Ik heb het hem gesmeekt.'

'Ja, ik ook.'

Het was opnieuw een schok om hem te zien, en hij schudde zijn hoofd toen ik hem in de rolstoel probeerde te helpen, dus stonden we toe te kijken terwijl hij zich op de zitting liet zakken, nog in dezelfde kleren, waarop het ingedroogde bloed nu roestbruine continenten had gevormd. 'Dank je wel, Andy,' zei hij heel zacht. 'Sorry,' en Andy legde zijn hand op zijn achterhoofd en zei niets.

Tegen de tijd dat we terug waren in Greene Street was het donker. Zoals je weet had hij zo'n superlichtgewicht rolstoel, een elegant model dat zo nadrukkelijk uitschreeuwde dat de gebruiker ervan zelfstandig was dat er niet eens handvatten aan zaten, omdat ervan werd uitgegaan dat degene die erin zat zich nooit zou verwaardigen zich te laten duwen. Je moest het ding boven aan de rugleuning vastpakken, die erg laag was, en op die manier voortduwen. Ik stopte in de hal om de lichten aan te doen en we knipperden allebei met onze ogen.

'Je hebt schoongemaakt,' zei hij.

'Eh... ja,' zei ik. 'Niet zo goed als jij het zou hebben gedaan, ben ik bang.'

'Bedankt,' zei hij.

'Geen moeite,' zei ik. We waren stil. 'Zal ik je helpen je om te kleden, en wil je daarna iets eten?'

Hij schudde zijn hoofd. 'Nee, dank je, maar ik heb geen honger. En ik kan het zelf.' Nu was hij ingetogen, beheerst: de persoon die ik eerder had gezien was weg, weer opgesloten in zijn labyrint, in een of ander kelderkamertje dat zelden openging. Hij was altijd al beleefd, maar als hij zichzelf probeerde af te schermen of wilde bewijzen dat hij geen hulp nodig had, werd hij nog beleefder, zelfs een beetje afstandelijk, alsof hij een ontdekkingsreiziger te midden van een gevaarlijke stam was, die oppaste om niet al te zeer betrokken te raken bij hun manier van leven.

Inwendig slaakte ik een zucht; ik bracht hem naar zijn kamer en zei dat ik er was als hij me nodig had, en hij knikte. Voor de gesloten deur ging ik op de grond zitten wachten: ik hoorde kranen open- en dichtgaan, daarna zijn voetstappen, daarna een hele tijd niets, en daarna de zucht van het bed toen hij erop ging zitten.

Toen ik naar binnen ging lag hij onder het dekbed, en ik ging naast hem op de rand van het bed zitten. 'Weet je zeker dat je niets wilt eten?' vroeg ik.

'Ja,' zei hij, en na een kort moment keek hij me aan. Hij kon zijn ogen nu opendoen, en tegen het wit van de lakens staken zijn camouflagekleuren leemachtig en vruchtbaar af: het junglegroen van zijn ogen, het geschakeerde goudbruin van zijn haar, en zijn gezicht, minder blauw dan het die ochtend was geweest en nu met een donkere, bronskleurige glans. 'Harold, het spijt me zo,' zei hij. 'Het spijt me dat ik gisteravond tegen je schreeuwde en het spijt me dat ik je zo veel problemen bezorg. Het spijt me dat...'

'Jude,' onderbrak ik hem, 'jij hoeft nergens spijt van te hebben. Het spijt míj. Ik wou dat ik iets voor je kon doen.'

Hij sloot zijn ogen, deed ze weer open en wendde zijn blik af. 'Ik schaam me zo,' zei hij zacht.

Daarop streelde ik zijn haar, en hij liet me begaan. 'Dat hoeft niet,' zei ik. 'Jij hebt niets verkeerds gedaan.' Ik kon wel huilen, maar ik dacht dat hij misschien op het punt stond in tranen uit te barsten, en als hij zou gaan huilen, wilde ik dat niet doen. 'Dat weet je toch, hè?' vroeg ik. 'Je weet toch dat dit niet aan jou ligt, dat je dit niet verdiend hebt?' Hij zei niets, dus ik bleef het maar vragen, tot hij ten slotte een knikje gaf. 'Je weet toch dat die vent een misselijke klootzak is, hè?' vroeg ik, en hij draaide zijn gezicht weg. 'Je weet toch dat het niet jouw schuld is? Je weet toch dat dit niets zegt over jou of over wat jij waard bent?'

'Harold,' zei hij. 'Alsjeblieft.' En ik stopte, al had ik eigenlijk moeten doorgaan.

Een tijdje zeiden we niets. 'Mag ik je iets vragen?' vroeg ik, en even later knikte hij weer. Ik wist niet eens wat ik wilde zeggen tot ik het zei, en terwijl ik het zei wist ik niet waar het vandaan kwam, behalve dat het waarschijnlijk iets was wat ik altijd had geweten en nooit had willen vragen omdat ik bang was voor het antwoord: ik wist wat dat zou zijn, en ik wilde het niet horen. 'Ben je als kind seksueel misbruikt?'

Ik voelde, meer dan dat ik het zag, dat hij verstijfde, en hij huiverde onder mijn hand. Hij had me nog steeds niet aangekeken, en nu rolde hij op zijn linkerzij en legde zijn verbonden arm naast zich op het kussen. 'Jezus, Harold,' zei hij ten slotte.

Ik trok mijn hand terug. 'Hoe oud was je toen het gebeurde?' vroeg ik.

Er viel een stilte en toen duwde hij zijn gezicht in het kussen. 'Harold,' zei hij, 'ik ben doodop. Ik moet echt slapen.'

Ik legde mijn hand op zijn schouder, die omhoogschoot, maar ik hield vol. Onder mijn hand voelde ik zijn spieren spannen, voelde ik die rillingen door hem heen gaan. 'Het is oké,' zei ik. 'Jij hebt niets om je over te schamen. Het is niet jouw schuld, Jude, begrijp je dat?' Maar hij deed alsof hij sliep, al kon ik nog steeds die siddering voelen, elke vezel van zijn lichaam alert en gealarmeerd.

Ik zat daar nog een tijdje toe te kijken terwijl hij zich roerloos hield. Ten slotte ging ik weg en sloot de deur achter me.

Ik bleef de rest van de week. Jij belde hem die avond, ik nam op en loog tegen je, vertelde je iets vaags over een ongeluk, hoorde de bezorgdheid in je stem en wilde je o zo graag de waarheid vertellen. De volgende dag belde je opnieuw en ik luisterde aan de deur terwijl ook hij tegen je loog: 'Een auto-ongeluk. Nee. Nee, niks ernstigs. Wat? Ik zat in Richards huis voor het weekend. Ingedommeld en tegen een boom gebotst. Weet ik niet, ik was moe, ik heb de laatste tijd erg hard gewerkt. Nee, een huurauto. Nee. Omdat de mijne in de garage is. Het valt wel mee. Nee, het komt wel goed. Ach nee, je kent Harold, altijd overbezorgd. Dat beloof ik. Ik zweer het je. Nee, die is tot eind volgende maand in Rome. Willem, het gaat prima. Heus waar! Oké. Dat weet ik. Oké. Ik beloof het; dat zal ik doen. Jij ook. Dag.'

Meestal was hij volgzaam en gedwee. Hij at elke ochtend zijn soep en nam zijn pillen in. Ze maakten hem sloom. Elke ochtend ging hij in zijn kamer zitten werken, maar tegen elven lag hij alweer op de bank te slapen. Hij sliep door lunchtijd heen, tot het eind van de middag, en ik wekte hem pas voor het avondeten. Jij belde hem elke avond. Julia belde hem ook: ik probeerde altijd mee te luisteren maar kon niet veel van hun gesprekken opvangen, alleen dat hij niet veel zei, wat betekende dat Julia een heleboel gezegd moet hebben. Malcolm kwam een paar keer langs, en de beide Henry Youngs, Elijah en Rhodes kwamen ook op bezoek. JB stuurde een tekening van een iris; ik had nooit geweten dat hij ook bloemen tekende. Zoals Andy had voorspeld ging Jude met me in de clinch over de verbanden om zijn benen en rug, die hij me, hoe ik ook soebatte en tekeerging, niet wilde laten zien. Andy mocht het wel, en ik hoorde Andy tegen hem zeggen: 'Dan zul je toch echt om de andere dag helemaal naar mij toe moeten komen om ze te laten verschonen. Ik meen het.'

'Mij best,' snauwde hij.

Lucien kwam op bezoek, maar hij lag te slapen in zijn werkkamer. 'Maak hem maar niet wakker,' zei hij, en toen hij een blik om de hoek van de deur wierp: 'Jezus.' We praatten even en hij vertelde me hoezeer Jude op kantoor werd bewonderd, wat je niet vaak genoeg over je kind kunt horen, of hij nu een kleuter van vier is die uitblinkt bij het kleien of een veertiger die bij een topfirma werkt en uitblinkt in het verdedigen van witteboordencriminelen. 'Ik zou willen zeggen dat je trots op hem mag zijn, maar daarvoor ken ik je politieke voorkeur iets te goed,' zei hij grijnzend. Hij was echt op Jude gesteld, dat zag ik wel, en ik betrapte mezelf op een lichte jaloezie en vond dat meteen daarna een kleinzielige reactie.

'Nee,' zei ik. 'Ik bén trots op hem.' Op dat moment had ik spijt van al die jaren waarin ik hem de mantel had uitgeveegd over Rosen Pritchard, de enige plaats waar hij zich veilig voelde, waar hij zich werkelijk licht voelde, de enige plaats waar zijn angsten en onzekerheden werden uitgebannen.

De maandag daarop, de dag voor ik wegging, zag hij er beter uit: zijn wangen hadden een mosterdkleur, maar de zwellingen waren geslonken en je kon de beenderen van zijn gezicht weer zien. Het ademhalen leek hem iets minder pijn te doen, het spreken ook iets minder, en zijn stem klonk minder amechtig, meer als vanouds. Andy had het goedgevonden dat hij zijn ochtenddosis pijnstillers halveerde en hij was alerter, zij het niet echt levendiger. We speelden een potje schaak, dat hij won.

'Donderdagavond ben ik er weer,' zei ik tijdens het avondeten. Ik gaf dat semester alleen colleges op dinsdag, woensdag en donderdag.

'Nee, dat hoeft niet,' zei hij. 'Bedankt, Harold, maar het gaat echt prima.'

'Ik heb het ticket al gekocht,' zei ik. 'En sowieso, Jude... je hoeft niet altijd nee te zeggen, weet je nog? Waar we het over hadden? Dingen aanvaarden?' Hij zei niets meer.

Wat kan ik je nog meer vertellen? Die woensdag ging hij weer naar zijn werk, ondanks Andy's advies om tot het eind van die week thuis te blijven. En ondanks zijn dreigementen kwam Andy elke avond naar Greene Street om zijn verbanden te verschonen en zijn benen te inspecteren. Julia kwam terug en elk weekend van oktober vloog een van ons naar New York om hem gezelschap te houden. Doordeweeks logeerde Malcolm bij hem. Jude vond het maar niets, dat merkte ik best, maar we besloten dat het ons dit keer niet kon schelen wat hij ervan vond.

Hij knapte op. Zijn benen raakten niet ontstoken, zijn rug ook niet. Hij had geluk gehad, zei Andy keer op keer. Hij kwam weer op zijn oude gewicht. Tegen de tijd dat jij terugkeerde, begin november, was hij bijna genezen. Tegen Thanksgiving, dat we dat jaar in ons appartement in New York vierden zodat hij niet zou hoeven te reizen, was het gips eraf en liep hij weer. Tijdens het feestelijke diner hield ik hem nauwlettend in het oog, ik zag hem praten met Laurence en lachen met een van Laurence' dochters, maar ik moest steeds maar terugdenken aan die avond, aan zijn gezicht toen Caleb hem bij zijn pols greep, die uitdrukking van pijn, schaamte en angst. Ik moest denken aan de dag waarop ik erachter was gekomen dat hij een rolstoel had: dat was kort nadat ik het zakje in Truro had gevonden, toen ik voor een symposium in New York was en hij tot mijn grote schrik in zijn rolstoel het restaurant in kwam. 'Waarom heb je me dat nooit verteld?' vroeg ik, en hij deed alsof hij verbaasd was, alsof hij dacht dat hij dat wel had gedaan. 'Nee, dat heb je niet,' zei ik, en na een tijdje gaf hij toe dat hij me zo niet onder ogen had willen komen, als een zwak, hulpeloos iemand. 'Zo zou ik jou nooit zien,' zei ik, en hoewel ik dat volgens mij ook niet deed, veranderde dit gegeven wel degelijk iets aan de manier waarop ik hem zag; het wees me erop dat wat ik van hem wist maar een fractie was van wie hij was.

Soms leek het alsof die ene week een spookbeeld was geweest dat alleen Andy en ik hadden gezien. In de maanden erna maakte iemand er soms een grapje over: zijn rijvaardigheid, zijn Wimbledon-ambities, en dan lachte hij mee en maakte een opmerking vol zelfspot. Op die momenten kon hij mij nooit aankijken, want ik herinnerde hem aan wat er werkelijk was gebeurd, aan wat hij zag als zijn totale vernedering.

Maar later besefte ik dat dat incident hem iets belangrijks had afgenomen, hem had veranderd: in iemand anders, of misschien in iemand die hij ooit was geweest. Ik zag de maanden vóór Caleb als een periode waarin hij gezonder dan ooit was geweest: hij had me toegestaan hem te omhelzen als ik hem zag, en als ik hem aanraakte, in het voorbijgaan in de keuken een arm om hem heen legde, dan liet hij dat toe; zijn hand ging in hetzelfde vaste ritme door met het fijnhakken van de worteltjes. Het had twintig jaar geduurd voordat dat mogelijk was. Maar na Caleb viel hij terug. Met Thanksgiving was ik op hem afgelopen om hem te omhelzen, maar hij deed snel een stapje naar links – een klein stapje, net voldoende om me in het niets te laten grijpen, en er was een seconde geweest waarin we elkaar aankeken en ik wist dat alles wat een paar maanden geleden toegestaan was geweest, nu niet meer kon: ik wist dat ik opnieuw moest beginnen. Ik wist dat hij had besloten dat Caleb gelijk had, dat hij walgelijk was, dat hij op de een of andere manier had verdiend wat er met hem was gebeurd. En dat was het ergste, het meest funeste. Hij had besloten Caleb te geloven, hem wel en ons niet, omdat Caleb bevestigde wat hij altijd had gedacht en wat hem altijd was geleerd, en het is altijd makkelijker te geloven wat je al dacht dan te proberen iets anders te denken.

Later, toen het misliep, vroeg ik me vaak af wat ik had moeten zeggen of doen. Soms dacht ik dat er niets was wat ik had kunnen zeggen – er was wel iets wat had kunnen helpen, maar hij zou dat van geen van ons hebben aangenomen. Ik had nog steeds van die fantasieën: het pistool, een groepje wrekers, West 29th Street 50, appartement 17J. Maar nu zouden we niet schieten. We zouden Caleb Porter in een stevige armgreep tussen ons in naar de auto slepen, hem naar Greene Street brengen en naar boven sleuren. We zouden hem vertellen wat hij moest zeggen en hem waarschuwen dat we vlakbij in de lift stonden met het pistool in de aanslag, gericht op zijn rug. En van achter de deur zouden we luisteren naar wat hij zei: 'Ik meende er niets van. Ik zat helemaal fout. Niet alleen met wat ik heb gedaan, maar ook met wat ik heb gezegd: het was allemaal voor iemand anders bedoeld. Je moet me geloven, want hiervoor geloofde je me ook: je bent mooi en perfect, en ik meende absoluut niet wat ik zei. Ik zat fout, ik had het mis, niemand heeft het ooit zo gruwelijk mis gehad als ik.'

3

Elke middag vanaf vier uur had hij tussen zijn laatste les en zijn eerste corvee een uur vrij, en op woensdag twee uur. Ooit had hij die middagen doorgebracht met lezen of het terrein verkennen, maar de laatste tijd, sinds broeder Luke had gezegd dat het mocht, bracht hij ze allemaal door in de kas. Als Luke er was, hielp hij de broeder om de planten water te geven. Hij probeerde hun namen te onthouden: *Miltonia spectabilis, Alocasia amazonica, Asystasia gangetica*, zodat hij ze kon benoemen en een complimentje van de broeder kreeg. 'Volgens mij is de *Heliconia vellerigera* gegroeid,' zei hij bijvoorbeeld terwijl hij de donzige schutbladen streelde, en dan keek broeder Luke hem hoofdschuddend aan en zei: 'Ongelofelijk. Hemeltjelief, wat heb jij een geheugen,' en dan glimlachte hij in zichzelf, trots dat hij indruk had gemaakt op de broeder.

Als broeder Luke er niet was, speelde hij met zijn spullen. De broeder had hem laten zien dat er achter in de kas, als je een stapel plastic bloempotten opzijschoof, een klein rooster tevoorschijn kwam, en als je dat rooster weghaalde kwam je bij een ondiep gat, groot genoeg voor een plastic vuilniszak met zijn bezittingen erin. Dus had hij zijn twijgjes en stenen onder de boom opgegraven en zijn buit naar de kas verhuisd, waar het warm en vochtig was en hij zijn voorwerpen kon bekijken zonder dat zijn handen verkleumden. In de loop van de maanden had Luke zijn collectie aangevuld: hij gaf hem een stukje zeeglas dat volgens de broeder dezelfde kleur had als zijn ogen, een metalen fluitje met een klein balletje erin dat rinkelde als een bel als je het heen en weer schudde, en een stoffen poppetje dat een man voorstelde met een bordeauxrode wollen hes en een riem afgezet met turquoise kraaltjes, en dat volgens de broeder door een Navajo-indiaan was gemaakt en van de broeder zelf was geweest toen hij klein was. Twee maanden geleden had hij, toen hij zijn tas openmaakte, een zuurstok ontdekt die Luke erin had gestopt, en hoewel het februari was en allang geen Kerstmis meer, was hij verrukt geweest: hij had altijd al een zuurstok willen proeven, en hij brak hem in stukjes en zoog elk ervan tot een speerpunt, om het daarna stuk te bijten en de suiker in zijn kiezen te voelen knarsen.

De broeder had hem gezegd de dag erop direct uit de les te komen, want hij had een verrassing voor hem. De hele dag was hij ongedurig en afgeleid geweest, en hoewel hij door twee van de broeders was geslagen – door Michael in zijn gezicht en door Peter op zijn achterste – had hij er nauwelijks aandacht aan besteed. Pas na de waarschuwing van broeder David dat hij in plaats van zijn vrije uurtjes extra taken zou krijgen als hij zich niet gauw concentreerde, richtte hij zich zo goed en kwaad als het ging op zijn werk, en zo wist hij de dag door te komen.

Eenmaal buiten, uit het zicht van het klooster, zette hij het op een rennen. Het was lente en hij voelde zich onwillekeurig blij: hij hield van de kersenbomen met hun schuimige roze bloesem, van de tulpen met hun ongelofelijke, glanzende kleuren en van het nieuwe gras, zacht en mals onder zijn voeten. Als hij alleen was nam hij soms de Navajopop mee naar buiten, samen met een takje dat hij had gevonden en dat de vorm van een poppetje had, en ging er in het gras mee zitten spelen. Hij had voor allebei een stem en fluisterde zachtjes voor zich uit, want broeder Michael had gezegd dat jongens niet met poppen speelden, en dat hij sowieso te oud begon te worden om te spelen.

Onder het rennen vroeg hij zich af of broeder Luke naar hem keek. Op een woensdag had de broeder gezegd: 'Ik zag je vandaag komen aanrennen,' en toen hij zijn mond had opengedaan om zich te verontschuldigen had de broeder vervolgd: 'Tjongejonge, wat kun jíj rennen! Wat ben jij snel!' en hij was er letterlijk sprakeloos van geweest, totdat de broeder lachend had gezegd dat hij zijn mond moest dichtdoen.

Toen hij de kas binnen stapte, was daar niemand. 'Hallo?' riep hij. 'Broeder Luke?'

'Hier,' hoorde hij, en hij draaide zich om naar de aanbouw, een kamer met de voorraden kunstmest en flessen geïoniseerd water, een rek vol snoeischaren, heggescharen en bloemscharen aan de wand, en op de grond opgestapelde zakken mulch. Hij vond dat een fijne ruimte, met zijn houtige, mossige geur, dus hij stapte gretig naar de deur en klopte aan.

Toen hij binnenkwam was hij even gedesoriënteerd. Het was stil en donker in de kamer, afgezien van een klein vlammetje op de vloer, waar broeder Luke overheen gebogen zat. 'Kom eens dichterbij,' zei de broeder, en dat deed hij.

'Nog dichterbij,' zei de broeder, en hij lachte. 'Toe nou maar, Jude.'

Dus hij kwam dichterbij en de broeder hield iets omhoog en zei: 'Verrassing!' Hij zag dat het een muffin was, een muffin met in het midden een brandende lucifer.

'Wat is dat?' vroeg hij.

'Je bent toch jarig?' vroeg de broeder. 'Dit is je verjaardagstaartje. Kom, doe een wens; blaas het kaarsje maar uit.'

'Is die voor mij?' vroeg hij, terwijl de vlam begon te flikkeren.

'Ja, voor jou,' zei de broeder. 'Gauw, doe een wens.'

Hij had nog nooit een verjaardagstaart gehad, maar hij had erover gelezen en wist wat hij moest doen. Hij sloot zijn ogen en deed een wens, en opende toen zijn ogen weer en blies de lucifer uit, en het werd pikdonker in de kamer.

'Gefeliciteerd,' zei Luke, en hij deed het licht aan. Hij overhandigde hem de muffin, en toen hij de broeder ook een stukje wilde geven, sloeg die het af: 'Hij is voor jou.' Er zaten bosbesjes in de muffin; hij had nog nooit zoiets lekkers geproefd, zo zoet en luchtig, en terwijl hij hem opat keek de broeder glimlachend toe.

'En ik heb nog iets voor je,' zei Luke. Achter zijn rug haalde hij een pakje tevoorschijn, een grote platte doos verpakt in krantenpapier met een touwtje eromheen. 'Toe dan, maak maar open,' zei Luke, en dat deed hij, heel voorzichtig zodat het krantenpapier opnieuw kon worden gebruikt. De doos was van effen, verschoten karton, en toen hij hem openmaakte zag hij dat er allerlei cilindervormige houten blokjes in zaten. Elk blokje had inkepingen aan beide zijden, en broeder Luke liet hem zien hoe de blokjes op elkaar gepast konden worden om er een kubus van te bouwen, en hoe hij er takjes overheen kon leggen voor een soort dak. Vele jaren later, toen hij op de universiteit zat, zag hij in de etalage van een speelgoedwinkel een doos met net zulke blokjes en realiseerde hij zich dat zijn cadeau niet compleet was geweest: er ontbraken twee rode driehoekige stukken voor het puntdak, en de platte groene planken die eroverheen moesten. Maar op dat moment was hij sprakeloos van blijdschap geweest, tot hij had beseft dat hij niet erg beleefd was en de broeder keer op keer had bedankt.

'Alsjeblieft,' zei Luke. 'Je wordt toch ook niet elke dag acht, of wel?'

'Nee,' zei hij met een dolblije glimlach naar het cadeau, en de rest van zijn vrije uur had hij huizen en kubussen gebouwd, terwijl broeder Luke toekeek en soms even vooroverboog om een haarlok achter zijn oor te stoppen.

Elke vrije minuut zat hij bij de broeder in de kas. Bij Luke was hij een ander iemand. Voor de overige broeders was hij een last, een verzameling problemen en tekortkomingen, elke dag weer kreeg hij een opsomming over zich heen van wat er allemaal mis met hem was: hij was te dromerig, te impulsief, te energiek, een fantast, te nieuwsgierig, te ongeduldig, te mager en te speels. Hij mocht weleens wat dankbaarder, beleefder, beheerster, respectvoller, geduldiger, behendiger, gedisciplineerder en eerbiediger zijn. Maar volgens broeder Luke was hij slim, rap, pienter en levendig. Broeder Luke zei nooit dat hij te veel vragen stelde of dat er bepaalde dingen waren die hij pas kon begrijpen als hij groot was. De eerste keer dat broeder Luke hem kietelde, hapte hij naar adem en daarna kon hij niet meer stoppen met lachen, en broeder Luke lachte ook terwijl ze met z'n tweeën op de vloer onder de orchideeën lagen te stoeien. 'Je hebt zo'n heerlijke lach,' zei broeder Luke, en 'Wat een mooie glimlach heb je toch, Jude' en 'Wat een vrolijk joch ben je toch', tot het net leek alsof de kas een toverkas was die hem veranderde in de jongen die broeder Luke zag, iemand die leuk en grappig was, iemand bij wie de mensen in de buurt wilden zijn, een beter en ander iemand dan zijn eigenlijke ik.

Als het allemaal heel erg was met de andere broeders, beeldde hij zich in dat hij in de kas met zijn spullen speelde of met broeder Luke praatte en herhaalde hij in zichzelf de dingen die broeder Luke tegen hem zei. Soms was het zó erg dat hij niet naar het avondeten kon, maar de dag erop vond hij dan altijd iets in zijn kamer wat broeder Luke daar had neergelegd: een bloem, een rood blad of een heel grote beukennoot, dingen die hij nu spaarde en onder het rooster stopte.

De andere broeders hadden gemerkt dat hij al zijn vrije tijd bij broeder Luke doorbracht, en hij voelde dat ze dat afkeurden. 'Pas op voor Luke,' waarschuwde broeder Pavel, broeder Pavel nog wel, die hem altijd sloeg en tegen hem schreeuwde. 'Hij is niet zoals jij denkt.' Maar hij trok zich daar niets van aan. Ze waren geen van allen zoals ze zich voordeden.

Op een middag ging hij laat naar de kas. Het was een moeilijke week geweest: hij was heel erg geslagen, lopen deed hem zeer. De avond ervoor was zowel pater Gabriel als broeder Matthew langsgekomen en al zijn spieren deden pijn. Het was vrijdag; broeder Michael had hem onverwachts vroeg laten gaan en hij had bedacht dat hij met zijn blokken kon gaan spelen. Zoals altijd na die sessies wilde hij alleen zijn; hij wilde met zijn speelgoed in dat warme vertrek zitten en doen alsof hij heel ergens anders was.

Toen hij bij de kas aankwam, was daar niemand. Hij tilde het rooster op en haalde zijn indianenpop en de blokkendoos tevoorschijn, maar terwijl hij aan het spelen was, merkte hij dat hij huilde. Hij probeerde minder te huilen – hij voelde zich er nog akeliger door en de broeders hadden er een hekel aan en straften hem ervoor – maar hij kon het niet helpen. In elk geval had hij geleerd te huilen zonder geluid, en dat deed hij dus, hoewel het probleem met huilen zonder geluid was dat het pijn deed en je je er helemaal op moest concentreren, dus uiteindelijk moest hij zijn speelgoed neerleggen. Hij bleef daar tot de eerste bel, borg toen zijn spullen op en rende de heuvel af naar de keuken, waar hij wortelen en aardappels ging schillen en selderij fijnhakken voor het avondeten.

En toen, waarom had hij nooit precies begrepen, zelfs niet als volwassene, werd het plotseling allemaal héél erg. Hij werd erger geslagen, de sessies werden erger, de uitbranders werden erger. Hij wist niet wat hij had misdaan; in zijn eigen ogen was hij dezelfde als altijd. Maar het leek wel of het collectieve geduld van de broeders met hem begon op te raken. Zelfs de broeders David en Peter, die hem altijd zo veel boeken leenden als hij maar wilde, leken minder genegen om met hem te praten. 'Ga weg, Jude,' zei broeder David toen hij naar de broeder toe ging om met hem te praten over een boek over Griekse mythen dat hij van hem had geleend. 'Ik wil je nu niet zien.'

Hij raakte er steeds meer van overtuigd dat ze van hem af wilden en was doodsbang, want het klooster was het enige thuis dat hij ooit had gehad. Hoe kon hij overleven, wat moest hij doen in de buitenwereld, die volgens de broeders vol gevaren en verleidingen was? Hij wist dat hij kon werken: hij kon tuinieren, koken en schoonmaken, dus misschien kon hij daarmee een baantje krijgen. Misschien zou hij door iemand anders in huis worden genomen. Als dat gebeurde, hield hij zichzelf voor, dan zou hij zich beter gedragen. Hij zou niet dezelfde fouten maken die hij bij de broeders had gemaakt.

'Weet je wel hoeveel het kost om jou te onderhouden?' had broeder Michael hem een keer gevraagd. 'Ik geloof niet dat we ooit hadden verwacht dat je zo lang zou blijven.' Hij had niet geweten wat hij op die dingen moest antwoorden, dus had hij domweg naar het bureau zitten staren. 'Je mag weleens sorry zeggen,' zei broeder Michael.

'Sorry,' fluisterde hij.

Nu was hij zo moe dat hij niet eens meer de energie had om naar de kas te gaan. Nu ging hij na de lessen naar een hoekje van de kelder, waar volgens broeder Pavel ratten zaten maar volgens broeder Matthew niet, klom op een van de draadstalen stellingkasten waar dozen olie, pasta en zakken meel lagen, en bleef daar liggen tot de bel ging en hij terug naar boven moest. Tijdens de avondmaaltijd meed hij broeder Luke, en als de broeder naar hem lachte, wendde hij zich af. Hij wist nu zeker dat hij niet de jongen was die broeder Luke in hem zag – vrolijk? grappig? – en hij schaamde zich voor zichzelf, voor het feit dat hij Luke in zekere zin misleid had.

Hij had Luke al iets langer dan een week gemeden toen hij op een dag naar zijn verstopplaats ging en zag dat de broeder hem daar opwachtte. Hij keek of hij zich ergens kon verbergen, maar hij kon geen kant op, en in plaats daarvan begon hij te huilen, terwijl hij tegelijkertijd zijn gezicht naar de muur draaide en zich verontschuldigde.

'Het geeft niet, Jude,' zei broeder Luke, en hij kwam bij hem staan en klopte hem op zijn rug. 'Het geeft niet, het geeft niet.' De broeder ging op de keldertrap zitten. 'Kom eens even naast me zitten,' zei hij, maar hij schudde zijn hoofd, te beschaamd om te gehoorzamen. 'Ga dan in elk geval zitten,' zei Luke, en dat deed hij, met zijn rug tegen de muur. Toen stond Luke op en begon in de dozen op een van de bovenste planken te zoeken, tot hij er iets uit haalde en het hem toestak: een flesje appelsap.

'Dat mag ik niet,' zei hij meteen. Hij mocht helemaal niet in de kelder komen, maar kroop door het zijraampje naar binnen en klom dan via de stellages naar beneden. Broeder Pavel beheerde de voorraden en telde alles elke week: als er iets ontbrak, zou hij de schuld krijgen. Hij kreeg altijd de schuld.

'Maak je geen zorgen, Jude,' zei de broeder. 'Ik vervang het. Toe maar, neem het maar aan,' en na nog wat aansporingen deed hij dat ten slotte. Het sap was zo zoet als siroop en hij wist niet of hij nou kleine slokjes moest nemen zodat hij er langer mee deed, of het snel naar binnen moest klokken voor het geval dat de broeder van gedachten veranderde en hem het flesje weer afpakte.

Toen hij het ophad zaten ze daar in stilte, en toen zei de broeder met zachte stem: 'Jude, wat ze met je doen, dat is niet goed. Dat zouden ze niet moeten doen; ze zouden je geen pijn mogen doen.' Bijna begon hij weer te huilen. 'Ik zou jou nooit pijn doen, Jude, dat weet je toch, hè?' Hij slaagde erin naar Luke te kijken, naar zijn lange, vriendelijke, bezorgde gezicht met het grijze baardje en de bril waardoor zijn ogen nog groter leken, en te knikken.

'Dat weet ik, broeder Luke,' zei hij.

Broeder Luke zweeg een hele tijd voor hij weer iets zei. 'Jude, weet je dat ik voordat ik hier in het klooster kwam een zoon had? Jij doet me heel sterk aan hem denken. Ik hield heel veel van hem. Maar hij ging dood, en toen ben ik hierheen gekomen.'

Hij wist niet wat hij moest zeggen, maar kennelijk werd er ook geen antwoord van hem verwacht, want broeder Luke praatte verder.

'Soms kijk ik naar jou en dan denk ik: jij verdient het niet dat die dingen met je gebeuren. Je verdient het om bij iemand anders te zijn, iemand...' En toen stopte broeder Luke opnieuw, omdat hij weer was gaan huilen. 'Jude,' zei hij verbaasd.

'Nee...' snikte hij, 'alsjeblieft, broeder Luke... laat ze me niet wegsturen; ik zal me beter gedragen, ik beloof het, ik beloof het. Laat ze me niet wegsturen.'

'Jude,' zei de broeder. Hij kwam naast hem zitten en trok hem tegen zich aan. 'Niemand stuurt jou weg. Dat beloof ik je: niemand gaat jou wegsturen.' Ten slotte wist hij zichzelf weer te kalmeren, en ze zaten daar een hele tijd met z'n tweeën. 'Het enige wat ik wou zeggen is dat jij het verdient om bij iemand te zijn die van je houdt. Zoals ik. Als je bij mij was, zou ik je nooit pijn doen. We zouden het zo leuk hebben.'

'Wat zouden we dan doen?' vroeg hij ten slotte.

'Nou,' zei Luke langzaam, 'we zouden kunnen gaan kamperen. Heb je ooit gekampeerd?'

Dat had hij natuurlijk niet, en Luke vertelde hem erover: de tent, het vuur, de geur en het geknapper van brandend naaldhout, de marshmallows op een stokje, het ge-oehoe van de uilen.

De volgende dag ging hij weer naar de kas, en in de weken en maanden die volgden vertelde Luke hem over alle dingen die ze samen zouden kunnen doen als ze op zichzelf waren: ze zouden naar het strand gaan, naar de stad, en naar een kermis. Hij zou pizza krijgen en hamburgers en maiskolven en ijs. Hij zou leren honkballen en vissen en ze zouden in een houten huisje wonen, zij met z'n tweetjes, als vader en zoon, en de hele ochtend zouden ze lezen, en de hele middag zouden ze spelen. Ze zouden een tuin hebben waar ze al hun groenten in zouden verbouwen en ook bloemen, en ja, misschien zouden ze ooit ook een kas krijgen. Ze zouden alles samen doen en overal samen naartoe gaan, ze zouden een soort beste vrienden zijn, maar dan nog beter.

Broeder Lukes verhalen brachten hem in een roes, en als alles heel erg was, dacht hij eraan: aan de tuin waar ze verschillende soorten pompoenen zouden kweken, het riviertje achter hun huis waar ze baarzen zouden vangen, het huisje – een grotere versie van de huizen die hij met zijn blokken bouwde – waar hij volgens Luke een echt bed zou krijgen, en waar ze het zelfs op de koudste avonden nog warm zouden hebben, en waar ze elke week muffins konden bakken.

Op een middag – het was begin januari en zo koud dat ze ondanks de kachels alle planten in de kas moesten inpakken met juten lappen – waren ze zwijgend aan het werk. Hij wist altijd of Luke over hun huis wilde praten of niet, en hij merkte dat het vandaag een van zijn stille dagen was, waarop de broeder met zijn gedachten ver weg leek. In zo'n bui was broeder Luke nooit onvriendelijk, alleen maar zwijgzaam, maar wel het soort zwijgzaamheid waardoor hij wist dat hij ook beter zijn mond kon houden. Maar hij hunkerde naar een van Lukes verhalen; hij had er een nodig. Het was zo'n afschuwelijke dag geweest, het soort dag waarop hij liever dood had willen zijn, en hij wilde dat Luke hem vertelde over hun huisje en over alle dingen die ze daar zouden doen als ze alleen waren. In hun huisje zou er geen broeder Matthew, pater Gabriel of broeder Peter zijn. Niemand zou tegen hem schreeuwen of hem pijn doen. Het zou zijn alsof hij voor altijd in de kas woonde, een betovering waaraan geen einde kwam.

Hij nam zich net voor niets te zeggen, toen broeder Luke hem aansprak. 'Jude,' zei hij, 'ik ben vandaag heel verdrietig.'

'Waarom, broeder Luke?'

'Nou,' zei broeder Luke, en hij zweeg even. 'Je weet hoeveel ik om je geef, toch? Maar de laatste tijd heb ik het gevoel dat jij niets om mij geeft.'

Dit was verschrikkelijk om te horen, en een moment lang kon hij niets uitbrengen. 'Dat is niet waar!' zei hij.

Maar broeder Luke schudde zijn hoofd. 'Ik blijf je maar vertellen over ons huis in het bos,' zei hij, 'maar ik heb niet het gevoel dat jij daar echt naartoe wilt. Voor jou zijn het alleen maar verhalen, net als sprookjes.'

Hij schudde zijn hoofd. 'Nee, broeder Luke. Voor mij zijn ze ook echt.' Hij wilde dat hij broeder Luke kon vertellen hóé echt, hoezeer hij ze nodig had, hoezeer ze hem hielpen. Broeder Luke zag er heel verdrietig uit, maar ten slotte wist hij hem ervan te overtuigen dat ook hij dat leven wilde, dat hij bij broeder Luke wilde wonen en bij niemand anders, dat hij alles zou doen wat nodig was om dat voor elkaar te krijgen. En eindelijk, eindelijk glimlachte de broeder en hurkte neer om Jude te omhelzen, terwijl hij hem over zijn rug aaide. 'Dank je wel, Jude, dank je wel,' zei hij, en in zijn blijdschap dat hij broeder Luke blij gemaakt had, zei hij ook dank je wel tegen de broeder.

En toen keek broeder Luke hem ineens ernstig aan. Hij had er lang over nagedacht, zei hij, en hij vond dat het tijd werd dat ze hun huisje in het bos gingen bouwen; het was tijd om er samen vandoor te gaan. Maar dat kon hij, Luke, niet alleen: ging Jude met hem mee? Erewoord? Wilde hij net zo graag bij broeder Luke zijn als broeder Luke bij hem, zij alleen met z'n tweetjes in hun perfecte kleine wereld? En natuurlijk wilde hij dat, natuurlijk.

Er was dus een plan. Over twee maanden, voor Pasen, zouden ze vertrekken; zijn negende verjaardag zou hij in hun huisje vieren. Broeder Luke zou overal voor zorgen; het enige wat hij hoefde te doen was een brave jongen zijn, hard leren en geen problemen maken. En, het allerbelangrijkste: niets zeggen. Als de anderen erachter kwamen wat zij in hun schild voerden, zei broeder Luke, dan zou hij worden weggestuurd, weg van het klooster, om voor zichzelf te zorgen, en dan kon broeder Luke hem niet helpen. Hij beloofde het.

De twee maanden daarna waren tegelijk vreselijk en prachtig. Vreselijk omdat ze zo langzaam voorbijkropen. Prachtig omdat hij een geheim had, een geheim dat zijn leven beter maakte, omdat het betekende dat er een einde kwam aan het leven in het klooster. Elke dag werd hij gretig wakker omdat hij weer een dag dichter bij zijn leven met broeder Luke was. Elke keer dat een van de broeders bij hem kwam, herinnerde hij zich dat hij binnenkort ver van hen vandaan zou zijn, en dat maakte het een beetje minder erg. Elke keer dat hij geslagen of uitgefoeterd werd, stelde hij zich voor dat hij in het huisje was, en dat gaf hem de geestkracht – een woord dat hij van broeder Luke had geleerd – om het te doorstaan.

Hij had broeder Luke gesmeekt te mogen helpen met de voorbereidingen, en broeder Luke had hem opgedragen van alle verschillende plantensoorten rondom het klooster één bloem en één blaadje te verzamelen. Zodoende struinde hij 's middags het hele terrein af, met zijn bijbel bij zich om bloemen en blaadjes tussen de pagina's te drogen. Hij bracht minder tijd in de kas door, maar als hij Luke zag gaf de broeder hem een van zijn plechtige knipogen, en dan glimlachte hij bij zichzelf om hun heerlijke, warme geheim.

Eindelijk brak de grote avond aan, en hij was nerveus. Aan het begin van de avond, vlak na het eten, was broeder Matthew bij hem geweest, maar uiteindelijk ging die weg en was hij alleen. En toen kwam broeder Luke, hij drukte zijn vinger tegen zijn lippen en hij knikte. Hij stopte zijn boeken en ondergoed in de papieren zak die Luke openhield, en toen liepen ze op hun tenen de hal door, de trap af, door het donkere gebouw de nacht in.

'Het is niet ver naar de auto,' fluisterde Luke tegen hem, en toen hij ineens stopte: 'Jude, wat is er?'

'Mijn zak,' zei hij, 'mijn zak uit de kas.'

En toen glimlachte Luke op zijn vriendelijke manier en legde zijn hand op zijn hoofd. 'Die heb ik al in de auto gelegd.' En hij glimlachte terug, dankbaar dat Luke eraan gedacht had.

De buitenlucht was koud, maar hij merkte het nauwelijks. Ze liepen en liepen over de lange kiezellaan, de houten poort door, heuvelopwaarts naar de grote weg en toen over de grote weg zelf, in de nacht die zo stil was dat zijn oren ervan zoemden. Onder het lopen wees broeder Luke verschillende sterrenstelsels aan en hij somde de namen op; hij had ze allemaal goed, en Luke bromde bewonderend en gaf hem een aai over zijn bol. 'Slimmerd,' zei hij, 'ik ben zo blij dat ik jou heb gekozen.'

Nu liepen ze over de weg, waar hij zijn hele leven maar een paar keer was geweest – om naar de dokter of de tandarts te gaan – maar vanavond was die verlaten en sprongen er kleine dieren, muskusratten en opossums, voor hun voeten langs. Toen kwamen ze bij de auto, een lange kastanjebruine stationcar die onder de roestvlekken zat en waarvan de achterbank vol stond met dozen, zwarte vuilniszakken en een paar van Lukes lievelingsplanten – de *Cattleya schilleriana* met zijn lelijke gespikkelde blaadjes, de *Hylocereus undatus* met zijn slaperige hangbloemen – in hun donkergroene plastic potten.

Het was vreemd om broeder Luke in een auto te zien, vreemder dan zelf in de auto te zitten. Maar nóg vreemder was het gevoel dat hij had, dat alles het waard was geweest, dat aan al zijn ellende een eind zou komen, dat hij op weg was naar een leven dat even goed, misschien zelfs nog beter zou zijn dan alles waarover hij in boeken had gelezen.

'Klaar om te gaan?' fluisterde broeder Luke hem grinnikend toe.

'Ja,' fluisterde hij terug. En broeder Luke startte de motor.

~

Er waren twee manieren om te vergeten. Vele jaren had hij zich (niet erg origineel) een kluis voorgesteld; aan het eind van de dag verzamelde hij dan de beelden, scènes en woorden waar hij niet meer aan wilde denken, trok de zware stalen deur net ver genoeg open om ze er vlug in te gooien en sloot de kluis dan snel en grondig af. Maar die methode werkte niet: de herinneringen sijpelden er toch uit. Het begon hem duidelijk te worden dat het zaak was ze niet alleen maar op te bergen, maar te vernietigen.

Daar had hij een paar manieren voor bedacht. Bij kleine herinneringen – kleineringen, beledigingen – speelde je die keer op keer af tot ze geneutraliseerd waren, tot ze door de herhaling hun betekenis zo goed als kwijt waren of tot je kon geloven dat het dingen waren die iemand anders waren overkomen en waar je alleen maar over had gehoord. Bij grotere herinneringen hield je de scène als een filmstrook in je hoofd en begon je hem te wissen, beeld voor beeld. Geen van beide methodes was gemakkelijk: je kon bijvoorbeeld niet halverwege het wissen stoppen en bestuderen waar je naar keek; je kon niet snel door bepaalde delen gaan in de hoop niet te blijven steken bij de details van wat er gebeurd was, want dat gebeurde natuurlijk toch. Je moest er elke avond aan werken, tot de herinnering helemaal weg was.

Al verdwenen ze natuurlijk nooit helemaal. Maar ze kwamen in elk geval meer op afstand; ze hielden op met je als spoken te achtervolgen en aan je mouw te trekken, je voor de voeten te springen als je ze negeerde om zo veel tijd en energie op te eisen dat het onmogelijk werd om ergens anders aan te denken. Op lege momenten – vlak voor je in slaap viel, aan het eind van een nachtvlucht, als je niet wakker genoeg was om te werken en niet moe genoeg om te slapen – staken ze de kop weer op, dus dan kon je je maar het beste een scherm inbeelden, een gigantisch, roerloos, helverlicht wit scherm, en dat in gedachten houden als een schild.

In de weken na de mishandeling werkte hij aan het vergeten van Caleb. Voor hij ging slapen liep hij naar de toegangsdeur van zijn etage en probeerde, hoe dom hij zich ook voelde, zijn oude sleutels uit om zich ervan te verzekeren dat die niet pasten, dat hij werkelijk weer veilig was. Hij had een alarmsysteem laten installeren dat zulke gevoelige sensoren had dat zelfs een voorbijglijdende schaduw een woest gepiep veroorzaakte. Dat zette hij aan – en nog eens opnieuw – en daarna lag hij met open ogen wakker in de donkere slaapkamer en concentreerde zich op het vergeten. Maar het was heel moeilijk, er waren zo veel messcherpe herinneringen uit die maanden dat hij erdoor werd overweldigd. Hij hoorde Calebs stem dingen tegen hem zeggen, hij zag de uitdrukking op Calebs gezicht toen hij naar zijn ontklede lichaam staarde, hij voelde het akelige luchtledige tijdens zijn val van de brandtrap, en dan kroop hij zo klein mogelijk ineen met zijn handen over zijn oren en zijn ogen dicht. Uiteindelijk kwam hij dan maar uit bed en ging aan het werk in zijn kantoor aan de andere kant van de flat. Er kwam een grote rechtszaak aan en daar was hij dankbaar voor: zijn dagen waren zo vol dat hij weinig tijd had om aan iets anders te denken. Een tijdlang kwam hij zelfs nauwelijks thuis, twee uur om te slapen en een uur om te douchen en zich om te kleden, tot hij op een avond op het werk een aanval had gekregen, een hevige, de eerste keer dat dat gebeurde. De nachtconciërge had hem op de vloer gevonden en de beveiliging van het gebouw gebeld, die de bestuursvoorzitter van het kantoor waarschuwde, een man genaamd Peterson Tremain, en die belde Lucien, de enige die hij had verteld wat hij moest doen als er zoiets gebeurde. Lucien belde Andy en kwam toen samen met de voorzitter naar het kantoor om bij hem te wachten tot Andy er was. Hij zag hen, zag hun voeten, en zelfs terwijl hij daar kronkelend en naar adem snakkend van de pijn op de grond lag, probeerde hij de kracht te vinden om hun te smeken weg te gaan, hun te bezweren dat alles oké was, dat ze hem met rust moesten laten. Maar ze gingen niet weg, en Lucien veegde zachtjes het braaksel van zijn lippen, ging toen ter hoogte van zijn hoofd op de vloer zitten en hield zijn hand vast, en hij had zich zo geschaamd dat hij bijna had moeten huilen. Naderhand had hij hun keer op keer verzekerd dat het niets was geweest, dat dit zo vaak gebeurde, maar ze hadden hem gedwongen de rest van de week vrij te nemen, en de maandag erop had Lucien hem aangekondigd dat hij voortaan verplicht op een redelijk tijdstip naar huis moest: doordeweeks voor middernacht, in het weekend voor negen uur 's avonds.

'Dat is belachelijk,' had hij geïrriteerd gezegd. 'Ik ben toch geen kind.'

'Jude, geloof me,' had Lucien gezegd. 'Ik heb het managementteam verteld dat ik vond dat de zweep eroverheen moest als over een Arabische hengst in de paardenrennen, maar om de een of andere reden maken ze zich zorgen over je gezondheid, gek hè? Én over de zaak. Ze hebben het vreemde idee dat we, als jij ziek wordt, die zaak niet gaan winnen.' Hij was keer op keer tegen Lucien ingegaan, maar zonder resultaat: om middernacht ging het licht in zijn kantoor abrupt uit, en ten slotte had hij er zich maar bij neergelegd dat hij naar huis moest als hem dat werd opgedragen.

Sinds het voorval met Caleb was hij nauwelijks in staat geweest met Harold te praten; het was al een marteling om hem te moeten zien. Dat maakte de – steeds frequentere – bezoekjes van Harold en Julia erg penibel. Hij schaamde zich dood dat Harold hem zo had gezien: als hij eraan terugdacht, Harold die zijn bebloede broek zag, Harold die hem vragen stelde over zijn kindertijd (Hoe duidelijk was het? Konden mensen door met hem te praten in feite al zien wat er zo veel jaar met hem gebeurd was? En zo ja, hoe kon hij dat beter verbergen?), dan werd hij zo misselijk dat hij moest onderbreken waar hij mee bezig was en wachten tot het zakte. Hij voelde dat Harold net zo tegen hem probeerde te doen als vroeger, maar er was iets veranderd. Harold plaagde hem niet meer met Rosen Pritchard, hij vroeg hem niet meer hoe het nou eigenlijk was om medeplichtig te zijn aan frauduleuze bedrijfspraktijken. En hij begon al helemaal niet meer over de mogelijkheid dat hij een vaste relatie met iemand zou krijgen. Nu gingen zijn vragen over zijn gezondheid: hoe ging het? Hoe voelde hij zich? Hoe was het met zijn benen? Had hij zichzelf niet te veel afgemat? Had hij de rolstoel vaak gebruikt? Had hij ergens hulp bij nodig? Hij antwoordde altijd precies hetzelfde: prima, prima, prima; nee, nee, nee.

En dan was er nog Andy, die ineens zijn nachtelijke telefoontjes had hervat. Hij belde nu elke nacht om één uur, en tijdens hun afspraken – door Andy opgevoerd tot eens per twee weken – gedroeg hij zich niet à la Andy maar rustig en beleefd, wat hem verontrustte. Hij onderzocht zijn benen, telde zijn snijwonden, stelde alle vragen van voorheen en controleerde zijn reflexen. En elke keer vond hij als hij thuis zijn zakken leegde een visitekaartje dat Andy er stiekem in had gestopt, van een psycholoog, Sam Loehmann, met erop geschreven: HET EERSTE GESPREK BETAAL IK. Telkens zat er weer zo'n kaartje in zijn zak, elke keer met een andere boodschap: DOE HET VOOR MIJ, JUDE, of: ÉÉN KEER MAAR. Het leken wel van die irritante gelukskoekjes, en hij gooide ze altijd weg. Het gebaar raakte hem, maar vermoeide hem ook in zijn zinloosheid; het was hetzelfde gevoel dat hij kreeg als hij het zakje onder de wasbak moest vervangen nadat Harold bij hem was geweest. Dan liep hij naar de hoek van zijn garderobekamer waar hij een doos had staan met honderden ontsmettingsdoekjes, rollen verband, stapels en stapels gaasjes en tientallen pakken scheermesjes en maakte een nieuw zakje, dat hij op zijn plaats bevestigde. Altijd was door anderen bepaald hoe zijn lichaam zou worden gebruikt, en hoewel hij wist dat Harold en Andy hem probeerden te helpen, kwam het kinderlijke, koppige deel van hem ertegen in opstand: híj bepaalde dit. Hij had al zo weinig controle over zijn lichaam; hoe konden ze hem dit misgunnen?

Hij hield zichzelf voor dat alles prima ging, dat hij was hersteld, dat hij zijn evenwicht had hervonden, maar eigenlijk wist hij dat er iets mis was, dat hij door het gebeurde was veranderd, dat hij afgleed. Willem was thuis, en ook al was hij er niet bij geweest toen het gebeurde, ook al wist hij niets over Caleb, over zijn vernedering – daar had hij wel voor gezorgd, door Harold, Julia en Andy in te prenten dat hij nooit meer met ze zou praten als ze iemand iets vertelden – toch schaamde hij zich om door hem te worden gezien. 'Jude, wat rot,' had Willem gezegd toen hij was teruggekomen en zijn gips had gezien. 'Gaat het wel?' Maar het gips was niets, het gips was nog het minst gênante, en heel even had hij de aanvechting gehad Willem de waarheid te vertellen, in te storten zoals hij nog nooit bij iemand had gedaan en in tranen uit te barsten, alles op te biechten en Willem te vragen hem op te beuren, hem te zeggen dat hij nog steeds van hem hield, ondanks wie hij was. Maar dat deed hij niet, natuurlijk niet. Hij had Willem al een lange mail geschreven vol gedetailleerde leugens over zijn auto-ongeluk, en de eerste avond dat ze weer samen waren, hadden ze tot zo laat zitten praten over alles behalve die e-mail, dat Willem was gebleven en ze allebei op de bank in de woonkamer in slaap waren gevallen.

Maar hij hield zijn leventje gaande. Hij stond op, hij ging naar zijn werk. Enerzijds hunkerde hij naar gezelschap, zodat hij niet aan Caleb zou denken, en anderzijds was hij daar bang voor, omdat Caleb hem eraan had herinnerd hoe onmenselijk, hoe onvolwaardig, hoe walgelijk hij was en hij zich te erg schaamde om met andere mensen, normale mensen, om te gaan. Hij keek tegen de dagen op zoals tegen zijn stappen als zijn voeten pijnlijk en verdoofd aanvoelden: hij zou er één zien door te komen, en dan de volgende en nog één, en ten slotte zou het beter gaan. Ten slotte zou hij leren hoe hij die maanden kon wegstoppen tussen de pagina's van zijn leven, ze kon accepteren en doorgaan. Dat had hij altijd gedaan.

De rechtszaak kwam, en hij won. Het was een enorme overwinning, bleef Lucien maar zeggen, en hij wist dat het waar was, maar voelde vooral paniek: wat moest hij nu in godsnaam doen? Hij had een nieuwe klant, een bank, maar het werk voor die zaak bestond uit het saaie, langdurige verzamelen van gegevens en was niet van het soort dat je vierentwintig uur per dag koortsachtig bezighield. Hij zat vaak in z'n eentje thuis met niets om over na te denken behalve het Caleb-incident. Tremain feliciteerde hem en hij wist dat hij blij zou moeten zijn, maar toen hij de voorzitter om meer werk vroeg, begon die te lachen. 'Nee, St. Francis, jij gaat op vakantie. Dat is een bevel.'

Hij ging niet op vakantie. Hij beloofde eerst Lucien en daarna Tremain dat hij zou gaan, maar zei dat hij op dit moment nog niet weg kon. En het liep zoals hij had gevreesd: soms stond hij thuis voor zichzelf te koken of zat hij met Willem in de bioscoop en dook er ineens een scène op uit zijn maanden met Caleb. En dan volgde er een scène uit het tehuis, een scène uit zijn jaren met broeder Luke, een scène uit zijn maanden met dokter Traylor, en dan een scène van de aanrijding, de witte gloed van de koplampen, zijn hoofd dat hij opzijwierp. En dan stroomden zijn hersenen vol beelden, boze geesten die zijn aandacht opeisten, aan hem trokken en plukten met hun lange, naaldachtige vingers. Caleb had iets in hem ontketend en hij was niet in staat de beesten terug te drijven in hun kerker; hij werd zich ervan bewust hoeveel tijd hij eigenlijk kwijt was aan het bedwingen van zijn herinneringen, hoeveel concentratie daarvoor nodig was, hoe gebrekkig zijn macht erover altijd al geweest was.

'Gaat het wel?' vroeg Willem hem op een avond. Ze waren naar een toneelstuk geweest waar hij nauwelijks iets van had meegekregen, en daarna naar een restaurant, waar hij met een half oor naar Willem had geluisterd, hopend dat hij de juiste reacties gaf terwijl hij lusteloos in zijn eten prikte en normaal probeerde te doen.

'Ja hoor,' zei hij.

Het begon erger te worden, hij wist het, maar hij wist niet wat hij eraan kon doen. Het incident was acht maanden geleden en hij dacht er met de dag meer aan in plaats van minder. Soms had hij het gevoel dat zijn maanden met Caleb een roedel hyena's waren: elke dag kwamen ze achter hem aan en elke dag kostte het hem al zijn energie om voor ze weg te rennen en aan hun klappende, schuimende kaken te ontkomen. Alles wat in het verleden had geholpen – zich concentreren, zich snijden – hielp nu niet. Hij sneed zichzelf meer en meer, en toch wilden de herinneringen maar niet weggaan. Elke morgen zwom hij en elke avond opnieuw, kilometers, totdat hij nog net genoeg energie had om te douchen en in bed te kruipen. Onder het zwemmen dreunde hij in zichzelf rijtjes op als een mantra: hij verboog Latijnse werkwoorden, zei wiskundige bewijzen op en herhaalde jurisprudentie die hij in de rechtenstudie had geleerd. Zijn hersenen waren van hemzelf, hield hij zich voor. Hij zou dit beheersen; hij zou niet beheerst worden.

'Ik heb een idee,' zei Willem aan het eind van het zoveelste etentje waarbij hij nauwelijks een mond open had gedaan. Hij had een seconde of twee te laat gereageerd op alles wat Willem had gezegd, en na een tijdje waren ze allebei stil gebleven. 'Wij zouden eens samen op vakantie moeten gaan. Eindelijk eens die reis naar Marokko maken waar we het twee jaar geleden over hadden. We kunnen gaan zodra ik terug ben. Wat zeg je daarvan, Jude? Tegen die tijd is het herfst, dan is het hartstikke mooi.' Het was eind juni: negen maanden na het incident. Willem zou begin augustus weer weggaan voor filmopnames in Sri Lanka en zou pas begin oktober terugkomen.

Terwijl Willem praatte, zat hij eraan te denken dat Caleb hem 'misvormd' had genoemd, en pas toen Willem zweeg kreeg hij in de gaten dat het zijn beurt was om te reageren. 'Ja, goed,' zei hij. 'Dat klinkt geweldig.'

Het restaurant lag in de buurt van het Flatiron Building, en nadat ze hadden betaald liepen ze een eindje, zonder dat een van beiden iets zei, toen hij plotseling Caleb op hen af zag komen. In paniek greep hij Willem beet en trok hem een portiek in met een kracht en snelheid die hen beiden verbaasde.

'Jude,' zei Willem geschrokken, 'wat doe je?'

'Niets zeggen,' fluisterde hij. 'Blijf staan, draai je niet om.' En Willem bleef naast hem staan, net als hij met zijn gezicht naar de deur.

Hij telde de seconden tot hij zeker wist dat Caleb voorbij moest zijn, wierp toen een voorzichtige blik over het trottoir en zag dat hij het helemaal niet geweest was; het was gewoon een andere lange, donkerharige man, niet Caleb, en hij liet zijn adem los en voelde zich tegelijk verslagen, dom en opgelucht. Op dat moment merkte hij dat hij Willems hemd nog steeds opgepropt in zijn vuist klemde, en hij liet het los. 'Sorry,' zei hij. 'Sorry, Willem.'

'Jude, wat gebeurde er?' vroeg Willem, die hem in zijn ogen probeerde te kijken. 'Wat was dat?'

'Niets,' zei hij. 'Ik dacht alleen dat ik iemand zag die ik niet wilde zien.'

'Wie dan?'

'Niemand. De advocaat van een zaak waar ik mee bezig ben. Een klootzak; ik kan die vent niet luchten.'

Willem keek hem aan. 'Nee,' zei hij ten slotte. 'Dat was geen andere advocaat. Het was iemand anders, iemand voor wie je bang bent.' Er viel een stilte. Willem keek de straat in, en toen weer naar hem. 'Je bent bang,' zei hij met verbazing in zijn stem. 'Wie was dat, Jude?'

Hij schudde zijn hoofd en probeerde een leugen te bedenken om aan Willem te vertellen. Hij loog voortdurend tegen Willem, grote leugens, kleine leugens. Hun hele relatie was een leugen: Willem zag hem als iemand die hij eigenlijk helemaal niet was. Alleen Caleb kende de waarheid. Alleen Caleb wist wat hij was.

'Dat zeg ik toch,' zei hij ten slotte. 'Een andere advocaat.'

'Nee, dat was het niet.'

'Wel waar.' Er kwamen twee vrouwen langs en in het voorbijgaan hoorde hij een van hen opgewonden fluisteren: 'Dat was Willem Ragnarsson!' Hij sloot zijn ogen.

'Wat is er toch met je aan de hand?' vroeg Willem kalm.

'Niets,' zei hij. 'Ik ben moe. Ik moet naar huis.'

'Prima,' zei Willem. Hij hield een taxi aan, hielp hem erin en stapte daarna zelf in. 'Greene Street, ter hoogte van Broome,' zei hij tegen de chauffeur.

In de taxi begonnen zijn handen te trillen. Dat overkwam hem de laatste tijd steeds vaker, en hij wist niet hoe hij het kon onderdrukken. Het was in zijn kinderjaren al begonnen, maar het gebeurde altijd alleen in extreme omstandigheden: als hij probeerde niet te huilen, of als hij heel erge pijn had in een situatie waarin hij beter geen geluid kon maken. Maar nu gebeurde het op vreemde momenten: alleen snijden hielp, maar soms trilde hij zo hevig dat hij het scheermesje bijna niet in bedwang kon houden. Hij sloeg zijn armen over elkaar en hoopte dat Willem niets zou merken.

Bij de voordeur probeerde hij zich van Willem af te maken, maar Willem wilde niet gaan. 'Ik wil alleen zijn,' zei hij.

'Dat begrijp ik,' zei Willem. 'Dan kunnen we samen alleen zijn.' Ze stonden daar tegenover elkaar tot hij zich uiteindelijk omdraaide naar de deur, maar hij kreeg de sleutel niet in het slot omdat hij te zeer trilde, en Willem nam hem de sleutelbos uit handen en opende de deur.

'Wat is er in godsnaam met je aan de hand?' vroeg Willem zodra ze boven waren.

'Niets,' zei hij, 'niets.' En nu klapperden zijn tanden, iets waar hij vroeger nooit last van had bij zo'n trilaanval, maar tegenwoordig bijna elke keer.

Willem zette een stap naar hem toe, maar hij wendde zijn gezicht af. 'Er is iets gebeurd toen ik weg was,' zei Willem aarzelend. 'Wát weet ik niet, maar er is iets gebeurd. Er is iets mis. Je doet al vreemd sinds ik thuis ben gekomen van *The Odyssey*. Waarom weet ik niet.' Hij zweeg even en legde zijn handen op zijn schouders. 'Zeg het me, Jude,' zei hij. 'Zeg me wat het is. Zeg het me, dan kijken we wat we eraan kunnen doen.'

'Nee,' fluisterde hij. 'Ik kan het niet, Willem, ik kan het niet.' Er viel een lange stilte. 'Ik wil naar bed,' zei hij. Willem liet hem los, en hij ging naar de badkamer.

Toen hij er weer uit kwam, had Willem een van zijn T-shirts aan en gooide het dekbed uit de logeerkamer over de bank in zijn slaapkamer, de bank onder het schilderij van Willem in de make-upstoel. 'Wat doe je?' vroeg hij.

'Ik logeer hier vannacht,' zei Willem.

Hij slaakte een zucht, maar Willem was hem voor: 'Je kunt uit drie dingen kiezen, Jude. Eén: ik bel Andy, vertel hem dat er volgens mij iets helemaal fout gaat hier en breng je naar de praktijk. Twee: ik bel Harold, die in alle staten raakt en Andy belt. Of drie: je laat me hier overnachten en op je passen omdat je weigert met me te praten, weigert me wat dan ook te vertellen en maar niet schijnt te begrijpen dat je je vrienden op z'n minst de káns moet geven je te helpen – dat is goddomme wel het allerminste wat je me kunt gunnen.' Zijn stem sloeg over. 'Dus, wat wordt het?'

O, Willem, dacht hij. Je weet niet hoe graag ik het je wil vertellen. 'Het spijt me, Willem,' zei hij in plaats daarvan.

'Prima, het spijt je,' zei Willem. 'Ga naar bed. Liggen je reservetandenborstels nog op dezelfde plaats?'

'Ja,' zei hij.

De volgende avond kwam hij laat uit zijn werk en trof Willem weer op de bank in zijn slaapkamer aan, waar hij lag te lezen. 'Hoe was je dag?' vroeg hij zonder zijn boek te laten zakken.

'Prima,' zei hij. Hij wachtte af tot Willem nadere uitleg zou geven, maar dat deed hij niet, en ten slotte ging hij maar naar de badkamer. In de garderobekamer kwam hij langs Willems weekendtas, waar de rits van openstond en die zo propvol kleren zat dat het duidelijk was dat hij een tijdje zou blijven.

Al vond hij het treurig om voor zichzelf te erkennen, het feit dat Willem er was – niet alleen in zijn woning, maar in zijn kamer – hielp. Ze praatten niet veel, maar alleen al zijn aanwezigheid gaf hem meer stabiliteit en focus. Hij dacht minder aan Caleb; hij dacht overal minder aan. Het was alsof de noodzaak om normaal over te komen op Willem hem werkelijk normaler maakte. In de buurt zijn van iemand die hem zeker niets zou doen, nooit, was op zich al kalmerend, en het lukte hem zijn gedachten tot rust te brengen en in te slapen. Maar hoe dankbaar hij ook was, hij walgde tegelijk van zichzelf, van hoe afhankelijk en zwak hij was. Kwam er dan nooit een einde aan zijn hulpbehoevendheid? Hoeveel mensen hadden hem in de loop van de jaren al niet geholpen, en waarom deden ze dat? Waarom had hij het toegelaten? Een betere vriend zou tegen Willem hebben gezegd dat hij naar huis moest gaan, dat hij het prima af kon in z'n eentje. Maar hij deed dat niet. Hij liet Willem de paar weken die hij nog in New York had als een hond op zijn bank slapen.

In elk geval hoefde hij er niet over in te zitten dat Robin boos zou worden, want vlak voor het einde van de opnames voor *The Odyssey* hadden Willem en zij het uitgemaakt, toen Robin erachter was gekomen dat Willem was vreemdgegaan met een van de kostuumassistentes. 'En ik vond haar niet eens echt leuk,' had Willem in een van hun telefoongesprekken gezegd. 'Ik heb het gedaan om de slechtst denkbare reden: ik verveelde me.'

Daar had hij even over nagedacht. 'Nee,' zei hij, 'de slechtst denkbare reden zou zijn geweest dat je iemand had willen kwetsen. Jouw reden was alleen maar de stómst denkbare.'

Het was even stil geweest, en toen was Willem in lachen uitgebarsten. 'Dank je, Jude,' zei hij. 'Nu voel ik me tegelijk beter en slechter.'

Willem bleef bij hem tot de dag dat hij naar Colombo moest. Hij speelde de oudste zoon van een verarmde Nederlandse familie in Sri Lanka kort na 1940 en had een dikke snor met krullende punten laten groeien; toen Willem hem omhelsde, streek die langs zijn oor. Even had hij de aanvechting in huilen uit te barsten en Willem te smeken niet weg te gaan. Niet gaan, wilde hij zeggen. Blijf hier, bij mij. Ik ben bang om alleen te zijn. Hij wist dat Willem zou blijven als hij dat zou zeggen, of dat op z'n minst zou proberen. Maar hij zou het nooit zeggen. Hij wist dat Willem de opnames onmogelijk kon verzetten en zich schuldig zou voelen omdat hij dat niet kon. In plaats daarvan drukte hij Willem steviger tegen zich aan, iets wat hij zelden deed – hij uitte zijn genegenheid voor Willem zelden op een fysieke manier – en hij voelde dat Willem verbaasd was maar hem toen ook steviger ging vasthouden, en ze stonden daar met z'n tweeën een hele tijd in een innige omhelzing. Hij wist nog dat hij had gedacht dat hij niet genoeg lagen aanhad om zich zo door Willem te laten vasthouden, dat Willem dwars door zijn hemd de littekens op zijn rug zou kunnen voelen, maar op dat moment was het belangrijker om gewoon dicht bij hem te zijn; hij had het gevoel dat dit de laatste keer was dat dat kon, de laatste keer dat hij Willem zou zien. Die angst beving hem elke keer als Willem wegging, maar ditmaal was hij sterker, minder theoretisch; het voelde meer als een echt vertrek.

Toen Willem weg was, ging het een paar dagen goed. Maar daarna liep het weer mis. De hyena's kwamen terug, groter in aantal en uitgehongerder dan ervoor, waakzamer in hun drijfjacht. En toen kwam ook al het andere terug: jaren en jaren van herinneringen waarvan hij dacht dat hij ze had bedwongen en tandeloos gemaakt, verdrongen elkaar opnieuw om hem heen, keffend en opspringend voor zijn neus, onmogelijk te negeren met hun lawaai, onvermoeibaar blaffend om zijn aandacht. Hij werd naar adem snakkend wakker, hij werd wakker met de namen van mensen aan wie hij van zijn levensdagen niet meer had willen denken op zijn tong. Keer op keer liet hij dwangmatig de nacht met Caleb de revue passeren, de film vertragend zodat de seconden waarin hij naakt op Greene Street in de regen had gestaan zich rekten tot uren, zodat zijn val van de trap dagen duurde, zodat de verkrachting door Caleb in de douche, in de lift, weken doorging. Hij kreeg visioenen waarin hij een ijspriem pakte en die via zijn eigen oor zijn hersenen injoeg om de herinneringen te laten stoppen. Hij droomde dat hij met zijn hoofd tegen de muur beukte tot het barstte en in tweeën spleet en de grijze massa er met een natte, bloederige smak uitviel. Hij had fantasieën waarin hij een jerrycan benzine over zichzelf uitgoot en een lucifer afstreek, waarin zijn hersenen door het vuur werden opgeslokt. Hij kocht een setje X-Acto-mesjes, nam drie ervan in zijn hand, maakte een vuist en keek hoe het bloed van zijn hand in de wasbak droop terwijl hij het uitschreeuwde in de stille woning.

Hij vroeg Lucien om meer werk en kreeg dat, maar het was niet genoeg. Hij bood aan meer uren te draaien bij de non-profitorganisatie voor kunstenaars, maar er stonden geen dagdelen meer open. Hij bood zich aan bij een organisatie die opkwam voor de rechten van immigranten en waar Rhodes ooit wat pro-bonowerk voor had gedaan, maar kreeg te horen dat ze momenteel eigenlijk op zoek waren naar mensen die Mandarijn of Arabisch spraken en dat het voor hem dus niet de moeite loonde. Hij sneed zichzelf steeds meer; hij begon rondom de littekens te snijden zodat hij hele flarden vlees kon weghalen, met op elke flard de zilveren glans van littekenweefsel, maar het hielp niet, niet genoeg. 's Nachts bad hij tot een god waar hij al jaren niet meer niet in geloofde: help me, help me, help me. Hij begon zichzelf te verliezen; dit moest stoppen. Hij kon niet eeuwig op de vlucht blijven.

Het was augustus en de stad was leeg. Malcolm was met Sophie op vakantie in Zweden, Richard was op Capri, Rhodes was in Maine, Andy was op Shelter Island ('Niet vergeten,' had hij voor vertrek gezegd, zoals altijd als hij langere tijd op vakantie ging, 'ik ben maar twee uur van je vandaan; als je me nodig hebt, pak ik zo de volgende ferry.'). Harolds gezelschap vond hij onverdraaglijk, want hij kon hem niet zien zonder weer aan zijn vernedering te worden herinnerd, dus hij belde hem en zei dat hij het dat jaar te druk had om naar Truro te komen. In plaats daarvan kocht hij in een opwelling een ticket naar Parijs en liep het hele lange, eenzame Labor Day-weekend in z'n eentje door de straten. Met niemand die hij daar kende nam hij contact op: noch met Citizen, die voor een Franse bank werkte, noch met Isidore, zijn vroegere bovenbuurvrouw uit Hereford Street die daar lesgaf, noch met Phaedra, die een baan had gekregen als manager van een filiaal van een New Yorkse galerie – ze zouden toch niet in de stad zijn geweest.

Hij was moe, hij was zó moe. Het kostte zo veel energie om de beesten van zich af te houden. Soms kreeg hij een beeld voor ogen waarin hij zich aan ze overgaf en ze zich met hun nagels, bek en klauwen op hem stortten en hem grepen, beten en uiteenrukten tot hij niets meer was, en hij zou ze laten begaan.

Na terugkomst uit Parijs kreeg hij een droom waarin hij over een vlakte van gebarsten rode aarde rende. Achter hem hing een donkere wolk, en hoewel hij snel ging, was de wolk sneller. Toen de wolk dichterbij kwam hoorde hij iets zoemen, en hij besefte dat het een zwerm afschuwelijke, vette en lawaaierige insecten was, met tangvormige uitsteeksels onder hun ogen. Hij wist dat stilstaan zijn dood zou betekenen, en toch wist hij zelfs in zijn droom dat hij het niet veel langer kon volhouden; op zeker moment kon hij niet meer doorrennen en begon in plaats daarvan te strompelen: zelfs in zijn droomwereld drong de werkelijkheid door. En toen hoorde hij een stem, onbekend maar kalm en gezaghebbend, die tegen hem zei: 'Stop. Jij kunt hier een einde aan maken. Je hoeft dit niet te doen.' Het was zo'n opluchting die woorden te horen, en hij hield abrupt stil en draaide zich om naar de wolk, nog maar een paar seconden en luttele meters van hem af, uitgeput wachtend tot het voorbij was.

Hij werd doodsbang wakker, omdat hij wist wat die woorden betekenden en omdat ze hem zowel angst als troost inboezemden. Nu hoorde hij, terwijl hij zich de dagen door sleepte, die stem in zijn hoofd en werd hij er telkens aan herinnerd dat hij in feite kon stoppen. In feite hóéfde hij niet door te gaan.

Hij had natuurlijk al eens eerder aan zelfdoding gedacht, in het tehuis en in Philadelphia, en nadat Ana was overleden. Maar iets had hem altijd tegengehouden, al kon hij zich nu niet meer herinneren wat dan wel. Als hij nu voor de hyena's wegrende, dacht hij bij zichzelf: waarom doe ik dit? Hij was zo moe, hij wilde zo graag stoppen. De wetenschap dat hij niet door hoefde te gaan bood op de een of andere manier soelaas; die herinnerde hem eraan dat hij een keuze had, dat hijzelf, ook al wilde zijn onderbewuste zijn bewuste niet gehoorzamen, nog altijd de controle had.

Bijna als experiment begon hij te bedenken wat het zou betekenen als hij zou gaan: in januari, na zijn lucratiefste jaar in de firma tot nog toe, had hij zijn testament herzien, dus dat was in orde. Hij zou een brief moeten schrijven aan Willem, een aan Harold en een aan Julia; hij zou ook iets willen schrijven aan Lucien, Richard en Malcolm. Aan Andy. Aan JB: dat hij hem vergaf. Dan kon hij gaan. Elke dag was hij er in gedachten mee bezig, en erover nadenken maakte alles gemakkelijker. Erover nadenken gaf hem kracht.

En toen kwam er een punt waarop het niet langer een experiment was.

Hij kon zich niet herinneren hoe hij tot het besluit was gekomen, maar nadien voelde hij zich lichter, vrijer, minder gekweld. De hyena's zaten nog steeds achter hem aan, maar nu zag hij helemaal in de verte een huis met een open deur, en hij wist dat hij veilig zou zijn zodra hij bij dat huis was, en dat alles wat hem achtervolgde zou wegvallen. Zij vonden dat natuurlijk niet leuk; zij zagen de deur ook, ze wisten dat hij op het punt stond hun te ontglippen, en elke dag werd de jacht verwoeder, werd het leger van wezens die hem achternazaten sterker, luidruchtiger en vasthoudender. Zijn hersenen braakten herinneringen uit die al het andere overstroomden: hij dacht aan mensen, gewaarwordingen en incidenten waar hij in geen jaren aan had gedacht. Smaken verschenen als door alchemie op zijn tong; hij rook geuren die hij in geen tientallen jaren had geroken. Zijn gestel werd ondermijnd, hij dreigde in zijn herinneringen te verdrinken, hij moest iets doen. Hij had het echt geprobeerd, zijn leven lang had hij het geprobeerd. Hij had geprobeerd een ander mens te zijn, hij had geprobeerd een beter mens te zijn, hij had geprobeerd zichzelf te zuiveren. Maar het was niet gelukt. Zodra hij het besluit had genomen, was hij gefascineerd over hoe hoopvol hij was geweest, hoe hij zichzelf jaren vol verdriet had kunnen besparen door er gewoon een eind aan te maken – hij had zijn eigen verlosser kunnen zijn. In geen enkele wet stond dat hij moest doorgaan; zijn leven was nog altijd van hem, hij kon ermee doen wat hij maar wilde. Hoe kwam het dat hij dat al die jaren niet had beseft? De keuze leek nu voor de hand te liggen; de enige vraag was waarom het zo lang had geduurd.

Hij praatte met Harold en aan de opluchting in diens stem te horen, klonk hij normaler. Hij praatte met Willem. 'Je klinkt beter,' zei Willem, en hij hoorde ook opluchting in Willems stem.

'Dat ben ik ook,' zei hij. Nadat hij met hen tweeën gesproken had, voelde hij een steek van berouw, maar hij was vastbesloten. Hij bracht hun sowieso niets goeds; hij was alleen maar een extravagante verzameling problemen, verder niets. Als hij zichzelf geen halt toeriep, zou hij hen totaal verteren met zijn behoeften. Hij zou van hen nemen, nemen en nog eens nemen, tot hij elk laatste beetje vlees van hen had afgekloven; ze konden een antwoord vinden op elke kwestie die hij hun voorlegde, en dan nóg zou hij nieuwe manieren vinden om hen te verwoesten. Een tijdje zouden ze om hem rouwen, omdat ze goede mensen waren, de beste, en dat speet hem – maar uiteindelijk zouden ze inzien dat hun leven beter was zonder hem. Ze zouden inzien hoeveel tijd hij in beslag had genomen; ze zouden begrijpen wat een dief hij was geweest, hoezeer hij al hun energie en aandacht had opgezogen, wat een aderlating het was geweest. Hij hoopte dat ze hem zouden vergeven; hij hoopte dat ze zouden inzien dat dit zijn manier was om sorry te zeggen. Hij liet hen weer vrij: van hen hield hij het allermeest, en dat was wat je deed voor mensen van wie je hield: je gaf ze hun vrijheid.

De dag brak aan: een maandag aan het eind van september. De avond ervoor had hij zich gerealiseerd dat het op een paar dagen na een jaar na de mishandeling was, al had hij het niet zo gepland. Die avond ging hij vroeg naar huis. Hij had in het weekend zijn projecten op orde gebracht; hij had een memo voor Lucien geschreven met de stand van zaken van alles waar hij aan werkte. Thuis legde hij zijn brieven in een rijtje op de eettafel, met een kopie van zijn testament. Hij had op de telefoon van Richards atelierbeheerder een bericht ingesproken over het toilet in de grote badkamer dat bleef stromen, met de vraag of Richard de volgende ochtend om negen uur de loodgieter kon binnenlaten – zowel Richard als Willem had een setje sleutels van zijn etage – omdat hij weg moest voor zaken.

Hij trok zijn jasje en zijn schoenen uit, deed zijn das en zijn horloge af en liep naar de badkamer. Hij ging met opgerolde mouwen in het douchegedeelte zitten. Hij hield een glas whisky vast, waar hij van nipte om zichzelf kracht te geven, en een stanleymes, dat gemakkelijker vast te houden zou zijn dan een scheermesje. Hij wist wat hem te doen stond: drie rechte, verticale lijnen, zo diep en zo lang als hij ze maar maken kon, in beide armen, langs de aderen omhoog. En dan zou hij gaan liggen wachten.

Hij wachtte even en huilde een beetje, omdat hij moe en bang was en omdat hij klaar was om te gaan, klaar om te vertrekken. Ten slotte wreef hij in zijn ogen en begon. Eerst zijn linkerarm. Hij maakte de eerste snee, pijnlijker dan hij had verwacht, en hij schreeuwde het uit. Toen maakte hij de tweede. Hij nam nog een slok whisky. Het bloed was dik, eerder geleiachtig dan vloeibaar, en had een schitterende, glanzende oliezwarte kleur. Zijn broek was al doordrenkt, zijn greep werd al losser. Hij maakte de derde.

Toen hij klaar was met beide armen zakte hij in elkaar tegen de muur van de douche. Absurd genoeg wilde hij dat hij een kussen had. Hij had het warm van de whisky en van zijn eigen bloed, dat aan hem likte terwijl het een plas rond zijn benen vormde – zijn binnenkant ontmoette zijn buitenkant, het inwendige waste het uitwendige. Hij sloot zijn ogen. Achter hem huilden de woedende hyena's. Voor hem stond het huis met de open deur. Hij was er nog niet dichtbij, maar dichterbij dan hij geweest was: dichtbij genoeg om te zien dat daarbinnen een bed stond waarin hij kon rusten, waarin hij kon gaan slapen na zijn lange tocht, waar hij voor het eerst in zijn leven veilig zou zijn.

~

Nadat ze de grens met Nebraska waren gepasseerd, stopte broeder Luke aan de rand van een graanveld en wenkte hem om uit te stappen. Het was nog donker, maar hij hoorde de vogels bewegen, hoorde ze antwoord geven aan een zon die ze nog niet konden zien. Hij nam de hand van de broeder en ze glipten snel de auto uit naar een grote boom, waar Luke uitlegde dat de andere broeders hen waarschijnlijk aan het zoeken waren en ze hun uiterlijk moesten veranderen. Hij trok de gehate kiel uit en deed de kleren aan die broeder Luke hem voorhield: een sweatshirt met capuchon en een spijkerbroek. Maar voor hij dat deed stond hij stil voor de broeder, terwijl die zijn lokken eraf haalde met een tondeuse. Zijn haar kwam tot op zijn schouders, want de broeders knipten het zelden, en broeder Luke maakte spijtige geluiden terwijl hij het afschoor. 'Dat prachtige haar van je,' zei hij, en hij wikkelde zijn kiel eromheen en stopte die daarna in een vuilniszak. 'Nu zie je eruit als een doorsneejongen, Jude. Maar later, als de kust veilig is, mag je het weer laten groeien, oké?' En hij knikte, hoewel het idee eruit te zien als een doorsneejongen hem eigenlijk wel beviel. En toen kleedde broeder Luke zichzelf ook om, en hij draaide zich af om de broeder wat privacy te gunnen. 'Je mag best kijken, hoor, Jude,' zei Luke lachend, maar hij schudde zijn hoofd. Toen hij zich weer omdraaide was de broeder onherkenbaar, in een ruitjeshemd met net als hij een spijkerbroek eronder, en hij lachte hem toe alvorens zijn baard af te scheren, waarbij de zilveren stoppels als ijzervijlsel naar beneden vielen. Er was voor hen allebei een honkbalpet, maar in de pet van broeder Luke zat een gelige pruik die zijn kalende hoofd helemaal bedekte. Ook was er voor allebei een bril: de zijne was rond en zwart met gewoon vensterglas, maar die van broeder Luke was vierkant, groot en bruin en had net zulke dikke glazen als zijn echte bril, die hij in de zak stopte. Als de kust veilig was mocht hij hem weer afzetten, zei broeder Luke.

Ze waren op weg naar Texas, waar ze hun huisje zouden bouwen. Hij had zich Texas altijd voorgesteld als een plat land, alleen maar stof, lucht en autoweg, wat volgens broeder Luke grotendeels klopte, maar in sommige delen van de staat – zoals Oost-Texas, waar hij vandaan kwam – waren er naaldbossen met sparren en ceders.

Ze deden er negentien uur over om in Texas te komen. Het had sneller gekund, maar op zeker moment zette broeder Luke de auto langs de kant van de snelweg en zei dat hij even een dutje moest doen, en ze sliepen allebei een paar uur. Broeder Luke had ook iets te eten meegebracht – boterhammen met pindakaas – en in Oklahoma maakten ze een tweede stop op een uitrustplaats langs de weg om die op te eten.

Het Texas van zijn fantasieën was door een paar summiere omschrijvingen van broeder Luke veranderd van een landschap vol tumbleweed en grasland in een streek vol naaldbomen, zo hoog en geurig dat ze elk ander geluid, elk ander leven absorbeerden, dus toen broeder Luke meedeelde dat ze nu officieel in Texas waren, keek hij teleurgesteld uit het raampje.

'Waar zijn de bossen?' vroeg hij.

Broeder Luke lachte. 'Geduld, Jude.'

Ze moesten een paar dagen in een motel blijven, legde broeder Luke uit, zodat ze zeker wisten dat ze niet door de andere broeders werden achtervolgd en zodat hij kon gaan uitkijken naar de perfecte plaats voor hun huisje. Het motel heette The Golden Hand, en in hun kamer stonden twee bedden – echte bedden – en hij mocht van broeder Luke kiezen. Hij koos het bed bij de badkamer, en broeder Luke nam het bed bij het raam, met uitzicht op de auto. 'Ga jij maar even douchen, dan haal ik wat nieuwe voorraden in de winkel,' zei de broeder, en ineens werd hij bang. 'Wat is er, Jude?'

'Kom je wel terug?' vroeg hij, boos op zichzelf om hoe bang hij klonk.

'Natuurlijk kom ik terug, Jude,' zei de broeder en hij omhelsde hem. 'Natuurlijk.'

Toen hij terugkwam had hij een gesneden brood, een pot pindakaas, een tros bananen, een pak melk en een zakje amandelen bij zich, en wat uien, paprika's en kipfilets. Die avond installeerde broeder Luke de kleine barbecue die hij had meegebracht op de parkeerplaats en grilden ze de uien, paprika's en kipfilets, en broeder Luke gaf hem een glas melk.

Broeder Luke bepaalde hun dagindeling. Ze werden vroeg wakker, al voor zonsopkomst, broeder Luke zette een pot koffie voor zichzelf met het koffiezetapparaat dat hij bij zich had, en daarna reden ze het stadje in, naar de renbaan bij de middelbare school, waar Luke hem een uur lang rondjes liet rennen terwijl hij op de onoverdekte tribune koffiedronk en naar hem keek. Dan gingen ze terug naar de motelkamer, waar de broeder hem lesgaf. Voor zijn tijd in het klooster was broeder Luke wiskundeleraar geweest, maar hij had liever met jongere kinderen willen werken, en zo was hij later onderwijzer in groep acht geworden. Maar hij wist ook veel van andere vakken: geschiedenis, boeken, muziek en talen. Hij wist zo veel meer dan de andere broeders, en hij vroeg zich af waarom hij nooit les had gehad van Luke toen ze nog in het klooster woonden. Ze aten hun lunch – boterhammen met pindakaas – en dan volgden er nog meer lessen, tot drie uur 's middags, als hij weer naar buiten mocht om rond te rennen op het parkeerterrein of met de broeder langs de weg te wandelen. Het motel lag vlak bij de snelweg en het geraas van de voorbijrijdende auto's zorgde voor een continu achtergrondgeluid. 'Alsof we aan zee wonen,' zei broeder Luke altijd.

Vervolgens zette broeder Luke een derde pot koffie, en daarna ging hij weg met de auto, op zoek naar een plek voor hun huisje, en bleef hij achter in hun motelkamer. Voor de veiligheid sloot de broeder hem altijd in de kamer op. 'Niet opendoen, voor niemand, hoor!' zei de broeder. 'Voor niemand. Ik heb een sleutel, ik laat mezelf er wel in. En doe de gordijnen niet open; ik wil niet dat iemand ziet dat jij hier alleen bent. Er lopen gevaarlijke mensen rond op de wereld, en ik wil niet dat jou iets overkomt.' Om dezelfde reden mocht hij de laptop van broeder Luke niet gebruiken; die nam hij trouwens altijd met zich mee als hij de kamer uit ging. 'Je hebt geen idee wat er allemaal rondloopt,' zei broeder Luke vaak. 'Ik wil dat je veilig bent, Jude. Beloof het me.' Hij beloofde het.

Dan ging hij op zijn bed liggen lezen. De televisie was voor hem verboden: als hij terugkwam voelde Luke of het apparaat warm was, en hij wilde hem niet boos maken, wilde geen problemen. Broeder Luke had in zijn auto een keyboard meegebracht en daar oefende hij op; de broeder was nooit gemeen tegen hem, maar hij nam de lessen heel serieus. Maar als de lucht steeds donkerder werd, ging hij toch vaak op de rand van broeder Lukes bed zitten, tilde het gordijn een klein stukje op en keek over de parkeerplaats uit naar broeder Lukes auto; diep van binnen was hij altijd een beetje bang dat broeder Luke toch niet naar hem terug zou komen, dat hij genoeg van hem begon te krijgen, dat hij alleen zou achterblijven. Er was zo veel dat hij niet over de wereld wist, en de wereld was een angstaanjagend oord. Hij probeerde zich in te prenten dat er dingen waren die hij kon doen, dat hij kon werken en misschien een baantje kon krijgen als schoonmaker van het motel, maar hij bleef ongerust tot hij de stationcar zag naderen, en dan was hij opgelucht en nam hij zich voor de volgende dag beter zijn best te doen, zodat hij broeder

Luke nooit een reden zou geven om niet meer naar hem terug te komen.

Op een avond zag de broeder er moe uit toen hij weer de kamer binnen kwam. Een paar dagen daarvoor was hij opgewonden teruggekomen: hij had het perfecte lapje grond gevonden, zei hij. Hij omschreef een open plek omgeven door ceders en pijnbomen, vlak bij een beekje dat wemelde van de vissen, waar de lucht zo koel en stil was dat je de dennenappels op de zachte grond kon horen neerploffen. Hij had hem zelfs een foto laten zien, met allerlei tinten donkergroen en schaduwen, en had uitgelegd hoe het huis zou komen te liggen en hoe hij kon helpen met de bouw ervan, en op welke plek ze een slaapzolder, een geheim fort zouden maken voor hem alleen.

'Wat is er, broeder Luke?' vroeg hij toen de broeder zo lang bleef zwijgen dat hij het niet langer uithield.

'O, Jude,' zei de broeder, 'het is mislukt.' Hij vertelde hem dat hij alles had geprobeerd om het land te kopen, maar gewoon niet genoeg geld had. 'Het spijt me, Jude, het spijt me,' zei hij, en toen begon de broeder tot zijn verbazing te huilen.

Hij had nog nooit een volwassene zien huilen. 'Misschien kun je weer gaan lesgeven, broeder Luke,' zei hij in een poging hem te troosten. 'Ik vind je aardig. Als ik een kind was, zou ik het fijn vinden om les van je te krijgen.' De broeder glimlachte flauwtjes naar hem, aaide hem over zijn hoofd en zei dat het zo niet werkte, dat hij een vergunning van de staat nodig had, en dat was een lang en ingewikkeld proces.

Hij dacht en dacht. En toen herinnerde hij het zich: 'Broeder Luke,' zei hij, 'ik kan toch helpen. Ik kan een baantje zoeken. Ik kan helpen geld te verdienen.'

'Nee, Jude,' zei de broeder. 'Dat kan ik niet van je vragen.'

'Maar ik wil het graag,' zei hij. Hij herinnerde zich dat broeder Michael hem had verteld hoeveel het klooster kwijt was aan zijn onderhoud en voelde zich tegelijkertijd schuldig en bang. Broeder Luke had zo veel voor hem gedaan, en hij had niets teruggegeven. Hij wílde niet alleen helpen geld te verdienen, hij móést.

Na een tijdje wist hij de broeder te overtuigen, en die knuffelde hem. 'Jij bent echt een jongen uit duizenden, weet je dat? Je bent echt bijzonder.' En hij glimlachte met zijn gezicht tegen de trui van de broeder.

De volgende dag hadden ze les zoals altijd, en daarna ging de broeder weer weg, ditmaal, zei hij, om een goed baantje voor hem te vinden: iets wat hij kon doen om geld te verdienen zodat ze het land konden kopen en het huisje konden bouwen. En ditmaal kwam Luke glimlachend, ja zelfs enthousiast terug, en toen hij dat zag was hij ook enthousiast.

'Jude,' zei de broeder, 'ik heb iemand ontmoet die een klusje voor je heeft; hij wacht buiten en je kunt meteen beginnen.'

Hij lachte terug naar de broeder. 'Wat ga ik doen?' vroeg hij. In het klooster had hij leren vegen, stoffen en dweilen. Hij kon een vloer zo goed boenen dat zelfs broeder Matthew ervan onder de indruk was. Hij wist hoe je zilver moest poetsen, en koper en hout. Hij wist hoe je de voegen tussen tegels moest schrobben en hoe je een toilet moest schoonmaken. Hij wist hoe je goten bladvrij maakte en een muizenval leeghaalde en opnieuw zette. Hij wist hoe je ramen moest lappen en de handwas moest doen. Hij wist hoe je moest strijken, hoe je knopen moest aanzetten, hoe je zulk fijn en gelijkmatig stikwerk kon maken dat het eruitzag alsof het met een naaimachine was gedaan.

Hij kon koken. Hij kende maar een stuk of tien gerechten helemaal, maar hij wist hoe je aardappels moest schillen en wortels en koolrapen moest schoonmaken. Hij kon bergen uien fijnhakken zonder te huilen. Hij kon een vis fileren en wist hoe je een kip moest plukken en schoonmaken. Hij wist wat er in deeg ging, hij wist hoe je brood bakte. Hij wist hoe je eiwitten moest kloppen tot ze van vloeibaar tot vast werden en dan iets nog beters dan vast, een soort geboetseerde lucht.

En hij kon tuinieren. Hij wist welke planten van zon hielden en welke liever in de schaduw stonden. Hij wist hoe je kon zien of een plant was uitgedroogd of juist te veel water had gekregen. Hij wist wanneer een boom of struik verpot moest worden en wanneer hij voldoende afgehard was om in de volle grond te gaan. Hij wist welke planten tegen de kou beschermd moesten worden en hoe je dat deed. Hij wist hoe je stekjes kon nemen en die kon laten uitgroeien. Hij wist hoe je mest moest mengen, hoe je eierschalen in de grond moest doen voor extra proteïne, hoe je een bladluis kon fijnknijpen zonder het blad waarop het zat kapot te maken. Al die dingen kon hij, maar hij hoopte dat hij ging tuinieren, want hij wilde graag in de buitenlucht werken, en 's ochtends bij het rennen voelde hij dat de zomer eraan kwam, en onderweg naar de renbaan had hij velden vol wilde bloemen gezien waar hij doorheen wilde lopen.

Broeder Luke knielde naast hem neer. 'Je gaat doen wat je deed met pater Gabriel en sommige broeders,' zei hij, en toen begon het langzaam tot hem door te dringen wat Luke zei, en hij stapte naar achteren, naar het bed, van top tot teen verstijfd van angst. 'Jude, nu zal het heel anders zijn,' zei Luke voordat hij iets kon uitbrengen. 'Het zal vliegensvlug voorbij zijn, dat beloof ik je. En je bent er zo goed in. En ik wacht in de badkamer om zeker te weten dat er niets misgaat, oké?' Hij aaide hem over zijn hoofd. 'Kom hier,' zei hij en hij hield hem tegen zich aan. 'Je bent een geweldig joch,' zei hij. 'Dankzij jou en wat jij doet, krijgen wij ons huisje, oké?' Broeder Luke had gepraat en gepraat, en uiteindelijk had hij geknikt.

De man was binnengekomen (vele jaren later zou zijn gezicht een van de zeer weinige zijn dat hij zich herinnerde, en soms zou hij op straat een man tegenkomen die er bekend uitzag, en dan zou hij denken: waar ken ik die van? Is het iemand die ik uit de rechtszaal ken? Was dat de advocaat van de wederpartij in die zaak van vorig jaar? En dan zou hij zich realiseren: hij ziet eruit als die eerste, de eerste klant) en Luke was naar de badkamer gegaan, vlak achter zijn bed, en de man en hij hadden seks gehad en toen was de man weggegaan.

Die avond was hij heel stil, en Luke was lief en teder voor hem. Hij had zelfs een koekje voor hem gekocht – een gemberkoekje – en hij had geprobeerd naar Luke te glimlachen en het op te eten, maar hij kreeg het niet door zijn keel, en toen Luke even niet keek stopte hij het in een stukje papier en gooide het weg. De volgende dag wilde hij 's ochtends niet naar de renbaan, maar Luke zei dat een beetje lichaamsbeweging hem goed zou doen, dus gingen ze toch en probeerde hij te rennen, maar het deed te veel pijn en ten slotte ging hij zitten wachten tot Luke zei dat ze konden gaan.

Nu hadden ze een andere dagindeling: 's ochtends en 's middags waren er nog steeds lessen, maar nu bracht Luke op sommige avonden mannen mee, zijn klanten. Soms maar één, soms een paar. De mannen hadden hun eigen handdoek bij zich en een hoeslaken dat ze van tevoren over het matras deden en naderhand weer afhaalden en met zich meenamen. 's Nachts probeerde hij uit alle macht niet te huilen, maar als hij dat toch deed kwam broeder Luke bij hem zitten, aaide hem over zijn rug en troostte hem. 'Hoeveel nog voor we het huisje kunnen betalen?' vroeg hij, maar dan schudde Luke alleen maar somber zijn hoofd. 'Dat weet ik voorlopig nog niet,' zei hij. 'Maar je doet het zo goed, Jude. Je bent er zo goed in. Het is niets om je voor te schamen.' Toch wist hij dat er wel degelijk iets beschamends aan was. Niemand had hem dat ooit verteld, maar hij wist het hoe dan ook. Hij wist dat wat hij deed slecht was.

En toen, na een paar maanden – en vele motels: ze verhuisden zowat elke tien dagen, door heel Oost-Texas, en bij elke verhuizing nam Luke hem mee naar het bos, dat echt mooi was, en naar de open plek waar hun huisje zou komen – werd het weer anders. Op een nacht lag hij in zijn bed (een nacht in een week zonder klanten: 'Een korte vakantie,' had Luke met een glimlach gezegd. 'Iedereen heeft af en toe even pauze nodig, vooral mensen die zo hard werken als jij') toen Luke vroeg: 'Jude, hou je van me?'

Hij aarzelde. Vier maanden geleden zou hij onmiddellijk ja hebben gezegd, trots en zonder nadenken. Maar nu... Hield hij van broeder Luke? Hij vroeg het zich vaak af. Hij wilde wel van hem houden. De broeder had hem nooit pijn gedaan, geslagen of iets gemeens tegen hem gezegd. Hij zorgde voor hem. Hij hield altijd de wacht in de badkamer om te zorgen dat hem niets overkwam. De week ervoor had een klant hem ergens toe proberen te dwingen wat hij volgens broeder Luke nooit hoefde te doen als hij niet wilde, en hij had tegengesparteld en geprobeerd te roepen, maar er was een kussen op zijn gezicht gedrukt en hij wist dat zijn geluiden gesmoord werden. Hij was buiten zinnen geweest, bijna in tranen, toen ineens het kussen van zijn gezicht werd getild en het gewicht van de man verdween en broeder Luke tegen de man zei dat hij de kamer uit moest, op een toon die hij nooit eerder van de broeder had gehoord, maar die hem angst en ontzag had ingeboezemd.

En toch was er iets in hem wat zei dat hij niet van broeder Luke moest houden, dat de broeder iets met hem had gedaan wat slecht was. Maar dat was niet zo. Per slot van rekening had hij zelf gezegd dat hij dit wilde doen; het was voor het huisje in het bos, waar hij zijn eigen slaapzolder zou krijgen. En dus zei hij 'ja' tegen de broeder.

Heel even was hij blij toen hij de glimlach op het gezicht van de broeder zag, alsof hij hem het huisje zelf had gegeven. 'O, Jude,' zei hij, 'dat is voor mij het allergrootste geschenk ter wereld. Weet je hoeveel ik van jou hou? Ik hou meer van jou dan van mezelf. Ik beschouw je als mijn eigen zoon.' En toen had hij teruggelachen, want soms had hij zich voorgesteld dat Luke zijn vader was en hij Lukes zoon. 'Je pa zei dat je negen was, maar je ziet er ouder uit,' had een van de klanten argwanend gezegd voor ze waren begonnen, en hij had geantwoord zoals Luke hem had opgedragen: 'Ik ben groot voor mijn leeftijd', tegelijk blij en raar genoeg ook weer niet dat de klant had gedacht dat Luke zijn vader was.

Toen had broeder Luke hem uitgelegd dat twee mensen die zo veel van elkaar hielden als zij meestal in hetzelfde bed sliepen, gewoon in hun blootje. Hij had niet geweten wat hij daarop moest antwoorden, maar voordat hij wat dan ook had kunnen bedenken kroop broeder Luke naast hem in bed, begon zijn kleren uit te trekken en hem te kussen. Hij had nog nooit iemand gekust – dat mochten de klanten niet van broeder

Luke – en hij vond het niet fijn, de natheid en de kracht ervan. 'Ontspan je,' zei de broeder. 'Gewoon ontspannen, Jude.' En hij probeerde het zo goed als het ging.

De eerste keer dat de broeder het met hem deed, vertelde hij hem dat het anders zou zijn dan met de klanten. 'Want wij zijn verliefd,' had hij gezegd, en hij geloofde hem, en toen het toch hetzelfde gevoel was geweest – even pijnlijk, even onaangenaam, even beschamend – nam hij aan dat hij iets fout deed, vooral omdat de broeder na afloop zo blij was. 'Was dat nou niet fijn?' vroeg de broeder. 'Voelde dat niet anders?' En hij had ja gezegd, te beschaamd om toe te geven dat het helemaal niet anders was geweest, dat het net zo afschuwelijk was geweest als met de klant van de dag ervoor.

Gewoonlijk deed broeder Luke het niet met hem als hij eerder op de avond klanten had gehad, maar ze sliepen wel altijd in hetzelfde bed en ze kusten elkaar altijd. Nu was het ene bed bestemd voor de klanten en het andere voor hen. Hij kreeg een steeds grotere afkeer van de smaak van broeder Lukes mond, de smaak van bittere oude koffie, met zijn tong als een glibberig, gevild ding dat zich in hem probeerde te boren. 's Avonds laat, als de broeder naast hem lag te slapen en hem met zijn zware lijf tegen de muur drukte, huilde hij soms zonder geluid, biddend dat hij zou worden weggehaald en ergens anders naartoe gebracht, waar dan ook. Aan het huisje dacht hij niet langer: nu droomde hij van het klooster, en hij bedacht hoe stom het van hem was geweest om er weg te gaan. Bij nader inzien was het daar beter geweest. Als ze 's ochtends buiten waren en andere mensen passeerden, zei broeder Luke altijd dat hij naar de grond moest kijken, want hij had opvallende ogen en als de broeders naar hen op zoek waren, zouden die hen verraden. Soms wilde hij dan toch opkijken, alsof zijn ogen louter door hun kleur en vorm een boodschap konden doorseinen naar de broeders, vele kilometers, zelfs staten van hen vandaan: *Hier ben ik. Help me. Mag ik alsjeblieft terugkomen?* Niets was meer van hem: zijn ogen niet, zijn mond niet, zelfs zijn naam niet, die broeder Luke alleen privé gebruikte. Voor ieder ander was hij Joey. 'En dit is Joey,' zei broeder Luke altijd, en dan kwam hij van het bed en wachtte met gebogen hoofd terwijl de klant hem van top tot teen monsterde.

Hij koesterde zijn lessen, want dat waren de enige uren waarin broeder Luke hem niet aanraakte, en gedurende die tijd was de broeder zoals hij hem zich herinnerde, de persoon die hij had vertrouwd en met wie hij mee was gegaan. Maar dan was de lesdag voorbij, en elke avond eindigde op dezelfde manier als de avond ervoor.

Hij werd almaar stiller. 'Waar is mijn lachebekje gebleven?' vroeg de broeder, en dan probeerde hij terug te lachen. 'Je mag er best van genieten,' zei de broeder soms, en dan knikte hij en de broeder glimlachte en aaide hem over zijn rug. 'Je vindt het lekker, hè?' zei hij met een knipoog, en dan knikte hij woordeloos. 'Ik zie het heus wel,' zei Luke dan, nog steeds lachend, trots op hem. 'Jij bent een natuurtalent. Je bent hiervoor gemaakt, Jude.' Sommige klanten zeiden dat ook tegen hem: 'Jij bent een geboren bedmaatje,' en hoe vervelend hij dat ook vond, hij wist dat ze gelijk hadden. Hij was hiervoor geboren. Hij was geboren, achtergelaten en gevonden, en werd gebruikt waarvoor hij bedoeld was.

In latere jaren probeerde hij zich te herinneren op welk moment precies het tot hem was doorgedrongen dat het huisje er nooit zou komen, dat hij het leven waarvan hij had gedroomd nooit zou krijgen. In het begin had hij bijgehouden hoeveel klanten hij had gehad, omdat hij dacht dat hij bij een bepaald aantal – veertig? vijftig? – vast wel klaar zou zijn en zou mogen stoppen. Maar het aantal werd groter en groter, tot hij op een dag had beseft hóé groot en in huilen was uitgebarsten, zo bang en misselijk van wat hij had gedaan dat hij met tellen was gestopt. Was dat dan het moment geweest, toen hij dat aantal had bereikt? Of was het toen ze weggingen uit Texas en Luke zei dat de bossen in de staat Washington sowieso mooier waren, en ze in westelijke richting reden, door New Mexico en Arizona en toen naar het noorden, met tussenstops van enkele weken in allerlei stadjes waar ze in kleine motels verbleven die als twee druppels water leken op dat allereerste motel, en toen er, waar ze ook stopten, altijd mannen waren, en op de avonden zonder mannen broeder Luke, die naar hem leek te verlangen zoals hijzelf nog nooit naar iets had verlangd? Was het toen hij zich realiseerde dat hij een nog grotere hekel aan zijn vrije weken had dan aan de normale, omdat de terugkeer naar de oude routine zo verschrikkelijk veel erger was dan als hij nooit vakantie zou hebben gehad? Was het toen hij begon te merken dat allerlei dingetjes in broeder Lukes verhalen niet klopten: dat het soms ineens niet zijn zoon maar een neefje was, dat niet was gestorven maar eigenlijk was verhuisd, waarna broeder Luke hem nooit meer had gezien; of dat hij de ene keer was opgehouden met lesgeven omdat hij de roeping had gevoeld om in te treden, en de andere keer omdat hij het beu was steeds te moeten soebatten bij de schooldirecteur, die kennelijk niet zo veel om kinderen gaf als de broeder; of dat hij in sommige verhalen was opgegroeid in Oost-Texas, maar in andere als kind in Carmel had gewoond, of Laramie, of Eugene?

Of was het op de dag dat ze via Utah naar Idaho reden, op weg naar Washington? Ze waagden zich zelden in de bebouwde kom – hun Amerika kende geen bomen, geen bloemen, het bestond alleen uit lange wegen door het niets, met geen ander groen dan de cattleyaorchidee van broeder Luke, die het als enige had overleefd en nog wel blaadjes had, maar niet meer bloeide – maar ditmaal waren ze toch een van die stadjes in gereden, omdat broeder Luke daar een dokter kende en hem wilde laten onderzoeken, want hij had overduidelijk een of andere ziekte opgelopen van een van de klanten, ondanks de voorzorgsmaatregelen die broeder Luke hun oplegde. Hoe het stadje heette wist hij niet, maar hij stond versteld van het alledaagse leven dat hij om zich heen zag, en hij staarde zwijgend uit zijn raampje, kijkend naar deze taferelen, die hij zich altijd had voorgesteld maar zelden had gezien: vrouwen met kinderwagens die op straat stonden te praten en te lachen, een jogger die hijgend voorbijkwam, gezinnetjes met honden, een wereld die niet alleen uit mannen, maar ook uit vrouwen en kinderen bestond. Normaal gesproken deed hij tijdens dit soort ritten zijn ogen dicht – hij sliep nu de hele tijd, wachtend tot er weer een dag voorbij was – maar vandaag voelde hij zich ongewoon alert, alsof de wereld hem iets probeerde te vertellen en hij alleen maar naar die boodschap hoefde te luisteren.

Broeder Luke probeerde tegelijkertijd kaart te lezen en te sturen, maar ten slotte zette hij de auto langs de kant van de weg en begon mompelend de kaart te bestuderen. Aan de overkant van de straat lag een honkbalveld, en hij keek toe terwijl dat ineens volstroomde met mensen: vooral vrouwen, en toen, rennend en schreeuwend, jongens. De jongens droegen een uniform, wit met rode strepen, maar zagen er desondanks allemaal verschillend uit: ander haar, andere ogen, andere huidskleuren. Sommigen waren mager, zoals hij, en anderen waren dik. Hij had nog nooit zo veel jongens van zijn leeftijd bij elkaar gezien en keek zijn ogen uit. En toen merkte hij dat ze, hoewel ze onderling verschilden, eigenlijk allemaal hetzelfde waren: ze hadden allemaal een vrolijk gezicht, ze lachten allemaal, blij om buiten in de droge, hete lucht te zijn met de felle zon op hun hoofd, terwijl hun moeders plastic draagkratten uitpakten en blikjes frisdrank en flessen water en sap tevoorschijn haalden.

'Aha! Ik weet al waar we zijn!' hoorde hij Luke zeggen, en hij hoorde hem de kaart opvouwen. Maar voordat de motor weer werd gestart voelde hij dat Luke zijn blik volgde, en even zaten ze met z'n tweeën zwijgend naar de jongens te staren, tot Luke hem ten slotte een aai over zijn bol gaf. 'Ik hou van je, Jude,' zei hij, en na een moment antwoordde hij zoals altijd: 'Ik hou ook van jou, broeder Luke.' En ze reden weg.

Hij was net als die jongens, maar eigenlijk helemaal niet: hij was anders. Hij zou nooit een van hen zijn. Hij zou nooit iemand zijn die over een veld rende terwijl zijn moeder hem nariep dat hij eerst iets moest komen eten voor hij ging spelen, zodat hij niet moe zou worden. Hij zou nooit zijn eigen bed krijgen in dat huisje. Hij zou nooit meer schoon zijn. De jongens speelden op het veld, en hij reed met broeder Luke naar de dokter, het soort dokter van wie hij uit zijn vorige doktersbezoekjes wist dat er ergens iets mis mee zou zijn, dat hij ergens geen goed mens zou zijn. Hij was even ver van die jongens verwijderd als van het klooster. Hij was zo ver weg van zichzelf, van wie hij had gehoopt te worden, dat het leek alsof hij zelfs geen jongen meer was, maar iets heel anders. Dit was nu zijn leven, en hij kon er niets aan doen.

Voor de dokterspraktijk boog Luke zich naar hem toe, trok hem tegen zich aan en zei: 'Vanavond gaan we pret maken, alleen jij en ik,' en hij knikte omdat hij niet anders kon. 'Kom,' zei Luke terwijl hij hem losliet, en hij stapte uit en liep achter broeder Luke over de parkeerplaats naar de bruine deur, die al openging om hen binnen te laten.

~

De eerste herinnering: een ziekenhuiskamer. Al voor hij zijn ogen opende wist hij dat het een ziekenhuiskamer was, omdat hij dat kon ruiken, omdat het soort stilte dat er hing – een stilte die niet echt stil was – hem vertrouwd was. Naast hem: Willem, slapend in een stoel. Toen was hij in de war: waarom zat Willem hier? Die was toch ergens ver weg? Hij wist het weer: Sri Lanka. Maar daar was hij niet. Hij was hier. Wat gek, dacht hij. Waarom zou hij hier zijn? Dat was de eerste herinnering.

De tweede herinnering: dezelfde ziekenhuiskamer. Hij draaide zich om en zag Andy op de rand van zijn bed zitten, en Andy, die ongeschoren wangen had en er slecht uitzag, glimlachte vreemd, halfhartig naar hem. Hij voelde dat Andy in zijn hand kneep – hij had zich niet gerealiseerd dat hij een hand had tot hij Andy erin voelde knijpen – en probeerde terug te knijpen, maar kon het niet. Andy had naar iemand opgekeken: 'Zenuwschade?' hoorde hij Andy vragen. 'Misschien,' zei de ander, die hij niet kon zien, 'maar als we geluk hebben is het...' En hij had zijn ogen gesloten en was weer in slaap gevallen. Dat was de tweede herinnering.

De derde, vierde, vijfde en zesde herinnering waren eigenlijk helemaal geen herinneringen: het waren gezichten van mensen, hun handen, hun stemmen, over hem heen gebogen, zijn hand vasthoudend, tegen hem pratend: het waren Harold, Julia, Richard en Lucien. Hetzelfde gold voor de zevende en achtste: Malcolm en JB.

De negende herinnering was opnieuw Willem, die naast hem zat en zei dat het hem enorm speet, maar dat hij weg moest. Heel kort maar, en dan kwam hij weer terug. Willem huilde en hij wist niet precies waarom, maar zo ongewoon was het niet; ze huilden allemaal, ze huilden en verontschuldigden zich, wat hem verbaasde, want geen van hen had iets misdaan, dát wist hij in elk geval zeker. Hij probeerde tegen Willem te zeggen dat hij niet moest huilen, dat alles oké was, maar zijn tong lag dik in zijn mond, een grote, nutteloze lap vlees, en hij kreeg hem niet in beweging. Willem hield al een van zijn handen vast, maar hij had de energie niet om zijn andere hand op te tillen zodat hij die ter geruststelling op Willems arm kon leggen, en ten slotte had hij het opgegeven.

In de tiende herinnering lag hij nog steeds in het ziekenhuis, maar in een andere kamer, en hij was nog steeds ontzettend moe. Zijn armen deden zeer. Hij had in allebei zijn handen een schuimrubberen bal, en daar moest hij telkens vijf tellen in knijpen en dan weer vijf tellen loslaten. Vijf tellen knijpen, vijf tellen los. Hij kon zich niet herinneren wie dat tegen hem had gezegd of van wie hij die ballen had gekregen, maar hij deed het toch maar, al kreeg hij elke keer meer pijn in zijn armen, een brandende, rauwe pijn, en lukte het niet meer dan drie, vier keer voor hij uitgeput was en moest stoppen.

En toen was hij op een nacht wakker geworden, nadat hij naar boven was gezwommen door lagen dromen die hij zich niet kon herinneren, en had hij beseft waar hij was en waarom. Hij was weer in slaap gevallen, maar de dag erna draaide hij zijn hoofd om en zag een man zitten in een stoel naast zijn bed: hij wist niet wie die man was, maar hij had hem al eerder gezien. Soms kwam hij en zat dan naar hem te staren, en soms praatte hij tegen hem, maar hij kon zich nooit concentreren op wat de man zei en deed dan uiteindelijk maar zijn ogen dicht.

'Ik ben in een inrichting,' zei hij nu tegen de man, en zijn stem klonk raar, schril en hees.

De man glimlachte. 'Je bent op de psychiatrische afdeling van een ziekenhuis, ja,' zei hij. 'Kun je je mij herinneren?'

'Nee,' zei hij, 'maar ik herken u wel.'

'Ik ben dokter Solomon. Ik werk als psychiater in dit ziekenhuis.' Er viel een stilte. 'Weet je waarom je hier bent?'

Hij sloot zijn ogen en knikte. 'Waar is Willem?' vroeg hij. 'Waar is Harold?'

'Willem moest terug naar Sri Lanka om de opnames af te maken,' zei de psychiater. 'Hij komt terug op...' – hij hoorde bladzijden die werden omgeslagen – '9 oktober. Over tien dagen dus. Harold komt om twaalf uur; dan komt hij altijd, herinner je je dat?' Hij schudde zijn hoofd. 'Jude,' zei de psychiater, 'kun je me vertellen waarom je hier bent?'

'Vanwege,' begon hij, en hij slikte. 'Vanwege wat ik heb gedaan in de douchecel.'

Er viel weer een stilte. 'Dat klopt,' zei de psychiater zachtjes. 'Jude, kun je me vertellen waarom...' maar dat was alles wat hij hoorde, want hij was weer in slaap gevallen.

De volgende keer dat hij wakker werd was de man weg, maar zat Harold op zijn plaats. 'Harold,' zei hij met zijn vreemde nieuwe stem, en Harold, die met zijn ellebogen op zijn bovenbenen en zijn gezicht in zijn handen had gezeten, keek zo plotseling op alsof hij had geschreeuwd.

'Jude,' zei hij, en hij kwam naast hem op bed zitten. Hij nam de bal uit zijn rechterhand en legde zijn eigen hand ervoor in de plaats.

Hij vond dat Harold er slecht uitzag. 'Het spijt me, Harold,' zei hij en Harold begon te huilen. 'Niet huilen,' zei hij, 'alsjeblieft, niet huilen.' Harold stond op en ging naar het toilet, en hij hoorde hem zijn neus snuiten.

Toen hij die avond alleen was, huilde hij ook: niet om wat hij had gedaan, maar omdat het niet was gelukt, omdat hij toch nog leefde.

Zijn hoofd werd elke dag een beetje helderder. Elke dag was hij een beetje langer wakker. Meestal voelde hij niets. Er kwamen mensen op bezoek die huilden, en hij keek naar ze en signaleerde alleen maar hoe vreemd hun gezicht eruitzag, hoe iedereen er hetzelfde uitzag als hij huilde, met een rimpelende neus en een mond die door zelden gebruikte spieren in onnatuurlijke richtingen, onnatuurlijke vormen werd getrokken.

Hij dacht nergens aan, zijn hoofd was een blanco vel papier. Stukje bij beetje kwam hij erachter wat er was gebeurd: dat Richards atelierbeheerder had gedacht dat de loodgieter om negen uur 's avonds zou komen, niet om negen uur de volgende ochtend (zelfs in zijn roes vroeg hij zich af hoe iemand kon denken dat een loodgieter om negen uur 's avonds zou komen), dat Richard hem had gevonden, een ambulance had gebeld en met hem mee was gegaan naar het ziekenhuis, dat Richard Andy, Harold en Willem had gebeld en dat Willem uit Colombo was teruggevlogen om bij hem te kunnen zijn. Het speet hem wel dat Richard degene was die hem had moeten vinden – dat was altijd het onderdeel van het plan geweest waar hij zich vervelend over had gevoeld, hoewel hij zich herinnerde dat hij destijds had gedacht dat Richard goed tegen bloed kon, aangezien hij er ooit sculpturen mee had gemaakt, en er dus van al zijn vrienden het minst waarschijnlijk een trauma aan zou overhouden – en hij had zijn verontschuldigingen aangeboden aan Richard, die zijn hand had gestreeld en hem had gezegd dat het goed was, dat het oké was.

Dokter Solomon kwam elke dag en probeerde met hem te praten, maar hij had niet veel te zeggen. De meeste mensen praatten helemaal niet tegen hem. Ze kwamen, namen plaats en gingen iets voor zichzelf doen, of ze vertelden iets zonder dat ze een antwoord leken te verwachten, wat hij waardeerde. Lucien kwam vaak, gewoonlijk met een cadeautje, een keer met een grote kaart die door iedereen van het kantoor was getekend – 'Dit is nou echt iets waar je van zult opknappen,' had hij droog opgemerkt, 'maar hier, alsjeblieft' – en Malcolm maakte een van zijn fantasiehuisjes met raampjes van knisperend velijnpapier voor hem, dat hij op het kastje naast zijn bed zette. Willem belde hem elke ochtend en elke avond. Harold las hem voor uit *The Hobbit*, dat hij nooit gelezen had, en als Harold niet kon, kwam Julia en las verder waar Harold was gebleven: dat waren zijn favoriete bezoekjes. Andy kwam elke avond na het bezoekuur en at dan samen met hem; hij was bezorgd dat hij niet genoeg binnenkreeg en bracht altijd een extra portie van zijn eigen avondeten voor hem mee. Hij bracht hem een bakje gevulde rundvleessoep met gort, maar zijn handen waren nog te zwak om de lepel te kunnen vasthouden en Andy moest hem heel langzaam, lepel voor lepel, voeren. Ooit zou hij dat gênant hebben gevonden, maar nu kon het hem totaal niet schelen: hij opende zijn mond en accepteerde het voedsel, dat geen smaak had, en kauwde en slikte.

'Ik wil naar huis,' zei hij op een avond tegen Andy, terwijl hij toekeek hoe Andy zijn clubsandwich met kalkoen at.

Andy slikte zijn hap door en keek hem aan. 'O ja?'

'Ja,' zei hij. Hij kon niets anders bedenken. 'Ik wil hier weg.' Hij dacht dat Andy iets sarcastisch zou gaan zeggen, maar die knikte alleen langzaam. 'Oké,' zei hij. 'Oké. Ik zal het met Solomon bespreken.' Hij grimaste. 'Eet je sandwich op.'

De volgende dag zei dokter Solomon: 'Ik hoor dat je naar huis wilt.'

'Ik heb het gevoel dat ik hier al heel lang ben,' zei hij.

Dokter Solomon zweeg even. 'Je bent hier inderdaad al een tijdje,' zei hij. 'Maar gezien je geschiedenis van zelfverwonding en de ernst van je poging vonden je arts – Andy – en je ouders dat het beste.'

Hij dacht daar even over na. 'Dus als mijn poging minder ernstig was geweest had ik eerder naar huis gemogen?' Dat leek te logisch om daadwerkelijk het beleid te zijn.

Dokter Solomon glimlachte. 'Waarschijnlijk wel,' zei hij. 'Maar ik ben er niet per se tegen om je naar huis te laten gaan, Jude, al denk ik dat er een paar beschermende maatregelen nodig zijn.' Hij stokte. 'Waar ik me wel zorgen over maak, is dat je tot nog toe niet hebt willen praten over de vraag waarom je die poging überhaupt hebt gedaan. Volgens dokter Contractor – sorry: Andy – heb je je altijd tegen therapie verzet; kun je me vertellen waarom?' Hij zei niets, en de psychiater ook niet. 'Volgens je vader heb je verleden jaar in een misbruikrelatie gezeten en heeft dat doorgewerkt op de lange termijn,' zei de psychiater, en hij voelde zich verkillen. Maar hij dwong zichzelf geen antwoord te geven en sloot zijn ogen, en ten slotte hoorde hij dat dokter Solomon opstond. 'Ik kom morgen terug, Jude,' zei hij bij de deur.

Ten slotte, toen het duidelijk was dat hij met geen van hen wilde praten en dat hij niet in een toestand verkeerde waarin hij zichzelf weer iets kon aandoen, lieten ze hem gaan, onder een aantal voorwaarden. Hij zou onder de hoede komen van Julia en Harold. Nadrukkelijk werd aanbevolen dat hij de medicijnen die hij in het ziekenhuis had gekregen in een lagere dosering zou blijven slikken. Zéér nadrukkelijk werd aanbevolen dat hij tweemaal per week naar een psychotherapeut zou gaan. Naar Andy moest hij eens in de week. Hij moest een sabbatical nemen van zijn werk, wat al geregeld was. Hij stemde overal mee in. Hij ondertekende – met beverige pen – de ontslagpapieren, onder de handtekeningen van Andy, dokter Solomon en Harold.

Harold en Julia namen hem mee naar Truro, waar Willem al op hem wachtte. Elke nacht sliep hij extreem lang en overdag wandelde hij met Willem langzaam de heuvel af naar de zee. Het was begin oktober, te koud om het water in te gaan, maar ze gingen op het strand zitten en keken naar de horizon, en soms praatte Willem tegen hem, en soms niet. Hij droomde dat de zee in een gigantisch blok ijs was veranderd, met golven die waren bevroren op hun hoogste punt, en dat Willem op een verre kust stond en naar hem wenkte, en dat hij zich langzaam over de onmetelijke vlakte een weg naar Willem toe baande, zijn handen en gezicht gevoelloos door de wind.

's Avonds aten ze vroeg, omdat hij zo vroeg naar bed ging. De maaltijden waren altijd eenvoudig en licht verteerbaar, en als er vlees was, sneed een van de drie het van tevoren voor hem in stukjes zodat hij niet met een mes in de weer hoefde. Harold schonk hem bij elke maaltijd een glas melk in, alsof hij een kind was, en hij dronk het leeg. Hij mocht pas van tafel als hij minstens de helft van zijn bord leeg had, en zelf opscheppen mocht hij ook niet. Hij was te moe om ertegenin te gaan; hij deed zijn best.

Hij had het altijd koud, en soms werd hij midden in de nacht rillend wakker ondanks de laag dekens over hem heen, en dan lag hij te kijken naar Willem, met wie hij zijn kamer deelde en die tegenover hem rustig ademend op de bank lag, en naar de wolken die dwars over het stukje maan dreven dat te zien was door de kier tussen het raamkozijn en het rolgordijn, tot hij weer in slaap kon vallen.

Soms dacht hij aan wat hij gedaan had en voelde hetzelfde verdriet als in het ziekenhuis: het verdriet dat het was mislukt en dat hij nog leefde. Andere keren dacht hij eraan en was bang: nu zou iedereen hem pas echt anders behandelen. Nu was hij pas echt een freak, veel meer nog dan hiervoor. Nu kon hij van voren af aan beginnen de mensen ervan te overtuigen dat hij normaal was. Hij dacht aan zijn werk, de enige plaats waar het er niet toe had gedaan wat hij was geweest. Nu zou er altijd een tweede verhaal over hem zijn, dat zich op de voorgrond zou dringen. Nu zou hij niet alleen maar de jongste aandelenpartner in de geschiedenis van het kantoor zijn (zoals Tremain hem soms aan anderen voorstelde), nu werd hij de partner die een zelfmoordpoging had gedaan. Ze zouden wel razend op hem zijn, bedacht hij. Hij dacht aan zijn lopende zaken en vroeg zich af wie ze waarnam. Waarschijnlijk hoefde hij niet eens meer terug te komen. Wie zou er nog met hem willen samenwerken? Wie zou hem nog vertrouwen?

En niet alleen bij Rosen Pritchard zou hij anders worden bekeken, maar door iedereen. Alle autonomie die hij in de loop van vele jaren had opgebouwd door keihard zijn best te doen om iedereen te bewijzen dat hij het verdiende: weggevaagd. Nu kon hij niet eens zijn eigen eten snijden. De dag daarvoor had Willem hem moeten helpen zijn schoenen te strikken. 'Het wordt wel beter, Judy,' had hij gezegd, 'het wordt echt beter. Volgens de dokter is het een kwestie van tijd.' 's Ochtends moest hij door Harold of Willem worden geschoren omdat zijn handen nog te trillerig waren; hij keek naar zijn vreemde gezicht in de spiegel terwijl ze het scheermesje over zijn wangen en onder zijn kin door haalden. Hij had zichzelf leren scheren in zijn tijd bij de familie Douglass in Philadelphia, maar in het eerste jaar op de universiteit had Willem het hem opnieuw geleerd, naar hij later zei omdat hij zijn hart vasthield bij zijn onzekere, hakkende bewegingen, alsof hij met een zeis een stuk land van begroeiing ontdeed. 'Goed in wiskunde, slecht in scheren,' had Willem gezegd, met een glimlach zodat hij zich niet nog opgelatener voelde.

Dan prentte hij zich in: je kunt het altijd opnieuw proberen, en alleen al bij die gedachte voelde hij zich sterker, al werd hij paradoxaal genoeg ook minder geneigd het opnieuw te proberen. Hij was te uitgeput. Het opnieuw proberen betekende voorbereiding. Het betekende iets scherps zien te vinden, wat tijd alleen zien te vinden, en hij was nooit alleen. Natuurlijk wist hij dat er andere manieren waren, maar hij bleef koppig vasthouden aan de eenmaal gekozen methode, ook al had die niet gewerkt.

Meestal voelde hij echter niets. Harold, Julia en Willem vroegen hem wat hij voor zijn ontbijt wilde, maar de keuze was absurd uitgebreid – Pannenkoeken? Wafels? Cornflakes? Eieren? Hoe wilde hij ze? Zachtgekookt? Hard? Roerei? Spiegeleieren? Aan twee kanten gebakken? Gepocheerd? – en dan schudde hij zijn hoofd, en op den duur vroegen ze er niet meer naar. Ze vroegen helemaal nergens meer zijn mening over, wat hij wel zo rustig vond. Na de lunch (ook belachelijk vroeg) deed hij een dutje op de bank voor de open haard, wegdommelend bij hun zachte gepraat en gespetter als ze in de keuken de afwas deden. 's Middags las Harold hem voor; soms luisterden Willem en Julia mee.

Na een dag of tien keerden Willem en hij terug naar Greene Street. Hij had tegen zijn terugkeer opgezien, maar toen hij zijn badkamer in stapte was het marmer schoon en onbevlekt. 'Malcolm,' zei Willem voor hij de vraag had hoeven stellen. 'Hij heeft het vorige week afgemaakt. Spiksplinternieuw.' Willem hielp hem naar bed en gaf hem een bruingele envelop met zijn naam erop, die hij opende nadat Willem was weggegaan. Erin zaten de brieven die hij aan iedereen had geschreven, ongeopend, en de verzegelde kopie van zijn testament, met een briefje van Richard: 'Ik dacht dat je deze waarschijnlijk wel wilde hebben. Liefs, R.' Met trillende handen liet hij ze weer in de envelop glijden, en de volgende dag stopte hij ze in zijn kluis.

De volgende ochtend werd hij heel vroeg wakker, hij sloop langs Willem, die op de bank aan de andere kant van zijn kamer lag te slapen, en liep door het appartement. Iemand had in elk vertrek bloemen, ahorntakken of schalen met pompoenen neergezet. Er hing een verrukkelijke geur van appels en cederhout. Hij ging naar zijn werkkamer, waar iemand zijn post in een stapel op zijn bureau had gelegd en waar Malcolms papieren huisje boven op een stapel boeken stond. Hij zag ongeopende brieven liggen van JB, van Oosterse Henry Young, van India en van Ali, en hij wist dat ze tekeningen voor hem hadden gemaakt. Hij liep langs de eettafel en liet zijn vingers over de boeken in de kast glijden; hij slenterde de keuken in, trok de deur van de koelkast open en zag dat die vol stond met dingen die hij lekker vond. Richard werkte de laatste tijd meer met keramiek, en in het midden van de eettafel stond een groot, vormeloos stuk, met glazuur dat lekker ruw aanvoelde onder zijn handpalmen, beschilderd met witte, draadachtige aderen. Ernaast stond het Sint-Judas Thaddeüsbeeldje van Willem en hem, dat Willem had meegenomen toen hij naar Perry Street was verhuisd, maar dat nu weer bij hem was teruggekeerd.

De dagen gleden voorbij en hij liet ze verglijden. 's Ochtends zwom hij en ontbeet met Willem. De fysiotherapeute kwam en liet hem oefenen door in rubberballetjes, stukjes touw, tandenstokers en pennen te knijpen. Soms moest hij meerdere voorwerpen met één hand oppakken, en het viel hem moeilijk ze tussen zijn vingers te houden. Zijn handen trilden meer dan ooit en hij voelde scherpe tintelingen in zijn vingers, maar ze zei dat hij zich daar geen zorgen over hoefde te maken, dat waren zijn spieren die zich herstelden, zijn zenuwen die zich weer aanpasten. Hij at zijn lunch, hij deed zijn dutje. Terwijl hij sliep kwam Richard op hem passen en ging Willem dingen regelen, wat sporten in de fitnesszaal beneden en hopelijk iets leuks en boeiends voor zichzelf doen, los van hem en zijn problemen. 's Middags kwamen er mensen langs: dezelfden van eerder, en ook nieuwe mensen. Ze bleven een uurtje en dan stuurde Willem ze weg. Malcolm kwam met JB en ze voerden met z'n vieren een geforceerd, beleefd gesprekje over dingen die ze in hun studententijd hadden gedaan, maar hij was toch blij om JB te zien en bedacht dat hij hem misschien wel opnieuw wilde zien als hij minder duf was, zodat hij zijn verontschuldigingen kon aanbieden en hem kon laten weten dat hij hem vergaf. Bij het weggaan zei JB zacht: 'Het wordt beter, Jude. Geloof me, ik kan het weten.' Hij voegde eraan toe: 'Jij hebt tenminste geen anderen pijn gedaan,' en hij voelde zich schuldig, want hij wist wel beter. Aan het eind van de dag kwam Andy en onderzocht hem; hij haalde zijn verbanden eraf en maakte de huid rond zijn hechtingen schoon. Zelf had hij nog steeds niet naar zijn hechtingen gekeken – hij kon zich er niet toe zetten – en als Andy ze schoonmaakte keek hij de andere kant op of hield zijn ogen dicht. Als Andy weg was aten ze, en na het eten, als de boetieks en de paar overgebleven galerieën hun rolluiken hadden laten zakken en de buurt er verlaten bij lag, liepen ze in een vierkantje om SoHo heen – naar het oosten tot Lafayette Street, noordwaarts tot Houston Street, in westelijke richting tot 6th Avenue, naar het zuiden tot Grand Street en weer oostwaarts tot Greene Street – en dan terug naar huis. Het was een korte wandeling die hem niettemin volkomen uitputte, zodat hij op een keer zelfs gewoon door zijn benen zakte op weg naar de slaapkamer. Julia en Harold kwamen elke donderdag met de trein naar New York en bleven de hele vrijdag en zaterdag bij hem, en ook een deel van de zondag.

Elke ochtend vroeg Willem: 'Wil je vandaag met Loehmann praten?' en elke ochtend antwoordde hij: 'Nog niet, Willem. Binnenkort, heus.'

Tegen het eind van oktober voelde hij zich sterker, minder gammel. Het lukte hem langere periodes wakker te blijven. Hij kon op zijn rug een boek lezen zonder zo erg te trillen dat hij zich op zijn buik moest rollen om het boek tegen een kussen te leggen. Hij kon zijn eigen brood smeren en kon weer overhemden aan, omdat hij in staat was de knoopjes door een knoopsgat te krijgen.

'Wat lees je?' vroeg hij op een middag aan Willem, die naast hem op de bank zat.

'Een toneelstuk dat ik misschien ga doen,' zei Willem, terwijl hij de papieren neerlegde.

Hij keek naar een punt voorbij Willems hoofd. 'Ga je weer weg?' Dat was een gruwelijk egoïstische vraag van hem, maar hij kon zich niet inhouden.

'Nee,' zei Willem na een stilte. 'Ik dacht maar eens een tijdje in de buurt van New York te blijven, als jij dat oké vindt.'

Hij glimlachte naar de kussens op de bank. 'Ik vind het prima,' zei hij en hij keek op en zag dat Willem hem blij aankeek. 'Wat fijn je weer eens te zien glimlachen,' zei hij alleen maar, en hij hervatte zijn leeswerk.

In november besefte hij dat hij Willem eind augustus niets voor zijn drieënveertigste verjaardag had gegeven en maakte er een opmerking over. 'Nou, je bent geëxcuseerd, want ik was toen niet hier,' zei Willem. 'Maar als je wilt kun je het goedmaken. Even kijken.' Hij dacht na. 'Ben jij klaar om de wereld weer in te gaan? Wil je met me uit eten? Een vroeg diner?'

'Natuurlijk,' zei hij, en de week erop gingen ze naar een Japans restaurantje in de East Village dat gespecialiseerd was in geperste sushi en waar ze al jaren kwamen. Hij bestelde voor zichzelf, hoewel hij wat nerveus was, bang om op de een of andere manier een verkeerde keus te maken, maar Willem wachtte geduldig terwijl hij wikte en woog, en toen hij een beslissing nam, knikte hij hem toe. 'Goeie keus,' zei hij. Onder het eten spraken ze over hun vrienden, het toneelstuk waarin Willem een rol had aangenomen en de roman die hijzelf aan het lezen was: over alles behalve hem.

'Ik vind dat we naar Marokko moeten gaan,' zei hij terwijl ze langzaam naar huis liepen, en Willem keek hem aan.

'Ik zal me er eens in verdiepen,' zei Willem, en hij greep zijn arm om hem uit de weg van een fietser te trekken die door de straat kwam racen.

'Ik wil je iets geven voor je verjaardag,' zei hij een paar blokken verder. Hij wilde Willem echt iets geven, om hem te bedanken en om te proberen duidelijk te maken wat hij niet tegen hem zeggen kon: een geschenk dat uitdrukking zou geven aan jaren van dankbaarheid en liefde. De vorige week, na hun gesprek over het toneelstuk, was hem te binnen geschoten dat Willem eerder dat jaar een contract had gesloten voor een film die begin januari in Rusland zou worden gedraaid. Maar toen hij daar iets over had gezegd, had Willem zijn schouders opgehaald: 'O, die. Dat is niks geworden. Mij allang best, ik had er toch al niet echt zin in.' Hij had echter argwaan gehad, en toen hij op internet keek, zag hij berichten over het feit dat Willem zich om persoonlijke redenen uit het project had teruggetrokken; de rol was naar een andere acteur gegaan. Hij had naar het scherm zitten staren terwijl het bericht wazig werd, maar toen hij Willem erover aansprak, haalde die weer zijn schouders op. 'Dat zeg je als je in de gaten krijgt dat de regisseur en jij niet echt op één lijn zitten en niemand gezichtsverlies wil lijden,' zei hij. Maar hij wist dat Willem hem niet de waarheid vertelde.

'Je hoeft me niets te geven,' zei Willem, zoals hij van tevoren had geweten, en hij antwoordde (zoals altijd): 'Ik weet dat het niet hoeft, maar ik wil het graag.' En toen voegde hij er, ook weer zoals altijd, aan toe: 'Een betere vriend zou weten wat hij je moest geven, zonder om suggesties te hoeven vragen.'

'Ja, een betere vriend wel,' repliceerde Willem zoals hij altijd deed, en hij glimlachte omdat het net een van hun normale gesprekjes was.

Er verstreken meer dagen. Willem verhuisde terug naar zijn suite aan de andere kant van de verdieping. Lucien belde hem een paar keer over het een of ander, met een verontschuldiging vooraf, maar hij was juist blij met zijn telefoontjes, en blij dat Lucien het gesprek nu opende met geklaag over een klant of collega in plaats van met de vraag hoe het met hem ging. Behalve Tremain, Lucien en nog een paar anderen wist niemand op kantoor de werkelijke reden van zijn absentie: de rest had, net als de klanten, te horen gekregen dat hij herstellende was van een spoedoperatie aan zijn ruggenmerg. Hij wist dat Lucien hem, zodra hij weer aan het werk ging, onmiddellijk weer zijn normale hoeveelheid zaken zou geven; er zou geen sprake zijn van een rustige overgang, geen speculaties over zijn stressbestendigheid, en daar was hij dankbaar om. Hij stopte met zijn medicijnen, die hem een groggy gevoel gaven, en toen ze eenmaal uit zijn systeem waren, merkte hij met verbazing hoe helder hij zich voelde – hij zág zelfs beter, alsof een ruit van alle vlekken en vettigheid was ontdaan en hij eindelijk kon genieten van het stralend groene gazon en de perenbomen met hun gele vruchten.

Hij realiseerde zich echter ook dat de medicijnen hem hadden beschermd, en zonder die bescherming kwamen de hyena's terug, minder talrijk en trager, maar nog steeds omcirkelden ze hem, nog steeds achtervolgden ze hem, minder fanatiek maar nog steeds aanwezig, zijn ongewenste maar volhardende metgezellen. Ook andere herinneringen kwamen terug, dezelfde van vroeger maar ook nieuwe, en hij werd zich scherper bewust hoeveel overlast hij iedereen had bezorgd, hoeveel hij van anderen had gevraagd, hoe hij had genomen wat hij nooit ofte nimmer zou kunnen terugbetalen. En dan was er de stem, die hem op de gekste momenten toefluisterde: *Je kunt het opnieuw proberen, je kunt het opnieuw proberen*, maar die probeerde hij te negeren, want op een bepaald moment had hij – op dezelfde onduidelijke manier als waarop hij had besloten zichzelf te doden – besloten dat hij zijn best zou doen om beter te worden, en hij wilde er niet aan worden herinnerd dat hij het opnieuw kon proberen, dat doorleven, hoe vernederend en absurd dat soms ook was, niet zijn enige optie was.

Het werd Thanksgiving, en ze vierden het opnieuw in de flat van Harold en Julia aan West End Avenue, opnieuw met een klein groepje: Laurence en Gillian (hun dochters brachten de vakantie door bij de familie van hun echtgenoten), hij, Willem, Richard en India, Malcolm en Sophie. Tijdens het feestmaal voelde hij dat iedereen zijn best deed niet te veel aandacht aan hem te besteden, en toen Willem iets zei over de reis naar Marokko die ze half december wilden maken, reageerde Harold zo ontspannen, zo niet-nieuwsgierig, dat hij wist dat hij het al uit-en-te-na met Willem (en waarschijnlijk Andy) besproken moest hebben en blijkbaar zijn toestemming had gegeven.

'Wanneer begin je weer bij Rosen Pritchard?' vroeg Laurence, alsof hij op vakantie was geweest.

'3 januari,' zei hij.

'Zo snel al!' zei Gillian.

Hij glimlachte terug. 'Niet snel genoeg,' zei hij. En hij meende het; hij was klaar om opnieuw te proberen normaal te zijn, een nieuwe poging tot leven te doen.

Willem en hij stapten vroeg op, en die avond sneed hij zichzelf voor de tweede keer sinds hij was thuisgekomen uit het ziekenhuis. Dat was nog iets wat door de medicijnen was getemperd: zijn behoefte zich te snijden, die felle, acute pijnstoot te voelen. De eerste keer dat hij het deed was hij geschokt door de enorme pijn, en hij had zich zelfs afgevraagd waarom hij zichzelf dit zo lang had aangedaan – hoe haalde hij het in zijn hoofd? Maar toen voelde hij alles in zich vertragen, voelde hij zich ontspannen, zijn herinneringen vervagen, en herinnerde hij zich dat het hem hielp, herinnerde hij zich waarom hij ermee begonnen was. De littekens van zijn poging waren drie verticale lijnen op beide armen, van zijn handpalm tot vlak onder de binnenkant van zijn elleboog, en ze waren niet goed geheeld; het zag eruit alsof hij potloden vlak onder de huid had geschoven. Ze hadden een vreemde, parelachtige glans, bijna alsof de huid was verbrand, en nu maakte hij een vuist en keek hoe ze strak gingen staan.

Die nacht werd hij schreeuwend wakker, wat vaker gebeurde nu hij weer probeerde te wennen aan het leven, aan een bestaan met dromen; toen hij onder de medicijnen zat waren er geen dromen, niet echt, en als er al een droom kwam, dan was die zo vreemd, meanderend en betekenisloos dat hij hem snel vergat. Maar in deze droom bevond hij zich in een van de motelkamers, en er was een groep mannen, en ze graaiden naar hem, en hij probeerde ze wanhopig van zich af te houden. Maar het werden er steeds meer en hij wist dat hij de strijd zou verliezen, hij wist dat hij vernietigd zou worden.

Een van de mannen bleef zijn naam roepen en legde toen zijn hand op zijn wang, en om de een of andere reden joeg hem dat nog meer angst aan, en hij duwde de hand weg; toen gooide de man water over hem heen en werd hij naar adem happend wakker en zag Willem naast zich staan, met een wit weggetrokken gezicht en een glas in zijn hand. 'Sorry, sorry,' zei Willem. 'Ik kon je er niet uit krijgen, Jude, sorry. Ik haal even een handdoek voor je.' En hij kwam terug met een handdoek en het glas vol water, maar hij trilde te erg om het te kunnen vasthouden. Keer op keer verontschuldigde hij zich tegen Willem, die zijn hoofd schudde en zei dat het niet gaf, dat het oké was, dat het alleen maar een droom was geweest. Willem haalde een nieuw shirt voor hem, wendde zich af toen hij zich omkleedde en bracht het natte shirt naar de badkamer.

'Wie is broeder Luke?' vroeg Willem toen ze in stilte bij elkaar zaten en wachtten tot zijn ademhaling weer normaal werd. En toen hij geen antwoord gaf: 'Je riep telkens "Help, broeder Luke, help."' Hij zweeg. 'Wie is dat, Jude? Was dat iemand uit het klooster?'

'Ik kan het niet, Willem,' zei hij, en hij verlangde hevig naar Ana. Vraag het me nog één keer, Ana, zei hij tegen haar, dan vertel ik het je. Leer me hoe het moet. Dit keer zal ik luisteren. Dit keer zal ik praten.

Dat weekend gingen ze naar Richards buitenhuis in het noorden van New York en maakten een lange wandeling door de bossen achter zijn land. Later bereidde hij met succes zijn eerste maaltijd sinds hij het ziekenhuis had verlaten. Hij maakte Willems lievelingskostje, lamskoteletten, en hoewel Willem moest helpen bij het afsnijden van de koteletten – hij was nog niet behendig genoeg om dat te kunnen – deed hij verder alles zelf. Die nacht werd hij weer schreeuwend wakker, en weer was Willem er (ditmaal zonder glas water), en weer vroeg Willem naar broeder Luke en waarom hij diens hulp inriep, en weer kon hij daar geen antwoord op geven.

De volgende dag was hij moe en deden zijn armen zeer en de rest van zijn lijf ook, en tijdens hun wandeling zei hij heel weinig, en Willem zei ook niet veel. 's Middags bespraken ze hun plannen voor Marokko: ze zouden eerst naar Fez gaan en van daaruit per auto door de woestijn rijden om in de buurt van Ouarzazate te overnachten, en hun reis eindigen in Marrakech. Op de terugweg zouden ze een paar dagen in Parijs blijven om een bezoek te brengen aan Citizen en aan een vriend van Willem, en dan waren ze vlak voor Oud en Nieuw weer thuis.

Tijdens het avondeten zei Willem: 'Hé, ik heb iets bedacht wat je me voor mijn verjaardag zou kunnen geven.'

'O?' zei hij, blij zich te kunnen richten op iets wat hij aan Willem kon geven, in plaats van Willem om nog meer hulp te moeten vragen, met in zijn achterhoofd de gedachte aan alle tijd die hij al van hem gestolen had. 'Vertel.'

'Nou,' zei Willem, 'het is niet niks.'

'Wat je maar wilt,' zei hij. 'Ik meen het.' En Willem keek hem aan op een manier die hij niet goed kon plaatsen. 'Echt,' verzekerde hij hem. 'Wat dan ook.'

Willem legde zijn broodje met lamsvlees neer en haalde diep adem. 'Oké,' zei hij. 'Wat ik echt voor mijn verjaardag wil, is dat je me vertelt wie broeder Luke is. En niet alleen wie hij is, maar wat jouw... relatie met hem was, en waarom je denkt dat je 's nachts steeds om hem roept.' Hij keek hem aan. 'Ik wil dat je me het hele verhaal eerlijk vertelt, van a tot z. Dat is wat ik wil.'

Er viel een lange stilte. Hij realiseerde zich dat hij zijn mond nog vol had, dus hij slikte zijn hap zo goed en zo kwaad als het ging door en legde ook zijn broodje neer, dat hij nog steeds omhooghield. 'Willem,' zei hij ten slotte, omdat hij wist dat Willem het meende en dat hij het hem niet uit zijn hoofd zou kunnen praten, hem niet zou kunnen overhalen iets anders te vragen, 'ergens wil ik het je echt heel graag vertellen. Maar als ik dat doe...' Hij zweeg even. 'Maar als ik dat doe, ben ik bang dat je van me zult walgen. Wacht,' zei hij toen Willem iets wilde zeggen. Hij keek Willem recht aan. 'Ik beloof je dat ik het zal doen. Ik beloof het je. Maar... maar je moet me wat tijd geven. Ik heb het er nooit eerder over gehad, en ik moet zien uit te vinden hoe ik het onder woorden kan brengen.'

'Oké,' zei Willem na een tijdje. 'Nou.' Hij zweeg even. 'Zullen we het dan langzaam opbouwen? Dat ik je eerst een vraag stel over iets makkelijkers en dat je daar antwoord op geeft, zodat je merkt dat het niet zo erg is om erover te praten? En als het dat wel is, dan bespreken we dat ook.'

Hij ademde in, ademde uit. Dit is Willem, hield hij zichzelf voor. Hij zou je nooit pijn doen, nooit. Het is tijd. Het is tijd. 'Oké,' zei hij ten slotte. 'Oké. Vraag maar.'

Hij zag dat Willem achteroverleunde in zijn stoel en naar hem staarde terwijl hij naar de juiste vraag zocht, tussen de honderden vragen die de ene vriend de andere zou moeten kunnen stellen, maar die voor hem nooit toegestaan waren. Op dat moment sprongen de tranen hem in de ogen, omdat hij hun vriendschap zo scheef had laten groeien en omdat Willem al die tijd, jaar na jaar, bij hem was gebleven, zelfs toen hij van hem was weggevlucht, zelfs toen hij hem om hulp had gevraagd bij problemen waarvan hij de oorsprong niet wilde onthullen. In dit nieuwe leven zou hij minder van zijn vrienden vragen, sprak hij met zichzelf af; hij zou guller zijn. Wat ze ook wilden, hij zou het hun geven. Als Willem informatie wilde kon hij die krijgen, en dan moest hij maar een manier vinden om die te verstrekken. Hij zou telkens weer gekwetst worden – dat gold voor iedereen – maar als hij het dan toch ging proberen, als hij dan toch ging leven, dan moest hij zich harden, zich voorbereiden, dan moest hij accepteren dat dit nu eenmaal bij het leven hoorde.

'Oké, ik heb er een,' zei Willem, en hij ging rechtop zitten en zette zich schrap. 'Hoe kom je aan het litteken op je hand?'

Hij knipperde verbaasd met zijn ogen. Hij had niet geweten wat er zou komen, maar nu de vraag was gesteld, was hij opgelucht. De laatste tijd dacht hij zelden aan het litteken, en nu hij ernaar keek, met zijn tafzijden glans, en zijn vingertoppen erover liet glijden, bedacht hij dat dit litteken had geleid tot heel veel andere problemen, en vervolgens naar broeder Luke, en vervolgens naar het tehuis en naar Philadelphia, naar al die dingen die waren gevolgd.

Maar was er in het leven ook maar iets wat níét verbonden was met een groter, droeviger verhaal? Willem vroeg alleen maar naar dit ene; de hele rest die erachteraan kwam, een gigantische, lelijke kluwen van moeilijkheden, hoefde hij niet op te dreggen.

Hij dacht erover na hoe hij kon beginnen en zette voor hij zijn mond opendeed op een rijtje wat hij zou zeggen. En eindelijk was hij klaar. 'Ik was als kind altijd gulzig,' begon hij, en hij zag hoe Willem tegenover hem met zijn ellebogen op tafel vooroverleunde, want voor het eerst in hun vriendschap was hij de luisteraar en werd hem een verhaal verteld.

~

Hij werd tien, hij werd elf. Zijn haar werd weer lang, nog langer dan in het klooster. Hij groeide, en broeder Luke nam hem mee naar een uitdragerij waar je een zak kleren kon kopen voor een vast bedrag per pond. 'Niet zo hard!' zei broeder Luke voor de grap, terwijl hij hem op zijn kruin duwde alsof hij hem weer tot een kleiner formaat wilde pletten. 'Je wordt mij veel te snel groot!'

Hij sliep nu de hele tijd. Tijdens zijn lessen was hij wakker, maar wanneer de dag vergleed in de late middag voelde hij iets over zich komen en begon te geeuwen, niet in staat om zijn ogen open te houden. In het begin maakte broeder Luke ook daar grapjes over – 'slaapkopje', zei hij, 'dromertje' – maar op een nacht kwam hij bij hem zitten nadat de klant was vertrokken. Maanden, jaren had hij zich tegen de klanten verzet, eerder in een reflex dan omdat hij dacht dat hij ze kon laten ophouden, maar sinds kort bleef hij er gewoon maar bij liggen zonder zich te bewegen, wachtend tot alles wat er maar kwam voorbij was. 'Ik weet dat je moe bent,' had broeder Luke gezegd. 'Dat is normaal; je bent in de groei. Groeien is een vermoeiende klus. En ik weet dat je hard werkt. Maar Jude, als je met je klanten bent, moet je wel een beetje energiek zijn; ze betalen ervoor om met je naar bed te gaan, weet je... Je moet ze laten zien dat je het fijn vindt.' Toen hij niets zei, voegde de broeder eraan toe: 'Ik weet natuurlijk ook wel dat het voor jou niet fijn is, niet zoals tussen ons tweetjes, maar een beetje meer pit, oké?' Hij boog zich over hem heen en stopte zijn haar achter zijn oor. 'Oké?' Hij knikte.

Dat was ook zo ongeveer de periode waarin hij zich tegen muren begon te gooien. Het motel waar ze zaten – ze waren nu in de staat Washington – had een bovenverdieping, en daar was hij een keer naartoe gegaan om hun emmer ijs bij te vullen. Het was een natte, gladde dag geweest en op de terugweg was hij op de trap uitgegleden en met veel gebonk naar beneden gevallen. Broeder Luke had het lawaai gehoord en was de kamer uit gerend. Er was niets gebroken, maar hij had schaafwonden en bloedde, en broeder Luke had zijn afspraak voor die avond afgezegd. Die nacht was de broeder voorzichtig met hem geweest en had hem kopjes thee gebracht, maar hij had zich in weken niet zo energiek gevoeld. Iets aan die val, de frisheid van de pijn, was verkwikkend geweest. Het was een eerlijke pijn, een schone pijn, een pijn zonder schaamte of smerigheid, en dat was een sensatie die hij in geen jaren gevoeld had. De week daarop ging hij weer ijs halen, maar ditmaal bleef hij op de terugweg staan in de kleine, driehoekige ruimte onder de trap, en voor hij zich bewust werd wat hij deed, gooide hij zich tegen de bakstenen muur aan, en terwijl hij dat deed stelde hij zich voor dat hij elk stukje vuil, elk spoortje vocht, elk moment van de afgelopen paar jaar uit zichzelf sloeg. Hij maakte zichzelf leeg, hij bracht zichzelf terug tot iets puurs, hij strafte zichzelf voor wat hij had gedaan. Nadien voelde hij zich beter, opgepept, alsof hij had meegedaan aan een heel lange hardloopwedstrijd en daarna had overgegeven, en was hij in staat om terug te keren naar de kamer.

Na een tijdje kreeg broeder Luke echter in de gaten wat hij deed en volgde er weer een gesprek. 'Ik begrijp dat je gefrustreerd raakt,' zei broeder Luke, 'maar Jude, wat je nu doet is niet goed voor je. Ik maak me zorgen. En de klanten zien je niet graag zo bont en blauw.' Ze zwegen. Een maand geleden, na een heel erge nacht – er was een groep mannen geweest, en nadat die waren weggegaan had hij gesnikt en gejankt, voor het eerst in jaren een driftaanval nabij, terwijl Luke naast hem zat, over zijn pijnlijke buik wreef en een kussen over zijn mond hield om het geluid te dempen – had hij Luke gesmeekt of hij mocht stoppen. En de broeder had gehuild en gezegd dat dat van hem mocht, dat hij niets liever wilde dan alleen met z'n tweetjes zijn, maar dat hij al zijn geld allang had uitgegeven om voor hem te kunnen zorgen. 'Niet dat ik er ook maar een moment spijt van heb, Jude,' zei de broeder, 'maar we hebben nu helemaal geen geld. Jij bent alles wat ik heb. Het spijt me vreselijk. Maar ik ben nu echt aan het sparen; over een tijdje kun je stoppen, dat beloof ik.'

'Wanneer?' had hij snikkend uitgebracht.

'Binnenkort,' zei Luke, 'binnenkort. Een jaar. Ik beloof het.' En hij had geknikt, hoewel hij allang in de gaten had dat de beloftes van de broeder niets betekenden.

Maar toen zei de broeder dat hij hem iets zou leren, iets geheims dat hem zou helpen zijn frustratie te verlichten, en de daaropvolgende dag had hij hem geleerd zichzelf te snijden en hem een kant-en-klaar zakje met scheermesjes, alcoholdoekjes, watten en verband gegeven. 'Je moet zelf maar uitproberen wat het beste voelt,' had de broeder gezegd, en hij had hem geleerd hoe hij, als hij klaar was, de snijwond moest schoonmaken en verbinden. 'Deze is voor jou,' zei hij terwijl hij hem het zakje gaf. 'Als je meer spullen nodig hebt moet je het zeggen, dan haal ik ze voor je.' In het begin had hij het theatrale, de kracht en het gewicht van het vallen en het tegen muren smakken gemist, maar al snel begon hij het heimelijke, de controle van het snijden te waarderen. Broeder Luke had gelijk: snijden was beter. Als hij het deed was het alsof hij het gif, het vuil, de woede uit zichzelf liet wegvloeien. Het was alsof zijn oude bloedzuigerdroom tot leven was gekomen, met hetzelfde effect, het effect waar hij altijd op had gehoopt. Hij wilde dat hij van metaal was, van plastic: iets wat kon worden schoongespoten en afgeschrobd. Hij had een visioen waarin hij vol water met schoonmaakmiddel en bleekmiddel werd gepompt en dan drooggeblazen, zodat alles in hem weer hygiënisch werd. Nu nam hij, zodra de laatste klant van die avond was vertrokken, broeder Lukes plaats in de badkamer in, en tot hij de broeder hoorde roepen dat het tijd was om naar bed te gaan, was zijn lichaam van hem en kon hij ermee doen wat hij wilde.

Hij was zo afhankelijk van Luke: voor voedsel, voor bescherming, en nu ook voor scheermesjes. Als hij naar de dokter moest omdat hij ziek was – de klanten bezorgden hem infectieziekten, hoe broeder Luke ook zijn best deed, en soms maakte hij zijn snijwonden niet goed schoon en raakten die ook geïnfecteerd – dan ging broeder Luke er met hem naartoe en kocht de antibiotica die hij nodig had. Hij raakte gewend aan broeder Lukes lichaam, zijn mond, zijn handen: hij vond ze niet prettig, maar stribbelde niet langer tegen als Luke hem begon te kussen, en als de broeder zijn armen om hem heen sloeg beantwoordde hij gedwee de omhelzing. Hij wist dat er niemand anders was die hem ooit zo goed zou behandelen als Luke: zelfs als hij iets verkeerds deed schreeuwde Luke nooit tegen hem, en na al die jaren had hij hem nog steeds niet geslagen. Vroeger had hij nog wel gedacht dat hij ooit een klant zou krijgen die beter zou zijn, die hem mee zou willen nemen, maar nu wist hij dat dat nooit zou gebeuren. Een keer was hij begonnen zijn kleren uit te trekken voordat de klant zover was, en de man had hem in zijn gezicht geslagen en toegebeten: 'Jezus, rustig aan, kleine slet! Hoe vaak heb je dit eigenlijk al gedaan?' En zoals altijd wanneer een klant hem sloeg was Luke schreeuwend uit de badkamer gekomen en had de man doen beloven dat hij zich beter zou gedragen. De klanten scholden hem uit: hij was een slet, een hoer, smerig, walgelijk, een nymfomaan (die had hij moeten opzoeken), een slaaf, vullis, uitschot, waardeloos, goor, een nul. Maar Luke zei nooit dat soort dingen tegen hem. Volgens Luke was hij perfect en slim, hij was goed in wat hij deed en met wat hij deed was niets mis.

De broeder praatte nog steeds over een leven met z'n tweeën, hoewel hij het nu had over een huis aan zee, ergens halverwege de Californische kust, en omschrijvingen gaf van de kiezelstranden, de lawaaierige vogels en de kleur van het water als het ging stormen. Ze zouden samen zijn, zij tweeën, als een echtpaar. Niet langer waren ze vader en zoon; nu waren ze gelijken. Als hij zestien werd, zouden ze gaan trouwen. Ze zouden op huwelijksreis gaan naar Frankrijk en Duitsland, waar hij eindelijk zijn talen kon oefenen met echte Fransen en Duitsers, en naar Italië en Spanje, waar broeder Luke twee jaar had gewoond: een jaar als student en een jaar kort nadat hij was afgestudeerd. Ze zouden een piano voor hem kopen, zodat hij kon pianospelen en zingen. 'Anderen zullen je niet willen als ze weten met hoeveel klanten je naar bed bent geweest,' zei de broeder. 'En dat is dom van ze. Maar ik zal jou altijd willen, zelfs al ben je met tienduizend klanten naar bed geweest.' Als hij zestien was kon hij met pensioen, zei broeder Luke, en toen had hij zachtjes gehuild, want hij had de dagen afgeteld tot zijn twaalfde verjaardag, wanneer hij volgens de belofte van broeder Luke had mogen stoppen.

Soms verontschuldigde Luke zich voor wat hij moest doen: als een klant wreed was, als hij pijn leed, als hij bloedde of kneuzingen had. En soms deed broeder Luke alsof hij ervan genoot. 'Zo, dat was een goeie,' zei hij weleens als een van de mannen was vertrokken. 'Ik kon wel merken dat je die lekker vond, ja toch? Ontken het maar niet, Jude! Ik hoorde je genieten. Nou, dat is mooi. Het is mooi om plezier in je werk te hebben.'

Hij werd twaalf. Ze waren nu in Oregon, ze werkten zich langzamerhand naar Californië toe, zei Luke. Hij was weer gegroeid: broeder Luke voorspelde dat hij tegen de tijd dat hij stopte tussen de één meter vijfentachtig en één meter negentig zou zijn; nog altijd minder lang dan broeder Luke, maar niet veel. Zijn stem veranderde. Hij was geen kind meer, en dat maakte het moeilijker om klanten te vinden. Nu kwamen er minder individuele klanten en meer groepen. Hij had een hekel aan de groepen, maar Luke zei dat hij niets beters kon vinden. Hij zag er te oud uit voor zijn leeftijd: de klanten dachten dat hij dertien of veertien was, en op zijn leeftijd telde elk jaar, zei Luke.

Het was herfst, 20 september. Ze waren in Montana, omdat Luke dacht dat hij het leuk zou vinden de nachtelijke hemel daar te zien, met sterren zo fel als elektrische lampjes. Er was niets afwijkends aan die dag. Twee dagen eerder had hij een grote groep gehad, en het was zo afschuwelijk geweest dat Luke niet alleen zijn klanten voor de volgende dag had afgezegd, maar hem beide nachten alleen had laten slapen, met het bed helemaal voor zichzelf. Maar die avond werd het normale leven hervat. Luke kwam bij hem liggen en begon hem te kussen. En toen, terwijl ze seks hadden, werd er aangeklopt, zo hard, dringend en plotseling dat hij bijna op broeder Lukes tong beet. 'Politie,' hoorde hij, 'doe open! Doe open, nu!'

Broeder Luke drukte zijn hand over zijn mond. 'Niets zeggen,' siste hij.

'Politie,' riep de stem opnieuw. 'Edgar Wilmot, we hebben een arrestatiebevel. Doe onmiddellijk open.'

Hij was beduusd: wie was Edgar Wilmot? Een klant? Hij stond op het punt tegen broeder Luke te zeggen dat ze zich vergisten, toen hij opkeek, zijn gezicht zag en besefte dat ze wel degelijk op zoek waren naar broeder Luke.

Broeder Luke trok zich uit hem terug en gebaarde dat hij in bed moest blijven. 'Blijf liggen,' fluisterde hij. 'Ik kom zo terug.' En toen rende hij de badkamer in; de deur klikte op slot.

'Nee,' had hij in paniek gefluisterd toen Luke wegliep. 'Ga niet weg, broeder Luke, laat me niet alleen!' Maar de broeder was toch weggegaan.

En toen leek alles heel traag en tegelijk heel snel te gaan. Hij verroerde zich niet, verstijfd van angst als hij was, maar toen klonk het geluid van versplinterend hout en was de kamer ineens vol mannen met zaklantaarns, die ze ter hoogte van hun hoofd hielden, zodat hij hun gezichten niet kon zien. Een van hen kwam op hem af, zei iets tegen hem – hij kon het niet verstaan door het lawaai, door zijn paniek – trok zijn onderbroek op en hielp hem op te staan. 'Je bent veilig,' zei iemand.

Hij hoorde een van de mannen vloeken en vanuit de badkamer schreeuwen: 'Bel een ambulance, gauw.' En hij wurmde zich los uit de greep van de man die hem vasthield, dook onder de arm van een andere man door en was in drie snelle sprongen in de badkamer, waar hij broeder Luke met een verlengsnoer om zijn nek aan de haak in het midden van het plafond zag hangen, zijn mond open, zijn ogen dicht, zijn gezicht even grijs als zijn baard. Hij had geschreeuwd en geschreeuwd, en toen was hij de kamer uit gesleurd, terwijl hij broeder Lukes naam bleef schreeuwen.

Van wat erna kwam herinnert hij zich niet veel. Hij werd keer op keer ondervraagd; hij werd naar een dokter in een ziekenhuis gebracht, die hem onderzocht en hem vroeg hoe vaak hij was verkracht, maar daar had hij geen antwoord op kunnen geven: wás hij wel verkracht? Hij had ermee ingestemd, met alles; het was zijn beslissing geweest, die hij zelf had genomen. 'Hoe vaak heb je seks gehad?' vroeg de arts toen, en hij zei: 'Met broeder Luke of met de anderen?' en de dokter had gevraagd: 'Welke anderen?' En nadat hij het hem had verteld, had de dokter zich weggedraaid en zijn gezicht in zijn handen verborgen, en daarna had hij hem weer aangekeken en zijn mond geopend om iets te zeggen, maar er was niets uitgekomen. En toen wist hij zeker dat hij slechte dingen had gedaan, en hij voelde zich zo beschaamd, zo vies dat hij dood wilde.

Ze brachten hem naar het tehuis. Ze bezorgden hem zijn spullen: zijn boeken, de Navajopop, de stenen, twijgjes en beukennoten, de bijbel met droogbloemen die hij had meegenomen uit het klooster en zijn kleren, waar de andere jongens hem om uitlachten. In het tehuis wisten ze wat hij was, ze wisten wat hij had gedaan, ze wisten dat hij al verpest was, dus hij was niet verbaasd toen sommige begeleiders met hem begonnen te doen wat mensen al jaren met hem hadden gedaan. Op de een of andere manier wisten de andere jongens ook wat hij was. Ze scholden hem uit, net zoals de klanten hadden gedaan; ze lieten hem links liggen. Als hij naar een groepje toe liep, stonden ze op en renden weg.

Zijn zakje met scheermesjes hadden ze niet gebracht, en zo had hij geleerd te improviseren: uit de vuilnisbak jatte hij het deksel van een blikje, dat hij boven de gasvlam steriliseerde toen hij 's middags keukendienst had, en dat gebruikte hij, waarna hij het onder zijn matras stopte. Elke week jatte hij een nieuw dekseltje.

Hij dacht elke dag aan broeder Luke. Op school kon hij vier klassen overslaan; hij werd op het plaatselijke college toegelaten bij de wiskundeles en pianoles, bij Engelse literatuur, Frans en Duits. Zijn leraren vroegen hem wie hem zo veel had geleerd, en hij zei: 'Mijn vader.' 'Dat heeft hij prima gedaan,' zei zijn lerares Engels, 'hij moet een uitstekende leraar zijn geweest,' maar hij kon niets uitbrengen, en ten slotte was ze doorgegaan naar de volgende leerling. Als hij 's avonds bij de begeleiders was, deed hij alsof broeder Luke vlak achter de muur klaarstond om tevoorschijn te springen als het te erg werd, wat betekende dat alles wat er met hem gebeurde bestond uit dingen waarvan broeder Luke wist dat hij ze aankon.

Toen Ana eenmaal zijn vertrouwen had gewonnen, vertelde hij haar een paar dingen over broeder Luke. Maar hij wilde haar niet alles vertellen. Dat vertelde hij niemand. Hij was dom geweest om met Luke mee te gaan, dat wist hij. Luke had tegen hem gelogen en hem afschuwelijke dingen aangedaan. Maar hij wilde geloven dat Luke, dwars door alles heen, ondanks alles, werkelijk van hem had gehouden, dat dat gedeelte echt was geweest: geen verdraaiing, geen rationalisering, maar echt. Hij dacht niet dat hij het zou kunnen verdragen als Ana over hem zei, zoals over de anderen: 'Hij was een monster, Jude. Ze zeggen dat ze van je houden, maar dat zeggen ze alleen maar om je te kunnen manipuleren, snap je dat niet? Zo doen pedofielen dat, zo maken ze misbruik van een kind.' Als volwassene wist hij nog steeds niet goed wat hij van Luke moest denken. Ja, hij was slecht. Maar slechter dan de andere broeders? Had hij werkelijk het verkeerde besluit genomen? Zou het werkelijk beter zijn geweest als hij in het klooster was gebleven? Zou hij, als hij gebleven was, op dit moment meer of minder beschadigd zijn geweest? Lukes nalatenschap zat in alles wat hij deed, in alles wat hij was: zijn liefde voor boeken, voor muziek, voor wiskunde, voor tuinieren, voor talen; allemaal van Luke. Zijn snijden, zijn haat, zijn schaamte, zijn angsten, zijn ziekten, zijn onvermogen om een normaal seksleven te hebben, een normaal iemand te zijn: ook allemaal van Luke. Luke had hem geleerd plezier te scheppen in het leven, én had alle plezier eruit doen verdwijnen.

Hij zorgde ervoor zijn naam nooit hardop te noemen, maar soms dacht hij die naam, en hoe oud hij ook werd, hoeveel jaar er ook was verstreken, daar verscheen dan Lukes glimlachende gezicht, in één tel tevoorschijn getoverd. Hij dacht aan Luke toen zij tweeën verliefd werden, toen hij werd verleid en te kinderlijk, te naïef, te eenzaam en te hunkerend naar genegenheid was geweest om het te snappen. Hij rende naar de kas, hij opende de deur, de warmte en de bloemengeur omhulden hem als een cape. Dat was de laatste keer dat hij zo simpelweg gelukkig was geweest, de laatste keer dat hij zo'n ongecompliceerde blijdschap had gekend. 'Daar is mijn mooie jongen!' riep Luke. 'O, Jude, wat ben ik blij om jou te zien.'

V

De gelukkige jaren

1

Op een dag, ongeveer een maand nadat hij achtendertig was geworden, was het tot Willem doorgedrongen dat hij beroemd was. In eerste instantie was hij daar minder door geschokt dan hij verwacht zou hebben, deels doordat hij zichzelf altijd al als min of meer beroemd had beschouwd, samen met JB dan. Als hij de stad in ging, met Jude bijvoorbeeld, en er kwam iemand naar hen toe om Jude gedag te zeggen, dan stelde Jude hem voor: 'Aaron, ken je Willem?' En dan zei Aaron: 'Natuurlijk. Willem Ragnarsson. Iedereen kent Willem.' Maar dat kwam niet door zijn werk, maar doordat hij iets met de zus van Aarons vroegere kamergenoot had gehad toen hij aan Yale studeerde, of doordat hij twee jaar geleden een reading had gedaan voor een vriend van de broer van Aarons vriend die toneelschrijver was, of doordat Aaron, een kunstenaar, een keer een groepsexpositie met JB en Oosterse Henry Young had gehad en op de finissage met Willem had staan praten. Een groot deel van zijn volwassen leven in New York was gewoon een voortzetting geweest van zijn studententijd, toen iedereen hem en JB had gekend, en soms leek het alsof die hele infrastructuur gewoon uit Boston was geplukt en binnen een straal van een paar blokken in downtown Manhattan en de rand van Brooklyn weer was neergezet. Zij vieren spraken nog steeds dezelfde mensen, nou ja, misschien niet dezelfde maar dan in elk geval hetzelfde type mensen die ze tijdens hun studie hadden gesproken, en natuurlijk was hij in die kringen van kunstenaars, acteurs en musici een bekende, want dat was hij altijd geweest. Het was een klein wereldje: iedereen kende iedereen.

Van hen vieren hadden alleen Jude en Malcolm, tot op zekere hoogte, ervaring met het leven in een andere wereld, de echte wereld, die werd bevolkt door mensen die alle noodzakelijke dingen deden om de maatschappij draaiende te houden: wetten maken, lesgeven, mensen genezen, problemen oplossen, met geld omgaan en dingen kopen en verkopen (het verrassende vond hij niet dat híj Aaron kende maar dat Jude hem kende). Vlak voordat hij zevenendertig werd, had hij een rol aangenomen in een serieuze film getiteld *The Sycamore Court*, waarin hij een advocaat uit een klein plaatsje in het zuiden van de VS speelde die eindelijk uit de kast kwam. Hij had het gedaan om te kunnen samenwerken met een acteur die hij bewonderde en die zijn vader speelde; in de film was hij zwijgzaam en op een terloopse manier scherp, een man die zijn eigen zoon veroordeelde en hard was geworden door zijn eigen teleurstellingen. Als onderdeel van zijn voorbereiding had Willem Jude laten uitleggen wat hij precies de hele dag deed, en terwijl hij zat te luisteren, merkte hij dat hij er een beetje droevig van werd dat Jude, die hij als briljant beschouwde, briljant op een manier die hij nooit zou kunnen begrijpen, al zijn tijd besteedde aan werk dat hem overweldigend saai in de oren klonk, als het intellectuele equivalent van huishoudelijk werk: schoonmaken, sorteren, wassen en opruimen, om vervolgens naar het volgende huis te gaan en weer helemaal opnieuw te moeten beginnen. Maar dat zei hij natuurlijk niet, en op een zaterdag zocht hij Jude op bij Rosen Pritchard, bladerde door zijn mappen en papieren en dwaalde door het kantoor terwijl Jude zat te schrijven.

'Nou, wat vind je ervan?' vroeg Jude, terwijl hij achteroverleunde in zijn stoel en naar hem grijnsde, en hij glimlachte terug en zei: 'Behoorlijk indrukwekkend,' want dat was het, op z'n eigen manier, maar Jude moest lachen. 'Ik weet wat je denkt, Willem,' zei hij. 'Het geeft niet. Harold denkt er net zo over. "Zo zonde,"' zei hij met Harolds stem. '"Zo zonde, Jude."'

'Dat denk ik helemaal niet,' protesteerde hij, hoewel hij dat in werkelijkheid wel had gedacht: Jude beklaagde zich altijd over zijn eigen gebrek aan fantasie, zijn ingebakken praktische instelling, maar zo had Willem hem nooit gezien. En het leek inderdaad zonde, niet dat hij bij een groot advocatenkantoor werkte, maar dat hij überhaupt jurist was geworden, terwijl een grote geest als Jude eigenlijk iets anders zou moeten doen, vond Willem. Wat precies wist hij niet, maar niet dit. Hij wist dat het absurd klonk, maar hij had nooit echt geloofd dat Jude na zijn rechtenstudie daadwerkelijk jurist zou worden; hij had altijd gedacht dat hij op een gegeven moment zou overstappen op iets anders en bijvoorbeeld hoogleraar wiskunde zou worden, of zangleraar, of (hoewel hij daar toen al de ironie van had ingezien) psycholoog, omdat hij zo goed kon luisteren en zijn vrienden zo op hun gemak kon stellen. Hij wist niet waarom hij aan dat beeld van Jude was blijven vasthouden, zelfs toen duidelijk werd dat hij van zijn werk hield en erin uitblonk.

The Sycamore Court was een onverwacht succes geworden en had Willem de beste recensies opgeleverd die hij ooit had gekregen, plus nominaties voor diverse prijzen, en toen de film uitkwam, tegelijkertijd met een grotere, meer op sensatie mikkende film waarin hij twee jaar eerder had gespeeld maar waarvan de postproductie vertraging had opgelopen, was er een soort momentum ontstaan dat zelfs hij herkende als een keerpunt in zijn carrière. Hij had zijn rollen altijd goed gekozen – als hij al een groot talent voor iets had, was het daarvoor, had hij zelf altijd gedacht: hij had een goede neus voor de juiste rollen – maar tot dat jaar had hij nooit het gevoel gehad dat hij echt helemaal gerust kon zijn, dat hij kon praten over films waarin hij zou willen spelen als hij in de vijftig of in de zestig was. Jude had altijd tegen hem gezegd dat hij een overontwikkeld wantrouwen had over zijn carrière, dat hij al veel verder was dan hij dacht, maar dat gevoel had hij zelf nooit gehad; hij wist dat hij werd gerespecteerd door zijn collega's en door recensenten, maar ergens was hij altijd bang dat het plotseling en zonder waarschuwing afgelopen zou zijn. Hij was een nuchter mens in de minst nuchtere branche die er bestond, en na elke klus die hij aannam zei hij tegen zijn vrienden dat er nu nooit meer een zou komen, dat dit ongetwijfeld de laatste zou zijn, deels om zijn angsten te bezweren – als hij de mogelijkheid erkende, was het minder waarschijnlijk dat het zou gebeuren – en deels om er lucht aan te geven, want ze waren reëel.

Pas later, als Jude en hij alleen waren, liet hij zijn zorgen echt de vrije loop. 'Hoe moet het nou als ik nooit meer werk krijg?' vroeg hij dan aan Jude.

'Dat gebeurt niet,' zei Jude dan.

'Maar als het nou wél gebeurt?'

'Oké,' zei Jude op serieuze toon, 'in het hoogst onwaarschijnlijke geval dat je geen acteerwerk meer krijgt, ga je iets anders doen. En terwijl je bedenkt wát, kom je zolang bij mij wonen.'

Hij wist natuurlijk dat hij weer werk zou krijgen, want daar moest hij wel in geloven. Dat gold voor elke acteur. Acteren was een vorm van zwendel, en als je zelf niet meer geloofde dat je het kon, geloofden anderen er ook niet meer in. Desondanks vond hij het prettig als Jude hem geruststelde, vond hij het prettig dat hij ergens naartoe kon in het geval dat het toch zou ophouden. Heel soms, als hij in een bui was dat hij bijzonder veel zelfmedelijden had, wat eigenlijk niets voor hem was, dacht hij na over wat hij dan wél zou gaan doen als het ophield: misschien zou hij met gehandicapte kinderen gaan werken. Daar zou hij goed in zijn en hij zou er plezier in hebben. In gedachten zag hij zichzelf vanuit een basisschool die in zijn fantasie in de Lower East Side lag naar huis lopen, naar Greene Street in SoHo. Zijn flat zou hij natuurlijk niet meer hebben, die had hij verkocht om zijn studie pedagogie te kunnen betalen (in deze dagdroom waren alle miljoenen die hij had verdiend, alle miljoenen die hij nooit had uitgegeven, op mysterieuze wijze verdampt), en hij was bij Jude ingetrokken, alsof de afgelopen twintig jaar er nooit waren geweest.

Maar na *The Sycamore Court* had hij deze tobberige fantasieën steeds minder vaak, en in de tweede helft van zijn zevenendertigste levensjaar had hij meer vertrouwen in zichzelf dan hij ooit had gehad. Er was iets verschoven, er was iets uitgehard, ergens was zijn naam in steen gebeiteld. Hij zou altijd werk hebben, en als hij wilde kon hij even uitrusten.

Het was september, en hij was net terug van filmopnames en stond op het punt naar Europa te vertrekken voor een publiciteitstournee; hij was één dag in de stad, één dag maar, en Jude had gezegd dat hij hem op een lunch zou trakteren waar hij maar wilde. Ze zouden elkaar spreken, samen iets eten, en dan zou hij weer in de auto stappen en rechtstreeks naar het vliegveld rijden voor zijn vlucht naar Londen. Het was zo lang geleden dat hij in New York was geweest, dat hij eigenlijk zin had om ergens in downtown Manhattan naar iets goedkoops en gezelligs te gaan, zoals het Vietnamese noedelzaakje waar ze kwamen toen ze in de twintig waren, maar in plaats daarvan koos hij een wat noordelijker gelegen Frans restaurant dat bekendstond om zijn vis en fruits de mer, omdat dat voor Jude dichterbij was.

Het restaurant zat vol zakenlieden, het soort mannen dat hun rijkdom en macht kenbaar maakte door de snit van hun pak en hun subtiele horloge: je moest zelf ook rijk en machtig zijn om de boodschap te ontvangen. Voor anderen waren het gewoon mannen in grijze pakken, onderling niet van elkaar te onderscheiden. De gastvrouw bracht hem naar Jude, die al op hem zat te wachten, en toen Jude opstond, omhelsde hij hem en drukte hem dicht tegen zich aan, want hoewel hij wist dat Jude het niet prettig vond, had hij kort daarvoor besloten dat hij dat zou gaan doen. Zo stonden ze daar, met hun armen om elkaar heen, omringd door mannen in grijze pakken, tot hij Jude losliet en ze gingen zitten.

'Heb ik je genoeg in verlegenheid gebracht?' vroeg hij, en Jude schudde lachend zijn hoofd.

Er waren zo veel dingen te bespreken en de tijd was zo kort dat Jude op de achterkant van een kassabon nota bene een vergaderagenda had geschreven, en hoewel hij daar eerst om moest lachen, volgden ze die uiteindelijk toch vrij nauwkeurig. Tussen punt vijf (Malcolms bruiloft: wat gingen ze zeggen als ze hun respectievelijke toosten uitbrachten?) en punt zes (de voortgang van de verbouwing van de etage in Greene Street, die eerst helemaal werd gestript) was hij opgestaan om naar de wc te gaan, en toen hij terugliep naar hun tafel had hij het ongemakkelijke gevoel dat de mensen naar hem keken. Hij was er natuurlijk aan gewend om te worden bekeken en gekeurd, maar deze aandacht was op de een of andere manier intenser – iedereen verstomde – en voor het eerst in lange tijd voelde hij zich onzeker, omdat hij zich ervan bewust werd dat hij een spijkerbroek droeg en geen pak en dat hij hier overduidelijk niet hoorde. Sterker nog, het viel hem op dat werkelijk iedereen een pak aanhad en hij als enige niet.

'Ik geloof dat ik iets verkeerds heb aangetrokken,' zei hij zachtjes tegen Jude toen hij weer ging zitten. 'Iedereen staart naar me.'

'Ze staren niet naar je om wat je aanhebt,' zei Jude, 'ze staren omdat je beroemd bent.'

Hij schudde zijn hoofd. 'Voor jou en een handjevol anderen misschien.'

'Nee, Willem,' zei Jude. 'Je bent echt beroemd.' Hij glimlachte naar hem. 'Waarom denk je dat ze niet hebben geëist dat je een jasje aantrok? Ze laten hier heus niet iedereen zomaar naar binnen banjeren die niet zakelijk gekleed is. En waarom denk je dat ze steeds maar amuses blijven brengen? Echt niet vanwege mij, dat kan ik je wel verzekeren.' Nu lachte hij. 'Waarom heb je deze zaak eigenlijk gekozen? Ik dacht dat je wel ergens downtown zou willen eten.'

Hij kreunde. 'Ik had gehoord dat de viscarpaccio goed was. En bedoel je dat ze hier een dresscode hebben?'

Jude glimlachte weer en wilde net antwoord geven toen een van de in discreet grijs geklede mannen naar hen toe kwam en zich duidelijk gegeneerd excuseerde dat hij hen onderbrak. 'Ik wilde alleen graag even zeggen dat ik *The Sycamore Court* geweldig vond,' zei hij. 'Ik ben een groot fan van u.' Willem bedankte hem, en de man, die wat ouder was dan zij, in de vijftig, wilde nog iets zeggen toen hij Jude zag en met zijn ogen knipperde omdat hij hem blijkbaar herkende, daarna nog even naar hem staarde en Jude duidelijk in gedachten in een ander hokje plaatste, zijn gegevens bij nader inzien in een ander vakje opborg. Hij deed zijn mond open, sloot hem weer en verontschuldigde zich opnieuw voordat hij wegliep, terwijl Jude intussen de hele tijd kalm naar hem glimlachte.

'Zo,' zei Jude nadat de man haastig was vertrokken. 'Dat was het hoofd van de afdeling Procesvoering van een van de grootste advocatenkantoren in de stad. En blijkbaar een bewonderaar van jou.' Hij grijnsde naar Willem. 'Geloof je nu eindelijk dat je beroemd bent?'

'Als het criterium voor beroemdheid is dat je wordt herkend door net afgestudeerde designgodinnen in de dop en middelbare mannen die nog uit de kast moeten komen, oké,' zei hij, en ze begonnen als twee jochies te giechelen tot het ze lukte hun gezicht weer in de plooi te krijgen.

Jude keek hem aan. 'Alleen jij bent gek genoeg om te denken dat je niet beroemd bent terwijl je met je hoofd op allerlei tijdschriftcovers staat,' zei hij genietend. Maar Willem was op een set geweest toen die tijdschriften uitkwamen, niet in de echte wereld. En op de set gedroeg iedereen zich alsof hij of zij beroemd was.

'Toch voelt het nu anders,' zei hij tegen Jude. 'Ik kan het niet uitleggen.' Maar later, in de auto naar het vliegveld, besefte hij wat er anders was. Ja, hij was eraan gewend dat er naar hem werd gekeken. Maar hij was er eigenlijk alleen aan gewend dat er naar hem werd gekeken door een bepaald soort mensen in een bepaald soort omgeving, mensen die met hem naar bed wilden of die met hem wilden praten omdat dat hun eigen carrière verder kon helpen, of mensen voor wie zijn herkenbaarheid genoeg was om een soort honger te wekken, een fanatiek verlangen om bij hem in de buurt te zijn. Hij was er niet aan gewend dat er mensen naar hem keken die wel iets beters te doen hadden, die belangrijker en gewichtiger zaken hadden om zich druk over te maken dan een acteur in New York. In New York zag je overal acteurs. Mannen met macht keken alleen naar hem op premières, als hij door de baas van de studio aan hen werd voorgesteld en ze zijn hand schudden en over koetjes en kalfjes praatten, terwijl hij kon merken dat ze hem onderzoekend opnamen en in gedachten overwogen hoe zijn screentest was geweest en berekenden hoeveel ze voor hem hadden betaald en hoeveel de film zou moeten opbrengen, wilden ze de volgende keer met meer belangstelling naar hem kijken.

Naarmate dit steeds vaker gebeurde – hij kwam een kamer binnen, een restaurant of de hal van een gebouw, en voelde dat er even een stilte viel, al was het maar een seconde – begon hij vreemd genoeg te beseffen dat hij zijn eigen zichtbaarheid kon in- en uitschakelen. Als hij een restaurant binnen liep in de verwachting dat hij herkend zou worden, gebeurde dat ook altijd. Maar als hij naar binnen liep met het idee dat hij niet herkend zou worden, werd hij dat ook maar zelden. Het lukte hem nooit om te bepalen wat precies het verschil maakte, behalve dat hij het misschien met zijn wil afdwong. Maar het werkte, en daardoor kon hij zes jaar na die lunch, toen hij intussen bij Jude was ingetrokken, min of meer ongestoord in het volle zicht door SoHo lopen.

Hij had in Greene Street gelogeerd sinds Jude thuiskwam na zijn zelfmoordpoging, en naarmate de maanden verstreken had hij steeds meer spullen naar zijn oude slaapkamer verhuisd: eerst zijn kleren, daarna zijn laptop, toen zijn dozen met boeken en zijn favoriete wollen deken, die hij 's ochtends graag om zich heen sloeg om er in rond te sloffen als hij koffiezette: hij leidde zo'n nomadisch bestaan dat hij verder eigenlijk niet veel nodig had of bezat. Een jaar later woonde hij er nog steeds. Op een ochtend was hij laat wakker geworden, had koffie voor zichzelf gezet (hij had zijn koffiezetapparaat ook meegebracht, want dat had Jude niet) en was slaperig door het appartement gedwaald, waarbij het hem als voor het eerst was opgevallen dat zijn boeken op geheimzinnige wijze op Judes planken waren beland en dat de kunstwerken die hij had meegenomen aan Judes muren hingen. Wanneer was dat gebeurd? Hij kon het zich niet precies herinneren, maar het voelde goed, het was goed om hier terug te zijn.

Zelfs meneer Irvine was het daarmee eens. Willem had hem afgelopen voorjaar bij Malcolm gezien toen ze daar waren voor Malcolms verjaardag, en meneer Irvine had gezegd: 'Ik hoor dat je weer bij Jude bent ingetrokken.' Hij had het beaamd en zich voorbereid op een preek over hun eeuwige adolescentie: tenslotte werd hij binnenkort vierenveertig en was Jude bijna tweeënveertig. Maar meneer Irvine had gezegd: 'Je bent een goede vriend, Willem. Ik ben blij dat jullie allemaal voor elkaar zorgen.' Judes daad had hem zeer aangegrepen; hen allemaal, natuurlijk, maar meneer Irvine had altijd een zwak gehad voor Jude, en dat wisten ze allemaal.

'Dank u, meneer Irvine,' had hij verrast gezegd. 'Daar ben ik ook blij om.'

In de eerste, rauwe weken nadat Jude uit het ziekenhuis kwam, liep Willem op de raarste momenten zijn kamer binnen om voor zichzelf te bevestigen dat Jude er was en nog leefde. Indertijd deed Jude niets anders dan slapen, en soms ging hij aan het voeteneinde naar hem zitten staren en voelde hij een afschuwelijk soort verwondering dat Jude er überhaupt nog was. Dan dacht hij: als Richard hem twintig minuten later had gevonden, was hij dood geweest. Toen Jude ongeveer een maand thuis was, had Willem in een winkel een stanleymes in een rek zien hangen – het leek zo'n middeleeuws, barbaars stuk gereedschap – en was bijna in tranen uitgebarsten: Andy had hem verteld dat de chirurg van de spoedeisende hulp had gezegd dat hij nooit eerder iemand had gezien die zichzelf zo diep en zo resoluut had gesneden. Willem had altijd geweten dat Jude getourmenteerd was, maar hij was ronduit onthutst van hoe slecht hij hem kende, van de vastberadenheid waarmee hij zichzelf had willen verwonden.

Hij had het gevoel dat hij in het laatste jaar in zekere zin meer over Jude te weten was gekomen dan in de zesentwintig jaar daarvoor, en alles wat hij te weten kwam was vreselijk: Judes verhalen waren het soort verhalen waar hij geen antwoord op had, doordat er op het merendeel domweg geen antwoord te bedenken was. Het verhaal van het litteken op de rug van zijn hand – daarmee was het begonnen – was zo afschuwelijk dat Willem die nacht maar was opgebleven omdat hij toch niet kon slapen, en serieus had overwogen Harold te bellen, gewoon om iemand te hebben om het verhaal mee te delen, om samen sprakeloos mee te zijn.

De volgende dag had hij onwillekeurig de hele tijd naar Judes hand gestaard, en ten slotte had Jude zijn mouw eroverheen getrokken. 'Ik word er onzeker van,' zei hij.

'Het spijt me,' had hij geantwoord.

Jude had gezucht. 'Willem, ik ga je die verhalen niet vertellen als je op deze manier reageert,' had hij uiteindelijk gezegd. 'Het is niet belangrijk meer, heus niet. Het was lang geleden. Ik denk er nooit meer aan.' Hij zweeg even. 'Ik wil niet dat je me anders gaat zien door de dingen die ik je vertel.'

Hij had diep ingeademd. 'Nee,' zei hij. 'Je hebt gelijk. Je hebt gelijk.' Dus als hij tegenwoordig naar de verhalen van Jude luisterde, zorgde hij ervoor dat hij niets zei en alleen korte geluiden maakte die geen oordeel in zich droegen, alsof al zijn vrienden met een in azijn geweekte riem waren afgeranseld tot ze buiten bewustzijn waren geraakt of waren gedwongen hun eigen braaksel van de vloer te eten, alsof dat heel gebruikelijke onderdelen van elke jeugd waren. Maar ondanks die verhalen wist hij nog steeds niets: hij wist nog steeds niet wie broeder Luke was. Hij wist nog steeds niets over het klooster of het tehuis, afgezien van die losstaande verhalen. Hij wist nog steeds niet hoe het Jude was gelukt naar Philadelphia te ontsnappen en wat er daar met hem was gebeurd. En hij wist nog steeds niet hoe Jude zo ernstig gewond was geraakt. Maar als Jude met de minder pijnlijke verhalen was begonnen, wist hij nu wel dat die andere verhalen, als hij ze ooit zou horen, gruwelijk zouden zijn. Hij zou ze bijna liever niet horen.

De verhalen maakten deel uit van een compromis dat ze hadden gesloten nadat Jude duidelijk had gemaakt dat hij niet naar Loehmann zou gaan. Andy kwam in die tijd bijna elke vrijdagavond langs; zo ook op een avond kort nadat Jude weer bij Rosen Pritchard was begonnen. Terwijl Andy Jude onderzocht in zijn slaapkamer, schonk Willem voor hen drieën iets te drinken in, en naderhand zaten ze op de bank in het gedempte lamplicht terwijl buiten de lucht korrelig was van de vallende sneeuw.

'Sam Loehmann zegt dat je hem niet hebt gebeld,' zei Andy. 'Jude, nou geen smoesjes. Je moet hem bellen. Dat was onderdeel van de afspraak.'

'Andy,' zei Jude, 'ik heb je al gezegd dat ik niet ga.' Willem was op dat moment blij om te horen dat Judes koppigheid terug was, al was hij het niet met hem eens. Twee maanden eerder waren ze in Marokko geweest en had hij bij het avondeten opgekeken en gezien dat Jude naar de schalen met mezze voor hem zat te staren, kennelijk niet in staat zichzelf iets op te scheppen. 'Jude?' had hij gevraagd, en Jude had hem met een angstig gezicht aangekeken. 'Ik weet niet hoe ik moet beginnen,' had hij zachtjes gezegd, en dus had Willem van elke schaal een beetje op Judes bord geschept en hem verteld te beginnen met het bergje gestoofde aubergine bovenaan en zich met de richting van de klok mee door de rest heen te eten.

'Maar je moet íéts doen,' zei Andy. Willem merkte dat Andy kalm wilde blijven maar daar niet in slaagde, en ook dat vond hij bemoedigend, een teken van een zekere terugkeer naar de normale toestand. 'Dat vindt Willem ook, hè, Willem? Je kan zo niet doorgaan! Je hebt een levensgroot trauma doorgemaakt! Je moet met iemand over die dingen gaan praten!'

'Goed,' zei Jude met een vermoeide blik. 'Dan vertel ik het Willem wel.'

'Maar Willem is geen psycholoog!' zei Andy. 'Hij is acteur!' Toen had Jude hem aangekeken en waren ze allebei in lachen uitgebarsten, zo hard dat ze hun glas moesten neerzetten, en ten slotte was Andy opgestaan, had gezegd dat ze zo onvolwassen waren dat hij niet snapte waarom hij zich nog druk maakte en was weggegaan, terwijl Jude hem probeerde na te roepen – 'Andy! Het spijt ons! Niet weggaan!' – maar te hard moest lachen om zich verstaanbaar te kunnen maken. Het was de eerste keer in maanden – de eerste keer sinds zelfs al vóór de poging – dat hij Jude had horen lachen.

Later, toen ze waren bijgekomen, had Jude gezegd: 'Ik dacht dat ik dat misschien kon gaan doen, Willem... je soms iets vertellen. Maar vind jij dat niet vervelend? Is dat niet belastend voor jou?' En hij had geantwoord dat het natuurlijk niet belastend zou zijn en dat hij graag meer wilde weten. Hij had altijd al meer willen weten, maar dat zei hij niet, want hij wist dat dat als kritiek zou klinken.

Maar al was hij in staat zichzelf ervan te overtuigen dat Jude weer de oude was, hij zag ook in dat er veranderingen waren. Sommige van die veranderingen waren goed, dacht hij, zoals het praten. En andere waren droevig: hoewel hij weer veel meer kracht in zijn handen had gekregen en hoewel het steeds minder vaak gebeurde, trilden ze nog steeds af en toe, en hij wist dat Jude zich daarvoor schaamde. En hij was ontwijkender dan ooit als het op aanrakingen aankwam, vooral bij Harold, merkte Willem: een maand geleden, toen Harold op bezoek kwam, had Jude zich letterlijk in allerlei bochten gewrongen om te voorkomen dat Harold hem omhelsde. Willem had medelijden gehad met Harold toen hij de uitdrukking op zijn gezicht zag, en dus was hij zelf op hem afgestapt en had zijn armen om hem heen geslagen. 'Je weet dat hij er niets aan kan doen,' had hij tegen Harold gefluisterd, en Harold had hem een zoen op zijn wang gegeven. 'Je bent een lieverd, Willem,' had hij gezegd.

Nu was het oktober, dertien maanden na de poging. 's Avonds stond hij op de planken. Het stuk zou tot december lopen, en twee maanden daarna zou hij voor het eerst sinds hij was teruggekomen uit Sri Lanka weer in een film gaan spelen, een bewerking van *Oom Wanja* waar hij enthousiast over was en die zou worden opgenomen in de Hudson Valley, zodat hij elke avond naar huis kon.

Niet dat dat toeval was. 'Zorg dat ik in New York kan blijven,' had hij zijn manager en zijn agent geïnstrueerd nadat hij de voorgaande herfst uit de film in Rusland was gestapt.

'Hoelang?' vroeg Kit, zijn agent.

'Dat weet ik niet,' had hij gezegd. 'In elk geval het komende jaar.'

'Willem,' had Kit na een korte stilte gezegd, 'ik snap dat Jude en jij heel close zijn. Maar vind je niet dat je gebruik moet maken van het momentum? Je kunt nu alles doen wat je maar wilt.' Hij doelde op het enorme succes dat zowel *The Iliad* als *The Odyssey* was geworden, waaruit volgde, zoals Kit graag benadrukte, dat hij de rollen nu voor het uitkiezen had. 'Voor zover ik Jude ken, zou hij het met me eens zijn.' En toen Willem bleef zwijgen: 'Het gaat tenslotte niet om je vrouw of je kind of zo. Hij is een vriend.'

'Máár een vriend, bedoel je,' had hij geïrriteerd gezegd. Kit was Kit, hij dacht als een agent, en Willem vertrouwde op Kits denkwijze; Kit was al sinds het begin van zijn carrière zijn agent en hij wilde geen ruzie met hem maken. En Kit had hem altijd de juiste adviezen gegeven. 'Geen opvullertjes, geen commerciële klussen,' zei Kit graag trots over Willems carrière, als hij al zijn rollen uit het verleden de revue liet passeren. Ze wisten allebei dat Kit veel meer ambities voor hem had dan hijzelf, dat was altijd zo geweest. Maar Kit had hem ook op de eerste vlucht naar huis weten te boeken toen hij in Sri Lanka zat en het telefoontje van Richard had gekregen, en Kit had de producers de opnames een week laten stilleggen, zodat hij op en neer naar New York kon vliegen.

'Ik wil je niet kwetsen, Willem,' had Kit voorzichtig gezegd. 'Ik weet dat je van hem houdt. Maar kom op. Als hij de liefde van je leven was, zou ik het begrijpen. Maar dit lijkt me overdreven, om je carrière zo te schaden.'

Toch vroeg hij zich soms af of hij ooit net zo veel van een ander zou kunnen houden als van Jude. Dat had met zijn persoonlijkheid te maken, natuurlijk, maar ook met hoe aangenaam het was om met hem samen te leven, om iemand te hebben die hem al zo lang kende en hem altijd precies zo nam als hij op dat moment was. Zijn werk, zijn hele leven hing aan elkaar van vermommingen en toneelspel. Alles aan hem en aan zijn omgeving veranderde continu: zijn haar, zijn lichaam, waar hij die nacht zou slapen. Vaak had hij het idee dat hij een vloeistof was, iets wat steeds van de ene felgekleurde fles in de andere werd gegoten, waarbij er elke keer een klein beetje werd gemorst of in de fles achterbleef. Maar zijn vriendschap met Jude gaf hem het gevoel dat er iets wezenlijks en onveranderlijks aan hem was, dat hij ondanks al zijn verschillende gedaantes een vaste kern had, iets wat Jude kon zien, al kon hij dat zelf niet, alsof hij pas werkelijk bestond als Jude er getuige van was.

Tijdens zijn masteropleiding had hij een docent gehad die had gezegd dat de saaiste mensen de beste acteurs waren. Een groot ego was een nadeel, want een acteur moest zijn eigen ego doen verdwijnen, hij moest zich laten overnemen door zijn rol. 'Als je een personality wilt worden, moet je de popmuziek in gaan,' had zijn docent gezegd.

Hij had de wijsheid daarvan ingezien, en dat deed hij nog steeds, maar juist dat ego was wat ze allemaal zo misten, want hoe vaker je acteerde, des te verder raakte je af van wie je dacht te zijn, en des te moeilijker werd het om je weg terug te vinden. Het was geen wonder dat zo veel van zijn collega's psychische wrakken waren. Hun inkomen, hun leven en hun identiteit waren erop gebaseerd dat ze deden alsof ze iemand anders waren; was het dan gek dat ze de ene set of het ene toneel na het andere nodig hadden om hun leven vorm te geven? Wie of wat waren ze zonder die podia? En daarom zochten ze hun heil in een religie, een nieuwe vriendin of een goed doel, om maar iets te hebben wat van hén was: ze sliepen nooit, ze hielden nooit op, ze waren als de dood om alleen te zijn, om zichzelf te moeten afvragen wie ze waren. ('Als een acteur praat en er is niemand die hem hoort, is hij dan nog wel een acteur?' had zijn vriend Roman hem eens gevraagd. Hij vroeg het zich soms af.)

Maar voor Jude was hij geen acteur; hij was zijn vriend, en die identiteit verdrong alle andere. Het was een rol die hij al zo lang vervulde dat hij dat onomstotelijk was. Voor Jude was hij niet in de eerste plaats acteur, net zomin als Jude in de eerste plaats advocaat was; het was nooit de eerste of tweede of derde omschrijving die de een van de ander zou geven. Jude was degene die nog wist wie hij was geweest voordat hij een leven had opgebouwd waarin hij zich voor allerlei andere mensen uitgaf: iemand met een broer, iemand met ouders, iemand die alles en iedereen reuze indrukwekkend en betoverend vond. Hij kende andere acteurs die niet wilden dat anderen nog wisten hoe ze geweest waren, hoe vastbesloten om iemand anders te worden, maar zo was hij niet. Hij wilde juist graag worden herinnerd aan wie hij was, hij wilde bij iemand zijn voor wie zijn carrière nooit het interessantste aan hem zou zijn.

En als hij eerlijk was, moest hij bekennen dat hij ook hield van wat onlosmakelijk met Jude verbonden was: Harold en Julia. Toen Jude werd geadopteerd, had hij hem voor het eerst benijd. Hij bewonderde veel aan Jude – zijn intelligentie, bedachtzaamheid en vindingrijkheid – maar hij was nooit afgunstig jegens hem geweest. Toen hij Harold en Julia echter met hem had gezien, toen hij zag hoe ze naar hem keken, zelfs als hij niet naar hen keek, had hij een soort leegte gevoeld: hij was ouderloos, en al dacht hij daar meestal helemaal niet aan, toch had hij het gevoel dat zijn ouders, al waren ze nog zo afstandelijk geweest, hem in elk geval op de een of andere manier aan dit leven hadden verankerd. Zonder enige familie was hij als een stukje papier dat door de lucht zweefde en door elke windvlaag werd opgetild en meegenomen. Dat hadden Jude en hij gemeen gehad.

Hij wist natuurlijk dat zijn jaloezie belachelijk was, en lager dan laag, want hij was met ouders opgegroeid en Jude niet. En hij wist dat Harold en Julia ook genegenheid voor hem koesterden, net zo goed als hij voor hen. Ze hadden allebei al zijn films gezien en hem allebei uitgebreide, gedetailleerde reacties gestuurd, waarin ze zijn spel altijd prezen en intelligent commentaar hadden op zijn tegenspelers en de film als geheel. (De enige die ze niet hadden gezien – of waar ze in elk geval niets over hadden laten horen – was *The Prince of Cinnamon*, de film waar hij aan had gewerkt toen Jude had geprobeerd zich van het leven te beroven. Zelf had hij hem ook nooit gezien.) Ze lazen elk artikel over hem – hijzelf niet, net zomin als recensies – en kochten elk tijdschrift waar hij in stond. Op zijn verjaardag belden ze hem op en vroegen hoe hij het ging vieren, en Harold herinnerde hem eraan hoe oud hij dat jaar werd. Met Kerst stuurden ze hem altijd iets: een boek en een grappig klein cadeautje of een ingenieus speeltje dat hij in zijn zak stopte om aan te frunniken als hij aan de telefoon of in de stoel bij de make-up zat. Met Thanksgiving zaten Harold en hij in de woonkamer naar de traditionele footballwedstrijd te kijken, terwijl Julia Jude gezelschap hield in de keuken.

'De chips zijn bijna op,' zei Harold dan.

'Ik weet het,' antwoordde hij.

'Misschien moet je er nog wat gaan halen,' opperde Harold.

'Jíj bent de gastheer,' bracht hij Harold in herinnering.

'Jíj bent de gast.'

'Ja, precies.'

'Roep Jude eens dat hij ons nog wat brengt.'

'Roep hem zelf maar!'

'Nee, jíj moet hem roepen.'

'Oké,' zei hij. 'Jude! Harold wil meer chips!'

'Liegbeest,' zei Harold dan terwijl Jude binnenkwam om het bakje bij te vullen. 'Jude, dit was helemaal Willems idee.'

Maar bovenal wist hij dat Harold en Julia van hem hielden omdat hij van Jude hield, dat ze erop vertrouwden dat hij op Jude lette; dat was wat hij voor hen betekende, en dat vond hij niet erg. Hij was er trots op.

De laatste tijd waren zijn gevoelens voor Jude echter anders, en hij wist niet precies wat hij ermee aan moest. Op een vrijdag hadden ze 's avonds laat op de bank gezeten – hij net thuis uit het theater, Jude net thuis van kantoor – en gepraat over koetjes en kalfjes, toen hij zich bijna naar hem toe had gebogen om hem te kussen. Maar hij had zichzelf tegengehouden en het moment was voorbijgegaan. Sindsdien had hij dezelfde impuls vaker gehad: twee of drie, misschien wel vier keer.

Hij begon zich er zorgen over te maken. Niet omdat Jude een man was, want hij was wel vaker met mannen naar bed geweest, net als iedereen die hij kende, en in zijn studententijd waren JB en hij op een avond in een dronken bui uit verveling en nieuwsgierigheid aan het vrijen geslagen (een ervaring die, tot hun wederzijdse opluchting, bijzonder onbevredigend was geweest: 'Interessant dat zo'n mooie man zo'n afknapper kan zijn,' had JB letterlijk tegen hem gezegd). En ook niet omdat hij zich nooit eerder aangetrokken had gevoeld tot Jude, op een kalme manier, als een zoemtoon op de achtergrond, zoals hij dat in mindere of meerdere mate bij al zijn vrienden had. Hij maakte zich zorgen omdat hij wist dat hij heel zeker van zijn zaak moest zijn voor hij iets probeerde, want hij had sterk het gevoel dat Jude, die nergens luchtig over was, al helemaal niet luchtig zou zijn over seks.

Judes seksleven en zijn geaardheid waren een onderwerp van aanhoudende speculaties voor iedereen die hem kende, en vooral voor Willems vriendinnen. Af en toe, als Jude niet in de buurt was, hadden ze het er met z'n drieën over gehad, Malcolm, JB en hij: deed hij eigenlijk wel aan seks? Had hij het ooit gedaan? En met wie dan? Ze hadden allemaal gezien dat er op feesten naar hem werd gekeken en met hem werd geflirt, maar Jude was zich daar nooit van bewust.

'Dat meisje vrat je zo'n beetje op met haar ogen,' zei hij bijvoorbeeld tegen Jude als ze van een of ander feest naar huis liepen.

'Welk meisje?' vroeg Jude dan.

Ze bespraken het onder elkaar omdat Jude duidelijk had gemaakt dat hij er met niemand over wilde praten: als het onderwerp ter sprake kwam, keek hij hen aan met die strakke blik van hem en begon dan ergens anders over met een resoluutheid die onmogelijk verkeerd te interpreteren viel.

'Is hij weleens een nacht niet thuis geweest?' vroeg JB (dit speelde in de tijd dat Jude en hij in Lispenard Street woonden).

'Ik vind niet dat we hierover moeten praten, jongens,' zei hij, want hij voelde zich ongemakkelijk bij dit gesprek.

'Willem!' reageerde JB. 'Wat ben je toch een watje! Dát is toch zeker geen geheim. Zeg het gewoon: ja of nee. Is dat ooit gebeurd?'

Hij zuchtte. 'Nee.'

Er viel een stilte. 'Misschien is hij aseksueel,' opperde Malcolm na een tijdje.

'Nee, Malcolm, het gaat nu niet over jou.'

'Rot op, JB.'

'Denk je dat hij nog maagd is?' vroeg JB.

'Nee,' antwoordde hij. Hij wist niet hoe hij het wist, maar hij was er zeker van dat dat niet het geval was.

'Het is zo zonde,' zei JB, en dan keken Malcolm en Willem elkaar aan, omdat ze al wisten wat er ging komen. 'Al dat uiterlijk schoon is naar de verkeerde gegaan. Hadden ze het maar aan mij gegeven. Ik zou er tenminste plezier van hebben gehad.'

Na verloop van tijd gingen ze het accepteren als iets wat bij Jude hoorde en voegden ze het onderwerp toe aan de lijst van dingen die niet besproken mochten worden. Jaar na jaar verstreek en hij had geen afspraakjes, ze zagen hem met niemand. 'Misschien leidt hij een spannend dubbelleven,' opperde Richard eens, en Willem had zijn schouders opgehaald. 'Misschien,' had hij gezegd. Maar hoewel hij het niet kon bewijzen, wist hij eigenlijk zeker dat dat niet zo was. Op dezelfde onbewijsbare gronden veronderstelde hij dat Jude waarschijnlijk homo was (hoewel misschien ook niet), en waarschijnlijk nog nooit een relatie had gehad (hoewel hij oprecht hoopte dat hij ernaast zat). En hoezeer Jude ook het tegendeel beweerde, Willem was er nooit helemaal van overtuigd dat hij niet eenzaam was, dat er niet ergens in hem de behoefte aan een partner leefde. Hij herinnerde zich de bruiloft van Lionel en Sinclair, waar Malcolm met Sophie was geweest en hij met Robin en JB – met wie ze destijds niet spraken – met Oliver, en Jude met niemand. En hoewel Jude niet de indruk had gemaakt ermee te zitten, had Willem over de eettafel naar hem gekeken en zich verdrietig gevoeld. Hij wilde niet dat Jude alleen oud zou worden, hij wilde dat Jude samen was met iemand die voor hem zou zorgen en verliefd op hem was. JB had gelijk: het wás zonde.

Voelde hij zich daardoor nu tot Jude aangetrokken? Was het angst en meegevoel die een acceptabeler vorm hadden aangenomen? Was hij bezig zichzelf ervan te overtuigen dat hij zich tot Jude aangetrokken voelde omdat hij er niet tegen kon om hem alleen te zien? Hij dácht van niet. Maar hij wist het niet zeker.

Vroeger zou hij dit met JB hebben besproken, maar hij kon er niet met JB over praten, ook al waren ze weer vrienden, of in elk geval bezig hun vriendschap te herstellen. Toen ze terug waren uit Marokko had Jude JB opgebeld en waren ze samen uit eten geweest, en een maand later hadden Willem en JB met z'n tweeën hetzelfde gedaan. Maar vreemd genoeg vond hij het veel moeilijker dan Jude om het JB te vergeven, en hun eerste afspraak was een ramp geweest: JB demonstratief en overdreven vrolijk, hij inwendig ziedend, tot ze naar buiten waren gegaan en tegen elkaar waren gaan schreeuwen. Ze hadden in een uitgestorven Pell Street gestaan – het had een beetje gesneeuwd en er was verder niemand op straat – en hadden elkaar beschuldigd van botheid en arrogantie, van onredelijkheid en egocentrisme, zelfingenomenheid en narcisme, martelaarsgedrag en stompzinnigheid.

'Denk je dat er ook maar íémand is die zichzelf net zo haat als ik?' had

JB tegen hem gebruld. (Zijn vierde expositie, die een neerslag was van zijn periode van drugsgebruik en omgang met Jackson, had 'The Narcissist's Guide to Self-Hatred' geheten, en JB had er tijdens hun etentje een paar keer naar verwezen als bewijs dat hij zichzelf krachtig en in het openbaar had gekastijd en tot inkeer was gekomen.)

'Ja, JB, dat denk ik inderdaad,' had hij teruggebruld. 'Ik denk dat Jude zichzelf veel erger haat dan jij jezelf ooit kan haten, en ik denk dat je dat wist en ervoor hebt gezorgd dat hij zichzelf nog erger is gaan haten.'

'Denk je dat ik dat niet weet?' schreeuwde JB. 'Denk je dat ik mezelf daar verdomme niet om haat?'

'Ik denk niet dat je jezelf er genóég om haat, nee,' schreeuwde hij terug. 'Waarom heb je het gedaan, JB? Waarom nou net bij hém?'

En toen had JB zich tot zijn verrassing verslagen op de stoeprand laten zakken. 'Waarom heb je nooit van mij gehouden zoals je van hem houdt, Willem?' vroeg hij.

Hij zuchtte. 'O, JB...' zei hij, en hij ging naast hem zitten op de ijskoude stoep. 'Jij hebt me nooit zo nodig gehad als hij.' Dat was niet de enige reden, dat wist hij, maar wel een van de redenen. Niemand anders die hij kende had hem nodig. Mensen wilden wel van alles van hem – seks, zijn medewerking aan hun projecten, zijn vriendschap zelfs – maar alleen Jude had hem nodig. Alleen voor Jude was hij onmisbaar.

'Weet je, Willem,' zei JB na een korte stilte, 'misschien heeft hij je minder nodig dan je denkt.'

Daar dacht hij een tijdje over na. 'Nee,' zei hij uiteindelijk, 'dat geloof ik niet.'

Toen was het JB geweest die zuchtte. 'Ik eigenlijk ook niet,' had hij gezegd.

Daarna was het vreemd genoeg beter tussen hen gegaan. Maar al begon hij – voorzichtig – weer wat plezier in JB te krijgen, hij betwijfelde of hij al zover was om dit onderwerp met hem te bespreken. Hij betwijfelde of hij JB's grappen wilde horen over dat hij al alles met twee X-chromosomen had geneukt en daarom nu overstapte op de Y's, of dat hij eindelijk de heteronormativiteit achter zich liet, of, en dat zou het ergste zijn, dat de verliefdheid die hij voor Jude dacht te voelen eigenlijk iets anders was: een misplaatst schuldgevoel voor de zelfmoordpoging, een vorm van bevoogding of gewoon een verkeerd gekozen uitlaatklep voor verveling.

Daarom deed hij niets en zei hij niets. In de maanden daarna had hij af en toe losse contacten en nam intussen zijn gevoelens onder de loep. Het is krankzinnig, dacht hij. Het is geen goed idee. Dat was allebei waar.

Het zou zo veel makkelijker zijn als hij die gevoelens helemaal niet had. Maar wat gaf het dat hij ze had? bracht hij daar in gedachten tegen in. Iedereen had gevoelens waar hij niet naar handelde omdat hij wist dat het leven er alleen maar gecompliceerder door zou worden. In gedachten voerde hij bladzijdenlange dialogen, die hij voor zich zag alsof de zinnen – die van hem en van JB, allebei door hem uitgesproken – op wit papier waren gedrukt.

Maar de gevoelens bleven. Met Thanksgiving gingen ze naar Cambridge, voor het eerst weer in twee jaar. Hij en Jude deelden een kamer, omdat Julia's broer, die in Oxford woonde, er ook logeerde en de kamer op de bovenverdieping had. Die nacht lag hij wakker op de bank in de slaapkamer en keek naar Jude, die sliep. Wat zou er gemakkelijker zijn dan gewoon naast hem in bed stappen en in slaap vallen? dacht hij. Het leek bijna zo voorbestemd, en het ongerijmde zat hem niet in het feit zelf maar in zijn onwil eraan toe te geven.

Ze waren met de auto, en op de terugweg reed Jude zodat hij kon slapen. 'Willem,' zei Jude toen ze bijna de stad binnen reden, 'ik wil je iets vragen.' Hij keek hem aan. 'Is alles goed met je? Pieker je ergens over?'

'Nee, alles is oké,' zei hij.

'Je lijkt nogal… diep in gedachten de laatste tijd,' zei Jude. Hij zweeg. 'Weet je, het heeft me enorm goed gedaan dat je bij me bent ingetrokken. En niet alleen dat je bij me bent ingetrokken, maar… alles. Ik weet niet wat ik zonder je had moeten beginnen. Maar ik weet wel dat het uitputtend voor jou moet zijn. En ik wil alleen maar zeggen: als je weer naar huis wilt, is dat geen probleem. Ik kan het aan, dat beloof ik. Ik zal mezelf niets aandoen.' Jude had strak naar de weg gekeken terwijl hij sprak, maar nu keerde hij zich naar hem. 'Ik weet niet waar ik het aan te danken heb,' zei hij.

Hij wist even niet wat hij moest zeggen. 'Wíl je dat ik weer naar huis ga?' vroeg hij.

Jude zweeg een tijdje. 'Natuurlijk niet,' zei hij heel zachtjes. 'Maar ik wil dat je gelukkig bent, en de laatste tijd maak je geen erg gelukkige indruk.'

Hij zuchtte. 'Het spijt me,' zei hij. 'Ik ben afwezig, je hebt gelijk. Maar dat komt zeker niet doordat ik bij jou woon. Ik vind het heerlijk om bij jou te wonen.' Hij probeerde de juiste, perfecte vervolgzin te bedenken, maar dat lukte niet. 'Het spijt me,' herhaalde hij.

'Dat hoeft niet,' zei Jude. 'Maar als je erover wilt praten, wanneer dan ook, dan kan dat.'

'Dat weet ik,' zei hij. 'Bedankt.' De rest van de terugweg zwegen ze.

En toen was het december. Zijn laatste toneelvoorstelling was achter de rug. Ze gingen met z'n vieren op vakantie naar India, de eerste keer in jaren dat ze met elkaar een reis maakten. In februari begonnen de opnames voor *Uncle Vanya*. De omstandigheden op de set waren ideaal, zoals hij ze graag had, maar zelden trof: hij had met alle anderen eerder gewerkt, iedereen mocht en respecteerde elkaar, de regisseur was een beetje een slonzig type, mild en zachtmoedig, de bewerking, van de hand van een schrijver die Jude bewonderde, was mooi en eenvoudig, en het was een genoegen om de dialogen te vertolken.

Toen Willem jong was, had hij in *The House on Thistle Lane* gespeeld, een stuk over een gezin dat moest vertrekken uit een huis in St. Louis dat al sinds generaties in de familie van de vader was, maar waarvan ze het onderhoud niet meer konden betalen. Het stuk werd niet opgevoerd op een toneel, maar op een verdieping van een verwaarloosd negentiende-eeuws pand in Harlem, en het publiek mocht van de ene kamer naar de andere dwalen, zolang ze maar buiten het gebied bleven dat met touwen was afgezet; de plek waar je als toeschouwer stond, bepaalde vanuit welk perspectief je de acteurs en de ruimte zelf zag. Hij had de oudste, psychisch meest beschadigde zoon gespeeld en had het grootste deel van het eerste bedrijf zwijgend in de eetkamer doorgebracht, waar hij borden inpakte in krantenpapier. Hij had een zenuwtic bedacht voor de zoon, voor wie het ondenkbaar was weg te gaan uit het huis waar hij was opgegroeid, en terwijl de ouders van zijn personage ruziemaakten in de woonkamer, zette hij de borden neer, kroop in de verste hoek van de eetkamer, vlak bij de keuken, en trok het behang in flarden van de muren. Hoewel de belangrijkste scènes in dat bedrijf zich in de woonkamer afspeelden, waren er altijd een paar toeschouwers die in zijn kamer bleven om toe te kijken hoe hij het behang afkrabde – donkerblauw, zo donker dat het bijna zwart was, met bleekroze koolroosjes erop – en tussen zijn vingers tot rolletjes wreef die hij op de grond liet vallen, zodat die ene hoek elke avond vol kwam te liggen met kleine sigaartjes van behangpapier, alsof hij een muis was die nogal onhandig een nestje bouwde. Het was een vermoeiend stuk geweest om in te spelen, maar hij had ervan genoten: het nauwe contact met het publiek, de vreemdsoortige speelvloer en de kleine fysieke details van de rol.

Bij deze productie had hij een vergelijkbaar gevoel als hij bij dat stuk had gehad. Het huis, een herenhuis aan de Hudson uit het einde van de negentiende eeuw, was voornaam maar gammel en haveloos – het soort huis waarover zijn ex-vriendin Philippa en hij eens hadden gefantaseerd dat ze er zouden wonen als ze getrouwd en stokoud waren – en de regisseur gebruikte maar drie kamers: de eetkamer, de woonkamer en de serre. In plaats van publiek was het nu de crew die hen volgde als ze van de ene ruimte naar de andere trokken. Maar hoewel hij er met veel genoegen aan werkte, zag hij ook in dat *Oom Wanja* op dat moment niet echt het geschiktste verhaal was om mee bezig te zijn. Op de set was hij dokter Astrov, maar als hij weer terug was in Greene Street was hij Sonja, en hoe mooi hij het stuk ook vond en altijd had gevonden, hoeveel genegenheid hij ook voor de arme Sonja koesterde en hoeveel medelijden hij ook met haar had, dat was niet een rol die hij ooit had geambieerd. Toen hij de anderen over de film had verteld, had JB gezegd: 'Dus het is een sekseblinde rolverdeling.' Hij had gevraagd: 'Hoe bedoel je?' en JB had gezegd: 'Nou, jij bent toch zeker Jelena?' En iedereen had gelachen, hijzelf het hardst van allemaal. Dat vond hij zo heerlijk aan JB, dacht hij toen: hij was altijd slimmer dan je dacht. 'Hij is veel te oud om Jelena te spelen,' had Jude daar vol genegenheid aan toegevoegd, en iedereen had weer gelachen.

De planning van *Uncle Vanya* was efficiënt, en na slechts zesendertig dagen waren de opnames klaar, in de laatste week van maart. Op een dag kort na de voltooiing had hij in TriBeCa geluncht met een oude vriendin, Cressy, met wie hij ook een tijdje een relatie had gehad, en toen hij door de lichte, droge sneeuw terugliep naar Greene Street bedacht hij weer hoe hij van de stad genoot aan het eind van de winter, als het weer aarzelde tussen het ene seizoen en het andere, als Jude elk weekend kookte en als je urenlang door de straten kon lopen zonder een mens tegen te komen, afgezien van de paar enkelingen die hun hond uitlieten.

Hij liep door Church Street naar het noorden en was net Reade Street overgestoken toen hij een blik naar rechts wierp, door de ruit van een café, en Andy zag zitten, lezend aan een tafeltje in de hoek. 'Willem!' zei Andy, toen hij op hem af kwam. 'Wat doe jij hier?'

'Ik heb geluncht met een vriendin en nu loop ik naar huis,' zei hij. 'Maar wat doe jij hier, zo ver downtown?'

'Jullie altijd met al dat gewandel,' zei Andy hoofdschuddend. 'George is op een verjaarspartijtje een paar straten hiervandaan en ik zit te wachten tot ik hem moet ophalen.'

'Hoe oud is hij nu?'

'Negen.'

'God, negen al?'

'Ja, vertel mij wat.'

'Heb je behoefte aan gezelschap?' vroeg hij. 'Of ben je liever alleen?'

'Nee,' zei Andy. Hij legde een servetje in het boek als bladwijzer. 'Blijf, alsjeblieft.' En dus ging hij zitten.

Ze praatten een tijdje over Jude, uiteraard, die voor zijn werk naar Bombay was, over *Uncle Vanya* ('Ik herinner me Astrov alleen als een ongelofelijke sukkel,' zei Andy), over zijn volgende project, waarvoor de opnames eind april in Brooklyn begonnen, over Andy's vrouw, Jane, die haar praktijk aan het uitbreiden was, en over hun kinderen: George, bij wie pas astma was geconstateerd, en Beatrice, die het volgende jaar naar kostschool wilde.

En toen, voordat hij zich ervan kon weerhouden – niet dat hij daar speciaal behoefte aan had – vertelde hij Andy over zijn gevoelens voor Jude, en dat hij niet precies wist wat ze betekenden en wat hij ermee aanmoest. Hij praatte en praatte, en Andy hoorde hem met een neutraal gezicht aan. Er was niemand anders in het café, buiten viel de sneeuw intussen sneller en in grotere vlokken, en ondanks zijn zorgen voelde hij een diepe kalmte en was hij blij dat hij het aan iemand kon vertellen en wel aan iemand die hem en Jude allebei al vele jaren kende. 'Ik weet dat het raar klinkt,' zei hij. 'En ik heb nagedacht over wat het kan zijn, Andy, echt waar. Maar ergens vraag ik me ook af of het niet zo heeft moeten zijn; ik bedoel, ik heb nu tientallen jaren lang allerlei relaties gehad, en misschien zijn die allemaal stukgelopen omdat ze niet voor de eeuwigheid bedoeld waren, omdat ik altijd al met hem samen had moeten zijn. Of misschien maak ik mezelf dat wijs. Of misschien is het alleen maar nieuwsgierigheid. Maar dat geloof ik niet, ik denk dat ik mezelf daar te goed voor ken.' Hij zuchtte. 'Wat vind jij dat ik moet doen?'

Andy bleef even zwijgen. 'In de eerste plaats vind ik het niet raar, Willem,' zei hij toen. 'In veel opzichten klopt het wel. Jullie tweeën hebben samen altijd iets bijzonders gehad, iets ongewoons. Dus het is al weleens bij me opgekomen, ondanks jouw vriendinnen.

Vanuit mijn belang geredeneerd denk ik dat het fantastisch zou zijn: voor jou, maar vooral voor hem. Als jij een relatie met hem zou willen, zou dat het grootste, helendste geschenk zijn dat hij ooit zou kunnen krijgen.

Maar Willem, als je het doet, moet je wel bereid zijn je min of meer vast te leggen op hem en op jullie samen, want je hebt gelijk: je kan niet maar een beetje aanrotzooien en dan weer opstappen. En ik denk dat je er rekening mee moet houden dat het heel, heel zwaar zal zijn. Je zult hem zover moeten krijgen dat hij je weer helemaal opnieuw gaat vertrouwen in je nieuwe rol en je op een andere manier gaat zien. Ik denk niet dat ik iets nieuws vertel als ik zeg dat het heel moeilijk voor hem wordt om intiem met je te zijn en dat je erg veel geduld met hem zult moeten hebben.'

Ze zwegen allebei. 'Dus als ik het doe, moet ik ervan uitgaan dat het voorgoed is,' zei hij tegen Andy, en Andy keek hem een paar seconden aan en glimlachte.

'Nou ja,' zei Andy, 'er zijn ergere dingen waartoe je levenslang veroordeeld kan zijn.'

'Dat is waar,' zei hij.

Hij ging terug naar Greene Street. Het werd april en Jude kwam weer thuis. Ze vierden Judes verjaardag – 'Drieënveertig,' zei Harold met een zucht, 'dat is lang geleden, drieënveertig...' – en hij begon aan zijn volgende filmrol. Een oude vriendin van hem, een vrouw die hij al kende van zijn masteropleiding, speelde ook een hoofdrol in de film – hij speelde een corrupte rechercheur en zij zijn vrouw – en ze gingen een paar keer met elkaar naar bed. Alles ging z'n gangetje. Hij werkte, hij kwam thuis in Greene Street, hij dacht na over wat Andy had gezegd.

Tot hij op een zaterdagochtend heel vroeg wakker werd, toen het nog maar net licht begon te worden. Het was eind mei en het weer was onvoorspelbaar: op sommige dagen leek het eerder maart en op andere juli. Op dertig meter afstand van hem lag Jude. En opeens vond hij zijn schroom, zijn verwarring en zijn geaarzel dwaas. Hij was thuis, en thuis betekende Jude. Hij hield van hem, het moest zo zijn en hij zou hem nooit kwetsen, zover vertrouwde hij zichzelf wel. Dus wat was er te vrezen?

Hij herinnerde zich een gesprek dat hij met Robin had gehad toen hij zich voorbereidde op de opnames voor *The Odyssey* en om die reden de *Odyssee* en meteen ook maar de *Ilias* herlas, waar hij na zijn eerste studiejaar geen blik meer in had geworpen. Ze gingen nog maar kort met elkaar om en waren in het stadium dat ze allebei hun best deden indruk te maken op de ander, dat het ontzag voor elkaars kennis een soort verrukking teweegbracht. 'Wat zijn de meest overgewaardeerde regels uit de *Odyssee*?' had hij gevraagd, en Robin had een getergd gezicht getrokken en gedeclameerd: '"Wij zijn nog niet aan het einde gekomen van de beproeving, nee, een onmetelijke test ligt nog in het verschiet, enorm en zwaar; die moet ik nog tot het einde volbrengen."' Ze maakte kokhalzende geluiden. 'Zó afgezaagd. En om de een of andere reden heeft elk kansloos footballteam in het hele land dit tot hun strijdkreet gebombardeerd.' Hij lachte. Ze keek hem gemaakt sluw aan. 'Jij hebt toch ook aan football gedaan?' zei ze. 'Ik durf te wedden dat het ook jouw lievelingsregels zijn.'

'Absoluut niet,' zei hij met gespeelde verontwaardiging. Dat was een onderdeel van hun spel, dat niet altijd een spel was: hij was de domme acteur, de boerenpummel, en zij was het slimme meisje dat met hem uitging en hem leerde wat hij niet wist.

'Welke dan wel?' had ze uitdagend gevraagd, en nadat hij het haar had verteld, had ze hem doordringend aangekeken. 'Hmm,' had ze gezegd. 'Interessant.'

Nu stapte hij uit bed en sloeg geeuwend zijn deken om zich heen. Vanavond zou hij met Jude praten. Hij wist niet waar hij naartoe ging, maar hij wist dat hem niets zou overkomen; hij zou zorgen dat hun geen van beiden iets overkwam. Hij ging naar de keuken om koffie te zetten en intussen fluisterde hij de regels voor zichzelf, de regels waar hij altijd aan dacht als hij thuiskwam, terug in Greene Street nadat hij lang weg was geweest: 'En dan is er nog iets, dat ik graag zeker wil weten. Is dit land, waar ik nu ben gekomen, werkelijk Ithaka?' en om hem heen werd het licht in huis.

~

Elke ochtend na het opstaan zwemt hij drie kilometer en gaat dan weer naar boven om te ontbijten en de kranten te lezen. Zijn vrienden plagen hem daarmee, dat hij echt een ontbijt klaarmaakt in plaats van onderweg naar zijn werk iets te kopen, en dat hij de kranten echt nog laat bezorgen, in papieren vorm, maar het rituele ervan heeft altijd een kalmerende werking op hem gehad, zelfs al in het tehuis, toen dat het enige tijdstip was waarop de begeleiders te coulant en de andere jongens te slaperig waren om hem lastig te vallen. Dan ging hij in de hoek van de eetzaal zitten lezen en at zijn ontbijt, en in die minuten werd hij met rust gelaten.

Hij leest efficiënt en bladert eerst door *The Wall Street Journal* en de *Financial Times* voordat hij aan *The New York Times* begint, die hij helemaal uitspelt, en dan ziet hij de kop bij de overlijdensberichten: 'Caleb Porter, 52, algemeen directeur van een modeconcern.' De hap roerei met spinazie die hij in zijn mond heeft, verandert ogenblikkelijk in karton met lijm, en hij slikt moeizaam, wordt misselijk en voelt al zijn zenuwuiteinden kloppend tot leven komen. Hij moet het artikel drie keer lezen voordat de feiten tot hem doordringen: alvleesklierkanker. Het was 'heel snel gegaan', volgens een collega en oude vriend. Onder zijn leiding heeft het opkomende modemerk Rothko een grote groei doorgemaakt in Azië en het Midden-Oosten en een eerste eigen winkel geopend in New York. Thuis in Manhattan overleden. Laat een zus achter, Michaela Porter de Soto uit Monte Carlo, zes neven en nichten, en zijn partner, Nicholas Lane, eveneens leidinggevende in de modebranche.

Hij blijft een ogenblik stil naar de pagina zitten staren, tot de woorden zich onder zijn ogen herschikken tot een abstract grijs patroon, en dan strompelt hij zo snel mogelijk naar de badkamer naast de keuken, waar hij alles wat hij net heeft gegeten uitbraakt en kokhalzend boven de wc-pot hangt tot hij lange speekselslierten ophoest. Hij doet de bril naar beneden, gaat zitten en laat zijn gezicht in zijn handen rusten tot hij zich beter voelt. Hij verlangt wanhopig naar zijn scheermesjes, maar hij heeft er altijd op gelet dat hij zich overdag niet snijdt, deels omdat het niet goed voelt en deels omdat hij weet dat hij zichzelf grenzen moet stellen, hoe kunstmatig die ook zijn, omdat hij zich anders de hele dag door zou snijden. De laatste tijd heeft hij erg zijn best gedaan zichzelf helemaal niet te snijden. Maar hij denkt dat hij zichzelf vanavond een uitzondering toestaat. Het is zeven uur 's ochtends. Over een uur of vijftien is hij weer thuis. Het enige wat hij hoeft te doen is de dag doorkomen.

Hij zet zijn bord in de afwasmachine en loopt zachtjes door de slaapkamer naar de badkamer om te douchen en zich te scheren, waarna hij zich aankleedt in de garderobekamer, nadat hij eerst heeft gecontroleerd of de deur naar de slaapkamer goed dicht is. Hierna heeft hij onlangs een nieuwe stap ingelast in zijn ochtendritueel: als hij nu zou doen wat hij de afgelopen maand heeft gedaan, zou hij de deur opendoen en naar het bed lopen, aan de linkerkant op de rand gaan zitten en zijn hand op Willems arm leggen, en dan zou Willem zijn ogen opendoen en naar hem glimlachen.

Hij zou zijn glimlach beantwoorden en zeggen: 'Ik ga.' En Willem zou zijn hoofd schudden. 'Blijf hier,' zou Willem zeggen, en dan zei hij: 'Dat kan niet.' En Willem: 'Vijf minuutjes dan.' En hij: 'Oké, vijf minuutjes.' Dan tilde Willem de deken naast zich op en kroop hij eronder, met zijn rug naar Willem toe, deed zijn ogen dicht, wachtte tot Willem zijn armen om hem heen had geslagen en wenste dat hij voor altijd zo kon blijven liggen. En dan, tien minuten of een kwartier later, zou hij eindelijk met tegenzin opstaan, Willem ergens in de buurt van zijn mond kussen, maar niet erop – daar heeft hij nog steeds een probleem mee, zelfs na vier maanden – en naar zijn werk gaan.

Maar vanochtend slaat hij die stap over. In plaats daarvan blijft hij even bij de eettafel staan om een briefje voor Willem te schrijven waarin hij uitlegt dat hij vroeg weg moest en hem niet wakker wilde maken, en terwijl hij al onderweg is naar de deur, komt hij terug, grist de *Times* van de tafel en neemt hem mee. Hij weet dat het onzinnig is, maar hij wil niet dat Willem de naam, de foto of wat dan ook van Caleb ziet. Willem weet nog steeds niet wat Caleb hem heeft aangedaan, en hij wil ook niet dat Willem dat te weten komt. Hij wil zelfs niet dat Willem zich bewust is van Calebs bestaan, of eigenlijk, realiseert hij zich, van Calebs vroegere bestaan, want hij bestaat niet meer. De krant onder zijn arm lijkt wel een levend wezen dat warmte uitstraalt en Calebs naam als een donkere dot vergif tussen zijn bladzijden meedraagt.

Hij besluit met de auto naar zijn werk te gaan, zodat hij nog een tijdje alleen kan zijn, en voordat hij de garage uit rijdt slaat hij de krant open en leest het artikel nog een keer, om hem vervolgens weer op te vouwen en in zijn aktentas te stoppen. En dan opeens huilt hij, met onbeheerste, hijgende uithalen die helemaal vanuit zijn middenrif komen, en terwijl hij zijn hoofd op het stuur laat rusten en probeert zijn zelfbeheersing te hervinden, kan hij eindelijk voor zichzelf erkennen hoe ontzettend opgelucht hij is, en hoe bang hij de afgelopen drie jaar is geweest, en hoe vernederd en beschaamd hij zich nog steeds voelt. Hij pakt de krant weer, en terwijl hij zichzelf erom haat leest hij het overlijdensbericht opnieuw en blijft hangen bij 'en zijn partner, Nicholas Lane, eveneens leidinggevende in de modebranche'. Hij vraagt zich af of Caleb met Nicholas Lane hetzelfde heeft gedaan als met hem, of dat Nicholas – zo zal het ongetwijfeld zijn – iemand is die een dergelijke behandeling niet verdient. Hij hoopt dat Nicholas nooit hetzelfde heeft doorgemaakt als hij, maar is daar tegelijk ook zeker van, en daardoor gaat hij nog harder huilen. Dat was een van Harolds argumenten toen hij hem probeerde over te halen aangifte te doen van de mishandeling: dat Caleb gevaarlijk was en dat hij anderen tegen hem zou beschermen door hem aan te geven en te zorgen dat hij werd gearresteerd. Maar hij wist dat dat niet waar was: Caleb zou anderen niet aandoen wat hij hem had aangedaan. Hij had hem niet geslagen en gehaat omdat hij anderen sloeg en haatte, hij had hem geslagen en gehaat om wie híj was, niet door wie Caleb zelf was.

Eindelijk slaagt hij erin te kalmeren, en hij veegt zijn ogen droog en snuit zijn neus. Het huilen: ook een overblijfsel van zijn tijd met Caleb. Jaren- en jarenlang heeft hij zich kunnen beheersen, en nu – sinds die avond – lijkt het wel alsof hij altijd huilt, of op het punt staat te gaan huilen, of zijn best moet doen om het te onderdrukken. Het is alsof al zijn vooruitgang van de afgelopen paar decennia is uitgewist en hij weer die jongen is die overgeleverd was aan de zorgen van broeder Luke, net zo huilerig, hulpeloos en kwetsbaar.

Hij wil net de auto starten als zijn handen beginnen te trillen. Nu weet hij dat hij alleen maar kan afwachten, en hij legt ze in elkaar gevouwen op zijn schoot en probeert diep en regelmatig adem te halen, wat soms helpt. Als een paar minuten later zijn telefoon gaat, is het getril iets minder hevig geworden en hoopt hij dat hij normaal klinkt als hij opneemt.

'Hoi Harold,' zegt hij.

'Jude,' zegt Harold. Zijn stem klinkt doffer dan anders. 'Heb je de *Times* vandaag gelezen?'

Het trillen wordt meteen erger. 'Ja,' zegt hij.

'Alvleesklierkanker, dat is een afschuwelijke dood,' zegt Harold. Hij klinkt op een grimmige manier tevreden. 'Mooi zo. Ik ben er blij om.' Er valt een stilte. 'Is alles goed met jou?'

'Ja,' zegt hij. 'Ja, alles is in orde.'

'De verbinding valt steeds weg,' zegt Harold, maar hij weet dat het daar niet aan ligt: het komt doordat hij zo trilt dat hij de telefoon niet stil kan houden.

'Sorry,' zegt hij. 'Ik ben in de garage. Hoor eens, Harold, ik kan nu beter naar mijn werk gaan. Bedankt voor het bellen.'

'Oké.' Harold zucht. 'Je belt me wel als je erover wilt praten, hè?'

'Ja,' zegt hij. 'Bedankt.'

Het is een drukke dag, waar hij dankbaar voor is, en hij probeert zichzelf geen tijd te gunnen om aan iets anders te denken dan aan zijn werk. Aan het eind van de ochtend krijgt hij een sms'je van Andy – 'Neem aan dat je gezien hebt dat de klootzak dood is. Alvleesklierkanker = lijdensweg. Jij oké?' – en schrijft terug om hem te verzekeren dat het goed met hem gaat, en tijdens zijn lunch leest hij het overlijdensbericht nog een laatste keer voordat hij de hele krant in de versnipperaar duwt en weer achter zijn computer gaat zitten.

's Middags krijgt hij een sms'je van Willem, dat de regisseur met wie hij een afspraak heeft om over zijn volgende project te praten hun etentje naar een later tijdstip heeft verschoven en dat hij waarschijnlijk niet voor elven thuis zal zijn, en dat lucht hem op. Om negen uur zegt hij tegen zijn collega's dat hij vroeg weggaat, en dan rijdt hij naar huis en loopt rechtstreeks naar de badkamer, terwijl hij onderweg zijn jasje uitgooit, zijn mouwen oprolt en zijn horloge losgespt; tegen de tijd dat hij de eerste snee maakt, hyperventileert hij haast van verlangen. Het is bijna twee maanden geleden dat hij meer dan twee sneden per keer heeft gemaakt, maar nu laat hij zijn zelfdiscipline varen en snijdt en snijdt en snijdt, tot zijn ademhaling eindelijk langzamer wordt en hij de oude, geruststellende leegte in zijn binnenste voelt neerdalen. Als hij klaar is, ruimt hij op, wast zijn gezicht en gaat naar de keuken, waar hij wat van de soep opwarmt die hij in het weekend heeft gemaakt en zijn eerste echte maaltijd van de dag nuttigt, en daarna poetst hij zijn tanden en laat zich in bed vallen. Hij voelt zich slap van het snijden, maar hij weet dat dat overgaat als hij een paar minuten rust neemt. Het doel is om weer in zijn normale doen te zijn als Willem thuiskomt, om hem geen aanleiding te geven zich zorgen te maken, om niets te doen wat de onbestaanbare, extatische droom verstoort waarin hij de afgelopen achttien weken heeft geleefd.

Toen Willem hem over zijn gevoelens vertelde, was hij zo in de war en ongelovig dat alleen het feit dat Wíllem het zei hem ervan overtuigde dat het geen smakeloze grap was; zijn vertrouwen in Willem won het van de absurditeit van wat hij te berde bracht.

Maar ternauwernood. 'Wat bedoel je?' vroeg hij Willem voor de tiende keer.

'Ik bedoel dat ik me tot je aangetrokken voel,' zei Willem geduldig. En toen hij niet reageerde: 'Judy, zo raar is het toch eigenlijk niet? Heb jij dat soort gevoelens nooit voor mij gehad, in al die jaren?'

'Nee,' zei hij onmiddellijk, en Willem moest lachen. Maar het was geen grapje. Hij zou nooit, maar dan ook nooit, zo arrogant zijn geweest zich voor te stellen dat hij een relatie met Willem kon hebben. Bovendien was hijzelf niet wat hij voor Willem in zijn hoofd had gehad: hij had Willem in gedachten gekoppeld aan iemand die mooi (en vrouw) en intelligent was, iemand die zou beseffen hoeveel geluk ze had, iemand die hem ook gelukkig zou maken. Hij wist dat dit beeld, net als veel van zijn fantasieën over volwassen relaties, nogal rooskleurig en naïef was, maar dat betekende niet dat het niet kon gebeuren. Híj was in elk geval niet de aangewezen persoon voor Willem om mee samen te zijn; als Willem met hem zou zijn in plaats van met de fantasievrouw die hij voor hem had bedacht, was dat wel een ongelofelijk diepe tuimeling omlaag.

De volgende dag gaf hij Willem een lijst van twintig redenen waarom het geen goed idee was om een relatie met hem te willen. Toen hij hem die aanreikte, zag hij dat Willem enigszins geamuseerd was, maar daarna ging hij lezen en veranderde zijn uitdrukking, en hij trok zich terug in zijn werkkamer om niet te hoeven toekijken.

Na een tijdje klopte Willem aan. 'Mag ik binnenkomen?' vroeg hij, en dat mocht.

'Ik heb een probleempje met punt twee,' zei Willem ernstig. 'Sorry dat ik het moet zeggen, Jude, maar we hebben hetzelfde lijf.' Hij keek hem aan. 'Jij bent een paar centimeter langer, maar mag ik je eraan herinneren dat we elkaars kleren aan kunnen?'

Hij zuchtte. 'Willem,' zei hij, 'je weet best wat ik bedoel.'

'Jude,' zei Willem, 'ik snap dat dit vreemd en onverwacht voor je is. Als je het echt niet wilt, hou ik erover op en laat ik je met rust, en ik beloof dat er dan niets tussen ons zal veranderen.' Hij zweeg even. 'Maar als je me van het idee af probeert te brengen omdat je bang en onzeker bent – nou, dat snap ik best. Maar ik vind het niet voldoende reden om het niet te proberen. We doen het zo langzaamaan als je maar wilt, dat beloof ik.'

Hij was stil. 'Mag ik erover nadenken?' vroeg hij, en Willem knikte. 'Natuurlijk.' Hij liep de kamer uit en schoof de deur achter zich dicht.

Hij zat een hele tijd in stilte in zijn werkkamer na te denken. Na Caleb had hij gezworen zichzelf nooit meer zoiets aan te doen. Hij wist dat Willem hem nooit kwaad zou doen, maar zijn verbeeldingskracht was beperkt: hij kon zich geen voorstelling maken van een relatie die er niet op uitliep dat hij geslagen werd en de trap af geschopt, en gedwongen dingen te doen waarvan hij zichzelf had beloofd dat hij ze nooit meer hoefde. Was het niet mogelijk, vroeg hij zich af, dat hij zelfs zo'n goed mens als Willem zover kon drijven dat dat onontkoombaar werd? Was het geen uitgemaakte zaak dat hij zelfs bij Willem een soort haat zou wekken? Hunkerde hij zo naar gezelschap dat hij bereid was de lessen die de geschiedenis – zijn eigen geschiedenis – hem had geleerd te negeren?

Maar er klonk ook een ander stemmetje in zijn hoofd, dat er iets tegen inbracht. *Je bent gek als je deze kans laat lopen*, zei het stemmetje. *Dit is de enige persoon die je altijd hebt vertrouwd. Willem is Caleb niet; hij zou zoiets nooit doen, echt nooit.*

En daarom ging hij uiteindelijk naar de keuken, waar Willem het eten klaarmaakte. 'Oké,' zei hij. 'Laten we het doen.'

Willem keek hem met een glimlach aan. 'Kom hier,' zei hij, en toen hij dat deed, kuste Willem hem. Hij werd angstig en paniekerig en moest weer aan broeder Luke denken, dus deed hij zijn ogen open om zich eraan te herinneren dat dit per slot van rekening Willem was, niet iemand om bang voor te zijn. Maar net toen hij zich begon te ontspannen, zag hij heel even, als een stroomstoot, Calebs gezicht opflitsen, en hij rukte zich naar adem snakkend los en wreef met zijn hand over zijn mond. 'Het spijt me,' zei hij terwijl hij zich snel afdraaide. 'Het spijt me. Ik ben hier niet erg goed in, Willem.'

'Hoe bedoel je?' vroeg Willem, die hem met zachte dwang terugdraaide. 'Je bent er fantastisch in.' En hij merkte dat hij inwendig zuchtte van verlichting dat Willem niet boos op hem was.

Sindsdien is hij voortdurend bezig om wat hij van Willem weet af te zetten tegen wat hij van iemand – om het even wie – verwacht die begeerte voor hem voelt. Ergens lijkt hij te verwachten dat er een nieuwe Willem in de plaats zal komen van de Willem die hij altijd heeft gekend, dat er een andere Willem zal opduiken voor deze andere relatie. In de eerste paar weken was hij als de dood dat hij Willem op de een of andere manier zou ergeren of teleurstellen, dat hij hem boos zou maken. Hij heeft dagenlang gewacht en moed verzameld voordat hij Willem vertelde dat hij niet tegen de smaak van koffie in zijn mond kan (maar hij heeft niet uitgelegd hoe dat komt: door broeder Luke, met zijn afschuwelijke, gespierde tong en de korrelige structuur van koffiedik als permanente aanslag op zijn tandvlees. Dat was een van de dingen die hij aan Caleb had gewaardeerd: hij dronk geen koffie). Hij bleef zich maar verontschuldigen, tot Willem zei dat hij daarmee moest ophouden. 'Jude, het geeft niet,' zei hij. 'Ik had het zelf moeten bedenken. Dan drink ik het gewoon niet.'

'Maar je houdt van koffie.'

'Ik vind het lekker, ja,' zei Willem met een glimlach, 'maar ik kan ook zonder.' Hij lachte weer. 'Mijn tandarts zal niet weten wat hij ziet.'

In die eerste maand praatte hij ook met Willem over seks. Die gesprekken voerden ze 's avonds laat, in bed, als het gemakkelijker was om dingen te zeggen. Hij had de duisternis altijd in verband gebracht met zich snijden, maar nu ging hij die associëren met iets anders: die gesprekken met Willem in een donkere kamer, als hij het minder moeilijk vond om hem aan te raken en als hij al Willems gelaatstrekken kon zien en toch net kon doen alsof Willem de zijne niet zag.

'Wil je op een dag ook seks met me?' vroeg hij op een avond, en terwijl hij het zei hoorde hij zelf hoe dom dat klonk.

Maar Willem lachte hem niet uit. 'Ja,' zei hij. 'Dat zou ik graag willen.'

Hij knikte. Willem wachtte af. 'Daar heb ik wel even tijd voor nodig,' zei hij uiteindelijk.

'Dat geeft niet,' zei Willem. 'Ik wacht wel.'

'Maar als het nou maanden duurt?'

'Dan duurt het maanden,' zei Willem.

Hij dacht erover na. 'En als het nog langer duurt?' vroeg hij zachtjes.

Willem stak zijn hand uit en legde die even tegen de zijkant van zijn gezicht. 'Dan duurt het langer,' zei hij.

Ze zwegen een hele tijd. 'Wat ga je dan intussen doen?' vroeg hij, en Willem lachte. 'Ik heb wel énige zelfbeheersing, Jude,' zei hij. 'Het is misschien een schok voor je, maar ik kan echt een hele tijd zonder seks.'

'Ik bedoelde er niets mee,' begon hij berouwvol, maar Willem pakte hem beet en gaf hem een luidruchtige zoen op zijn wang. 'Ik plaag je maar,' zei hij. 'Het geeft niet, Jude. Neem alle tijd die je nodig hebt.'

En dus is er nog steeds geen seks tussen hen geweest, en soms slaagt hij er zelfs in om zichzelf ervan te overtuigen dat het er misschien ook niet van zal komen. Maar intussen is hij Willems lichamelijkheid langzamerhand gaan waarderen en er zelfs naar gaan hunkeren, naar de uitingen van zijn genegenheid, die zo ongedwongen, natuurlijk en spontaan zijn dat hij zichzelf er ook ongedwongener en spontaner van gaat voelen. Willem slaapt aan de linkerkant van het bed en hij aan de rechter, en de eerste nacht dat ze in hetzelfde bed sliepen ging hij op zijn rechterzij liggen, zoals hij altijd deed, en toen kroop Willem tegen hem aan, legde zijn rechterarm onder zijn hals en voorlangs over zijn schouders en zijn linkerarm om zijn buik, en schoof zijn benen tussen die van hem. Het verraste hem, maar toen hij eenmaal over zijn eerste onbehaaglijkheid heen was merkte hij dat hij het fijn vond, alsof hij was ingebakerd.

Maar op een avond in juni deed Willem het niet en toen was hij bang dat hij iets verkeerd had gedaan. De volgende ochtend – de vroege ochtend was het andere moment dat ze over dingen praatten die te pijnlijk, te moeilijk leken om bij daglicht te bespreken – vroeg hij Willem of hij ergens geïrriteerd over was, en Willem had verbaasd gekeken en 'Nee, natuurlijk niet' gezegd.

'Ik vroeg het me alleen maar af,' begon hij stamelend, 'omdat je gisteravond niet...' Maar hij kon zijn zin niet afmaken, het was te gênant.

Maar toen zag hij Willems gezicht opklaren, en Willem rolde tegen hem aan en sloeg zijn armen om hem heen. 'Dit?' vroeg hij, en hij knikte. 'Dat was alleen omdat het de afgelopen nacht zo warm was,' zei Willem. Hij wachtte tot Willem hem uitlachte, maar dat deed hij niet. 'Dat was de enige reden, Judy.' Sindsdien heeft Willem hem elke nacht op dezelfde manier vastgehouden, zelfs in juli, toen het ondanks de airconditioning nog steeds benauwd was en ze allebei nat van het zweet wakker werden. Dit is wat hij altijd van een relatie heeft gewild, beseft hij. Dit is wat hij bedoelde toen hij hoopte dat hij op een dag zou worden aangeraakt. Soms had Caleb hem heel even tegen zich aan gedrukt en dan had hij altijd weerstand moeten bieden aan de neiging hem te vragen dat nog eens te doen, maar dan langer. Maar nu heeft hij het: al het lichamelijke contact waarvan hij weet dat het bestaat tussen gezonde mensen die van elkaar houden en seks met elkaar bedrijven, zonder de gevreesde seks zelf.

Hij kan zich er niet toe zetten om zelf het initiatief te nemen tot lijfelijk contact met Willem en ook niet om erom te vragen, maar hij wacht erop, op elke keer dat Willem zijn arm grijpt als hij langsloopt in de woonkamer en hem naar zich toe trekt om hem te kussen, of hem van achteren nadert als hij bij het fornuis staat en zijn armen om hem heen slaat op dezelfde manier – over zijn borst en zijn buik – als in bed. Hij heeft altijd bewonderend gekeken naar de lijfelijkheid van JB en Willem, zowel met elkaar als met iedereen om hen heen; hij wist dat zij wisten dat ze dat bij hem niet moesten doen, en hoe dankbaar hij ook was voor hun voorkomendheid, die stemde hem soms ook weemoedig: soms wou hij dat ze zijn regels negeerden, dat ze met dezelfde vriendschappelijke onbevangenheid aanspraak op hem maakten als op alle anderen. Maar dat deden ze nooit.

Het kostte hem drie maanden, tot eind augustus, tot hij zover was dat hij zijn kleren durfde uit te trekken waar Willem bij was. Elke avond ging hij in zijn T-shirt met lange mouwen en joggingbroek naar bed, en elke avond had Willem alleen een slip aan. 'Vind je dat ongemakkelijk?' vroeg Willem, en hij schudde zijn hoofd, hoewel het dat wel was: ongemakkelijk, maar niet geheel onwelkom. In de maand voordat het hem lukte, had hij het zichzelf elke dag plechtig voorgenomen: hij zou zijn kleren uittrekken, zodat het achter de rug was. Hij zou het die avond doen, want ooit moest het toch gebeuren. Maar verder ging zijn voorstellingsvermogen niet: hij kon niet nadenken over hoe Willem misschien zou reageren of wat hij de volgende dag misschien zou doen. En dan werd het avond, lagen ze in bed en was er niets over van zijn vastberadenheid.

Op een avond stak Willem zijn handen onder zijn T-shirt en legde ze op zijn rug, en hij schoof met zo'n ruk naar voren dat hij uit bed viel. 'Het spijt me,' zei hij tegen Willem, 'het spijt me.' Hij stapte weer in bed, maar bleef helemaal op het randje van het matras liggen.

Ze zwegen allebei. Hij lag op zijn rug en staarde naar de kroonluchter. 'Weet je, Jude,' zei Willem uiteindelijk, 'ik heb je al eens gezien zonder shirt aan.'

Hij keek Willem aan, die diep inademde. 'In het ziekenhuis,' zei hij. 'Toen ze je verband verwisselden en je wasten.'

Zijn ogen gingen branden en hij keek weer naar het plafond. 'Hoeveel heb je gezien?' vroeg hij.

'Niet alles,' zei Willem geruststellend. 'Maar ik weet dat je littekens op je rug hebt. En ik had je armen al eerder gezien.' Willem wachtte even en zuchtte toen hij niets zei. 'Jude, het is niet zo erg als je denkt, echt niet.'

'Ik ben bang dat je me walgelijk zult vinden,' kon hij eindelijk uitbrengen. Calebs woorden echoden weer door zijn hoofd: *je bent dus echt mismaakt. Het is echt waar.* 'Het is zeker geen optie om mijn kleren helemaal nooit uit te trekken, hè?' vroeg hij, en hij probeerde te lachen om er een grapje van te maken.

'Eh, nee,' zei Willem. 'Want ik denk dat het goed voor je zal zijn, Judy, hoewel het in het begin niet zo zal voelen.'

Dus de volgende avond deed hij het. Zodra Willem naar bed kwam, kleedde hij zich onder de dekens snel uit, sloeg ze opzij en liet zich op zijn zij rollen, zodat hij met zijn rug naar Willem lag. Hij hield zijn ogen de hele tijd dicht, maar toen hij voelde dat Willem zijn hand op zijn rug legde, precies tussen zijn schouderbladen, begon hij woest te huilen, het soort bittere, verbeten tranen die hij in geen jaren had gestort, terwijl hij in elkaar kroop van schaamte. Hij moest steeds denken aan die nacht met Caleb, de laatste keer dat hij zo kwetsbaar was geweest, de laatste keer dat hij zo hard had gehuild, en hij wist dat Willem maar gedeeltelijk zou begrijpen waarom hij zo over zijn toeren was, dat hij niet wist dat de schaamte die dit moment bij hem wekte door zijn associaties – naakt en overgeleverd aan de genade van een ander – bijna net zo groot was als zijn schaamte om wat hij liet zien. Hij hoorde meer aan Willems toon dan aan de woorden zelf dat hij lieve dingen zei, dat hij ontzet was en probeerde hem te troosten, maar hij was zo overstuur dat het niet eens tot hem doordrong wat Willem precies zei. Hij probeerde uit bed te komen, zodat hij naar de badkamer kon gaan om zichzelf te snijden, maar Willem greep hem vast en hield hem zo stevig tegen zich aan dat hij zich niet kon verroeren, en ten langen leste lukte het hem te kalmeren.

Toen hij de volgende ochtend wakker werd – laat, het was een zondag – staarde Willem hem aan. Hij zag er moe uit. 'Hoe voel je je?' vroeg hij.

De herinnering aan de nacht kwam bij hem boven. 'Willem,' zei hij, 'het spijt me vreselijk. Het spijt me zo. Ik weet niet wat er gebeurde.' Toen besefte hij dat hij nog steeds niets aanhad, en hij stak zijn armen onder het laken en trok het beddegoed tot aan zijn kin omhoog.

'Nee, Jude,' zei Willem. 'Het spijt míj. Ik wist niet dat het zo traumatisch voor je zou zijn.' Hij streek hem over zijn haar. Ze zwegen. 'Weet je dat het de eerste keer was dat ik je zag huilen?'

'Nou' – hij slikte – 'om de een of andere reden is het niet zo'n geslaagde verleidingstactiek als ik had gehoopt.' Hij schonk Willem een flauw lachje en Willem lachte terug.

Die ochtend bleven ze in bed liggen praten. Willem vroeg hem naar een paar van zijn littekens en hij vertelde erover. Hij legde uit hoe hij aan de littekens op zijn rug was gekomen: over de dag dat ze hem te pakken hadden gekregen nadat hij was weggelopen uit het tehuis, het pak slaag dat het hem had opgeleverd, de infectie die het gevolg was geweest, de pus die dagenlang uit zijn rug was gedropen, de bobbelige blaren die waren ontstaan rond de splinters van de bezemsteel die her en der in zijn vlees waren gedrongen, en over de blijvende gevolgen. Willem vroeg wanneer iemand hem voor het laatst naakt had gezien, en hij loog en vertelde dat dat – afgezien van Andy – was geweest toen hij vijftien was. En toen zei Willem allerlei lieve en ongeloofwaardige dingen over zijn lichaam waar hij maar niet naar luisterde, omdat hij wist dat ze niet waar waren.

'Willem, als je er toch liever mee wilt stoppen dan snap ik dat,' zei hij. Het was zijn idee geweest om niemand te vertellen dat hun vriendschap mogelijk in iets anders veranderde, en hoewel hij tegen Willem alleen had gezegd dat ze daardoor de ruimte en privacy zouden hebben om uit te zoeken hoe ze hun samenzijn vorm konden geven, had hij bij zichzelf ook gedacht dat het Willem de tijd gaf om zich te bedenken, de gelegenheid om van gedachten te veranderen zonder bang te hoeven zijn voor wat anderen daarvan vonden. Bij deze beslissing klonken voor hem natuurlijk onwillekeurig de echo's van zijn vorige relatie door, die zich ook in het verborgene afspeelde, en hij moest zichzelf eraan herinneren dat het deze keer anders was; het was anders, tenzij hij er hetzelfde van maakte.

'Jude, natuurlijk wil ik dat niet,' zei Willem. 'Natuurlijk niet.'

Willem streek met zijn vingertop over zijn wenkbrauw, wat hij om de een of andere reden geruststellend vond: het was liefdevol zonder enige seksuele lading. 'Ik heb gewoon het gevoel dat ik je alleen maar een heleboel onaangename verrassingen zal bezorgen,' zei hij na een tijdje, en Willem schudde zijn hoofd. 'Verrassingen misschien wel,' zei hij. 'Maar geen onaangename.'

En daarom probeert hij nu elke avond zich uit te kleden. Soms kan hij het en andere keren niet. Soms kan hij Willem toestaan zijn rug en armen aan te raken en andere keren niet. Maar hij heeft zich overdag nog niet bloot aan Willem durven vertonen, en ook niet bij kunstlicht, noch kan hij de andere dingen doen waarvan hij weet – uit films en van wat hij toevallig heeft gehoord – dat stellen geacht worden die in elkaars aanwezigheid te doen: hij kan zich niet aankleden met Willem erbij of samen met hem douchen. Dat moest hij vroeger met broeder Luke doen en vond hij vreselijk.

Zijn eigen schroom is in elk geval niet besmettelijk, en het fascineert hem dat Willem zo vaak en zo vanzelfsprekend bloot is. 's Ochtends trekt hij de deken aan de kant van de slapende Willem naar beneden en bekijkt zijn lijf met klinische nauwgezetheid, constateert dat het volmaakt is, en herinnert zich dan met een vreemde, vrolijke verrukking dat hij degene is die ernaar kijkt, dat hem dat gegeven is.

Soms raakt de onwaarschijnlijkheid van het gebeurde hem als een mokerslag en is hij sprakeloos. Zijn eerste relatie (kun je het een relatie noemen?): broeder Luke. Zijn tweede: Caleb Porter. En zijn derde: Willem Ragnarsson, zijn beste vriend, de liefste persoon die hij kent, iemand die iedereen zou kunnen krijgen die hij wilde, man of vrouw, en toch om bizarre redenen – een vreemdsoortige nieuwsgierigheid? Krankzinnigheid? Medelijden? Verstandsverbijstering? – voor hem heeft gekozen. Hij droomt 's nachts een keer van Willem en Harold die samen over een vel papier gebogen zitten dat op een tafel ligt; Harold telt met een rekenmachine bedragen bij elkaar op, en zonder dat er iets wordt gezegd weet hij dat Harold Willem betaalt om zijn partner te zijn. In de droom voelt hij zich tegelijk vernederd en min of meer dankbaar voor het feit dat Harold zo gul is en dat Willem erin meegaat. Als hij wakker wordt, staat hij op het punt er iets over tegen Willem te zeggen, maar dan krijgt het gezonde verstand de overhand en bedenkt hij dat Willem het geld echt niet nodig heeft, dat hij al meer dan genoeg verdient, en dat, hoe onbegrijpelijk en raadselachtig Willems redenen om hém te kiezen ook zijn, hij in elk geval niet is omgekocht, dat hij het besluit uit vrije wil heeft genomen.

Die avond wil hij in bed blijven lezen tot Willem thuiskomt, maar hij valt toch in slaap en wordt wakker als Willem zijn hand tegen zijn wang legt.

'Je bent thuis,' zegt hij met een glimlach, en Willem beantwoordt zijn lach.

Ze liggen in het donker te praten over Willems etentje met de regisseur en over de opnames, die eind januari in Texas beginnen. De film, *Duets*, is gebaseerd op een roman die hij met plezier heeft gelezen en volgt het leven van een lesbische vrouw en een homoseksuele man, geen van tweeën uit de kast, beiden muziekdocent aan een middelbare school in een klein plaatsje, in de vijfentwintig jaar van hun huwelijk, van de jaren zestig tot in de jaren tachtig van de vorige eeuw. 'Ik zal je hulp nodig hebben,' zegt Willem. 'Ik kom er echt niet onderuit om mijn pianospel op te frissen. En ik ga uiteindelijk toch zelf zingen. Ze zorgen voor een zangdocent, maar wil jij met me oefenen?'

'Natuurlijk,' zegt hij. 'En je hoeft je geen zorgen te maken, Willem. Je hebt een prachtige stem.'

'Hij klinkt dun.'

'Hij klinkt lief.'

Willem lacht en knijpt in zijn hand. 'Vertel dat maar aan Kit,' zegt hij. 'Die is nu al in alle staten.' Hij zucht. 'Hoe was jouw dag?'

'Goed.'

Ze kussen elkaar, wat hij nog steeds met zijn ogen open moet doen om niet te vergeten dat het Willem is die hij kust en niet broeder Luke, en het gaat goed tot hij zich de eerste avond herinnert dat hij Caleb mee naar huis nam en dat Caleb hem tegen de muur drukte, en alles wat daarna kwam, en dan rukt hij zich bruusk los van Willem en draait zijn gezicht af. 'Het spijt me,' zegt hij. 'Het spijt me.' Vanavond heeft hij zich niet uitgekleed, en nu trekt hij zijn mouwen over zijn handen. Naast hem wacht Willem af, en in de stilte hoort hij zichzelf zeggen: 'Iemand die ik kende is gisteren overleden.'

'O, Jude,' zegt Willem. 'Wat erg. Wie was het?'

Hij is heel lang stil, terwijl hij probeert de woorden over zijn lippen te krijgen. 'Iemand met wie ik een relatie heb gehad,' zegt hij uiteindelijk, en zijn tong voelt onbeholpen aan in zijn mond. Hij merkt dat Willems aandacht groeit en dat hij een paar centimeter dichter naar hem toe schuift.

'Ik wist niet dat je een relatie had gehad,' zegt Willem zacht. Hij schraapt zijn keel. 'Wanneer?'

'Toen jij weg was voor *The Odyssey*,' zegt hij net zo zacht, en weer voelt hij een verandering in de atmosfeer. Hij herinnert zich wat Willem had gezegd: er is iets gebeurd toen ik weg was. Er is iets mis. Hij weet dat Willem terugdenkt aan hetzelfde gesprek.

'Goh,' zegt Willem na een lange stilte. 'Wie was de gelukkige?'

Hij kan nu nauwelijks meer ademhalen, maar gaat toch verder. 'Het was een man,' begint hij, en hoewel hij niet naar Willem kijkt – hij concentreert zich op de kroonluchter – voelt hij dat Willem bemoedigend knikt om hem te stimuleren verder te gaan. Maar dat kan hij niet; Willem zal hem op weg moeten helpen, en dat doet hij ook.

'Vertel eens iets over hem,' zegt Willem. 'Hoelang zijn jullie met elkaar omgegaan?'

'Vier maanden.'

'En waarom is er een eind aan gekomen?'

Hij denkt na over een antwoord. 'Hij vond me niet zo leuk,' zegt hij eindelijk.

Hij voelt Willems woede voordat hij die hoort. 'Het was dus een randdebiel,' zegt Willem met samengeknepen keel.

'Nee, het was een heel intelligente man.' Hij doet zijn mond open om nog iets te zeggen – zonder te weten wat – maar hij kan niet verdergaan, en ze liggen zwijgend naast elkaar.

Ten slotte stelt Willem weer een vraag. 'Wat gebeurde er toen?'

Hij wacht, en Willem wacht met hem. Hij hoort hoe ze synchroon ademhalen, en het is net alsof ze alle lucht uit de kamer, het huis, de hele wereld, in hun longen zuigen en dan weer uitblazen, alleen zij, met z'n tweeën. Hij telt hun ademhalingen: vijf, tien, vijftien. Bij twintig zegt hij: 'Als ik het vertel, Willem, beloof je dan dat je niet boos wordt?' en hij voelt Willem weer bewegen.

'Dat beloof ik,' antwoordt Willem met zachte stem.

Hij ademt diep in. 'Weet je nog, dat auto-ongeluk?'

'Ja,' zegt Willem. Hij klinkt onzeker, verstikt. Zijn ademhaling gaat snel. 'Dat weet ik nog.'

'Het was geen auto-ongeluk.' Alsof hij daarmee een teken heeft gegeven, beginnen zijn handen te trillen, en hij schuift ze snel onder de dekens.

'Hoe bedoel je?' vraagt Willem, maar hij zegt niets meer, en na verloop van tijd voelt hij, meer dan hij het ziet, dat Willem beseft wat hij heeft gezegd. En dan draait Willem zich ineens op zijn zij, met zijn gezicht naar hem toe, en steekt een hand onder de dekens op zoek naar de zijne. 'Jude, heeft iemand je dat aangedaan? Heeft iemand' – hij heeft moeite het te zeggen – 'heeft iemand je geslagen?'

Hij geeft een miniem knikje en is blij dat hij niet is gaan huilen, hoewel hij het gevoel heeft dat hij bijna explodeert: hij stelt zich voor hoe stukken vlees als granaatscherven van zijn skelet vliegen, tegen de muren slaan en aan de kroonluchter blijven hangen, zodat er bloed op de lakens druipt.

'O god.' Willem laat zijn handen los en stapt haastig uit bed.

'Willem,' roept hij hem na, en dan staat hij op en loopt de badkamer in, waar Willem hijgend over de wastafel gebogen staat, maar als hij zijn schouder wil aanraken, schudt Willem zijn hand af.

Hij gaat terug naar hun slaapkamer en wacht op de rand van het bed, en als Willem terugkomt, kan hij zien dat hij heeft gehuild.

Ze zitten een paar lange minuten naast elkaar, met hun armen tegen elkaar aan maar zonder iets te zeggen. 'Was er een overlijdensbericht?' vraagt Willem eindelijk, en hij knikt. 'Laat eens zien,' zegt Willem, en ze gaan naar de computer in zijn werkkamer en hij stapt achteruit en kijkt toe als Willem het leest. Hij blijft kijken, terwijl Willem het twee, drie keer overleest. En dan gaat Willem staan en drukt hem heel dicht tegen zich aan, en hij beantwoordt zijn omhelzing.

'Waarom heb je het niet verteld?' fluistert Willem in zijn oor.

'Het zou geen verschil hebben gemaakt.' Willem stapt achteruit en kijkt hem aan, terwijl hij zijn schouders vasthoudt.

Hij ziet dat Willem moeite doet zich te beheersen, ziet hoe zijn brede mond een rechte streep blijft en zijn kaakspieren zich spannen. 'Ik wil dat je me alles vertelt,' zegt Willem. Hij pakt zijn hand, neemt hem mee naar de bank in zijn werkkamer en spoort hem aan te gaan zitten. 'Ik ga naar de keuken om iets te drinken in te schenken en dan kom ik terug,' zegt Willem. Hij kijkt hem aan. 'Ik neem voor jou ook een glas mee.' Hij kan alleen maar knikken.

Terwijl hij wacht, denkt hij aan Caleb. Na die avond heeft hij nooit meer iets van hem gehoord, maar hij heeft hem om de paar maanden opgezocht op internet. Daar was hij dan, zichtbaar voor iedereen: foto's van een glimlachende Caleb op feesten, bij openingen, bij modeshows. Een artikel over de eerste eigen winkel van Rothko, waarin Caleb vertelt over de uitdagingen waar een jong modemerk voor staat als het succes wil krijgen in een verdringingsmarkt. Een stuk in een tijdschrift over de wederopbloei van het Flower District, met een citaat van Caleb over wonen in een buurt die ondanks de hotels en exclusieve winkeltjes nog steeds een aangenaam ruig kantje heeft. Nu vraagt hij zich af: zou Caleb hem ook weleens hebben opgezocht? Heeft hij een foto van hem aan Nicholas laten zien? Heeft hij gezegd: 'Ik ging vroeger een tijdje met hem om; hij was grotesk'? Heeft Caleb aan Nicholas – die hij zich voorstelt als blond, elegant en zelfverzekerd – voorgedaan hoe hij liep, hebben ze samen gelachen over hoe vreselijk hij in bed was, alsof je het met een lijk deed? Heeft hij gezegd: 'Ik vond hem weerzinwekkend'? Of heeft hij helemaal niets gezegd? Was Caleb hem vergeten, of had hij in elk geval besloten hem uit zijn gedachten te schrappen? Was hij een vergissing, een kort, stuitend intermezzo, een dwaling die in plastic verpakt was weggestopt in een uithoek van Calebs geest, samen met kapot speelgoed uit zijn jeugd en gênante momenten van lang geleden? Hij wou dat ook hij het kon vergeten, dat hij er op zijn beurt voor kon kiezen nooit meer aan Caleb te denken. Steeds vraagt hij zich af waarom hij zich zo laat beïnvloeden door vier maanden, maanden die steeds verder achter hem komen te liggen, waarom hij zijn leven daar zo door heeft laten veranderen. Maar dan kan hij zich net zo goed afvragen – wat hij ook vaak doet – waarom hij de afgelopen achtentwintig jaar van zijn leven heeft laten bepalen door de eerste vijftien. Hij heeft onnoemelijk veel geluk gehad, hij leidt een leven waar anderen van dromen, dus waarom blijft hij gebeurtenissen van zo lang geleden dan steeds opnieuw voor zich zien en afspelen in zijn geest? Waarom kan hij niet gewoon genieten van het heden? Waarom moet hij zijn verleden zo veel eer gunnen? Waarom wordt het steeds levendiger in plaats van doffer, naarmate hij het verder achter zich laat?

Willem komt terug met twee glazen whisky met ijs. Hij heeft een shirt aangetrokken. Ze zitten een tijdje op de bank van hun drankje te nippen en hij voelt de warmte door zijn aderen stromen. 'Ik ga het je vertellen,' zegt hij tegen Willem, en Willem knikt, maar voordat hij begint, buigt hij zich naar Willem toe en kust hem. Het is de eerste keer in zijn leven dat hij het initiatief neemt voor een kus, en hij hoopt dat hij Willem er alles mee duidelijk maakt wat hij niet kan zeggen, zelfs niet in het donker, zelfs niet in het grijze ochtendlicht: alles waar hij zich voor schaamt, alles waar hij dankbaar voor is. Deze keer houdt hij zijn ogen dicht, en hij fantaseert dat ook hij binnenkort die plaats kan betreden waar mensen naartoe gaan als ze kussen, als ze seks bedrijven: het land waar hij nooit is geweest, de plek die hij wil zien, de wereld waarvan hij hoopt dat die niet voorgoed ontoegankelijk voor hem zal blijven.

~

Als Kit in de stad was, spraken ze altijd af ergens in een restaurant of op het New Yorkse kantoor van het agentschap, maar begin december stelde Willem voor dat Kit naar Greene Street zou komen. 'Dan maak ik een lunch voor je,' zei hij tegen Kit.

'Waarom?' vroeg Kit, die meteen op zijn hoede was, want hoewel ze op hun eigen manier een goed contact hadden, waren ze geen vrienden, en Willem had hem nooit eerder in Greene Street uitgenodigd.

'Ik moet je iets vertellen,' zei hij, en hij kon horen dat Kit dieper en langzamer ging ademen.

'Oké,' zei Kit. Hij keek wel uit om te vragen wat dan wel, en of er iets mis was; dat laatste nam hij gewoon aan. 'Ik moet je iets vertellen' was in Kits wereld geen aankondiging van goed nieuws.

Dat wist Willem natuurlijk, en hoewel hij Kit had kunnen geruststellen, besloot het duiveltje dat hij in zich had om dat niet te doen. 'Oké!' zei hij opgewekt. 'Tot volgende week dan!' Bij nader inzien, bedacht hij na het ophangen, was zijn weigering om Kit gerust te stellen misschien niet alleen door kinderlijke motieven ingegeven: híj vond wat hij Kit wilde vertellen – dat hij en Jude nu samen waren – geen slecht nieuws, maar hij wist niet zeker of Kit het net zo zou zien.

Ze hadden besloten een paar mensen over hun relatie te vertellen. De eersten waren Harold en Julia geweest, en dat was een zeer dankbare en plezierige taak gebleken, hoewel Jude om de een of andere reden heel zenuwachtig was geweest. Dat was nog maar een paar weken geleden, met Thanksgiving, en ze hadden allebei heel blij en opgetogen gereageerd, ze hadden hem omhelsd en Harold had een traantje gelaten, terwijl Jude op de bank met een glimlachje op zijn gezicht naar hen drieën zat te kijken.

Daarna vertelden ze het aan Richard, die minder verrast was dan ze hadden verwacht. 'Ik vind het een fantastisch idee,' zei hij resoluut, alsof ze hadden aangekondigd dat ze samen in onroerend goed gingen investeren. Hij omhelsde hen allebei. 'Goed werk,' zei hij. 'Goed werk, Willem.' En hij wist wat Richard hem duidelijk probeerde te maken: hetzelfde als wat hij Richard had geprobeerd duidelijk te maken toen hij jaren geleden tegen hem had gezegd dat Jude een veilige plek nodig had om te wonen, terwijl hij Richard eigenlijk had gevraagd op Jude te passen als hij dat zelf niet kon.

Toen vertelden ze het aan Malcolm en JB, maar niet tegelijk. Het eerst aan Malcolm, van wie ze dachten dat hij ofwel geschokt ofwel enthousiast zou reageren, en het bleek het laatste te zijn. 'Ik ben zo blij voor jullie,' zei hij stralend. 'Dit is gewoon geweldig. Ik vind het een prachtgedachte dat jullie samen zijn.' Hij vroeg hoe het zo gekomen was, en hoelang geleden, en, plagerig, wat ze over de ander hadden ontdekt dat ze nog niet wisten. (Zij tweeën wierpen elkaar een steelse blik toe – als Malcolm eens wist! – en zeiden niets, en Malcolm glimlachte alsof dat het bewijs was voor het bestaan van een grote voorraad pikante geheimen die hij op een dag aan het licht zou brengen.) En toen zuchtte hij. 'Er is maar één ding dat me verdriet doet,' zei hij, en ze vroegen wat het was. 'Jouw flat, Willem,' zei hij. 'Zo mooi. En zo eenzaam zonder jou.' Op de een of andere manier lukte het om hun gezicht in de plooi te houden, en hij kon Malcolm geruststellen dat hij de flat had verhuurd aan een vriend van hem, een acteur uit Spanje die voor filmopnames naar Manhattan was gekomen en had besloten nog zeker een jaar langer te blijven.

JB was een neteliger geval, zoals ze van tevoren hadden geweten: ze wisten dat hij zich verraden, in de steek gelaten en tekortgedaan zou voelen, en dat al die gevoelens nog versterkt zouden worden door het feit dat hij en Oliver kortgeleden na een relatie van meer dan vier jaar uit elkaar waren gegaan. Ze namen hem mee uit eten, zodat de kans kleiner was (hoewel niet geheel afwezig, waarschuwde Jude) dat hij een scène zou schoppen, en omdat JB zich tegenover Jude nog steeds een beetje inhield en tegen hem minder snel iets ongepasts zou zeggen, was Jude degene die het nieuws bracht. Ze keken toe terwijl JB zijn vork neerlegde en zijn hoofd in zijn handen liet rusten. 'Ik word niet goed,' zei hij, en ze wachtten tot hij opkeek en vervolgde: 'Maar ik ben echt heel blij voor jullie,' voordat ze uitademden. JB prikte met zijn vork in zijn burrata. 'Ik bedoel, ik ben pissig dat jullie het niet eerder hebben verteld, maar ik ben blij.' De hoofdgerechten kwamen, en JB stak zijn mes met kracht in zijn zeebaars. 'Ik bedoel, ik ben echt goed pissig. Maar. Ik. Ben. Blij.' Tegen de tijd dat het dessert kwam, was duidelijk dat JB – die zijn guavesoufflé als een razende naar binnen lepelde – zeer geagiteerd was, en zij tweeën gaven elkaar onder de tafel een schop, half op de rand van de slappe lach en half oprecht bang dat JB ter plekke zou ontploffen.

Na het eten stonden ze buiten, waar Willem en JB een sigaret rookten, en ze praatten over de komende expositie van JB, zijn vijfde, en over zijn leerlingen aan Yale, waar JB de afgelopen paar jaar les had gegeven: een kortstondig respijt, dat wreed werd verstoord door een meisje dat naar Willem toe kwam ('Mag ik met u op de foto?'), waarop JB een geluid maakte dat het midden hield tussen snuiven en kreunen. Later, toen Jude en hij weer in Greene Street waren, hadden ze wel degelijk gelachen: om JB's ontreddering, zijn pogingen tot welwillendheid, die hem duidelijk heel wat moeite hadden gekost, en omdat hij zo consequent en consistent op zichzelf gericht was. 'Arme JB,' zei Jude. 'Ik dacht dat zijn hoofd uit elkaar ging spatten.' Hij zuchtte. 'Maar ik snap het wel. Hij is altijd dol op je geweest, Willem.'

'Niet op die manier.'

Jude keek hem aan. 'Wie is hier nu degene die zichzelf niet kan zien voor wat hij werkelijk is?' vroeg hij, want dat was wat Willem altijd tegen hem zei: dat Judes kijk op zichzelf, zijn zelfbeeld, zo afwijkend was dat je het wel bijna een waanidee kon noemen.

Ook hij zuchtte. 'Ik moet hem maar bellen,' zei hij.

'Laat hem vanavond maar met rust,' zei Jude. 'Hij belt jou wel als hij eraan toe is.'

En dat had hij inderdaad gedaan. Die zondag was JB naar Greene Street gekomen, en Jude had hem binnengelaten, zich daarna geëxcuseerd met als reden dat hij moest werken en zich teruggetrokken in zijn werkkamer, zodat Willem en JB samen konden praten. De volgende twee uur had Willem zitten luisteren terwijl JB een rommelig soort verbaal rondo had afgestoken, waarin de vele beschuldigingen en vragen werden afgewisseld door het refrein 'Maar ik ben echt blij voor jullie'. JB was boos: dat Willem het hem niet eerder had verteld, dat hij hem zelfs niet had geraadpleegd, dat ze het Malcolm en Richard – Richard! – eerder hadden verteld dan hem. JB was ontdaan: Willem kon hem de waarheid vertellen; hij had altijd meer om Jude gegeven, hè? Waarom kon hij dat niet gewoon toegeven? En had hij die gevoelens altijd al gehad? Waren al die jaren dat hij vrouwen had geneukt gewoon één gigantische leugen die hij op touw had gezet om iedereen om de tuin te leiden? JB was jaloers: hij snapte dat Willem zich aangetrokken voelde tot Jude, heus wel, en hij wist dat het belachelijk en misschien een tikkeltje navelstaarderig was, maar om eerlijk te zijn was hij enigszins beledigd dat Willem Jude boven hem had verkozen.

'JB,' zei hij steeds opnieuw, 'het was een heel natuurlijk proces. Ik heb het je niet verteld omdat ik tijd nodig had om het voor mezelf op een rijtje te krijgen. En wat ons tweeën betreft, wat kan ik daar verder nog van zeggen? Ik voel me niet tot je aangetrokken. En jij niet tot mij! We hebben een keer gevreeën, weet je nog? Toen zei jij dat het een enorme afknapper voor je was.'

Maar dat wilde JB allemaal niet horen. 'Ik snap nog steeds niet waarom jullie het eerst aan Malcolm en Richard hebben verteld,' zei hij stuurs, en daar had Willem geen antwoord op. 'Hoe dan ook,' zei JB na een stilte, 'ik ben echt heel blij voor jullie tweeën. Echt waar.'

Hij zuchtte. 'Dank je, JB. Dat vind ik fijn om te horen.' Ze zwegen allebei weer.

'JB,' zei Jude, die zijn werkkamer uit kwam en verrast leek dat JB er nog was. 'Blijf je eten?'

'Wat eten jullie?'

'Kabeljauw. En aardappeltjes uit de oven zoals jij ze lekker vindt.'

'Oké dan,' zei JB stuurs, en Willem grijnsde over JB's hoofd heen naar Jude.

Hij volgde Jude naar de keuken om een salade te maken, en JB ging onderuitgezakt aan de eettafel zitten en begon door een roman te bladeren die Jude daar had laten liggen. 'Ik heb dit gelezen,' riep hij naar de keuken. 'Wil je weten hoe het afloopt?'

'Nee, JB,' zei Jude. 'Ik ben pas halverwege.'

'De predikant gaat uiteindelijk toch dood.'

'JB!'

Daarna leek JB's humeur op te knappen. Zijn laatste salvo's kwamen er zelfs een beetje lusteloos uit, alsof hij ze meer uit plichtsbesef dan uit overtuiging loste. 'Ik durf te wedden dat jullie over tien jaar echt een stel potten zijn geworden. Ik voorzie katten,' was er één, en een andere was: 'Zoals jullie tweeën in de keuken bezig zijn, heb ik het gevoel dat ik naar een raciaal wat gemengdere versie van dat schilderij van John Currin zit te kijken. Weet je welke ik bedoel? Zoek maar op.'

'Gaan jullie het bekendmaken of houden jullie het stil?' vroeg JB onder het eten.

'Ik ga geen persbericht verspreiden, als je dat bedoelt,' zei Willem. 'Maar ik ga er ook niet geheimzinnig over doen.'

'Volgens mij is dat geen goed idee,' voegde Jude daar direct aan toe. Willem nam niet de moeite erop in te gaan, want deze discussie voerden ze al een maand.

Na het eten zakten hij en JB onderuit op de bank en dronken thee, terwijl Jude de vuile vaat in de afwasmachine zette. JB leek intussen bijna met de situatie verzoend, en Willem herinnerde zich dat een etentje met JB meestal zo verliep, zelfs vroeger in Lispenard Street al: hij begon de avond scherp en wrang en eindigde die zacht en mild.

'Hoe is de seks?' vroeg JB hem.

'Geweldig,' zei hij onmiddellijk.

JB keek sip. 'Verdomme.'

Maar dat was natuurlijk een leugen. Hij had geen idee of de seks geweldig was, want ze deden niet aan seks. De vrijdag daarvoor was Andy langsgekomen en hadden ze hem het nieuws verteld, en Andy was opgestaan en had hen allebei zeer plechtig omhelsd, alsof hij Judes vader was en ze hem hadden laten weten dat ze zich net hadden verloofd. Willem had hem uitgelaten, en toen ze op de lift stonden te wachten vroeg Andy zachtjes: 'Hoe gaat het?'

Hij zweeg even. 'Goed,' zei hij uiteindelijk, en Andy kneep hem in zijn schouder alsof hij alles had gehoord wat hij niet had gezegd. 'Ik weet dat het niet makkelijk is, Willem,' zei hij. 'Maar kennelijk doe je iets goed, want ik heb hem nog nooit zo ontspannen of gelukkig gezien.' Hij keek alsof hij nog iets wilde zeggen, maar wat viel er te zeggen? Hij kon moeilijk zeggen: bel me als je over hem wilt praten, of: laat het me weten als ik je ergens mee kan helpen, en dus vertrok hij en stak zijn hand nog even op naar Willem terwijl de lift uit het zicht zakte.

Die avond, toen JB naar huis was, dacht Willem aan het gesprek dat hij die dag met Andy in het café had gehad, en aan het feit dat hij Andy niet helemaal had geloofd toen die hem had gewaarschuwd hoe moeilijk het zou zijn. Achteraf gezien was hij daar blij om, want als hij hem wel had geloofd, had hij er misschien niet aan durven beginnen.

Hij draaide zich om en keek naar Jude, die lag te slapen. Dit was een van de avonden waarop hij zich had uitgekleed; hij lag op zijn rug, met een van zijn armen gebogen boven zijn hoofd, en Willem liet, zoals wel vaker, zijn vingers langs de binnenkant van zijn arm glijden, die door de littekens in een treurig landschap was veranderd, een door brand verzengd gebied met bergen en dalen. Soms, als hij zeker wist dat Jude heel diep sliep, deed hij de lamp aan zijn kant van het bed aan en bestudeerde zijn lichaam nauwkeuriger, want Jude weigerde zich bij daglicht te laten bekijken. Dan trok hij de dekens naar beneden en liet zijn handpalmen over Judes armen, benen en rug glijden, zodat hij de structuur van de huid voelde veranderen van ruw naar glimmend, en verwonderde zich over alle veranderingen die huid kon ondergaan, alle manieren waarop het lichaam zichzelf genas, zelfs als er pogingen waren ondernomen om het te verwoesten. Hij had eens in een film gespeeld die op het Grote Eiland van Hawaï werd opgenomen, en op hun vrije dag had hij met de andere acteurs een wandeling over de lavavelden gemaakt en hadden ze de rotsachtige bodem met de droge, poreuze structuur als van versteende botten zien overgaan in een glanzend zwart landschap waar de lava tot uitbundige krullen van suikerglazuur was gestold. Judes huid was zo divers, zo wonderbaarlijk en op sommige plaatsen zo afwijkend van alles wat hij ooit had gevoeld of als 'huid' had beschouwd, dat ook die iets van een andere wereld leek, iets futuristisch, een prototype van hoe huid er over tienduizend jaar zou kunnen uitzien.

'Je walgt van me,' had Jude zachtjes gezegd toen hij voor de tweede keer zijn kleren had uitgetrokken, maar Willem had zijn hoofd geschud. En hij had niet gelogen: Jude had altijd zo geheimzinnig gedaan, was zo terughoudend geweest met het laten zien van zijn lichaam dat het een soort anticlimax was toen hij het zag, zo normaal was het eigenlijk, zo veel minder schokkend dan hij zich had voorgesteld. Toch vond hij het moeilijk om naar de littekens te kijken, niet omdat hij ze weerzinwekkend vond, maar omdat ze stuk voor stuk sporen waren van iets wat Jude had doorgemaakt of wat hem was aangedaan. Om die reden vond hij Judes armen het verdrietigst om te zien. 's Nachts, als Jude sliep, bekeek hij ze van alle kanten, telde de sneden en probeerde zich voor te stellen dat hijzelf zich in een toestand bevond waarin hij zichzelf opzettelijk pijn deed, waarin hij actief zou proberen zijn eigen wezen te beschadigen. Soms waren er nieuwe sneden – hij wist het altijd als Jude zichzelf had gesneden, want die nachten sliep hij in een shirt en moest Willem als Jude sliep de mouwen omhoogschuiven en voelen waar verband zat – en dan vroeg hij zich af wanneer hij dat had gedaan en waarom hij dat niet had gemerkt. Toen hij na de zelfmoordpoging bij Jude was gaan wonen, had Harold hem verteld waar Jude zijn zakje met scheermesjes verborg, en net als Harold was ook hij ze gaan weggooien. Maar kort daarna waren ze helemaal verdwenen en hij kon er maar niet achter komen waar Jude ze nu verstopte.

Andere keren was hij niet zozeer nieuwsgierig maar eerder verbijsterd: Jude was zo veel ernstiger beschadigd dan Willem had doorgehad. Hoe is het mogelijk dat ik dat niet wist? vroeg hij zich af. Hoe is het mogelijk dat ik dat niet heb gezien?

En dan was er de kwestie seks. Hij wist dat Andy hem had gewaarschuwd, maar hij vond Judes angst ervoor en afschuw ervan onrustbarend en soms zelfs beangstigend. Op een avond tegen het einde van november, toen ze een half jaar bij elkaar waren, had hij zijn handen in Judes slip laten glijden en toen had Jude een vreemd, verstikt geluid gemaakt, het soort geluid dat een dier maakt als het tussen de kaken van een ander dier terechtkomt, en zich zo abrupt losgerukt dat hij zijn hoofd keihard had gestoten aan zijn nachtkastje. 'Het spijt me,' hadden ze tegen elkaar gezegd. 'Het spijt me.' En dat was de eerste keer geweest dat ook Willem een soort angst had gevoeld. Al die tijd was hij ervan uitgegaan dat Jude geremd was, extreem geremd, maar dat hij uiteindelijk iets van zijn schroom zou overwinnen, dat hij zich voldoende op zijn gemak zou voelen om seks met hem te hebben. Maar op dat moment besefte hij dat wat hij had aangezien voor een afkeer van seks in werkelijkheid een doodsangst was: dat Jude zich misschien nooit op zijn gemak zou gaan voelen, en dat het, áls ze al ooit aan seks zouden toekomen, zou zijn omdat Jude had besloten dat hij wel moest, of omdat hijzelf had besloten dat hij Jude moest dwingen. Geen van die opties sprak hem aan. Anderen hadden zich altijd aan hem gegeven, hij had nooit hoeven wachten, niemand ervan hoeven overtuigen dat hij niet gevaarlijk was, dat hij hun geen kwaad zou doen. Hoe ga ik dit aanpakken? vroeg hij zich af. Hij was niet slim genoeg om dit in z'n eentje op te lossen, maar er was niemand die hij om raad kon vragen. En dan was er het feit dat zijn begeerte elke week sterker en moeilijker te negeren werd, en zijn aandrift groter. Het was lang geleden dat hij zo naar seks met iemand had verlangd, en dat het iemand was van wie hij hield maakte het wachten ondraaglijker en tegelijk absurder.

Die nacht keek hij naar de slapende Jude. Misschien is het een vergissing van me geweest, dacht hij.

'Ik wist niet dat het zo ingewikkeld zou zijn,' zei hij hardop. Naast hem ademde Jude rustig verder, onwetend van Willems verraad.

En toen het ochtend werd, werd hij eraan herinnerd waarom hij had besloten aan deze relatie te beginnen, afgezien van zijn eigen naïviteit en arrogantie. Het was nog vroeg, maar hij was wakker geworden en zag door de halfopen deur dat Jude zich aankleedde. Dat was een nieuwe ontwikkeling, en Willem wist hoe moeilijk het voor hem was. Hij zag hoe Jude zijn best deed, hoe alles wat hij en alle andere mensen vanzelfsprekend vonden – je aankleden waar iemand bij was, je uitkleden waar iemand bij was – door Jude steeds opnieuw geoefend moest worden; hij zag hoe vastbesloten hij was en hoe moedig dat van hem was. En daardoor wist hij weer dat ook hij zijn best moest blijven doen. Ze waren allebei onzeker en deden allebei hun best, ze zouden allebei aan zichzelf twijfelen, vooruitgang boeken en weer terugvallen. Maar ze zouden het allebei blijven proberen, omdat ze elkaar vertrouwden en omdat de ander de enige was die al dat getob en gepieker, al die onzekerheid en kwetsbaarheid ooit waard zou zijn.

De volgende keer dat hij zijn ogen opendeed, zat Jude op de rand van het bed en keek hem met een glimlach aan, en hij werd overspoeld door genegenheid: door zijn schoonheid, hoe dierbaar hij hem was en hoe makkelijk het was om van hem te houden. 'Blijf hier,' zei hij.

'Dat kan niet,' zei Jude.

'Vijf minuutjes dan.'

'Oké, vijf minuutjes.' Jude kroop onder de dekens en Willem sloeg zijn armen om hem heen, voorzichtig om zijn pak niet te kreuken, en sloot zijn ogen. En ook dit vond hij heerlijk: hij vond het heerlijk om te weten dat hij Jude op die momenten gelukkig maakte, dat Jude naar genegenheid verlangde en dat hij degene was die die mocht bieden. Was dat arrogantie? Was het eigenwaan? Was het zelfgenoegzaamheid? Hij dacht van niet, en het kon hem eigenlijk ook niet schelen. Die avond zei hij tegen Jude dat hij vond dat ze Harold en Julia over hun relatie moesten vertellen als ze met Thanksgiving, later die week, naar hen toe gingen. 'Weet je het zeker, Willem?' had Jude met een bezorgd gezicht gevraagd, en hij wist dat Jude eigenlijk vroeg of hij zeker was van de relatie zelf: hij liet de deur altijd op een kier staan voor hem, om hem te laten weten dat hij weg kon. 'Ik wil dat je er goed over nadenkt, vooral bij hen.' Ook zonder dat hij het zei wist Willem wat de consequenties zouden zijn als ze het Harold en Julia vertelden en hij later van gedachten veranderde: ze zouden het hem wel vergeven, maar het zou nooit meer hetzelfde worden. Ze zouden Jude altijd, onveranderlijk, boven hem verkiezen. Dat wist hij en zo hoorde het ook.

'Ik weet het zeker,' had hij gezegd, en dus hadden ze het verteld.

Hij dacht aan dat gesprek toen hij een glas water inschonk voor Kit en de schaal met sandwiches naar de tafel bracht. 'Wat is het?' vroeg Kit met een argwanende blik op de sandwiches.

'Geroosterd boerenbrood met witte cheddar en vijgen,' zei hij. 'En andijviesla met peren en ibericoham.'

Kit zuchtte. 'Je weet toch dat ik probeer geen brood te eten, Willem?' zei hij, maar dat had hij helemaal niet geweten. Kit nam een hap van een sandwich. 'Wél lekker,' zei hij met tegenzin. Hij legde het brood neer. 'Oké, vertel het maar.'

Dat deed hij dus, en hij voegde eraan toe dat hij weliswaar niet van plan was de relatie officieel bekend te maken, maar dat hij ook geen moeite ging doen om die verborgen te houden, en Kit kreunde. 'Shit,' zei hij. 'Shit. Ik dacht al dat dit het zou zijn. Ik weet niet waarom, maar ik dacht het al. Shit, Willem.' Hij boog voorover en liet zijn voorhoofd op tafel rusten. 'Ik moet even bijkomen,' zei Kit tegen de tafel. 'Heb je het Emil al verteld?'

'Ja,' zei hij. Emil was Willems manager. Kit en Emil werkten het best samen als ze een blok vormden tegenover Willem. Als ze het met elkaar eens waren, mochten ze elkaar. Anders niet.

'En wat zei hij?'

'"God, Willem, ik ben zo blij dat je eindelijk iemand hebt gevonden van wie je echt houdt en bij wie je je fijn voelt, en als vriend en je steun en toeverlaat ben ik dolgelukkig voor je."' (Wat Emil in werkelijkheid had gezegd, was: 'Jezus, Willem. Weet je het zéker? Heb je al met Kit gepraat? Wat zei hij?')

Kit tilde zijn hoofd op en wierp hem een dreigende blik toe (veel gevoel voor humor had hij niet). 'Willem, ik bén ook blij voor je,' zei hij. 'Ik geef echt wel om je. Maar heb je eraan gedacht wat dit voor je carrière betekent? Heb je eraan gedacht hoe je voortaan getypecast zult worden? Je hebt geen idee wat het is om in deze branche bekend te staan als gay.'

'Ik beschouw mezelf eigenlijk niet echt als gay,' begon hij, en Kit sloeg zijn ogen ten hemel. 'Doe niet zo naïef, Willem,' zei hij. 'Als je één keer een pik aanraakt ben je gay.'

'Subtiel en elegant uitgedrukt, zoals ik je ken.'

'Hoe dan ook, Willem, je kunt het je niet veroorloven hier luchthartig mee om te springen.'

'Dat doe ik ook niet, Kit. Maar ik ben sowieso geen acteur voor romantische hoofdrollen.'

'Dat zeg je steeds! Maar dat ben je wel, of je het nou leuk vindt of niet. Je doet alsof je carrière vanzelf wel op de juiste koers zal blijven. Ben je vergeten wat er met Carl is gebeurd?' Carl was een van de grootste filmsterren van het voorgaande decennium geweest en werd vertegenwoordigd door een collega van Kit. Toen was hij gedwongen uit de kast gekomen en zijn carrière was op een dood spoor beland. Ironisch genoeg had juist het feit dat Carl van het toneel was verdwenen doordat hij opeens niet meer in trek was ervoor gezorgd dat Willems carrière kon opbloeien: minstens twee rollen die Willem had gekregen zouden vroeger min of meer vanzelfsprekend naar Carl zijn gegaan. 'Nou ja, jij bent veel getalenteerder dan Carl en hebt veel meer verschillende dingen gedaan. En het klimaat is veranderd sinds Carl uit de kast kwam, hier in Amerika tenminste. Maar ik zou je een slechte dienst bewijzen als ik je niet waarschuwde voor een zekere bekoeling, waar je toch wel op moet rekenen. Je bent toch al terughoudend met privé-informatie, dus waarom kun je dit niet stilhouden?'

Hij gaf geen antwoord, pakte alleen nog een sandwich, en Kit keek hem aandachtig aan. 'Hoe denkt Jude erover?'

'Hij denkt dat ik in een revue op een cruiseschip naar Alaska zal eindigen,' gaf hij toe.

Kit grinnikte. 'De waarheid ligt ergens tussen wat Jude denkt en wat jijzelf denkt in, Willem,' zei hij. 'En dat na alles wat we samen hebben opgebouwd,' vervolgde hij somber.

Ook Willem zuchtte. De eerste keer dat Jude en Kit elkaar hadden ontmoet, bijna vijftien jaar geleden, had Jude naderhand met een glimlach tegen Willem gezegd: 'Hij is jouw Andy.' En in de loop van de jaren was hij gaan inzien hoe waar dat was. Niet alleen kenden Kit en Andy elkaar daadwerkelijk, door een griezelig toeval – ze hadden in hun eerste studiejaar bij elkaar in de groep gezeten en in hetzelfde studentenhuis gewoond – maar ze wierpen zich ook beiden graag op als degene die Willem respectievelijk Jude had gemáákt. Ze speelden de rol van beschermer en hoeder, maar probeerden ook bij elke gelegenheid die zich voordeed te bepalen hoe hun leven eruit zou zien.

'Ik had verwacht dat je me wat meer zou steunen, Kit,' zei hij droevig.

'Waarom? Omdat ik gay ben? Voor een agent is dat iets heel anders dan voor een acteur van jouw kaliber, Willem,' zei Kit. Hij maakte een schamper geluid. 'Nou, er is in elk geval íémand die hier blij mee zal zijn. Noel' – de regisseur van *Duets* – 'zal een gat in de lucht springen. Dit levert geweldige publiciteit op voor zijn hobbyprojectje. Ik hoop dat je graag in homofilms speelt, Willem, want met een beetje pech kun je daar de rest van je leven mee doorgaan.'

'Ik beschouw *Duets* eigenlijk niet als een homofilm,' zei hij, en voordat Kit zijn ogen opnieuw ten hemel kon slaan en hem weer de les ging lezen, vervolgde hij: 'En als het zo uitpakt, dan zij het zo.' Hij zei tegen Kit wat hij tegen Jude had gezegd: 'Maak je geen zorgen, ik zal altijd werk hebben.'

('En als je nou geen filmrollen meer krijgt?' had Jude gevraagd.

'Dan ga ik het toneel op. Of ik ga in Europa werken: ik heb altijd meer in Zweden willen doen. Jude, ik verzeker je dat ik altijd werk zal kunnen vinden. Altijd.'

Toen had Jude een tijdje gezwegen. Het was 's avonds laat en ze lagen in bed. 'Willem, ik zou het echt niet erg vinden – helemaal niet – als je het stil wilt houden,' zei hij.

'Maar dat wil ik niet.' En dat wilde hij inderdaad niet. Daar had hij de energie, de georganiseerdheid en de volharding niet voor. Hij kende een paar andere acteurs – ouder en veel meer gericht op commerciële films dan hij – die homo waren en toch met een vrouw waren getrouwd, en hij zag hoe leeg en onecht hun leven was. Zo'n leven wilde hij niet, hij wilde niet het gevoel hebben dat hij nog steeds een rol speelde als de camera's uit waren. Als hij thuis was, wilde hij zich ook echt thuis voelen.

'Ik ben alleen bang dat je het me zult gaan verwijten,' had Jude met zachte stem bekend.

'Ik zal jou nooit iets verwijten,' had hij beloofd.)

Hij luisterde nog een uur naar Kits sombere voorspellingen, maar toen ten slotte duidelijk was dat Willem niet van gedachten zou veranderen, leek Kit dat te doen. 'Willem, het komt wel goed,' zei hij gedecideerd, alsof Willem al die tijd degene was geweest die zich zorgen maakte. 'Als er iemand is die hiermee weg kan komen, ben jij het. We gaan ervoor zorgen dat het goedkomt. Het gaat allemaal lukken.' Kit keek hem met zijn hoofd een beetje schuin aan. 'Gaan jullie trouwen?'

'Jezus, Kit,' zei hij, 'daarnet probeerde je ons nog uit elkaar te krijgen.'

'Nee, dat is niet waar, Willem. Ik probeerde je alleen maar zover te krijgen dat je je mond erover hield, meer niet.' Hij zuchtte weer, maar deze keer berustend. 'Ik hoop dat Jude het offer waardeert dat je voor hem brengt.'

'Het is geen offer,' protesteerde hij, en Kit keek hem plotseling doordringend aan. 'Nu niet,' zei hij, 'maar later misschien wel.'

Die avond kwam Jude vroeg thuis. 'Hoe ging het?' vroeg hij aan Willem, terwijl hij hem oplettend opnam.

'Goed,' zei hij bedaard. 'Het ging goed.'

'Willem...' begon Jude, en hij onderbrak hem.

'Jude, het is gebeurd. Het komt wel goed, dat zweer ik je.'

Kits kantoor slaagde erin het verhaal twee weken stil te houden, en tegen de tijd dat het eerste artikel verscheen zaten Jude en hij in een vliegtuig naar Hongkong op weg naar Charlie Ma, Judes oude huisgenoot uit Hereford Street, om daarvandaan door te reizen naar Vietnam, Cambodja en Laos. Hij probeerde zijn berichten niet te lezen als hij op vakantie was, maar Kit had een telefoontje gekregen van een journalist van *New York Magazine*, dus hij wist dat er een artikel aankwam. Hij was in Hanoi toen het werd gepubliceerd: Kit stuurde het hem zonder commentaar en hij las het snel door terwijl Jude in de badkamer was. 'Ragnarsson is op vakantie en daarom niet bereikbaar voor commentaar, maar zijn agent bevestigt dat de acteur een relatie heeft met Jude St. Francis, een zeer gerespecteerd topadvocaat bij het uiterst succesvolle Rosen Pritchard & Klein, met wie hij bevriend is sinds ze in hun eerste studiejaar kamergenoten waren,' las hij, en 'Ragnarsson is verreweg de meest gerenommeerde acteur die ooit vrijwillig heeft verklaard een homoseksuele relatie te hebben,' gevolgd door een necrologieachtige opsomming van zijn films, citaten van verscheidene agenten en commentatoren die hem prezen om zijn moed en tegelijkertijd voorspelden dat zijn carrière hier vrijwel zeker onder zou lijden, aardige uitspraken van acteurs en regisseurs die hij kende en die zeker wisten dat deze onthulling niets zou veranderen, en tot slot een uitspraak van een niet nader genoemde studiobaas die zei dat zijn kracht nooit in de romantische heldenrollen had gelegen, dus dat hij er waarschijnlijk goed mee wegkwam. Onder het artikel stond een link naar een foto van hem met Jude op de opening van Richards expositie in het Whitney Museum in september.

Toen Jude tevoorschijn kwam, gaf hij hem de telefoon en keek toe terwijl Jude las. 'O, Willem,' zei hij, en later, met een geschrokken gezicht: 'Mijn naam staat erin.' En voor het eerst kwam het bij hem op dat Jude het misschien ook voor zijn eigen privacy stil had willen houden.

'Vind je niet dat je eerst aan Jude moet vragen of ik zijn identiteit kan bevestigen?' had Kit gevraagd toen ze bespraken wat hij namens Willem tegen de journalist zou zeggen.

'Nee, dat is wel goed,' had hij gezegd. 'Hij heeft er vast geen bezwaar tegen.'

Kit had even gezwegen. 'Misschien heeft hij dat wel, Willem.'

Maar hij was er echt van overtuigd geweest dat het in orde was. Nu vroeg hij zich af of dat niet arrogant van hem was: dus omdat hij het oké vond, dacht hij dat Jude dat ook wel zou vinden?

'Willem, het spijt me,' zei Jude, en hoewel hij wist dat hij Jude gerust moest stellen omdat die zich waarschijnlijk schuldig voelde, terwijl híj juist degene was die zich zou moeten verontschuldigen, was hij er niet voor in de stemming, niet op dat moment.

'Ik ga een eindje hardlopen,' kondigde hij aan, en zonder naar hem te kijken voelde hij dat Jude knikte.

Het was zo vroeg dat het nog stil en koel in de stad was, en onder de vuilwitte hemel gleden maar een paar auto's door de straten. Het hotel lag vlak bij het oude Franse operagebouw, waar hij een rondje omheen maakte, en daarna rende hij terug langs het hotel en verder naar de wijk uit de koloniale tijd, langs straatverkopers die gehurkt zaten bij hun grote, platte manden van gevlochten bamboe vol felgroene limoentjes of bij stapels vers geoogste kruiden die naar citroen, rozen en peperkorrels roken. Toen de straten steeds smaller werden, vertraagde hij zijn pas tot wandeltempo en sloeg een steegje in waar het ene stalletje zich aan het andere reeg, allemaal geïmproviseerde restaurantjes waar een vrouw achter een kookketel met pruttelende soep of olie stond, terwijl haar klanten eromheen op vier of vijf plastic krukken snel zaten te eten voordat ze zich weer de steeg uit haastten, op hun fiets stapten en wegreden. Aan het eind van de steeg bleef hij staan om een man voor te laten die langs hem fietste met een mand achterop, vol stokbroden die als lansen omhoogstaken en de warme geur van gestoomde melk verspreidden, en daarna sloeg hij een ander straatje in, waar het wemelde van de straatverkopers, gehurkt bij bosjes kruiden, zwarte bergen mangoestans en metalen bladen met zilverroze vissen, zo vers dat hij ze nog vergeefs naar adem hoorde happen en zag dat hun ogen wanhopig naar achteren rolden in hun kassen. Boven hem hingen strengen van lantaarnachtige kooitjes, en in elk ervan zat een met veel vibrato zingend vogeltje. Hij had wat geld bij zich en kocht een bosje kruiden voor Jude; het zag eruit als rozemarijn maar rook lekker naar zeep, en al wist hij zelf niet wat het was, hij dacht dat Jude het misschien wel zou weten.

Hij was zo naïef, dacht hij terwijl hij kalm terugrende naar het hotel: over zijn carrière, over Jude. Waarom dacht hij altijd dat hij wist wat hij deed? Waarom dacht hij dat hij kon doen wat hij wilde en dat alles dan precies zo zou uitpakken als hij zich had voorgesteld? Was het een gebrek aan fantasie, arrogantie of (zoals hij vermoedde) gewoon domheid? Hij werd steeds gewaarschuwd door mensen die hij vertrouwde en respecteerde – Kit, over zijn carrière; Andy, over Jude; Jude, over zichzelf – en toch negeerde hij hen telkens weer. Voor het eerst vroeg hij zich af of Kit gelijk had, of Jude gelijk had, of hij nooit meer werk zou krijgen, of in elk geval niet het soort werk waar hij van hield. Zou hij dat Jude gaan verwijten? Hij dacht van niet... hij hoopte van niet. Maar hij had nooit geloofd dat hij met die mogelijkheid rekening moest houden, niet echt.

En hij had een nog grotere angst, een waar hij maar zelden aan durfde te denken: stel je voor dat de dingen die hij Jude liet doen helemaal niet goed voor hem waren? De vorige dag hadden ze voor het eerst samen gedoucht, en Jude was naderhand zo stil geweest, zo opgesloten in zichzelf en onbereikbaar, zijn blik zo vlak en leeg, dat Willem er even bang van was geworden. Jude had het niet gewild, maar Willem had hem overgehaald, waarna Jude verstard en grimmig onder de douche had gestaan, en Willem had aan de stand van zijn mond gezien dat hij het onderging en wachtte tot het voorbij was. Maar hij had hem niet laten gaan, hij had hem gedwongen te blijven. Hij had zich (onbedoeld, maar wat maakte dat uit) gedragen als Caleb, hij had Jude gedwongen iets te doen wat hij niet wilde, en Jude had het gedaan omdat hij had gezegd dat het moest. 'Het is goed voor je,' had hij gezegd, en al had hij het zelf geloofd, nu werd hij bijna misselijk als hij er weer aan dacht. Niemand had hem ooit zo blind vertrouwd als Jude. Maar hij had geen idee wat hij deed.

'Maar Willem is geen psycholoog,' had Andy gezegd. 'Hij is acteur.' En hoewel Jude en hij daar destijds allebei om hadden gelachen, wist hij nu niet zeker meer of het wel zo'n rare opmerking was geweest. Wie was hij om te denken dat hij zich met Judes geestelijke gezondheid kon bemoeien? 'Je moet niet zo veel vertrouwen in me hebben,' wilde hij wel tegen Jude zeggen. Maar hoe kon hij dat doen? Was dit niet precies wat hij van Jude had gewild, van deze relatie? Zo onmisbaar te zijn voor een ander dat die ander zich geen voorstelling meer kon maken van een leven zonder hem? En nu hád hij dat en kreeg hij het benauwd van de eisen die er aan iemand in die positie werden gesteld. Hij had verantwoordelijkheid gewild zonder in te zien hoeveel schade hij kon veroorzaken. Kon hij dit wel? Hij dacht aan Judes enorme angst voor seks en wist dat er achter die angst een andere schuilging, waar hij altijd vermoedens over had gehad maar nooit naar had gevraagd. Wat moest hij doen? Hij wou dat er iemand was die hem ondubbelzinnig kon vertellen of hij het goed deed of niet, hij wou dat hij iemand had die hem door deze relatie kon loodsen zoals Kit hem door zijn carrière loodste, die hem vertelde wanneer hij een risico kon nemen en wanneer hij beter voorzichtig kon zijn, wanneer hij Willem de Heldhaftige moest spelen en wanneer Ragnarsson de Verschrikkelijke.

O, waar ben ik mee bezig? scandeerde hij in gedachten op het ritme waarmee zijn voeten tegen het wegdek sloegen, terwijl hij langs mannen, vrouwen en kinderen rende die zich voorbereidden op de dag, langs huizen zo smal als gangkasten, langs winkeltjes die onbuigzame, baksteenvormige kussens van gevlochten stro verkochten, langs een jongetje dat een hooghartig kijkende hagedis in zijn armen hield: waar ben ik mee bezig, o waar ben ik mee bezig?

Toen hij een uur later terug was bij het hotel, was de hemel geleidelijk verkleurd van wit naar een schitterend zacht mintblauw. Het reisbureau had een suite met twee aparte bedden voor hen geboekt, zoals altijd (hij had er niet aan gedacht om zijn assistent dat te laten veranderen), en Jude lag aangekleed te lezen op het bed waar ze de afgelopen nacht samen in hadden geslapen en stond op om Willem te omhelzen toen hij binnenkwam.

'Ik ben helemaal bezweet,' mompelde hij, maar Jude liet hem niet los.

'Dat geeft niet,' zei Jude. Hij deed een stap achteruit en keek hem aan, terwijl hij zijn armen vasthield. 'Het komt allemaal goed, Willem,' zei hij, op dezelfde resolute, stellige toon waarop Willem hem soms aan de telefoon tegen cliënten hoorde praten. 'Dat weet ik zeker. Ik zal altijd voor je zorgen, dat weet je toch?'

Hij glimlachte. 'Ja, dat weet ik,' zei hij, en wat hem opmonterde was niet zozeer die geruststelling zelf, maar dat Jude zo zelfverzekerd leek, zo competent, zo overtuigd dat hij ook iets te bieden had. Dat wees Willem er weer op dat hun relatie geen reddingsoperatie was maar een uitbreiding van hun vriendschap, waarin hij Jude weleens had gered, maar Jude hem net zo vaak. Tegenover elke keer dat hij Jude had kunnen helpen als hij pijn had of hem had verdedigd tegenover mensen die te veel vragen stelden, stond wel een keer dat Jude er was geweest om te luisteren naar zijn getob over zijn werk, of om hem op te beuren als hij een bepaalde rol niet had gekregen, of om het maandbedrag van zijn studieschuld te betalen (drie keer achterelkaar, vernederend genoeg) toen er een klus niet was doorgegaan en hij er zelf geen geld voor had. En toch had hij zich de afgelopen zeven maanden in zijn hoofd gehaald dat hij Jude beter ging maken, hem ging helen, terwijl Jude helemaal niet geheeld hoefde te worden. Jude had hem altijd genomen zoals hij was, en datzelfde moest hij op zijn beurt ook proberen voor Jude te doen.

'Ik heb ontbijt op de kamer besteld,' zei Jude. 'Ik dacht dat je misschien wat privacy wilde. Wil je eerst douchen?'

'Bedankt,' zei hij, 'maar ik wacht even tot nadat we gegeten hebben.' Hij ademde diep in. Hij voelde zijn onrust wegtrekken en merkte dat hij tot zichzelf kwam. 'Maar wil je samen met me zingen?' De afgelopen twee maanden hadden ze elke ochtend samen gezongen als voorbereiding op *Duets*. In de film organiseerden de man die hij speelde en zijn vrouw een opvoering van het Kerstverhaal, en zowel hij als de actrice die zijn vrouw speelde zou zelf zingen. De regisseur had hem een lijst met liederen gestuurd om aan te werken, en Jude had samen met hem geoefend: Jude zong de melodie en hij de tweede stem.

'Natuurlijk,' zei Jude. 'De vaste prik maar weer?' De afgelopen week hadden ze gewerkt aan 'Adeste fideles', dat hij a capella moest zingen, en de hele week had hij op precies hetzelfde punt de toon te hoog getroffen, bij '*Venite adoremus*', meteen in het eerste couplet. Elke keer vertrok hij zijn gezicht als hij de fout zelf hoorde, en Jude schudde zijn hoofd en zong door, zodat hij hem tot het eind kon volgen. 'Je denkt er te veel bij na,' zei Jude dan. 'Als je te hoog zingt, komt dat doordat je je te veel concentreert op de juiste toonhoogte. Gewoon niet bij nadenken, Willem, dan lukt het.'

Maar die ochtend wist hij zeker dat hij het goed zou doen. Hij gaf Jude het bosje kruiden, dat hij al die tijd in zijn hand had gehouden, en Jude bedankte hem en wreef de paarse bloemetjes tussen zijn vingers om de geur los te maken. 'Volgens mij is het een soort shiso,' zei hij, en hij liet Willem aan zijn vingers ruiken.

'Lekker,' zei hij, en ze lachten naar elkaar.

En toen zette Jude in, en hij volgde, en het lukte hem om niet in zijn oude fout te vervallen. En aan het eind van het lied, vlak na de laatste noot, ging Jude meteen verder met het volgende lied op de lijst, 'For Unto Us a Child Is Born', en daarna 'Good King Wenceslas', en Willem bleef hem volgen. Zijn stem was wat zwakker dan die van Jude, maar nu kon hij horen dat die toch goed genoeg was, misschien zelfs beter dan goed genoeg: hij klonk beter samen met die van Jude, en Willem deed zijn ogen dicht en stond zichzelf toe ervan te genieten.

Ze waren nog aan het zingen toen er iemand aanbelde om hun ontbijt te brengen, maar Jude legde zijn hand op Willems pols en ze zongen verder, Jude zittend en hij staand, tot het lied helemaal uit was, en pas daarna ging hij de deur opendoen. Om hem heen geurde de kamer naar het onbekende kruid dat hij had gekocht, groen en fris en op de een of andere manier bekend, als iets waarvan hij niet had geweten dat hij ervan hield totdat het plotseling en onverwachts in zijn leven was verschenen.

2

De eerste keer dat Willem hem alleen liet – ruim anderhalf jaar geleden, niet afgelopen januari maar de januari daarvoor – ging alles mis. Binnen twee weken nadat Willem naar Texas was vertrokken voor de opnames van *Duets* had hij drie keer een aanval met zijn rug gehad (waaronder één op kantoor, en een andere, deze keer thuis, die twee volle uren had geduurd). De pijn in zijn voeten kwam terug. In zijn rechterkuit ging een wond open waarvan hij geen idee had hoe hij eraan kwam. En tegelijk was alles prima. 'Je bent er allemaal zo verdomde vrólijk onder,' had Andy gezegd toen hij noodgedwongen voor de tweede keer in een week een afspraak met hem maakte. 'Daar moet meer achter zitten.'

'Ach,' had hij gezegd, al kon hij nauwelijks praten van de pijn. 'Kan gebeuren, toch?' Maar toen hij die avond in bed lag, bedankte hij zijn lichaam dat het zich zo netjes had gedragen, dat het zich zo lang in bedwang had gehouden. In de maanden die hij in stilte beschouwde als de wittebroodsweken van hem en Willem had hij zijn rolstoel niet één keer gebruikt. Hij had nauwelijks aanvallen gehad, alleen soms een heel korte, en nooit in gezelschap van Willem. Hij wist dat het onzin was, want Willem wist wat hem mankeerde en had hem op zijn slechtst gezien, maar hij was blij dat hem in de tijd dat zij tweeën op een andere manier naar elkaar begonnen te kijken een periode was gegund waarin hij zichzelf kon herdefiniëren, een periode waarin hij zich kon gedragen als een gezond mens. Dus toen hij was teruggekeerd tot zijn normale toestand, vertelde hij Willem niet wat er allemaal was gebeurd – zelf vond hij het zo'n saai onderwerp dat hij zich niet kon voorstellen dat het iemand anders zou interesseren – en tegen de tijd dat Willem thuiskwam, in maart, was hij min of meer hersteld: hij liep weer en de wond was grotendeels onder controle.

Na die eerste keer is Willem nog viermaal voor langere tijd weg geweest – tweemaal voor filmopnames en tweemaal voor een publiciteitstournee – en elke keer heeft zijn lijf het op de een of andere manier begeven, soms zelfs al op de dag van Willems vertrek. Maar hij waardeert het gevoel voor timing en de wellevendheid van zijn lichaam: het is alsof het, al eerder dan zijn geest, voor hem had besloten dat hij deze relatie een kans moest geven en er een bijdrage aan heeft geleverd door zo veel mogelijk hindernissen en belemmeringen uit de weg te ruimen.

Nu is het half september, en binnenkort gaat Willem weer weg. Volgens hun vaste ritueel – al sinds ze zijn begonnen met het Laatste Avondmaal, een mensenleven geleden – eten ze de laatste zaterdag voor Willems vertrek bij een exorbitant duur restaurant en brengen ze de rest van de avond pratend door. Zondagochtend slapen ze uit en zondagmiddag bespreken ze allerlei praktische zaken: dingen die moeten gebeuren terwijl Willem weg is, lopende kwesties die moeten worden opgelost en beslissingen die moeten worden genomen. Sinds hun relatie is veranderd van wat het was in wat het nu is, zijn hun gesprekken zowel vertrouwelijker als alledaagser geworden, en dat laatste weekend is daar altijd een volmaakte, gecomprimeerde afspiegeling van: de zaterdag is voor angsten, geheimen, confessies en herinneringen, de zondag voor de logistiek, het dagelijkse georganiseer waardoor hun leven samen niet helemaal tot stilstand komt.

Hij houdt van beide soorten gesprekken met Willem, maar hij waardeert de alledaagse meer dan hij had verwacht. Hij heeft zich altijd met Willem verbonden gevoeld door grote zaken – liefde, vertrouwen – en hij vindt het fijn om nu ook door kleine dingetjes met hem verbonden te zijn: rekeningen, belastingen en tandartsafspraken. Het doet hem altijd denken aan een bezoek dat hij jaren geleden aan Harold en Julia bracht, toen hij door een zware verkoudheid werd geveld en uiteindelijk het grootste deel van het weekend onder een deken op de bank in de woonkamer lag te doezelen. Die zaterdagavond keken ze met z'n drieën naar een film, en op een gegeven moment begonnen Harold en Julia over de verbouwing van de keuken in hun huis in Truro te praten. Half dommelend luisterde hij naar hun zachte gesprek, dat zo saai was dat hij de details niet kon volgen, maar hem ook een heel vredig gevoel gaf: het leek hem de ultieme vorm van een volwassen relatie om iemand te hebben met wie je alle kleine radertjes van een gedeeld bestaan kon bespreken.

'Ik heb dus een bericht ingesproken bij de bomenman dat jij hem deze week belt, oké?' vraagt Willem. Ze zijn in de slaapkamer bezig de laatste dingen voor Willem in te pakken.

'Oké,' zegt hij. 'Ik heb genoteerd dat ik hem morgen moet bellen.'

'En ik heb tegen Mal gezegd dat je volgend weekend met hem naar het huis gaat, wist je dat?'

'Ja, het staat in mijn agenda.'

Willem staat onder het praten stapels kleren in zijn tas te stoppen, maar nu houdt hij daarmee op en kijkt hem aan. 'Ik voel me schuldig,' zegt hij. 'Ik laat zo veel aan jou over.'

'Dat hoeft niet. Het is geen probleem, echt niet.' Het meeste regelwerk in hun leven wordt door Willems assistent en zijn secretaresses gedaan, maar alles rond het buitenhuis handelen ze zelf af. Ze hebben het er nooit over gehad hoe dat zo is gegroeid, maar hij heeft het gevoel dat ze het allebei belangrijk vinden om hun bijdrage te leveren aan het ontstaan van het huis dat ze samen bouwen, het eerste huis sinds Lispenard Street dat werkelijk van hen samen is.

Willem zucht. 'Maar je hebt het zo druk.'

'Maak je geen zorgen,' zegt hij. 'Heus, Willem, ik kan het makkelijk aan.' Maar Willem blijft bezorgd kijken.

Die nacht kunnen ze niet slapen. Al zolang als hij Willem kent, heeft hij altijd hetzelfde gevoel gehad op de dag voordat hij weggaat: terwijl Willem met hem praat, voorvoelt hij al hoe hij hem zal missen als hij er niet meer is. Nu ze echt, fysiek samenleven, is dat gevoel vreemd genoeg sterker geworden; hij is nu zo gewend aan Willems nabijheid dat zijn afwezigheid intenser lijkt, ingrijpender. 'Je weet waar we het nog meer over moeten hebben,' zegt Willem, en als hij geen antwoord geeft, laat Willem zijn hand langs zijn mouw glijden en pakt losjes zijn linkerpols. 'Beloof het me.'

'Ik zweer het,' zegt hij. 'Echt waar.' Willem laat zijn arm los en draait zich op zijn rug, en ze zwijgen.

'We zijn allebei moe,' zegt Willem geeuwend, en dat is waar: in minder dan twee jaar is Willem van de categorie hetero in de categorie homo terechtgekomen, is hij hoofd geworden van de afdeling Procesvoering nadat Lucien zich had teruggetrokken uit de firma, en nu laten ze een buitenhuis bouwen op een uur en twintig minuten rijden ten noorden van de stad. Als ze in de weekends samen thuis zijn – en als Willem er is probeert hij er ook te zijn, door doordeweeks extra vroeg naar kantoor te gaan, zodat hij op zaterdag minder lang hoeft te blijven – liggen ze soms aan het begin van de avond gewoon samen op de bank in de woonkamer, zonder iets te zeggen, terwijl om hen heen het licht zich terugtrekt uit de kamer. Soms gaan ze uit, maar veel minder vaak dan vroeger.

'De verpotting is veel sneller gegaan dan ik had verwacht,' merkte JB op een avond op, toen hij met zijn nieuwe vriend Fredrik bij hen at, samen met Malcolm en Sophie, Richard en India, en Andy en Jane.

'Laat ze toch, JB,' zei Richard goedmoedig, terwijl alle anderen lachten, maar hij dacht niet dat Willem ermee zat en zelf zat hij er al helemaal niet mee. Wat zou het, tenslotte? Hij gaf alleen om Willem, verder vond hij alles best.

Hij wacht even af of Willem nog meer gaat zeggen. Zou hij seks willen? Het lukt hem meestal niet om te bepalen wanneer Willem dat wil en wanneer niet, wanneer een omhelzing gaat uitlopen op iets wat indringender en ongewenster is, maar hij is er altijd op voorbereid. Hoewel hij het niet graag toegeeft, het niet graag denkt en het nooit hardop zou zeggen, is het een van de weinige dingen waar hij zich op verheugt als Willem weggaat: in de weken of maanden dat hij er niet is, is er ook geen seks en kan hij eindelijk ontspannen.

Ze doen nu sinds achttien maanden aan seks (hij weet dat hij moet ophouden de maanden te tellen, alsof zijn seksleven een gevangenisstraf is en hij naar het einde daarvan toewerkt), en vóór die tijd heeft Willem er bijna tien op hem gewacht. In die maanden was hij ervan doordrongen dat er ergens een klok aftelde en dat hij weliswaar niet wist hoeveel tijd hij nog had, maar wel dat Willem, hoe geduldig hij ook was, niet eeuwig geduldig zou blijven. Maanden eerder, toen hij Willem tegen JB hoorde liegen dat hun seksleven geweldig was, had hij zich plechtig voorgenomen Willem die avond te vertellen dat hij eraan toe was. Maar hij had het niet gedurfd en het moment was verstreken. Iets meer dan een maand later, toen ze op vakantie waren in Zuidoost-Azië, had hij zich opnieuw voorgenomen het te proberen en alweer had hij niets gedaan.

En toen was het januari en was Willem naar Texas vertrokken voor de opnames van *Duets*, en in de weken dat hij alleen was probeerde hij zich erop voor te bereiden, en de eerste avond dat Willem weer thuis was – hij was nog stomverbaasd dat Willem daadwerkelijk bij hem terug was gekomen, stomverbaasd en opgetogen, zo gelukkig dat hij wel uit het raam had willen gaan hangen om het uit te schreeuwen, al was het maar omdat hij het zo onwaarschijnlijk vond – vertelde hij Willem dat hij eraan toe was.

Willem keek hem aan. 'Weet je het zeker?' vroeg hij.

Nee, natuurlijk niet. Maar hij wist wel dat hij het uiteindelijk toch zou moeten doen als hij met Willem wilde samenleven. 'Ja,' zei hij.

'Wil je het ook echt?' vroeg Willem daarna, en hij keek hem nog steeds aan.

Wat was dit? vroeg hij zich af. Was het een test? Of een oprechte vraag? Hij kon maar beter het zekere voor het onzekere nemen. Dus zei hij weer ja. 'Natuurlijk wil ik het,' vervolgde hij, en hij zag aan Willems glimlach dat hij het juiste antwoord had gekozen.

Maar eerst moest hij Willem vertellen over zijn aandoeningen. 'Als je in de toekomst met iemand naar bed gaat, moet je het altijd van tevoren vertellen,' had een van de artsen in Philadelphia jaren geleden tegen hem gezegd. 'Je wilt het niet op je geweten hebben dat je iemand anders ermee besmet.' De arts had streng geklonken, en hij herinnerde zich nog steeds zijn schaamte en de angst dat hij zijn vuiligheid aan iemand anders zou doorgeven. Daarom had hij een toespraakje voor zichzelf opgeschreven en uit zijn hoofd geleerd, maar het was veel moeilijker gebleken dan hij had gedacht om het verhaal daadwerkelijk af te steken, en hij praatte zo zacht dat hij alles moest herhalen, wat om de een of andere reden nog erger was. Hij had dit praatje nog maar één keer eerder gehouden, tegen Caleb, die had gezwegen en daarna met zijn lage stem had gezegd: 'Jude St. Francis. Dus toch een slet.' En hij had zichzelf gedwongen instemmend te glimlachen. 'In mijn studententijd,' had hij weten uit te brengen, en Caleb had hem een flauw lachje toegeworpen.

Ook Willem nam hem zwijgend op, en toen vroeg hij: 'Wanneer heb je die opgelopen, Jude?' en daarna: 'Wat rot voor je.'

Ze lagen naast elkaar, Willem op zijn zij met zijn gezicht naar hem toe, hij op zijn rug. 'Ik heb in Washington een slecht jaar gehad,' zei hij uiteindelijk, hoewel dat natuurlijk niet waar was. Maar als hij de waarheid vertelde, zou dat betekenen dat ze er een langer gesprek over moesten voeren en aan dat gesprek was hij niet toe, nog niet.

'Wat erg voor je, Jude,' zei Willem, en hij had zijn hand gepakt. 'Wil je erover praten?'

'Nee,' zei hij koppig. 'Ik vind dat we het moeten doen. Nu.' Hij had zich er al op voorbereid. Een dag langer wachten zou er niets aan veranderen, dan zou hij alleen maar de moed verliezen.

En dus deden ze het. Ergens had hij gehoopt en zelfs verwacht dat het met Willem anders zou zijn, dat hij er eindelijk van zou kunnen genieten. Maar toen ze eenmaal waren begonnen, voelde hij alle akelige gewaarwordingen van vroeger terugkomen. Hij probeerde eraan te blijven denken dat het deze keer toch beslist beter was: dat Willem tederder was dan Caleb, dat hij niet ongeduldig werd, dat het tenslotte Willem was, iemand van wie hij hield. Maar toen het voorbij was had hij last van dezelfde schaamte, dezelfde misselijkheid en hetzelfde verlangen om zichzelf pijn te doen, om zijn ingewanden uit zijn lijf te rukken en met een bloedige kwak tegen de muur te slingeren.

'Was het oké?' vroeg Willem zacht, en hij draaide zich om en keek naar Willems gezicht, waar hij zo van hield.

'Ja,' zei hij. Misschien zou het de volgende keer beter gaan, dacht hij. En toen het de volgende keer hetzelfde was, dacht hij dat het de keer daarna misschien beter zou gaan. Elke keer hoopte hij dat er iets zou veranderen. Elke keer zei hij tegen zichzelf dat dat zou gebeuren. Toen hij besefte dat zelfs Willem hem niet kon redden, dat hij een hopeloos geval was, dat deze ervaring voor hem voorgoed bedorven was, was dat een van de verdrietigste momenten van zijn leven.

Uiteindelijk bedacht hij een paar regels voor zichzelf. Ten eerste zou hij Willem nooit afwijzen. Als Willem dit wilde, dan zou hij het hem geven en hem nooit weigeren. Willem had zo veel opgeofferd voor hun relatie en had hem zo veel gemoedsrust gebracht dat hij vastbesloten was hem daarvoor te bedanken hoe hij maar kon. Ten tweede zou hij proberen om, zoals broeder Luke hem eens had gevraagd, een beetje energieker te zijn, een beetje meer pit te tonen. Tegen het einde van zijn relatie met Caleb was hij gaan terugvallen in wat hij zijn hele leven had gedaan: Caleb draaide hem op zijn buik en trok zijn broek naar beneden, en dan lag hij daar te wachten. Nu, met Willem, probeerde hij te denken aan de bevelen van broeder Luke, die hij altijd had opgevolgd – *Draai je om; maak geluiden; zeg dat je het lekker vindt* – en die toe te passen wanneer de gelegenheid zich voordeed, zodat het leek alsof hij actief deelnam. Hij hoopte dat zijn vaardigheid op de een of andere manier zijn gebrek aan enthousiasme zou maskeren, en terwijl Willem sliep dwong hij zichzelf te denken aan de lessen die broeder Luke hem had geleerd en die hij zijn hele volwassen leven had geprobeerd te vergeten. Hij wist dat Willem verrast was door zijn bedrevenheid: hij, die altijd had gezwegen als de anderen opschepten over wat ze in bed hadden gepresteerd of hoopten te presteren, hij, die alle gesprekken van zijn vrienden over dat onderwerp kon tolereren en dat ook deed, maar er zelf nooit aan had deelgenomen.

De derde regel was dat hij zelf het initiatief tot seks zou nemen, één keer op elke drie keer dat Willem dat deed, zodat de verhoudingen niet zo scheef leken te liggen. En de vierde dat hij alles zou doen wat Willem van hem wilde. Het is Willem, zou hij steeds weer voor zichzelf herhalen. Het is iemand die je nooit opzettelijk zou kwetsen. Wat hij je ook vraagt, het is per definitie een redelijk verzoek.

Maar dan zag hij het gezicht van broeder Luke voor zich. Hem vertrouwde je ook, zei een zeurderig stemmetje in zijn hoofd. Van hem dacht je ook dat hij het beste met je voorhad.

Hoe durf je, ruziede hij met het stemmetje. Hoe durf je Willem te vergelijken met broeder Luke.

Wat is dan het verschil? beet het stemmetje hem toe. Ze willen allebei hetzelfde van je. Uiteindelijk beteken je voor hen allebei hetzelfde.

Na verloop van tijd nam zijn angst voor het gebeuren af, maar zijn weerzin niet. Hij had altijd geweten dat Willem van seks kon genieten, maar het was een onaangename verrassing dat hij er met hém zo van genoot. Hij wist hoe onredelijk het was, maar merkte dat zijn respect voor Willem daardoor minder werd, terwijl hij zichzelf daar tegelijk om haatte.

Hij probeerde zich te richten op wat er aan de seks was verbeterd in vergelijking met zijn ervaring met Caleb. Hoewel het nog steeds pijn deed, was het minder pijnlijk dan het ooit met anderen was geweest, dus dat was een positief punt. Het was nog steeds onaangenaam, maar ook dat was minder. En het was nog steeds beschamend, maar bij Willem kon hij zich troosten met de gedachte dat hij degene om wie hij het meest gaf in elk geval enig genot schonk, en die gedachte sleepte hem er elke keer doorheen.

Hij vertelde Willem dat hij geen erecties meer kon krijgen door de aanrijding, maar dat was niet waar. Andy had hem (jaren geleden) verteld dat er geen lichamelijke oorzaak was. Maar hij kreeg ze in elk geval niet en had ze ook in geen jaren meer gehad; eigenlijk voor het laatst in zijn studententijd, en zelfs toen waren ze zeldzaam geweest en had hij er geen controle over gehad. Willem vroeg of er niets aan te doen was – een injectie of een pil – maar hij zei dat hij allergisch was voor een van de ingrediënten in die injecties en pillen, en dat hij het verder geen punt vond.

Caleb had niet veel problemen gehad met zijn onvermogen op dit gebied, maar Willem wel. 'Is er dan niets wat we kunnen doen om je te helpen?' vroeg hij steeds weer. 'Heb je al eens met Andy gepraat? Helpt het als we het op een andere manier proberen?' totdat hij Willem ten slotte toebeet dat hij erover moest ophouden, omdat hij het gevoel kreeg dat hij een of andere freak was.

'Het spijt me, Jude, dat was niet de bedoeling,' zei Willem na een korte stilte. 'Ik wil gewoon graag dat jij er ook van geniet.'

'Dat doe ik ook,' zei hij. Hij had er een hekel aan zo veel tegen Willem te liegen, maar wat moest hij anders? Het alternatief was dat hij hem kwijtraakte, dat hij voorgoed alleen zou zijn.

Soms, vaak zelfs, vervloekte hij zichzelf en zijn beperkingen, maar op andere momenten was hij milder: hij zag in dat zijn geest zijn lichaam had beschermd door zijn libido te onderdrukken, door elk onderdeel van hem dat hem zo veel pijn had bezorgd te doen verstenen. Maar meestal wist hij dat hij het verkeerd deed. Hij wist dat het verkeerd was Willem iets te verwijten. Hij wist dat het verkeerd was ongeduldig te zijn over Willems neiging tot voorspel, die lange, ongemakkelijke aanloopperiode voorafgaand aan elke interactie, de kleine fysieke uitingen van intimiteit waarvan hij wist dat ze voor Willem een manier waren om te experimenteren met zijn eigen vermogen om opgewonden te raken. Maar in zijn ervaring was seks iets om zo snel mogelijk af te handelen, zo efficiënt en bruusk dat het aan het beestachtige grensde, en als hij het gevoel had dat Willem probeerde hun samenzijn te verlengen, nam hij de leiding over met een gedecideerdheid waarvan hij dan naderhand besefte dat Willem die waarschijnlijk voor passie aanzag. En dan ging die triomfantelijke opmerking van broeder Luke weer door zijn hoofd – ik hoorde je genieten – en kromp hij ineen. Dat deed ik niet, had hij altijd willen zeggen, en dat wilde hij nog steeds zeggen: dat doe ik niet. Maar hij durfde niet. Ze hadden een relatie. Mensen die een relatie hadden, deden aan seks. Als hij Willem wilde houden, moest hij zijn kant van de impliciete afspraak nakomen, en dat hij een afkeer had van die plicht veranderde daar niets aan.

Maar hij gaf het niet op. Hij nam zich plechtig voor om aan zichzelf te werken, zo niet voor zichzelf, dan toch voor Willem. Met een warm, tintelend gezicht bestelde hij heimelijk drie zelfhulpboeken over seks, die hij las terwijl Willem op een van zijn publiciteitstournees was, en toen Willem terugkwam probeerde hij toe te passen wat hij had geleerd, maar het hielp niets. Hij kocht vrouwentijdschriften met artikelen over hoe je beter kon worden in bed en las ze aandachtig. Hij bestelde zelfs een boek over omgaan met seks voor slachtoffers van seksueel misbruik – een benaming waar hij een hekel aan had en die hij voor zichzelf nooit zou gebruiken – en dat las hij op een avond stiekem, nadat hij de deur van zijn werkkamer op slot had gedaan zodat Willem hem niet kon betrappen. Maar na ongeveer een jaar besloot hij zijn ambities bij te stellen: hijzelf zou seks misschien nooit fijn gaan vinden, maar dat betekende niet dat hij het voor Willem niet fijner kon maken, zowel uit dankbaarheid als om een egoïstischer reden: om hem aan zich te binden. Daarom vocht hij tegen zijn schaamte en concentreerde zich op Willem.

Nu hij weer aan seks deed, besefte hij hoe hij er al die jaren door omringd was geweest en hoe volledig hij de gedachte eraan uit zijn wakkere leven had verbannen. Tientallen jaren lang had hij gesprekken over seks ontweken, maar nu volgde hij ze waar hij maar kon: hij luisterde stiekem mee naar collega's, vrouwen in restaurants en mannen die hem op straat passeerden, die allemaal praatten over seks, over wanneer ze het deden en dat ze het vaker wilden doen (want niemand leek het minder vaak te willen doen). Het was alsof hij weer terug was op de universiteit, toen zijn medestudenten zonder het te weten zijn docenten waren: hij had zijn oren altijd open voor informatie, voor lessen over hoe hij zich moest gedragen. Hij keek naar talkshows op tv, die vaak bleken te gaan over stellen die na verloop van tijd niet meer met elkaar naar bed gingen; de gasten waren getrouwde paren die het maanden- of soms jarenlang niet meer hadden gedaan. Hij keek er aandachtig naar, maar kreeg nooit de informatie die hij wilde: hoelang had het geduurd tot de seks ophield? Hoeveel langer moest hij nog wachten tot dit ook met hem en Willem gebeurde? Hij keek naar de stellen: waren ze gelukkig? Kennelijk niet, want ze zaten in een talkshow tegen vreemden over hun seksleven te praten en vroegen om hulp. Maar ze maakten de indruk toch best gelukkig te zijn, op hun eigen manier, die man en vrouw die het in geen drie jaar met elkaar hadden gedaan en toch, zo te zien aan hoe de man zijn hand op de arm van zijn vrouw legde, nog steeds genegenheid voor elkaar koesterden en bij elkaar bleven om redenen die belangrijker waren dan seks. Als hij in het vliegtuig zat keek hij naar romantische komedies, kluchtige verhalen over echtparen die niet aan seks deden. Alle films met jonge mensen gingen over het verlangen naar seks en alle films met oude mensen gingen over het verlangen naar seks. Als hij zo'n film had gezien, was hij verslagen. Wanneer mocht je ophouden met verlangen naar seks? Soms zag hij de ironie van de situatie in: Willem, in alle opzichten de ideale partner, die wel naar seks verlangde, en hij, in alle opzichten de allesbehalve ideale partner, die dat niet deed. Hij, de invalide, die het niet wilde, en Willem, die het om onduidelijke redenen nog steeds met hem wilde doen. Maar toch maakte Willem hem op zíjn manier gelukkig; het was een vorm van geluk waarvan hij nooit had gedacht dat die hem ten deel zou vallen.

Hij verzekerde Willem dat hij best met vrouwen naar bed mocht als hij dat miste, en dat hij dat niet erg zou vinden. Maar Willem zei: 'Ik mis het niet. Ik wil met jou naar bed.' Ieder ander zou geroerd zijn, en dat was hij ook wel, maar toch wanhoopte hij: wanneer zou dit ophouden? En daarna onvermijdelijk: stel dat het nooit ophield. Stel dat hij er nooit mee mocht stoppen. Het deed hem denken aan de jaren in de motelkamers, hoewel hij toen in elk geval een datum had om naar uit te kijken, al was dat een leugen geweest: als hij zestien werd. Als hij zestien werd, zou hij mogen stoppen. Nu was hij vijfenveertig, en het was net alsof hij weer elf was en wachtte op de dag dat iemand – destijds broeder Luke, nu (oneerlijk, oneerlijk) Willem – zou zeggen: 'Zo is het genoeg. Je hebt je plicht gedaan. Afgelopen.' Hij wou dat iemand hem vertelde dat hij nog steeds een volwaardig mens was, ondanks zijn gevoelens, dat er niets mis was met wie hij was. Er zou toch wel iemand, één andere persoon, op de wereld zijn met dezelfde gevoelens als hij? Zijn afkeer van de daad was toch zeker geen gebrek dat verholpen moest worden, maar gewoon een persoonlijke voorkeur?

Op een avond lagen Willem en hij in bed, allebei moe van hun werkdag, toen Willem plotseling begon te vertellen over een oude vriendin met wie hij had geluncht, een vrouw die Molly heette – hij had haar in de loop van de jaren een paar keer ontmoet – en die volgens Willem een moeilijke tijd doormaakte: na tientallen jaren had ze haar moeder kortgeleden eindelijk verteld dat haar vader, die onlangs was overleden, haar seksueel had misbruikt.

'Wat erg,' zei hij plichtmatig. 'Arme Molly.'

'Ja,' zei Willem, en er viel een stilte. 'Ik heb tegen haar gezegd dat ze zich er niet voor hoefde te schamen, dat ze niets verkeerds had gedaan.'

Hij voelde dat hij het warm kreeg. 'Goed gezegd,' zei hij uiteindelijk, en hij geeuwde overdreven. 'Welterusten, Willem.'

Ze zwegen een paar minuten. 'Jude,' vroeg Willem op liefdevolle toon. 'Ga je het me ooit vertellen?'

Wat kon hij zeggen, vroeg hij zich af, terwijl hij doodstil bleef liggen. Waarom stelde Willem hem deze vraag nu? Hij dacht dat het hem zo goed was gelukt om normaal te zijn, maar misschien was dat niet zo. Hij zou meer zijn best moeten doen. Hij had Willem nooit verteld wat hem was overkomen met broeder Luke, maar behalve dat hij er niet over kon praten, wist hij ergens ook dat het niet nodig was, want in de afgelopen twee jaar had Willem via allerlei routes geprobeerd het onderwerp aan te snijden: via verhalen over vrienden en kennissen, sommige bij name genoemd en andere niet (hij ging ervan uit dat een deel van die mensen verzonnen was, want niemand kon zo'n uitgebreide collectie seksueel misbruikte vrienden hebben), via verhalen over pedofilie die hij in tijdschriften las, via allerlei verhandelingen over het verschijnsel schaamte en hoe onterecht die vaak was. Na elk betoog wachtte Willem zwijgend af, alsof hij in gedachten een hand naar hem uitstak en hem ten dans vroeg. Maar hij nam Willems hand nooit aan. Elke keer zweeg hij, of begon over iets anders, of deed simpelweg alsof Willem niets had gezegd.

Hij wist niet hoe Willem dit over hem te weten was gekomen en hij wilde het ook niet weten. Kennelijk was de persoon die hij dacht de buitenwereld te tonen niet de persoon die Willem – of Harold – zag.

'Waarom vraag je dat?' vroeg hij.

Willem verschoof. 'Omdat...' zei hij, en hij stokte. 'Omdat ik dit lang geleden al uit je had moeten trekken.' Hij stokte weer. 'In elk geval voordat we aan seks begonnen.'

Hij sloot zijn ogen. 'Doe ik het niet goed genoeg?' vroeg hij zachtjes, en hij had meteen spijt: dit was een vraag die hij aan broeder Luke zou hebben gesteld, en Willem was broeder Luke niet.

Aan Willems zwijgen kon hij merken dat ook hij van zijn stuk was gebracht door de vraag. 'Nee,' zei Willem. 'Jawel, bedoel ik. Maar Jude – ik weet dat er iets met je is gebeurd. Ik wou dat je het vertelde. Ik wou dat je me de kans gaf je te helpen.'

'Het is voorbij, Willem,' zei hij ten slotte. 'Het is lang geleden. Ik heb geen hulp nodig.'

Er viel opnieuw een stilte. 'Was broeder Luke degene die je iets heeft aangedaan?' vroeg Willem, en toen de seconden voorbijtikten en hij bleef zwijgen: 'Vind je seks eigenlijk fijn, Jude?'

Als hij iets zei zou hij gaan huilen, dus zei hij niets. Het woordje 'nee', zo kort, zo gemakkelijk uit te spreken, een kinderwoordje, eigenlijk meer een geluid dan een woord, een scherpe uitademing: hij hoefde alleen zijn lippen een stukje van elkaar te doen en het woord zou er vanzelf uitkomen, en... en dan? Dan zou Willem weggaan en alles meenemen. Ik kan het verdragen, dacht hij als ze seks bedreven, ik kan het verdragen. Hij kon het verdragen voor alle ochtenden dat hij naast Willem wakker werd, voor alle genegenheid die Willem hem schonk, voor het genoegen van zijn gezelschap. Als Willem in de woonkamer tv zat te kijken en hij liep langs, stak Willem zijn hand uit en dan pakte hij die en bleef een tijdje staan, hand in hand met Willem, die naar het scherm zat te kijken, tot hij uiteindelijk losliet en verderliep. Hij had Willems gezelschap nodig; sinds Willem weer bij hem was komen wonen, had hij elke dag dezelfde kalmte gevoeld die over hem was gekomen toen Willem bij hem had gelogeerd voordat hij wegging voor de opnames van *The Prince of Cinnamon*. Willem was zijn reddingsboei en hij klampte zich aan hem vast, ook al was hij zich er voortdurend van bewust hoe egoïstisch dat van hem was. Als hij echt van Willem hield, zou hij hem verlaten. Dan zou hij Willem de kans geven – hem dwingen, als het moest – om iemand te zoeken die geschikter was om van te houden, iemand die van seks met hem zou genieten, iemand die hem echt begeerde, iemand met minder problemen, iemand met meer charme. Willem was goed voor hem, maar hij was slecht voor Willem.

'Vind jij seks met mij fijn?' vroeg hij toen hij eindelijk weer iets kon uitbrengen.

'Ja,' zei Willem onmiddellijk. 'Ik vind het heerlijk. Maar vind jíj het fijn?'

Hij slikte en telde tot drie. 'Ja,' zei hij zachtjes, woedend op zichzelf en tegelijk opgelucht. Hij had tijd gewonnen: Willem zou langer bij hem blijven, maar hij zou ook langer aan seks moeten doen. Wat zou er zijn gebeurd als hij nee had gezegd? vraagt hij zich af.

En zo is alles op de oude voet doorgegaan. Maar ter compensatie van de seks is hij zichzelf steeds vaker gaan snijden, om zijn gevoel van schaamte te verlichten en om zichzelf te laten boeten voor de verwijten die hij Willem maakt. Heel lang is hij zeer gedisciplineerd geweest: eens per week, twee sneden per keer, meer niet. Maar in het afgelopen half jaar heeft hij zijn eigen regels steeds weer overtreden en nu snijdt hij zichzelf net zo veel als toen hij met Caleb was, net zo veel als in de weken voor de adoptie.

Dat vele snijden was het onderwerp van hun eerste echt grote ruzie, niet alleen in hun tijd als stel maar in de hele negenentwintig jaar van hun vriendschap. Soms speelt het snijden geen enkele rol in hun relatie. En soms ís het hun relatie, elk gesprek dat ze voeren, het eigenlijke onderwerp, zelfs als ze niets zeggen. Als hij in zijn T-shirt met lange mouwen naar bed komt, weet hij van tevoren nooit wanneer Willem erover zal zwijgen en wanneer Willem hem aan een kruisverhoor zal onderwerpen. Hij heeft Willem al zo vaak uitgelegd dat hij het nodig heeft, dat het hem helpt, dat hij niet zonder kan, maar Willem kan of wil hem niet begrijpen.

'Snap je niet waarom ik het zo erg vind?' vraagt Willem.

'Nee, Willem,' zegt hij. 'Ik weet wat ik doe. Je moet me vertrouwen.'

'Dat doe ik ook, Jude,' zegt Willem. 'Maar het gaat hier niet om vertrouwen. Het gaat erom dat je jezelf beschadigt.' En dan loopt het gesprek dood.

Of ze hebben het gesprek dat ermee eindigt dat Willem zegt: 'Jude, hoe zou jij het vinden als ík mezelf dat aandeed?' en hij: 'Dat is iets heel anders, Willem,' en Willem: 'Hoezo?' en hij: 'Omdat je het dan over jóú hebt. Jij verdient het niet,' en Willem: 'En jij wél?' En dan kan hij geen antwoord geven, in elk geval geen antwoord dat Willem overtuigend zou vinden.

Ongeveer een maand voor de grote ruzie hadden ze een andere ruzie gehad. Zonder de reden te kennen was het Willem natuurlijk wel opgevallen dat hij zichzelf meer sneed, en laat op een avond, toen hij er zeker van was dat Willem sliep, had hij op zijn tenen naar de badkamer willen sluipen toen Willem hem opeens hard rond zijn pols had gegrepen, en hij had naar adem gehapt van schrik. 'Jezus, Willem,' had hij gezegd. 'Ik schrik me rot.'

'Waar ga je naartoe?' had Willem op gespannen toon gevraagd.

Hij had geprobeerd zijn arm los te trekken, maar Willems greep was te stevig. 'Ik moet naar de badkamer,' zei hij. 'Laat me los, Willem, ik meen het.' Ze hadden elkaar in het donker strak aangekeken tot Willem hem eindelijk had losgelaten en daarna ook uit bed was gekomen.

'Oké, laten we gaan,' had hij gezegd. 'Ik ga mee om te kijken.'

Ze hadden geruzied, elkaar nijdig verwijten gemaakt, allebei woedend, allebei met het gevoel door de ander te zijn verraden; hij had Willem ervan beschuldigd dat hij hem als een kind behandelde, en Willem hem dat hij geheimen voor hem had, en het had nog nooit zo weinig gescheeld of ze waren tegen elkaar gaan schreeuwen. Uiteindelijk had hij zich losgewrongen uit Willems greep en geprobeerd naar zijn werkkamer te vluchten om zichzelf daar op te sluiten en zich te snijden met een schaar, maar in zijn paniek was hij gestruikeld en gevallen, waarbij zijn lip was gescheurd, en Willem had snel een ijszak gebracht en ze hadden samen op de grond gezeten in de woonkamer, halverwege tussen hun slaapkamer en zijn werkkamer, met hun armen om elkaar heen, en hadden zich allebei uitgeput in verontschuldigingen.

'Ik kan niet toelaten dat je jezelf dit aandoet,' had Willem de volgende dag gezegd.

'Ik kan het niet laten,' had hij na een lange stilte geantwoord. Je wilt me echt niet meemaken als ik het niet doe, had hij wel tegen Willem willen zeggen, en: ik zou niet weten hoe ik het leven dan zou moeten doorkomen. Maar dat zei hij niet. Het zou hem nooit lukken Willem het snijden zodanig uit te leggen dat hij het kon begrijpen: dat het een vorm van bestraffing maar ook van loutering was, dat alles in hem wat giftig en rot was erdoor uit hem wegvloeide, dat het voorkwam dat hij onredelijk boos werd op anderen, op iedereen, dat het voorkwam dat hij ging schreeuwen of gewelddadig werd, dat het hem het gevoel gaf dat zijn lichaam en zijn leven echt van hem waren en van niemand anders. Het was uitgesloten dat hij aan seks kon doen als hij zich niet sneed. Soms vroeg hij zich af wat er van hem geworden zou zijn als broeder Luke hem deze uitlaatklep niet had geboden. Iemand die andere mensen kwaad deed, vermoedde hij, iemand die zijn best deed ervoor te zorgen dat iedereen zich net zo vreselijk voelde als hij, een nog slechter mens dan hij nu al was.

Willem had een nog langere stilte laten vallen. 'Probeer het in elk geval,' had hij gezegd. 'Voor mij, Judy. Probeer het.'

En dat deed hij. Als hij in de weken erna 's nachts wakker werd of als ze met elkaar naar bed waren geweest en hij wachtte tot Willem in slaap viel zodat hij naar de badkamer kon gaan, dwong hij zichzelf in plaats daarvan roerloos te blijven liggen en zijn ademhalingen te tellen, met droge mond, zijn nek nat van het zweet en zijn handen tot vuisten gebald. Hij haalde zich de ruimte onder de trap in een van de motels voor de geest, en hoe het zou zijn als hij zich daar tegen de muur gooide, de klap die dat zou geven, hoe bevredigend de uitputting zou zijn en hoeveel pijn het zou doen. Aan de ene kant wilde hij dat Willem wist hoe hij zijn best deed, aan de andere kant was hij blij dat Willem het niet wist.

Maar soms was het niet genoeg, en in die nachten sloop hij naar beneden om te gaan zwemmen in een poging zichzelf af te matten. 's Ochtends wilde Willem zijn armen zien, en ook daar hadden ze ruzie over gemaakt, maar uiteindelijk was het makkelijker geweest om ze maar gewoon te laten zien. 'Tevreden?' snauwde hij zonder hem te kunnen aankijken, terwijl hij zijn armen met een ruk uit Willems handen trok, zijn mouwen weer naar beneden rolde en de manchetknoopjes dichtmaakte.

'Jude,' zei Willem na een korte stilte, 'kom nog even bij me liggen voor je weggaat.' Maar hij schudde zijn hoofd en vertrok, en daar had hij de hele dag spijt van, en bij elke dag die verstreek zonder dat Willem het weer vroeg ging hij zichzelf meer haten. Hun nieuwe ochtendritueel was dat Willem zijn armen inspecteerde, en elke keer als hij naast Willem in bed zat terwijl Willem op zoek was naar sporen van mogelijke sneden voelde hij zijn frustratie en vernedering groeien.

Op een avond, een maand nadat hij Willem had beloofd dat hij meer zijn best zou doen, wist hij dat hij een probleem had, dat hij zijn verlangen op geen enkele manier zou kunnen stillen. Het was een dag geweest waarop er onverwachts veel herinneringen waren teruggekomen, een dag waarop het gordijn dat zijn verleden van zijn heden scheidde vreemd doorschijnend was geweest. De hele avond had hij flarden van voorvallen gezien die net langs de randen van zijn gezichtsveld leken te scheren, en tijdens het avondeten had hij zijn uiterste best moeten doen om niet weg te dwalen in die bekende, beangstigende schaduwwereld van herinneringen. Die avond was de eerste avond dat hij bijna tegen Willem had gezegd dat hij geen seks wilde, maar uiteindelijk had hij die neiging toch kunnen onderdrukken en hadden ze het wel gedaan.

Naderhand was hij uitgeput. Hij deed altijd veel moeite om in het hier en nu te blijven als ze met elkaar naar bed gingen en om niet weg te zweven. Toen hij als kind had ontdekt dat hij uit zichzelf kon treden, hadden de klanten zich bij broeder Luke beklaagd. 'Zijn ogen staan doods,' hadden ze gezegd, en dat vonden ze niet prettig. Caleb had het ook gezegd. 'Word eens wakker.' Hij had hem tegen zijn slaap getikt. 'Waar ben je?' En daarom spande hij zich in om erbij te blijven, ook al zorgde dat ervoor dat hij het hele gebeuren intenser ervoer. Die nacht lag hij naar Willem te kijken, die op zijn buik lag te slapen, met zijn armen om zijn kussen geslagen en met een gezicht dat strenger stond dan overdag. Hij wachtte en telde steeds opnieuw tot driehonderd, tot er een uur was verstreken. Hij knipte het lampje aan zijn kant van het bed aan en probeerde te lezen, maar het enige wat hij zag was een scheermesje en het enige wat hij voelde was dat zijn armen hunkerend tintelden, alsof hij geen aderen maar elektrische leidingen had, die sissend en bliepend stroomstoten door zijn lichaam joegen.

'Willem,' fluisterde hij, en toen Willem geen antwoord gaf legde hij zijn hand in Willems nek, en toen Willem niet bewoog stapte hij eindelijk uit bed en liep zo zacht mogelijk de garderobekamer in, waar hij zijn zakje pakte, dat hij tegenwoordig in de binnenzak van een van zijn winterjassen verstopte, en daarna sloop hij de slaapkamer uit naar de badkamer aan de andere kant van het huis, waar hij de deur achter zich dichtdeed. Ook hier was een grote doucheruimte, en hij ging erin zitten, trok zijn T-shirt uit en leunde met zijn rug tegen het koude marmer. Zijn onderarmen hadden nu zo'n dikke laag littekenweefsel dat ze er van een afstandje uitzagen alsof hij ze in gips had gedoopt en dat je nauwelijks nog kon zien waar hij zich had gesneden bij zijn zelfmoordpoging: hij had nieuwe sneden gemaakt tussen en rond alle striemen die er al stonden, in laagjes boven elkaar, waardoor de littekens werden gecamoufleerd. De laatste tijd had hij zich steeds meer op zijn bovenarmen geconcentreerd (niet de biceps, die ook littekens hadden, maar de triceps, waar het om de een of andere reden minder bevredigend was: hij wilde de sneden graag zien terwijl hij ze maakte, en liefst zonder zijn hoofd helemaal te moeten omdraaien), en nu trok hij voorzichtig lange sneden over zijn linkertriceps, terwijl hij aan zijn ademhaling afmat hoeveel seconden het duurde om elke snee te maken: één, twee, drie.

Hij sneed van boven naar beneden, vier keer in zijn linkerarm en drie keer in zijn rechter, en toen hij met de vierde snee bezig was, met trillende handen door die zalige krachteloosheid, keek hij op en zag hij Willem in de deuropening toekijken. In al die tientallen jaren dat hij zichzelf had gesneden was hij er nooit bij gadegeslagen, en hij hield abrupt op, want deze inbreuk op zijn privacy was net zo schokkend als een dreun in zijn gezicht.

Willem zei niets maar kwam op hem af, en hij maakte zich klein en drukte zich beschaamd en doodsbang tegen de muur van de douche terwijl hij afwachtte wat er ging gebeuren. Hij zag Willem neerhurken en voorzichtig het scheermesje uit zijn hand pakken, en even zaten ze allebei roerloos naar het scheermesje te staren. Toen kwam Willem overeind en haalde het mesje zonder aankondiging of waarschuwing over zijn eigen borst.

Hij kwam met een schok tot zichzelf. 'Nee!' schreeuwde hij, en hij probeerde op te staan, maar had er de kracht niet voor en zakte weer op de grond. 'Willem, nee!'

'Fuck!' brulde Willem. 'Fuck!' Maar toch maakte hij nog een tweede snee, vlak onder de eerste.

'Hou op, Willem!' schreeuwde hij, bijna in tranen. 'Willem, ophouden! Je doet jezelf pijn!'

'O ja?' vroeg Willem, en hij zag aan de glans in Willems ogen dat hij zelf ook bijna huilde. 'Zie je nou hoe het voelt, Jude?' En hij maakte opnieuw vloekend een derde snee.

'Willem,' jammerde hij, en hij dook naar zijn voeten, maar Willem stapte opzij. 'Hou alsjeblieft op. Alsjeblieft, Willem.'

Hij smeekte en smeekte, maar Willem hield pas na de zesde snee op en liet zich tegenover hem tegen de muur op de grond zakken. 'Fuck,' zei hij zachtjes, terwijl hij zijn bovenlijf naar voren boog en zijn armen om zich heen sloeg. 'Fuck, wat doet dat pijn.' Hij schoot naar Willem toe met zijn zakje om hem te helpen de sneden schoon te maken, maar Willem schoof bij hem weg. 'Laat me met rust, Jude,' zei hij.

'Maar je moet ze verbinden,' zei hij.

'Verbind je eigen armen maar,' zei Willem, die hem nog steeds niet aankeek. 'Dit is verdomme niet een of ander gestoord ritueel dat we samen gaan uitvoeren, als je dat soms dacht: onszelf snijden en elkaar daarna verbinden.'

Hij deinsde achteruit. 'Zo bedoelde ik het ook helemaal niet,' zei hij, maar Willem gaf geen antwoord, en uiteindelijk ging hij zijn eigen sneden maar schoonmaken, waarna hij het zakje naar Willem schoof, die ten langen leste met vertrokken gezicht hetzelfde deed.

Ze bleven daar heel lang zwijgend zitten, Willem nog steeds voorovergebogen en hij met zijn blik op Willem. 'Het spijt me, Willem,' zei hij.

'Jezus, Jude,' zei Willem een tijdje later. 'Dat doet echt pijn.' Eindelijk keek hij hem aan. 'Hoe kan je dat verdragen?'

Hij haalde zijn schouders op. 'Het went,' zei hij, en Willem schudde zijn hoofd.

'O, Jude.' Hij zag dat Willem huilde, geluidloos. 'Ben je eigenlijk wel gelukkig met me?'

Hij voelde dat er iets in hem afbrak en instortte. 'Willem,' begon hij, en toen, na een hapering: 'Je maakt me gelukkiger dan ik ooit in mijn leven ben geweest.'

Willem maakte een geluid waarvan hij later besefte dat het een lach was. 'Waarom snij je jezelf dan zo veel?' vroeg hij. 'Waarom is het zo erg geworden?'

'Ik weet het niet,' zei hij zachtjes. Hij slikte. 'Ik denk dat ik bang ben dat je weggaat.' Dat was niet het hele verhaal – het hele verhaal kon hij niet vertellen – maar wel een deel ervan.

'Waarom zou ik weggaan?' vroeg Willem, en daarna, toen hij geen antwoord had: 'Is het dan een test? Ben je aan het uitproberen hoever je kan gaan en of ik wel bij je blijf?' Hij keek op en veegde langs zijn ogen. 'Is dat het?'

Hij schudde zijn hoofd. 'Misschien,' zei hij tegen de marmeren vloer. 'Ik bedoel, niet bewust. Maar... misschien. Ik weet het niet.'

Willem zuchtte. 'Ik weet niet wat ik kan zeggen om je ervan te overtuigen dat ik niet wegga, dat je me niet hoeft te testen,' zei hij. Ze zwegen weer, en toen ademde Willem diep in. 'Jude, is het misschien niet beter dat je weer een tijdje naar het ziekenhuis gaat? Gewoon om, ik weet niet, alles op een rijtje te zetten?'

'Nee,' zei hij met een dichtgesnoerde keel van paniek. 'Nee, Willem. Je gaat me toch niet dwingen?'

Willem keek hem aan. 'Nee. Nee, ik zal je niet dwingen.' Hij zweeg even. 'Maar ik wou dat ik het kon.'

Op de een of andere manier kwam er een einde aan de nacht en begon er weer een dag. Hij was zo moe dat hij er duizelig van was, maar hij ging naar zijn werk. Hun ruzie had niet tot een duidelijke conclusie geleid – er waren geen beloften afgedwongen en geen ultimatums gesteld – maar in de paar dagen erna praatte Willem niet tegen hem. Of eigenlijk praatte

Willem wel, maar het ging nergens over. 'Prettige dag,' zei Willem als hij 's ochtends vertrok, en 'Hoe was je dag?' als hij 's avonds thuiskwam.

'Goed,' zei hij dan. Hij wist dat Willem piekerde over wat hij met de situatie aan moest en wat hij ervan vond, dus probeerde hij zich zo veel mogelijk op de achtergrond te houden. 's Avonds lagen ze zwijgend in bed, terwijl ze anders altijd praatten, en de stilte was als een groot beest dat tussen hen in lag, kolossaal en harig en woest als je het aanstootte.

Op de vierde avond kon hij er niet meer tegen, en nadat ze ongeveer een uur zo naast elkaar hadden gelegen, liet hij zich over het beest rollen en sloeg zijn armen om Willem heen. 'Willem,' fluisterde hij, 'ik hou van je. Vergeef me.' Willem gaf geen antwoord, maar hij modderde voort. 'Ik doe m'n best,' zei hij. 'Echt waar. Ik heb een fout gemaakt, maar ik zal nog meer m'n best gaan doen.' Willem zei nog steeds niets, en hij drukte hem steviger tegen zich aan. 'Alsjeblieft, Willem. Ik weet dat het je dwarszit. Geef me alsjeblieft nog een kans. Wees alsjeblieft niet boos op me.'

Hij voelde Willem zuchten. 'Ik ben niet boos op je, Jude,' zei hij. 'En ik weet dat je je best doet. Ik wou alleen dat je niet zo je best hoefde te doen, ik wou dat het niet zo moeilijk voor je was om je ertegen te verzetten.'

Nu was het zijn beurt om te zwijgen. 'Ik ook,' zei hij ten slotte.

Sinds die nacht heeft hij verschillende methodes geprobeerd: zwemmen natuurlijk, maar hij gaat ook weleens uit bed om iets te bakken. Hij zorgt dat er altijd bloem in huis is, en suiker, eieren en gist, en terwijl zijn baksel van die nacht in de oven staat gaat hij aan de keukentafel zitten werken, en tegen de tijd dat het brood of de cake of de koekjes (die hij door Willems assistent naar Harold en Julia laat sturen) klaar zijn is het al bijna licht, en dan kruipt hij in bed voor een paar uurtjes slaap voordat zijn wekker gaat. De rest van de dag branden zijn ogen dan van vermoeidheid. Hij weet dat Willem dat nachtelijke bakken maar niets vindt, maar hij weet ook dat Willem het prefereert boven het alternatief en er daarom niets van zegt. Schoonmaken is geen optie meer: sinds zijn verhuizing naar Greene Street heeft hij een hulp in de huishouding, ene mevrouw Zhou, die nu viermaal per week komt en deprimerend grondig is, zo grondig dat hij soms de neiging heeft opzettelijk dingen vuil te maken, alleen om iets te poetsen te hebben. Maar hij weet dat dat belachelijk is, dus geeft hij er niet aan toe.

'Laten we eens iets proberen,' zegt Willem op een avond. 'Als je wakker wordt en jezelf wilt snijden, maak je mij ook wakker, goed? Maakt niet uit hoe laat het is.' Hij kijkt hem aan. 'Laten we het proberen, oké? Alleen om mij een lol te doen.'

Dat doet hij dus, vooral uit nieuwsgierigheid naar wat Willem van plan is. Kort daarna, diep in een nacht, wrijft hij over Willems schouder en verontschuldigt zich als Willem zijn ogen opendoet. Maar Willem schudt zijn hoofd, komt boven op hem liggen en houdt hem zo stevig vast dat hij nauwelijks meer kan ademhalen. 'Jij moet mij ook vasthouden,' zegt Willem. 'We doen net of we vallen en ons aan elkaar vastklampen van angst.'

Hij drukt Willem zo dicht tegen zich aan dat hij de spieren van zijn rug tot zijn vingertoppen voelt aanspannen, zo dicht dat hij Willems hart voelt kloppen tegen het zijne, zijn ribbenkast tegen de zijne voelt drukken en zijn buik boller en platter voelt worden door zijn ademhaling. 'Harder,' zegt Willem, en dat doet hij, tot zijn armen eerst moe en daarna gevoelloos worden, tot zijn lichaam verslapt van vermoeidheid, tot hij echt voelt dat hij valt: eerst door het matras, dan door de bedbodem en dan door de vloer zelf, tot hij in slowmotion door alle verdiepingen van het gebouw zakt, die meegeven en hem als een gelei in zich opnemen. Naar beneden door de vierde verdieping, waar Richards familie nu stapels Marokkaanse tegels opslaat, door de derde verdieping, die leegstaat, door de etage van Richard en India, door Richards atelier, dan naar de benedenverdieping, het zwembad in, en daarna nog verder naar beneden, steeds verder, door de metrotunnels, door gesteente en slijk, door ondergrondse meren en zeeën van olie, door lagen fossielen en schalie, tot hij bij het vuur in de aardkern komt. En al die tijd houdt Willem zijn armen om hem heen geslagen, en als ze het vuur in gaan, verbranden ze niet maar versmelten ze tot één wezen: hun benen, borst, armen en hoofd worden één. Als hij de volgende ochtend wakker wordt, ligt Willem naast hem in plaats van op hem, maar hun ledematen zijn nog steeds verstrengeld en hij voelt zich enigszins bedwelmd en ook opgelucht, want niet alleen heeft hij zich niet gesneden, maar hij heeft geslapen, en diep ook, twee dingen die in geen maanden zijn voorgekomen. Die ochtend voelt hij zich schoongewassen en gelouterd, alsof hij weer een nieuwe kans krijgt om op de juiste manier te gaan leven.

Maar hij kan Willem natuurlijk niet elke keer wakker maken als hij denkt dat hij hem nodig heeft, en daarom beperkt hij zich tot één keer in de tien dagen. De andere zes of zeven slechte nachten in die periodes van anderhalve week komt hij op eigen kracht door: zwemmend, kokend en bakkend. Hij heeft een fysieke bezigheid nodig om de hunkering op afstand te houden; Richard heeft hem de sleutel van zijn atelier gegeven, en soms gaat hij 's nachts in zijn pyjama naar beneden, waar Richard dan een klusje voor hem heeft achtergelaten dat aangenaam stompzinnig en monotoon is en tegelijk volkomen raadselachtig: de ene week legt hij ruggengraatjes van vogels op grootte, de andere week sorteert hij vachten van fretten op kleur. Deze karweitjes doen hem denken aan de weekends, jaren geleden, waarin ze met z'n vieren bezig waren haar te ontwarren voor JB, en hij wou dat hij Willem erover kon vertellen, maar dat kan natuurlijk niet. Hij heeft Richard laten beloven niets tegen Willem te zeggen, maar hij weet dat de situatie Richard niet helemaal lekker zit: het is hem opgevallen dat hij nooit klusjes krijgt waar hij een scheermesje, een schaar of een schilmesje bij nodig heeft, wat opvallend is als je bedenkt voor hoeveel van Richards werk een scherp snijwerktuig vereist is.

Op een nacht tuurt hij in een oude koffiekan die op Richards werktafel is blijven staan en ziet dat die vol mesjes zit: kleine puntige, grote wigvormige, en eenvoudige rechthoekige van de soort waar hij de voorkeur aan geeft. Hij steekt zijn hand voorzichtig in de kan, schept er een los handjevol mesjes uit en schudt ze langzaam van zijn handpalm. Hij pakt een van de rechthoekige en laat het in zijn broekzak glijden, maar als hij uiteindelijk op het punt staat om weer weg te gaan – zo uitgeput dat de grond onder hem golft – laat hij het zachtjes weer in de kan vallen. In de uren dat hij wakker is en door het gebouw dwaalt, voelt hij zich soms een demon die zichzelf als mens voordoet en alleen 's nachts veilig de vermomming kan afleggen die hij in het daglicht moet dragen, en zijn ware aard kan uitleven.

En dan is het dinsdag, een dag waarop het wel zomer lijkt, en Willems laatste dag in de stad. Die ochtend gaat hij vroeg naar zijn werk, maar hij komt rond lunchtijd thuis om afscheid te nemen.

'Ik zal je missen,' zegt hij tegen Willem, zoals altijd.

'Ik zal jou nog meer missen,' antwoordt Willem, zoals altijd, en daarna, ook zoals altijd: 'Zorg je goed voor jezelf?'

'Ja,' zegt hij, zonder Willem los te laten. 'Dat beloof ik.' Hij voelt dat Willem zucht.

'Vergeet niet dat je me altijd kan bellen, hoe laat het ook is,' zegt Willem, en hij knikt.

'Ga nou maar,' zegt hij. 'Ik red me wel.' En Willem zucht weer en vertrekt.

Hij vindt het akelig dat Willem weggaat, maar is ook opgewonden: om zelfzuchtige redenen, en omdat hij blij en opgelucht is dat Willem zo veel werk heeft. Nadat ze in januari zijn teruggekomen uit Vietnam, vlak voordat hij vertrok voor de opnames van *Duets*, was Willem afwisselend nerveus en overdreven zelfverzekerd, en hoewel hij zijn best deed zijn onzekerheid niet te laten merken, was het duidelijk hoe ongerust Willem was. Hij wist dat Willem zich zorgen maakte omdat zijn eerste film na de bekendmaking van hun relatie, hoezeer hij ook het tegendeel beweerde, een homofilm was. Hij wist dat Willem zich zorgen maakte toen de regisseur van een sciencefictionthriller waar hij graag in wilde spelen hem niet zo snel terugbelde als hij had verwacht (hoewel dat uiteindelijk wel was gebeurd en alles was uitgepakt zoals hij had gehoopt). Hij wist dat Willem zich zorgen maakte over de schijnbaar eindeloze stroom artikelen over de onthulling, de voortdurende aanvragen voor interviews, de speculaties en tv-items, de roddelrubrieken en redactionele commentaren die ze bij hun terugkomst in de Verenigde Staten over zich heen hadden gekregen en waartegen ze, zoals Kit hun vertelde, niets konden beginnen: ze zouden gewoon moeten wachten tot de mensen het onderwerp zat werden, en dat kon maanden duren. (In het algemeen las Willem geen artikelen over zichzelf, maar in die periode waren het er wel erg veel: ze konden geen tv aanzetten, geen computer opstarten en geen krant openslaan of daar waren ze, de verhalen over Willem en wat hij nu symboliseerde.) Als ze elkaar aan de telefoon hadden – Willem in Texas en hij in Greene Street – merkte hij dat Willem probeerde niet al te veel te praten over hoe gespannen hij was, en hij wist dat dat was omdat Willem niet wilde dat hij zich schuldig voelde. 'Vertel het maar, Willem,' zei hij uiteindelijk. 'Ik beloof dat ik mezelf geen verwijten zal maken. Ik zweer het.' En nadat hij dat een week lang elke dag had gezegd, vertelde Willem het hem eindelijk, en hoewel hij zich wel degelijk schuldig voelde – na elk gesprek sneed hij zichzelf – vroeg hij Willem niet om hem gerust te stellen, zodat Willem zich niet slechter ging voelen dan hij al deed; hij luisterde alleen maar en probeerde hem zo veel mogelijk te steunen. Goed zo, zei hij tegen zichzelf nadat ze hadden opgehangen, na elke keer dat hij had gezwegen over zijn eigen angsten. Goed gedaan. Later wroette hij met de punt van het scheermesje in een van zijn littekens en duwde met de hoek van het mesje het weefsel omhoog tot hij in het zachte vlees eronder kon snijden.

Hij vindt het een goed teken dat de film waarvoor Willem nu naar Londen gaat een homofilm is, zoals Kit zou zeggen. 'Normaal gesproken zou ik het je afraden,' heeft Kit tegen Willem gezegd, 'maar het script is te goed om te laten lopen.' De film heet *The Poisoned Apple* en gaat over de laatste paar jaar van het leven van Alan Turing, nadat hij was gearresteerd wegens ontuchtige handelingen en chemisch was gecastreerd. Hij verafgoodt Turing natuurlijk – dat doen alle wiskundigen – en was bijna tot tranen toe geroerd door het script. 'Je moet het doen, Willem,' heeft hij gezegd.

'Ik weet het niet,' zei Willem met een glimlach, 'alwéér een homofilm?'

'*Duets* is heel goed ontvangen,' bracht hij Willem in herinnering – en dat was waar, beter zelfs dan iemand had verwacht – maar hij zei het meer als een kanttekening, want hij wist dat Willem al had besloten de rol aan te nemen en hij was trots op hem en kinderlijk opgewonden om hem in die film te zien, wat hij trouwens had met alle films waarin Willem speelde.

De zaterdag na Willems vertrek komt Malcolm naar Greene Street en rijden ze samen naar het noorden, tot net buiten Garrison, waar ze een huis laten bouwen. Willem heeft het land drie jaar geleden gekocht – dertig hectare, met een eigen meer en een eigen bos – en het is drie jaar lang onbebouwd gebleven. Malcolm had ontwerpen gemaakt en Willem had ze goedgekeurd, maar hij had Malcolm nooit daadwerkelijk gezegd dat hij kon beginnen. Maar toen, anderhalf jaar geleden, zag hij Willem op een ochtend aan de eettafel zitten met Malcolms tekeningen voor zijn neus.

Zonder zijn blik af te wenden van de ontwerpen stak Willem zijn hand naar hem uit, en hij pakte die en liet zich door Willem tegen hem aan trekken. 'Ik vind dat we het moeten doen,' zei Willem.

En dus hadden ze weer met Malcolm overlegd en had Malcolm een nieuw ontwerp gemaakt: het oorspronkelijke plan was om een moderne versie te bouwen van een traditioneel huis met een puntdak en twee verdiepingen, maar het nieuwe huis werd gelijkvloers en had heel veel glas. Hij heeft aangeboden het te betalen, maar dat heeft Willem geweigerd. Ze hebben erover gekibbeld, waarbij Willem hem erop wees dat hijzelf helemaal niets bijdroeg aan het onderhoud van hun etage in Greene Street, en hij ertegen inbracht dat hem dat niets kon schelen. 'Jude,' zei Willem uiteindelijk, 'we hebben nog nooit ruziegemaakt over geld. Laten we daar nou niet mee gaan beginnen.' En hij wist dat Willem gelijk had: geld had nooit een rol gespeeld in hun vriendschap. Ze hadden nooit over geld gepraat toen ze het niet hadden, hij had altijd het gevoel gehad dat alles wat hij verdiende – of het nu veel of weinig was – net zo goed van Willem was als van hem, en nu ze wel geld hadden dacht hij er nog net zo over.

Acht maanden geleden, toen Malcolm de grond bouwrijp aan het maken was, waren hij en Willem erheen gegaan en hadden over het terrein gedwaald. Hij voelde zich die dag uitzonderlijk goed en had Willem zelfs toegestaan zijn hand vast te houden toen ze de flauwe helling afdaalden die vanaf de plek waar het huis zou komen naar beneden glooide, waarna ze linksaf liepen, naar het bos dat het meer omzoomde. De begroeiing was dichter dan ze hadden verwacht en de grond lag zo vol dennennaalden dat hun voeten erin wegzonken, alsof de bodem van zacht, rubberachtig materiaal was en halfvol lucht was gepompt. Het was zwaar terrein voor hem, en deze keer greep hij Willems hand voor steun, maar toen Willem vroeg of hij terug wilde, schudde hij zijn hoofd. Een minuut of twintig later, toen ze bijna half rond het meer waren, kwamen ze bij een open plek die rechtstreeks uit een sprookje leek te komen: boven hun hoofd zagen ze de donkergroene toppen van de sparren, en de bodem onder hen was bedekt met diezelfde zachte vacht van naalden. Ze bleven staan en keken zwijgend om zich heen, tot Willem zei: 'We zouden het huis híér moeten bouwen.' Hij glimlachte, maar inwendig voelde hij een pijnscheut, alsof zijn hele zenuwstelsel via zijn navel naar buiten werd getrokken, want hij herinnerde zich dat andere bos waarvan hij ooit had gedacht er te gaan wonen en besefte dat hij het nu eindelijk kreeg: een huis in de bossen, met water vlakbij, en iemand die van hem hield. En toen huiverde hij, een rilling die door zijn hele lijf ging, en Willem keek hem aan. 'Heb je het koud?' vroeg hij. 'Nee,' zei hij, 'maar laten we doorlopen.' En dat deden ze.

Sindsdien heeft hij het bos gemeden, maar hij vindt het heerlijk om naar het huis te gaan en beleeft er plezier aan weer met Malcolm samen te werken. Om het andere weekend gaat hij of Willem er een keer naartoe, maar hij weet dat Malcolm liever heeft dat híj komt, want Willem is nauwelijks geïnteresseerd in de details van het project. Hij vertrouwt helemaal op Malcolm, maar vertrouwen is niet wat Malcolm wil: hij wil iemand om het zilverig geaderde marmer aan te laten zien dat hij bij een kleine steengroeve in de buurt van Izmir heeft gevonden en om mee te discussiëren over hoeveel daarvan te veel is, en iemand om het cipressenhout uit Gifu aan te laten ruiken dat hij heeft besteld voor de badkuip, en iemand die aandacht heeft voor de voorwerpen – hamers, moersleutels en tangen – die hij als trilobieten heeft laten verwerken in het betonoppervlak van de vloeren. Behalve het huis en de garage komt er ook nog een buitenbad en, in de loods, een binnenbad; over ruim drie maanden zal het huis af zijn, en het zwembad en de loods zijn volgend voorjaar klaar.

Nu loopt hij met Malcolm door het huis, strijkt met zijn handen over de materialen en luistert naar Malcolm, die de aannemer vertelt wat er allemaal nog moet gebeuren. Zoals altijd is hij onder de indruk van Malcolm als hij aan het werk is; het gaat hem nooit vervelen om zijn vrienden aan het werk te zien, maar de metamorfose van Malcolm is altijd het mooist om gade te slaan, mooier zelfs dan die van Willem. Op dit soort momenten denkt hij onwillekeurig terug aan de zorg, precisie en ernst waarmee Malcolm vroeger zijn fantasiehuisjes maakte; in hun tweede studiejaar heeft JB er eens een (per ongeluk, beweerde hij later) in brand gestoken toen hij high was, en Malcolm was zo boos en gekwetst dat hij bijna moest huilen. Hij was achter Malcolm aan gegaan toen hij Hood Hall uit rende en ging met hem op de trap van de bibliotheek zitten, in de kou. 'Ik weet dat het stom is,' zei Malcolm nadat hij gekalmeerd was. 'Maar ze betekenen iets voor me.'

'Dat weet ik,' antwoordde hij. Hij heeft altijd van Malcolms huisjes gehouden, en het eerste dat Malcolm al die jaren geleden voor hem heeft gemaakt, voor zijn zeventiende verjaardag, heeft hij nog steeds. 'Het is niet stom.' Hij wist wat de huisjes voor Malcolm betekenden: ze waren iets wat hij onder controle had, een bevestiging dat er ondanks alle onzekerheden in het leven één ding was dat hij altijd naar zijn hand kon zetten, waarmee hij perfect kon uitdrukken wat hij niet onder woorden kon brengen. 'Wat heeft Málcolm nou om zich zorgen over te maken?' vroeg JB weleens als Malcolm ergens over inzat, maar hij snapte het wel: Malcolm tobde omdat leven gelijkstond aan tobben. Het leven was beangstigend, want het was niet te bevatten. Zelfs Malcolms geld zou hem daar niet helemaal immuun voor maken. Het leven zou hem overkomen en daar moest hij net als iedereen een antwoord op vinden. Ze zochten allemaal steun – Malcolm bij zijn huizen, Willem bij zijn vriendinnen, JB bij zijn verf, hij bij zijn scheermesjes – ze zochten allemaal naar iets wat alleen van hen was, iets om de angstwekkende omvang en de onvoorstelbaarheid van de wereld en van de meedogenloos wegtikkende minuten, uren en dagen op afstand te houden.

Tegenwoordig werkt Malcolm nog maar zelden aan woonhuizen en zien ze hem veel minder dan vroeger. Bellcast heeft nu vestigingen in Londen en Hongkong, en hoewel Malcolm bijna alle projecten in Amerika doet – hij is nu een nieuwe vleugel aan het ontwerpen voor het museum van hun oude universiteit – is hij steeds vaker elders. Maar op de bouw van hun huis heeft hij persoonlijk toezicht gehouden, en hij heeft geen enkele keer een afspraak met hen afgezegd of uitgesteld. Als ze het terrein verlaten, legt hij zijn hand op Malcolms schouder. 'Mal,' zegt hij, 'ik weet niet hoe ik je hier ooit voor kan bedanken,' en Malcolm glimlacht. 'Dit is mijn lievelingsproject, Jude,' zegt hij. 'Voor mijn lievelingsvrienden.'

Terug in de stad zet hij Malcolm af in Cobble Hill, steekt de brug over en rijdt naar het noorden, naar zijn werk. Dat is het laatste plezierige aspect van Willems afwezigheid: daardoor kan hij tot later op zijn werk blijven en meer uren maken. Zonder Lucien is het werk aan de ene kant prettiger en aan de andere kant minder prettig; minder prettig omdat hij Lucien weliswaar af en toe nog ziet – hij heeft het sinds zijn pensionering, zoals hij zelf zegt, in Connecticut druk met doen alsof hij van golf houdt – maar hun dagelijkse gesprekken en Luciens plagende, provocerende opmerkingen toch mist, en prettiger omdat hij heeft ontdekt dat hij het leuk vindt om hoofd van de afdeling te zijn en het leuk vindt om zitting te hebben in de remuneratiecommissie en te besluiten hoe de winst van het bedrijf elk jaar zal worden verdeeld. 'Wie had kunnen denken dat jij zo tuk op macht was, Jude?' vroeg Lucien toen hij dit opbiechtte, en hij had geprotesteerd: dat was het niet, zei hij tegen Lucien, het schonk hem gewoon voldoening om te zien wat er elk jaar werkelijk werd binnengebracht, hoe de uren en dagen op kantoor – die van hem en van alle anderen – zich vertaalden in getallen, en die getallen weer in geld, en dat geld in de materie voor het leven van zijn collega's: hun huizen, het schoolgeld voor hun kinderen, hun vakanties en hun auto's. (Dit laatste vertelde hij Lucien niet. Lucien zou hem een romanticus vinden en hij zou een spottende, ironische preek krijgen over zijn sentimentele inborst.)

Rosen Pritchard is altijd belangrijk voor hem geweest, maar na Caleb is het kantoor onmisbaar voor hem geworden. In zijn leven bij de firma wordt hij alleen beoordeeld op de zaken die hij binnenhaalt, op het werk dat hij doet; hij heeft er geen verleden of gebreken. Zijn leven daar begint bij de rechtenfaculteit waar hij heeft gestudeerd en wat hij daar precies heeft gedaan, en eindigt bij zijn dagelijkse wapenfeiten, zijn jaarlijkse score van declarabele uren en elke nieuwe cliënt die hij kan aantrekken. Bij Rosen Pritchard is geen plaats voor broeder Luke, Caleb of dokter Traylor, voor het klooster of het tehuis; dat zijn irrelevante, onbeduidende details, ze hebben niets te maken met de persoon die hij van zichzelf heeft gemaakt. Daar is hij niet iemand die zichzelf in een hoekje van de badkamer zit te snijden, maar een reeks getallen: een getal dat aangeeft hoeveel geld hij binnenbrengt, een ander hoeveel uren hij bij de cliënten in rekening brengt, een derde aan hoeveel mensen hij leiding geeft, een vierde hoeveel hij hun betaalt. Het is iets wat hij nooit heeft kunnen uitleggen aan zijn vrienden, die zich verbazen over zijn lange werktijden en hem erom beklagen; hij kan hun nooit duidelijk maken dat hij zich juist in dat kantoor, omringd door werk en mensen die zij bijna afstompend saai vinden, het meest mens voelt, het waardigst en onkwetsbaarst.

Tijdens de duur van de opnames komt Willem tweemaal voor een lang weekend naar huis, maar het ene weekend heeft hijzelf buikgriep en het volgende heeft Willem bronchitis. Toch moet hij zichzelf er beide keren vol ongeloof aan herinneren dat dit zijn leven is – zoals altijd wanneer hij Willem hoort binnenkomen en zijn naam roepen – en dat Willem in dat leven naar hem komt als hij thuiskomt. Op die momenten vindt hij zijn aversie tegen seks miezerig, denkt hij dat het eigenlijk niet zo erg is als hij het zich herinnert, en zelfs als dat wel zo is, dat hij gewoon wat meer zijn best moet doen en wat minder zelfmedelijden moet hebben. Word eens wat flinker, berispt hij zichzelf als hij Willem aan het eind van die weekends ten afscheid kust. Waag het niet om dit te bederven. Waag het niet om te klagen over wat je niet eens verdient.

En dan, nog geen maand voordat Willem weer definitief thuiskomt, wordt hij wakker met de gedachte dat hij zich in de oplegger van een truck bevindt, dat het bed onder hem een vuile, blauwe gewatteerde deken is die is dubbelgevouwen, en dat alle botten in zijn lijf door elkaar worden geschud terwijl de truck over de snelweg dendert. O nee, denkt hij, o nee, en hij staat op, haast zich naar de piano en begint alle partita's van Bach te spelen die hij zich kan herinneren, te hard, te snel en niet op de juiste volgorde. Hij moet denken aan een legende die broeder Luke hem tijdens een pianoles eens heeft verteld, over een oude vrouw die steeds sneller op haar luit ging spelen, zodat de duiveltjes voor haar deur zouden dansen tot ze in slijk veranderden. Broeder Luke vertelde dat verhaal om hem iets duidelijk te maken – hij moest sneller gaan spelen – maar het beeld is hem altijd bijgebleven, en soms, als hij voelt dat er een herinnering dreigt boven te komen, één maar, makkelijk te bedwingen en verdrijven, gebruikt hij de muziek als schild en zingt of speelt piano tot ze is verjaagd.

In zijn eerste jaar aan de rechtenfaculteit begonnen de herinneringen aan zijn vroegere leven terug te komen. Dan was hij met iets alledaags bezig – avondeten maken, boeken op de planken zetten in de bibliotheek, gebak glaceren bij Batter, een artikel opzoeken voor Harold – en plotseling verscheen er een beeld voor zijn geestesoog, als een geluidloze film die alleen voor hem werd vertoond. In die jaren waren het losse taferelen, geen doorlopende verhalen, en zag hij dagenlang steeds weer hetzelfde: een stilstaand beeld van broeder Luke die boven op hem lag, of van een van de begeleiders uit het tehuis, die hem altijd vastgrepen als hij langsliep, of van een klant die het kleingeld uit zijn broekzakken verzamelde en op het schoteltje legde dat broeder Luke speciaal voor dat doel op het nachtkastje had gezet. En soms waren de herinneringen nog korter en vager: een blauwe sok met paardenhoofden erop van een cliënt die ze zelfs in bed aanhield, de eerste maaltijd die dokter Traylor hem in Philadelphia had gegeven (een hamburger en een kartonnetje met friet), een perzikkleurig wollen kussen in zijn kamer in dokter Traylors huis dat hem altijd had doen denken aan opengereten vlees. Als die herinneringen zich aandienden, raakte hij gedesoriënteerd: het duurde altijd even voordat hij weer wist dat dit niet alleen taferelen uit zijn leven waren, maar feitelijk zijn leven. In die tijd liet hij zijn bezigheden erdoor onderbreken, en soms merkte hij als hij tot zichzelf kwam dat zijn hand met de spuitzak nog boven het koekje hing dat hij zou gaan glazuren, of dat hij het boek nog steeds vasthield, half op de plank en nog half in de lucht. Toen begon hij in te zien dat hij zich had aangewend een groot deel van zijn leven simpelweg te wissen, soms zelfs al enkele dagen nadat iets was gebeurd, en ook dat hij dat vermogen ergens onderweg was kwijtgeraakt. Hij wist dat dat de tol was die hij moest betalen om van het leven te kunnen genieten: dat hij, als hij wilde openstaan voor de dingen waar hij nu plezier in had, ook moest accepteren dat daar een prijs bij hoorde. Want hoe bedreigend zijn herinneringen ook waren, zijn leven dat in stukjes terugkwam, hij wist dat hij ze zou verdragen als dat betekende dat hij ook vrienden kon hebben, als hij het vermogen kon behouden om troost te vinden bij andere mensen.

Hij zag het als een kleine barst die zich opende tussen twee werelden, waarbij iets wat begraven was omhoogkringelde uit de kleiachtige, losgewoelde aarde en voor hem bleef zweven tot hij het herkende en aanvaardde dat het van hem was. Het feit dat ze weer verschenen was op zich al een provocatie: hier zijn we, leken ze tegen hem te zeggen. Dacht je nou echt dat je ons zomaar kon achterlaten? Dacht je echt dat we niet terug zouden komen? Uiteindelijk ging hij onvermijdelijk ook inzien hoeveel hij herschreven had – herschreven en omgewerkt, een nieuwe vorm gegeven zodat het makkelijker te accepteren was – zelfs uit de laatste paar jaar: de film die hij in zijn derde studiejaar had gezien over twee rechercheurs die een student kwamen vertellen dat de man die hem iets had aangedaan in de gevangenis was overleden, was helemaal geen film geweest, maar zijn leven, en hij was die student geweest, en hij had daar op de binnenplaats van Hood Hall gestaan, en de twee rechercheurs waren de mensen die hem die nacht in dat veld hadden gevonden en dokter Traylor hadden gearresteerd, en hem naar het ziekenhuis hadden gebracht en hadden gezorgd dat dokter Traylor achter de tralies was beland, en ze waren hem komen opzoeken om hem persoonlijk te vertellen dat hij niets meer te vrezen had. 'Chique boel,' had een van de rechercheurs gezegd terwijl hij om zich heen keek naar de prachtige campus met de oude bakstenen gebouwen waarbinnen je volkomen veilig was. 'We zijn trots op je, Jude.' Maar die herinnering had hij gedeeltelijk gewist, hij had er iets aan veranderd, zodat de rechercheur alleen zei: 'We zijn trots op je.' Zijn naam had hij weggelaten, net zoals hij de paniek had weggelaten die hij ondanks het nieuws had gevoeld en die hij zich nu duidelijk herinnerde, de angst dat iemand later zou vragen wie de mensen waren met wie hij had staan praten, de bijna misselijkmakende inbreuk die zijn verleden op zo'n tastbare manier op zijn heden had gemaakt.

Uiteindelijk heeft hij geleerd met die herinneringen om te gaan. Hij kan ze niet tegenhouden – toen het terugkomen eenmaal was begonnen, was het nooit meer opgehouden – maar hij is er beter in geworden hun komst te voorspellen. Hij heeft geleerd het te voelen aankomen, dat moment of die dag waarop hij door iets bezocht zal worden, en dan moet hij zien te ontdekken hoe het behandeld wil worden: is het uit op een confrontatie, wil het gesust worden of verlangt het alleen maar aandacht? Hij bekijkt wat voor ontvangst het verwacht, en dan kijkt hij hoe hij kan zorgen dat het weer verdwijnt, zich terugtrekt op die andere plek.

Een kleine herinnering kan hij onder controle houden, maar naarmate de dagen verstrijken en hij op Willem wacht, ziet hij in dat dit een lange aal van een herinnering is, een glibberige, die je niet te pakken krijgt, en ze zigzagt door hem heen en mept met haar staart tegen zijn organen, zodat hij de herinnering voelt als een levend wezen dat hem verwondt, haar vlezige en krachtige klappen tegen zijn ingewanden, zijn hart, zijn longen voelt kletsen. Soms zijn ze zo, en dat zijn de moeilijkste om te grijpen en in bedwang te houden, en deze lijkt elke dag in hem te groeien, tot hij het gevoel heeft dat zijn lichaam niet bestaat uit bloed, spieren, water en botten, maar uit de herinnering zelf, die als een ballon in hem is opgezwollen, zodat zelfs zijn vingertoppen er dik van zijn. Na Caleb heeft hij zich gerealiseerd dat er herinneringen zijn die hij domweg niet in de hand kan houden, en dan is zijn enige optie te wachten tot ze zichzelf hebben uitgeput, tot ze terugzwemmen in het donker van zijn onderbewuste en hem weer met rust laten.

En dus wacht hij af en laat de herinnering – de bijna twee weken die hij heeft doorgebracht in vrachtwagens in een poging om van Montana naar Boston te komen – bezit van zich nemen, alsof zijn geest samen met zijn lichaam zelf een motel vormt en deze herinnering de enige gast is. In deze periode is zijn grootste uitdaging het houden van zijn belofte aan Willem om zichzelf niet te snijden, en daarom stelt hij een streng en veeleisend programma op voor de uren tussen twaalf en vier uur 's nachts, die het gevaarlijkst zijn. Op zaterdag maakt hij een lijst van wat hij de komende paar weken 's nachts zal gaan doen, waarbij hij zwemmen afwisselt met koken, pianospelen, bakken, klusjes bij Richard, oude kleren van Willem en hemzelf uitzoeken, bekijken welke boeken er weg kunnen, losgeraakte knopen aan Willems overhemd naaien, wat hij mevrouw Zhou wilde vragen maar net zo goed zelf kan doen, en de troep opruimen die zich in de la bij het fornuis heeft opgehoopt: dichtbindertjes, kleverige elastiekjes, veiligheidsspelden en luciferboekjes. Hij maakt lamsgehaktballetjes en kippenbouillon die hij in bakjes van een halve liter doet en invriest voor als Willem terug is, en bakt broden die Richard kan meenemen naar de gaarkeuken waarvan ze allebei in het bestuur zitten en waarvan hij de financiën beheert. Nadat hij het zetsel voor het brood heeft gevoed gaat hij aan tafel boeken zitten lezen, oude favorieten van hem, waarvan de woorden, verwikkelingen en personages geruststellend vertrouwd en onveranderd zijn. Hij wou dat hij een huisdier had – een domme, dankbare hond die naar hem hijgt en glimlacht, of een ijzige kat die misprijzend naar hem loert door de spleetjes in haar oranje ogen – een ander levend wezen in huis waar hij tegen kan praten en dat hem met het geluid van zachte voetkussentjes op de vloer bij zichzelf terugbrengt. Hij werkt de hele nacht, en vlak voordat hij uitgeput gaat slapen snijdt hij zichzelf – één snee in zijn linkerarm en één in zijn rechter – en als hij weer wakker wordt, is hij moe maar trots op zichzelf dat hij het heelhuids heeft gered.

Maar dan is het twee weken voordat Willem thuiskomt, en net wanneer de herinnering vervaagt en zijn gast vertrekt tot de volgende keer dat ze weer haar intrek in hem neemt, komen de hyena's terug. Of misschien is terugkomen niet het goede woord, want sinds ze door Caleb in zijn leven zijn gebracht, zijn ze nooit meer weggegaan. Maar nu jagen ze niet meer achter hem aan, want ze weten dat dat niet hoeft: zijn leven is een uitgestrekte savanne en ze hebben hem omsingeld. Ze strekken zich uit in het gele gras of liggen nonchalant en lui op de onderste takken van de apenbroodbomen, die zich als tentakels uitspreiden vanaf de stam, en staren naar hem met hun scherpe gele ogen. Ze zijn er altijd, en sinds Willem en hij aan seks doen zijn het er meer geworden, en op slechte dagen of op dagen dat hij er erg bang voor is, worden het er nog meer. Op die dagen voelt hij hun snorharen trillen als hij zich langzaam door hun territorium beweegt, voelt hij hun onverschillige minachting: hij weet dat ze hem in hun macht hebben, en zij weten het ook.

En hoewel hij altijd hevig verlangt naar de vrijstelling van seks die Willems werk met zich meebrengt, weet hij ook dat hij dat niet zou moeten doen, want de terugkeer naar die wereld is altijd weer moeilijk; dat was al zo in zijn jeugd, toen het enige wat hij erger vond dan regelmatige seks het weer wennen aan regelmatige seks was. 'Ik zal zo blij zijn als ik je weer zie,' zegt Willem de volgende keer dat ze elkaar spreken, en hoewel zijn toon niets wellustigs heeft, hoewel er helemaal niets over seks wordt gezegd, weet hij uit ervaring dat Willem het de eerste avond dat hij thuis is zal willen doen en dat hij het de eerste week na zijn thuiskomst vaker zal willen doen dan anders, en dat effect zal alleen maar sterker zijn doordat ze de twee keer dat hij tussendoor thuis was om beurten ziek waren en er toen dus niets is gebeurd.

'Ik ook,' zegt hij.

'Hoe gaat het met het snijden?' vraagt Willem op luchtige toon, alsof hij vraagt hoe Julia's esdoorns erbij staan of wat voor weer het is. Dat vraagt hij altijd aan het eind van hun gesprek, alsof het een onderwerp is dat hem maar matig interesseert en hij er alleen uit beleefdheid naar informeert.

'Goed,' zegt hij, zoals altijd. 'Maar twee keer deze week,' gaat hij verder, en dat is waar.

'Goed zo, Judy,' zegt Willem. 'Goddank. Ik weet dat het moeilijk is. Maar ik ben trots op je.' Op die momenten klinkt hij altijd heel opgelucht, alsof hij een totaal ander antwoord had verwacht (wat waarschijnlijk ook zo is): *Niet zo goed, Willem. Ik heb mezelf gisteravond zo erg gesneden dat mijn hele arm eraf is gevallen. Dat je niet schrikt als je me ziet.* Dan voelt hij oprechte trots omdat Willem hem zo vertrouwt en hij Willem de waarheid kan vertellen, vermengd met een verlammend, intens verdriet dat Willem hem die vraag überhaupt moet stellen, dat dit iets is waar ze werkelijk trots op zijn. Andere mensen zijn trots op het talent, het uiterlijk of de sportieve prestaties van hun vriend, maar Willem mag trots zijn dat zijn vriend weer een nacht is doorgekomen zonder zich met een scheermesje te bewerken.

En dan komt er ten slotte een avond waarop hij weet dat al zijn inspanningen niet voldoende meer zijn: hij moet zichzelf snijden, vaak en diep. De hyena's beginnen jankgeluidjes te geven, scherpe kreten die afkomstig lijken van een ander wezen in zijn binnenste, en hij weet dat alleen zijn pijn ze tot bedaren kan brengen. Hij overweegt wat hij zal doen: over een week komt Willem thuis. Als hij zichzelf nu snijdt, zijn de wonden nog niet geheeld voordat Willem terugkomt en zal hij boos zijn. Maar als hij níéts doet... dan weet hij niet wat er gebeurt. Hij moet wel, hij moet wel. Hij heeft te lang gewacht, beseft hij; hij dacht dat hij zich er wel doorheen kon slepen, maar dat was onrealistisch.

Hij komt uit bed en loopt door het lege huis naar de stille keuken. Het programma voor die nacht – koekjes bakken voor Harold, Willems truien sorteren en opvouwen, werken in Richards atelier – ligt wit te glanzen op het aanrecht, veronachtzaamd en smekend om aandacht, maar de redding die het biedt is net zo flinterdun als het papier waarop het is geprint. Even blijft hij staan, niet in staat zich te verroeren, en dan loopt hij langzaam, schoorvoetend naar de deur van het trappenhuis en ontgrendelt die, en na nog een moment van aarzeling zwaait hij hem open.

Deze deur heeft hij niet meer opengedaan sinds die nacht met Caleb, en nu buigt hij zich voorover naar het trapgat en kijkt in het zwart, terwijl hij zich net als die nacht vastklemt aan de deurposten en zich afvraagt of hij zich ertoe kan zetten. Hij weet dat het de hyena's tot zwijgen zal brengen. Maar het heeft iets zo vernederends, extreems en zieks dat hij weet dat hij een grens overschrijdt als hij het doet, dat hij dan in feite iemand is geworden die opgenomen zou moeten worden. Eindelijk, na een hele tijd, maakt hij zich met trillende handen los van de deurpost en slaat de deur met een klap dicht, schuift de grendel er met een klap weer op en stommelt ervan weg.

De volgende dag gaat hij op zijn werk met een van de andere partners, Sanjay, en een cliënt naar beneden, zodat de cliënt kan roken. Ze hebben een paar rokers onder hun cliënten, en als die naar beneden gaan, gaat hij mee en zetten ze hun gesprek op de stoep voort. Lucien had de theorie dat rokers het meest ontspannen en op hun gemak zijn als ze roken en daarom op dat moment het meest beïnvloedbaar, en hoewel hij moest lachen toen Lucien dat vertelde, weet hij dat het waarschijnlijk klopt.

Die dag zit hij in zijn rolstoel omdat zijn voeten pijnlijk kloppen, hoezeer hij er ook een hekel aan heeft dat cliënten hem zo gehandicapt zien. Toen hij zijn bezorgdheid daarover jaren geleden eens tegen Lucien uitsprak, zei die: 'Neem nou maar van mij aan dat de cliënten je als dezelfde hufterige beul blijven zien, of je nou zit of staat, dus blijf alsjeblieft gewoon in die stoel zitten.' Buiten is het koud en droog, waardoor zijn voeten op de een of andere manier wat minder pijn doen, en terwijl ze met z'n drieën praten, merkt hij dat hij gehypnotiseerd naar het oranje gloeiende topje van de sigaret van zijn cliënt staart, dat naar hem knipoogt en elke keer doffer of helderder wordt wanneer de cliënt uitademt of inhaleert. Opeens weet hij wat hij gaat doen, maar dat besef wordt bijna onmiddellijk gevolgd door een stomp in zijn maag, want hij weet dat hij Willem gaat bedriegen, en niet alleen dat, maar hij gaat ook tegen hem liegen.

Het is vrijdag, en terwijl hij naar Andy rijdt werkt hij in gedachten zijn plan uit, blij en opgelucht dat hij een oplossing heeft gevonden. Andy is in een van zijn opgewekte, strijdlustige buien en hij laat zich erdoor afleiden, door zijn energieke kordaatheid. Ergens in het verleden zijn Andy en hij over zijn benen gaan praten zoals je dat zou doen over een lastig en onberekenbaar familielid voor wie je continu moet zorgen maar die je toch onmogelijk in de steek kunt laten. 'De ouwe rotzakken' noemt Andy ze, en de eerste keer dat hij dat hoorde, had hij gelachen omdat het zo'n rake bijnaam was, met het vleugje ergernis dat de onderliggende en schoorvoetende genegenheid altijd dreigde te overschaduwen.

'Hoe gaat het met de ouwe rotzakken?' vraagt Andy hem nu, en hij glimlacht en zegt: 'Ze zijn lui en kosten me al mijn energie, zoals gewoonlijk.'

Maar tegelijk is zijn hoofd vol van wat hij straks gaat doen, en als Andy vraagt: 'En wat heeft je betere helft tegenwoordig te vertellen?' snauwt hij hem toe: 'Wat bedoel je daarmee?' en Andy onderbreekt wat hij aan het doen is en kijkt hem verbaasd aan. 'Niets,' zegt hij. 'Ik vroeg me gewoon af hoe het met Willem is.'

Willem, denkt hij, en alleen al het horen van zijn naam is een kwelling. 'Prima,' zegt hij ingehouden.

Aan het eind van de afspraak bekijkt Andy zoals altijd zijn armen, en net als de afgelopen paar keer bromt hij ook deze keer goedkeurend. 'Ik bespeur een scherpe vooruitgang,' zegt hij. 'Vergeef me de woordspeling.'

'Je kent me toch: ik streef altijd naar persoonlijke groei,' zegt hij op schertsende toon, maar Andy kijkt hem in de ogen. 'Ik weet het,' zegt hij zacht. 'Ik weet dat het moeilijk is, Jude. Maar ik ben er blij om, echt heel blij.'

Tijdens het eten beklaagt Andy zich over de nieuwe vriend van zijn broer, aan wie hij een bloedhekel heeft. 'Andy,' zegt hij, 'je kunt toch niet élke nieuwe vriend van Beckett afkeuren?'

'Dat is wel zo,' zegt Andy. 'Alleen is het zo'n onbenul, en Beckett zou iets veel beters kunnen krijgen. Ik had je geloof ik al verteld dat hij Proust als Praust uitspreekt, hè?'

'Al een paar keer.' Hij glimlacht in zichzelf. Hij heeft deze nieuwe gehate vriend van Beckett – een lieve, joviale landschapsarchitect in opleiding – drie maanden geleden ontmoet op een etentje bij Andy thuis. 'Maar Andy, ik vond hem aardig. En hij houdt van Beckett. En bovendien, je was toch niet echt van plan diepgravende gesprekken over Proust met hem te gaan voeren?'

Andy zucht. 'Je klinkt net als Jane,' moppert hij.

'Nou,' zegt hij, weer met een glimlach, 'misschien moet je wat meer naar Jane luisteren.' Dan lacht hij, want hij voelt zich lichter dan in weken, en dat komt niet alleen door Andy's knorrige gezicht. 'Er zijn ergere dingen dan *Du côté de chez Swann* niet uit je hoofd kennen, weet je.'

Als hij naar huis rijdt, denkt hij na over zijn plan en beseft dat hij nog even moet wachten, want hij wil kunnen zeggen dat hij zich heeft gebrand bij het koken, en als er iets misgaat en hij naar Andy moet, zal Andy hem vragen waarom hij aan het koken was op dezelfde avond dat ze samen buiten de deur hebben gegeten. Morgen dan, denkt hij, ik doe het morgen. Dan kan hij vanavond een mailtje naar Willem sturen waarin hij laat vallen dat hij gaat proberen de gefrituurde bananen te maken die JB lekker vindt: een min of meer spontaan besluit dat helemaal verkeerd uitpakt.

Je weet dat dit de manier is waarop geesteszieken hun plannen beramen, hè? zegt het sarcastische, kleinerende stemmetje in zijn binnenste. Je weet dat alleen een gestoorde geest dit soort plannen maakt.

Hou op, zegt hij tegen het stemmetje. Hou op. Dat ik weet dat het gestoord is, bewijst juist dat ik dat niet ben. Het stemmetje schatert het uit: om zijn verdedigende houding, om zijn logica van een zesjarige, om zijn weerzin tegen het woord 'gestoord', zijn angst dat het hem zal aankleven. Maar zelfs het stemmetje kan hem met al zijn spottende, superieure aversie niet tegenhouden.

De volgende avond trekt hij een T-shirt met korte mouwen aan, van Willem, en gaat naar de keuken. Hij zoekt bij elkaar wat hij nodig heeft: de olijfolie, een lange lucifer. Hij laat zijn linkeronderarm in de gootsteen rusten, als een vogel die geplukt moet worden, kiest een plek een centimeter of vijf boven zijn hand, pakt het stuk keukenpapier dat hij in de olie heeft gedoopt en wrijft ermee over zijn huid, in een rondje ter grootte van een abrikoos. Hij kijkt een paar seconden strak naar de glanzende vetvlek, ademt diep in, strijkt de lucifer aan langs de zijkant van het doosje en houdt de vlam bij zijn arm tot zijn huid in brand vliegt.

De pijn is... ja, wat is de pijn? Sinds de aanrijding is er geen dag meer geweest dat hij pijnvrij was. Soms is de pijn er maar af en toe, soms is hij licht of onderbroken. Maar hij is er altijd. 'Je moet oppassen,' zegt Andy altijd tegen hem. 'Je bent er zo aan gewend geraakt dat je niet meer kunt voelen wanneer het een teken is van iets ernstigers. Dus zelfs als het maar een vijf of een zes is, als het er zó uitziet' – ze hadden het over een van de wonden aan zijn benen, waarvan het hem was opgevallen dat de huid eromheen een akelig zwartig grijs was geworden, de kleur van verrotting – 'dan moet je bedenken dat het voor de meeste mensen een negen of een tien zou zijn en dat je écht naar me toe moet komen. Oké?'

Maar deze pijn is een pijn die hij in geen tientallen jaren heeft gevoeld, en hij schreeuwt het uit. Stemmen, gezichten, flarden van herinneringen, vreemde associaties tollen door zijn geest: de geur van rokende olijfolie voert hem mee naar Perugia, waar Willem en hij ooit een maaltijd van gebakken *funghi* hebben gegeten, en dat brengt hem bij een Tintoretto-expositie die Malcolm en hij in het Frick hebben gezien toen ze in de twintig waren, en daarna bij een jongen in het tehuis die door iedereen Frick werd genoemd, maar hij heeft nooit geweten waarom, want eigenlijk heette de jongen Jed, en daarna bij de nachten in de stal, en daarna bij een baal hooi in een verlaten, nevelige weide in de buurt van Sonoma, waartegen broeder Luke en hij een keer seks hebben gehad, en daarna, en daarna, en daarna... Hij ruikt verbrand vlees, komt uit zijn trance en kijkt in paniek naar het fornuis, alsof hij er iets op heeft laten staan, een biefstuk die verwijtend ligt te sputteren in een pan, maar er is niets en hij beseft dat hij zichzelf ruikt, zijn eigen arm die onder zijn neus gebraden wordt, en dan draait hij eindelijk de kraan open, en als het water over de brandwond klettert en de vettige rook eraf slaat, schreeuwt hij het weer uit. En dan steekt hij, terwijl zijn linkerarm nog steeds onbruikbaar in de gootsteen ligt, als een geamputeerd ledemaat in een niervormige metalen schaal, opnieuw in paniek zijn rechterarm uit, grijpt de bus met zeezout uit het kastje boven het fornuis en wrijft snikkend een handvol van de scherpe kristallen in de brandwond, wat de pijn opnieuw doet oplaaien tot een vuur dat witter is dan wit, en het is alsof hij recht in de zon kijkt en erdoor wordt verblind.

Als hij wakker wordt ligt hij op de grond, met zijn hoofd tegen het gootsteenkastje. Zijn armen en benen schokken en hoewel hij koortsig is, heeft hij het koud en drukt zich tegen het kastje aan alsof het iets zachts is, iets wat hem in zich kan opnemen. Achter zijn gesloten oogleden ziet hij de hyena's, die hun bek aflikken alsof ze zich daadwerkelijk aan hem te goed hebben gedaan. Tevreden? vraagt hij. Zijn jullie tevreden? Ze kunnen natuurlijk geen antwoord geven, maar ze zijn daas en verzadigd; hij ziet hun waakzaamheid tanen en hun grote ogen voldaan dichtzakken.

De volgende dag heeft hij koorts. Het kost hem een uur om van de keuken naar zijn bed te komen, want zijn voeten doen te veel pijn en hij kan niet op zijn armen steunen. Wat volgt kun je geen slapen noemen, maar eerder een heen en weer zwalken tussen bewusteloosheid en bewustzijn, terwijl de pijn als een vloed door hem heen slaat, zich soms zo ver terugtrekt dat hij wakker wordt en hem dan weer als een grijze, viezige golf overspoelt. Die avond laat is hij wakker genoeg om naar zijn arm te kijken, waar hij een grote gerimpelde cirkel ziet, zwart en giftig, alsof het een stuk land is waar hij een angstaanjagend occult ritueel heeft uitgevoerd, een heksenverbranding misschien. Een dierenoffer. Een geestensessie. Het ziet er helemaal niet uit als huid (en dat is het natuurlijk ook niet meer), maar als iets wat nooit huid is geweest: hout, papier, asfalt, allemaal tot as verbrand.

Op maandag weet hij dat het ontstoken zal raken. Tussen de middag verschoont hij het verband dat hij de avond ervoor heeft aangelegd, maar als hij het voorzichtig losmaakt trekt hij zijn huid mee, en hij propt zijn pochet in zijn mond om niet te schreeuwen. Er komt iets uit zijn arm, klonters met de consistentie van bloed maar de kleur van houtskool, en hij zit in zijn badkamer op de grond heen en weer te wiegen terwijl zijn maag zich omdraait en voedselresten en zuur opgeeft, en zijn arm zijn eigen afvalstoffen, zijn eigen excretie loost.

De volgende dag doet het nog meer pijn en vertrekt hij vroeg van zijn werk om naar Andy te gaan. 'Jezus,' zegt Andy als hij de wond ziet, en daarna zwijgt hij, wat niets voor hem is en daarom angstaanjagend.

'Kun je er iets aan doen?' fluistert hij, want tot op dat moment heeft hij nooit bedacht dat hij zichzelf zo zou kunnen verwonden dat er niets meer aan te doen is. Opeens heeft hij een visioen van Andy die hem vertelt dat hij zijn hele arm zal moeten missen, en zijn volgende gedachte is: wat moet ik dan tegen Willem zeggen?

Maar Andy zegt: 'Ja. Ik zal doen wat ik kan, en daarna moet je naar het ziekenhuis. Ga liggen.' Dat doet hij, en hij laat Andy de wond uitspoelen, schoonmaken, verbinden, en laat Andy zich verontschuldigen als hij het uitschreeuwt.

Zo ligt hij daar een uur, en als hij eindelijk weer in staat is te gaan zitten – Andy heeft hem een injectie gegeven om het gebied te verdoven – zwijgen ze allebei.

'Ga je me nog vertellen hoe je aan zo'n volmaakt ronde derdegraadsbrandwond komt?' vraagt Andy uiteindelijk, en hij negeert Andy's koele sarcasme en dist zijn vooraf verzonnen verhaal op: de bananen, het brandende vet.

Dan valt er opnieuw een stilte, deze keer anders; hij kan niet uitleggen wat het verschil is, maar het bevalt hem niet. En dan zegt Andy heel kalm: 'Je liegt, Jude.'

'Hoe bedoel je?' Hoewel hij net sinaasappelsap heeft gedronken, heeft hij opeens een droge keel.

'Je liegt,' herhaalt Andy, nog steeds op die kalme toon, en hij laat zich van de onderzoekstafel glijden terwijl het flesje sap uit zijn hand glipt en op de grond kapotvalt, en probeert bij de deur te komen.

'Blijf staan,' zegt Andy, en nu klinkt hij ijzig en woedend. 'Verdomme, Jude, zeg op. Wat heb je gedaan?'

'Dat heb ik je net verteld.'

'Nee,' zegt Andy. 'Vertel me wat je hebt gedaan, Jude. Zeg het. Zég het! Ik wil het je horen zeggen.'

'Ik héb het al verteld!' schreeuwt hij, en hij voelt zich afschuwelijk: zijn brein bonst tegen zijn schedel, zijn voeten zijn volgepropt met gloeiende staven ijzer en in zijn arm brandt een pruttelende kookpot. 'Laat me gaan, Andy. Laat me gáán.'

'*Nee*,' ook Andy schreeuwt nu. 'Jude, jij… jij…' Hij onderbreekt zichzelf, en hij blijft staan, en ze wachten allebei af wat Andy gaat zeggen. 'Je bent ziek, Jude,' zegt hij op een lage, vertwijfelde toon. 'Je bent gestoord. Dit is gestoord gedrag. Dit is gedrag waarvoor je jaren opgesloten zou kunnen en moeten worden. Je bent ziek, je bent ziek en gestoord en je hebt hulp nodig.'

'Wáág het niet me gestoord te noemen,' gilt hij. 'Wáág het niet. Dat ben ik niet!'

Maar Andy negeert hem. 'Willem komt vrijdag terug, hè?' vraagt hij, hoewel hij het antwoord al kent. 'Ik geef je vanaf vanavond één week om het hem te vertellen, Jude. Eén week. En daarna vertel ik het hem zelf.'

'Dat kun je niet maken, Andy, dat is tegen de wet,' schreeuwt hij, en de wereld draait voor zijn ogen. 'Ik klaag je aan voor een bedrag dat je…'

'Ik zou de recente jurisprudentie maar even checken als ik jou was, mééster,' sist Andy hem toe. 'Rodriguez tegen Mehta. Twee jaar geleden. Als een patiënt die al eens onvrijwillig is opgenomen opnieuw een poging doet zichzelf ernstig te verwonden, heeft de arts van de patiënt het recht – nee, de plícht – om de partner of naaste familie van de patiënt op de hoogte te stellen, of die patiënt daar nou wel of niet toestemming voor geeft.'

Dan is hij met stomheid geslagen, en hij duizelt van pijn en angst en de schok van wat Andy hem net heeft verteld. Ze staan nog steeds in de behandelkamer, de kamer waar hij al zo vreselijk vaak is geweest, maar hij voelt dat zijn benen het onder hem gaan begeven, dat de ellende hem overweldigt en dat zijn boosheid wegebt. 'Andy,' zegt hij, en hij hoort dat het smekend klinkt, 'vertel het hem alsjeblieft niet. Alsjeblieft niet. Als je het vertelt, gaat hij bij me weg.' Terwijl hij het zegt weet hij dat het waar is. Hij weet niet waarom Willem bij hem weg zal gaan – of het is om wat hij heeft gedaan of omdat hij erover heeft gelogen – maar hij weet dat het zal gebeuren. Willem zal bij hem weggaan, al heeft hij dit juist gedaan om te zorgen dat hij aan seks kan blijven doen, want als hij daarmee ophoudt weet hij ook zeker dat Willem weggaat.

'Deze keer niet, Jude,' zegt Andy, en hoewel hij niet meer schreeuwt, klinkt hij grimmig en vastbesloten. 'Deze keer dek ik je niet. Je hebt één week.'

'Maar het gaat hem niets aan,' zegt hij radeloos. 'Het zijn mijn zaken.'

'Dat is het nou juist, Jude,' zegt Andy. 'Het gaat hem wél aan. Dat is wat het betekent om een relatie te hebben, snap je dat nou nog niet? Snap je niet dat je niet gewoon maar alles kan doen wat je wilt? Snap je niet dat als je jezelf schade toebrengt, je hem ook beschadigt?'

'Nee.' Hij schudt zijn hoofd en grijpt met zijn rechterhand de rand van de onderzoekstafel om overeind te blijven. 'Nee. Ik doe dit juist om hem níét te beschadigen. Ik doe het om hem te sparen.'

'Nee, Jude. Als je dit verpest – als je blijft liegen tegen iemand die van je houdt, die écht van je houdt, die je altijd alleen maar heeft willen zien zoals je bent – dan kan je dat alleen jezelf verwijten. Dan komt het alleen door jou. En dan komt het niet door wie je bent of wat je is aangedaan of de aandoeningen die je hebt of hoe je denkt dat je eruitziet, maar door hoe je je gedraagt, doordat je niet genoeg in Willem gelooft om eerlijk met hem te praten, om hem net zo genereus je vertrouwen te schenken als hij andersom altijd, áltijd heeft gedaan. Ik weet dat je denkt dat je hem spaart, maar dat is niet zo. Je bent egoïstisch. Je bent egoïstisch en koppig en trots en je gaat het mooiste wat je ooit is overkomen te gronde richten. Snap je dat niet?'

Voor de tweede keer die avond is hij sprakeloos, en pas als hij eindelijk letterlijk omvalt van vermoeidheid en Andy zijn handen uitsteekt en hem bij zijn middel grijpt, is het gesprek afgelopen.

De volgende drie nachten brengt hij, op aandringen van Andy, in het ziekenhuis door. Overdag gaat hij naar zijn werk en 's avonds komt hij terug om door Andy weer te worden opgenomen. Er bungelen twee plastic zakken boven hem, voor elke arm één. In de ene zit alleen glucose, weet hij. In de andere zit iets anders, iets waar de pijn donzig en zacht van wordt, en slapen iets inktachtigs en stils, zoals de donkerblauwe hemel in een Japanse houtsnede van een wintertafereel: een lucht vol sneeuw en daaronder een zwijgzame reiziger met een strooien hoed.

Het is vrijdag. Hij gaat terug naar huis. Rond tien uur die avond zal Willem thuiskomen, en hoewel mevrouw Zhou al heeft schoongemaakt, wil hij zeker weten dat er geen aanwijzingen zijn achtergebleven, dat hij alle sporen heeft gewist, hoewel de sporen – zout, lucifers, olijfolie, keukenpapier – zonder context helemaal geen sporen zijn, het zijn symbolen van hun leven samen, dingen die ze allebei dagelijks in hun handen hebben.

Hij weet nog steeds niet wat hij zal doen. Hij heeft de tijd tot volgende week zondag om het Willem te vertellen – hij heeft negen dagen extra losgekregen bij Andy, heeft hem ervan weten te overtuigen dat hij die tijd nodig heeft vanwege de feestdagen, omdat ze aanstaande woensdag naar Boston rijden voor Thanksgiving – of (hoewel hij dat niet hardop zegt) om Andy over te halen van gedachten te veranderen. Beide scenario's lijken even onmogelijk. Maar toch zal hij het proberen. Dat hij de afgelopen nachten zo veel heeft geslapen, heeft als nadeel dat hij heel weinig tijd heeft gehad om na te denken hoe hij deze situatie tot een goed einde kan brengen. Hij heeft het gevoel dat hij zichzelf te kijk heeft gezet voor al die wezens die in hem huizen – het fretachtige diertje, de hyena's, de stemmen – en die afwachten wat hij zal gaan doen, zodat ze hem kunnen veroordelen, bespotten en vertellen dat hij het verkeerd doet.

Hij gaat op de bank in de woonkamer zitten wachten, en als hij zijn ogen opendoet zit Willem naast hem, kijkt hem glimlachend aan en zegt zijn naam, en hij omhelst hem voorzichtig, zodat zijn linkerarm nergens tegenaan drukt, en gedurende dat ene ogenblik lijkt alles tegelijkertijd mogelijk en onbeschrijflijk moeilijk.

Hoe zou ik verder kunnen zonder dit? vraagt hij zich af.

En dan: wat moet ik doen?

Negen dagen, zegt het stemmetje sarrend in zijn hoofd. Negen dagen. Maar hij negeert het.

'Willem,' zegt hij hardop in de geborgenheid van hun omhelzing. 'Je bent thuis, je bent thuis.' Hij ademt lang uit en hoopt dat Willem de siddering in die uitademing niet hoort. 'Willem,' zegt hij steeds weer, tot alleen die naam zijn mond vult. 'Willem, Willem... je hebt geen idee hoe ik je heb gemist.'

~

Het mooiste aan weggaan is thuiskomen. Wie heeft dat gezegd? Hij niet, maar hij had het kunnen zijn, denkt hij terwijl hij door het appartement loopt. Het is dinsdag, twaalf uur 's middags, en morgen rijden ze naar Boston.

Als je graag thuis bent – en zelfs als dat niet zo is – is er niets zo behaaglijk, zo genoeglijk, zo heerlijk als de eerste week dat je terug bent. Zelfs de dingen die je anders zouden irriteren – het autoalarm dat om drie uur 's nachts begint te blèren, de duiven die op het raamkozijn achter je bed komen roekoeën als je wilt uitslapen – herinneren je die week juist aan het permanente aspect van je eigen bestaan, aan hoe het leven, jouw leven, je altijd genadig weer zal opnemen, hoe lang of hoe ver je ook weg bent geweest.

En in die week lijken de dingen waar je toch al van hield zo fantastisch dat je het simpele feit van hun bestaan zou willen vieren: de straatverkoper van gekaramelliseerde walnoten in Crosby Street die altijd terugzwaait als je hem al hardlopend passeert, het broodje falafel met ingelegde radijs van de snackwagen verderop in de straat, waar je in Londen een keer midden in de nacht vreselijk naar verlangde, het huis zelf, met het zonlicht dat in de loop van de dag van de ene kant naar de andere schuift, en met je eigen spullen, je eigen eten, je eigen bed, douche en geuren.

En dan is er natuurlijk degene bij wie je terugkomt: zijn gezicht en lichaam en stem en geur en aanraking, zijn gewoonte om te wachten tot je bent uitgesproken voordat hij zelf iets zegt, hoelang je ook aan het woord bent, de manier waarop zijn glimlach op zijn gezicht doorbreekt, zo langzaam dat het je aan het opkomen van de maan doet denken, hoe duidelijk het is dat hij je heeft gemist en hoe blij hij is dat je terug bent. En dan zijn er de dingen die deze persoon, als je het heel erg getroffen hebt, voor je heeft gedaan terwijl je weg was: in de voorraadkast, vriezer en koelkast staan het voedsel dat je het liefst eet en de Schotse whisky die je het liefst drinkt. Er is de trui waarvan je dacht dat je die vorig jaar in het theater was kwijtgeraakt, maar die nu schoon en opgevouwen op de plank ligt. Er is het overhemd waar de knopen van loshingen, maar die zijn weer vastgenaaid. Er is een stapel post voor jou, aan één kant van zijn bureau, en er is een contract voor een reclamecampagne voor een Oostenrijks bier die in Duitsland gefilmd zal worden, met zijn aantekeningen in de marge, om met je advocaat te bespreken. En al die dingen zullen niet genoemd worden, en je weet dat ze met oprecht plezier zijn gedaan, en je weet dat een van de redenen – niet de belangrijkste, maar toch – dat je dit huis en deze relatie zo fijn vindt, is dat de ander het altijd gezellig voor je maakt, en dat hij niet beledigd maar verheugd is als je hem dat vertelt, en dat jij daar dan weer blij om bent, omdat je het alleen uit dankbaarheid zei. En op dat soort ogenblikken – als je bijna een week thuis bent – vraag je je af waarom je zo vaak weggaat, en of je, nadat je aan de verplichtingen van het komende jaar hebt voldaan, niet eens wat langer hier moet blijven, waar je hoort.

Maar je weet ook – net als hij – dat het feit dat je steeds weer vertrekt deels een reactie is. Nadat zijn relatie met Jude bekend was geworden, toen Kit, Emil en hij afwachtten wat er zou gaan gebeuren, werd hij gekweld door dezelfde onzekerheid waar hij last van had gehad toen hij jonger was: stel dat hij nooit meer zou werken. Stel dat het nu afgelopen was. En hoewel hij nu kan constateren dat alles gewoon is doorgegaan, zonder waarneembare hapering, heeft het hem een jaar gekost voordat hij het vertrouwen had dat zijn omstandigheden niet waren veranderd, dat hij nog steeds, net als altijd, bij sommige regisseurs goed lag en bij andere niet ('Gelul,' zei Kit, en daar was hij hem dankbaar voor, 'iedereen zou wel met je willen werken'), en dat hij hoe dan ook nog dezelfde acteur was als vroeger, niet beter of slechter.

Maar al kreeg hij dan de kans dezelfde acteur te blijven, hij mocht niet dezelfde persoon blijven, en in de maanden nadat hij gay werd verklaard – en het niet tegensprak; hij had niet eens een publiciteitsagent om dat soort ontkenningen of bevestigingen de wereld in te sturen – merkte hij dat hij meer identiteiten had dan hij in lange tijd had bezeten. Sinds hij volwassen was geworden, was hij vaak in de omstandigheid geweest dat hij een identiteit had moeten afleggen: eerst was hij geen broer meer geweest, daarna geen zoon meer. Maar met één simpele onthulling was hij nu opeens een homoseksuele man, een homoseksuele acteur, een bekende homoseksuele acteur, een bekende homoseksuele acteur die zich afzijdig houdt van de homoscene en, ten slotte, een bekende homoseksuele acteur die de homoscene afvalt. Ongeveer een jaar geleden had hij een etentje met een regisseur die hij al vele jaren kent, een zekere Max, en die avond probeerde Max hem over te halen een speech te houden op een galadiner ten bate van een organisatie voor homorechten, waarin hij bekend zou maken dat hij homo was. Hij had die organisatie altijd gesteund en zei tegen Max dat hij best een prijs wilde uitreiken of een tafel wilde sponsoren – zoals hij al tien jaar lang elk jaar deed – maar dat hij geen verklaring zou afleggen, omdat er volgens hem niets te verklaren viel: hij was geen homo.

'Willem,' zei Max, 'je hebt een relatie, een serieuze relatie, met een man. Dat is de definítie van een homo.'

'Ik heb geen relatie met een man,' zei hij, en hij hoorde zelf hoe absurd dat klonk, 'ik heb een relatie met Jude.'

'O mijn god,' mompelde Max.

Hij zuchtte. Max was zestien jaar ouder dan hij en was volwassen geworden in een tijd dat het persoonlijke politiek was, en hij begreep de argumenten van Max (en van alle anderen die hem pushten en smeekten uit de kast te komen en hem vervolgens beschuldigden van zelfhaat, lafheid, hypocrisie en zelfverloochening als hij dat niet deed); hij begreep dat hij een symbool voor iets was geworden zonder dat hij daar ooit om had gevraagd; hij begreep dat de vraag of hij die symboolfunctie wel wilde vervullen bijna een bijkomstigheid was. Maar toch kon hij het niet.

Jude had hem verteld dat Caleb en hij niemand in hun leven op de hoogte hadden gebracht van elkaars bestaan, en hoewel Judes terughoudendheid was ingegeven door schaamte (en die van Caleb, kon Willem alleen maar hopen, door op z'n minst een zweempje schuldgevoel), had ook hij het gevoel dat zijn relatie met Jude alleen voor henzelf bestond: het leek iets heiligs, iets unieks waar ze voor hadden gevochten. Dat was natuurlijk onzin, maar zo voelde hij het: als acteur in zijn positie was je in veel opzichten openbaar bezit: er werd over je geruzied, gediscussieerd en geoordeeld door iedereen die iets op te merken had, wat dan ook, over je talent, uiterlijk of prestaties. Maar zijn relatie was anders, daarin speelde hij een rol voor één persoon, en die persoon was zijn enige publiek, en niemand anders zag hem ooit in die rol, al dachten ze misschien dat wel te doen.

Zijn relatie was voor hem ook heilig omdat hij nog maar sinds kort – een half jaar of zo – het gevoel had dat hij in het ritme begon te komen. De man die hij had gedacht te kennen was in sommige opzichten niet de man gebleken die hij voor zich had, en het had hem tijd gekost om uit te zoeken hoeveel facetten hij nog niet had gezien: het was alsof de vorm die hij al die tijd voor een vijfhoek had gehouden in werkelijkheid een twaalfvlak was, met veel meer kanten, veel meer aspecten, en veel gecompliceerder om te beoordelen. Desondanks had hij nooit overwogen weg te gaan: hij bleef, zonder enige twijfel, uit liefde, uit loyaliteit en uit nieuwsgierigheid. Maar het was niet makkelijk geweest. Sterker nog, het was soms vreselijk moeilijk geweest en was dat in zekere zin nog steeds. Toen hij zich had voorgenomen dat hij niet zou gaan proberen Jude beter te maken, was hij vergeten dat je iemand vanzelf beter wilde maken als je eenmaal wist wat diegene mankeerde: vaststellen wat de aard van een probleem was en dan niet proberen het te verhelpen leek niet alleen nalatig maar zelfs immoreel.

De belangrijkste kwestie was seks: hun seksleven en Judes houding tegenover seks. Tegen het einde van de eerste tien maanden waarin hij en Jude een stel waren, de tijd die hij had gewacht tot Jude eraan toe was (de langste aaneengesloten periode van onthouding die hij sinds zijn vijftiende had gekend, iets wat hij deels had volgehouden als een soort zelfopgelegde test, zoals andere mensen geen brood of pasta meer aten omdat hun partner daar ook mee gestopt was), was hij zich serieus zorgen gaan maken over hoe dit zou eindigen en of seks niet iets was waar Jude simpelweg niet toe in staat was. Op de een of andere manier wist hij en had hij altijd geweten dat Jude misbruikt was, dat er iets afschuwelijks met hem was gebeurd (of misschien wel meerdere afschuwelijke dingen), maar tot zijn schande kon hij de woorden niet vinden om er met hem over te praten. Hij maakte zichzelf wijs dat Jude er toch niet over zou praten zolang hij er niet aan toe was, zelfs als Willem de woorden wél kon vinden, maar eigenlijk wist hij dat hij er gewoon te laf voor was en dat zijn lafheid de enige reden was dat hij niets ondernam. Maar toen was hij teruggekomen uit Texas en hadden ze eindelijk seks gehad, en hij was opgelucht geweest; wat hem ook opluchtte was dat hij er zo van had genoten, en toen bleek dat Jude er veel bedrevener in was dan hij had verwacht, had hij dat aangegrepen als derde reden om opgelucht te zijn. Hij kon zich er echter niet toe zetten om zich af te vragen hoe het kwam dat Jude zo ervaren was: had Richard gelijk gehad en had Jude al die tijd een dubbelleven geleid? Dat leek een te gemakkelijke verklaring. Maar het alternatief – dat Jude deze kennis had opgedaan voordat ze elkaar hadden leren kennen, wat betekende dat het lessen waren die hij als kind had geleerd – was te schokkend voor hem. En dus negeerde hij zijn grote schuldgevoel en zei niets. Hij koos ervoor de hypothese te geloven die zijn leven minder ingewikkeld maakte.

Maar toen droomde hij 's nachts een keer dat Jude en hij net seks hadden gehad (wat ook zo was) en dat Jude naast hem lag te huilen, wat hij geluidloos probeerde te doen maar wat niet helemaal lukte, en zelfs in de droom wist hij waarom Jude huilde: omdat hij een afschuw had van wat hij had gedaan, van wat Willem hem had laten doen. De volgende avond had hij het Jude op de man af gevraagd: vind je het fijn? En zonder te weten wat het antwoord zou zijn had hij afgewacht, tot Jude ja zei, en toen was hij weer opgelucht geweest: opgelucht dat de leugen kon voortduren, dat de balans niet verstoord werd, dat hij geen gesprek hoefde te hebben waarvan hij al niet wist hoe hij het moest beginnen, laat staan hoe het verder gevoerd moest worden. Hij zag in gedachten een bootje, een sloepje, dat woest heen en weer deinde op de golven, maar toen weer recht kwam te liggen en kalm verdervoer, al was de zee eronder zwart en vol monsters en drijvende wiervelden die het arme kleine bootje bij elke stroming onder water dreigden te trekken, zodat het met een paar blubgeluiden uit het zicht zou zinken en zou vergaan.

Maar nu en dan, te sporadisch en willekeurig om er peil op te kunnen trekken, was er een moment dat hij Judes gezicht zag als hij in hem binnenging, of dat hij naderhand zijn stilte voelde, zo zwart en volledig dat zijn zwijgen bijna de vorm van een gas leek aan te nemen, en dan wist hij dat Jude tegen hem had gelogen: dat hij een vraag had gesteld waarop maar één antwoord acceptabel was en dat Jude dat antwoord had gegeven, maar het niet meende. En dan argumenteerde hij met zichzelf, probeerde aan de ene kant zijn gedrag te rechtvaardigen en keurde het aan de andere kant af. Maar als hij heel eerlijk was, wist hij dat er een probleem was.

Hoewel hij er niet helemaal de vinger op kon leggen wat het was: tenslotte leek Jude altijd seks te willen als híj dat wilde. (Was dat trouwens op zichzelf al niet verdacht?) Maar hij had nog nooit iemand gekend die zo'n hekel had aan voorspel, die niet over seks wilde praten en zelfs het woord nooit zei. 'Dit is gênant, Willem,' zei Jude altijd als hij het probeerde. 'Laten we het gewoon doen.' Hij had vaak het gevoel dat hun vrijpartijen geklokt werden en dat hij geacht werd zo snel en doortastend mogelijk te presteren en er verder nooit over te praten. Judes gebrek aan erecties baarde hem minder zorgen dan de vreemde gewaarwording die hij soms had – te ondefinieerbaar en tegenstrijdig om onder woorden te brengen – dat hij bij elk lichamelijk contact dat ze hadden dichter naar

Jude toe kroop, terwijl Jude zich verder van hem terugtrok. Jude zei de juiste dingen, maakte de juiste geluiden, was lief en bereidwillig, maar toch wist Willem dat er iets niet klopte. Hij vond het verwarrend: anderen hadden altijd genoten van seks met hem, dus wat was er aan de hand? Ironisch genoeg kreeg hij er juist meer behoefte aan, al was het maar om antwoorden te vinden, antwoorden die hij tegelijk vreesde.

En zoals hij wist dat er een probleem was met hun seksleven, wist hij ook – zonder het werkelijk te weten, zonder dat iemand het hem had verteld – dat de zelfverminking van Jude met de seks te maken had. Bij dat besef huiverde hij altijd, net als wanneer hij dacht aan de oude, afgezaagde manier waarop hij zich in gedachten altijd onttrok aan de plicht om verder te zoeken – Willem Ragnarsson, waar ben je mee bezig? Je bent veel te dom om dit te snappen – aan de plicht om een arm in het van slangen en duizendpoten wemelende slijk van Judes verleden te steken om dat vele bladzijden dikke boek te vinden, verpakt in vergeeld plastic, waarin de achtergrond van iemand die hij had gedacht te begrijpen uiteen werd gezet. En dan overdacht hij dat ze geen van allen – hij niet, Malcolm niet, JB, Richard en zelfs Harold niet – de moed hadden gehad om het te proberen. Ze hadden allerlei redenen gevonden om hun handen niet vuil te hoeven maken. Andy was de enige voor wie dat niet gold.

En toch was het makkelijk voor hem om te negeren wat hij wist, want doen alsof was over het algemeen niet moeilijk: omdat ze vrienden waren, omdat ze graag samen waren, omdat hij van Jude hield, omdat ze hun leven deelden, omdat hij zich tot hem aangetrokken voelde, omdat hij hem begeerde. Maar je had de Jude die hij kende van overdag, en zelfs van de ochtend- en avondschemering, en de Jude die elke nacht een paar uur in zijn vriend voer, en soms vreesde hij dat die Jude de echte was: de Jude die alleen door hun huis dwaalde, die hij had gezien toen hij met grote ogen van de pijn het scheermesje langzaam over zijn arm had gehaald, en die hij nooit kon bereiken, hoe hij hem ook geruststelde of waar hij ook mee dreigde. Soms leek het alsof die Jude hun relatie bepaalde, en als hij er was kon niemand, zelfs Willem niet, hem verdrijven. En toch hield hij koppig vol: door de intensiteit, de kracht en de standvastigheid van zijn liefde zou hij hem verjagen. Hij wist dat het kinderlijk was, maar alles wat koppig was, was kinderlijk. Koppigheid was in dit geval zijn enige wapen. Geduld, koppigheid en liefde, hij moest geloven dat dat genoeg zou zijn. Hij moest geloven dat ze sterker zouden zijn dan iets wat Jude zich had aangewend, hoe langdurig en toegewijd hij dat ook in de praktijk had gebracht.

Soms kreeg hij een soort voortgangsrapport van Andy of Harold: ze bedankten hem allebei elke keer dat ze hem zagen, wat hij overbodig maar geruststellend vond, omdat het betekende dat de veranderingen die híj in Jude dacht te zien – dat hij wat minder geremd en fysiek wat meer op zijn gemak leek – niet puur verbeelding waren. Maar hij voelde zich ook erg alleen, alleen met zijn nieuwe vermoedens over Jude en over de ernst van zijn problemen, alleen met het besef dat hijzelf niet in staat of bereid was om die problemen op de juiste manier aan te pakken. Een paar keer had hij op het punt gestaan Andy te bellen en hem te vragen wat hij moest doen en of hij wel de juiste beslissingen nam. Maar hij had het niet gedaan.

In plaats daarvan gaf hij zijn aangeboren optimisme de ruimte om zijn angsten te versluieren en om iets zonnigs en vreugdevols van hun relatie te maken. Vaak werd hij overvallen door een gevoel dat hij in Lispenard Street ook weleens had gehad: dat ze vadertje en moedertje speelden, dat zijn leven een jongensfantasie was van samen met je beste vriend weglopen van de wereld met al zijn regeltjes en gaan wonen in een of ander wonderlijk maar toch heel gerieflijk bouwwerk (een treinwagon, een boomhut) dat eigenlijk niet als huis bedoeld was, maar het toch was geworden door de gedeelde overtuiging van de bewoners dat het dat best kon zijn. Meneer Irvine had het niet helemaal mis gehad, dacht hij op de dagen dat het leven veel weg had van een uit de hand gelopen logeerpartijtje dat al bijna drie decennia duurde en hem het opwindende gevoel gaf dat het hun was gelukt iets groots vast te houden, iets wat ze geacht werden jaren geleden al achter zich te hebben gelaten: je ging naar een feestje en als er dan iets belachelijks werd gezegd, keek je hem over de tafel heen aan, en hij beantwoordde je blik met een uitgestreken gezicht en alleen een zweem van een opgetrokken wenkbrauw, en dan moest je snel een slok water nemen om te zorgen dat je de hap eten die je in je mond had niet over de tafel spoog van het lachen, en thuis – in jullie bespottelijk mooie huis, waar jullie allebei in bijna gênante mate dankbaar voor waren, om redenen die jullie nooit aan elkaar hoefden uit te leggen – recapituleerden jullie het vreselijke etentje van begin tot eind, zo hard lachend dat je geluk bijna pijn ging doen. En je kon elke avond je problemen bespreken met iemand die slimmer en wijzer was dan jij, of over de aanhoudende verwondering en gêne praten die jullie al die jaren later allebei nog steeds voelden bij de gedachte dat jullie geld hadden, absurd veel geld, zo veel als een boef uit een stripboek, of jullie reden naar het huis van zijn ouders en een van jullie stak een usb-stick met een bizarre verzameling nummers in het audiosysteem van de auto en dan zongen jullie allebei luidkeels mee en waren uitgelaten zoals jullie dat als kind nooit waren geweest. Naarmate je ouder werd, ging je beseffen dat er eigenlijk maar heel weinig mensen waren met wie je werkelijk langer dan een paar dagen achtereen samen wilde zijn, en toch was je nu met iemand met wie je wel jarenlang samen wilde zijn, zelfs wanneer hij op zijn ondoorgrondelijkst en verwarrendst was. Geluk, dus. Ja, hij was gelukkig. Daar hoefde hij niet over na te denken, niet echt. Hij wist dat hij een eenvoudig mens was, eenvoudiger bestond niet, en toch had hij nu een relatie met de meest gecompliceerde persoon die je je kon voorstellen.

'Het enige wat ik wil,' zei hij op een avond tegen Jude in een poging het tevreden gevoel uit te leggen dat op dat moment in hem borrelde als water in een helderblauwe ketel, 'is werk waar ik plezier in heb, een plek om te wonen en iemand die van me houdt. Zie je hoe simpel ik ben?'

Jude lachte droevig. 'Willem,' zei hij, 'meer dan dat wil ik ook niet.'

'Maar dat heb je al,' zei hij ernstig, en Jude was stil.

'Ja,' zei hij uiteindelijk. 'Je hebt gelijk.' Maar hij klonk niet overtuigd.

Die dinsdagavond liggen ze naast elkaar, soms pratend en soms niet, verwikkeld in een van de meanderende bijna-gesprekken die ze hebben als ze allebei wakker willen blijven maar allebei in slaap aan het zakken zijn, tot Jude op een dusdanig serieuze toon zijn naam noemt dat hij zijn ogen opendoet. 'Wat is er?' vraagt hij, en Judes gezicht staat zo roerloos en ernstig dat hij bang wordt. 'Jude? Wat is er?'

'Willem, je weet dat ik mijn best doe mezelf niet te snijden,' zegt hij, en Willem knikt naar hem en wacht. 'En ik blijf mijn best doen,' vervolgt Jude. 'Maar soms... soms kan ik mezelf misschien niet beheersen.'

'Dat weet ik,' zegt hij. 'Ik weet dat je je best doet. Ik weet hoe moeilijk het voor je is.'

Dan draait Jude zich van hem af, en Willem rolt naar hem toe en slaat zijn armen om hem heen. 'Ik wil alleen dat je het begrijpt als ik een vergissing maak,' zegt Jude, en zijn stem klinkt gesmoord.

'Natuurlijk begrijp ik dat,' zegt hij. 'Natuurlijk begrijp ik dat, Jude.' Er valt een lange stilte en hij wacht af of Jude nog meer gaat zeggen. Jude is van zichzelf al mager, met de lange spieren van een marathonloper, maar in het afgelopen half jaar is hij nog magerder geworden, bijna net zo mager als toen hij uit het ziekenhuis kwam, en Willem drukt hem wat dichter tegen zich aan. 'Je bent weer afgevallen.'

'Het werk,' zegt Jude, en ze zwijgen allebei weer.

'Ik vind dat je meer moet eten,' zegt hij. Hij was noodgedwongen aangekomen om Turing te spelen, en hoewel hij het gedeeltelijk alweer kwijt is, voelt hij zich gigantisch naast Jude, een reusachtig, opgezwollen wezen. 'Anders denkt Andy nog dat ik niet goed voor je zorg, en dan krijg ik wat te horen,' voegt hij eraan toe, en Jude maakt een geluid dat klinkt als een lach.

De volgende ochtend, de dag voor Thanksgiving, zijn ze vrolijk – ze houden allebei van autorijden – en ze zetten hun tas in de auto, plus de dozen met koekjes, taarten en broden die Jude voor Harold en Julia heeft gebakken, en vertrekken vroeg, eerst hobbelend over de straatkeien van SoHo en daarna zoevend over de Franklin D. Roosevelt East River Drive naar het noorden, terwijl ze meezingen met de soundtrack van *Duets*. In de buurt van Worcester stoppen ze bij een tankstation en Jude gaat naar binnen om mintjes en water te kopen. Intussen wacht hij in de auto en bladert de krant door, en als Judes telefoon gaat, kijkt hij wie het is en neemt op.

'Heb je het Willem al verteld?' hoort hij Andy vragen voordat hij een woord kan uitbrengen. 'Je hebt na vandaag nog drie dagen, Jude, en dan vertel ik het hem zelf. Ik meen het.'

'Andy?' vraagt hij, en dan valt er een abrupte, scherpe stilte.

'Willem,' zegt Andy. 'Fuck.' Op de achtergrond hoort hij een klein kind opgetogen kwetteren – 'Oom Andy heeft een lelijk woord gezegd!' – en dan vloekt Andy nog een keer en hoort hij een deur dichtschuiven. 'Waarom neem jij Judes telefoon op?' vraagt Andy. 'Waar is hij?'

'We zijn onderweg naar Harold en Julia,' zegt hij. 'Hij is water gaan kopen.' Aan de andere kant blijft het stil. 'Wat moet hij vertellen, Andy?' vraagt hij.

'Willem,' begint Andy, en hij onderbreekt zichzelf. 'Dat kan ik niet zeggen. Ik heb beloofd dat ik het hem zou laten doen.'

'Nou, hij heeft niks tegen me gezegd.' Hij voelt dat een veelheid van emoties bezit van hem neemt: een laag angst op een laag irritatie op een laag angst op een laag nieuwsgierigheid op een laag angst. 'Andy, vertel het nou maar,' zegt hij. Ergens in zijn binnenste breekt paniek uit. 'Is het iets ergs?' vraagt hij. En dan smeekt hij: 'Doe me dit niet aan, Andy.'

Hij hoort Andy langzaam ademhalen. 'Willem,' zegt hij zacht. 'Vraag hem hoe hij echt aan die brandwond op zijn arm komt. Nu moet ik ophangen.'

'Andy!' roept hij. 'Andy!' Maar hij is weg.

Hij draait zijn hoofd, kijkt uit het raampje en ziet Jude aankomen. De brandwond, denkt hij, wat is er met de brandwond? Die heeft Jude opgelopen toen hij de gebakken bananen wilde maken die JB zo lekker vindt. 'Die stomme JB ook altijd,' had hij gezegd toen hij het verband om Judes arm zag. 'Die maakt altijd overal een zooi van.' En Jude lachte. 'Maar serieus, Jude, gaat het wel goed met je arm?' En Jude zei dat alles in orde was: hij was naar Andy gegaan en had een transplantatie gehad met een soort kunsthuid. Toen kregen ze ruzie, omdat Jude hem niet had verteld hoe ernstig het was geweest – uit Judes mailtje had hij opgemaakt dat het om een oppervlakkige verbranding ging en zeker niet om iets waar huidtransplantatie bij kwam kijken – en vanochtend hebben ze weer geruzied, omdat Jude erop stond om te rijden, terwijl hij duidelijk nog last van zijn arm had, maar... hoe zit het met de brandwond? En dan beseft hij opeens dat er maar één manier is om Andy's woorden te interpreteren en moet hij snel vooroverbuigen omdat hij duizelig wordt, alsof iemand hem net een klap heeft gegeven.

'Sorry,' zegt Jude terwijl hij instapt. 'Er stond een enorme rij.' Hij schudt de mintjes uit het zakje, draait zich om en ziet hem. 'Willem?' vraagt hij. 'Wat is er? Je ziet er slecht uit.'

'Andy heeft gebeld.' Hij kijkt naar Judes gezicht en ziet het verstrakken en angstig worden. 'Jude,' zegt hij, en zijn eigen stem klinkt van ver weg, alsof hij van de bodem van een ravijn spreekt, 'hoe kom je aan die brandwond op je arm?' Maar Jude geeft geen antwoord en staart hem alleen maar aan. Dit gebeurt niet echt, zegt Willem tegen zichzelf.

Maar dat doet het natuurlijk wel. 'Jude,' herhaalt hij, 'hoe kom je aan die brandwond?' Maar Jude blijft hem met zijn lippen stijf op elkaar aanstaren, en hij vraagt het nog een keer en nog een keer. 'Júde!' schreeuwt hij ten slotte, verbaasd door zijn eigen woede, en Jude krimpt in elkaar. 'Jude! Zeg op! Nu meteen!'

En dan zegt Jude iets, maar zo zacht dat hij hem niet verstaat. 'Hárder,' schreeuwt hij. 'Ik versta je niet.'

'Ik heb mezelf verbrand,' zegt Jude uiteindelijk met een heel klein stemmetje.

'Hoe?' vraagt hij, woest, en opnieuw geeft Jude antwoord met zo'n zachte stem dat hij het grootste deel mist, maar hij kan een paar woorden onderscheiden: olijfolie – lucifer – vuur.

'Waarom?' brult hij vertwijfeld. 'Waarom heb je dat gedaan, Jude?' Hij is zo kwaad – op zichzelf, op Jude – dat hij Jude voor het eerst sinds hij hem kent zou willen slaan; hij ziet voor zich hoe zijn vuist tegen Judes neus beukt, en tegen zijn wang. Hij wil dat gezicht vermorzeld zien, en hij wil degene zijn die het doet.

'Ik probeerde mezelf niet te snijden,' zegt Jude kleintjes, en dat maakt hem opnieuw razend.

'Dus het is mijn schuld? Je doet het om mij te straffen?'

'Nee,' zegt Jude smekend, 'nee, Willem, nee... Het is alleen...'

Maar hij onderbreekt hem. 'Waarom heb je me nooit verteld wie broeder Luke is?' hoort hij zichzelf vragen.

Hij merkt dat Jude schrikt. 'Wat?' vraagt hij.

'Dat heb je me beloofd,' zegt hij. 'Weet je nog? Het was mijn verjaardagscadeau.' Dat laatste woord klinkt sarcastischer dan zijn bedoeling was. 'Zeg op,' zegt hij. 'Ik wil het nu weten.'

'Dat kan ik niet, Willem,' zegt Jude. 'Alsjeblieft. Alsjeblieft.'

Hij ziet Judes gekweldheid en toch zet hij door. 'Je hebt vier jaar de tijd gehad om een manier te bedenken,' zegt hij, en als Jude de sleutel in het contact wil steken, grist hij die uit zijn hand. 'Dat lijkt me lang genoeg. Zeg op, nu meteen.' En dan, als er nog steeds geen reactie komt, schreeuwt hij weer tegen Jude. 'Zeg het!'

'Hij was een van de broeders in het klooster,' fluistert Jude.

'En?' brult hij tegen hem. Ik ben zo'n stomkop, denkt hij al schreeuwend. Ik ben zo'n enorme stomkop. Ik ben zo onnozel. En dan, tegelijkertijd: hij is bang voor me. Ik schreeuw tegen iemand van wie ik hou en maak hem bang. Plotseling herinnert hij zich dat hij al die jaren geleden tegen Andy schreeuwde: *Je bent alleen maar boos omdat jij geen manier kan bedenken om hem te helpen, en daarom geef je mij de schuld.* O god, denkt hij. O god. Waarom doe ik dit?

'En ik ben met hem weggelopen,' zegt Jude, nu met zo'n gedempte stem dat Willem zich naar hem toe moet buigen om hem te verstaan.

'En?' vraagt hij, maar hij ziet dat Jude op het punt staat in huilen uit te barsten, en opeens houdt hij op en leunt uitgeput en walgend van zichzelf achterover. Plotseling is hij ook bang: stel dat de volgende vraag die hij stelt de vraag is die de sluizen ten langen leste openzet en dat alles wat hij ooit over Jude heeft willen weten, alles wat hij nooit onder ogen heeft willen zien, er eindelijk uit komt, wat dan? Zo blijven ze lang zitten, terwijl hun bibberige ademhaling wolkjes vormt in de auto. Hij merkt dat zijn vingertoppen gevoelloos worden. 'Laten we gaan,' zegt hij uiteindelijk.

'Waarheen?' vraagt Jude, en Willem kijkt hem aan.

'Het is nog maar een uur naar Boston,' zegt hij. 'En ze rekenen op ons.' Jude knikt, veegt zijn gezicht af met zijn zakdoek, pakt de sleutel van hem aan en rijdt langzaam het tankstation uit.

Terwijl ze over de grote weg rijden, ziet hij opeens voor zich wat het betekent om jezelf in brand te steken. Hij denkt aan de kampvuren die hij als padvinder heeft aangelegd, de tipi van takjes die je bouwde rond een prop krantenpapier, hoe de flakkerende vlammen de lucht eromheen deden trillen en hoe ontzagwekkend mooi ze waren. En dan stelt hij zich Jude voor die dat met zijn eigen huid doet, ziet voor zich hoe de oranje gloed zich door zijn vlees vreet en wordt misselijk. 'Ga naar de kant,' brengt hij met moeite uit, en als Jude de auto met piepende remmen heeft stilgezet in de berm, doet hij het portier open en geeft over tot er niets meer over te geven valt.

'Willem,' hoort hij Jude zeggen, en het geluid van zijn stem maakt hem tegelijk razend en intens verdrietig.

De rest van de rit zwijgen ze, en als Jude de auto aan het eind van de hobbelige oprit van Harold en Julia parkeert kijken ze elkaar heel even aan, en dan is het net alsof hij naar iemand kijkt die hij nog nooit heeft gezien. Hij kijkt naar Jude en ziet een knappe man met lange handen, lange benen en een prachtig gezicht, het soort gezicht waar je naar blijft kijken; als hij deze man op een feestje of in een restaurant tegen het lijf zou lopen, zou hij hem aanspreken omdat hij dan een excuus zou hebben om langer naar hem te kijken, en hij zou geen moment vermoeden dat dit iemand was die zichzelf zo ernstig sneed dat de huid van zijn armen niet meer aanvoelde als huid maar als kraakbeen, of dat hij een relatie had gehad met iemand die hem zo hard sloeg dat het zijn dood had kunnen worden, of dat hij zijn huid op een avond had ingesmeerd met olie om te zorgen dat de vlam die hij bij zijn eigen lichaam bracht feller en sneller zou branden, en dat hij op dat idee was gekomen doordat iemand jaren geleden eens precies hetzelfde met hem had gedaan, toen hij nog een kind was en zijn enige vergrijp was geweest dat hij iets glanzends en onweerstaanbaars van het bureau van een verfoeide en verfoeilijke begeleider had gepakt.

Hij doet zijn mond open om iets te zeggen, maar dan horen ze Harold en Julia vrolijk welkom roepen en knipperen ze allebei met hun ogen, kijken om en stappen uit, terwijl ze hun mond tot een glimlach vertrekken. Terwijl hij Julia zoent, hoort hij Harold achter zich tegen Jude zeggen: 'Is alles goed? Echt? Je ziet er een beetje moe uit,' en daarna Judes gemompelde geruststelling.

Hij gaat met hun tas naar de slaapkamer en Jude loopt meteen naar de keuken. Hij pakt hun tandenborstels en scheerapparaten uit en zet ze in de badkamer, en dan gaat hij op bed liggen.

Hij slaapt de hele middag, te verslagen om iets anders te doen. Die avond komt er verder niemand eten, en hij kijkt in de spiegel en oefent snel op zijn glimlach voordat hij de anderen opzoekt in de eetkamer. Onder het eten is Jude heel stil, maar Willem doet zijn best te praten en luisteren alsof er niets aan de hand is, hoewel hem dat zwaar valt, want zijn gedachten zijn bij wat hij te weten is gekomen.

Zelfs in zijn woede en wanhoop ziet hij dat Jude bijna niets op zijn bord heeft, maar als Harold zegt: 'Jude, je moet wat meer eten, je bent veel te mager geworden. Hè, Willem?' en naar hem kijkt in afwachting van de steun en bijval die hij hem normaal gesproken zonder nadenken zou betuigen, haalt hij zijn schouders op. 'Jude is volwassen,' zegt hij, en zijn eigen stem klinkt hem vreemd in de oren. 'Hij weet wat het beste voor hem is.' Uit zijn ooghoeken ziet hij Julia en Harold een blik wisselen en Jude zijn ogen neerslaan. 'Ik heb onder het koken al veel gegeten,' zegt hij, maar ze weten allemaal dat dat niet waar is, want Jude snaait nooit iets terwijl hij kookt en staat dat anderen ook niet toe. 'De snaaistasi' wordt hij door JB genoemd. Willem ziet dat Jude zijn hand afwezig rond de mouw van zijn trui legt bij de plek waar de brandwond moet zitten, en dan kijkt hij op, ziet Willems blik, laat zijn hand zakken en slaat zijn ogen weer neer.

Op de een of andere manier komen ze de maaltijd door, en als hij en Julia de afwas doen, houdt hij het gesprek algemeen en licht. Daarna gaan ze naar de woonkamer, waar Harold op hem wacht om naar de wedstrijd van het afgelopen weekend te kijken, die hij heeft opgenomen. Bij de deur blijft hij staan: normaal zou hij zich naast Jude in de bovenmaatse, plompe stoel persen die voor de gelegenheid in de krappe ruimte naast Harolds Stoel is gezet, maar vanavond kan hij niet naast Jude zitten; hij kan zelfs zijn aanblik nauwelijks verdragen. Maar als hij het niet doet, zullen Julia en Harold er niet meer aan twijfelen dat er iets grondig mis is tussen hen. Terwijl hij aarzelt staat Jude op, alsof hij zijn dilemma voelt, en kondigt aan dat hij moe is en naar bed gaat. 'Weet je het zeker?' vraagt Harold. 'De avond begint net.' Maar Jude zegt ja, kust Julia welterusten en zwaait vaag in de richting van Harold en Willem, en weer ziet hij Julia en Harold naar elkaar kijken.

Na een tijdje laat ook Julia hen alleen – American football is nooit aan haar besteed geweest – en als ze weg is zet Harold de wedstrijd op pauze en kijkt hem aan. 'Is alles goed met jullie tweeën?' vraagt hij, en Willem knikt. Later, als ook hij naar bed gaat en langs Harold loopt, steekt die zijn hand uit naar de zijne. 'Weet je, Willem,' zegt hij terwijl hij in zijn hand knijpt, 'we houden niet alleen van Jude.' En terwijl zijn blik troebel wordt knikt hij weer, wenst Harold welterusten en gaat de kamer uit.

In hun slaapkamer is het stil, en hij blijft een tijdje naar de gestalte onder de deken staan staren. Hij kan zien dat Jude niet echt slaapt maar doet alsof, want hij ligt te stil, en ten slotte kleedt hij zich uit en hangt zijn kleren over de rugleuning van de stoel bij de toilettafel. Als hij in bed kruipt voelt hij dat Jude nog wakker is, en lange tijd liggen ze allebei op hun eigen helft van het bed, allebei bang voor wat hij, Willem, misschien gaat zeggen.

Toch valt hij in slaap, en als hij wakker wordt is het nog stiller in de kamer, écht stil nu, en uit gewoonte laat hij zich naar Judes kant van het bed rollen, waarna hij zijn ogen opendoet als hij beseft dat Jude er niet is, sterker nog, dat zijn kant van het bed koud aanvoelt.

Hij gaat zitten. Hij staat op. Hij hoort een klein geluidje, zo klein dat je het eigenlijk geen geluid kunt noemen, en dan draait hij zich om en ziet de gesloten badkamerdeur. Maar alles is donker. Hij loopt er toch heen, draait woest aan de kruk en rukt de deur open, waardoor de handdoek die onder de deur is gepropt om het licht tegen te houden als een sleep wordt meegetrokken. En zoals hij al verwachtte zit Jude daar, volledig aangekleed en met grote, angstige ogen tegen het bad geleund.

'Waar is het?' bijt hij hem toe, hoewel hij eigenlijk wil jammeren, wil huilen: om zijn falen, om dit gruwelijke, groteske toneelstuk dat avond na avond na avond wordt opgevoerd en waarvan hij de enige toeschouwer is, en dan nog bij toeval, want zelfs zonder publiek wordt het toneelstuk toch gespeeld, voor een lege zaal, omdat de enige speler zo toegewijd en trouw is dat niets hem kan beletten zijn vak uit te oefenen.

'Ik doe niks,' zegt Jude, en Willem weet dat hij liegt.

'Waar is het, Jude?' vraagt hij, en hij hurkt voor hem neer en pakt zijn handen: niets. Maar hij weet dat Jude zichzelf heeft gesneden, dat ziet hij aan zijn grote ogen, zijn grauwe lippen en het trillen van zijn handen.

'Ik doe niks, Willem, ik doe niks,' zegt Jude – ze fluisteren allebei om Julia en Harold, die op de etage boven hen slapen, niet wakker te maken – en dan, voordat hij erover kan nadenken, plukt hij aan Jude in een poging zijn kleren van zijn lijf te rukken, en Jude weert hem af maar kan zijn linkerarm niet gebruiken en is toch al niet in topvorm, en geluidloos krijsen ze tegen elkaar. Dan zit hij boven op Jude en drukt zijn knieën tegen Judes schouders zoals hij ooit op een filmset van een vechtinstructeur heeft geleerd, een methode waarvan hij weet dat die je tegenstander zowel immobiliseert als pijn doet, en dan trekt hij Judes kleren uit, terwijl

Jude helemaal over zijn toeren onder hem ligt en dreigt en smeekt dat hij moet ophouden. Hij bedenkt vaag dat iemand die hen zag zonder meer zou denken dat dit een verkrachting was, maar hij houdt zichzelf voor dat hij niemand wil verkrachten, hij wil alleen het scheermesje vinden. En dan hoort hij het, het tinkelende geluid van metaal op een tegel, en hij pakt het aan de rand tussen zijn vingers en gooit het achter zich, en dan gaat hij door met het uitkleden van Jude; hij rukt zijn kleren van hem af met een meedogenloze efficiëntie die hemzelf verrast, maar pas als hij Judes boxershort naar beneden trekt ziet hij de sneden: zes in totaal, keurige evenwijdige horizontale strepen, hoog op zijn linkerdij, en hij laat Jude los en schiet achteruit alsof Jude een besmettelijke ziekte heeft.

'Je bent gestoord,' zegt hij toonloos en langzaam, nadat de eerste schok een beetje is weggeëbd. 'Je bent gestoord, Jude. Om jezelf nu ook nog in je benen te snijden. Je wéét wat er kan gebeuren, je wéét dat je daar een ontsteking kan oplopen. Hoe haal je het in je hoofd?' Hij hijgt van inspanning en ellende. 'Je bent ziek,' zegt hij, en nu hij Jude opnieuw als een vreemde bekijkt, ziet hij hoe mager hij eigenlijk is en vraagt hij zich af waarom hem dat niet eerder is opgevallen. 'Je bent ziek. Je moet opgenomen worden. Je moet...'

'Hou op met die pogingen me béter te maken, Willem,' snauwt Jude terug. 'Wat ben ik voor jou? Waarom ben je eigenlijk bij me? Ik ben godverdomme niet een of ander liefdadigheidsproject. Ik redde me prima zonder jou.'

'O ja?' vraagt hij. 'Sorry als ik niet het ideale vriendje blijk te zijn, Jude. Ik weet dat je graag wat meer sadisme in je relaties hebt. Misschien zou ik beter voldoen als ik je een paar keer de trap af schopte?' Hij ziet dat Jude bij hem wegschuift en zich tegen het bad drukt, ziet iets in zijn ogen dof worden en zich afsluiten.

'Ik ben Hémming niet, Willem,' sist Jude naar hem. 'Ik ben niet van plan de invalide te spelen die je kunt redden ter compensatie van die andere bij wie dat niet lukte.'

Hij raakt even uit balans, komt dan overeind, stapt achteruit, pakt in het voorbijgaan het scheermesje op en gooit dat zo hard mogelijk in de richting van Judes gezicht, terwijl Jude zijn armen heft ter bescherming, zodat het mesje tegen zijn handpalm afketst. 'Oké,' zegt hij hijgend. 'Voor mijn part snij je jezelf helemaal aan flarden. Je houdt toch meer van het snijden dan van mij.' Hij loopt de badkamer uit en wou dat hij de deur met een flinke klap achter zich dicht kon slaan, maar geeft onderweg nog wel een mep op de lichtschakelaar.

In de slaapkamer grist hij zijn kussens en een van de dekens van het bed en laat zich op de bank vallen. Als hij kon weggaan zou hij het doen, maar de aanwezigheid van Harold en Julia houdt hem tegen. Hij gaat op zijn buik liggen en schreeuwt het letterlijk uit in het kussen terwijl hij als een driftig kind in de bank stompt en schopt, buiten adem van razernij vermengd met een alomvattend verdriet. Hij denkt van alles, maar kan zijn gedachten niet onder woorden brengen of uit elkaar houden, en er buitelen achtereenvolgens drie ideeën door zijn hoofd: hij stapt in de auto, rijdt weg en praat nooit meer met Jude, hij gaat terug naar de badkamer en drukt hem tegen zich aan tot hij toegeeft en zich laat helen, of hij belt Andy nu meteen en zorgt dat Jude morgenochtend vroeg wordt opgenomen. Maar hij doet geen van drieën, blijft alleen schoppen en slaan als een zwemmer die niet van zijn plaats komt.

Uiteindelijk houdt hij op en blijft stil liggen, en nog weer een hele tijd later, voor zijn gevoel, hoort hij Jude de kamer binnen sluipen, zachtjes en langzaam als een dier dat slaag heeft gehad, een hond misschien, een schepsel dat nooit liefde heeft gekend en alleen maar leeft om mishandeld te worden, en daarna het kraken van het bed als hij erin kruipt.

De lange, lelijke nacht sleept zich voort, maar ten slotte valt hij in slaap, in een oppervlakkige, vluchtige sluimering, en als hij wakker wordt is het nog niet helemaal licht, maar toch trekt hij zijn kleren en hardloopschoenen aan en gaat gemangeld van uitputting naar buiten terwijl hij probeert nergens aan te denken. Onder het hardlopen wordt zijn zicht af en toe vertroebeld door tranen, van de kou of van al het andere, en hij wrijft nijdig in zijn ogen terwijl hij verderrent en zichzelf dwingt om sneller te gaan, waarbij hij de wind in grote, pijnlijke teugen naar binnen zuigt en in zijn longen voelt schrijnen. Als hij terug is gaat hij weer naar hun kamer, waar Jude nog steeds in elkaar gekropen op zijn zij ligt, en een seconde lang verbeeldt hij zich met een schok van afgrijzen dat Jude dood is, maar net als hij zijn naam wil zeggen beweegt Jude een beetje in zijn slaap, en dan loopt hij naar de badkamer, neemt een douche, stopt zijn hardloopkleren in hun tas, kleedt zich aan, trekt de slaapkamerdeur zachtjes achter zich dicht en gaat naar de keuken. Daar treft hij Harold, die hem net als altijd een kop koffie aanbiedt, en net als altijd sinds zijn relatie met Jude schudt hij zijn hoofd, hoewel alleen al de geur van koffie, de houtachtige, schorsachtige warmte, hem er op dit moment naar doet hunkeren. Harold weet niet waarom hij het niet meer drinkt, alleen dat het zo is, en probeert hem altijd weer in verzoeking te leiden, zoals hij het noemt, en normaal gesproken zou hij er met hem over grappen maar vanochtend doet hij dat niet. Hij kan Harold niet eens aankijken, zo diep schaamt hij zich. En hij is ook wrevelig, over Harolds onuitgesproken maar voor zijn gevoel onwrikbare overtuiging dat hij altijd zal weten hoe hij met Jude moet omgaan, en over de teleurstelling en de verachting die Harold ongetwijfeld zou voelen als hij wist wat hij de afgelopen nacht had gezegd en gedaan.

'Je ziet er niet geweldig uit,' zegt Harold.

'Nee,' antwoordt hij. 'Harold, het spijt me heel erg. Gisteravond laat heb ik een sms'je van Kit gekregen dat de regisseur met wie ik volgende week zou praten vanavond alweer uit New York vertrekt, dus ik moet vandaag terug naar de stad.'

'Ach nee, Willem, echt?' begint Harold, en dan loopt Jude binnen en Harold zegt: 'Willem vertelt net dat jullie vanochtend alweer naar huis moeten.'

'Jij kunt wel blijven,' zegt hij tegen Jude, zonder op te kijken van de geroosterde boterham die hij met boter besmeert. 'Ik hoef de auto niet mee. Maar ik moet terug.'

'Nee,' zegt Jude na een korte stilte. 'Ik kan ook beter teruggaan.'

'Wat is dit voor Thanksgiving? Jullie komen alleen even wat eten en gaan er meteen weer vandoor? Wat moet ik met al die kalkoen beginnen?' zegt Harold, maar zijn gespeelde verontwaardiging is ingehouden, en Willem voelt dat hij van de een naar de ander kijkt en probeert te bedenken wat er aan de hand is, wat er mis is gegaan.

Terwijl hij wacht tot Jude klaar is, doet hij zijn best met Julia over koetjes en kalfjes te praten en Harolds onuitgesproken vragen te negeren. Om duidelijk te maken dat hij rijdt gaat hij als eerste naar de auto, en als hij afscheid neemt kijkt Harold hem aan, doet zijn mond open, sluit hem weer en omhelst hem in plaats van iets te zeggen. 'Rij voorzichtig.'

In de auto kolken de gedachten door zijn hoofd, en elke keer gaat hij harder rijden en moet hij zichzelf manen gas terug te nemen. Het is nog voor achten 's ochtends op Thanksgiving Day, dus de snelweg is verlaten. Naast hem zit Jude, van hem af gedraaid, zijn gezicht naar het raampje gekeerd; Willem heeft hem nog steeds niet aangekeken, dus hij weet niet wat voor uitdrukking hij op zijn gezicht heeft en kan de donkere kringen onder zijn ogen niet zien waarvan Andy hem in het ziekenhuis heeft verteld dat ze een teken zijn dat Jude zich te vaak heeft gesneden. Zijn woede laait op en ebt weg, in snelle opeenvolging: soms ziet hij hoe Jude tegen hem liegt – hij liegt altijd tegen hem, beseft hij – en kolkt zijn razernij als hete olie door hem heen. En dan denkt hij weer aan wat hij zelf heeft gezegd, hoe hij zich heeft gedragen, en aan de hele situatie – dat degene van wie hij houdt zo verschrikkelijk slecht voor zichzelf is – en dan heeft hij zo veel wroeging dat hij in het stuur moet knijpen om zich op de weg te concentreren. Hij denkt: heeft Jude gelijk? Zie ik hem als Hemming? En dan denkt hij: nee. Dat is een waanidee van Jude, doordat hij niet kan inzien waarom iemand een relatie met hem zou willen. Het is niet waar. Maar die uitleg biedt hem geen troost, sterker nog, hij gaat zich er alleen ellendiger door voelen.

Net voorbij New Haven zet hij de auto stil bij een tankstation. Als ze door New Haven rijden, is dat anders voor hem altijd aanleiding om zijn favoriete herinneringen op te halen aan de tijd dat JB en hij kamergenoten waren, tijdens hun masteropleiding: die keer dat hij JB en Oosterse Henry Young moest helpen bij het inrichten van hun guerrilla-expositie van karkassen van slachtdieren, die ze voor de deur van de medische faculteit hadden opgehangen. Die keer dat JB al zijn dreadlocks afknipte en in de wastafel liet liggen tot Willem ze twee weken later eindelijk opruimde. Die keer dat hij en JB drie kwartier achterelkaar op techno dansten zodat JB's vriend Greig, een videokunstenaar, ze kon filmen. 'Vertel nog eens van die keer dat JB de badkuip van Richard vol kikkervisjes had gegooid,' zei Jude dan bijvoorbeeld, al bij voorbaat grijnzend. 'Vertel eens van die keer dat je met die lesbo uitging.' 'Vertel eens van die keer dat JB binnenviel bij die feministische orgie.' Maar vandaag zeggen ze geen van tweeën een woord, en in stilte rijden ze langs New Haven.

Hij stapt uit om te tanken en te gaan plassen. 'Dit is mijn laatste stop,' zegt hij tegen Jude, die zich niet heeft verroerd, maar Jude schudt alleen zijn hoofd en Willem voelt zijn boosheid terugkomen en slaat het portier dicht.

Voor het middaguur zijn ze in Greene Street, en ze stappen zwijgend uit, gaan zwijgend de lift in en lopen zwijgend de flat binnen. Hij brengt hun tas naar de slaapkamer, hoort achter zich dat Jude aan de piano gaat zitten en iets begint te spelen – Schumann, Fantasie in C, een nogal heftig stuk voor iemand die zo zwak en hulpeloos is, denkt hij zuur – en beseft dat hij hier niet kan blijven.

Hij trekt zijn jas niet eens uit en loopt met zijn sleutels in zijn hand de woonkamer weer in. 'Ik ga naar buiten,' zegt hij, maar Jude speelt door. 'Hoor je me?' roept hij. 'Ik ga.'

Dan kijkt Jude op en onderbreekt zijn spel. 'Wanneer kom je terug?' vraagt hij timide, en Willem voelt zijn vastberadenheid verflauwen.

Maar dan herinnert hij zich weer hoe boos hij is. 'Dat weet ik niet,' zegt hij. 'Je hoeft niet op te blijven.' Hij geeft een klap op het knopje van de lift. Even blijft het stil en dan speelt Jude verder.

Dan is hij buiten; alle winkels zijn dicht en het is stil in SoHo. Hij zet koers naar de West Side Highway en loopt langs de verlaten weg, met zijn zonnebril op zijn neus en zijn sjaal, die hij in Jaipur heeft gekocht (een grijze voor Jude en een blauwe voor hem) en die van zulk zacht kasjmier is dat hij zelfs al aan de lichtste stoppeltjes blijft hangen, om zijn stoppelige hals. Hij loopt en loopt; later zal hij zich niet eens meer herinneren waaraan hij nu denkt, als hij al ergens aan denkt. Als hij honger krijgt, slaat hij in oostelijke richting af om een pizzapunt te kopen, die hij op straat opeet zonder hem echt te proeven, voordat hij weer terugloopt naar de Highway. Dit is mijn wereld, denkt hij, terwijl hij aan de oever van de rivier staat en naar de overkant kijkt, naar New Jersey. Dit is mijn wereldje, en ik weet niet wat ik er moet beginnen. Hij voelt zich opgesloten, maar hoe kan hij zich opgesloten voelen als hij zelfs de kleine ruimte die hij bewoont niet kan overzien? Hoe kan hij op meer hopen, als hij datgene wat hij dacht te begrijpen niet eens snapt?

De schemering valt abrupt en snel, en het gaat harder waaien, maar hij blijft lopen. Hij verlangt naar warmte, eten, een ruimte met lachende mensen. Maar hij kan het niet opbrengen om een restaurant binnen te stappen, niet in z'n eentje op Thanksgiving, niet in zijn huidige stemming: hij zal herkend worden en heeft geen puf voor de prietpraat, de jovialiteit en de vriendelijkheid waar zulke ontmoetingen hem toe zullen verplichten. Zijn vrienden hebben hem altijd geplaagd met zijn onzichtbaarheidsidee, zijn bewering dat hij zijn eigen zichtbaarheid, zijn herkenbaarheid kon beïnvloeden, maar hij geloofde er echt in, zelfs toen de harde bewijzen hem tegenspraken. Nu ziet hij die overtuiging als het zoveelste blijk van zijn zelfbedrog, zijn waan dat de wereld zich zal aanpassen aan zijn beeld ervan: dat het beter met Jude zal gaan omdat hij dat wil. Dat hij hem begrijpt omdat hij graag denkt dat hij dat doet. Dat hij door SoHo kan lopen zonder dat iemand weet wie hij is. Maar in werkelijkheid is hij een gevangene: van zijn werk, van zijn relatie en vooral van zijn eigen halsstarrige naïviteit.

Ten slotte koopt hij een sandwich en neemt een taxi naar zijn flat in Perry Street, die nauwelijks meer van hem is: over een paar weken is hij dat echt niet meer, want hij heeft hem verkocht aan Miguel, zijn vriend uit Spanje, die tegenwoordig vaker in Amerika is. Maar vanavond is het nog zijn flat en hij laat zichzelf binnen, op zijn hoede, alsof hij verwacht dat er iets raars is gebeurd, dat er misschien monsters uit het ei zijn gekropen sinds hij er voor het laatst was. Het is nog vroeg, maar toch kleedt hij zich uit, haalt Miguels kleren van de chaise longue, pakt Miguels deken van Miguels bed, gaat op de chaise longue liggen, laat zijn machteloosheid en alle beroering van die dag – één dag maar, en er is zo veel gebeurd! – over zich heen komen en huilt.

Hij huilt nog steeds als zijn telefoon gaat, en hij staat op omdat hij denkt dat het Jude zou kunnen zijn, maar hij is het niet: het is Andy.

'Andy,' huilt hij, 'ik heb het verkloot, ik heb het echt helemaal verkloot. Ik heb iets afschuwelijks gedaan.'

'Willem,' zegt Andy troostend, 'het is vast niet zo erg als je denkt. Je bent vast te streng voor jezelf.'

Dus vertelt hij Andy met horten en stoten wat er is gebeurd, en als hij klaar is, is Andy stil. 'Ach, Willem,' zegt hij met een zucht, maar hij klinkt niet boos, alleen verdrietig. 'Oké. Het is wél zo erg als je denkt.' En om de een of andere reden moet hij daar een beetje om lachen, maar meteen daarna jammert hij weer.

'Wat moet ik doen?' vraagt hij, en Andy zucht weer.

'Als je met hem verder wilt, zou ik naar huis gaan en met hem praten,' zegt hij langzaam. 'En als je níét met hem verder wilt... zou ik ook naar huis gaan en met hem praten.' Hij zwijgt even. 'Willem, ik vind het echt heel rot voor je.'

'Ik weet het,' zegt hij. Als Andy hem gedag wil zeggen, onderbreekt hij hem. 'Andy, zeg eens eerlijk: heeft hij een psychische aandoening?'

Er valt een heel lange stilte, tot Andy zegt: 'Ik geloof het niet, Willem. Ik bedoel, ik geloof niet dat er chemisch iets mis met hem is. Ik denk dat zijn gekte geheel door de mens is veroorzaakt.' Hij zwijgt even. 'Zorg dat hij tegen je praat, Willem. Als hij tegen je praat, denk ik dat je... dat je zult begrijpen waarom hij is zoals hij is.' En opeens wil hij alleen nog maar naar huis, en hij kleedt zich aan, rent de deur uit, houdt een taxi aan en stapt erin, stapt er weer uit, de lift in, maakt de deur open en loopt het appartement binnen, waar het stil is, verontrustend stil. Onderweg hiernaartoe kreeg hij ineens een beeld voor ogen, een soort voorgevoel dat Jude dood was, dat hij de hand aan zichzelf had geslagen, en hij rent door het huis terwijl hij zijn naam roept.

'Willem?' hoort hij, en hij rent door hun slaapkamer, met het onbeslapen bed, en dan ziet hij Jude in de verste linkerhoek van hun garderobekamer met zijn gezicht naar de muur in elkaar gekropen op de grond liggen. Hij vraagt zich niet af waarom hij daar ligt, maar laat zich gewoon naast hem op de grond zakken. Hij weet niet of hij zijn toestemming heeft om hem aan te raken, maar hij doet het gewoon en slaat zijn armen om hem heen. 'Het spijt me,' zegt hij tegen Judes achterhoofd. 'Het spijt me zo, het spijt me zo. Ik meende niet wat ik zei, ik zou radeloos zijn als je jezelf iets aandeed. Ik bén radeloos.' Hij ademt uit. 'En ik had nooit, maar dan ook nooit, aan je mogen gaan rukken en trekken. Het spijt me heel erg, Jude.'

'Het spijt mij ook,' fluistert Jude, en ze zijn stil. 'Het spijt me van wat ik heb gezegd. En het spijt me dat ik tegen je heb gelogen, Willem.'

Ze zwijgen een hele tijd. 'Weet je nog dat je tegen me zei dat je bang was dat je me een heleboel akelige verrassingen zou bezorgen?' vraagt Willem, en Jude geeft een klein knikje. 'Dat doe je niet,' zegt hij. 'Dat doe je echt niet. Maar met jou samenleven is alsof je door een bizar landschap loopt,' gaat hij langzaam verder. 'Je denkt dat het een bos is, en dan verandert het ineens in grasland of een jungle of een gletsjer. En het is allemaal even prachtig maar ook vreemd, en je hebt geen landkaart, je snapt niet hoe je zo snel van de ene omgeving in de andere terecht bent gekomen, je weet niet wanneer de volgende overgang komt en je hebt niet de juiste uitrusting. En dus blijf je maar verderlopen en probeer je je aan te passen aan wat je tegenkomt, maar eigenlijk weet je niet wat je doet en maak je vaak fouten, grote fouten. Zo voelt het soms.'

Ze zwijgen. 'Dus eigenlijk,' zegt Jude uiteindelijk, 'eigenlijk vind je mij Nieuw-Zeeland.'

Het duurt een ogenblik voor hij beseft dat Jude een grapje maakt, maar als het tot hem doordringt begint hij verward te lachen, opgelucht en verdrietig tegelijk, en hij keert Jude naar zich toe en kust hem. 'Ja,' zegt hij. 'Ja, je bent Nieuw-Zeeland.'

Dan zijn ze weer stil en ernstig, maar in elk geval kijken ze elkaar nu aan.

'Ga je bij me weg?' vraagt Jude, zo zacht dat Willem hem maar net kan verstaan.

Hij doet zijn mond open en doet hem weer dicht. Vreemd genoeg heeft hij bij alles wat hij het afgelopen etmaal heeft gedacht en niet heeft gedacht geen moment overwogen om Jude te verlaten, en nu denkt hij erover na. 'Nee,' zegt hij. En dan: 'Ik denk het niet.' Hij ziet dat Jude zijn ogen sluit, weer opent en knikt. 'Jude,' zegt hij, en de woorden vormen zich in zijn mond terwijl hij ze zegt, en al pratend weet hij dat hij het juiste doet, 'ik denk wel dat je hulp nodig hebt, hulp die ik je niet kan geven, omdat ik niet weet hoe.' Hij ademt diep in. 'Ik wil dat je jezelf vrijwillig laat opnemen of dat je vanaf nu tweemaal per week naar Loehmann gaat.' Hij blijft Jude lange tijd aankijken, maar hij kan niet zien wat hij denkt.

'En als ik nou geen van tweeën wil?' vraagt Jude. 'Ga je dan bij me weg?'

Hij schudt zijn hoofd. 'Jude, ik hou van je,' zegt hij. 'Maar ik... ik kan niet lijdzaam toezien terwijl je dit soort dingen doet. Ik kan het niet verdragen om te zien dat je jezelf dit aandoet en het gevoel te hebben dat je mijn aanwezigheid als een soort zwijgende goedkeuring beschouwt. Dus. Ja. Ik denk het wel.'

Er valt weer een stilte, en Jude gaat op zijn rug liggen. 'Als ik je vertel wat ik heb meegemaakt,' begint hij aarzelend, 'als ik je alles vertel waar ik niet over kan praten... als ik het aan jou vertel, Willem, moet ik dan nog steeds in therapie?'

Hij kijkt hem aan en schudt opnieuw zijn hoofd. 'O, Jude. Ja. Ja, dan moet je nog steeds in therapie. Maar ik hoop dat je het me toch vertelt, dat hoop ik echt. Wat het ook is, wat dan ook.'

Ze zwijgen weer, en deze keer gaat hun zwijgen over in slaap, en ze liggen dicht tegen elkaar aan te slapen en slapen tot Willem wakker wordt van Judes stem, en dan luistert hij naar wat Jude vertelt. Het zal uren duren, want soms kan Jude niet verder, en Willem zal wachten en hem zo dicht tegen zich aan drukken dat Jude nauwelijks meer kan ademhalen. Twee keer zal hij proberen zich los te rukken, en Willem zal hem tegen de grond drukken en vasthouden tot hij kalmeert. Doordat ze in de garderobekamer liggen weten ze niet hoe laat het is, alleen dat er een dag is gekomen en gegaan, want ze hebben gezien dat de vlakke tapijten van zon zich na elkaar hebben uitgerold in allebei de deuropeningen, vanuit de slaapkamer en vanuit de badkamer. Hij zal naar verhalen luisteren die onvoorstelbaar en verschrikkelijk zijn; hij zal zich driemaal excuseren om naar de wc te gaan, naar zijn gezicht in de spiegel kijken en zichzelf eraan herinneren dat hij alleen maar de moed hoeft op te brengen om te luisteren, hoewel hij liever zijn oren dicht zou houden en zijn hand over Judes mond zou leggen om te zorgen dat de verhalen ophouden. Hij zal naar Judes achterhoofd staren, omdat Jude hem niet kan aankijken, en zich voorstellen dat de persoon die hij dacht te kennen in opstuivende stofwolken tot puin uiteenvalt, terwijl daar vlakbij een team ambachtslieden probeert hem weer op te bouwen in een ander materiaal, in een andere vorm, tot een andere persoon dan degene die er jaren en jaren heeft gestaan. De stroom verhalen zal maar doorgaan, het ene na het andere, en een smerig spoor achterlaten: bloed en botten en vuil en ziekte en ellende. Nadat Jude hem over zijn tijd met broeder Luke heeft verteld, zal Willem hem opnieuw vragen of hij eigenlijk wel van seks geniet, al is het maar een klein beetje, of af en toe, en hij zal de vele lange minuten afwachten tot Jude zegt van niet, dat hij het verafschuwt en dat altijd heeft gedaan, en hij zal knikken, verslagen maar opgelucht dat hij nu het werkelijke antwoord weet. En dan zal hij hem vragen, zonder te weten waar die vraag vandaan komt, of hij zich eigenlijk wel tot mannen aangetrokken voelt, en Jude zal na een stilte zeggen dat hij dat niet zeker weet, dat hij alleen maar ervaring heeft met seks met mannen en daarom heeft aangenomen dat dat altijd zo zou blijven. 'Zou je weleens seks met een vrouw willen proberen?' zal hij hem vragen, en hij zal toekijken hoe Jude na weer een lange stilte zijn hoofd schudt. 'Nee,' zal hij zeggen. 'Nee, daar is het te laat voor, Willem.' Hij zal daartegenin gaan en zeggen dat er mogelijkheden zijn om hem te helpen, maar Jude zal opnieuw zijn hoofd schudden en zeggen: 'Nee, Willem, het is genoeg geweest. Niet meer.' En alsof hij een klap in zijn gezicht krijgt, zal hij beseffen hoe waar dat is en erover ophouden. Ze zullen weer in slaap vallen, en deze keer zullen zijn dromen vreselijk zijn. Hij zal dromen dat hij een van de mannen in de motelkamers is, hij zal beseffen dat hij zich als een van hen heeft gedragen, hij zal wakker schrikken uit een nachtmerrie en dan is het Jude die hem moet kalmeren. Ten slotte zullen ze zich overeind hijsen – het is dan zaterdagmiddag en ze hebben sinds donderdagavond in het kamertje gelegen – gaan douchen en iets eten, iets warms en troostrijks, en dan zullen ze van de keuken rechtstreeks naar de werkkamer gaan, waar hij zal luisteren terwijl Jude een bericht inspreekt voor Loehmann, want Willem heeft zijn visitekaartje al die jaren in zijn portefeuille laten zitten en binnen een paar seconden tevoorschijn getoverd, en daarvandaan naar bed, waar ze elkaar liggen aan te kijken, allebei bang om de ander iets te vragen: hij om Jude te vragen zijn verhaal af te maken, Jude om hem te vragen wanneer hij weggaat, want dat hij weggaat lijkt nu onvermijdelijk, alleen nog maar een kwestie van tijd en planning.

Ze blijven naar elkaar staren tot hij Judes gezicht bijna niet meer als een gezicht ziet: het is een verzameling kleuren en vlakken, vormen die zo gerangschikt zijn dat ze andere mensen genoegen verschaffen maar de eigenaar niets te bieden hebben. Hij weet niet wat hij zal gaan doen. Hij is duizelig van wat hij heeft gehoord, van het inzien van de immensiteit van zijn dwalingen, van het oprekken van zijn verbeeldingskracht tot voorbij het voorstelbare, van het besef dat al zijn zorgvuldig onderhouden bouwwerken nu onherstelbaar zijn verwoest.

Maar voorlopig liggen ze in hun bed, in hun kamer, in hun huis, en hij pakt Judes hand en houdt die teder in de zijne.

'Je hebt verteld hoe je in Montana terechtkwam,' hoort hij zichzelf zeggen. 'Maar wat gebeurde er daarna?'

~

Het was iets waar hij zelden aan dacht, zijn vlucht naar Philadelphia, omdat het een tijd was waarin hij zo buiten zijn eigen lichaam zweefde dat hij het gevoel had dat zijn leven een droom was en geen realiteit; in die weken waren er momenten geweest dat hij zijn ogen had opengedaan en werkelijk niet kon bepalen of wat er zojuist was gebeurd echt was of dat hij het zich had verbeeld. Het was een nuttige vaardigheid geweest, dat permanente en niet te doorbreken slaapwandelen, en het had hem beschermd, maar later was hij dat vermogen kwijtgeraakt, net als zijn vermogen te vergeten, en hij zou het nooit meer terugkrijgen.

Het verschijnsel was hem voor het eerst opgevallen in het tehuis. 's Nachts werd hij soms wakker gemaakt door een van de begeleiders, en dan ging hij mee naar beneden, naar het kantoortje waar een van hen altijd dienst had, en deed wat er van hem werd verlangd. Als het voorbij was, werd hij teruggebracht naar zijn kamer – een klein vertrek met een stapelbed dat hij deelde met een geestelijk gehandicapte jongen, langzaam en dik en met een angstige blik, die vaak driftbuien had en 's nachts soms ook door een begeleider werd meegenomen – en weer opgesloten. Er waren meerdere jongens van wie de begeleiders gebruikmaakten, maar afgezien van zijn kamergenoot wist hij niet wie de anderen waren, alleen dat ze bestonden. Tijdens die sessies zei hij zelden een woord, en terwijl hij daar knielde, hurkte of lag, dacht hij aan een ronde klok met een secondewijzer die onverstoorbaar rondjes draaide, en telde hij de omwentelingen tot het voorbij was. Maar hij smeekte nooit, hij soebatte nooit. Hij marchandeerde nooit, deed geen beloften en huilde nooit. Daar had hij de energie en de innerlijke overtuiging niet voor, niet meer, niet na alles wat er was gebeurd.

Een paar maanden na zijn weekend bij de familie Leary deed hij een poging weg te lopen. Hij ging op maandag, dinsdag, woensdag en vrijdag naar school in het nabijgelegen stadje, en op die dagen werd hij door een van de begeleiders opgewacht op het parkeerterrein en teruggereden naar het tehuis. Hij zag altijd op tegen het einde van de schooldag en de rit naar huis: hij wist nooit van tevoren welke begeleider hem kwam halen, en als hij bij het parkeerterrein kwam en zag wie het was, vertraagde hij soms zijn pas, maar het was alsof hij een magneet was, iets wat werd bestuurd door ionen, niet door vrije wil, want hij werd altijd weer de auto in gezogen.

Maar op een middag – het was maart, kort voor zijn veertiende verjaardag – was hij de hoek omgeslagen en had de begeleider gezien, een man die Rodger heette en de hardvochtigste, veeleisendste en boosaardigste van allemaal was, en hij was blijven staan. Voor het eerst sinds heel lang was er iets in hem wat zich verzette, en in plaats van naar Rodger te lopen was hij teruggeslopen door de gang, en toen hij zeker wist dat hij uit het zicht was, had hij het op een lopen gezet.

Hij had dit niet voorbereid, hij had geen plan, maar blijkbaar had een verborgen, daadkrachtig deel van hem van alles waargenomen terwijl de rest van zijn geest omwikkeld was door een dikke, donzige sluimering, en hij merkte dat hij naar het scheikundelokaal rende, dat werd gerenoveerd, onder een blauw plastic bouwkleed dook dat de open kant van het gebouw afschermde, en zich in de spleet van veertig centimeter wurmde tussen de vervallen binnenmuur en de nieuwe betonnen buitenmuur die eromheen werd gebouwd. Er was net genoeg ruimte voor hem, en hij kroop zo diep mogelijk in de spleet, werkte zichzelf voorzichtig in een horizontale positie en zorgde dat zijn voeten niet zichtbaar waren.

Toen hij daar lag, probeerde hij te besluiten wat zijn volgende stap zou zijn. Rodger zou op hem wachten, en als hij niet verscheen zouden ze uiteindelijk naar hem op zoek gaan. Maar als hij het tot vannacht kon uithouden, als hij kon wachten tot het helemaal stil was om hem heen, zou hij kunnen ontsnappen. Verder dan dat kon hij niet denken, en hij was slim genoeg om te beseffen dat zijn kansen klein waren: hij had niets te eten, geen geld, en hoewel het pas vijf uur 's middags was, was het nu al ijskoud. Hij voelde zijn rug, benen en handpalmen, alle lichaamsdelen die tegen het steen waren gedrukt, gevoelloos worden, voelde dat zijn zenuwen veranderden in duizenden speldenprikken. Maar hij voelde ook voor het eerst in maanden dat zijn geest alert werd, en voor het eerst in jaren ervoer hij de heerlijke opwinding van het nemen van een beslissing, hoe verkeerd, slecht of raar die ook was. Opeens voelden de speldenprikken niet meer aan als een straf maar als een beloning, als een minivuurwerk dat in hem en voor hem werd afgestoken, alsof zijn lichaam hem eraan wilde herinneren wie hij was en wat hij nog steeds bezat: zichzelf.

Het duurde twee uur voordat de hond van de bewaker hem vond en hij aan zijn voeten naar buiten werd gesleurd, waarbij zijn handpalmen langs de betonblokken schraapten waar hij zich zelfs toen nog aan vastklemde, en tegen die tijd was hij zo verkleumd dat hij struikelend liep en dat zijn vingers te koud waren om het autoportier te kunnen openmaken; zodra hij was ingestapt draaide Rodger zich om en gaf hem een klap in zijn gezicht, en het bloed uit zijn neus was dik, warm en geruststellend, de smaak ervan op zijn lippen vreemd voedzaam, als soep, alsof zijn lichaam op wonderbaarlijke wijze zelfgenezend was, vastbesloten om zichzelf te redden.

Die avond hadden ze hem meegenomen naar de stal, waar ze hem 's nachts wel vaker naartoe brachten, en hem zo hard afgeranseld dat hij bijna meteen buiten bewustzijn was geraakt. Dezelfde nacht nog was hij in het ziekenhuis opgenomen, en een paar weken later, toen de wonden ontstoken waren geraakt, opnieuw. In de tussenliggende weken was hij met rust gelaten, en hoewel het ziekenhuispersoneel te horen had gekregen dat hij een delinquent was, een probleemgeval, een lastpak en een leugenaar, waren de verpleegsters aardig tegen hem: er was er een, al wat ouder, die bij zijn bed kwam zitten en een glas appelsap met een rietje erin voor hem vasthield, zodat hij kon drinken zonder zijn hoofd op te tillen (hij moest op zijn zij liggen, zodat ze zijn rug konden ontsmetten en de wonden draineren).

'Het kan me niet schelen wat je gedaan hebt,' zei ze op een avond tegen hem, nadat ze zijn verband had verschoond. 'Dit verdient niemand. Hoor je me, jongeman?'

Help me dan, had hij willen zeggen. Help me alstublieft. Maar hij deed het niet. Hij schaamde zich te erg.

Ze kwam weer naast hem zitten en legde haar hand op zijn voorhoofd. 'Probeer je een beetje te gedragen, goed?' zei ze, maar haar toon was warm. 'Ik wil je hier niet meer terugzien.'

Help me, had hij weer willen zeggen toen ze de kamer uit liep. Alstublieft. Alstublieft. Maar hij kon het niet. Hij had haar nooit meer gezien.

Later, toen hij volwassen was, vroeg hij zich weleens af of hij die verpleegster misschien had verzonnen, of hij zich haar bestaan in zijn wanhoop had ingebeeld, een schijnbeeld van barmhartigheid dat bijna niet onderdeed voor de werkelijkheid. In gedachten redetwistte hij met zichzelf: als ze had bestaan, echt had bestaan, zou ze dan niet iemand over hem hebben verteld? Zou er niet iemand zijn gestuurd om hem te helpen? Maar zijn herinneringen uit deze periode waren nogal vaag en onbetrouwbaar, en naarmate de jaren verstreken was hij gaan beseffen dat hij altijd bezig was zijn leven, zijn jeugd, te veranderen in iets wat aanvaardbaarder was, normaler. Als hij bijvoorbeeld wakker schrok uit een nachtmerrie over de begeleiders, probeerde hij zichzelf te troosten: er waren er maar twee die je misbruikten, hield hij zichzelf dan voor. Misschien drie. De anderen niet. Ze hebben je niet allemaal slecht behandeld. En dan was hij dagenlang aan het piekeren hoeveel het er eigenlijk geweest waren: twee? Of toch drie? Jarenlang snapte hij zelf niet waarom hij dat zo belangrijk vond, waarom het er zo veel toe deed, waarom hij altijd argumenten aandroeg om zijn eigen herinneringen te ontkrachten, waarom hij zo veel tijd verdeed met zichzelf inwendig tegenspreken op allerlei details. En toen had hij zich gerealiseerd dat hij dat deed om zichzelf ervan te overtuigen dat het minder erg was geweest dan hij het zich herinnerde, omdat hij dacht dat hij zichzelf er dan ook van kon overtuigen dat hij minder beschadigd was, dat hij gezonder was dan hij vreesde te zijn.

Uiteindelijk werd hij teruggestuurd naar het tehuis, en de eerste keer dat hij zijn eigen rug had gezien was hij zo snel weggelopen bij de badkamerspiegel dat hij was uitgegleden op de natte tegels en was gevallen. In die eerste tijd na de afranseling, toen het littekenweefsel zich nog aan het vormen was, had hij een dikke ophoping van vlees op zijn rug, en tijdens het middageten zat hij alleen, terwijl de oudere jongens vochtige propjes rolden van hun servetten en die naar hem wegschoten om ze te laten afketsen op zijn rug, en juichten als ze hem raakten. Tot op dat moment had hij nooit echt over zijn uiterlijk nagedacht. Hij wist dat hij lelijk was. Hij wist dat hij verpest was. Hij wist dat hij ziektes had. Maar hij had zichzelf nooit als wanstaltig beschouwd. Toch was hij dat nu. Er leek iets onontkoombaars te zijn aan de loop die zijn leven nam: dat hij elk jaar achteruit zou gaan, weerzinwekkender en verdorvener zou worden. Elk jaar kon hij minder aanspraak maken op de kwalificatie 'mens', elk jaar werd hij minder een persoon. Maar daar trok hij zich niets meer van aan, want dat kon hij zich niet veroorloven.

Het viel alleen niet mee om te leven zonder je ergens iets van aan te trekken, en hij merkte tot zijn eigen verbazing dat het hem niet lukte broeder Lukes belofte te vergeten dat zijn oude leven ten einde zou komen en zijn nieuwe zou beginnen als hij zestien werd. Hij wist heus wel dat broeder Luke had gelogen, maar hij kon het niet uit zijn hoofd zetten. Zestien, dacht hij 's nachts. Zestien. Als ik zestien word, houdt dit op.

Hij had broeder Luke eens gevraagd hoe hun leven eruit zou zien als hij zestien was geworden. 'Dan ga je studeren,' had Luke meteen gezegd, en hij was blij en opgewonden geweest. Hij had gevraagd waar hij dan ging studeren, en broeder Luke had de plek genoemd waar hij zelf had gestudeerd (maar toen hij uiteindelijk echt op die universiteit terechtkwam, had hij naar broeder Luke – Edgar Wilmot – gezocht in de lijsten van oud-studenten en ontdekt dat zijn naam niet te vinden was, en hij was opgelucht geweest, opgelucht dat hij niets gemeen had met de broeder, al was hij het geweest die hem aan het idee had geholpen dat hij daar ooit naartoe zou gaan). 'Dan verhuis ik ook naar Boston,' zei Luke. 'En dan gaan we trouwen, zodat we samen in een huis in de buurt van de campus kunnen wonen.' Soms hadden ze het daarover, over de vakken die hij zou gaan volgen, de dingen die broeder Luke had gedaan toen hij zelf studeerde, de plekken waar ze naartoe zouden gaan nadat hij was afgestudeerd. 'Misschien zullen we op een dag samen een zoon hebben,' zei Luke een keer, en hij verstijfde, want hij wist zonder dat Luke het zei dat Luke met die denkbeeldige zoon van hen hetzelfde zou doen als met hem, en hij herinnerde zich dat hij had gedacht dat dat nooit zou gebeuren, dat hij nooit zou toelaten dat dat fantasiekind, dat niet-bestaande kind, ooit wel zou bestaan, dat hij nooit een ander kind in de buurt van Luke zou laten komen. Hij herinnerde zich dat hij zich voornam die zoon van hen te beschermen, en dat hij een kort en afschuwelijk moment had gewenst dat hij nooit zestien zou worden, want hij wist dat Luke dan iemand anders nodig zou hebben en dat hij dat niet kon laten gebeuren.

Maar nu was Luke dood. Het denkbeeldige kind was veilig. Hij kon veilig zestien worden. Hij kon zestien worden en veilig zijn.

De maanden verstreken. Zijn rug genas. Nu werd hij na school opgewacht door een bewaker die met hem naar het parkeerterrein liep om op de dienstdoende begeleider te wachten. Op een dag tegen het einde van het herfstsemester sprak zijn wiskundeleraar hem na de les aan: had hij er al eens over gedacht te gaan studeren? Hij kon hem helpen, hij kon ervoor zorgen dat hij naar een eersteklas universiteit ging, een topuniversiteit. En o, wat wilde hij dat graag, wat wilde hij hier graag weg, wat wilde hij graag gaan studeren. In die tijd werd hij heen en weer geslingerd tussen pogingen zich neer te leggen bij het feit dat zijn leven altijd zou blijven zoals het was, en de hoop, hoe gering, dom en halsstarrig ook, dat het anders kon worden. De balans tussen berusting en hoop veranderde met de dag, met het uur, soms zelfs met de minuut. Hij was altijd, altijd bezig met de vraag hoe hij moest zijn, of hij moest streven naar aanvaarding of naar ontsnapping. Die dag had hij zijn leraar aangekeken, maar toen hij op het punt stond antwoord te geven – ja, ja, help me – was er iets wat hem tegenhield. De leraar was altijd vriendelijk voor hem geweest, maar was er niet iets aan die vriendelijkheid waardoor hij op broeder Luke leek? Stel dat hij iets terug moest doen voor zijn hulp. Terwijl de leraar op antwoord wachtte, stond hij in tweestrijd. Van nog één keertje krijg je niks, zei het radeloze stemmetje in hem, het stemmetje dat weg wilde, dat de dagen aftelde tot hij zestien werd, dat door het andere stemmetje werd uitgejouwd. Die ene keer maakt ook niks meer uit. Hij is gewoon een klant. Dit is niet het moment om het hoog in de bol te krijgen.

Maar uiteindelijk had hij dat stemmetje genegeerd – hij was zo moe, zo murw, zo uitgeput van alle teleurstellingen – en had zijn hoofd geschud. 'Studeren is niks voor mij,' zei hij tegen de leraar, met een schrille stem door de inspanning die het liegen hem kostte. 'Dank u wel. U hoeft me niet te helpen.'

'Ik denk dat je een grote vergissing maakt, Jude,' zei zijn leraar na een korte stilte. 'Beloof je me dat je er nog eens over nadenkt?' En toen had hij zijn arm aangeraakt, en hij had hem met een ruk teruggetrokken, en de leraar had hem bevreemd aangekeken, en hij had zich omgedraaid en was het lokaal uit gerend, de gang op, die was vertroebeld tot beige vlakken.

Die nacht werd hij meegenomen naar de stal. De stal was niet meer in gebruik als stal, maar als opslagplaats voor de werkstukken van de lessen handenarbeid en autoreparatie. In de boxen lagen half gemonteerde carburateurs, cabines van half gerepareerde trucks, en half geschuurde schommelstoelen die het tehuis verkocht om aan extra inkomsten te komen. Hij was in de box met de schommelstoelen, en terwijl een van de begeleiders in hem heen en weer schoof, trad hij uit zichzelf en zweefde boven de boxen uit naar de daksparren van de stal, waar hij bleef hangen en naar het tafereel onder zich keek, met de apparaten en meubels als buitenaardse beeldhouwwerken en de vloer bezaaid met zand en sporadische sprietjes hooi, aandenkens aan het eerste leven van de stal, dat ze nooit helemaal hadden kunnen uitwissen, en naar de twee mensen die een vreemd achtpotig wezen vormden, de ene stil en de andere luidruchtig grommend en stotend en actief. En daarna vloog hij uit het ronde raam hoog in de muur en over het tehuis, over de velden die in de zomer zo mooi groen en geel waren van de wilde mosterd en nu, in december, op hun eigen manier nog steeds mooi waren, een glinsterend maanwit oppervlak, de sneeuw zo vers en nieuw dat niemand er nog over had gelopen. Over dat alles vloog hij heen, en over landschappen waarover hij had gelezen maar die hij nog nooit had gezien, over bergen zo schoon dat hij al een schoon gevoel kreeg als hij aan ze dacht, over meren zo groot als oceanen, tot hij boven Boston zweefde en naar beneden cirkelde, naar het complex langs de oever van de rivier, een grote ring van gebouwen afgewisseld met groene vierkantjes, waar hij naartoe zou gaan en een nieuw mens zou worden en waar zijn leven zou beginnen, waar hij kon doen alsof alles wat eerder was gebeurd het leven van iemand anders was geweest, of een reeks vergissingen die nooit besproken en nooit onderzocht hoefden te worden.

Toen hij weer tot zichzelf kwam, lag de begeleider slapend boven op hem. Hij heette Colin en hij was vaak dronken, net als die avond, toen hij zijn warme, gistige adem in zijn gezicht blies. Colin had alleen een trui aan en hijzelf was naakt en lag daar een tijdje, in- en uitademend, onder Colins gewicht te wachten tot die wakker werd, zodat hij terug kon naar zijn slaapkamer om zichzelf te snijden.

En toen wurmde hij zich zonder erbij na te denken, bijna als een marionet die zijn armen en benen onbewust bewoog, geruisloos en snel onder Colin vandaan, trok haastig zijn kleren aan en greep, alweer voordat hij het zelf besefte, Colins gewatteerde jas van het haakje in de box en schoot hem aan. Colin was veel groter dan hij, dikker en gespierder, maar hij was bijna net zo lang, en de jas paste beter dan je zou verwachten. Daarna griste hij Colins spijkerbroek van de grond, trok zijn portefeuille eruit, plukte daar het geld uit – hij telde het niet, maar het was zo'n plat stapeltje dat het niet veel kon zijn – en stopte het in zijn eigen broekzak, en toen zette hij het op een lopen. Hij was altijd een goede renner geweest, snel, stil en zeker van zichzelf – als broeder Luke hem op de atletiekbaan zag, zei hij altijd dat hij Mohikaans bloed moest hebben – en nu rende hij de stal uit, door de openstaande deur de fonkelende, roerloze nacht in, en toen hij om zich heen kijkend niemand zag, zette hij koers naar het veld achter het slaaphuis.

De afstand van het slaaphuis naar de weg was achthonderd meter, en hoewel hij normaal gesproken pijn zou hebben gehad na wat er in de stal was gebeurd, voelde hij die nacht geen pijn, alleen maar vervoering, een hyperalertheid die speciaal voor deze nacht, voor dit avontuur in hem leek te zijn gewekt. Aan de rand van het terrein liet hij zich op de grond vallen en ging voorzichtig vlak bij het prikkeldraad liggen, wikkelde de mouwen van Colins jas om zijn handen en tilde de rol draad boven zijn hoofd, zodat hij eronderdoor kon schuiven. Eenmaal veilig buiten het terrein werd zijn vervoering alleen maar groter, en hij rende en rende in oostelijke richting, waar hij wist dat Boston lag, weg van het tehuis, weg uit het westen, weg van alles. Hij wist dat hij dit smalle en grotendeels onverharde pad uiteindelijk achter zich moest laten en koers moest zetten naar de autoweg, waar hij zichtbaarder maar ook anoniemer zou zijn, en hij snelde naar beneden over de heuvel naar het zwarte, dichte bos dat tussen het pad en de autoweg in lag. In het gras was rennen lastiger, maar hij deed het toch en bleef dicht bij de rand van het bos, zodat hij erin kon duiken en zich achter een boom kon verschuilen als er een auto langskwam.

Als volwassene, als gehandicapte volwassene en daarna als gehandicapte volwassene die écht gehandicapt was, als iemand die niet eens meer kon lopen, als iemand voor wie rennen tovenarij was, net zo onmogelijk als vliegen, keek hij vol ontzag op die nacht terug: wat was hij behendig geweest, wat vlug, wat onvermoeibaar, en wat had hij een geluk gehad. Hij vroeg zich dan af hoelang hij die nacht had gerend – minstens twee uur, dacht hij, misschien wel drie – terwijl hij daar op het moment zelf helemaal niet aan had gedacht, alleen maar aan de noodzaak zo ver mogelijk weg te komen van het tehuis. De zon begon op te komen en hij rende het bos in, dat door veel van de jongere jongens werd gevreesd en dat zo dicht en donker was dat zelfs hij bang werd, terwijl hij niet angstig van aard was, maar hij was er toch zo diep mogelijk in gegaan, omdat hij wist dat hij door het bos heen moest om bij de autoweg te komen en omdat de kans dat hij werd gevonden kleiner was als hij zich diep in het bos verborg, en ten slotte had hij een grote boom gekozen, een van de grootste, alsof de omvang iets geruststellends had, alsof die hem zou bewaken en beschermen, en hij was tussen de wortels gekropen en in slaap gevallen.

Toen hij wakker werd was het donker, maar hij wist niet of het al laat in de middag of zelfs avond was, of nog vóór zonsopgang. Opnieuw baande hij zich een weg tussen de bomen door, neuriënd om zichzelf te bemoedigen en zich te laten horen aan wie of wat hem ook opwachtte, om te laten merken dat hij niet bang was, en toen het bos hem aan de andere kant uitspoog was het nog steeds donker, zodat hij zeker wist dat het nacht was en hij de hele dag had geslapen, en door dat besef ging hij zich sterker en energieker voelen. Slaap is belangrijker dan eten, hield hij zichzelf voor, want hij rammelde van de honger, en daarna beval hij zijn benen: lopen. En dat deed hij, hij rende heuvelopwaarts naar de autoweg.

Ergens in het bos was tot hem doorgedrongen dat er maar één manier was om Boston te bereiken, en daarom posteerde hij zich langs de weg, en toen de eerste vrachtwagen voor hem bleef staan en hij aan boord klom, wist hij wat hij zou moeten doen als de vrachtwagen stopte, en dat deed hij. En daarna deed hij het nog eens en nog eens; soms gaven de chauffeurs hem geld of iets te eten en soms niet. Ze hadden allemaal een nestje voor zichzelf gemaakt in de oplegger van hun truck, waar ze met hem gingen liggen, en als het voorbij was brachten ze hem soms nog een stukje verder en dan sliep hij, terwijl de wereld onder hem bewoog als in een permanente aardbeving. Bij tankstations kocht hij iets te eten en hing rond tot iemand hem uitkoos – dat gebeurde altijd – en dan klom hij in de truck.

'Waar moet je heen?' vroegen ze hem dan.

'Naar Boston,' zei hij. 'Daar woont mijn oom.'

Soms schaamde hij zich zo diep voor wat hij deed dat hij er bijna van moest kotsen: hij wist dat hij zichzelf nooit zou kunnen wijsmaken dat hij gedwongen was, want hij had het uit vrije wil met deze mannen gedaan, hij had ze hun gang laten gaan en hij had goed en enthousiast meegewerkt. En op andere momenten bekeek hij het nuchter: hij deed wat hij moest doen. Hij had geen keuze. Dit was wat hij kon, dit was het enige waar hij goed in was, en hij gebruikte het om op een betere plek te komen. Hij gebruikte zichzelf om zichzelf te redden.

Af en toe wilden de mannen meer tijd met hem en huurden ze een motelkamer, en dan stelde hij zich voor dat broeder Luke in de badkamer op hem wachtte. Soms praatten ze tegen hem – ik heb een zoon van jouw leeftijd, zeiden ze bijvoorbeeld, of: ik heb een dochter van jouw leeftijd – en dan lag hij naar ze te luisteren. Soms keken ze televisie tot ze er klaar voor waren het nog een keer te doen. Sommigen waren wreed, bij sommigen was hij bang dat ze hem zouden vermoorden of zo zouden mishandelen dat hij niet meer kon ontsnappen, en op die momenten was hij doodsbang en verlangde hij wanhopig naar broeder Luke, het klooster, de verpleegster die zo aardig tegen hem was geweest. Maar de meesten waren wreed noch aardig. Het waren klanten en hij gaf hun wat ze wilden.

Jaren later, toen hij in staat was wat objectiever terug te kijken op deze weken, was hij verbijsterd over zijn eigen domheid, zijn beperkte blikveld: waarom was hij er niet gewoon vandoor gegaan? Waarom had hij geen buskaartje gekocht van het geld dat hij had verdiend? Hij deed zijn uiterste best zich te herinneren hoeveel hij destijds had verdiend, en hoewel hij wist dat het niet veel was leek het hem toch wel genoeg voor een kaartje ergens naartoe, waar dan ook, zelfs als Boston niet haalbaar was. Maar het was toen eenvoudigweg niet bij hem opgekomen. Het was alsof hij de hele voorraad vindingrijkheid die hij bezat, plus elk greintje moed, had opgebruikt aan zijn vlucht uit het tehuis en alsof hij zijn leven, toen hij eenmaal op zichzelf was aangewezen, gewoon door anderen had laten dicteren en achter de ene man na de andere was aangelopen, zoals hij dat had geleerd. En van alles wat hij aan zichzelf veranderde toen hij volwassen was zou dat, het idee dat hij zijn eigen toekomst op z'n minst deels kon bepalen, de moeilijkste les voor hem zijn, maar ook de les die hem het meest zou brengen.

Er was een keer een man die zo afschuwelijk stonk en zo bezweet en dik was dat hij bijna van gedachten veranderde, maar hoewel de seks vreselijk was, was de man naderhand aardig, kocht een sandwich en frisdrank voor hem, stelde echte vragen en luisterde aandachtig naar zijn verzonnen antwoorden. Hij bleef twee nachten bij de man, en onder het rijden stond er bluegrass op en zong de man mee: hij had een mooie stem, diep en helder, en leerde hem de tekst, en uiteindelijk zat hij samen met deze man te zingen terwijl het vlakke asfalt onder hen door schoot. 'God, wat heb je een goeie stem, Joey,' zei de man, en hij – wat was hij toch een zwakkeling, wat een hopeloos geval! – liet zich een warm gevoel bezorgen door die opmerking, vrat de genegenheid als een rat een stuk beschimmeld brood. Op de tweede dag vroeg de man of hij bij hem wilde blijven; ze waren in Ohio en helaas ging hij niet verder naar het oosten, hij moest nu naar het zuiden afslaan, maar als hij met hem mee wilde, zou hij dolblij zijn en zorgen dat het hem aan niets ontbrak. Hij sloeg het aanbod af en de man knikte alsof hij dat al had verwacht en gaf hem een stapel bankbiljetten en een kus; hij was de eerste die dat deed. 'Veel geluk, Joey,' zei hij, en later, nadat de man was vertrokken, had hij het geld geteld en beseft dat het meer was dan hij had verwacht, meer dan hij in de tien voorafgaande dagen bij elkaar had verdiend. Later, toen de volgende man een bruut bleek te zijn, onbehouwen en gewelddadig, wenste hij dat hij met die andere man mee was gegaan: opeens leek Boston minder belangrijk dan tederheid, dan iemand die hem beschermde en goed voor hem was. Hij was verdrietig dat hij zulke slechte beslissingen nam, dat hij niet in staat leek de mensen te waarderen die hem fatsoenlijk behandelden: hij dacht weer aan broeder Luke, die hem nooit had geslagen of tegen hem had geschreeuwd, die hem nooit had uitgescholden.

Omstreeks die tijd had hij een ziekte opgedaan, maar hij wist niet of dat onderweg of in het tehuis was gebeurd. Hij eiste van de mannen dat ze een condoom gebruikten, maar een paar van hen hadden dat beloofd en het toch niet gedaan, en hij had zich verzet en geschreeuwd maar had er niets meer aan kunnen doen. Van eerdere ervaringen wist hij dat hij naar een dokter moest. Hij stonk en had zo veel pijn dat hij nauwelijks kon lopen. Aan de rand van Philadelphia besloot hij dat hij zou pauzeren, hij moest wel. Al eerder had hij een gaatje in de mouw van Colins jas getrokken, zijn geld opgerold en erin geschoven en het gaatje daarna dichtgemaakt met een veiligheidsspeld die hij in een motelkamer had gevonden. Hij klom de laatste vrachtwagen uit, hoewel hij op dat moment niet wist dat het de laatste zou zijn, want hij dacht: nog eentje. Nog eentje en ik ben in Boston. Hij had de pest in dat hij moest stoppen nu hij zo dicht bij zijn doel was, maar hij wist dat hij hulp nodig had; hij had al zo lang mogelijk gewacht.

De chauffeur was gestopt bij een tankstation in de buurt van Philadelphia, want hij wilde de stad niet in rijden. Daar liep hij langzaam naar de toiletruimte en probeerde zichzelf schoon te maken. Hij had koorts en was moe. Het laatste wat hij zich van die dag herinnerde – hij dacht dat het eind januari was; het was nog koud en die dag stond er ook een natte, bijtende wind die hem ervanlangs leek te geven – was dat hij naar de rand van het terrein van het tankstation liep, waar een dor, onbemind, eenzaam boompje stond, en dat hij er in Colins intussen vuil geworden jas tegenaan ging zitten, met zijn rug tegen de spichtige, weinig serieus ogende stam, en zijn ogen dicht had gedaan in de hoop dat hij zich wat sterker zou voelen als hij een tijdje had geslapen.

Toen hij wakker werd, merkte hij dat hij op de achterbank van een auto lag, dat de auto reed en dat er muziek van Schubert op stond, en daar liet hij zich door geruststellen omdat het iets vertrouwds was, iets wat hij kende te midden van al het onbekende, een vreemde auto die door een vreemde, iemand die hij niet goed kon zien omdat hij te zwak was om rechtop te gaan zitten, door een vreemd landschap naar een onbekende bestemming werd gereden. De volgende keer dat hij wakker werd was hij in een kamer, een woonkamer, en hij keek om zich heen: naar de bank waar hij op lag, de salontafel die ervoor stond, twee leunstoelen en een stenen schouw, allemaal in bruintinten. Hij stond op, nog steeds duizelig maar minder erg, en toen hij dat deed zag hij een man in een deuropening staan die naar hem keek, een man die iets kleiner was dan hij, en mager, maar met een klein buikje en ronde, brede heupen. Hij had een bril met een half randloos montuur en een zwarte bovenrand, en een kale kruin met daaromheen een ring van haar, zo kort en zacht als de vacht van een nerts.

'Kom mee naar de keuken, dan krijg je iets te eten,' zei de man met een zachte, toonloze stem, en dat deed hij: hij liep langzaam achter hem aan naar een keuken waar alles behalve de tegels en de muren ook bruin was: een bruine tafel, bruine kastjes, bruine stoelen. Hij ging op de stoel aan de smalle kant van de tafel zitten en de man zette een bord met een hamburger en een zakje friet voor hem neer, en een glas melk. 'Normaal gesproken haal ik geen fastfood,' zei de man, en hij keek hem aan.

Hij wist niet wat hij moest zeggen. 'Dank u,' zei hij, en de man knikte. 'Eet maar op.' Dat deed hij, en de man ging aan het andere uiteinde van de tafel zitten en keek toe. Normaal zou hij daar onzeker van zijn geworden, maar hij had zo'n honger dat het hem niets kon schelen.

Toen het op was bedankte hij de man opnieuw, en weer knikte die, en toen bleef het even stil.

'Je bent een prostitué,' zei de man, en hij bloosde en keek naar het glanzende bruine hout van het tafelblad.

'Ja,' gaf hij toe.

De man gaf een geluidje, een soort gesnuif. 'Hoelang prostitueer je jezelf al?' vroeg hij, maar hij wist het antwoord niet en zweeg. 'Nou?' vroeg de man. 'Twee jaar? Vijf jaar? Tien jaar? Je hele leven?' Hij was geërgerd, of bijna geërgerd, maar zijn stem was zacht en hij schreeuwde niet.

'Vijf jaar,' zei hij, en de man maakte weer hetzelfde geluidje.

'Je hebt een geslachtsziekte,' zei de man. 'Ik ruik het aan je.' Hij kromp ineen, liet zijn hoofd hangen en knikte.

De man zuchtte. 'Nou, je hebt geluk, want ik ben arts en heb toevallig antibiotica in huis.' Hij stond op, liep naar een van de kastjes en kwam terug met een oranje plastic potje waar hij een pil uit haalde. 'Neem deze in,' zei hij, en dat deed hij. 'Drink je melk op,' zei de man, en hij gehoorzaamde, en daarna liep de man de kamer uit terwijl hij bleef wachten. 'Nou?' zei de man. 'Kom je nog?'

Zijn benen voelden als trillende elastiekjes, maar hij liep achter de man aan naar een deur tegenover de woonkamer, die de man van het slot draaide en voor hem openhield. Hij aarzelde en de man klakte geërgerd met zijn tong en zei: 'Ga dan. Het is een slaapkamer.' En hij deed vermoeid zijn ogen dicht en sloeg ze weer open. Hij begon zich erop voor te bereiden dat de man een sadist was, want dat waren de zwijgzamen altijd.

Toen hij bij de deuropening kwam, zag hij dat daarachter een souterrain lag en dat hij een paar houten treden moest afdalen, zo steil als een ladder, en weer bleef hij behoedzaam staan, maar de man maakte opnieuw zijn vreemde insectachtige geluid en gaf hem een klein duwtje tegen zijn onderrug, zodat hij het trapje af stommelde.

Hij had een kerker verwacht, glibberig, lekkend en bedompt, maar het was echt een slaapkamer, met een matras opgemaakt met lakens en een deken, eronder een rond blauw kleed, en langs de linkermuur boekenkasten van hetzelfde onafgewerkte hout als de trap, met boeken erin. Het vertrek was fel verlicht, op de agressieve, meedogenloze manier die hij zich herinnerde van ziekenhuizen en politiebureaus, en er zat een raampje ter grootte van een woordenboek hoog in de verste muur.

'Ik heb kleren voor je klaargelegd,' zei de man, en hij zag dat er op het matras een opgevouwen shirt en joggingbroek lagen, met een handdoek en een tandenborstel ernaast. 'Daar is de badkamer,' zei de man, terwijl hij naar de andere kant van de kamer wees.

En toen wilde de man weglopen. 'Wacht even,' riep hij hem na, en de man bleef halverwege het trapje staan en keek hem aan, en hij begon onder de ogen van de man zijn overhemd los te knopen. Op dat moment veranderde er iets in het gezicht van de man, en hij stapte een paar treden omhoog. 'Je bent ziek,' zei hij. 'Eerst moet je beter worden.' Toen verliet hij de kamer en viel de deur achter hem met een klik dicht.

Die nacht sliep hij, zowel van uitputting als bij gebrek aan iets anders om te doen. Toen hij de volgende ochtend wakker werd rook hij eten, en hij kwam kreunend overeind en liep langzaam de trap op, waar hij een plastic dienblad vond met een bord met gepocheerde eieren, twee plakjes bacon, een broodje, een glas melk, een banaan en weer zo'n zelfde witte pil. Hij was te wankel om het zonder te vallen mee naar beneden te kunnen nemen, dus ging hij op een van de ruwhouten treden zitten, at alles op en nam de pil in. Na even gerust te hebben, stond hij op om de deur open te doen en het blad naar de keuken te brengen, maar de deurknop draaide niet, want de deur zat op slot. Onderin was een klein vierkant uitgezaagd, een kattenluikje, nam hij aan, hoewel hij geen kat had gezien, en hij hield het rubberen voorhangsel opzij en stak zijn hoofd erdoor. 'Hallo?' riep hij. Hij realiseerde zich dat hij niet wist hoe de man heette, maar dat was niet ongebruikelijk, dat wist hij eigenlijk nooit. 'Meneer? Hallo?' Maar er kwam geen antwoord, en aan het soort stilte dat er hing hoorde hij dat hij alleen was.

Hij had in paniek moeten raken, angstig moeten worden, maar hij voelde alleen een loodzware vermoeidheid, en hij liet het blad boven aan de trap staan, liep weer langzaam naar beneden en kroop in bed, waar hij opnieuw in slaap viel.

Die hele dag bracht hij sluimerend door, en toen hij wakker werd stond de man weer naast het matras op hem neer te kijken, dus hij ging snel zitten. 'Avondeten,' zei de man, en hij volgde hem naar boven, nog steeds in zijn geleende kleren, die rond zijn middel te wijd waren maar te kort voor zijn armen en benen, want toen hij zijn eigen kleren zocht bleken die verdwenen te zijn. Mijn geld, dacht hij, maar hij was te versuft om erover te kunnen nadenken.

Weer zat hij in de bruine keuken, en de man bracht hem zijn pil en een bord met bruin gehaktbrood, een kwak aardappelpuree en broccoli en ging zijn eigen bord halen, waarna ze in stilte aten. Hij was niet huiverig voor stiltes – meestal was hij er dankbaar voor – maar de stilte van deze man wekte de indruk dat hij in zichzelf gekeerd was, zoals een kat die stil is en zo lang en strak voor zich uit kijkt dat je niet weet wat hij ziet, tot hij opeens een sprong maakt en iets vangt met zijn klauwen.

'Wat voor arts bent u?' vroeg hij aarzelend, en de man keek hem aan.

'Psychiater. Weet je wat dat is?'

'Ja,' zei hij.

De man maakte zijn geluidje weer. 'Vind je het leuk om je te prostitueren?' vroeg hij, en hij voelde dat er zomaar tranen in zijn ogen sprongen, maar toen knipperde hij en waren ze weg.

'Nee,' zei hij.

'Waarom doe je het dan?' vroeg de man, en hij schudde zijn hoofd.

'Zeg op,' zei de man.

'Ik weet het niet,' zei hij, en de man snoof. 'Het is het enige wat ik kan,' zei hij uiteindelijk.

'Ben je er goed in?' Opnieuw voelde hij die steek, en hij bleef lang zwijgen.

'Ja,' zei hij, en het was de ergste bekentenis die hij ooit had gedaan, het moeilijkste woord dat hij ooit had gezegd.

Toen ze klaar waren met eten, liep de dokter weer met hem naar de deur en gaf hem hetzelfde duwtje naar binnen. 'Wacht,' zei hij tegen de man toen die de deur dicht wilde doen. 'Ik heet Joey.' En toen de man geen antwoord gaf en hem alleen maar strak aankeek: 'Hoe heet u?'

De man bleef hem aankijken, maar nu had hij de indruk dat hij bijna glimlachte, of in elk geval in de verleiding was een gezichtsuitdrukking te vertonen. Maar hij zag er toch van af. 'Dokter Traylor,' zei de man, en daarna trok hij de deur snel achter zich dicht, alsof die informatie een vogeltje was dat misschien zou wegvliegen als het niet samen met hem werd opgesloten.

De volgende dag was hij minder koortsig en had hij minder pijn. Maar toen hij opstond merkte hij dat hij nog steeds zwak was, want hij stond te zwaaien op zijn benen en maaide met zijn handen door de lucht op zoek naar steun, hoewel hij uiteindelijk niet viel. Hij liep naar de boekenplanken en bekeek de boeken, pockets die bol en krom stonden van de warmte en het vocht en lekker muf roken. Hij vond een exemplaar van *Emma*, dat hij op school aan het lezen was geweest voordat hij wegliep, nam het boek mee toen hij langzaam de trap op liep, zocht op waar hij was gebleven en las terwijl hij zijn ontbijt at en zijn pil innam. Deze keer was er ook een dubbele boterham in een stuk keukenpapier waar in kleine lettertjes 'Lunch' op stond. Nadat hij had gegeten, nam hij het boek en de boterhammen mee naar beneden, ging in bed liggen en bedacht hoezeer hij het lezen had gemist, hoe dankbaar hij was voor die mogelijkheid om zijn eigen leven achter zich te laten.

Hij viel weer in slaap en werd weer wakker. Tegen de avond was hij heel moe en had hij weer wat pijn, en toen dokter Traylor de deur voor hem openhield, kostte het hem veel tijd om de trap te beklimmen. Bij het avondeten zei hij niets, en ook dokter Traylor zweeg, maar toen hij aanbood te helpen met afwassen of koken, keek de dokter hem aan. 'Je bent ziek.'

'Het gaat al beter,' zei hij. 'Ik kan best in de keuken helpen als u wilt.'

'Nee, ik bedoel, je bent ziek,' zei dokter Traylor. 'Je hebt een besmettelijke ziekte. Ik wil niet dat iemand met zo'n ziekte mijn eten aanraakt.' En hij had vernederd zijn ogen neergeslagen.

Er viel een stilte. 'Waar zijn je ouders?' vroeg dokter Traylor, en hij schudde zijn hoofd. 'Zeg op,' zei dokter Traylor, en deze keer klonk hij echt geërgerd, hoewel hij nog steeds niet met stemverheffing sprak.

'Dat weet ik niet,' stamelde hij, 'die heb ik nooit gekend.'

'Hoe ben je in de prostitutie beland? Ben je dat uit jezelf gaan doen of heeft iemand je geholpen?'

Hij slikte en voelde het voedsel in zijn maag in stijfsel veranderen. 'Iemand heeft me geholpen,' fluisterde hij.

Het bleef even stil. 'Je vindt het niet prettig als ik je een prostitué noem,' zei de man, en deze keer lukte het hem om zijn hoofd op te tillen en hem aan te kijken. 'Nee,' zei hij. 'Dat snap ik,' zei de man. 'Maar het is wel wat je bent, toch? Hoewel ik een ander woord zou kunnen gebruiken, als je wilt: hoer, misschien.' Hij zweeg weer even. 'Is dat beter?'

'Nee,' fluisterde hij weer.

'Nou, dan blijft het dus prostitué, hè?' De man keek hem aan, en uiteindelijk knikte hij.

Die avond zocht hij in de slaapkamer naar iets om zich mee te snijden, maar er was niets scherps te vinden, helemaal niets; zelfs de boeken hadden alleen maar zachte, omgekrulde bladen. Daarom drukte hij zijn vingernagels zo hard mogelijk in zijn kuiten, voorovergebogen en met een van inspanning en pijn vertrokken gezicht, en ten slotte lukte het hem om zijn huid te doorboren en daarna met zijn nagel heen en weer te gaan in de wond om die breder te maken. Hij kwam niet verder dan drie kerven in zijn rechterbeen, want daarna was hij te moe en viel weer in slaap.

Op de derde ochtend voelde hij zich aanzienlijk beter: sterker en helderder. Hij at zijn ontbijt en las in zijn boek, en daarna zette hij het dienblad opzij, stak zijn hoofd door het uitgezaagde gat en probeerde op allerlei manieren zijn schouders erdoor te krijgen. Maar onder welke hoek hij het ook probeerde, hij was gewoon te breed en de opening te klein, en uiteindelijk moest hij het opgeven.

Nadat hij had gerust, stak hij zijn hoofd weer door het gat. Links van hem kon hij de woonkamer zien en rechts de keuken, en hij keek en keek alsof hij aanwijzingen zocht. Het was heel netjes in het huis, zo netjes dat hij zeker wist dat dokter Traylor alleen woonde. Als hij zijn hals uitrekte, kon hij helemaal links een trap naar een eerste verdieping zien, en net daarachter de voordeur, maar hij kon niet zien hoeveel sloten die had. Het huis werd echter vooral gekenmerkt door de stilte: er tikten geen klokken en er klonk geen geluid van buiten, van auto's noch mensen. Het had een huis kunnen zijn dat door de ruimte zoefde, zo stil was het. Het enige wat geluid maakte was de koelkast, die af en toe tevreden bromde, maar als die afsloeg was de stilte totaal.

Maar al was het huis nog zo kleurloos, het fascineerde hem toch, want het was pas het derde woonhuis dat hij ooit van binnen had gezien. Het tweede was dat van de familie Leary geweest. Het eerste was dat van een klant, een heel belangrijke klant, had broeder Luke gezegd, die meer had betaald omdat hij niet naar de motelkamer wilde komen. Dat huis, aan de rand van Salt Lake City, was enorm groot, helemaal van zandsteen en glas, en broeder Luke was met hem meegegaan en had zich teruggetrokken in de badkamer – een badkamer zo groot als hun motelkamers – naast de slaapkamer waar de klant het met hem had gedaan. Later, als volwassene, zou hij iets met huizen hebben, vooral met zijn eigen huis, hoewel hij zichzelf al voordat hij Greene Street of Lantern House of de flat in Londen bezat elke paar maanden trakteerde op een woontijdschrift met artikelen over mensen die hun hele leven bezig waren mooie huizen nog mooier te maken, en dan sloeg hij de bladzijden langzaam om en bekeek elke foto aandachtig. Zijn vrienden lachten hem erom uit, maar dat kon hem niet schelen: hij droomde van de dag dat hij een eigen woning zou hebben, met spullen die helemaal van hem waren.

Die avond liet dokter Traylor hem weer vrij, en opnieuw was er in de keuken een maaltijd, die ze in stilte opaten. 'Ik voel me nu beter,' merkte hij voorzichtig op, en toen dokter Traylor niet reageerde: 'Als u iets wilt doen.' Hij was realistisch genoeg om te weten dat hij niet zou mogen vertrekken zonder dokter Traylor op de een of andere manier terug te betalen, en optimistisch genoeg om te denken dat hij überhaupt zou mogen vertrekken.

Maar dokter Traylor schudde zijn hoofd. 'Je voelt je misschien beter, maar je bent nog steeds ziek,' zei hij. 'Het duurt tien dagen voordat de infectie door de antibiotica is verdreven.' Hij haalde een graatje uit zijn mond, zo dun dat het doorschijnend was, en legde het op de rand van zijn bord. 'Ga me nou niet vertellen dat dit de eerste geslachtsziekte is die je ooit hebt gehad.' De dokter keek hem aan en hij bloosde.

Die nacht overdacht hij wat hij zou doen. Hij was bijna sterk genoeg om te kunnen rennen, dacht hij. Bij het volgende avondeten zou hij achter dokter Traylor aanlopen, en als die zijn rug naar hem toe had zou hij naar de deur rennen, en dan naar buiten, en hulp zoeken. Er waren een paar problemen met dit plan – hij had zijn kleren nog steeds niet terug en hij had geen schoenen – maar hij wist dat er iets mis was met dit huis, dat er iets mis was met dokter Traylor en dat hij moest maken dat hij hier wegkwam.

De volgende dag probeerde hij zijn krachten te sparen. Hij was te onrustig om te lezen en moest moeite doen om niet te gaan ijsberen. De boterhammen van die dag bewaarde hij en stopte hij in de zak van de geleende joggingbroek, zodat hij iets te eten zou hebben als hij zich een tijdlang verborgen moest houden. In de andere zak propte hij de plastic zak die in het afvalemmertje in de badkamer had gezeten, want die zou hij in tweeën kunnen scheuren om er schoenen van te maken als hij eenmaal veilig buiten bereik van dokter Traylor was. En toen wachtte hij af.

Maar die avond werd hij helemaal niet uit de kamer gelaten. Vanaf de plek waar hij zat, vlak bij de rubberen flap, kon hij zien dat de lampen in de woonkamer aangingen en ruiken dat er werd gekookt. 'Dokter Traylor?' riep hij. 'Hallo?' Maar afgezien van het gespetter van vlees dat werd gebraden en de stem van de nieuwslezer op de tv was het stil. 'Dokter

Traylor!' riep hij. 'Alstublieft!' Maar er gebeurde niets, en na lang roepen was hij uitgeput en liet zich langzaam van de trap af zakken.

Die nacht droomde hij dat er op de bovenverdieping van het huis nog een heleboel slaapkamers waren, allemaal met een laag bed en daaronder een rond kleed met kwastjes, en dat er in elk bed een jongen lag, sommigen wat ouder, doordat ze hier al zo lang waren, en anderen jonger. Geen van hen wist van het bestaan van de anderen, geen van hen kon de anderen horen. Hij besefte dat hij geen idee had hoe groot het huis was, en in de droom werd het een wolkenkrabber met honderden kamers, cellen, en in elke cel een andere jongen, die wachtte tot dokter Traylor hem vrij zou laten. Hij werd naar adem happend wakker en rende de trap op, maar toen hij tegen de flap duwde, bewoog die niet. Hij tilde hem op en zag dat het gat was afgedekt met grijs plastic, en hoe hard hij er ook tegen duwde, er zat geen beweging in.

Hij wist niet wat hij moest beginnen. De rest van de nacht probeerde hij wakker te blijven, maar hij viel toch in slaap, en toen hij wakker werd stond het dienblad met zijn ontbijt, zijn lunch en twee pillen klaar: een voor de ochtend en een voor de avond. Hij nam de pillen tussen duim en wijsvinger en bekeek ze nadenkend: als hij ze niet innam zou hij niet beter worden, en dokter Traylor zou hem pas aanraken als hij gezond was. Maar aan de andere kant wist hij uit ervaring hoe afschuwelijk hij zich zou voelen als hij niet beter werd, hoe bijna onvoorstelbaar smerig hij zou zijn, alsof hij helemaal, van binnen en van buiten, met uitwerpselen besproeid was. Hij begon heen en weer te wiegen. Wat moet ik doen, vroeg hij zich af, wat moet ik doen? Hij dacht aan de dikke vrachtwagenchauffeur die aardig voor hem was geweest. Help me, smeekte hij hem, help me.

Broeder Luke, soebatte hij, help me, help me.

Ook nu weer dacht hij: ik heb de verkeerde beslissing genomen. Ik ben ergens weggegaan waar ik in elk geval naar buiten en naar school kon en waar ik wist wat er met me ging gebeuren. En nu ben ik dat allemaal kwijt.

Je bent ook zo stom, zei het stemmetje in zijn hoofd, je bent oerstom.

Zo ging het nog zes dagen door: zijn eten werd neergezet in de tijd dat hij sliep. Hij nam de pillen, want hij had eigenlijk geen keuze.

Op de tiende dag ging de deur open en stond dokter Traylor in de deuropening. Hij schrok, want het overviel hem volledig, en voordat hij overeind kon komen had dokter Traylor de deur dichtgedaan en kwam naar hem toe. Over één schouder droeg hij een ijzeren kachelpook, losjes, zoals een honkballer de knuppel, en dat beangstigde hem: wat betekende het? Wat zou hem ermee worden aangedaan?

'Kleed je uit,' zei dokter Traylor, nog steeds op diezelfde neutrale toon, en hij gehoorzaamde, en toen dokter Traylor de pook van zijn schouder zwaaide, dook hij in een reflex weg en hield zijn armen voor zijn gezicht. Hij hoorde de dokter zijn vochtige geluidje maken. En toen gespte dokter Traylor zijn broekriem los en kwam voor hem staan. 'Trek hem naar beneden,' zei hij, en dat deed hij, maar voordat hij kon beginnen porde dokter Traylor hem met de pook in zijn nek. 'Als je iets probeert, bijten of wat dan ook, sla ik je hiermee net zo lang op je kop tot je een plantje bent, begrepen?'

Hij knikte, te ontzet om iets te zeggen. 'Zég het,' brulde dokter Traylor, en hij schrok.

'Ja,' bracht hij uit. 'Ja, begrepen.'

Natuurlijk was hij bang voor dokter Traylor; hij was bang voor al die mannen. Maar het was nog nooit bij hem opgekomen om met een klant te vechten, om zich tegen hem te verzetten. Zij hadden macht en hij niet. En broeder Luke had hem te goed getraind. Hij was te gehoorzaam. Hij was, zoals hij tegenover dokter Traylor had moeten toegeven, een goede prostitué.

Zo ging het elke dag, en hoewel de seks niet erger was dan wat hij eerder had meegemaakt, bleef hij ervan overtuigd dat dit nog maar het voorspel was, dat het uiteindelijk heel erg zou worden, heel bizar. Hij had verhalen gehoord van broeder Luke en hij had video's gezien over dingen die mensen met elkaar deden: voorwerpen die ze gebruikten, rekwisieten en wapens. Een paar keer had hij zelf zoiets meegemaakt. Maar hij wist dat hij in veel opzichten geluk had gehad: zijn leven was gespaard gebleven. De vrees voor wat er misschien ging komen was nog veel erger dan de vrees voor de seks zelf. 's Nachts stelde hij zich dingen voor waarvan hij niet wist hoe hij ze zich moest voorstellen, en dan hijgde hij van paniek en werden zijn kleren – andere kleren dan in het begin, maar nog steeds niet die van hemzelf – klam van het zweet.

Na afloop van een van hun sessies vroeg hij dokter Traylor of hij weg mocht. 'Alstublieft,' smeekte hij. 'Alstublieft.' Maar dokter Traylor zei dat hij tien dagen gastvrijheid bij hem had genoten en dat hij die tien dagen moest terugbetalen. 'En mag ik daarna dan weg?' vroeg hij, maar de dokter liep de deur al uit.

Op de zesde dag van zijn terugbetaling bedacht hij een plan. Er was een seconde of twee – meer niet – waarin dokter Traylor de pook onder zijn linkerarm klemde om met zijn rechter zijn broekriem los te maken. Als hij het juiste moment koos, kon hij de dokter met een boek in zijn gezicht slaan en proberen naar buiten te rennen. Hij zou heel snel en heel behendig moeten zijn.

Hij liet zijn blik langs de boeken op de planken glijden en wenste opnieuw dat er hardcovers bij waren en dat het niet allemaal van die baksteenvormige pockets waren. Een dunnetje zou meer het effect van een mep geven, wist hij, en handzamer zijn, en daarom koos hij uiteindelijk een exemplaar van *Dubliners*: dat was dun genoeg om goed vast te kunnen houden en flexibel genoeg om een pets in iemands gezicht mee te geven. Hij verstopte het onder zijn matras en besefte toen dat dat niet eens nodig was en dat hij het gewoon naast zich kon leggen. Dat deed hij, en vervolgens wachtte hij af.

Dokter Traylor verscheen met zijn kachelpook en begon zijn riem los te maken, en op dat moment sprong hij overeind en sloeg de dokter zo hard mogelijk in zijn gezicht, en hij hoorde de dokter schreeuwen en de pook op de betonnen vloer kletteren, en voelde dat de dokter probeerde zijn enkel te grijpen, maar hij was op tijd weg, stommelde de trap op, rukte de deur open en zette het op een lopen. Bij de voordeur zag hij een hele rits sloten, en bijna snikkend schoof hij grendels onbeholpen alle kanten op, en toen was hij buiten en rende hard weg, harder dan hij ooit had gerend. Je kunt het, je kunt het, schreeuwde het stemmetje in zijn hoofd, voor de verandering eens bemoedigend, en daarna, geagiteerder: sneller, sneller, sneller. Naarmate hij zich beter was gaan voelen, waren de maaltijden die dokter Traylor hem had gegeven steeds kleiner geworden, wat betekende dat hij de hele tijd verzwakt en moe was gebleven, maar nu was hij volkomen helder, en onder het rennen riep hij om hulp. Maar tegelijk zag hij dat niemand zijn kreten zou horen: er was geen ander huis in zicht, en hoewel hij had verwacht dat er misschien bomen zouden zijn, waren die er ook niet, alleen een uitgestrekt, vlak, leeg land, zonder iets om zich achter te verschuilen. Ook voelde hij hoe koud het was, en dat er allerlei scherps in zijn voetzolen drong, maar toch rende hij door.

En toen hoorde hij achter zich andere voetstappen tegen het wegdek slaan, en een bekend rammelend geluid, en hij wist dat het dokter Traylor was. De man schreeuwde niet eens en riep geen dreigementen, maar toen hij omkeek om te zien hoe dichtbij de dokter was – en hij was heel dichtbij, maar een paar meter achter hem – struikelde hij en kwam hard met zijn wang op de grond neer.

Nadat hij was gevallen liet alle energie hem in de steek, als een zwerm vogels die luidruchtig opstijgt en snel wegvliegt, en hij zag dat het rammelende geluid de losgegespte riem van dokter Traylor was, die hij uit zijn broek trok om hem mee te slaan, en hij dook in elkaar terwijl hij klap na klap kreeg. Al die tijd zei de dokter niets, en het enige wat hij hoorde was dokter Traylors ademhaling, zijn gesnuif van inspanning terwijl hij de riem steeds harder op zijn rug, benen en nek liet neerkomen.

Terug in het huis ging de afranseling door, en in de dagen en weken daarna werd hij vaker geslagen. Niet op vaste momenten – hij wist nooit wanneer het weer zou gebeuren – maar wel zo vaak dat het er in combinatie met het gebrek aan voedsel voor zorgde dat hij altijd duizelig was en zich slap voelde: hij dacht niet dat hij ooit nog de kracht zou hebben om weg te lopen. Zoals hij al had gevreesd werd ook de seks akeliger, en hij werd gedwongen dingen te doen waar hij nooit over zou kunnen praten, tegen niemand, zelfs niet tegen zichzelf, en ook hiervoor gold: hoewel het niet altijd afschuwelijk was, was het dat vaak genoeg om in een voortdurende waas van angst te leven, vaak genoeg om zeker te weten dat hij in dokter Traylors huis zou sterven. 's Nachts droomde hij een keer van zichzelf als man, een echte volwassene, die nog steeds in de kelder op dokter Traylor wachtte, en hij wist in zijn droom dat er iets met hem was gebeurd, dat hij zijn verstand was kwijtgeraakt, dat hij net zo was geworden als zijn kamergenoot in het tehuis, en toen hij wakker werd, bad hij dat hij snel zou sterven. Als hij overdag sliep droomde hij van broeder Luke, en wanneer hij wakker werd uit zo'n droom besefte hij hoezeer Luke hem altijd had beschermd, hoe goed hij hem had behandeld en hoe zachtaardig hij altijd was geweest. Na zo'n droom sleepte hij zich de houten trap op, wierp zich eraf, hees zich weer omhoog en deed het nog een keer.

En toen zei dokter Traylor op een dag (na drie maanden? Vier? Later vertelde Ana dat dokter Traylor had gezegd dat het twaalf weken was nadat hij hem bij het tankstation had gevonden): 'Ik ben je zat. Je bent vies, ik vind je weerzinwekkend en ik wil dat je weggaat.'

Hij kon zijn oren niet geloven. Maar toen bedacht hij dat hij iets moest zeggen. 'Goed,' zei hij, 'goed. Ik ga meteen wel.'

'Nee,' zei dokter Traylor, 'je gaat zoals ik dat wil.'

Een paar dagen lang gebeurde er niets, en hij nam aan dat ook dit een leugen was geweest en was blij dat hij zich er niet al te zeer door had laten meeslepen, dat hij eindelijk in staat was een leugen te herkennen. Dokter Traylor serveerde hem zijn maaltijden tegenwoordig op een stuk krant van die dag, en op een keer keek hij naar de datum en besefte dat hij jarig was. 'Ik ben vijftien,' vertelde hij de stille kamer, en toen hij zichzelf die woorden hoorde zeggen – en dacht aan de hoop, de fantasieën, de onmogelijkheden erachter, die alleen hij kende – werd hij heel verdrietig. Maar hij huilde niet: zijn vermogen om niet te huilen was zijn enige wapenfeit, het enige waar hij trots op kon zijn.

En toen kwam dokter Traylor op een avond naar beneden met zijn kachelpook. 'Opstaan,' zei hij, en hij werd met de pook in zijn rug gepord terwijl hij de trap op wankelde, op zijn knieën viel, overeind kwam en opnieuw struikelde en opstond. Hij werd helemaal naar de voordeur gedreven, die op een kiertje stond, en daarna naar buiten, het donker in. Het was nog steeds koud en nat, maar ondanks zijn angst kon hij merken dat het weer aan het omslaan was, dat de tijd voor hem weliswaar had stilgestaan maar niet voor de rest van de wereld, waarin de seizoenen onverschillig waren voortgemarcheerd; hij rook dat er een groene geur in de lucht hing. Naast hem stond een kale struik met een zwarte tak, maar aan de punt ontsproten bleeklila zwellingen, en hij staarde er uit alle macht naar in een poging er een beeld van op zijn netvlies te branden, tot hij met de pook werd aangespoord verder te lopen.

Bij de auto hield dokter Traylor de kofferbak open en stootte hem weer aan met de pook, en hij hoorde zichzelf geluiden maken die op snikken leken, maar hij huilde niet en klom erin, hoewel hij zo zwak was dat dokter Traylor hem moest helpen, wat hij deed door de mouw van zijn shirt tussen zijn vingers te pakken om hem niet te hoeven aanraken.

Ze reden weg. De kofferbak was schoon en groot, en hij rolde erin heen en weer terwijl ze bochten namen en heuvels op en af reden, waarna hij voelde dat de weg recht en vlak werd. Daarna sloeg de auto links af en stuiterde hij op en neer over hobbelig terrein, en toen bleef de auto staan.

Een tijdlang – drie minuten, telde hij – gebeurde er niets, en hij luisterde ingespannen maar hoorde geen geluid, alleen zijn eigen ademhaling en zijn eigen hart.

De kofferbak ging open en dokter Traylor plukte aan zijn shirt om hem eruit te helpen en duwde hem met de kachelpook naar de voorkant van de auto. 'Staan blijven,' zei hij, en hij gehoorzaamde huiverend terwijl hij zag hoe de dokter weer instapte, het raampje naar beneden draaide en naar buiten leunde. 'Rennen,' zei de dokter, en toen hij daar als aan de grond genageld bleef staan: 'Je houdt toch zo van rennen? Nou, rennen dan.' Dokter Traylor startte de motor, en eindelijk werd hij wakker en rende weg.

Ze bevonden zich op een veld, een groot kaal vierkant van aarde waar over een paar weken gras zou groeien maar nu helemaal niets was, alleen plassen met een dun laagje ijs dat als aardewerk brak onder zijn blote voeten, en kleine witte kiezels die straalden als sterren. In het midden lag het veld wat dieper en rechts van hem liep de weg. Hij kon niet zien hoe breed de weg was, alleen dat die er was, maar er kwamen geen auto's langs. Links van hem was het veld afgerasterd, maar dat was verder weg en hij kon niet zien wat er aan de andere kant van het prikkeldraad was.

Hij rende en de auto volgde hem op de voet. Eerst was het nog een fijn gevoel om te rennen, om buiten te zijn, weg uit dat huis: zelfs dit, het ijs als glas onder zijn voeten, de wind striemend in zijn gezicht, de duwtjes van de bumper tegen zijn kuiten, dit alles was beter dan dat huis, die kamer met zijn muren van betonnen bouwblokken en het raampje dat zo klein was dat je het geen raampje kon noemen.

Hij rende. Dokter Traylor volgde hem en gaf soms gas, zodat hij harder moest rennen. Maar hij kon niet meer zo goed rennen als vroeger, en keer op keer viel hij. Elke keer dat hij viel ging de auto langzamer rijden en riep dokter Traylor, niet boos, niet eens echt hard: 'Opstaan. Opstaan en rennen. Opstaan en rennen, of we gaan terug naar huis,' en dan dwong hij zichzelf overeind te komen en verder te rennen.

Hij rende. Op dat moment wist hij niet dat het de laatste keer in zijn leven zou zijn, en veel later zou hij zich afvragen: als ik dat geweten had, had ik dan harder kunnen rennen? Maar dat was natuurlijk een vraag die niet te beantwoorden was, een onmogelijke vraag, een niet te bewijzen axioma. Steeds weer viel hij, en bij de twaalfde keer deed hij zijn mond open om iets te zeggen, maar er kwam niets uit. 'Opstaan,' hoorde hij de man zeggen. 'Opstaan. De volgende keer dat je valt is de laatste.' En hij stond weer op.

Intussen rende hij niet meer, hij liep en struikelde, hij kroop voor de auto uit en de auto stootte steeds harder tegen hem aan. Laat dit ophouden, dacht hij, laat dit ophouden. Hij herinnerde zich een verhaal – Wie had het hem verteld? Een van de broeders, maar welke? – over een zielig klein jongetje, een jongetje dat het veel slechter had dan hij, was hem verteld, en dat op een avond, nadat hij heel lang heel zoet was geweest (ook daarin was het jongetje anders dan hij) tot God had gebeden om hem te komen halen: ik ben zover, zei het jongetje in het verhaal, ik ben zover, en er was een ontzagwekkende engel verschenen, met gouden vleugels en ogen waarin vuur gloeide, en de engel had zijn vleugels rond het jongetje geslagen en het jongetje was in as veranderd en verdwenen, verlost van deze wereld.

Ik ben zover, zei hij, ik ben zover, en hij wachtte tot de engel met zijn majestueuze, angstaanjagende schoonheid hem kwam redden.

De laatste keer dat hij viel kon hij niet meer overeind komen. 'Opstaan!' hoorde hij dokter Traylor roepen. 'Opstaan!' Maar hij kon het niet. En toen hoorde hij de motor weer starten en voelde de koplampen naderen, twee bundels vuur, net als de ogen van de engel, en hij draaide zijn hoofd opzij en wachtte af, en de auto kwam naar hem toe en over hem heen, en het was gebeurd.

En zo eindigde het. Hierna werd hij volwassen. Toen hij in het ziekenhuis lag, met Ana aan zijn bed, nam hij zich een paar dingen voor. Hij dacht na over de vergissingen die hij had gemaakt. Hij had nooit geweten wie hij kon vertrouwen en had zich aan iedereen overgeleverd die maar een beetje aardig tegen hem was. Hierna besloot hij dat dat moest veranderen. Hij zou mensen niet zo snel meer vertrouwen. Hij zou niet meer aan seks doen. Hij zou geen redding meer verwachten.

'Het zal nooit meer zo erg zijn als dit,' zei Ana vaak tegen hem in het ziekenhuis. 'Het zal nooit meer zo slecht met je gaan.' En hoewel hij wist dat ze het over de pijn had, mocht hij ook graag denken dat ze zijn leven in het algemeen bedoelde, dat dat met elk jaar beter zou worden. En ze had gelijk gekregen: het was beter geworden. En broeder Luke had ook gelijk gekregen, want toen hij zestien was veranderde zijn leven. Een jaar na de episode met dokter Traylor studeerde hij aan de universiteit waarvan hij had gedroomd, en elke dag zonder seks werd hij schoner en schoner. Zijn leven werd met het jaar onwaarschijnlijker. Elk jaar groeide zijn voorspoed, en hij verbaasde zich steeds weer over de materiële zaken en de goedheid die hem ten deel vielen, over de mensen die zijn leven binnen wandelden, mensen die zo verschilden van de mensen die hij vroeger had gekend dat het wel een heel andere diersoort leek, want hoe kon je dokter Traylor en Willem onder dezelfde soortnaam indelen? Of pater Gabriel en Andy? Of broeder Luke en Harold? Bestonden de neigingen van de eerste groep ook bij de tweede, en zo ja, hoe had die tweede groep dan besloten anders te worden, hoe hadden ze besloten te worden wie ze waren? Zijn omstandigheden waren niet alleen verbeterd, ze waren tot in bijna absurde mate doorgeschoten naar de andere kant. Van niets was hij naar een beschamende overvloed gegaan. Hij herinnerde zich Harolds bewering dat het leven je verliezen compenseert en besefte hoe waar dat was, en soms leek het zelfs alsof het leven hem niet alleen had gecompenseerd maar dat op een exorbitante manier had gedaan, alsof zijn eigen leven hem om vergiffenis smeekte, alsof het hem overlaadde met rijkdommen, hem bedolf onder alles wat mooi en fijn was en waar hij op had gehoopt, als hij er maar geen wrok tegen koesterde, als hij het maar de kans bleef geven hem voort te stuwen. En zo kwam het dat hij in de loop van de jaren zijn voornemens keer op keer verbrak. Hij ging zich wél weer overleveren aan mensen die aardig voor hem waren. Hij ging wél weer mensen vertrouwen. Hij ging wél weer aan seks doen. Hij hoopte wél weer op redding. En dat bleek terecht: niet altijd, natuurlijk, maar meestal wel. Hij negeerde de lessen uit het verleden en werd daar vaker dan billijk was voor beloond. Hij had nergens spijt van, ook niet van de seks, want die had hij bedreven met hoop in zijn hart en om iemand anders gelukkig te maken, iemand die hem alles had gegeven.

Op een avond kort nadat Willem en hij een stel waren geworden, waren ze op een etentje bij Richard, een rommelige, informele bijeenkomst van mensen van wie ze hielden en mensen die ze graag mochten: JB, Malcolm, Zwarte Henry Young, Oosterse Henry Young, Phaedra, Ali en hun respectievelijke geliefden en huwelijkspartners. Hij stond in de keuken om Richard te helpen met het dessert toen JB – lichtelijk aangeschoten – binnenkwam, zijn arm om zijn nek legde en hem op zijn wang zoende. 'Zo, Judy,' zei hij, 'je hebt het uiteindelijk allemaal gekregen, hè? De carrière, het geld, het huis en de man. Hoe kom je aan zo veel geluk?' JB grijnsde naar hem en hij beantwoordde die grijns. Hij was blij dat Willem er niet bij was om het te horen, want hij wist dat Willem zich zou ergeren aan wat hij beschouwde als JB's jaloezie, JB's overtuiging dat iedereen een makkelijker leven had (en had gehad) dan hijzelf, en dat hij, Jude, fortuinlijker was dan wie dan ook.

Maar zelf zag hij het anders. Hij wist dat het deels JB's vorm van ironie was, zijn manier om hem te feliciteren met het geluk dat hij had en waarvan ze allebei wisten dat het inderdaad buitensporig was, maar ook dat het zeer gewaardeerd werd. En als hij eerlijk was, was hij ook wel gevleid door JB's jaloezie: voor JB was hij geen invalide die door de kosmos werd gecompenseerd voor een miserabele tijd; hij was JB's gelijke, iemand in wie JB alleen de benijdenswaardige dingen zag en nooit de meelijwekkende. En bovendien had JB gelijk: hoe kwám hij aan zo veel geluk? Hoe kón het dat hij alles had gekregen wat hij had? Hij zou het nooit weten; hij zou het zich altijd blijven afvragen.

'Dat weet ik niet, JB,' zei hij, en hij gaf hem met een glimlach de eerste plak cake, terwijl hij Willem in de eetkamer iets hoorde zeggen dat werd gevolgd door een lachsalvo van alle anderen, een geluid van onvervalst plezier. 'Maar weet je, ik heb mijn hele leven al geluk gehad.'

3

De vrouw heet Claudine en is een vriendin van een vriendin van een kennis, een sieradenontwerpster, wat voor hem enigszins uitzonderlijk is, want meestal gaat hij alleen naar bed met mensen uit het filmvak, die meer gewend zijn aan tijdelijke affaires en er toegeeflijker tegenover staan.

Ze is drieëndertig en heeft lang donker haar dat aan de uiteinden lichter is en heel kleine handen, kinderhanden, waaraan ze ringen draagt die ze zelf heeft gemaakt, van donker goud en met glinsterende stenen; als ze met elkaar naar bed gaan doet ze die als laatste af, alsof die ringen en niet haar slipje haar intiemste delen verbergen.

Ze gaan nu bijna twee maanden met elkaar naar bed – ze hebben geen relatie, hij doet niet aan relaties – wat ook uitzonderlijk is, en hij weet dat hij er binnenkort een eind aan moet maken. Hij heeft haar aan het begin verteld dat het alleen om de seks ging, dat hij van iemand anders hield en dat hij nooit de hele nacht zou kunnen blijven, en dat leek ze prima te vinden; ze zei in elk geval dat ze het prima vond en dat ze zelf ook van iemand anders hield. Maar hij heeft geen sporen van een andere man in haar flat gezien, en als hij haar een berichtje stuurt, heeft ze altijd tijd. Ook dat is een waarschuwingssignaal: hij moet er echt een eind aan maken.

Nu geeft hij haar een kus op haar voorhoofd en gaat rechtop zitten. 'Ik moet weg,' zegt hij.

'Hè nee,' zegt ze. 'Blijf nog even.'

'Dat kan niet.'

'Vijf minuutjes.'

'Goed, vijf minuutjes dan.' Hij gaat weer liggen. Maar na vijf minuten kust hij haar weer, deze keer op haar slaap. 'Nu moet ik echt weg,' zegt hij, en ze maakt een protesterend en tegelijk berustend geluid en draait zich op haar zij.

Hij gaat naar haar badkamer, neemt een douche en spoelt zijn mond, komt terug en kust haar weer. 'Ik sms je,' zegt hij, terwijl hij met walging bedenkt dat hij alleen nog maar in clichés lijkt te kunnen praten. 'Bedankt dat ik langs mocht komen.'

Thuis loopt hij zachtjes door het donkere huis en in de slaapkamer kleedt hij zich uit, stapt met een zucht in bed, rolt zich op zijn zij en slaat zijn armen om Jude heen, die wakker wordt en zich naar hem toe draait. 'Willem,' zegt hij, 'je bent thuis.' Willem kust hem om het schuldgevoel en verdriet te verhullen die hij altijd voelt als hij de opluchting en blijdschap in Judes stem hoort.

'Natuurlijk,' zegt hij. Hij komt altijd thuis, is nog nooit niet thuisgekomen. 'Het spijt me dat het zo laat is geworden.'

Het is een warme nacht, klam en roerloos, en toch drukt hij zich tegen Jude aan alsof hij zich wil warmen en schuift zijn benen precies achter die van Jude. Morgen zal hij Claudine vertellen dat het voorbij is, neemt hij zich voor.

Ze hebben er nooit over gepraat, maar hij weet dat Jude weet dat hij met anderen naar bed gaat. Hij heeft Willem er zelfs toestemming voor gegeven. Dat was na die vreselijke Thanksgiving, toen Jude na jaren van versluiering volledig aan hem werd onthuld, toen de wolkenslierten die altijd om hem heen hadden gehangen abrupt waren weggeblazen. Dagenlang had hij niet geweten wat hij moest doen (behalve zelf weer haastig in therapie gaan: op de dag nadat Jude zijn eerste afspraak met Loehmann had gemaakt, had hij zijn eigen therapeut gebeld), en elke keer dat hij naar Jude keek waren er flarden van zijn verhaal teruggekomen, en dan nam hij hem steels maar aandachtig op en vroeg zich af hoe het hem was gelukt om van waar hij was geweest te komen waar hij nu was, hoe hij de persoon was geworden die hij was, terwijl alles in zijn leven erop had gewezen dat dat helemaal niet kon. Het ontzag dat hij toen voor hem voelde, de vertwijfeling en ontzetting, waren iets wat je voor een idool kon voelen, niet voor andere mensen, in elk geval niet voor andere mensen die hij kende.

'Ik snap hoe je je voelt, Willem,' zei Andy tijdens een van hun geheime gesprekken, 'maar hij wil niet dat je hem bewondert, hij wil dat je hem ziet zoals hij is. Hij wil dat je hem vertelt dat zijn leven, hoe onvoorstelbaar ook, toch een leven is.' Hij zweeg even. 'Begrijp je wat ik bedoel?'

'Ik begrijp het,' zei hij.

In de eerste onwezenlijke dagen nadat Jude zijn verhaal had verteld, merkte hij dat Jude heel stil was in zijn gezelschap, alsof hij probeerde de aandacht niet op zichzelf te vestigen, alsof hij Willem niet wilde herinneren aan wat die nu wist. Op een avond, ongeveer een week later, zaten ze zwijgend te eten toen Jude zachtjes zei: 'Je kunt me niet eens meer aankijken.' Hij keek op, zag zijn bleke, angstige gezicht, sleepte zijn stoel naar die van Jude toe en keek hem aan.

'Het spijt me,' mompelde hij. 'Ik ben bang dat ik iets stoms ga zeggen.'

'Willem,' zei Jude, en toen was hij even stil. 'Volgens mij ben ik best vrij normaal geworden, alles in aanmerking genomen, vind je ook niet?' en Willem hoorde de spanning en hoop in zijn stem.

'Nee,' zei hij, en Judes gezicht vertrok. 'Ik vind dat je heel speciaal bent geworden, alles in aanmerking genomen of niet.' En eindelijk glimlachte Jude.

Die avond bespraken ze hoe ze verder zouden gaan. 'Ik ben bang dat je niet zo makkelijk van me af komt,' begon hij, en toen hij zag hoe opgelucht Jude was, vervloekte hij zichzelf dat hij niet eerder duidelijk had gemaakt dat hij zou blijven. Toen ademde hij diep in en spraken ze over lichamelijke zaken: hoever hij kon gaan en wat Jude niet wilde.

'We kunnen alles doen wat je wilt, Willem,' zei Jude.

'Maar jij vindt het niet fijn.'

'Maar ik ben het je verschuldigd.'

'Nee,' zei hij. 'Het moet niet voelen als iets wat je me verschuldigd bent, en bovendien bén je het me niet verschuldigd.' Hij stokte even. 'Als het voor jou niet opwindend is, is het dat voor mij ook niet,' ging hij verder, hoewel hij tot zijn schaamte nog steeds verlangde naar seks met Jude. Hij zou er niet meer op aansturen, niet als Jude het niet wilde, maar dat betekende niet dat hij van het ene moment op het andere kon ophouden ernaar te hunkeren.

'Maar je hebt al zo veel voor me opgegeven,' zei Jude na een stilte.

'Wat dan?' vroeg hij oprecht nieuwsgierig.

'Normaal zijn,' zei Jude. 'Sociaal aanvaard zijn. Een ongecompliceerd leven. Koffie, zelfs. Ik kan daar niet ook nog seks aan toevoegen.'

Ze praatten en praatten, en uiteindelijk lukte het hem Jude te overtuigen en hem zover te krijgen dat hij aangaf wat hij wél fijn vond. (Dat was niet veel.) 'Maar wat ga jij dan doen?' vroeg Jude.

'O, dat komt wel goed,' zei hij, maar hij wist het zelf ook niet precies.

'Weet je, Willem,' zei Jude, 'je moet natuurlijk gewoon naar bed gaan met wie je maar wilt. Alleen' – hij hakkelde – 'ik weet dat het egoïstisch is, maar ik wil niet dat je het me vertelt.'

'Dat is niet egoïstisch,' zei hij, en hij strekte zijn hand naar hem uit over het bed. 'En dat zou ik nooit doen.'

Dat was acht maanden geleden en in die acht maanden was alles beter geworden, en dan niet Willems vroegere versie van beter, die inhield dat hij deed alsof alles goed was en alle onwelkome signalen of vermoedens van het tegendeel negeerde, maar werkelijk beter. Hij merkte dat Jude echt ontspannener was, hij was lichamelijk minder geremd en toonde meer genegenheid, en dat kwam allemaal doordat hij wist dat Willem hem had ontslagen van wat hij als zijn plicht beschouwde. Hij sneed zichzelf veel minder vaak. Nu had Willem Harold of Andy niet meer nodig om te bevestigen dat het beter ging met Jude, nu wíst hij dat het zo was. Het enige probleem was dat hij nog steeds naar Jude verlangde, en soms moest hij zichzelf eraan herinneren niet verder te gaan, omdat hij dicht bij de grens kwam van wat Jude kon verdragen, en dan dwong hij zichzelf om te stoppen. Op die momenten was hij boos, niet op Jude en zelfs niet op zichzelf – hij had zich er nooit schuldig over gevoeld dat hij seks wilde en dat deed hij nog steeds niet – maar op het leven, en hoe dat ervoor had gezorgd dat Jude bang was geworden voor iets wat hijzelf altijd alleen met genot had geassocieerd.

Hij koos zijn bedpartners met zorg: hij sliep alleen met mensen (vrouwen, eigenlijk; het waren vrijwel allemaal vrouwen geweest) van wie hij het gevoel had of door eerdere ervaringen wist dat ze echt alleen seksuele belangstelling voor hem hadden en discreet waren. Vaak reageerden ze in eerste instantie verbaasd, en dat nam hij hun niet kwalijk. 'Heb jij niet een relatie met een man?' vroegen ze dan, en hij beaamde dat en vertelde dat ze een open relatie hadden. 'Ben je dan niet echt gay?' was de volgende vraag, en hij antwoordde: 'Nee, in principe niet.' De jongere vrouwen accepteerden dat gemakkelijker: zij hadden vriendjes gehad (of hadden die nog steeds) die ook met andere mannen naar bed waren geweest, en zelf hadden ze het met andere vrouwen gedaan. 'O,' zeiden ze, en daar bleef het meestal bij; als ze al andere vragen hadden, dan uitten ze die in elk geval niet. Die jongere vrouwen – actrices, make-upassistentes, kostuumassistentes – wilden geen relatie met hem; vaak wilden ze helemaal geen relatie. Soms stelden ze hem vragen over Jude – hoe ze elkaar hadden leren kennen, wat voor iemand hij was – en dan gaf hij weemoedig antwoord en miste hem.

Maar hij was erop gespitst dat leven strikt gescheiden te houden van zijn leven thuis. Er had eens een stukje in een roddelrubriek gestaan – door Kit naar hem doorgestuurd – waarin geen naam werd genoemd maar dat duidelijk over hem ging, en nadat hij had overwogen of hij wel of niet iets tegen Jude zou zeggen, had hij uiteindelijk besloten het niet te doen: Jude zou het nooit onder ogen krijgen, en er was geen reden om hem te confronteren met de praktijk van iets waarvan hij in theorie wist dat het gebeurde.

JB had het stukje echter wel gelezen (en waarschijnlijk wel meer mensen die hij kende, maar JB was de enige die erover begon) en had hem gevraagd of het waar was. 'Ik wist niet dat jullie een open relatie hadden,' had hij gezegd, eerder nieuwsgierig dan beschuldigend.

'Jazeker,' had hij achteloos geantwoord. 'Van het begin af aan al.'

Het deed hem natuurlijk verdriet dat zijn seksleven en zijn thuisleven twee gescheiden werelden waren, maar hij was intussen oud genoeg om te weten dat er binnen elke relatie wel iets onvervulds en teleurstellends was, iets wat je elders moest zoeken. Zo was zijn vriend Roman bijvoorbeeld getrouwd met een vrouw die weliswaar mooi en trouw was, maar ook bekendstond om haar gebrek aan intelligentie: ze begreep de films niet waarin Roman speelde, en als je met haar praatte ging je de snelheid, complexiteit en inhoud van het gesprek vanzelf aanpassen, omdat ze vaak beduusd keek als het over politiek, economie, literatuur, kunst, eten, architectuur of het milieu ging. Hij wist dat Roman zich bewust was van deze onvolkomenheid, zowel in Lisa als in hun relatie. 'Ach,' had hij eens zonder directe aanleiding tegen Willem gezegd, 'als ik een goed gesprek wil, kan ik toch met mijn vrienden praten?' Roman was als een van de eersten in zijn vriendenkring getrouwd, en indertijd had hij zijn keuze met fascinatie en ongeloof bezien. Maar nu wist hij: je offert altijd iets op. De vraag was wat je opofferde. Hij wist dat zijn eigen offer voor sommige mensen – voor JB en waarschijnlijk voor Roman – ondenkbaar zou zijn. Voor hem zou het dat ooit ook geweest zijn.

Tegenwoordig dacht hij vaak aan een toneelstuk waarin hij tijdens zijn masteropleiding had gespeeld, geschreven door een insectachtige, tobberige vrouw van de afdeling Scenarioschrijven die later groot succes had gekregen met haar scripts voor spionagefilms, maar indertijd had geprobeerd drama's in de trant van Pinter te schrijven over ongelukkig getrouwde stellen. *If This Were a Movie* was zo'n stuk over een ongelukkig getrouwd stel – hij was docent klassieke muziek en zij librettiste – dat in New York woonde. Omdat ze in de veertig waren (voor hen destijds een grauw land, ondenkbaar ver weg en onvoorstelbaar naargeestig), hadden ze geen gevoel voor humor en verkeerden ze in een voortdurende toestand van heimwee naar vroeger, toen het leven nog vol beloften en hoop had geleken, toen ze nog romantisch waren, toen het leven zelf een romance was. Hij had de man gespeeld, en hoewel hij lang geleden al had beseft dat het eigenlijk een drakerig stuk was (met zinnen als: 'Dit is *Tosca* niet! Dit is het léven!'), was hij zijn laatste monoloog nooit vergeten, aan het einde van het tweede bedrijf, als de vrouw aankondigt dat ze weg wil, dat het huwelijk haar niet meer bevredigt, dat ze ervan overtuigd is dat er ergens een betere partner op haar wacht:

SETH: Maar Amy, snap je dan niet dat je je vergist? Een relatie biedt nooit álles. Een relatie biedt bepáálde dingen. Als je alles op een rijtje zet wat je van iemand wilt – dat het seksueel klikt, bijvoorbeeld, of dat je goed met elkaar kunt praten, of financiële zekerheid, of dat je intellectueel bij elkaar past, of dat de ander aardig is, of trouw – mag je er drie van kiezen. Drie, meer niet. Vier misschien, als je heel veel geluk hebt. De rest moet je elders zoeken. Alleen in films vinden mensen iemand die ze alles kan geven. Maar dit is geen film. In de echte wereld moet je beslissen welke drie eigenschappen je voor de rest van je leven het belangrijkst vindt, en dan zoek je iemand met die eigenschappen. Zo zit het echte leven in elkaar. Snap je niet dat het een valkuil is? Als je blijft proberen om alles te vinden, sta je uiteindelijk met lege handen.
AMY: [huilend] Welke heb jij dan gekozen?
SETH: Ik weet het niet. [korte pauze] Ik weet het niet.

Destijds had hij hier niet in geloofd, want destijds leek alles wel degelijk mogelijk: hij was drieëntwintig en iedereen was jong, aantrekkelijk, slim en sexy. Iedereen dacht dat zijn of haar vriendschappen tientallen jaren of zelfs voorgoed zouden duren. Maar meestal was dat natuurlijk niet zo. Naarmate je ouder werd, ging je beseffen dat de eigenschappen die je waardeerde in de mensen met wie je naar bed ging of uitging niet per se dezelfde waren als die waar je graag je leven mee wilde delen, die je om je heen kon verdragen of waar je je dagen mee door wilde sukkelen. Als je slim was en geluk had, ontdekte je dat en accepteerde je het. Je kreeg door wat voor jou het belangrijkst was en daar ging je naar op zoek, en je leerde realistisch te zijn. Iedereen koos iets anders: Roman had schoonheid, lieftalligheid en meegaandheid gekozen, Malcolm had, naar Willems idee, gekozen voor betrouwbaarheid, kundigheid (Sophie was intimiderend efficiënt) en eenzelfde gevoel voor esthetiek. En hij? Hij had vriendschap gekozen. Met elkaar kunnen praten. Zachtaardigheid. Intelligentie. Toen hij in de dertig was, had hij naar andere relaties gekeken en zich de vraag gesteld die tijdens talloze etentjes het onderwerp van gesprek was geweest en nog steeds was: wat gebeurt daar? Maar nu hij bijna achtenveertig was, zag hij de relaties die mensen aangingen als afspiegelingen van hun diepste maar moeilijkst te verwoorden wensen, hun hoopvolle verwachtingen en onzekerheden, die de fysieke vorm hadden aangenomen van een ander mens. Als hij nu naar stellen keek – in restaurants, op straat, op feestjes – vroeg hij zich af: waarom zijn jullie samen? Wat is er voor jullie essentieel aan de ander? Wat missen jullie zelf dat jullie in de ander zoeken? Een succesvolle relatie zag hij nu als een relatie waarin beide partners hadden ingezien wat de ander te bieden had en ervoor hadden gekozen dat aspect op waarde te schatten.

Misschien was het niet toevallig dat hij voor het eerst vraagtekens zette bij de waarde van psychotherapie, bij de beloftes en uitgangspunten ervan. Hij had er nooit eerder aan getwijfeld dat voor therapie op z'n minst gold: baat het niet, dan schaadt het niet; toen hij jonger was, had hij het zelfs als een vorm van luxe beschouwd, het recht om vrijwel ononderbroken over zijn leven te praten, een vijftig minuten durend bewijs dat hij op de een of andere manier iemand was geworden wiens leven langdurige aandacht verdiende van een inschikkelijke toehoorder. Maar nu merkte hij dat hij geen geduld meer had voor wat hij was gaan zien als de misleidende waanwijsheid van therapie, de suggestie dat het leven op de een of andere manier gerepareerd kon worden, dat er een sociale norm bestond en dat de patiënt geholpen werd zich daaraan te conformeren.

'Je lijkt wat terughoudend, Willem,' zei Idriss – al jarenlang zijn therapeut – en hij zweeg. Therapeuten beloofden dat ze absoluut geen oordeel velden (maar was dat niet onmogelijk, om met iemand te praten en niet beoordeeld te worden?), en toch zat er achter elke vraag een zetje waardoor je vriendelijk maar onverbiddelijk naar het erkennen van een tekortkoming werd geduwd, naar de oplossing van een probleem waarvan je niet wist dat het bestond. In de loop van de jaren had hij verschillende vrienden gehad die ervan overtuigd waren geweest dat ze een gelukkige jeugd hadden gehad, met liefhebbende ouders, totdat ze door therapie wakker waren geschud en hadden ingezien dat dat niet zo was. Hij wilde niet dat hem dat overkwam, hij wilde niet te horen krijgen dat zijn tevredenheid in werkelijkheid helemaal geen tevredenheid was, maar zelfbedrog.

'En hoe voel je je erbij dat Jude nooit seks met je wil?' had Idriss gevraagd.

'Ik weet het niet,' had hij gezegd. Maar hij wist het wel, en daarna had hij het uitgesproken: 'Ik wou dat hij het wel wilde, voor hemzelf. Ik voel me verdrietig dat hij een van de mooiste ervaringen die er bestaan moet missen. Maar ik denk dat hij het recht heeft verdiend om het niet meer te doen.' Idriss, die tegenover hem zat, zweeg. De waarheid was dat hij niet wilde dat Idriss probeerde vast te stellen wat er mis was met zijn relatie. Hij wilde niet te horen krijgen hoe hij die beter moest maken. Hij wilde geen pogingen gaan ondernemen om Jude of zichzelf dingen te laten doen die ze geen van tweeën wilden, alleen omdat ze geacht werden ze te doen. Hun relatie was ongewoon, maar werkte, en hij wilde zich niet laten aanpraten dat dat niet zo was. Soms vroeg hij zich af of het simpelweg een gebrek aan creativiteit was geweest – van hemzelf en van Jude – waardoor ze allebei hadden gedacht dat seks deel moest uitmaken van hun relatie. Maar destijds had het de enige manier geleken om een dieper gevoel uit te drukken. Het woord 'vriend' was zo vaag, zo nietszeggend en onbevredigend; hoe kon hij voor wat Jude voor hem betekende hetzelfde woord gebruiken als voor India of de Henry Youngs? Daarom hadden ze een andere, bekendere relatievorm gekozen, een die niet werkte. Maar nu creëerden ze hun eigen soort relatie, een vorm die niet officieel was erkend in de geschiedenis of vereeuwigd in gedichten en liederen, maar die waarachtiger en minder beperkend voelde.

Maar hij sprak niet met Jude over zijn groeiende scepsis tegenover therapie, want ergens geloofde hij er nog steeds in voor mensen die echt ziek waren, en Jude – zo kon hij eindelijk voor zichzelf erkennen – was echt ziek. Hij wist dat Jude het afschuwelijk vond om naar de therapeut te gaan; na de eerste paar sessies was hij zo stil en teruggetrokken thuisgekomen dat Willem zichzelf moest voorhouden dat het echt in Judes eigen belang was dat hij erheen moest.

Ten slotte kon hij het niet meer aanzien. 'Hoe was het bij Loehmann?' vroeg hij op een avond, ongeveer een maand nadat Jude weer met therapie was begonnen.

Jude zuchtte. 'Willem,' zei hij, 'hoelang wil je nog dat ik ga?'

'Dat weet ik niet,' zei hij. 'Daar heb ik eigenlijk niet over nagedacht.'

Jude nam hem aandachtig op. 'Dus je dacht dat het voor altijd was,' zei hij.

'Eh...' (Dat had hij inderdaad gedacht.) 'Is het echt zo erg?' Hij zweeg even. 'Is het Loehmann? Moeten we iemand anders voor je zoeken?'

'Nee, het ligt niet aan Loehmann,' zei Jude. 'Het is het proces zelf.'

Ook hij zuchtte. 'Hoor eens, ik weet dat het moeilijk voor je is. Dat weet ik. Maar... geef het een jaar, Jude, oké? Een jaar. En doe echt je best. Dan zien we daarna verder.' Jude beloofde het.

In het voorjaar was hij van huis om in een film te spelen, en op een avond belden Jude en hij met elkaar toen Jude zei: 'Willem, in het kader van de openheid moet ik je iets vertellen.'

'Oké.' Hij greep de telefoon wat steviger vast. Hij was in Londen, waar *Henry & Edith* werd opgenomen. Hij speelde Henry James – twaalf jaar te vroeg en vijfentwintig kilo te licht, merkte Kit op, maar een kniesoor die daarop lette – ten tijde van het begin van zijn vriendschap met Edith Wharton. Het was eigenlijk een soort roadmovie die grotendeels was opgenomen in Frankrijk en Engeland, en nu werkte hij aan de laatste scènes.

'Ik ben er niet trots op,' hoorde hij Jude zeggen. 'Maar ik heb de laatste vier afspraken met Loehmann laten schieten. Of eigenlijk ben ik wel gegaan, maar toch ook weer niet.'

'Hoe bedoel je?'

'Nou, ik ga er wel naartoe,' zei Jude, 'maar dan... dan blijf ik in de auto zitten lezen voor de tijd dat de sessie zou duren, en als de sessie voorbij is rijd ik weer naar kantoor.'

Jude zweeg, en Willem ook, en toen begonnen ze allebei te lachen. 'Wat lees je?' vroeg hij toen hij eindelijk weer iets kon uitbrengen.

'Freud over narcisme,' bekende Jude, en ze barstten allebei weer in lachen uit, zo hard dat Willem erbij moest gaan zitten.

'Jude...' begon hij ten slotte, en Jude onderbrak hem. 'Ik weet het, Willem, ik weet het. Ik zal weer gaan. Het was stom van me. Ik kon het de laatste paar keer gewoon niet opbrengen, ik weet niet precies waarom niet.'

Toen hij ophing had hij nog steeds een grijns op zijn gezicht, en toen hij in gedachten de stem van Idriss hoorde – 'En Willem, wat vind je ervan dat Jude niet gaat, terwijl hij het wel heeft beloofd?' – waaierde hij met zijn hand voor zijn gezicht alsof hij de woorden wegwuifde. Judes leugens en zijn eigen zelfbedrog waren allebei vormen van zelfbescherming die ze al sinds hun jeugd toepasten, besefte hij, gewoontes die ervoor hadden gezorgd dat het leven beter verteerbaar werd dan het soms was. Maar nu deed Jude zijn best minder te liegen, en hijzelf probeerde te accepteren dat er dingen waren die zich nooit zouden voegen naar zijn idee van hoe het leven zou moeten zijn, hoezeer hij ook hoopte of pretendeerde dat ze dat wel zouden doen. En daarom wist hij eigenlijk best dat Jude maar in beperkte mate baat zou hebben bij therapie. Hij wist dat Jude zichzelf zou blijven snijden. Hij wist dat hij hem nooit zou kunnen genezen. Degene van wie hij hield was ziek en zou altijd ziek blijven, en het was niet zijn verantwoordelijkheid om hem beter te maken, alleen om hem minder ziek te maken. Die verandering van perspectief zou hij Idriss nooit aan het verstand kunnen brengen; soms begreep hij het zelf nauwelijks.

Die avond was hij met een vrouw, de assistent production design, en terwijl ze lagen te praten beantwoordde hij weer dezelfde vragen: hij legde uit hoe hij Jude had leren kennen en wie hij was, althans, in de versie van hem die hij had gecreëerd voor dit soort gelegenheden.

'Wat een fijn huis is dit,' zei Isabel, en hij wierp een enigszins wantrouwige blik in haar richting, want toen JB de flat zag had hij prompt gezegd dat het wel een kloon van de Grote Bazaar leek, en Willem had de eerste cameraman horen zeggen dat Isabel een uitstekende smaak had. 'Ik meen het echt,' zei ze toen ze zijn gezicht zag. 'Het is mooi.'

'Dank je,' zei hij. De flat was zijn eigendom, van hem en Jude. Ze hadden hem pas twee maanden geleden gekocht, toen duidelijk was geworden dat ze allebei vaker in Londen zouden zijn voor hun werk. Hij was degene die op zoek was gegaan, en omdat het zijn verantwoordelijkheid was geweest, had hij opzettelijk voor het stille, oersaaie Marylebone gekozen, niet vanwege de ingetogen elegantie of de geschikte ligging maar vanwege de overdaad aan artsen in de wijk. 'Kijk nou eens,' had Jude gezegd toen ze stonden te wachten op de makelaar die hun het appartement zou laten zien dat Willem in gedachten had en hij het bord met namen van huurders bestudeerde, 'moet je zien wat er op de begane grond zit: een orthopediepraktijk.' Hij keek Willem aan en trok een wenkbrauw op. 'Wat een toeval, hè?'

Hij had geglimlacht. 'Ja hè?' Maar achter hun luchtige woorden ging iets schuil waar ze nooit over hadden durven praten, niet tijdens hun relatie maar eigenlijk in hun hele vriendschap niet: dat het op een gegeven moment, wanneer wisten ze niet, onvermijdelijk slechter zou gaan met Jude. Wat dat in de praktijk zou kunnen betekenen wist Willem niet precies, maar als onderdeel van zijn nieuwe streven naar eerlijkheid probeerde hij zichzelf, of hen beiden, voor te bereiden op een toekomst die hij niet kon voorspellen, een toekomst waarin Jude misschien niet meer zou kunnen lopen of zelfs niet meer zou kunnen staan. En daarom was het appartement op de derde verdieping in Harley Street uiteindelijk overgebleven als enige optie; van alle flats die hij had bekeken kwam deze het dichtst in de buurt van Greene Street: een etage met brede deuren en ruime gangen, grote vierkante kamers en badkamers die verbouwd konden worden om gebruikt te worden door iemand in een rolstoel (de orthopediepraktijk beneden had de doorslag gegeven: dít moest hun appartement worden). Ze hadden de flat gekocht, hij had er alle tapijten, lampen en dekens naartoe verhuisd die hij gedurende zijn werkende leven had verzameld en die ingepakt in kisten in de kelder in Greene Street stonden, en nog voordat hij terugging naar New York, na de opnames, zou een jonge voormalige compagnon van Malcolm die was teruggekeerd naar Londen en bij de plaatselijke vestiging van Bellcast werkte, aan de verbouwing beginnen.

O, dacht hij elke keer als hij naar de ontwerpen voor Harley Street keek, wat was het moeilijk en soms droevig om in de werkelijkheid te leven. Daar was hij de vorige keer dat hij de architect sprak weer aan herinnerd, want toen had hij Vikram gevraagd waarom de oude houten kozijnen van de keukenramen, die uitkeken over het geplaveide terras met daarachter de daken van Weymouth Mews, niet konden blijven zitten. 'Kunnen we die niet gewoon houden?' had hij zich afgevraagd. 'Ze zijn zo mooi.'

'Ze zijn zeker mooi,' beaamde Vikram. 'Maar het is heel moeilijk om die ramen vanuit een zittende positie open te zetten, je hebt er kracht in je benen voor nodig.' Toen besefte hij dat Vikram de instructies die hij hem in hun eerste gesprek had gegeven serieus nam en er rekening mee hield dat een van de bewoners in de toekomst misschien beperkt zou zijn in zijn bewegingen.

'O,' zei hij, en hij knipperde met zijn ogen. 'O ja. Bedankt. Bedankt.'

'Niets te danken,' zei Vikram. 'Willem, ik beloof je dat het voor jullie allebei echt een thuis wordt.' Hij had een zachte, vriendelijke stem, en Willem wist niet precies of hij zich op dat moment verdrietig voelde door de hartelijkheid van wat Vikram zei of de warme toon waarop hij het zei.

Nu hij weer terug is in New York denkt hij daaraan. Het is eind juli en hij heeft Jude overgehaald een dagje vrij te nemen, zodat ze naar hun buitenhuis konden rijden. Jude is al wekenlang moe en erg slapjes, maar nu gaat het opeens beter, en op dit soort dagen – de hemel helderblauw, de lucht warm en droog, de velden rond hun huis botergeel gevlekt met duizendblad en dotterbloemen, de stenen bij het zwembad koel onder zijn voeten, Jude die zachtjes zingt in de keuken terwijl hij citroenlimonade maakt voor Julia en Harold, die bij hen logeren – merkt Willem dat hij terugvalt in zijn oude gewoonte van doen alsof. Op dit soort dagen geeft hij zich over aan een soort begoocheling, een toestand waarin zijn leven hem tegelijk volmaakt en, paradoxaal genoeg, eenvoudig te verbeteren lijkt: natuurlijk gaat Jude niet achteruit. Natuurlijk kan hij worden genezen. Natuurlijk zal Willem degene zijn die hem geneest. Natuurlijk is dat mogelijk, natuurlijk is het zelfs waarschijnlijk. Dit soort dagen lijken geen nachten te hebben, en als er geen nachten zijn wordt er niet gesneden, is er geen verdriet en niets om over te wanhopen.

'Je droomt van wonderen, Willem,' zou Idriss zeggen als hij wist wat hij dacht, en hij weet dat dat waar is. Maar aan de andere kant, denkt hij dan: is eigenlijk niet alles aan zijn leven – en aan dat van Jude ook – een wonder? Hij was voorbestemd om in Wyoming te blijven, om zelf ook ranchknecht te worden. Jude was voorbestemd voor... voor wat? De gevangenis, het ziekenhuis, de dood of erger. Maar zo is het niet gelopen. Is het geen wonder dat iemand die eigenlijk heel doorsnee is een leven leidt waarin hij miljoenen verdient door te doen alsof hij iemand anders is, dat hij in dat leven van stad naar stad vliegt, dat er in al zijn dagelijkse behoeften wordt voorzien, dat hij in kunstmatige omgevingen werkt waar hij in de watten wordt gelegd als de potentaat van een corrupt landje? Is het geen wonder om op je dertigste geadopteerd te worden, om mensen te vinden die zo veel van je houden dat ze je hun kind willen noemen? Is het geen wonder om iets te overleven wat eigenlijk niet overleefd kan worden? Is vriendschap op zich geen wonder, dat je iemand vindt die de grote, eenzame wereld op de een of andere manier minder eenzaam maakt? Is dit huis, deze pracht, dit comfort, dit leven geen wonder? Dus wie kan hem dan kwalijk nemen dat hij nog op één wonder hoopt, dat hij tegen beter weten in, tegen de lessen van de biologie, de tijd en de geschiedenis in hoopt dat zij de uitzondering zijn, dat het Jude anders vergaat dan andere mensen die dezelfde soort aandoening hebben, dat Jude na alles wat hij al heeft overwonnen nog één overwinning boekt?

Hij zit bij het zwembad met Harold en Julia te praten als hij opeens dat vreemde holle gevoel in zijn maagstreek krijgt dat hij soms zelfs heeft als Jude en hij zich in hetzelfde huis bevinden: de gewaarwording dat hij hem mist, een eigenaardig, snijdend verlangen om hem te zien. En hoewel hij het nooit tegen hem zou zeggen, doet Jude hem in dit opzicht aan Hemming denken: hij maakt hem er soms van bewust, als met een licht vleugeltikje, dat de mensen van wie hij houdt vergankelijker zijn dan anderen, dat hij ze alleen maar te leen heeft en op een dag weer zal moeten teruggeven. 'Niet weggaan,' heeft hij door de telefoon tegen Hemming gezegd toen die stervende was. 'Laat me niet achter, Hemming,' ook al hadden de verpleegsters die honderden kilometers verderop de hoorn bij Hemmings oor hielden hem opgedragen Hemming precies het tegenovergestelde te vertellen: dat het niet erg was als hij wegging, dat Willem hem liet gaan. Maar dat kon hij niet.

En dat kon hij ook niet toen Jude in het ziekenhuis lag en zo verward was van de medicijnen dat zijn ogen heen en weer schoten met een snelheid die hij bijna het angstaanjagendst van de hele situatie vond. 'Laat me gaan, Willem,' smeekte Jude hem toen, 'laat me gaan.'

'Dat kan ik niet, Jude,' zei hij huilend. 'Ik kan het niet.'

Nu schudt hij zijn hoofd om de herinnering te verjagen. 'Ik ga even bij hem kijken,' zegt hij tegen Harold en Julia, maar dan hoort hij de glazen deur openschuiven. Ze kijken alle drie om, zien boven aan de flauwe helling Jude verschijnen met een dienblad met glazen en komen allemaal overeind om hem te gaan helpen. Maar voordat ze zich in beweging zetten en voordat Jude naar hen toe loopt, is er een ogenblik waarop ze allemaal stilstaan, en dat doet hem denken aan een filmset, waarop elke scène kan worden overgedaan, elke vergissing kan worden rechtgezet, elke verdrietige gebeurtenis opnieuw kan worden gefilmd. En op dat ogenblik staan zij aan de ene kant van het beeld en Jude aan de andere, maar ze glimlachen allemaal naar elkaar en de wereld lijkt een en al goedheid te zijn.

De laatste keer in zijn leven dat hij op eigen kracht zou lopen – echt lopen, niet langs de muur van de ene kamer naar de andere schuifelen, niet door de gangen van Rosen Pritchard strompelen, niet voetje voor voetje door de hal naar de garage scharrelen en zich met een zucht van verlichting in de autostoel laten zakken – was tijdens hun kerstvakantie. Hij was zesenveertig. Ze waren in Bhutan, een gepaste plaats voor de laatste langere periode dat hij kon lopen, zou hij later beseffen (hoewel hij dat destijds natuurlijk niet had geweten), want het was een land waar iedereen liep. De mensen die ze daar spraken, onder wie een oude kennis uit hun studententijd, Karma, die nu minister van Bosbeheer was, hadden het niet over het aantal kilometers dat je liep maar over het aantal uren. 'Jazeker,' zei Karma, 'toen mijn vader jong was, liep hij in het weekend vier uur om op bezoek te gaan bij zijn tante. En daarna liep hij weer vier uur terug.' Willem en hij hadden zich daarover verwonderd, hoewel ze later samen ook hadden bedacht dat het landschap zo mooi was, een opeenvolging van zwierige, beboste parabolen met een ijle, stralend blauwe hemel erboven, dat de tijd die je daar liep vast sneller en aangenamer verstreek dan de tijd die je overal elders liep.

Hij was niet in topconditie tijdens die reis, maar hij was in elk geval mobiel. In de maanden ervoor had hij zich minder sterk gevoeld dan anders, maar niet op een specifieke manier, niet zodanig dat er een onderliggend probleem leek te zijn. Hij was gewoon sneller door zijn energie heen en had voortdurend pijn in plaats van zijn normale beurse gevoel, een doffe, bonzende pijn waarmee hij in slaap viel en wakker werd. Het was het verschil tussen een maand met af en toe een stortbui en een maand waarin het elke dag regende, niet hard maar gestaag, vertelde hij Andy, een vervelend ongemak waar je futloos van werd. In oktober had hij zijn rolstoel dagelijks moeten gebruiken, de langste aaneengesloten periode dat hij er afhankelijk van was geweest. In november was hij weliswaar goed genoeg geweest om naar Harold en Julia te gaan voor Thanksgiving, maar hij had te veel pijn gehad om aan tafel te kunnen zitten bij het diner en had de avond in bed doorgebracht, waar hij zo stil mogelijk had gelegen en zich maar half bewust was geweest van Harold, Willem en Julia die af en toe bij hem kwamen kijken, van zijn eigen verontschuldigingen omdat hij de feestdag voor ze bedierf, en van de gedempte gesprekken tussen hen drieën, Laurence, Gillian, James en Carey in de eetkamer die hij op de achtergrond hoorde. Daarna had Willem hun reis willen annuleren, maar hij had volgehouden dat ze wel moesten gaan en daar was hij blij om, want hij had het gevoel dat hij kracht ontleende aan de schoonheid van het landschap, de stille onbedorvenheid van de bergen, en de aanblik van Willem te midden van beekjes en bomen, waar hij er altijd het meest op zijn gemak uitzag.

Het was een fijne vakantie, maar aan het eind was hij eraan toe om naar huis te gaan. Een van de redenen dat hij Willem had kunnen overhalen deze reis te maken was dat zijn vriend Elijah, die tegenwoordig een hedgefonds beheerde dat door hem juridisch werd vertegenwoordigd, met zijn gezin naar Nepal op vakantie ging en dat ze zowel heen als terug naar New York met hem mee konden vliegen in zijn vliegtuig. Hij was bang geweest dat Elijah misschien in een spraakzame bui zou zijn, maar dat was niet zo en daardoor had hij gelukkig bijna de hele terugweg geslapen, want zijn voeten en rug leken in brand te staan.

De eerste ochtend in Greene Street kon hij niet uit bed komen. Hij had zo'n pijn dat zijn hele lichaam wel één lange blootliggende zenuw leek die aan beide kanten werd geprikkeld; hij had het gevoel dat zijn hele lijf zou sissen en knetteren als er een druppel water op hem zou vallen. Het kwam niet vaak voor dat hij er zo slecht aan toe was dat hij niet eens kon gaan zitten, en hij merkte dat Willem – voor wie hij extra zijn best deed, opdat hij zich geen zorgen zou maken – ervan schrok, en moest hem smeken om Andy niet te bellen. 'Goed dan,' had Willem met tegenzin gezegd, 'maar als het morgen niet beter gaat, bel ik hem.' Hij knikte en Willem zuchtte. 'Verdomme, Jude, ik wíst dat we niet hadden moeten gaan.'

Maar de volgende dag ging het beter, goed genoeg om uit bed te komen in elk geval. Hij kon niet lopen en had de hele dag een gevoel alsof zijn benen, voeten en rug werden doorboord met ijzeren bouten, maar hij dwong zichzelf te glimlachen, te praten en zich door het huis te bewegen, hoewel hij voelde dat zijn gezicht verslapte van vermoeidheid als Willem de kamer uit ging of zich van hem afdraaide.

En daarna was dat de situatie, en ze raakten er allebei aan gewend: al had hij zijn rolstoel nu dagelijks nodig, hij probeerde elke dag ook zo veel mogelijk te lopen, al was het maar naar de badkamer, en hij spaarde zijn energie. Als hij kookte, zorgde hij dat hij alles bij elkaar op het aanrecht klaar had liggen voordat hij begon, zodat hij niet steeds heen en weer hoefde naar de koelkast; uitnodigingen voor etentjes, feestjes, openingen en fondsenwervingsbijeenkomsten zegde hij af, waarbij hij tegen iedereen, ook tegen Willem, zei dat hij het te druk had met zijn werk, maar in werkelijkheid reed hij nadat hij thuiskwam langzaam in zijn rolstoel door de flat, die doodvermoeiend grote flat, rustte tussendoor uit als het nodig was en lag in bed een beetje te dommelen zodat hij genoeg fut had om met Willem te praten als die thuiskwam.

Eind januari ging hij eindelijk naar Andy, die naar hem luisterde en hem daarna zorgvuldig onderzocht. 'Er is niet echt iets mis met je,' zei hij toen hij klaar was. 'Je wordt gewoon ouder.'

'O,' zei hij, en daarna deden ze er allebei het zwijgen toe, want wat konden ze zeggen? 'Nou,' zei hij ten slotte, 'misschien wordt het wel zo erg dat ik Willem ervan kan overtuigen dat ik geen kracht meer heb om nog naar Loehmann te gaan.' Want op een avond in dat najaar had hij – in een onverstandige, dronken, zelfs romantische bui – Willem beloofd dat hij nog negen maanden langer zou doorgaan met de therapie.

Andy zuchtte, maar met een glimlach. 'Schurk,' zei hij.

Toch denkt hij nu met plezier terug aan deze periode, want in alle andere belangrijke opzichten was het een prachtige winter. In december was Willem genomineerd voor een belangrijke prijs voor zijn spel in *The Poisoned Apple* en in januari won hij de prijs. Daarna was hij opnieuw genomineerd, voor een nog grotere en prestigieuzere prijs, en opnieuw won hij. Hij was in Londen voor zijn werk op de avond dat Willem won, maar hij had zijn wekker op twee uur 's nachts gezet, zodat hij online mee kon kijken naar de uitreiking; toen Willems naam werd geroepen gaf hij een kreet, zag hoe een stralende Willem Julia kuste – die hem vergezelde – en de trap naar het podium op rende, en hoorde dat hij de makers van de film bedankte, de studio, Emil, Kit, Alan Turing zelf, Roman en Cressy en Richard en Malcolm en JB, en 'mijn schoonouders, Julia Altman en Harold Stein, omdat ze me altijd het gevoel geven dat ook ik hun zoon ben, en als laatste en belangrijkste, Jude St. Francis, mijn beste vriend en de liefde van mijn leven, voor alles'. Het kostte hem moeite om niet te huilen, en toen hij Willem een half uur later eindelijk aan de telefoon kreeg kostte het hem opnieuw moeite. 'Ik ben zo trots op je, Willem,' zei hij. 'Ik wist dat je zou winnen, ik wíst het.'

'Dat denk jij altijd,' zei Willem lachend, en hij lachte ook, want Willem had gelijk. Hij vond altijd dat Willem moest winnen, voor welke prijs hij ook genomineerd werd, en als dat niet gebeurde was hij oprecht verbijsterd: hoe was het, afgezien van gekonkel en persoonlijke voorkeuren, mogelijk dat de juryleden of de stemmers niet in de gaten hadden dat het hier ging om een superieure vertolking, een superieure acteur, een superieur mens?

De volgende ochtend, tijdens zijn vergaderingen, hoefde hij geen tranen te onderdrukken, maar wel een permanente wezenloze glimlach, en zijn collega's feliciteerden hem en vroegen hem opnieuw waarom hij niet naar de uitreiking was gegaan, waarop hij zijn hoofd schudde. 'Dat soort dingen is niets voor mij,' zei hij, en dat was waar; van alle keren dat Willem voor zijn werk naar een prijsuitreiking, première of feest ging, was hij hooguit drie keer mee geweest. Toen Willem het afgelopen jaar door een serieus literair tijdschrift was geïnterviewd voor een lang artikel had hij zich elke keer dat de schrijver zou komen uit de voeten gemaakt. Hij wist dat Willem dat niet erg vond, dat hij zijn terughoudendheid toeschreef aan zijn behoefte aan privacy. Deels was dat waar, maar het was niet de enige reden.

Kort nadat ze een stel waren geworden, had er bij een verhaal in *The New York Times* over Willem en het uitkomen van de eerste film van een spionagedrieluik een foto van hen samen gestaan. Die was genomen op de opening van JB's vijfde, lang uitgestelde expositie, 'Frog and Toad', die volledig bestond uit afbeeldingen van hen tweeën, maar heel wazig en veel abstracter dan JB's eerdere werk. (Ze hadden niet zo goed geweten wat ze van de titel van de serie moesten denken, hoewel JB had beweerd dat het puur een uiting van genegenheid was. 'Hállo, jullie kennen Arnold Lobel toch wel?' had hij uitgeroepen toen ze hem ernaar vroegen.

Maar Willem noch hij had als kind de boeken over Kikker en Pad gelezen, dus die moesten ze gaan kopen om de verwijzing te begrijpen.) Vreemd genoeg was het deze expositie geweest, meer nog dan het eerste artikel in *New York Magazine* over Willems nieuwe leven, die ervoor had gezorgd dat hun relatie werkelijk doordrong tot hun collega's en bekenden, hoewel de meeste schilderijen waren gemaakt naar foto's van voordat ze partners werden.

Ook was het deze expositie die, zoals JB later zei, van hem een toonaangevend kunstenaar maakte: ze wisten dat hij ondanks zijn verkoopsucces, zijn recensies en de aan hem toegekende beurzen en onderscheidingen werd gekweld door het feit dat Richard halverwege zijn carrière een retrospectief in een museum had gehad (net als Oosterse Henry Young) en hij niet. Maar met 'Frog and Toad' veranderde er iets voor JB, net zoals *The Sycamore Court* iets had veranderd voor Willem, het museum in Doha voor Malcolm, en zelfs – als hij onbescheiden was – de Malgrave & Baskett-zaak voor hemzelf. Pas als hij zich buiten hun vriendenkring begaf, realiseerde hij zich dat die verandering, de verandering waarop ze allemaal hadden gehoopt en die ze allemaal hadden meegemaakt, nog zeldzamer en waardevoller was dan zij beseften. Van hen allemaal had alleen JB zeker geweten dat hij die verandering verdíénde en dat die er zou komen; Malcolm, Willem en hijzelf hadden die zekerheid absoluut niet gehad en waren dan ook beduusd geweest toen die hun overkwam. Maar hoewel JB het langst had moeten wachten op deze ommekeer in zijn leven, was hij kalm toen die zich eindelijk voordeed; het was alsof zijn giftanden verwijderd waren: voor het eerst sinds ze hem kenden werd hij milder, en de stekelige humor die voortdurend als een statische lading van hem af knetterde werd gedemagnetiseerd en tot rust gebracht. Hij was blij voor JB, hij was blij dat hij nu het soort erkenning kreeg waarnaar hij had verlangd, het soort erkenning waarvan hijzelf vond dat JB die bij 'Seconds, Minutes, Hours, Days' al had moeten krijgen.

'De vraag is wie van ons de kikker en wie de pad is,' zei Willem nadat ze de expositie voor het eerst hadden gezien, in JB's atelier, en elkaar later die avond schaterend hadden voorgelezen uit de goedmoedige boeken.

Hij glimlachte; ze lagen in bed. 'Ik ben natuurlijk de pad,' zei hij.

'Nee, ik denk dat jij de kikker bent, want je ogen hebben precies dezelfde kleur als zijn huid.'

Willem klonk zo ernstig dat hij grijnsde. 'En dat is je bewijs?' vroeg hij. 'Wat heb jij dan gemeen met de pad?'

'Ik geloof dat ik precies zo'n jasje heb als hij,' zei Willem, en ze begonnen weer te lachen.

Maar in werkelijkheid wist hij zeker dat híj de pad was, en toen hij de foto van hen tweeën in *The New York Times* zag moest hij daar weer aan denken. Voor hemzelf kon hem dat niet zo veel schelen – hij probeerde minder te tobben over zijn eigen onzekerheden – maar voor Willem wel, want hij was zich ervan bewust wat een slecht bij elkaar passend, raar stel ze vormden, en dat vond hij gênant voor Willem, en bovendien maakte hij zich zorgen dat zijn aanwezigheid op de een of andere manier nadelig zou zijn voor Willem. En daarom probeerde hij in het openbaar bij hem uit de buurt te blijven. Hij had altijd gedacht dat Willem in staat was om hem beter te maken, maar in de loop van de jaren ging hij zich afvragen: als Willem hem beter kon maken, betekende dat dan niet automatisch dat hij Willem ziek kon maken? En volgens hetzelfde patroon: als Willem van hem iemand kon maken die minder onaangenaam was om te zien, kon hij Willem dan niet ook lelijk maken? Hij wist dat het niet logisch was, maar toch dacht hij het, en als ze zich klaarmaakten om uit te gaan, ving hij soms een glimp op van zichzelf in de badkamerspiegel, met zijn stomme, vergenoegde gezicht, potsierlijk en grotesk als een aap in dure kleren, en dan had hij zin om het glas met zijn vuist aan gruzelementen te slaan.

Maar de tweede reden dat hij liever niet met Willem werd gezien, was de aandacht die het op hemzelf vestigde. Al sinds zijn eerste dag op de universiteit was hij bang dat mensen uit zijn verleden – een klant of een van de andere jongens uit het tehuis – contact met hem zouden zoeken om hem af te persen in ruil voor hun zwijgen. 'Dat zal niet gebeuren, Jude,' had Ana hem verzekerd. 'Dat garandeer ik je. Iemand die dat doet, geeft meteen toe waar hij je van kent.' Maar hij was er altijd bang voor, en in de loop van de jaren waren er een paar schimmen uit het verleden opgedoken. De eerste had zich gemeld kort nadat hij bij Rosen Pritchard was begonnen: alleen een ansichtkaart, van iemand die beweerde hem uit het tehuis te kennen, iemand met de weinigzeggende, alledaagse naam Rob Wilson, iemand die hij zich niet herinnerde, en een week lang was hij in paniek geweest en had hij nauwelijks kunnen slapen, terwijl hij in gedachten scenario's doornam die even angstaanjagend als onontkoombaar leken. Stel je voor dat die Rob Wilson contact opnam met Harold of met zijn collega's en hun vertelde wie hij was en wat hij allemaal had gedaan. Maar hij dwong zichzelf niet te reageren en niet te doen waartoe hij geneigd was – een half hysterische sommatiebrief schrijven waarmee hij niets zou bewijzen behalve zijn eigen bestaan en het bestaan van zijn verleden – en hoorde nooit meer iets van Rob Wilson.

Maar nadat er een paar foto's van hem met Willem in de pers waren verschenen, ontving hij nog twee brieven en een e-mail, die allemaal naar zijn werk werden verzonden. Een van de brieven en het mailtje waren opnieuw van mannen die beweerden dat ze met hem in het tehuis hadden gezeten, maar ook hun namen herkende hij niet, en toen hij niet reageerde zochten ze nooit meer contact. Maar bij de tweede brief zat een zwart-witfoto van een naakte jongen op een bed, zo slecht van kwaliteit dat hij niet kon zien of hij het was of niet. Met die brief had hij gedaan wat hem al die jaren geleden, toen hij als jongen in een ziekenhuisbed in Philadelphia lag, was verteld dat hij moest doen in het geval dat een van de klanten hem terugvond en probeerde contact met hem te leggen: hij had de brief in een envelop gestopt en naar de FBI gestuurd. Op de bewuste afdeling wisten ze altijd waar hij was, en om de vier of vijf jaar verscheen er een agent op zijn werk om hem foto's te laten zien en te vragen of hij zich deze of gene herinnerde, mannen die tientallen jaren later nog werden ontmaskerd als vrienden en medeplichtigen van dokter Traylor of broeder Luke. Die bezoekjes werden zelden aangekondigd, en in de loop van de tijd had hij geleerd wat hij de dagen erna moest doen om het effect ervan teniet te doen: hij moest zichzelf omringen met mensen, met gebeurtenissen, met drukte, met rumoer, met bewijzen van het leven dat hij nu leidde.

In de periode waarin hij die brief had ontvangen en doorgestuurd, had hij zich diep beschaamd en intens eenzaam gevoeld – het was voordat hij Willem had verteld over zijn jeugd, en hij had Andy nooit alle achtergrondinformatie gegeven, dus die kon niet begrijpen hoe panisch hij was – en daarna had hij zichzelf er eindelijk toe gezet om een detectivebureau in te huren (maar niet het bureau waar Rosen Pritchard gebruik van maakte) om alles over hem uit te zoeken wat ze konden vinden. Het onderzoek had een maand geduurd maar had niets overtuigends opgeleverd, of in elk geval niets waarmee een overtuigend verband kon worden gelegd tussen hem en wie hij vroeger was. Pas toen durfde hij zich te ontspannen en eindelijk te geloven dat Ana gelijk had gehad, te accepteren dat zijn verleden voor het grootste deel zo grondig was uitgewist dat het was alsof het nooit had bestaan. De mensen die er het meest van wisten, die het hadden gemaakt tot wat het was of er getuige van waren geweest – broeder Luke, dokter Traylor, zelfs Ana – waren dood, en de doden konden niemand iets vertellen. Je bent veilig, hield hij zichzelf voor. Toch betekende dat niet dat hij alle voorzichtigheid liet varen; het betekende niet dat hij met zijn foto in tijdschriften en kranten wilde staan.

Hij accepteerde zijn leven met Willem natuurlijk zoals het was, maar soms wilde hij dat het anders kon zijn, dat hij minder terughoudend kon zijn en in het openbaar kon laten zien dat Willem de zijne was, zoals Willem dat bij hem had gedaan. Als hij even niets te doen had keek hij steeds opnieuw naar Willems speech, en dan voelde hij zich net zo in de wolken als toen Harold hem voor het eerst tegenover iemand anders zijn zoon had genoemd. Dit is echt gebeurd, had hij destijds gedacht. Dit is niet iets wat ik heb gefantaseerd. En nu had hij hetzelfde extatische gevoel: hij hoorde echt bij Willem. Willem had het zelf gezegd.

In maart, toen het seizoen van de prijsuitreikingen voorbij was, gaven Richard en hij in Greene Street een feest voor Willem. Kort daarvoor was er een grote lading deuren en banken van bewerkt teakhout weggehaald van de vierde verdieping, en Richard had snoeren met lampjes langs het plafond gehangen en langs alle muren glazen potten met kaarsen gezet. Richards ateliermanager had twee van hun grootste werktafels naar boven gebracht, en hij had de cateraars en een barkeeper gebeld. Ze hadden iedereen uitgenodigd die ze konden bedenken: al hun gezamenlijke vrienden en alle vrienden van Willem. Harold en Julia, James en Carey, Laurence en Gillian en Lionel en Sinclair waren uit Boston gekomen, Kit uit Los Angeles, Carolina uit Yountville, Phaedra en Citizen uit Parijs, Willems vriendinnen Cressy en Susannah uit Londen, Miguel uit Madrid. Hij dwong zichzelf tijdens het feest te staan en rond te lopen, en er kwamen mensen op hem af die hij alleen kende uit Willems verhalen – regisseurs, acteurs en scriptschrijvers – en die vertelden dat ze hem al jaren van naam kenden en het zo leuk vonden om hem eindelijk te ontmoeten, omdat ze al half-en-half dachten dat Willem hem had verzonnen, en hoewel hij lachte, maakte het hem ook verdrietig en gaf het hem het gevoel dat hij zijn angsten had moeten negeren en zich meer betrokken had moeten tonen bij Willems leven.

Er waren zo veel mensen die elkaar zo veel jaar niet hadden gezien dat het een heel druk feest was, het soort feest waar ze naartoe waren gegaan toen ze jong waren, met mensen die naar elkaar schreeuwden boven de muziek uit, die werd gedraaid door een van Richards assistenten, een amateur-dj, en na een paar uur was hij uitgeput en stond tegen de noordelijke muur geleund te kijken hoe iedereen danste. Midden in de drom mensen zag hij Willem met Julia dansen, en hij keek glimlachend toe tot hij zag dat Harold aan de overkant van de kamer ook met een glimlach naar hen stond te kijken. Harold zag hem en stak zijn glas naar hem op, en hij maakte hetzelfde gebaar terug en zag dat Harold zich een weg naar hem toe baande.

'Goed feest,' riep Harold in zijn oor.

'Vooral dankzij Richard,' riep hij terug, maar net toen hij nog iets wilde zeggen werd de muziek harder, en Harold en hij keken elkaar lachend aan en haalden hun schouders op. Zo stonden ze daar een tijdje glimlachend te kijken naar de deinende en dansende massa voor hen. Hij was moe en had pijn, maar dat gaf niet; zijn vermoeidheid was wollig en warm, zijn pijn vertrouwd en verwacht, en op die momenten besefte hij dat hij nog het vermogen had om blij te zijn, dat het leven mooi was. Toen veranderde de muziek en werd dromerig en langzaam, en Harold riep dat hij Julia uit Willems klauwen ging redden.

'Toe maar,' zei hij, maar voordat Harold bij hem wegliep sloeg hij in een opwelling zijn armen om hem heen, en dat was voor het eerst sinds het incident met Caleb dat hij Harold uit eigen beweging aanraakte. Hij zag dat Harold verbluft en daarna opgetogen was, werd overmand door schuldgevoel en schoof zo snel mogelijk opzij terwijl hij Harold zachtjes in de richting van de dansvloer duwde.

Er lag een verzameling met katoenpluis gevulde juten zakken in een van de hoeken, door Richard neergelegd zodat mensen er konden loungen, en daar was hij op weg naartoe toen Willem opdook en zijn hand greep. 'Kom met me dansen,' zei hij.

'Willem.' Hij keek hem met een vermanende glimlach aan. 'Je weet dat ik niet kan dansen.'

Willem nam hem taxerend op. 'Kom mee,' zei hij, en hij nam hem mee naar de oostkant van de etage, trok hem de badkamer in, deed de deur achter hen op slot en zette zijn glas op de rand van de wastafel. Ze hoorden de muziek nog steeds – een nummer dat populair was geweest toen ze studeerden, gênant en tegelijk op de een of andere manier aandoenlijk in zijn onbeschaamde sentimentaliteit, zijn zoetsappigheid en oprechtheid – maar in de badkamer klonk het gedempt, alsof het opklonk uit een dal in de verte. 'Leg je armen om me heen,' zei Willem, en dat deed hij. 'Zet je rechtervoet naar achteren als ik mijn linkervoet naar voren zet,' zei hij daarna, en hij gehoorzaamde.

Ze bewogen een tijdje langzaam en onhandig door de badkamer terwijl ze elkaar zwijgend aankeken. 'Zie je wel?' vroeg Willem zachtjes. 'Je danst.'

'Ik ben er niet erg goed in,' mompelde hij gegeneerd.

'Je doet het fantastisch,' zei Willem, en hoewel zijn voeten intussen zo'n pijn deden dat hij begon te transpireren van de inspanning die het hem kostte om het niet uit te schreeuwen, bleef hij bewegen, maar zo minimaal dat ze aan het eind van het nummer alleen nog maar heen en weer wiegden zonder dat hun voeten van de grond kwamen, terwijl Willem hem vasthield zodat hij niet zou vallen.

Toen ze uit de badkamer tevoorschijn kwamen, ging er een gejuich op van de groepjes mensen die het dichtst bij hen stonden, en hij bloosde – de laatste, allerlaatste keer dat hij en Willem seks hadden bedreven was bijna zestien maanden geleden – maar Willem grijnsde en stak zijn arm op alsof hij een bokser was die net een partij had gewonnen.

En toen was het april en werd hij zevenenveertig, en daarna was het mei en ontwikkelde hij aan beide kuiten een wond, en Willem vertrok naar Istanbul voor de opnames van het tweede deel van zijn spionagedrieluik. Hij had Willem verteld over de wonden – hij probeerde hem dit soort dingen meteen te vertellen als ze zich voordeden, ook dingen die hij zelf niet erg belangrijk vond – en Willem was ongerust.

Maar zelf maakte hij zich geen zorgen. Hoeveel van dit soort zwerende wonden had hij in de loop van de jaren niet gehad? Tientallen. Het enige wat er was veranderd was de tijd die het hem kostte om er weer van af te komen. Nu ging hij tweemaal per week naar Andy – elke dinsdag tussen de middag en elke vrijdagavond – een keer om de wonden te laten debrideren en een keer voor vacuümtherapie, die werd uitgevoerd door Andy's assistente. Andy had altijd gedacht dat zijn huid te teer was voor die behandeling, waarbij er een steriel schuimverband over de open zweer werd aangebracht en er daarna een mondstuk overheen bewoog waarmee het dode en afstervende weefsel in het schuimverband werd gezogen alsof het een spons was, maar de afgelopen jaren had hij er goed op gereageerd en het bleek beter te werken dan alleen het debrideren.

Naarmate hij ouder was geworden waren het aantal, de ernst, de afmetingen en de pijn van de wonden geleidelijk toegenomen. De dagen dat hij in staat was met een wond toch nog een flinke afstand te lopen lagen ver achter hem, decennia ver. (De gedachte dat hij met zo'n wond van Chinatown naar de Upper East Side was gewandeld – zij het met pijn – kwam hem nu zo vreemd en uitheems voor dat het leek alsof het niet eens zijn eigen herinnering was, maar die van iemand anders.) Toen hij jonger was, duurde de genezing misschien een paar weken, maar nu kostte het maanden. Van alle dingen die hem mankeerden vond hij deze zweren het minst verontrustend, alleen had hij nooit kunnen wennen aan hoe ze eruitzagen. Hoewel hij natuurlijk niet bang was voor bloed, bracht de aanblik van pus, van rotting, van de wanhopige poging van zijn lichaam om zichzelf te genezen door een deel van zichzelf af te stoten hem zelfs na al die jaren nog van zijn stuk.

Toen Willem na voltooiing van de film thuiskwam, ging het nog niet beter met hem. Hij had nu vier wonden aan zijn kuiten, meer dan hij er ooit tegelijk had gehad, en hoewel hij nog steeds elke dag probeerde te lopen, was alleen staan soms al moeilijk genoeg, en om zijn krachten te sparen hield hij in de gaten wanneer hij probeerde te lopen omdat hij dacht dat het kon en wanneer hij het alleen maar probeerde om zichzelf iets te bewijzen. Hij merkte dat hij gewicht had verloren, hij merkte dat hij minder energie had – hij kon zelfs niet meer elke ochtend zwemmen – maar toen hij Willems gezicht zag, wist hij het zeker. 'Judy,' zei Willem zachtjes, en hij hurkte naast de bank waar hij zat. 'Ik wou dat je het had verteld.' Maar vreemd genoeg was er niets te vertellen geweest: dit was wie hij was. En afgezien van zijn benen, voeten en rug voelde hij zich prima. Hij voelde zich – hoewel hij aarzelde om het over zichzelf te zeggen, want het leek zo'n krasse bewering – geestelijk gezond. Hij had het snijden teruggebracht tot eenmaal per week. Terwijl hij 's avonds zijn lange broek uittrok en het gebied rond de verbanden bekeek om te zien of ze doorlekten, hoorde hij zichzelf fluiten. Mensen raakten gewend aan alles wat hun lichaam hun toebedeelde en hij vormde daarop geen uitzondering. Als je lichamelijk in orde was, verwachtte je dat je lichaam zonder mankeren altijd alles deed wat je wilde. Als je lichamelijk niet in orde was, had je andere verwachtingen. Althans, dat was hoe hij het probeerde te zien.

Eind juli, kort nadat Willem was teruggekomen, gaf die hem toestemming zijn voornamelijk zwijgende relatie met Loehmann te beëindigen, maar alleen omdat hij er werkelijk geen tijd meer voor had. Hij bracht nu vier uur per week bij een arts door – twee bij Andy en twee bij Loehmann – en twee van die uren had hij nodig om tweemaal per week naar het ziekenhuis te gaan, waar hij zijn broek uittrok, zijn das over zijn schouder sloeg en in een drukcabine werd geschoven, een glazen doodkist waarin hij liggend werkte, in de hoop dat de geconcentreerde zuurstof die om hem heen naar binnen werd geblazen de genezing van zijn wonden zou bevorderen. Hij had zich schuldig gevoeld in zijn anderhalf jaar met Loehmann, waarin hij vrijwel niets had prijsgegeven en vooral kinderachtig bezig was geweest zijn privacy te beschermen en niets te vertellen, zodat hij zowel zijn eigen tijd als die van de psycholoog had verspild. Maar een van de weinige onderwerpen die ze wél hadden besproken waren zijn benen – niet hoe ze beschadigd waren geraakt, maar wel wat er allemaal kwam kijken bij de verzorging ervan – en tijdens hun laatste afspraak had Loehmann gevraagd wat er zou gebeuren als hij niet beter werd.

'Amputatie, vermoed ik,' had hij zo onverschillig mogelijk gezegd, hoewel hij er natuurlijk helemaal niet onverschillig onder was en er niets te vermoeden viel: zo zeker als het was dat hij op een dag zou sterven, zo zeker wist hij ook dat hij dat zonder benen zou doen. Hij kon alleen maar hopen dat het nog lang zou duren. Alsjeblieft, smeekte hij zijn benen soms als hij in de glazen cabine lag. Alsjeblieft. Geef me nog een paar jaar. Geef me er nog tien. Laat me vijftig worden, zestig worden met alles erop en eraan. Ik zal goed voor jullie zorgen, dat beloof ik.

Tegen het einde van de zomer waren zijn slechtere gezondheid en de bijbehorende behandelingen voor hem intussen zo alledaags geworden dat hij zich niet had gerealiseerd hoe ongerust Willem zou zijn. Begin augustus bespraken ze wat ze met Willems negenenveertigste verjaardag zouden gaan doen (vieren? niet vieren?), en Willem zei dat hij vond dat ze het dat jaar maar simpel moesten houden.

'Dan doen we volgend jaar iets groots, voor je vijftigste,' zei hij. 'Als ik er dan tenminste nog ben.' Pas toen het tot hem doordrong dat Willem zweeg, keek hij op van het fornuis, zag Willems gezicht en begreep dat hij een vergissing had gemaakt. 'Willem, sorry,' zei hij, terwijl hij de brander uitdraaide en langzaam en moeizaam naar hem toe liep. 'Sorry.'

'Dat is niet iets om grapjes over te maken, Jude,' zei Willem, en hij sloeg zijn armen om hem heen.

'Dat weet ik,' zei hij. 'Neem het me alsjeblieft niet kwalijk. Het was dom van me. Natuurlijk ben ik er volgend jaar nog.'

'En nog heel veel jaren daarna.'

'En nog heel veel jaren daarna.'

Nu is het september, en overdag ligt hij op de onderzoekstafel bij Andy, zijn onafgedekte wonden nog steeds opengespleten als granaatappels, en 's nachts ligt hij naast Willem in bed. Hij is zich vaak bewust van de onwaarschijnlijkheid van hun relatie en voelt zich vaak schuldig over zijn tegenzin om een van de essentiële plichten te vervullen die je binnen een relatie hebt. Af en toe denkt hij dat hij het weer wil proberen, maar als hij op het punt staat dat tegen Willem te zeggen, ziet hij ervan af en dan glipt er weer een gelegenheid geruisloos weg. Maar zijn schuldgevoel, hoe groot ook, overstijgt nooit zijn opluchting of zijn dankbaarheid: dat hij er ondanks alles wat hij niet kan toch in is geslaagd Willem te behouden is een wonder, en hij probeert Willem op elke andere manier die binnen zijn mogelijkheden ligt te laten merken hoe dankbaar hij is.

In een nacht wordt hij zo hevig zwetend wakker dat de lakens onder hem aanvoelen alsof ze door een plas zijn gesleept, en in zijn verwardheid gaat hij staan voordat hij beseft dat hij dat niet kan, en valt. Dan wordt ook Willem wakker, haalt de thermometer en blijft bij hem staan terwijl hij die onder zijn tong houdt. 'Achtendertig negen,' zegt Willem als hij hem heeft bekeken, en hij legt zijn hand tegen zijn voorhoofd. 'Maar je voelt ijskoud aan.' Hij kijkt ongerust. 'Ik ga Andy bellen.'

'Niet doen,' zegt hij, want ondanks de koorts, de rillingen en het zweten voelt hij zich normaal en niet ziek. 'Ik heb alleen een aspirientje nodig.' Dus gaat Willem aspirine halen, plus een schoon shirt, en verschoont het bed, waarna ze weer in slaap vallen, Willem met zijn armen om hem heen.

De volgende nacht wordt hij weer koortsig wakker, weer met koude rillingen en weer nat van het zweet. 'Er heerst iets op kantoor,' zegt hij deze keer tegen Willem. 'Een of ander achtenveertiguursvirus. Dat zal ik wel opgepikt hebben.' Weer neemt hij aspirine en weer helpt het en valt hij in slaap.

De dag daarna is het vrijdag en gaat hij naar Andy om zijn wonden te laten reinigen, maar hij zegt niets over de koorts, die overdag weg is. Die avond is Willem uit eten met Roman, en hij neemt een paar aspirientjes in en gaat vroeg naar bed. Hij slaapt zo diep dat hij Willem niet eens hoort thuiskomen, maar als hij de volgende ochtend wakker wordt, is hij zo bezweet dat het lijkt alsof hij onder de douche heeft gestaan, en zijn armen en benen zijn stijf en beverig. Hij gaat langzaam zitten en haalt zijn handen door zijn natte haar, terwijl Willem naast hem zacht ligt te snurken.

Die zaterdag gaat het echt beter. Hij gaat naar zijn werk. Willem heeft een lunchafspraak met een regisseur. Voordat hij die avond van kantoor vertrekt, stuurt hij Willem een tekstbericht om hem te vragen met Richard en India af te spreken die avond sushi te gaan eten in de Upper East Side, bij een klein restaurantje waar Andy en hij soms naartoe gaan na zijn behandeling. Willem en hij hebben twee favoriete sushirestaurants vlak bij Greene Street, maar bij allebei moet je een trap af en omdat dat voor hem te moeilijk is, kunnen ze daar al maanden niet meer naartoe. Die avond eet hij goed, en zelfs als de vermoeidheid hem halverwege de maaltijd treft als een mokerslag is hij zich ervan bewust dat hij plezier heeft, dat hij blij is om in dit kleine, warme zaakje te zitten, met boven zijn hoofd de geel brandende lantaarns en voor hem op tafel schijven makreelsashimi, Willems lievelingsgerecht, geserveerd op een plank die op een Japanse houten slipper lijkt. Op een gegeven moment leunt hij uit vermoeidheid en genegenheid opzij tegen Willem, waar hij zich niet eens van bewust is tot hij voelt dat Willem zijn arm beweegt en om hem heen slaat.

Later wordt hij gedesoriënteerd wakker in bed en ziet Harold naast zich zitten en strak naar hem kijken. 'Harold,' zegt hij, 'wat doe jij hier?' Maar Harold zegt niets, doet alleen een uitval naar hem, en hij beseft met een misselijkmakende schok dat Harold probeert hem uit te kleden. Nee, zegt hij bij zichzelf. Niet Harold. Dat kan niet. Dit is een van zijn diepste, afschuwelijkste, geheimste angsten, en nu wordt die bewaarheid. Dan worden zijn oude instincten gewekt: Harold is een klant en die moet hij zich van het lijf houden. Hij gilt, kronkelt zich in bochten, zwaait met zijn armen en probeert dat ook met zijn benen te doen, allemaal om die zwijgende, vastbesloten Harold af te schrikken en van de wijs te brengen, terwijl hij om broeder Luke schreeuwt.

En dan verdwijnt Harold opeens en neemt Willem zijn plaats in, met zijn gezicht vlak bij het zijne, en zegt iets wat hij niet verstaat. Maar achter Willems hoofd ziet hij Harold weer, met een vreemde, grimmige uitdrukking op zijn gezicht, en hij begint zich weer te verzetten. Boven zich hoort hij stemmen, hoort hij dat Willem tegen iemand praat, en ondanks zijn eigen angst merkt hij dat Willem bang is. 'Willem,' roept hij. 'Hij wil me kwaad doen, zorg dat hij me niks doet, Willem. Help. Help. Help alsjeblieft.'

Dan is er niets meer – een periode van donkerte – en als hij weer wakker wordt, ligt hij in het ziekenhuis. 'Willem,' zegt hij tegen de kamer, en meteen is Willem daar: hij zit aan zijn bed en pakt zijn hand. Er kronkelt een lange plastic slang uit, en uit zijn andere hand nog een. 'Voorzichtig,' zegt Willem tegen hem, 'de infusen.'

Ze zwijgen een tijdje, terwijl Willem hem over zijn voorhoofd strijkt. 'Hij wilde me aanvallen,' bekent hij uiteindelijk hakkelend tegen Willem. 'Ik had nooit gedacht dat Harold zoiets zou doen, echt nooit.'

Hij ziet Willem verstijven. 'Nee, Jude,' zegt hij. 'Harold was er niet. Je ijlde van de koorts, het is niet echt gebeurd.'

Hij is opgelucht en tegelijk geschrokken. Opgelucht dat het niet waar is en geschrokken omdat het zo echt leek, zo werkelijk. Geschrokken omdat hij zich afvraagt wat het over hem zegt, over zijn gedachten en angsten, dat hij zich dit in zijn hoofd haalt, zelfs over Harold. Hoe hardvochtig is zijn eigen geest als die probeert hem op te zetten tegen iemand die hij met zo veel moeite is gaan vertrouwen, iemand die altijd alleen maar goed voor hem is geweest? Hij voelt tranen in zijn ogen prikken, maar hij moet het Willem vragen: 'Dat zou hij nooit doen, toch, Willem?'

'Nee,' zegt Willem, en zijn stem klinkt gespannen. 'Nooit, Jude. Zoiets zou Harold nooit doen, dat is echt ondenkbaar.'

Als hij weer wakker wordt beseft hij dat hij niet weet welke dag het is, en als Willem hem vertelt dat het maandag is, raakt hij in paniek. 'Mijn werk,' zegt hij, 'ik moet naar mijn werk.'

'Vergeet dat maar,' zegt Willem op scherpe toon. 'Ik heb ze gebeld, Jude. Je gaat helemaal nergens heen, niet voordat Andy heeft uitgezocht wat er met je is.'

Later komen Harold en Julia, en hij dwingt zichzelf om Harolds omhelzing te beantwoorden maar kan hem niet aankijken. Over Harolds schouder kijkt hij naar Willem, die hem geruststellend toeknikt.

Ze zijn met z'n vieren als Andy binnenkomt. 'Osteomyelitis,' zegt hij ingehouden. 'Een botontsteking.' Hij legt uit wat er gaat gebeuren: hij zal minstens een week in het ziekenhuis moeten blijven – 'Een wéék!' roept hij uit, maar de andere vier beginnen tegen hem uit te varen voordat hij de kans krijgt om verder te protesteren – of misschien wel twee, tot ze de koorts onder controle hebben. De antibiotica zal worden toegediend via een centrale katheter, maar voor de resterende tien of elf weken van de behandeling hoeft hij niet naar het ziekenhuis te komen. Elke dag zal er een verpleegkundige komen om het infuus aan te sluiten; de behandeling duurt een uur en hij mag geen dag overslaan. Als hij weer wil protesteren, legt Andy hem het zwijgen op. 'Jude,' zegt hij. 'Dit is belangrijk. Ik meen het. Rosen Pritchard kan me geen moer schelen. Als je je benen wilt houden, volg je mijn instructies op, begrepen?'

De anderen om hem heen zwijgen. 'Ja,' zegt hij ten slotte.

Er komt een verpleegkundige binnen om voorbereidingen te treffen voor het plaatsen van de centraalveneuze katheter, die Andy zal inbrengen in de ondersleutelbeenader, vlak onder zijn rechtersleutelbeen. 'Dit is een lastige ader om bij te komen omdat hij zo diep ligt,' zegt de verpleegkundige, terwijl ze de hals van zijn ziekenhuishemd naar beneden trekt en een stukje van zijn huid ontsmet. 'Maar u hebt geluk dat dokter Contractor het doet. Hij is heel goed met naalden, hij prikt nooit mis.' Hij vindt het niet eng, maar weet dat Willem dat wel vindt en houdt Willems hand vast terwijl Andy eerst met de koude metalen naald in zijn huid prikt en daarna de voerdraad in hem aanbrengt. 'Kijk maar niet,' zegt hij tegen Willem. 'Dat is beter.' En dus kijkt Willem in plaats daarvan strak naar zijn gezicht, dat hij onbeweeglijk en kalm probeert te houden tot Andy klaar is en het dunne plastic slangetje van de katheter met pleister tegen zijn borst plakt.

Hij slaapt. Hij had verwacht dat hij wel zou kunnen doorwerken vanuit het ziekenhuis, maar hij is uitgeputter en versufter dan hij dacht, en nadat hij met de voorzitters van de diverse commissies en met een paar van zijn collega's heeft gepraat, heeft hij geen kracht meer om nog iets te doen.

Harold en Julia gaan weg – ze moeten naar hun werk, college geven – en behalve Richard en een paar mensen van Rosen Pritchard vertellen ze niemand dat hij in het ziekenhuis ligt: hij zal er niet lang blijven, en Willem heeft besloten dat slaap nu belangrijker voor hem is dan bezoek. Hij heeft nog steeds koorts, maar minder hoog, en hij heeft niet meer geijld. En al is het vreemd met alles wat er gebeurt, hij is kalm of zelfs optimistisch. Iedereen om hem heen is zo serieus, zo zorgelijk, dat hij vastbesloten is om zich daar op de een of andere manier tegen te verzetten, om zich te verzetten tegen de ernst die de anderen in de situatie zien.

Hij kan zich niet herinneren wanneer hij en Willem het ziekenhuis Hotel Contractor zijn gaan noemen, naar Andy, maar voor zijn gevoel hebben ze dat altijd al gedaan. 'Pas maar op,' zei Willem al in Lispenard Street tegen hem, als hij inhakte op een steak die een verliefde souschef van Ortolan Willem aan het eind van zijn dienst stiekem had meegegeven, 'dat hakmes is vlijmscherp, en als je je duim eraf hakt moeten we naar Hotel Contractor.' En toen hij een keer was opgenomen vanwege een huidinfectie had hij Willem (die van huis was voor de opnames van een film) een berichtje gestuurd dat luidde: 'In Hotel Contractor. Stelt niks voor, maar wil niet dat je het van M of JB hoort.' Maar als hij nu grapjes over Hotel Contractor maakt – zich schertsend beklaagt over de achteruitgang van de bediening of over de slechte kwaliteit van het bedlinnen – reageert Willem niet.

'Het is niet leuk, Jude,' bijt hij hem op vrijdagavond toe, als ze wachten op Harold en Julia, die eten meenemen. 'Ik wou dat je eens ophield met die verdomde grappen.' Dan zwijgt hij en ze kijken elkaar aan. 'Ik ben zo bang geweest,' zegt Willem zacht. 'Je was zo ziek en ik wist niet wat er zou gaan gebeuren, en ik was doodsbang.'

'Willem,' zegt hij teder, 'dat weet ik. Ik ben zo dankbaar dat je er bent.' Hij praat snel verder, voordat Willem kan zeggen dat hij niet dankbaar hoeft te zijn maar dat hij de situatie wel serieus moet nemen. 'Ik zal naar Andy luisteren, ik zweer het. Ik zweer je dat ik dit serieus neem. En ik zweer je dat ik me niet slecht voel. Ik voel me prima. Alles komt goed.'

Na tien dagen heeft hij tot tevredenheid van Andy geen koorts meer en wordt hij naar huis gestuurd om twee dagen bij te komen, en op vrijdag is hij weer op kantoor. Hij heeft nooit een chauffeur gewild – hij reed graag zelf en genoot van de onafhankelijkheid en het alleen-zijn – maar nu heeft Willems assistent een chauffeur voor hem ingehuurd, een kleine, ernstige man die meneer Ahmed heet, zodat hij op weg van en naar kantoor kan slapen. Meneer Ahmed haalt ook zijn verpleegkundige op, een vrouw die Patrizia heet en zelden iets zegt, maar heel zachtaardig is en elke middag om één uur bij Rosen Pritchard verschijnt. Zijn kamer daar heeft glazen muren en kijkt uit over de afdeling, dus laat hij de luxaflex zakken om privacy te hebben, trekt zijn jasje, das en overhemd uit, gaat in zijn hemd op de bank liggen en trekt een deken over zich heen, en Patrizia maakt de katheter schoon en controleert de huid eromheen op eventuele tekenen van infectie – zwellingen of roodheid – en dan sluit ze het infuus aan en wacht af terwijl het medicijn in de katheter druppelt en zijn aderen binnen glijdt. Intussen werkt hij en zit zij een vakblad voor verpleegkundigen te lezen of te breien. Al snel wordt ook dit normaal: elke vrijdag gaat hij naar Andy, die zijn wonden debrideert en onderzoekt en hem daarna naar het ziekenhuis stuurt om röntgenfoto's te laten maken, zodat hij de ontsteking in de gaten kan houden en zeker weet dat die zich niet verder uitbreidt.

Vanwege zijn behandeling kunnen ze nooit een weekend weg, maar begin oktober, na vier weken antibiotica, vertelt Andy dat hij met Willem heeft gepraat, en als hij het goedvindt komen Jane en hij dat weekend logeren in Garrison, zodat hij het infuus zelf kan aansluiten.

Het is heerlijk en dezer dagen een zeldzame luxe om weer eens in hun buitenhuis te zijn, en ze hebben het gezellig met z'n vieren. Hij voelt zich zelfs goed genoeg om Andy een ingekorte rondleiding over het terrein te geven, dat Andy alleen nog maar in het voorjaar en de zomer heeft gezien, maar dat in de herfst anders is: ruig, melancholiek, schitterend, het dak van de loods bedekt met afgevallen gele ginkgobladeren, zodat het lijkt alsof er een laag bladgoud overheen ligt.

Die zaterdagavond vraagt Andy hem onder het eten: 'Je beseft toch wel dat we elkaar al dertig jaar kennen, hè?'

'Jazeker,' zegt hij met een glimlach. Hij heeft zelfs iets voor Andy gekocht vanwege hun jubileum – een safarireis voor hem en zijn gezin, die ze kunnen maken wanneer ze maar willen – maar dat heeft hij hem nog niet verteld.

'Dertig jaar van niet-opgevolgde adviezen,' jammert Andy, en de anderen lachen. 'Dertig jaar medische wijsheden van het hoogste niveau, vergaard dankzij jarenlange ervaring en een eersteklas opleiding aan de beste universiteiten, die vervolgens worden genegeerd door nota bene een bedríjfsjurist die heeft besloten dat hij meer inzicht heeft in de werking van het menselijk lichaam dan ik.'

Als ze uitgelachen zijn, zegt Jane: 'Maar weet je, Andy, zonder Jude zou ik nooit met je zijn getrouwd.' Tegen hem zegt ze: 'Toen we medicijnen studeerden, vond ik Andy altijd nogal een zelfingenomen eikel, Jude. Hij was zo arrogant, zo onvolwassen eigenlijk nog' – 'Wat?' roept Andy quasigekwetst uit – 'dat ik aannam dat hij zo'n echte chirurg zou worden, je weet wel, zo'n type dat alles altijd zeker weet, ook als hij er helemaal naast zit. Maar toen hoorde ik hem over jou vertellen, hoeveel hij om je gaf en hoeveel respect hij voor je had, en daardoor ging ik vermoeden dat hij misschien toch meer diepgang had. En ik had gelijk.'

'Ja,' zegt hij, nadat ze uitgelachen zijn. 'Je had gelijk.' Ze kijken allemaal naar Andy, die een glas wijn voor zichzelf inschenkt om zich een houding te geven.

De week daarna begint Willem met de repetities voor zijn nieuwe film. Een maand geleden, toen hij ziek werd, heeft Willem zich teruggetrokken uit het project, maar toen is het stilgelegd om op hem te wachten en nu is de situatie stabiel genoeg om weer aan de slag te gaan. Hij snapte al niet waarom Willem zich eigenlijk had teruggetrokken – het is een remake van *Desperate Characters*, die grotendeels net aan de overkant van de rivier zal worden geschoten, in Brooklyn Heights – maar hij is opgelucht dat Willem weer aan het werk gaat en niet de hele tijd met een bezorgd gezicht om hem heen hangt en elke keer als hij iets heel normaals wil doen (boodschappen doen, eten koken, tot laat op kantoor blijven) vraagt of hij wel zeker weet dat hij het aankan.

Begin november wordt hij weer opgenomen met koorts, maar na twee nachten mag hij naar huis. Patrizia neemt elke week bloed bij hem af, maar Andy heeft hem verteld dat hij geduld zal moeten hebben: het kost veel tijd om een botontsteking helemaal weg te krijgen, en op zijn vroegst aan het eind van de twaalf weken die de behandeling duurt zal hij weten of hij definitief genezen is. Maar verder gaat alles z'n gangetje: hij gaat naar zijn werk. Hij gaat naar zijn behandelingen in de drukcabine. Hij gaat naar de vacuümtherapie. Hij gaat naar Andy om zijn wonden te laten debrideren. Een van de bijwerkingen van de antibiotica is diarree, en een andere misselijkheid. Hij verliest dan ook gewicht in een tempo waarvan zelfs hij snapt dat het problematisch is, en moet acht overhemden en twee pakken laten innemen. Andy schrijft hem calorierijke flesjes drinkvoeding voor die zijn bedoeld voor ondervoede kinderen, en hij werkt er vijf keer per dag een van weg, waarna hij gulzig water drinkt om de kalkachtige, hardnekkige smaak weg te spoelen die als een laagje op je tong achterblijft. Hij is zich ervan bewust dat hij, afgezien van zijn werktijden, al Andy's waarschuwingen en adviezen beter opvolgt dan ooit. Hij doet nog steeds zijn best om niet te denken aan hoe deze periode zou kunnen eindigen, om zich geen zorgen te maken, maar op donkere, stille momenten hoort hij in gedachten weer wat Andy kortgeleden tijdens een van zijn algemene onderzoeken zei: 'Hart: perfect. Longen: perfect. Zicht, gehoor, cholesterol, prostaat, bloedsuiker, bloeddruk, lipidenspectrum, nierfunctie, leverfunctie, schildklierfunctie: allemaal perfect. Je lichaam is uitstekend toegerust om hard voor je te werken, Jude, als jij maar zorgt dat het de kans krijgt.' Hij weet dat dat niet het hele verhaal is – bloedsomloop, bijvoorbeeld: niet perfect; reflexen: niet perfect; alles ten zuiden van zijn liezen: verre van perfect – maar hij probeert moed te putten uit Andy's geruststellende woorden en zichzelf voor te houden dat het erger had kunnen zijn, dat hij in wezen nog steeds een gezond mens is, een fortuinlijk mens.

Eind november. Willem is klaar met *Desperate Characters*. Ze vieren Thanksgiving bij Harold en Julia in hun appartement in de stad, en hoewel ze om het andere weekend naar Manhattan zijn gekomen om hem te bezoeken, merkt hij dat ze allebei erg hun best moeten doen om niets te zeggen over hoe hij eruitziet en geen commentaar te leveren op hoe weinig hij 's avonds eet. De week van Thanksgiving is ook de laatste week van zijn antibioticakuur, en hij onderwerpt zich aan een nieuwe ronde bloed prikken en röntgenfoto's voordat Andy hem vertelt dat hij mag stoppen. Hij neemt afscheid van Patrizia, naar hij hoopt definitief, en geeft haar een cadeautje om haar te bedanken voor haar goede zorgen.

Hoewel zijn wonden kleiner zijn geworden, zijn ze nog niet zo klein als Andy had gehoopt, en daarom volgen Willem en hij zijn advies op en brengen de Kerst door in Garrison. Ze beloven Andy dat het een rustige week zal worden; verder is iedereen de stad uit, dus ze zijn alleen met Harold en Julia.

'Je twee doelen zijn slapen en eten,' zegt Andy, die met de feestdagen naar Beckett in San Francisco gaat. 'Op de eerste vrijdag van januari wil ik je twee kilo zwaarder zien.'

'Twee kilo is veel,' zegt hij.

'Twee,' herhaalt Andy. 'En daarna moeten er idealiter nog zeven bij komen.'

Op Kerstdag zelf, op de kop af een jaar nadat hij en Willem over de kam van een lage, glooiende berghelling in Punakha liepen en uitkwamen achter het jachthuis van de koning, een eenvoudig houten gebouw dat eruitzag als een onderkomen voor de pelgrims uit *The Canterbury Tales*, niet voor de koninklijke familie, zegt hij tegen Harold dat hij een eindje wil wandelen. Julia en Willem zijn gaan paardrijden op de naburige ranch van een kennis, en hij voelt zich sterker dan hij in tijden heeft gedaan.

'Ik weet het niet, Jude,' zegt Harold voorzichtig.

'Kom op, Harold,' zegt hij. 'Alleen maar tot de eerste rustbank.' Malcolm heeft drie stenen banken langs het pad gezet dat hij achter het huis door het bos heeft gehakt; het eerste staat ongeveer op eenderde van de weg rond het meer, het tweede halverwege en het derde op tweederde van de route. 'We lopen langzaam en ik neem mijn stok mee.' Het is jaren geleden dat hij gedwongen was een stok te gebruiken – vóór zijn twintigste – maar nu heeft hij die nodig voor afstanden van meer dan een meter of vijftig. Uiteindelijk gaat Harold akkoord en hij grijpt snel zijn sjaal en jas voordat Harold zich kan bedenken.

Als ze eenmaal buiten zijn, wordt hij nog vrolijker. Hij houdt van dit huis, hij houdt van hoe het eruitziet, hij houdt van de stilte en hij houdt er vooral van omdat het van Willem en hem samen is: een grotere tegenstelling met Lispenard Street is niet denkbaar, maar het is net zo goed van hen tweeën, iets wat ze samen hebben gecreëerd en waar ze samen wonen. Tegenover het huis, dat bestaat uit een reeks glazen kubussen, ligt een ander, tweede bos en daar kronkelt een lange, bochtige oprijlaan doorheen, waarvandaan je op sommige plekken een klein stukje van het huis ziet, terwijl het op andere plekken helemaal aan het zicht is onttrokken. 's Avonds, als de lampen aan zijn, gloeit het op als een lantaarn, en zo heeft Malcolm het ook genoemd in zijn monografie: Lantern House. Aan de achterkant kijkt het huis uit over een groot grasveld en daarachter ligt een meer. Onder aan het grasveld is een zwembad, dat is bekleed met leistenen platen, zodat het water zelfs op de warmste dagen koud en helder is, en in de loods bevinden zich een binnenbad en een zitruimte; de muren van de loods kunnen omhoog en naar buiten bewegen, zodat de binnenwereld overloopt in de buitenwereld, in de pioenrozen en seringen die er in het vroege voorjaar omheen bloeien, of in de bloemtrossen van de blauweregen die in het begin van de zomer van het dak naar beneden druipen. Rechts van het huis ligt een veld dat in juli rood kleurt van de klaprozen, en links een ander veld, waar Willem en hij handenvol zaadjes van wilde bloemen hebben uitgestrooid: cosmea, margrieten, vingerhoedskruid en wilde peen. Kort nadat ze het huis hadden ingericht, hebben ze een heel weekend door de bospercelen voor en achter het huis gedwaald om lelietjes-van-dalen te planten bij de bemoste heuveltjes rond eiken en iepen, en om overal munt te zaaien. Ze wisten dat Malcolm hun pogingen tot tuinarchitectuur niet waardeerde – hij vond hun keuzes sentimenteel en clichématig – en hoewel ze ook wisten dat Malcolm waarschijnlijk gelijk had, kon het hun niet echt schelen. In het voorjaar en de zomer, als de lucht zoet geurde, dachten ze vaak terug aan de uitgesproken lelijkheid van Lispenard Street en hoe ze zich een plek als deze, zo ongecompliceerd en onmiskenbaar mooi dat het soms een illusie leek, destijds in de verste verte niet hadden kunnen voorstellen.

Hij en Harold zetten koers naar het bos, waar hij na de aanleg van het ruige pad nu makkelijker loopt dan toen het huis nog werd gebouwd. Maar toch moet hij goed opletten, want het pad wordt maar eenmaal per seizoen vrijgemaakt, en in de tussenliggende maanden raakt het moeilijker begaanbaar door opkomende boompjes en varens, door takjes en bladeren.

Ze zijn nog niet eens halverwege de eerste bank als hij beseft dat hij zich heeft vergist. Hij kreeg al een kloppend gevoel in zijn benen toen ze het grasveld over waren, en nu heeft hij dat ook in zijn voeten en is elke stap een marteling. Maar hij zegt niets, knijpt alleen wat harder in zijn stok in een poging de pijn te overstemmen met een ander gevoel, zet zijn kiezen op elkaar, spant zijn kaken en loopt door. Tegen de tijd dat ze bij de bank zijn – eigenlijk een donkergrijze kei van kalksteen – is hij duizelig, en ze blijven lang zitten praten en kijken uit over het meer, dat zilverig glanst in de koude lucht.

'Het is fris,' zegt Harold na geruime tijd, en dat is waar; hij voelt de kou van het steen door zijn broek dringen. 'We moesten maar weer eens op huis aan met jou.'

'Oké.' Hij slikt, staat op en hapt onmiddellijk naar adem omdat hij een withete staaf van pijn door zijn voeten omhoog voelt steken, maar Harold merkt het niet.

Ze zijn nog maar dertig stappen het bos in gelopen als hij Harold tegenhoudt. 'Harold,' zegt hij, 'ik moet... ik moet...' Maar hij kan zijn zin niet afmaken.

'Jude,' zegt Harold, en hij klinkt ongerust. Hij pakt zijn linkerarm, legt die om zijn eigen nek en houdt zijn hand vast. 'Steun zo veel mogelijk op mij,' zegt Harold, terwijl hij zijn andere arm rond zijn middel slaat. Hij knikt. 'Klaar?' Hij knikt weer.

Het lukt hem om nog twintig passen te zetten – tergend langzame passen, waarbij zijn voeten achter alles blijven haken – en dan kan hij echt niet verder meer. 'Het gaat niet, Harold,' zegt hij, hoewel de pijn zo extreem is dat hij nauwelijks kan praten, heel anders dan hij sinds lang heeft gevoeld. Sinds zijn tijd in het ziekenhuis in Philadelphia hebben zijn benen, rug en voeten nooit meer zo veel pijn gedaan als nu, en hij laat Harold los en valt op de bosgrond.

'O god, Jude.' Harold buigt zich over hem heen en helpt hem om tegen een boom te gaan zitten, en hij bedenkt hoe stom en egoïstisch hij is. Harold is tweeënzeventig. Hij zou een tweeënzeventigjarige, zelfs een zeer gezonde tweeënzeventigjarige, niet om fysieke hulp moeten vragen. Hij kan zijn ogen niet opendoen omdat de wereld om hem heen tolt, maar hij hoort dat Harold zijn telefoon pakt en probeert Willem te bellen, maar het bos is zo dicht dat het bereik er slecht is, en Harold vloekt. 'Jude,' hoort hij Harold zeggen, maar zijn stem klinkt heel ver weg, 'ik moet terug naar het huis om je rolstoel te halen. Het spijt me vreselijk. Ik ben zo snel mogelijk terug.' Hij knikt een miniem knikje en voelt dat Harold zijn jas dichtknoopt, zijn handen in zijn jaszakken stopt en iets om zijn benen slaat – Harolds eigen jas, beseft hij. 'Ik ben zo terug,' zegt Harold. 'Zo terug.' Hij hoort Harold wegrennen, hoort het knappen van takjes en bladeren als ze onder zijn voetstappen breken en verkruimelen.

Hij draait zijn hoofd opzij, wat de grond onder hem vervaarlijk doet kantelen, braakt alles uit wat hij die dag heeft gegeten en voelt het van zijn lippen glijden en langs zijn wang druipen. Daarna voelt hij zich iets beter en leunt weer met zijn hoofd tegen de boom. Hij moet denken aan de periode die hij in het bos doorbracht toen hij was weggelopen uit het tehuis, en hoe hij had gehoopt dat de bomen hem zouden beschermen; nu heeft hij dezelfde hoop. Hij haalt een hand uit zijn zak, tast naar zijn stok en knijpt er zo hard mogelijk in. Achter zijn oogleden exploderen felle, glinsterende druppels licht tot confetti en doven dan uit tot olieachtige vegen. Hij concentreert zich op het geluid van zijn ademhaling en op zijn benen, die hij zich voorstelt als grote, bonkige blokken hout waar tientallen lange, duimdikke metalen schroeven in zijn geboord. Hij ziet voor zich hoe de schroeven er weer uit worden gedraaid, stuk voor stuk langzaam roterend tot ze met een rinkelend geluid op een betonnen vloer kletteren. Hij geeft weer over. Hij heeft het heel erg koud en voelt dat hij begint te verkrampen.

En dan hoort hij iemand naar zich toe rennen en ruikt al dat het Willem is – door zijn lekkere sandelhoutgeur – voordat hij zijn stem hoort. Willem slaat zijn armen om hem heen, en als hij hem optilt draait de wereld weer en denkt hij dat hij zal moeten overgeven, maar dat gebeurt niet, en hij slaat zijn rechterarm om Willems nek, drukt zijn besmeurde gezicht tegen zijn schouder en laat zich dragen. Hij hoort Willem hijgen – hij weegt weliswaar minder dan Willem, maar ze zijn wel van gelijke lengte, en hij weet wat een onhandelbare last hij moet zijn, met zijn stok, die hij nog steeds in zijn hand heeft en die tegen Willems dijbenen slaat, en zijn onderbenen bonkend tegen Willems ribbenkast – en is blij als hij voelt dat Willem hem in zijn rolstoel laat zakken, waarna hij de stemmen van Willem en Harold boven zich hoort. Hij buigt zich voorover, laat zijn voorhoofd op zijn knieën rusten, wordt het bos uit en tegen de heuvel op naar het huis geduwd en, eenmaal binnen, in bed getild. Iemand trekt zijn schoenen uit, en hij schreeuwt het uit en krijgt excuses aangeboden, iemand veegt zijn gezicht schoon, iemand slaat zijn handen om een kruik, iemand wikkelt dekens om zijn benen. Boven hem hoort hij Willems boze stem – 'Waarom heb je er in godsnaam mee ingestemd? Je wéét toch dat hij dat niet kan!' – en Harolds berouwvolle, bedrukte antwoorden: 'Je hebt gelijk, Willem. Het spijt me vreselijk. Het was oerstom. Maar hij wilde het zo graag.' Hij probeert iets te zeggen om Harold te verdedigen, om Willem te vertellen dat het zijn schuld is, dat hij Harold heeft overgehaald, maar het lukt niet.

'Doe je mond open,' zegt Willem, en hij voelt dat er een pil op zijn tong wordt gelegd, die bitter smaakt als metaal. Hij voelt dat er een glas water schuin aan zijn mond wordt gezet. 'Slikken,' zegt Willem, en dat doet hij, en kort daarna houdt de wereld op te bestaan.

Als hij wakker wordt, kijkt hij opzij en ziet Willem naast zich in bed strak naar hem kijken. 'Het spijt me zo,' fluistert hij, maar Willem zegt niets. Hij steekt zijn arm uit en haalt zijn hand door Willems haar. 'Willem, het was niet Harolds schuld. Ik heb hem overgehaald.'

Willem snuift. 'Dat was me wel duidelijk,' zegt hij. 'Maar toch had hij er niet mee akkoord moeten gaan.'

Ze zwijgen een hele tijd, en hij denkt aan wat hij moet vertellen, wat hij altijd heeft gedacht maar nooit heeft uitgesproken. 'Ik weet dat het onlogisch klinkt,' zegt hij tegen Willem, die hem blijft aankijken. 'Maar zelfs na al die jaren beschouw ik mezelf nog steeds niet als gehandicapt. Ik bedoel... ik weet wel dat ik dat ben. Ik weet het heus wel. Ik ben het al tweederde van mijn leven. Jij hebt me niet anders gekend dan als iemand die... die hulp nodig heeft. Maar ik herinner me mezelf als iemand die kon lopen wanneer hij maar wilde, als iemand die kon rennen.

Ik denk dat iedereen die gehandicapt raakt het gevoel heeft dat hem iets is ontnomen. Maar ik geloof dat ik altijd heb gedacht dat... dat als ik toegeef dat ik gehandicapt ben, ik dokter Traylor heb laten winnen, dat ik dokter Traylor dan de rest van mijn leven heb laten bepalen. En daarom doe ik alsof het niet zo is, alsof ik ben wie ik was voordat ik hem ontmoette. En ik weet dat het niet logisch of verstandig is. Maar het spijt me vooral omdat... omdat ik weet dat het egoïstisch is. Ik weet dat het consequenties heeft voor jou. Dus... ga ik ophouden met doen alsof.' Hij ademt diep in, doet zijn ogen dicht en weer open. 'Ik ben gehandicapt,' zegt hij. 'Ik ben invalide.' En hoe bespottelijk het ook is – hij is tenslotte zevenenveertig en heeft tweeëndertig jaar gehad om dit te aanvaarden – hij merkt dat hij bijna moet huilen.

'O, Jude,' zegt Willem, en hij trekt hem naar zich toe. 'Ik weet dat het je spijt. Ik weet dat het moeilijk is. En ik snap waarom je het nooit hebt willen accepteren, heus waar. Ik maak me alleen zorgen om je, soms heb ik het gevoel dat ik het belangrijker vind dat je blijft leven dan jijzelf.'

Hij huivert als hij dit hoort. 'Nee, Willem,' zegt hij. 'Ik bedoel... misschien is dat ooit zo geweest. Maar nu niet meer.'

'Bewijs dat dan,' zegt Willem na een korte stilte.

'Dat zal ik doen.'

Januari, februari. Hij heeft het drukker dan ooit. Willem repeteert voor een toneelstuk. Maart: er ontstaan twee nieuwe wonden, allebei in zijn rechterbeen. Nu is de pijn ondraaglijk, nu komt hij nooit meer uit zijn rolstoel, behalve om te douchen, naar de wc te gaan en zich aan en uit te kleden. Het is een jaar geleden, langer zelfs, dat er een periode was dat hij minder last van zijn voeten had. En toch zet hij ze elke ochtend na het wakker worden op de grond en heeft hij een seconde hoop. Misschien zal hij zich vandaag beter voelen. Misschien zal de pijn vandaag minder zijn. Maar dat is nooit het geval. Toch blijft hij hopen. April: zijn verjaardag. De opvoeringen van Willems stuk beginnen. Mei: terug zijn het nachtelijke zweten, de koorts, het trillen, de koude rillingen en het ijlen. Terug moet hij naar Hotel Contractor. Terug is de katheter, deze keer aan de linkerkant van zijn borst. Maar er is een verschil: deze keer is het een andere bacterie, deze keer heeft hij niet elke vierentwintig maar elke acht uur een infuus met antibiotica nodig. Terug komt Patrizia, nu tweemaal per dag: om zes uur 's ochtends naar Greene Street en om twee uur 's middags naar Rosen Pritchard, en dan komt er om tien uur 's avonds weer een nachtverpleegster, Yasmin, naar Greene Street. Voor het eerst sinds ze elkaar kennen ziet hij maar één voorstelling van Willems stuk: zijn dagen zijn zo gebroken, staan zo in het teken van zijn medicatie dat het gewoonweg niet lukt om een tweede keer te gaan. Voor het eerst sinds deze periode een jaar geleden is begonnen, merkt hij dat hij wegzakt in vertwijfeling, dat hij het gaat opgeven. Hij moet zichzelf voorhouden dat hij Willem moet bewijzen dat hij wil blijven leven, terwijl hij eigenlijk alleen maar wil dat het ophoudt. Niet omdat hij neerslachtig is, maar uit pure uitputting. Na een van hun afspraken kijkt Andy hem met een vreemde blik aan en zegt dat hij niet weet of hij het zich realiseert, maar dat het een maand geleden is dat hij zichzelf voor het laatst heeft gesneden. Hij denkt erover na. Andy heeft gelijk. Hij was te moe en te zeer in beslag genomen door andere zaken om op het idee te komen zichzelf te snijden.

'Nou,' zegt Andy. 'Ik ben er blij om. Maar de aanleiding om te stoppen doet me verdrict, Jude.'

'Mij ook,' zegt hij. Ze zijn allebei stil en hij vreest dat ze allebei met weemoed terugdenken aan de tijd dat het snijden zijn grootste probleem was.

Juni breekt aan, juli breekt aan. De wonden aan zijn benen – de oude, die hij al meer dan een jaar heeft, en de nieuwere, die in maart zijn ontstaan – zijn niet genezen. Ze zijn nauwelijks kleiner geworden. En dan, vlak na het weekend van Independence Day, vlak na de laatste opvoering van Willems stuk, vraagt Andy of hij kan langskomen om met hem en Willem te praten. En omdat hij weet wat Andy gaat zeggen, liegt hij en zegt dat Willem het druk heeft, dat Willem er geen tijd voor heeft, alsof hij door het gesprek uit te stellen ook zijn toekomst kan uitstellen, maar als hij op een zaterdag uit zijn werk komt, zitten ze thuis op hem te wachten.

Het is de speech die hij verwachtte. Andy raadt hem aan – raadt hem dringend aan – voor amputatie te kiezen. Andy vertelt het omzichtig, heel omzichtig, maar aan zijn ingestudeerde en formele manier van spreken is te horen dat hij gespannen is.

'We hebben altijd geweten dat deze dag ooit zou komen,' begint Andy, 'maar dat maakt het er niet makkelijker op. Jude, alleen jij weet hoeveel pijn en ongemak je kunt verdragen. Dat kan ik je niet vertellen. Ik kan je wel vertellen dat je veel langer bent doorgegaan dan de meeste mensen zouden doen. Ik kan je vertellen dat je buitengewoon dapper bent geweest en nog steeds bent – trek niet zo'n gezicht, het is gewoon waar – en ik kan je vertellen dat ik me je lijden niet kan indenken.

Maar dat allemaal terzijde – zelfs als je denkt dat je de kracht hebt om door te gaan – er zijn een paar feiten om onder ogen te zien. De behandelingen slaan niet aan. De wonden helen niet. Ik vind het alarmerend dat je binnen een jaar twee keer een botontsteking hebt gehad. Ik maak me zorgen dat je een allergie zult ontwikkelen voor een van de antibiotica, want dan zitten we echt diep in de shit. En zelfs als dat niet gebeurt, verdraag je de medicijnen nu ook al minder goed dan ik had gehoopt: je hebt veel te veel gewicht verloren, zorgwekkend veel, en elke keer dat ik je zie ben je er weer wat slechter aan toe.

Ik ben er vrij zeker van dat het weefsel in je bovenbenen gezond genoeg is, zodat we je beide knieën kunnen behouden. En Jude, ik garandeer je dat je kwaliteit van leven onmiddellijk zal verbeteren als we amputeren. De pijn in je voeten is dan verdwenen. Je hebt nog nooit een wond in je dijbenen gehad en ik denk niet dat we bang hoeven te zijn dat dat snel zal gebeuren. De protheses die tegenwoordig beschikbaar zijn, zijn zo oneindig veel beter dan zelfs nog maar tien jaar geleden dat ik eerlijk gezegd denk dat je er beter mee zult lopen, natuurlijker, dan met je eigen benen. De operatie is niet ingewikkeld en duurt maar een uur of vier. Ik voer hem zelf uit. En de ziekenhuisopname is kort: binnen een week mag je naar huis, en we meten je meteen tijdelijke protheses aan.'

Andy zwijgt, legt zijn handen op zijn knieën en kijkt hen aan. Het blijft een hele tijd stil, en dan begint Willem vragen te stellen, goede vragen, vragen die hij zelf zou moeten stellen: hoelang is de herstelperiode na de ziekenhuisopname? Wat voor fysiotherapie zou hij krijgen? Wat zijn de risico's van de ingreep? Hij luistert met een half oor naar de antwoorden, die hij al min of meer kent, want sinds Andy hier zeventien jaar geleden voor het eerst over is begonnen, heeft hij elk jaar uitgezocht hoe het zat met al deze vragen, met precies dit scenario.

Uiteindelijk onderbreekt hij hen. 'Wat gebeurt er als ik nee zeg?' vraagt hij, en hij ziet de ontzetting over hun gezicht trekken.

'Als je nee zegt, blijven we ons best doen met alles wat we nu doen en hopen we dat het uiteindelijk zal werken,' zegt Andy. 'Maar Jude, het is altijd beter om een amputatie te ondergaan wanneer je die keuze nog kunt maken dan om te wachten tot het niet anders meer kan.' Hij zwijgt even. 'Als je bloedvergiftiging krijgt, als je sepsis ontwikkelt, dan móéten we wel amputeren, en dan kan ik niet garanderen dat je je knieën kan houden. Dan kan ik niet garanderen dat je geen andere extremiteiten kwijtraakt – een vinger of een hand – dat de infectie zich niet zal verspreiden tot ver voorbij je onderbenen.'

'Maar je kunt me nu ook niet garanderen dat ik mijn knieën kan houden,' zegt hij weerspannig. 'En je kunt niet garanderen dat ik in de toekomst geen sepsis zal ontwikkelen.'

'Nee,' geeft Andy toe. 'Maar ik zei al dat ik de kans groot acht dat je ze wél kan houden. En ik denk dat het weghalen van de lichaamsdelen die zo zwaar ontstoken zijn helpt bij het voorkomen van akelige dingen in de toekomst.'

Ze zwijgen alle drie weer. 'Het klinkt als een keuze die geen keuze is,' mompelt hij.

Andy zucht. 'Zoals ik al zei, Jude, het is wél een keuze. Het is jóúw keuze. En die hoef je niet morgen of deze week te maken. Maar ik wil wel dat je er goed over gaat nadenken.'

Andy gaat weg en laat Willem en hem alleen achter. 'Moeten we er nu over praten?' vraagt hij als hij Willem eindelijk kan aankijken, en Willem schudt zijn hoofd. Buiten kleurt de hemel roze; de zonsondergang zal lang en mooi zijn. Maar hij wil geen schoonheid. Opeens wou hij dat hij kon zwemmen, maar hij heeft al sinds de eerste botontsteking niet meer gezwommen. Hij heeft niets gedaan. Hij is nergens naartoe geweest. Hij heeft zijn cliënten in Londen aan een collega moeten overdragen, omdat de infusen hem aan New York hebben gekluisterd. Zijn spieren zijn weggeteerd, hij bestaat uit botten met een laagje zacht vlees eroverheen, hij beweegt als een oude man. 'Ik ga naar bed,' zegt hij tegen Willem, en als Willem zachtjes zegt: 'Over een paar uur komt Yasmin,' kan hij wel huilen. 'O ja,' zegt hij tegen de grond. 'Nou. Dan ga ik een dutje doen. Laat Yasmin me maar wakker maken.'

Die avond, nadat Yasmin is vertrokken, snijdt hij zichzelf voor het eerst weer na lange tijd; hij ziet het bloed als tranen over het marmer en in de afvoer druipen. Hij weet dat het onzinnig lijkt, zijn verlangen om zijn benen te houden, de benen die hem zo veel problemen hebben bezorgd. Hoeveel uren heeft hij er niet in gestoken, hoeveel geld, hoeveel pijn? Maar toch: ze zijn van hem. Het zijn zíjn benen. Ze zijn een deel van hem. Hoe kan hij uit vrije wil een deel van zichzelf laten wegsnijden? Hij weet dat hij in de loop van de jaren al heel veel van zichzelf heeft weggesneden: vlees, huid, littekens. Maar dit ligt om de een of andere reden anders. Als hij zijn benen opoffert, erkent hij dat dokter Traylor heeft gewonnen, dan capituleert hij voor hem, voor die avond met de auto in het veld.

En het ligt ook anders omdat hij weet dat hij, als hij zijn benen kwijt is, niet meer kan doen alsof. Hij kan dan niet meer doen alsof hij op een dag weer zal kunnen lopen, alsof hij op een dag beter zal zijn. Hij kan niet meer doen alsof hij niet gehandicapt is. Weer zal zijn freakshowfactor omhooggaan. Hij zal iemand worden die eerst en vooral wordt gekenmerkt door wat hij mist.

En hij is moe. Hij wil niet opnieuw leren lopen. Hij wil niet zijn best doen om de extra kilo's erbij te krijgen die er toch weer vanaf vliegen, nog meer extra kilo's boven op de kilo's die hij met veel moeite heeft weten aan te komen na de eerste botontsteking en die hij bij de tweede ontsteking weer is afgevallen. Hij wil niet weer het ziekenhuis in, hij wil niet verward en gedesoriënteerd wakker worden, hij wil niet bevangen worden door nachtelijke paniek, hij wil niet aan zijn collega's uitleggen dat hij zich alweer ziek moet melden, hij wil zich niet maandenlang slap voelen en moeten vechten om zijn balans te hervinden. Hij wil niet dat Willem hem zonder benen ziet, hij wil hem niet opnieuw voor een uitdaging stellen, hem niet opnieuw opzadelen met zoiets afzichtelijks. Hij wil gewoon zijn, dat is altijd het enige geweest wat hij wilde, en toch raakt gewoon-zijn met het jaar verder buiten zijn bereik. Hij weet dat het een denkfout is om het lichaam en de geest te zien als twee aparte dingen die met elkaar in oorlog zijn, maar onwillekeurig doet hij het toch. Hij wil niet dat zijn lichaam opnieuw een slag wint, dat het voor hem beslist, dat het hem zo machteloos maakt. Hij wil niet afhankelijk zijn van Willem, hem moeten vragen hem in en uit bed te tillen omdat zijn armen te slap en papperig zijn, hij wil zijn hulp niet nodig hebben om naar de wc te gaan en wil niet dat hij de resterende stompen van zijn benen ziet. Hij heeft altijd aangenomen dat er een soort waarschuwing zou komen voordat hij dit punt bereikte, dat zijn lichaam het hem zou inseinen voordat het echt achteruitging. Hij weet heus wel dat de afgelopen anderhalf jaar de waarschuwing wáren – een lange, gestage, consequente, onmiskenbare waarschuwing – maar in zijn arrogantie en domme hoop heeft hij die niet als zodanig willen opvatten. Hij heeft zichzelf willen wijsmaken dat hij ook deze keer, deze ene keer nog, zou herstellen, omdat dat altijd was gebeurd. Hij heeft de vrijheid genomen te denken dat zijn kansen onbeperkt zijn.

Drie nachten later wordt hij weer wakker met koorts; weer wordt hij in het ziekenhuis opgenomen en weer komt hij naar huis. Deze keer werd de koorts veroorzaakt door een ontsteking rond zijn katheter, die wordt verwijderd. Er wordt een nieuwe aangebracht in zijn binnenste halsader, waar hij een bobbel vormt die zelfs de kragen van zijn overhemden niet helemaal kunnen verhullen.

In de eerste nacht dat hij weer thuis is, dobbert hij door zijn dromen tot hij zijn ogen opent en ziet dat Willem niet naast hem in bed ligt, en dan hijst hij zich in zijn rolstoel en rijdt de kamer uit.

Hij ziet Willem voordat Willem hem ziet: hij zit aan de eettafel, onder de brandende lamp, met zijn rug naar de boekenkasten, en staart voor zich uit de kamer in. Er staat een glas water voor hem en hij steunt met zijn elleboog op tafel en met zijn kin op zijn hand. Hij kijkt naar Willem en ziet hoe uitgeput hij is, hoe oud, hoe zijn lichte haar grijs kleurt. Hij kent Willem al zo lang en heeft zo vaak naar zijn gezicht gekeken dat hij hem nooit kan zien alsof het de eerste keer is: hij kent het beter dan zijn eigen gezicht. Hij kent elke uitdrukking ervan. Hij weet wat elke glimlach van Willem betekent: als hij naar een tv-interview met hem kijkt, kan hij altijd zien wanneer Willem echt plezier heeft en wanneer hij alleen maar glimlacht uit beleefdheid. Hij weet welke van zijn tanden kronen zijn en hij weet welke hij in opdracht van Kit recht heeft laten zetten toen duidelijk werd dat hij een ster zou worden, toen duidelijk werd dat hij niet alleen in toneelstukken en onafhankelijke films zou spelen, maar een ander soort carrière zou krijgen, een ander soort leven. Maar nu kijkt hij naar Willem, naar zijn gezicht, dat nog steeds knap is maar er ook vermoeid uitziet, het soort vermoeidheid waarvan hij dacht dat hijzelf die alleen voelde, en hij beseft dat Willem diezelfde vermoeidheid voelt, dat zijn leven – Willems leven met hem – een eentonig geploeter is geworden, een uitputtingsslag van ziekte, ziekenhuisbezoek en angst, en hij weet wat hij gaat doen, wat hij moet doen.

'Willem,' zegt hij, en hij ziet Willem opschrikken uit zijn gepeins en naar hem kijken.

'Jude,' zegt Willem. 'Wat is er? Voel je je niet lekker? Waarom ben je uit bed?'

'Ik ga het doen.' Hij bedenkt dat ze wel twee acteurs lijken die over de breedte van het podium tegen elkaar praten, en rijdt dichter naar hem toe. 'Ik ga het doen,' herhaalt hij, en Willem knikt, en dan drukken ze hun voorhoofd tegen elkaar aan en beginnen allebei te huilen. 'Het spijt me,' zegt hij tegen Willem, en Willem schudt zijn hoofd, zodat zijn voorhoofd langs het zijne wrijft.

'Het spijt me voor jou,' zegt Willem terug. 'Ik vind het zo erg voor je, Jude. Ik vind het zo erg.'

'Ik weet het,' zegt hij, en dat is waar.

De volgende dag belt hij Andy, die opgelucht maar ook ingehouden reageert, waarschijnlijk uit respect voor hem. Daarna gaat alles snel. Ze kiezen een datum: de eerste dag die Andy voorstelt is Willems verjaardag, en al hebben Willem en hij afgesproken dat ze Willems vijftigste pas zullen vieren als hij is hersteld, toch wil hij de operatie niet op die dag ondergaan. Dus wordt het eind augustus, in de week voor Labor Day, de week voordat ze meestal naar Truro gaan. In de eerstvolgende directievergadering doet hij een korte mededeling, waarin hij vertelt dat het een vrijwillige operatie is, dat hij maar een week of maximaal anderhalve week zal wegblijven van kantoor, dat het niet veel voorstelt en dat het allemaal goed zal komen. Dan vertelt hij het op zijn afdeling; dat zou hij normaal niet doen, zegt hij tegen zijn medewerkers, maar hij wil niet dat hun cliënten zich zorgen maken en dat ze denken dat het ernstiger is dan het is, hij wil niet het onderwerp worden van praatjes en geruchten (hoewel hij weet dat dat onvermijdelijk is). Hij vertelt zo weinig over zichzelf op zijn werk dat hij merkt dat de mensen recht overeind gaan zitten en een beetje naar voren leunen als hij het een keer wel doet, en hij verbeeldt zich dat hij hun oren bijna spitser kan zien worden. Hij heeft van hen allemaal de vrouw, man, vriend of vriendin ontmoet, maar zij hebben nog nooit kennisgemaakt met Willem. Hij heeft Willem nooit uitgenodigd voor een van hun bedrijfsretraites, hun jaarlijkse Kerstviering of hun jaarlijkse zomerpicknick. 'Je zou het vreselijk vinden,' zegt hij tegen Willem, hoewel hij weet dat dat niet waar is: Willem kan zich overal amuseren. 'Geloof mij nou maar.' En Willem heeft altijd zijn schouders opgehaald. 'Ik zou anders graag komen,' heeft hij steeds gezegd, maar daar is hij nooit op ingegaan. Hij heeft zichzelf altijd wijsgemaakt dat hij Willem beschermde tegen allerlei sociale gelegenheden die hij ongetwijfeld doodsaai zou vinden, maar hij heeft nooit bedacht dat Willem gekwetst zou kunnen zijn door zijn weigering hem mee te nemen, dat hij misschien graag deel wilde uitmaken van zijn leven buiten Greene Street en hun vriendenkring. Nu hij zich dat realiseert, bloost hij.

'Zijn er nog vragen?' vraagt hij, zonder ze te verwachten, maar dan ziet hij een van de jongere partners, een botte maar angstwekkend capabele man die Gabe Freston heet, zijn hand opsteken. 'Freston?' zegt hij.

'Ik wilde alleen zeggen dat ik het heel erg vind, Jude,' zegt Freston, en om hem heen mompelt iedereen instemmend.

Hij wil het moment lichter maken en – omdat het waar is – zeggen: 'Zo recht voor z'n raap heb ik je niet meer horen spreken sinds ik je vorig jaar vertelde wat je bonus zou zijn, Freston,' maar hij doet het niet en ademt alleen maar diep in. 'Dank je, Gabe,' zegt hij. 'En de anderen ook, bedankt. En nu allemaal weer aan het werk.' En ze gaan uiteen.

De operatie zal op een maandag plaatsvinden, en de vrijdag ervoor blijft hij tot laat op kantoor, maar zaterdag gaat hij niet naar zijn werk. Die middag pakt hij een tas in voor het ziekenhuis en die avond eten Willem en hij in het piepkleine sushizaakje waar ze het Laatste Avondmaal voor het eerst hebben gevierd. Zijn laatste sessies met Patrizia en Yasmin heeft hij op donderdag gehad; zaterdagochtend vroeg belt Andy om te vertellen dat hij de röntgenfoto's heeft gekregen en dat de ontsteking er nog steeds zit, maar zich niet heeft uitgebreid. 'Na maandag zal dat natuurlijk geen probleem meer zijn.' Hij moet slikken, net als toen Andy eerder die week zei: 'Na volgende week maandag heb je geen last meer van pijn in je voeten.' Dan herinnert hij zich dat niet het probleem zelf de wereld uit wordt geholpen, maar de plek waarop het probleem zich voordoet. Het een is niet hetzelfde als het ander, maar hij neemt aan dat hij dankbaar moet zijn dát het eindelijk de wereld uit gaat, op welke manier dan ook.

Zondagavond om zeven uur eet hij zijn laatste maaltijd, want hij wordt om acht uur 's ochtends geopereerd, dus hij mag de rest van de avond niets meer eten, niets drinken en geen medicijnen innemen.

Een uur later nemen Willem en hij de lift naar beneden voor zijn laatste blokje om op zijn eigen benen. Hij heeft Willem laten beloven dat ze dit nog zouden doen, maar al voordat ze vertrekken – ze zullen over Greene Street naar het zuiden lopen tot de eerste zijstraat, Grand Street, dan naar rechts afslaan, weer tot de eerste zijstraat, Wooster Street, dan naar rechts door Wooster tot aan Houston Street, vier straten verderop, dan weer naar rechts, terug naar Greene Street, en dan een stukje naar het zuiden, naar hun flat – weet hij niet zeker of hij het haalt. De hemel boven zijn hoofd heeft de kleuren van een bloeduitstorting, en opeens herinnert hij zich hoe hij door Caleb naakt op straat werd gezet.

Hij tilt zijn linkervoet op en begint. Ze lopen door de stille straat, en als ze bij Grand de hoek omslaan pakt hij Willems hand en houdt die stevig vast, wat hij nooit doet in het openbaar, en daarna slaan ze weer af en lopen Wooster in.

Hij wilde dit ommetje zielsgraag volbrengen, maar vreemd genoeg is het juist een geruststelling voor hem dat hij daar niet toe in staat is (bij

Spring Street, nog twee straten voor Houston Street, werpt Willem een snelle blik op hem en slaat zonder iets te vragen af naar Greene Street): hij heeft het juiste besluit genomen. Hij heeft zich tot het uiterste verzet tegen het onvermijdelijke en nu heeft hij de enig mogelijke keuze gemaakt, niet alleen in Willems belang, maar ook in dat van hemzelf. Het wandelingetje was bijna ondraaglijk en als ze weer thuis zijn merkt hij tot zijn verrassing dat zijn gezicht nat is van tranen.

De volgende ochtend treffen ze Harold en Julia in het ziekenhuis. Hun gezicht staat grauw en angstig, en hij merkt dat ze voor hem hun best doen kalm te lijken; hij omhelst en zoent hen allebei en verzekert hun dat alles goed zal komen en dat ze zich geen zorgen hoeven te maken. Hij wordt meegenomen voor de voorbereidingen. Sinds de aanrijding heeft hij op zijn benen niet meer overal haar, alleen rond en tussen de littekens, maar nu worden zijn hele benen onder en boven zijn knieën geschoren. Andy komt binnen, legt zijn handen om zijn gezicht en drukt een kus op zijn voorhoofd. Zonder iets te zeggen pakt hij een markeerstift en tekent een centimeter of vijf onder zijn knieën een aantal op morsetekens lijkende strepen die samen omgekeerde bogen vormen, en dan zegt hij dat hij zo terug is en dat hij Willem naar binnen stuurt.

Willem komt op de rand van zijn bed zitten en ze houden zwijgend elkaars hand vast. Hij wil net iets gaan zeggen, een onbenullig grapje maken, als Willem begint te huilen, en niet zomaar te huilen maar echt hartverscheurend te snikken, voorovergebogen kermend en snotterend zoals hij nog nooit heeft meegemaakt. 'Willem,' zegt hij radeloos, 'Willem, niet huilen. Ik kom er echt wel doorheen. Het komt goed. Niet huilen. Willem, niet huilen.' Hij gaat overeind zitten en slaat zijn armen om Willem heen. 'O, Willem,' zegt hij met een zucht, zelf ook bijna in tranen. 'Willem, ik beloof je dat ik erdoorheen kom.' Maar Willem is ontroostbaar.

Hij merkt dat Willem iets probeert uit te brengen, wrijft hem over zijn rug en vraagt hem wat hij zei. 'Niet weggaan,' hoort hij Willem zeggen. 'Laat me niet achter.'

'Ik beloof dat ik dat niet zal doen,' zegt hij. 'Ik beloof het. Willem... het is een eenvoudige operatie. Bovendien móét ik er wel doorheen komen, want anders kan Andy me de les niet meer lezen.'

Op dat moment komt Andy binnen. 'Klaar, mannen?' vraagt hij, en dan ziet en hoort hij Willem. 'Ach jee.' Hij komt naar hen toe en omarmt hen beiden tegelijk. 'Willem,' zegt hij, 'ik beloof je dat ik voor hem zal zorgen alsof hij mijn eigen zoon is, dat weet je toch? Je weet toch dat ik ervoor zal zorgen dat hem niets overkomt?'

‘Ik weet het,’ horen ze Willem snotterend uitbrengen. ‘Ik weet het, ik weet het.’

Uiteindelijk lukt het hun om Willem te kalmeren: hij verontschuldigt zich en veegt zijn ogen droog. ‘Sorry,’ zegt Willem, maar hij schudt zijn hoofd en trekt aan Willems hand tot die zich naar hem overbuigt en hem een afscheidskus geeft. ‘Je hoeft geen sorry te zeggen.’

Voor de deur van de operatiekamer bukt Andy zich en geeft hem weer een zoen, deze keer op zijn wang. ‘Hierna kan ik je niet meer aanraken,’ zegt hij. ‘Dan ben ik gesteriliseerd.’ Opeens moeten ze allebei grinniken, en Andy schudt zijn hoofd. ‘Ben je niet een beetje te oud voor dat soort infantiele humor?’ vraagt hij.

‘En jij dan? Jij bent bijna zestig.’

‘Ik word er nooit te oud voor.’

Dan zijn ze in de operatiekamer en kijkt hij in de felwitte ronde lamp boven zijn hoofd. ‘Hallo, Jude,’ zegt een stem achter hem, en hij ziet de anesthesist, Ignatius Mba, een vriend van Andy, die hij een keer op een etentje van Andy en Jane heeft ontmoet.

‘Hoi Ignatius.’

‘Tel eens van tien naar één,’ zegt Ignatius, en hij begint eraan, maar na zeven valt hij stil; het laatste wat hij voelt is een getintel in de tenen van zijn rechtervoet.

Drie maanden later. Het is weer Thanksgiving en ze vieren het in Greene Street. Willem en Richard hebben al het eten klaargemaakt en alles geregeld terwijl hij sliep. Zijn herstel is moeizamer en gecompliceerder verlopen dan voorzien, en hij heeft tweemaal een infectie opgelopen. Hij heeft een tijdje sondevoeding gehad. Maar Andy heeft gelijk gekregen: hij heeft allebei zijn knieën gehouden. In het ziekenhuis vertelde hij Harold en Julia of Willem als hij net wakker was dat hij het gevoel had dat er een olifant op zijn voeten zat, die op zijn achterste heen en weer wiebelde tot zijn botten tot mijnstof waren vermalen, fijner nog dan as. Ze zeiden nooit tegen hem dat hij zich dat maar verbeeldde, ze vertelden hem alleen dat de verpleegster net een pijnstiller aan zijn infuus had toegevoegd en dat het snel minder zou worden. Nu heeft hij steeds minder vaak last van die fantoompijnen, maar ze zijn nog niet helemaal verdwenen. Hij is nog altijd heel snel moe en erg zwak, en daarom heeft Richard een oorfauteuil van zachtpaars fluweel op wieltjes voor hem aan het hoofd van de tafel gezet – een stoel die India soms gebruikt om een model in te laten poseren – zodat hij zijn hoofd tegen een oor kan laten rusten als hij moe is.

Ze hebben tien gasten: Richard en India, Harold en Julia, Malcolm en Sophie, JB en zijn moeder, en Andy en Jane, want hun kinderen zijn bij Andy's broer in San Francisco. Hij begint aan een toost waarin hij iedereen bedankt voor alles wat ze hem hebben gegeven en voor hem hebben gedaan, maar voordat hij bij degene komt die hij het meest wil bedanken – Willem, die rechts van hem zit – kan hij niet verder, en hij kijkt van zijn tekst op naar zijn vrienden en ziet dat ze het allemaal te kwaad hebben, dus houdt hij ermee op.

Hij geniet van het etentje, heeft er zelfs plezier in dat de anderen kleine hoeveelheden van verschillende gerechten op zijn bord blijven scheppen, ook al heeft hij van zijn eerste portie al niet veel gegeten, maar hij heeft zo'n slaap dat hij zich na verloop van tijd tegen de rugleuning van de stoel laat zakken en zijn ogen sluit, terwijl hij met een glimlach luistert naar de bekende gesprekken, de bekende stemmen om hem heen.

Na een tijdje heeft Willem in de gaten dat hij in slaap zit te vallen, en hij hoort hem opstaan. 'Oké,' zegt Willem, 'tijd voor onze diva om het toneel te verlaten,' en hij draait de stoel weg van de tafel en duwt hem naar hun kamer, en met zijn laatste restje energie beantwoordt hij alle vrolijke afscheidskreten, gluurt hij om het oor van de stoel, glimlacht en wuift met een theatraal gebaar. 'Blijf vooral,' roept hij terwijl hij wordt weggereden. 'Blijf alsjeblieft, dan kan Willem eens een behoorlijk gesprek voeren.' Ze beloven dat ze dat zullen doen; het is tenslotte nog niet eens zeven uur, dus ze hebben nog uren en uren te gaan. 'Ik hou van jullie,' roept hij naar hen, en ze schreeuwen terug dat ze ook van hem houden, allemaal tegelijk, maar toch kan hij in het koor elke individuele stem herkennen.

Bij de deur van hun slaapkamer tilt Willem hem op – hij is veel lichter geworden en zonder protheses is zijn lijf minder ooievaarachtig onhanteerbaar, zodat zelfs Julia hem dan kan optillen – en draagt hem naar hun bed, helpt hem met uitkleden en met het afdoen van zijn tijdelijke protheses en trekt de dekens over hem heen. Hij schenkt een glas water voor hem in en geeft hem zijn pillen: een antibioticum en een handjevol vitamines. Hij neemt ze allemaal onder Willems toeziend oog in, en dan komt Willem een tijdje naast hem op bed zitten, zonder hem aan te raken, maar wel vlakbij.

'Beloof me dat je teruggaat en tot heel laat opblijft,' zegt hij tegen Willem, en Willem haalt zijn schouders op.

'Misschien blijf ik wel gewoon hier, bij jou,' zegt hij. 'Zo te horen amuseren ze zich uitstekend zonder mij.' Er klinkt inderdaad een lachsalvo uit de eetkamer, en ze kijken elkaar met een glimlach aan.

'Nee,' zegt hij, 'beloof het me.' En uiteindelijk doet Willem dat. 'Dank je, Willem,' zegt hij, bijlange na niet toereikend voor wat hij voelt, terwijl zijn ogen dichtvallen. 'Het was een mooie dag.'

'Ja, hè?' hoort hij Willem zeggen, en dan volgt er nog iets anders, maar dat hoort hij niet meer doordat hij in slaap valt.

Die nacht wordt hij wakker van zijn dromen. Dat is een van de bijwerkingen van het antibioticum dat hij gebruikt, die dromen, en deze keer zijn ze erger dan ooit. Elke nacht droomt hij. Hij droomt dat hij in een motelkamer is of in het huis van dokter Traylor. Hij droomt dat hij vijftien is, dat de afgelopen drieëndertig jaar niet hebben bestaan. Hij droomt van bepaalde klanten, van bepaalde incidenten, van dingen waarvan hij niet eens wist dat hij ze zich herinnerde. Hij droomt dat hij broeder Luke zelf is geworden. Hij droomt steeds weer dat Harold dokter Traylor is, en na het wakker worden schaamt hij zich dan dat hij Harold zulk gedrag toedicht, zelfs al is het in zijn onderbewuste, en is hij tegelijk bang dat de droom misschien toch op waarheid berust, en dan moet hij zich Willems belofte weer in gedachten brengen: *nooit, Jude. Zoiets zou Harold nooit doen, dat is echt ondenkbaar.*

Soms zijn de dromen zo levensecht dat het een paar minuten tot zelfs wel een uur duurt voordat hij terug is in zijn leven, voordat hij zichzelf ervan heeft overtuigd dat het wakkere leven het echte leven is, zíjn echte leven. Soms is hij zichzelf bij het wakker worden volledig kwijt en weet hij niet eens meer wie hij is. 'Waar ben ik?' vraagt hij radeloos, en dan: 'Wie ben ik? Wie ben ik?'

En dan hoort hij Willems bezweringsformule, zo dicht bij zijn oor gefluisterd dat het lijkt alsof de stem in zijn eigen hoofd zit. 'Je bent Jude St. Francis. Je bent mijn oudste en dierbaarste vriend. Je bent de zoon van Harold Stein en Julia Altman. Je bent de vriend van Malcolm Irvine, Jean-Baptiste Marion, Richard Goldfarb, Andy Contractor, Lucien Voigt, Citizen van Straaten, Rhodes Arrowsmith, Elijah Kozma, Phaedra de los Santos en de Henry Youngs.

Je bent een New Yorker. Je woont in SoHo. Je bent vrijwilliger bij een kunstorganisatie, je bent vrijwilliger bij een gaarkeuken.

Je houdt van zwemmen. Je houdt van bakken. Je houdt van koken. Je houdt van lezen. Je hebt een prachtige stem, hoewel je nooit meer zingt. Je speelt heel goed piano. Je bent kunstverzamelaar. Je schrijft me mooie mails als ik weg ben. Je bent geduldig. Je hebt een groot hart. Je kunt beter luisteren dan wie ook. Je bent in alle opzichten de intelligentste persoon die ik ken. Je bent in alle opzichten de dapperste persoon die ik ken.

Je bent advocaat. Je bent hoofd van de afdeling Procesvoering bij Rosen Pritchard & Klein. Je houdt van je werk en je werkt hard.

Je bent wiskundige. Je bent logicus. Je hebt onvermoeibaar geprobeerd mij er iets van bij te brengen.

Je bent afschuwelijk slecht behandeld. Je hebt het overleefd. Je bent altijd jezelf geweest.'

Willem blijft maar praten en brengt hem terug bij zichzelf, en overdag – soms dagen later – herinnert hij zich flarden van wat Willem heeft gezegd en koestert die, om wat hij heeft gezegd maar net zo goed om wat hij niet heeft gezegd, hoe hij hem niet heeft omschreven.

Maar 's nachts is hij daar te angstig en verward voor. Zijn paniek is te tastbaar, te alomvattend. 'En wie ben jij?' vraagt hij, terwijl hij kijkt naar de man die hem vasthoudt en die iemand beschrijft die hij niet herkent, iemand die blijkbaar heel veel heeft en hem een benijdenswaardig en geliefd mens lijkt. 'Wie ben jij?'

Ook op die vraag heeft de man een antwoord. 'Ik ben Willem Ragnarsson,' zegt hij. 'En ik laat je nooit gaan.'

~

'Ik ga,' zegt hij tegen Jude, maar hij verroert zich niet. Een libel, glanzend als een scarabee, hangt gonzend boven hen. 'Ik ga,' herhaalt hij, maar hij beweegt zich nog steeds niet, en pas na de derde keer dat hij het zegt is hij eindelijk in staat om, dronken van de warme lucht, overeind te komen uit de ligstoel en zijn voeten weer in zijn mocassins te schuiven.

'Limoenen,' zegt Jude, die naar hem opkijkt terwijl hij zijn ogen afschermt tegen de zon.

'O ja.' Hij bukt zich, tilt Judes zonnebril van zijn neus, kust hem op zijn oogleden en zet de bril terug. De zomer is Judes seizoen, zegt JB altijd: zijn huid wordt donkerder en zijn haar lichter tot ze bijna dezelfde tint zijn en zijn ogen onnatuurlijk groen lijken, en Willem moet zich inhouden om hem niet voortdurend aan te raken. 'Ik ben snel weer terug.'

Hij sjokt geeuwend de heuvel op naar het huis, zet zijn glas thee met half gesmolten ijsblokjes in de gootsteen en knerpt het grind van de oprit af naar de auto. Het is een van die zomerdagen waarop de lucht zo heet, droog en roerloos is en de zon zo wit en hoog aan de hemel staat dat je je omgeving meer hoort, ruikt en proeft dan ziet: het grasmaaiergonzen van de bijen en cicaden, de licht peperige geur van de zonnebloemen en de eigenaardig minerale smaak die de hitte op je tong achterlaat, alsof je op een steen hebt gezogen. De warmte beneemt je alle fut, maar niet op een onaangename manier; ze worden er alleen wel allebei slaperig en weerloos van, zodat luieren niet alleen geoorloofd maar zelfs noodzakelijk is. Als het zo warm is als vandaag liggen ze uren bij het zwembad, eten niets maar drinken des te meer – kannen met ijskoude muntthee als ontbijt, liters eigengemaakte citroenlimonade tussen de middag, flessen aligoté als diner – en zetten alle ramen en deuren van het huis open en de plafondventilatoren aan, zodat ze 's avonds, als ze eindelijk alles dichtdoen, de zoete geur van grasland en bomen insluiten.

Het is de zaterdag voor Labor Day en normaal gesproken zouden ze in Truro zijn, maar dit jaar hebben Harold en Julia de hele zomer in een huis bij Aix-en-Provence gezeten dat Jude en hij voor ze hebben gehuurd, en brengen ze de feestdag bij hen in Garrison door. Harold en Julia komen morgen – misschien met Laurence en Gillian, misschien ook niet – maar vandaag gaat Willem naar het station om Malcolm, Sophie, JB en zijn knipperlichtvriendje Fredrik op te halen. Ze hebben hun vrienden de afgelopen maanden nauwelijks gezien: JB is een half jaar in Italië geweest als kunstenaar in residence, en Malcolm en Sophie hebben het zo druk gehad met de bouw van een nieuw keramiekmuseum in Shanghai dat ze elkaar in april voor het laatst hebben gezien, in Parijs: hij was daar voor filmopnames, Jude was overgekomen uit Londen, waar hij voor zijn werk was, JB was uit Rome gekomen en Malcolm en Sophie maakten er een tussenstop van een paar dagen op doorreis naar New York.

Bijna elke zomer denkt hij: dit is de mooiste zomer. Maar deze zomer is echt de mooiste, weet hij. En niet alleen deze zomer: de lente, de winter, de herfst. Naarmate hij ouder wordt heeft hij steeds vaker de neiging zijn leven te beschouwen als een aaneenschakeling van retrospectieven, waarbij hij elk seizoen na het verstrijken beoordeelt alsof het een wijnjaar is en de voorbije jaren indeelt in historische tijdperken: de Ambitieuze Jaren. De Onzekere Jaren. De Glorieuze Jaren. De Jaren van Zelfbedrog. De Hoopvolle Jaren.

Jude glimlachte toen hij hem dat vertelde. 'En in welk tijdperk leven we nu?' vroeg hij. 'Dat weet ik niet,' zei Willem. 'Ik heb er nog geen naam voor bedacht.'

Maar ze waren het erover eens dat ze de Ellendige Jaren in elk geval achter zich hadden gelaten. Twee jaar geleden bracht hij ditzelfde weekend – het weekend van Labor Day – door in een ziekenhuis aan de Upper East Side, waar hij met zo'n intense haat dat hij er misselijk van werd door het raam had gestaard naar de zaalhulpen, verpleegsters en artsen die zich in hun jadegroene pyjama's buiten hadden verzameld en daar stonden te eten, roken en telefoneren alsof er niets aan de hand was, alsof er achter hen geen mensen langzaam dood lagen te gaan, onder wie zijn eigen mens, die op dat moment in een kunstmatig coma werd gehouden, met een huid die gloeide van de koorts, en die vier dagen eerder voor het laatst zijn ogen had opengedaan, de dag nadat hij was geopereerd.

'Hij wordt weer beter, Willem,' bleef Harold maar tegen hem bazelen, Harold, die meestal een nog ergere tobber was dan Willem zelf was geworden. 'Hij wordt weer beter. Andy heeft het gezegd.' En zo ging Harold maar door, alles herhalend wat hij zelf ook al van Andy had gehoord, totdat hij uiteindelijk uitviel: 'Jezus, Harold, hou toch eens op. Geloof jij alles wat Andy zegt? Ziet hij eruit alsof hij beter wordt? Ziet hij eruit alsof alles goedkomt?' En toen zag hij Harolds gezicht veranderen, zag hij zijn uitdrukking van smekende, radeloze vertwijfeling, het gezicht van een oude man die zich vastklampte aan zijn hoop, en overmand door wroeging liep hij naar hem toe en sloeg zijn armen om hem heen. 'Sorry,' zei hij tegen Harold, die al één zoon had verloren en zichzelf ervan probeerde te overtuigen dat hij er niet nog een zou verliezen. 'Sorry, Harold, sorry. Het spijt me. Ik ben een klootzak.'

'Je bent geen klootzak, Willem,' zei Harold. 'Maar ik laat me niet vertellen dat hij niet beter wordt. Dat laat ik me niet vertellen.'

'Je hebt gelijk,' zei hij. 'Natuurlijk wordt hij beter.' En hij klonk net als Harold, als Harold die Harold napraatte tegen Harold. 'Natuurlijk.' Maar van binnen voelde hij de angst als een torretje rondscharrelen: er was natuurlijk helemaal geen natuurlijk. Dat was er ook nooit geweest. 'Natuurlijk' was anderhalf jaar geleden in rook opgegaan. 'Natuurlijk' was voorgoed uit hun leven verdwenen.

Hij was altijd een optimist geweest, maar toch had zijn optimisme hem in die maanden in de steek gelaten. Hij had al zijn projecten voor de rest van het jaar afgezegd, maar naarmate de herfst zich voortsleepte, wilde hij dat het anders was: hij wilde dat hij iets had om hem afleiding te bezorgen. Eind september kwam Jude uit het ziekenhuis, maar hij was zo mager, zo fragiel dat Willem bang was om hem aan te raken, bang om zelfs maar naar hem te kijken, bang omdat je Judes hartslag kon zien in het diepe holletje bij zijn keel, alsof er een wezen in hem leefde dat probeerde zich een weg naar buiten te trappen. Hij merkte dat Jude probeerde hem te troosten door grapjes te maken, en dat maakte hem nog banger. De weinige keren dat hij de deur uit ging – 'Dat moet,' had Richard ronduit tegen hem gezegd, 'anders word je gek, Willem' – was hij in de verleiding zijn telefoon uit te zetten, want elke keer als het ding tjirpte en hij zag dat het Richard was (of Malcolm, Harold, Julia, JB, Andy, een van de Henry Youngs, Rhodes, Elijah, India, Sophie, Lucien, of wie er op dat moment ook bij Jude was terwijl hij een uurtje afwezig door de straten dwaalde of beneden aan het trainen was of, een paar keer, probeerde stil te blijven liggen terwijl hij een massage kreeg of rustig te blijven zitten terwijl hij lunchte met Roman of Miguel), dacht hij: het is zover. Hij gaat dood. Hij is dood. En dan wachtte hij een seconde, en nog een seconde, voordat hij opnam en hoorde dat het alleen om een verslagje ging: dat Jude had gegeten. Dat hij niet had gegeten. Dat hij sliep. Dat hij misselijk leek. Uiteindelijk moest hij tegen iedereen zeggen: bel me alleen als het ernstig is. Het kan me niet schelen of je een vraag hebt en bellen sneller gaat, stuur me maar een sms'je. Als je belt, denk ik meteen het ergste. Voor het eerst in zijn leven kon hij letterlijk voelen wat mensen bedoelden als ze zeiden dat hun hart in hun keel bonsde, hoewel hij niet alleen zijn hart voelde maar al zijn organen, die zich naar boven drukten en probeerden door zijn mond te ontsnappen, alsof zijn ingewanden door elkaar waren gehusseld van spanning.

Mensen hadden het altijd over genezing alsof dat een voorspelbaar en gestaag voortschrijdend proces was, een resolute diagonale lijn van de linkerbenedenhoek van een grafiek naar de rechterbovenhoek. Maar Hemmings genezing – die er helemaal niet mee was geëindigd dat hij genezen was – was heel anders verlopen, en die van Jude ook: hun grafiek was een bergketen met hoge pieken en diepe dalen, en half oktober, nadat Jude weer aan het werk was gegaan (nog steeds beangstigend mager en beangstigend zwak), was hij 's nachts een keer wakker geworden met zo'n hoge koorts dat hij een toeval had gekregen, en Willem was er zeker van geweest dat het zover was, dat het afgelopen was. Op dat moment besefte hij dat hij zich daar, ondanks zijn angst, nooit echt op had voorbereid, dat hij er nooit over had nagedacht wat dat zou betekenen, en hoewel hij van nature niet geneigd was tot marchanderen, marchandeerde hij nu met iets of iemand waarvan hij niet eens wist dat hij erin geloofde. Hij beloofde geduldiger te zijn, dankbaarder, minder te vloeken, minder ijdel te zijn, minder aan seks te doen, minder mateloos te zijn, minder te klagen en minder egocentrisch, minder zelfzuchtig en minder bangelijk te zijn. Toen Jude bleef leven was Willems opluchting zo totaal, zo ontzaglijk dat hij instortte, en Andy schreef hem medicatie tegen angstklachten voor en stuurde hem voor het weekend naar Garrison met JB als gezelschap, terwijl Richard en hij voor Jude zorgden. Willem had altijd gedacht dat hij, in tegenstelling tot Jude, in staat was hulp te aanvaarden als die hem werd geboden, maar op het cruciale moment was hij die vaardigheid vergeten en hij was blij en dankbaar dat zijn vrienden de moeite namen hem eraan te herinneren.

Tegen Thanksgiving ging het weliswaar nog niet echt goed, maar in elk geval minder slecht, en voor hen kwam dat op hetzelfde neer. Maar pas achteraf zouden ze dat als een soort keerpunt kunnen zien, als de periode waarin er eerst een paar dagen zonder terugval waren, daarna een paar weken en daarna zelfs een hele maand, de periode waarin ze er weer de slag van kregen 's ochtends niet wakker te worden met vrees maar met wilskracht, waarin ze eindelijk weer voorzichtig over de toekomst konden praten, weer verder vooruit konden kijken dan één dag en hoe ze die goed moesten doorkomen. Pas toen konden ze het hebben over wat er moest gebeuren, pas toen begon Andy serieus een programma op te stellen – een programma met doelstellingen die over één, over twee en over zes maanden gehaald dienden te worden – waarin hij plande hoeveel Jude zou moeten aankomen, wanneer hij zijn permanente protheses zou moeten krijgen, wanneer hij zijn eerste stappen zou moeten zetten en wanneer Andy hem wilde zien lopen. Ze lieten zich weer meezuigen door de slipstream van het leven en leerden zich weer te conformeren aan de kalender. In februari las Willem weer scenario's. In april, toen Jude negenenveertig werd, kon hij weer lopen – langzaam en houterig, maar hij liep – en zag hij er weer uit als een gewoon mens. In augustus, toen Willem jarig was, bijna een jaar na Judes operatie, liep hij, zoals Andy had voorspeld, beter dan hij met zijn eigen benen had gedaan – soepeler, zelfverzekerder – en zag hij er weer beter uit dan een gewoon mens: hij zag er weer uit als zichzelf.

'We hebben nog steeds geen megafeest gegeven voor je vijftigste,' bracht Jude hem in herinnering toen ze aan het dinertje voor zijn eenenvijftigste zaten – bereid door Jude, die urenlang in z'n eentje aan het fornuis had gestaan zonder tekenen van vermoeidheid te vertonen – en Willem glimlachte.

'Meer dan dit hoef ik niet,' zei hij, en hij meende het. Het leek raar om de manier waarop hij de afgelopen twee uitputtende, genadeloze jaren had ervaren te vergelijken met wat Jude zelf had doorgemaakt, maar toch had hij het gevoel dat hij er ingrijpend door was veranderd. Het was alsof zijn wanhoop had geleid tot een gevoel van onoverwinnelijkheid, alsof zijn zachte buitenkant was weggebrand en er een stalen kern was blootgelegd, onverwoestbaar en toch flexibel, die overal tegen bestand was.

Ze brachten zijn verjaardag met z'n tweetjes door in Garrison, en die avond gingen ze na het eten naar het meer, en hij kleedde zich uit en sprong van de steiger het water in, dat rook en oogde als een enorme plas thee. 'Kom erin,' zei hij tegen Jude, en toen die aarzelde: 'Als jarige job gebied ik het je.' En Jude kleedde zich langzaam uit, deed zijn protheses af en duwde zich ten slotte met zijn handen van de rand van de steiger af, en Willem ving hem op. Naarmate Jude fysiek vooruit was gegaan, was hij terughoudender geworden met het tonen van zijn lichaam, en aan Judes neiging zich soms terug te trekken en zich zorgvuldig af te zonderen als hij zijn protheses af- of aandeed, merkte Willem dat hij er grote moeite mee had zijn nieuwe uiterlijk te aanvaarden. Toen hij zwakker was mocht Willem hem helpen met uitkleden, maar nu hij was aangesterkt, ving Willem alleen maar soms per ongeluk een glimp op van zijn naakte lichaam. Maar hij had besloten Judes schroom als een teken van gezondheid te beschouwen, want die bewees in elk geval dat hij fysiek sterker was, dat hij alleen kon douchen en alleen in en uit bed kon komen, dingen die hij opnieuw had moeten leren, dingen waar hij een tijdje geleden niet genoeg kracht voor had gehad.

Nu dobberden ze in het meer, zwommen soms een stukje of hielden elkaar zwijgend vast, en nadat Willem eruit was geklommen hees ook Jude zich met zijn armen op de steiger, en daar bleven ze een tijdje zitten in de warme zomerlucht, allebei naakt, allebei starend naar de taps toelopende stompen van Judes benen. Het was voor het eerst in maanden dat hij Jude bloot zag, en hij wist niet wat hij moest zeggen en had uiteindelijk alleen zijn arm om hem heen geslagen en hem tegen zich aan getrokken, en iets beters had hij (volgens hem) niet kunnen zeggen.

Af en toe was hij nog steeds bang. In september, een paar weken voordat hij zou vertrekken voor zijn eerste film in ruim een jaar, was Jude weer met koorts wakker geworden, en deze keer verbood hij Willem niet om Andy te bellen en vroeg Willem hem trouwens niet eens om toestemming. Ze gingen meteen naar Andy's praktijk en Andy liet röntgenfoto's maken en bloedonderzoek en dergelijke doen, waarna ze alle drie in een andere spreekkamer op de behandeltafel gingen liggen om af te wachten tot eerst de radioloog belde en zei dat er geen enkel teken van botontsteking was, en daarna het lab om te melden dat er niets afwijkends was gevonden.

'Rinofaryngitis,' zei Andy met een glimlach. 'Een gewone verkoudheid.' Maar hij legde zijn hand om Judes achterhoofd en ze waren alle drie opgelucht. Wat was hun angst snel, ellendig snel weer gewekt: blijkbaar was angst zelf een virus dat een periode inactief kon zijn maar nooit helemaal uit je systeem verdween. Vrolijkheid, uitbundigheid, die moesten ze zich weer eigen maken, weer zien te verwerven. Maar angst zouden ze zich nooit meer eigen hoeven te maken, die zou in hen voortleven als een kwaal die ze alle drie hadden opgelopen, een glinsterende streng die zich met hun DNA had vervlochten.

En zo vertrok hij dus voor een film naar Galicië, in Spanje. Al zolang als hij hem kende, was het een wens van Jude geweest om op een dag de Camino de Santiago te lopen, de middeleeuwse pelgrimsroute naar Santiago de Compostela die in Galicië eindigde. 'We beginnen bij de Col du Somport in de Pyreneeën,' had Jude gezegd (toen ze geen van tweeën ooit nog in Frankrijk waren geweest), 'en we lopen naar het westen. Dat wordt een tocht van weken! 's Nachts slapen we in die pelgrimsherbergen waarover ik heb gelezen, en we leven op zwart roggebrood met karwijzaad, yoghurt en komkommer.'

'Hm, ik weet het niet,' had hij gezegd, destijds niet zozeer met de gedachte aan Judes beperkingen als wel aan zichzelf, want hij was nog te jong – dat waren ze allebei – om echt te geloven dat Jude beperkingen kon hebben. 'Het klinkt nogal vermoeiend, Judy.'

'Dan draag ik je wel,' had Jude prompt geantwoord, en Willem had geglimlacht. 'Of we huren een ezel, dan kan die je dragen. Maar eigenlijk is het de bedoeling dat je de route lóópt, Willem, niet dat je gedragen wordt.'

Toen ze ouder werden en het steeds duidelijker was dat deze droom van Jude altijd een droom zou blijven, werden hun fantasieën over de Camino gedetailleerder. 'Dit is het verhaal,' zei Jude bijvoorbeeld. 'Vier vreemden – een Chinese taoïstische non die haar seksuele geaardheid leert aanvaarden, een Britse ex-gevangene die pas is vrijgekomen en gedichten schrijft, een gewezen wapenhandelaar uit Kazachstan die rouwt om de dood van zijn vrouw, en een knappe en gevoelige maar neerslachtige gesjeesde student uit Amerika, dat ben jij, Willem – ontmoeten elkaar op de Camino en worden vrienden voor het leven. De opnames worden al wandelend gemaakt, en de opnametijd is gelijk aan de tijd die de wandeling duurt. En jullie moeten blijven lopen.'

Hij moest er altijd om lachen. 'En hoe loopt het af?' vroeg hij.

'De taoïstische non wordt verliefd op een Israëlische ex-legerofficier die ze onderweg ontmoet, en ze gaan samen terug naar Tel Aviv om een lesbisch café te openen dat Radclyffe's heet. De gevangene en de wapenhandelaar eindigen in elkaars armen. En jouw personage ontmoet onderweg een maagdelijk maar, naar later blijkt, stiekem sletterig Zweeds meisje en opent een chique bed and breakfast in de Pyreneeën, waar het groepje elk jaar bijeenkomt voor een reünie.'

'Hoe heet de film?' vroeg hij grinnikend.

Jude dacht even na. '*Santiago Blues*,' zei hij, en Willem moest weer lachen.

Sindsdien hadden ze het soms terloops over *Santiago Blues*, waarvan de cast steeds werd aangepast aan zijn leeftijd, maar het uitgangspunt en de locatie onveranderd bleven. 'Hoe is het script?' vroeg Jude hem altijd als er iets nieuws binnenkwam, en dan zuchtte hij. 'Wel oké. Het is niet *Santiago Blues*, maar het kan ermee door.'

En toen, kort na die kentering met Thanksgiving, kreeg hij van Kit, die hij ooit had verteld over hun belangstelling voor de Camino, een script toegestuurd met een briefje waarop alleen '*Santiago Blues*!' stond. En hoewel het niet echt helemaal *Santiago Blues* was – goddank was het veel beter, daar waren Jude en hij het over eens – speelde het wel degelijk op de Camino, zou de camera wel degelijk blijven draaien, begon het wel degelijk in de Pyreneeën, in Saint-Jean-Pied-de-Port, en eindigde het in Santiago de Compostela. In *The Stars Over St. James* werden twee mannen gevolgd die allebei Paul heetten en door dezelfde acteur zouden worden gespeeld: de eerste was een zestiende-eeuwse Franse monnik die de reis aan de vooravond van de Reformatie vanuit Wittenberg maakte, en de tweede een hedendaagse predikant uit een klein Amerikaans plaatsje die twijfelde aan zijn geloof. Afgezien van een paar bijfiguren, die even opdoken in de levens van de twee Pauls en dan weer verdwenen, was de enige echte rol de zijne.

Hij gaf Jude het script te lezen, en toen hij het uit had slaakte Jude een zucht. 'Briljant,' zei hij droevig. 'Ik wou dat ik deze keer met je mee kon, Willem.'

'Dat wou ik ook,' zei hij zachtjes. Hij zou willen dat Jude dromen had die gemakkelijker te verwezenlijken waren, vervulbare dromen, dromen die Willem hem kon helpen vervullen. Maar Judes dromen gingen altijd over beweging: over het lopen van onmogelijke afstanden of het doorkruisen van onmogelijk terrein. En hoewel hij nu kon lopen, en hoewel hij daarbij minder pijn had dan hij in jaren had gehad, voor zover Willem zich herinnerde, wisten ze dat hij nooit helemaal vrij van pijn zou leven. Het onmogelijke zou onmogelijk blijven.

Hij had een etentje met Emanuel, de Spaanse regisseur, jong maar toch al van grote reputatie, die ondanks zijn gecompliceerde en melancholieke script vrolijk en opgewekt bleek en steeds maar bleef herhalen hoe verbijsterd hij was dat hij, Willem, in zijn film zou gaan spelen, omdat het zijn droom was geweest om met hem samen te werken. Hij vertelde Emanuel op zijn beurt over *Santiago Blues* (Emanuel lachte toen Willem de plot beschreef. 'Niet slecht!' zei hij, en toen lachte Willem ook. 'Het móét juist slecht zijn!'). Hij vertelde hem dat Jude die route altijd had willen lopen en wat een eer hij het vond om het nu in zijn naam te gaan doen.

'Aha,' zei Emanuel plagerig. 'Is dat niet de man voor wie je je carrière te gronde hebt gericht?'

'Ja,' zei hij met een glimlach. 'Dat is hem.'

De opnamedagen van *The Stars Over St. James* waren heel lang, en zoals Jude al had voorspeld werd er veel gelopen (en was er een karavaan langzaam rijdende trailers in plaats van ezels). Op sommige stukken had zijn telefoon geen bereik, en daarom schreef hij Jude, wat hoe dan ook toepasselijker leek, pelgrim-achtiger, en 's ochtends stuurde hij hem afbeeldingen van zijn ontbijt (zwart roggebrood met karwijzaad, yoghurt en komkommer) en van het stuk Camino dat hij die dag zou gaan lopen. De weg liep vaak door drukke plaatsen en daarom werd hun route soms verlegd naar het platteland. Elke dag raapte hij een paar witte kiezelstenen op die langs de weg lagen en deed ze in een pot om mee naar huis te nemen, en 's avonds zat hij met warme handdoeken om zijn voeten gewikkeld in zijn hotelkamer.

Twee weken voor Kerst waren ze klaar met filmen, en hij vloog naar Londen voor besprekingen en daarna terug naar Madrid om Jude op te halen, waarna ze met een huurauto naar het zuiden reden, naar Andalusië. In een stadje op een rots hoog boven de zee hadden ze een afspraak met Oosterse Henry Young, en ze zagen hem de heuvel op ploeteren, met zijn armen zwaaien toen hij hen in het oog kreeg en over de laatste honderd meter een sprintje trekken. 'Goddank bezorgen jullie me een excuus om even weg te kunnen uit dat kuthuis,' zei hij. Henry verbleef sinds een paar maanden in een kunstenaarskolonie onder aan de heuvel, in een dal vol sinaasappelbomen, maar geheel tegen zijn karakter in had hij een hekel gekregen aan de andere zes mensen in het huis, en terwijl ze plakken sinaasappel aten die in een likeur van hun eigen sap dreven en bestrooid waren met kaneel, gestampte kruidnagels en fijngehakte amandelen, lachten ze om Henry's verhalen over zijn collega-kunstenaars. Later, nadat ze afscheid van hem hadden genomen tot ze hem volgende maand in New York weer zouden zien, liepen ze samen langzaam door het middeleeuwse stadje, waar elk gebouw eruitzag als een glinsterend wit zoutblok en waar cyperse katten languit op straat lagen en met de punt van hun staart sloegen wanneer mensen met handkarren langzaam en knarsend om ze heen laveerden.

De volgende avond, in de buurt van Granada, zei Jude dat hij een verrassing voor hem had, en ze stapten in de auto die voor het restaurant op hen stond te wachten, Jude met de envelop die hij onder het eten steeds bij zich had gehouden.

'Waar gaan we naartoe?' vroeg hij. 'Wat zit er in die envelop?'

'Dat zie je nog wel,' zei Jude.

Ze reden heuvelop, heuvelaf, tot de auto stopte voor de toegangspoort van het Alhambra, waar Jude de bewaker een brief gaf die de man aandachtig bestudeerde, waarna hij knikte en de auto naar binnen mocht. Ze stapten uit en stonden op de verlaten binnenplaats.

'Van jou,' zei Jude verlegen, terwijl hij naar de gebouwen en de tuinen erachter knikte. 'Voor de komende drie uur in elk geval.' En toen Willem niets kon uitbrengen, ging hij zachtjes verder: 'Weet je nog?'

Hij gaf een miniem knikje. 'Natuurlijk,' zei hij, net zo zacht. Zo zou hun tocht over de Camino onveranderlijk eindigen: met een treinreis naar het zuiden om het Alhambra te bezoeken. En hoewel hij al heel lang wist dat ze hun wandeling niet zouden maken, was hij in al die jaren nooit naar het Alhambra gegaan, had hij nooit na de opnames een dag vrij genomen om erheen te gaan, omdat hij had gewacht tot hij dat samen met Jude kon doen.

'Een van mijn cliënten,' zei Jude voordat hij het kon vragen. 'Je verdedigt iemand en die blijkt dan een peetoom te hebben die toevallig de Spaanse minister van Cultuur is en ermee instemt dat je een ruimhartige donatie doet voor het onderhoud van het Alhambra in ruil voor het voorrecht van een privébezichtiging.' Hij grijnsde naar Willem. 'Ik had toch gezegd dat ik iets bijzonders zou doen voor je vijftigste... al is het dan anderhalf jaar later.' Hij legde zijn hand op Willems arm. 'Niet huilen, Willem.'

'Ik ga niet huilen,' zei hij. 'Ik doe ook nog weleens iets anders dan huilen, hoor,' hoewel hij daar zelf soms aan twijfelde.

Hij maakte de envelop open die Jude hem had gegeven en er bleek een pakje in te zitten, en nadat hij het lint had losgetrokken en het papier opengescheurd, vond hij een met de hand gemaakt boek dat was ingedeeld in hoofdstukken – 'Het Alcazaba', 'Het Leeuwenpaleis', 'De Tuinen', 'De Generalife' – bestaande uit pagina's handgeschreven notities van

Malcolm, die zijn scriptie aan het Alhambra had gewijd en er sinds zijn negende elk jaar een bezoekje aan had gebracht. Elk hoofdstuk werd voorafgegaan door een tekening van een detail van het complex – een jasmijnstruik met kleine witte bloemetjes, een stenen gevel met kobaltblauwe tegels – allemaal aan hem opgedragen en gesigneerd door iemand die ze kenden: Richard, JB, India, Oosterse Henry Young, Ali. Nu begon hij toch te huilen, tegelijk te lachen en te huilen, tot Jude tegen hem zei dat ze beter door konden lopen in plaats van alle tijd die ze hadden huilend bij de ingang te blijven staan, en Willem pakte hem vast en kuste hem zonder zich iets aan te trekken van de zwijgende, in het zwart geklede bewakers achter hen. 'Dank je wel,' zei hij. 'Dank je wel, dank je wel.'

Toen liepen ze achter het stuiterende spoor van licht aan dat Judes zaklantaarn door de stille nacht trok. Ze dwaalden door paleizen waar het marmer zo oud was dat het leek alsof het bouwwerk uit zachte witte boter was gesneden, door ontvangstzalen met gewelfde plafonds die zo hoog waren dat er vogels geruisloos onderdoor wiekten en met symmetrische ramen die zo uitgekiend waren geplaatst dat het maanlicht er in bundels naar binnen viel. Af en toe bleven ze staan om Malcolms notities te lezen en naar details te kijken die ze gemist zouden hebben als ze er niet op gewezen waren, of om tot zich door te laten dringen dat ze in hetzelfde vertrek stonden waar duizend of meer jaar geleden een sultan zijn brieven dicteerde. Ze vergeleken de illustraties met wat ze voor zich zagen. Bij alle tekeningen van hun vrienden stond op de linkerpagina een korte tekst waarin ze vertelden wanneer ze het Alhambra voor het eerst hadden gezien en waarom ze nu juist dat ene onderdeel hadden getekend. Ze kregen weer het oude gevoel dat ze ook vaak hadden gehad toen ze jong waren, dat iedereen die ze kenden zo veel meer van de wereld had gezien dan zij, en hoewel ze wisten dat het niet meer zo was, keken ze nog steeds met dezelfde bewondering naar het leven van hun vrienden, naar wat zij allemaal hadden gedaan en gezien en hoe ze die ervaringen wisten te waarderen en met groot talent vastlegden. In de tuinen van de Generalife liepen ze een ruimte in die was uitgespaard in een labyrint van cipressenhagen, en hij kuste Jude opnieuw, deze keer inniger dan hij zichzelf in lange tijd had toegestaan, al hoorden ze het zachte geluid van voetstappen van een van de bewakers op het stenen pad.

In de hotelkamer gingen ze door met kussen, en hij hoorde zichzelf denken dat ze in de filmversie van deze avond nu seks zouden hebben en stond op het punt om het hardop te zeggen, toen hij tot bezinning kwam en Jude losliet. Maar het was alsof hij het wel had gezegd, want ze keken elkaar een tijdje zwijgend aan en toen zei Jude zachtjes: 'Willem, we kunnen het best doen als je wilt.'

'Wil jíj het dan?' vroeg hij ten slotte.

'Ja hoor,' zei Jude, maar Willem merkte aan de manier waarop hij zijn ogen had neergeslagen en de korte hapering in zijn stem dat hij loog.

Heel even overwoog hij te doen alsof, zich te laten overtuigen dat Jude de waarheid sprak. Maar hij kon het niet. En dus zei hij 'Nee' en liet zich van hem af rollen. 'Zo hebben we wel genoeg opwinding gehad voor één avond.' Naast zich hoorde hij Jude uitademen, en terwijl hij in slaap zakte hoorde hij hem fluisteren: 'Het spijt me, Willem,' en probeerde hij Jude te vertellen dat hij het begreep, maar intussen was hij al bijna onder zeil en niet meer in staat de woorden hardop te zeggen.

Maar dat was het enige verdrietige in die periode, en de bron van verdriet was voor hen beiden anders: hij wist dat het verdriet van Jude voortkwam uit het gevoel tekort te schieten, de overtuiging – die Willem hem nooit uit zijn hoofd kon praten – dat hij niet aan zijn verplichtingen voldeed. Hijzelf was verdrietig voor Jude. Af en toe gaf hij zich over aan gedachten over hoe Judes leven eruit had kunnen zien als seks iets was wat hij gewoon had kunnen ontdekken, in plaats van iets wat hij gedwongen had geleerd, maar dat was een overpeinzing waar hij niets mee opschoot en alleen maar door van streek raakte. Daarom probeerde hij er niet bij stil te staan. Maar het was er altijd, en liep door hun vriendschap en door hun leven als een turkooisader door gesteente.

Intussen was er het gewone leven van alledag, dat beter was dan seks of sensatie. Er was het besef dat Jude die avond bijna drie uur achtereen had gelopen, weliswaar langzaam, maar met een zelfverzekerde tred. Er was hun leven in New York, de dingen die ze vroeger altijd deden en nu weer konden oppakken omdat Jude er de energie weer voor had, omdat hij nu een toneelstuk, een opera of een etentje aankon zonder halverwege in slaap te vallen, omdat hij de trap naar Malcolms voordeur in Cobble Hill kon beklimmen, over het hellende trottoir kon lopen naar het gebouw in Vinegar Hill waar JB woonde. Er was het tevreden gevoel als hij om half zes Judes wekker hoorde piepen en hem hoorde opstaan om zijn ochtendlijke baantjes te gaan trekken, de opluchting als hij in een doos keek die op het aanrecht stond en zag dat die vol zat met medische artikelen – extra pakjes met katheterslangen en steriele gaasjes en overgebleven proteïnedrankjes met veel calorieën, waarvan Andy nog maar kortgeleden had gezegd dat Jude ze niet meer hoefde te gebruiken –

die Jude zou terugbrengen naar Andy, die ze aan het ziekenhuis zou doneren. Op sommige momenten herinnerde hij zich hoe hij, nu twee jaar geleden, thuiskwam uit het theater terwijl Jude in bed lag te slapen, zo fragiel dat het af en toe leek of de katheter onder zijn shirt in werkelijkheid een slagader was, of hij langzaam maar zeker wegteerde tot niets dan zenuwen, bloedvaten en botten. Af en toe dacht hij aan die momenten en raakte een beetje gedesoriënteerd: waren zij dat werkelijk geweest, die mensen, destijds? Waar waren die mensen gebleven? Zouden ze ooit nog terugkomen? Of waren ze nu heel andere mensen geworden? En dan stelde hij zich voor dat die mensen niet echt verdwenen waren, maar in hen voortleefden tot ze plotseling weer aan de oppervlakte zouden komen om hun lichaam en geest weer over te nemen; het waren persoonlijkheden die nu in remissie waren, maar die ze altijd bij zich zouden dragen.

Het was zo kortgeleden dat ze door ziekte waren bezocht dat ze nog niet vergeten waren om dankbaar te zijn voor elke dag die zonder noemenswaardige bijzonderheden verliep, terwijl ze die dagen tegelijk steeds meer gingen verwachten. Toen Willem Jude voor het eerst in maanden in zijn rolstoel zag, voor het eerst in maanden meemaakte dat hij zich terugtrok van de bank waar ze samen naar een film zaten te kijken omdat hij een aanval had en alleen wilde zijn, was hij ongerust en moest hij zichzelf eraan herinneren dat ook dit Jude was: hij was iemand met een lichaam dat hem soms in de steek liet, en dat zou hij altijd blijven. Per slot van rekening was dat door de operatie niet veranderd, alleen Willems reactie erop was anders. En toen hij merkte dat Jude zichzelf weer sneed – niet vaak, maar regelmatig – moest hij zich in gedachten brengen dat ook dit Jude was en dat de operatie dit net zomin had veranderd.

Toch zei hij op een ochtend tegen Jude: 'Misschien moeten we dit de Gelukkige Jaren noemen.' Het was februari, het sneeuwde en ze lagen in bed, want tegenwoordig sliepen ze elke zondagochtend uit.

'Ik weet het niet,' zei Jude, en hoewel hij maar een randje van zijn gezicht kon zien, wist Willem dat hij glimlachte. 'Is dat niet een beetje het lot tarten? Als we het zo gaan noemen, vallen mijn armen er misschien spontaan af. Bovendien is die naam al bezet.'

Dat was waar, het was de titel van Willems volgende project, waarvoor hij over een week al zou vertrekken: zes weken repeteren, gevolgd door elf weken filmen. Het was niet de oorspronkelijke titel. Eerst zou de film *The Dancer on the Stage* gaan heten, maar Kit had hem pas verteld dat de producers dat hadden veranderd in *The Happy Years*.

In eerste instantie was hij niet blij geweest met de nieuwe titel. 'Het is zo cynisch,' zei hij tegen Jude, nadat hij er eerst tegen Kit en daarna tegen de regisseur over had geklaagd. 'Het heeft iets zuurs en ironisch.' Dat was een paar avonden geleden, toen ze op de bank lagen en Jude zijn voeten masseerde na zijn dagelijkse, doodvermoeiende balletlessen. Hij zou Rudolf Noerejev spelen in de laatste jaren van zijn leven, vanaf zijn benoeming tot artistiek directeur van het Ballet de l'Opéra de Paris in 1983, via de tijd dat hij de diagnose hiv kreeg tot de eerste symptomen van zijn ziekte zich openbaarden, een jaar voordat hij stierf.

'Ik snap wat je bedoelt,' had Jude gezegd toen hij eindelijk klaar was met zijn tirade. 'Maar misschien waren het voor hem wel echt de gelukkige jaren. Hij was vrij, hij had werk waar hij van hield, hij begeleidde jonge dansers en had een heel dansgezelschap vernieuwd. Hij maakte zijn mooiste choreografieën. Hij en die Deense danser...'

'Erik Bruhn.'

'Ja. Hij en Bruhn waren nog samen, in elk geval nog een tijdje. Hij had alles meegemaakt waar hij in zijn jeugd waarschijnlijk nooit van had kunnen dromen en was nog jong genoeg om ervan te genieten: geld, roem, artistieke vrijheid. Liefde. Vriendschap.'

Hij duwde zijn knokkels in Willems voetzool en Willem vertrok zijn gezicht. 'Voor mij klinkt dat als een gelukkig leven.'

Ze zwegen allebei even. 'Maar hij was ziek,' zei Willem uiteindelijk.

'Toen nog niet,' bracht Jude hem in herinnering. 'In elk geval nog niet merkbaar.'

'Nee, misschien niet. Maar hij zou doodgaan.'

Jude glimlachte naar hem. 'Ach, doodgaan,' zei hij laatdunkend. 'We gaan allemaal dood. Hij wist alleen dat zijn dood eerder zou komen dan hij had gepland. Maar dat zegt nog niet dat het geen gelukkige jaren waren, dat hij geen gelukkig leven had.'

Hij keek Jude aan en had hetzelfde gevoel dat hij soms kreeg als hij nadacht, echt nadacht, over Jude en hoe zijn leven was verlopen: een soort bedroefdheid, zou hij het kunnen noemen, maar hij bedoelde het niet medelijdend. Het was een algemene bedroefdheid, die zich uitstrekte tot alle arme, worstelende mensen, de miljarden die hij niet kende en die allemaal hun leven leidden, een bedroefdheid die was vermengd met verwondering en ontzag over hoe enorm mensen wereldwijd hun best deden om te leven, zelfs in de zwaarste tijden en onder de slechtste omstandigheden. Het leven is zo droevig, dacht hij op die momenten. Het is zo droevig en toch gaan we er allemaal mee door. We klampen ons er allemaal aan vast, we zijn allemaal op zoek naar iets wat ons troost biedt.

Maar dat zei hij natuurlijk niet, hij ging alleen zitten, legde zijn handen om Judes gezicht, kuste hem en liet zich weer in de kussens zakken. 'Hoe kom je toch zo wijs?' had hij gevraagd, en Jude had gegrijnsd.

'Te hard?' was zijn wedervraag geweest, want hij was nog steeds bezig Willems voet te kneden.

'Niet hard genoeg.'

Nu keerde hij Jude in bed naar zich toe. 'Ik denk dat we het toch maar op de Gelukkige Jaren moeten houden,' zei hij. 'Het risico dat je armen afvallen moeten we dan maar op de koop toe nemen.' En Jude lachte.

De week erna vertrok hij naar Parijs. Het was een van de moeilijkste rollen die hij ooit had gespeeld. Voor de langere dansscènes had hij een stand-in, een echte danser, maar zelf danste hij in sommige scènes ook, en er waren dagen – dagen dat hij keer op keer echte ballerina's in de lucht had getild en zich had verbaasd over hoe compact, pezig en gespierd ze waren – die zo uitputtend waren dat hij 's avonds nog maar net de energie had om zich in bad te laten zakken en zich er later weer uit te hijsen. In de paar jaar ervoor had hij gemerkt dat hij zich onbewust aangetrokken voelde tot steeds fysiekere rollen, en hij stond er altijd versteld van – en was er dankbaar voor – dat zijn lichaam dapper aan al zijn eisen tegemoetkwam. Daardoor was hij zich ook bewuster geworden van zijn lichaam, en als hij nu zijn armen achter zich strekte tijdens een sprong, voelde hij hoe elke pijnlijke spier voor hem tot leven kwam, hoe hij dankzij die spieren kon doen wat hij wilde en hoe geen enkel onderdeel van hem ooit kapotging, hoe zijn lichaam hem steeds weer zijn zin gaf. Hij wist dat hij niet de enige was die dit ervoer, deze dankbaarheid: als ze in Cambridge waren tenniste hij elke dag met Harold, en zonder dat ze er ooit over hadden gepraat wist hij hoe dankbaar ze tegenwoordig allebei waren voor hun eigen lichaam, hoeveel het voor hen beiden was gaan betekenen om zonder nadenken log over de baan te stormen en een uitval te doen naar de bal.

Eind april kwam Jude hem in Parijs opzoeken, en hoewel Willem had beloofd niets bijzonders te doen voor zijn vijftigste verjaardag, had hij toch een verrassingsetentje georganiseerd, en behalve JB, Malcolm en Sophie waren ook Richard, Elijah, Rhodes, Andy, Zwarte Henry Young en Harold en Julia erbij, plus Phaedra en Citizen, die hadden geholpen bij de organisatie. De volgende dag kwam Jude naar de set om hem te zien spelen, iets wat hij hoogstzelden deed. Die ochtend werkten ze aan een scène waarin Noerejev probeert de cabriole van een jonge danser te verbeteren, en nadat hij hem steeds weer heeft verteld hoe het moet, doet hij het ten slotte zelf voor; maar in een eerdere scène, die ze nog niet hadden geschoten maar die vlak voor deze gemonteerd zou worden, heeft hij de diagnose hiv te horen gekregen, en als hij springt en een schaarbeweging maakt met zijn benen, valt hij en wordt het doodstil om hem heen in de studio. De scène eindigde met een close-up van zijn gezicht, een ogenblik waarop hij moest overbrengen dat Noerejev opeens besefte dat hij zou gaan sterven en een seconde later besloot dat besef te negeren.

Ze namen deze scène een groot aantal keren op, en na elke keer moest Willem even uithijgen, wat de mensen van haar en make-up de kans gaf druk om hem heen te fladderen en het zweet van zijn gezicht en hals te deppen, en als hij weer normaal kon ademhalen keerde hij terug naar de plek waar hij de scène moest beginnen. Tegen de tijd dat de regisseur tevreden was, was hij buiten adem maar zelf ook tevreden.

'Sorry,' verontschuldigde hij zich toen hij eindelijk naar Jude liep. 'De dagelijkse sleur van het filmen.'

'Nee, Willem,' zei Jude. 'Het was fantastisch. Je was zo mooi, daar op de set.' Hij keek alsof hij even aarzelde. 'Ik kon bijna niet geloven dat jij het was.'

Hij pakte Judes hand en hield die vast, want hij wist dat dit het grootste blijk van genegenheid was dat Jude in het openbaar toeliet. Maar hij wist nooit hoe Jude het vond om lichamelijke uitingen bij anderen te zien. In het afgelopen voorjaar, tijdens een van de periodes dat het uit was met Fredrik, ging JB om met een eerste solist bij een bekend modern dansgezelschap, en ze waren met z'n allen naar een van diens voorstellingen geweest. Tijdens Josiahs solo had Willem een blik op Jude geworpen en gezien dat hij een beetje naar voren gebogen zat, met zijn kin op zijn hand leunde en zo ingespannen naar het toneel keek dat hij schrok toen Willem een hand op zijn rug legde. 'Sorry,' had Willem gefluisterd. Later, in bed, was Jude heel stil geweest en Willem had zich afgevraagd waar hij aan dacht: was hij geschokt? Weemoedig? Verdrietig? Maar het had hem ontactvol geleken Jude te vragen hardop uit te spreken wat hij misschien voor zichzelf niet eens kon verwoorden, en dus had hij dat niet gedaan.

Toen hij terugkwam naar New York was het half juni, en in bed had Jude hem aandachtig opgenomen. 'Je hebt het lijf van een balletdanser gekregen,' zei hij, en de volgende dag bekeek hij zichzelf in de spiegel en besefte dat Jude gelijk had. Later die week aten ze op het dak, dat ze samen met Richard en India eindelijk hadden laten opknappen en waar Richard en Jude grassoorten en vruchtbomen hadden geplant, en hij had de anderen laten zien wat hij had geleerd en voelde zijn gêne veranderen in uitgelatenheid toen hij een reeks grands jetés deed over de houten plankieren van het terras, terwijl zijn vrienden achter hem applaudisseerden en de zon boven hen rood uitliep in de avondlucht.

'Alweer een verborgen talent,' zei Richard naderhand met een glimlach.

'Ik weet het,' zei Jude, en ook hij lachte naar hem. 'Willem zit vol verrassingen, zelfs na al die jaren nog.'

Maar ze zaten allemaal vol verrassingen, had hij ontdekt. Toen ze jong waren, hadden ze alleen hun geheimen om elkaar te geven: confidenties waren een ruilmiddel en bekentenissen een vorm van intimiteit. Als je de details van je dagelijks leven voor je hield en niet aan je vrienden vertelde, werd dat in eerste instantie als mysterieus beschouwd en daarna als een soort vrekkigheid die ware vriendschap logischerwijze uitsloot. 'Je houdt iets voor me achter, Willem,' zei JB af en toe beschuldigend tegen hem, en: 'Heb je geheimen voor me? Vertrouw je me niet? Ik dacht dat we goede vrienden waren.'

'Dat zijn we ook, JB,' zei hij dan. 'En ik hou niks voor je achter.' En dat was waar: er was niets om achter te houden. Jude was de enige van hen allemaal die geheimen had, echte geheimen, en al had het Willem in het verleden gefrustreerd dat hij schijnbaar niet bereid was die te onthullen, toch had hij nooit het gevoel gehad dat ze elkaar daardoor minder na stonden, het had nooit afbreuk gedaan aan zijn vermogen om van hem te houden. Het was moeilijk voor hem geweest om te aanvaarden dat hij Jude nooit helemaal zou bezitten, dat hij van iemand hield die in wezen onkenbaar en ontoegankelijk voor hem bleef.

En toch was hij, vierendertig jaar nadat ze elkaar hadden leren kennen, nog steeds bezig Jude te ontdekken, en wat hij zag bleef hem fascineren. In juli van dat jaar nodigde Jude hem voor het eerst uit voor de jaarlijkse zomerbarbecue van Rosen Pritchard. 'Je hoeft niet te komen, Willem,' zei Jude meteen nadat hij het hem had gevraagd. 'Het wordt echt doodsaai.'

'Dat betwijfel ik,' zei hij. 'En ik kom.'

De barbecue werd gehouden op het terrein van een groot oud huis aan de Hudson, een beter geconserveerd neefje van het huis waarin *Uncle Vanya* was gefilmd, en het hele kantoor was uitgenodigd: de partners, de andere advocaten, de rest van het personeel en hun gezinnen. Toen ze over het verende gazon vol klaver naar het gezelschap toe liepen, werd hij opeens ongewoon verlegen en voelde hij zich heel sterk een indringer, en toen Jude een paar minuten later werd meegetroond door de voorzitter van het kantoor, die zei dat hij iets dringends met hem te bespreken had en dat het zo gebeurd zou zijn, moest hij de neiging onderdrukken om letterlijk zijn arm naar Jude uit te strekken toen die zich omdraaide, verontschuldigend naar hem glimlachte en zijn hand opstak – vijf minuten – voordat hij wegliep.

Daarom was hij blij toen Sanjay ineens opdook, een van de weinige collega's van Jude die hij had ontmoet, en die sinds een jaar samen met Jude hoofd van de afdeling was geworden, zodat Jude zich kon concentreren op het binnenbrengen van nieuwe zaken terwijl Sanjay de administratieve en bestuurlijke taken op zich nam. Sanjay en hij bleven boven aan de heuvel staan en keken uit op de mensenmassa onder hen, en Sanjay wees hem op verschillende advocaten-medewerkers en jonge partners aan wie hij en Jude een hekel hadden. (Sommige van die tot mislukken gedoemde advocaten draaiden zich om en zagen Sanjay in hun richting kijken, en dan zwaaide Sanjay vrolijk naar hen, onderwijl allerlei lelijks tegen Willem mompelend over hun gebrek aan deskundigheid en inventiviteit.) Het begon hem op te vallen dat veel aanwezigen een korte blik op hem wierpen en dan snel de andere kant op keken, en er was een vrouw die heuvelopwaarts liep maar pardoes omkeerde toen ze hem zag staan.

'Ik zie dat ik hier erg geliefd ben,' grapte hij tegen Sanjay, die lachte.

'Ze zijn niet bang voor jou, Willem,' zei hij. 'Ze zijn bang voor Jude.' Hij grijnsde. 'Oké dan, ook een beetje voor jou.'

Eindelijk werd Jude bij hem teruggebracht, en ze stonden een tijdje met de voorzitter ('Ik ben een grote fan') en Sanjay te praten voordat ze de heuvel af liepen, waarna Jude hem voorstelde aan een paar mensen van wie hij in de loop van de jaren weleens had gehoord. Een van de juridisch medewerkers vroeg of hij samen met hem op de foto mocht, waarna een paar anderen volgden, en toen Jude weer bij hem werd weggegrist, stond hij opeens te luisteren naar een van de partners van de afdeling Fiscaal Recht, die uitgebreid zijn eigen stuntscènes uit zijn tweede spionagefilm aan hem beschreef. Ergens midden in Isaacs monoloog tuurde hij over het grasveld en ving Judes blik, en Jude mimede 'sorry', maar hij schudde zijn hoofd en grijnsde, hoewel hij daarna wel aan zijn linkeroor trok – hun oude signaal – en toen hij weer die kant op keek, zag hij tegen zijn verwachting in dat Jude kwam aanlopen.

'Sorry, Isaac,' zei Jude resoluut, 'ik moet Willem even van je lenen,' en hij trok hem mee. 'Het spijt me echt, Willem,' fluisterde hij terwijl ze wegliepen, 'de sociale onhandigheid is vandaag wel heel groot. Voel je je niet net een panda in de dierentuin? Aan de andere kant had ik je van tevoren gezegd dat het vreselijk zou zijn. We kunnen over tien minuten weg, dat beloof ik.'

'Nee, het geeft niet,' zei hij. 'Ik amuseer me.' Hij vond het altijd onthullend om Jude in zijn andere leven te zien, tussen de mensen die meer uren per dag in zijn gezelschap verkeerden dan hijzelf. Eerder had hij staan kijken toen Jude in de richting van een groepje jonge advocaten was gelopen die stonden te tetteren over iets wat op de telefoon van een van hen te zien was. Maar toen ze Jude zagen aankomen, stootten ze elkaar aan, werden stil en groetten hem beleefd en zo enthousiast dat het er wel erg dik bovenop lag, en pas nadat Jude voorbij was bogen ze zich weer over de telefoon, maar nu wat rustiger.

Toen Jude voor de derde keer bij hem vandaan werd geplukt, was hij intussen genoeg op zijn gemak om zichzelf voor te stellen aan het ploegje mensen dat losjes om hem heen cirkelde en af en toe naar hem glimlachte. Hij praatte met een lange Aziatische vrouw die Clarissa heette en over wie Jude weleens goedkeurend had gesproken. 'Ik heb veel goeds over je gehoord,' zei hij, en er brak een stralende, opgeluchte glimlach door op Clarissa's gezicht. 'Heeft Jude het over míj gehad?' vroeg ze. Hij sprak een advocaat-medewerker van wie hij zich de naam later niet meer kon herinneren maar die hem vertelde dat *Black Mercury 3081* de eerste film voor boven de zestien was die hij ooit had gezien, waardoor hij zich ontzettend oud ging voelen. Hij sprak een andere advocaat-medewerker van Judes afdeling die zei dat hij op de rechtenfaculteit twee vakken bij Harold had gevolgd en zich afvroeg hoe Harold als persoon was. Hij maakte kennis met de kinderen van Judes secretaresse, met Sanjays zoon en met tientallen anderen; sommigen kende hij van naam, maar de meesten niet.

Het was een warme, windstille, schitterende dag, en hoewel hij de hele middag door van alles had gedronken – *limonata*, water, prosecco, ijsthee – hadden ze, toen ze na twee uur vertrokken, door alle drukte niet eens de gelegenheid gehad om iets te eten, en ze stopten onderweg bij een stalletje van een boer om maiskolven te kopen die ze konden grillen met courgettes en tomaten uit de tuin van hun buitenhuis.

'Ik heb vandaag een hoop over je ontdekt,' zei hij tegen Jude toen ze onder de donkerblauwe hemel zaten te eten. 'Ik heb ontdekt dat je meeste collega's als de dood voor je zijn en denken dat ik misschien een goed woordje voor ze zal doen als ze maar poeslief tegen me zijn. Ik heb ontdekt dat ik nog ouder ben dan ik dacht. En ik heb ontdekt dat je gelijk hebt: het is inderdaad een stelletje nerds daar bij jou op je werk.'

Jude had al een glimlach op zijn gezicht, maar nu moest hij lachen. 'Zie je wel? Dat had ik je toch gezegd, Willem?'

'Maar ik heb het reuze naar m'n zin gehad,' zei hij. 'Heus waar! Ik wil vaker mee. En ik vind dat we de volgende keer JB moeten uitnodigen, om heel Rosen Pritchard collectief de stuipen op het lijf te jagen.' En Jude moest weer lachen.

Dat was bijna twee maanden geleden, en sindsdien heeft hij bijna al zijn tijd doorgebracht in Lantern House. Als vroeg cadeau voor zijn twee-envijftigste verjaardag heeft hij Jude gevraagd de rest van de zomer elke zaterdag vrij te nemen, en dat heeft Jude gedaan: elke vrijdag rijdt hij naar hun huis en maandagochtend rijdt hij weer terug naar de stad. Omdat de auto doordeweeks bij Jude is, heeft hij een cabriolet gehuurd – deels als grap, hoewel hij het heimelijk heel leuk vindt om erin rond te rijden – in een zeer opvallende kleur die Jude 'snollenrood' noemt. Doordeweeks leest, zwemt, kookt en slaapt hij; hij heeft een heel druk najaar voor de boeg, maar is nu zo kalm en bijgetankt dat hij weet dat hij er klaar voor is.

Bij de supermarkt vult hij een papieren zak met limoenen, een andere met citroenen en neemt hij ook nog wat mineraalwater mee, en daarna rijdt hij naar het station, waar hij achterovergeleund met zijn hoofd tegen de steun en zijn ogen gesloten wacht tot hij Malcolm zijn naam hoort roepen, en dan gaat hij rechtop zitten.

'JB is niet meegekomen,' zegt Malcolm op geërgerde toon, terwijl Willem hem en Sophie gedag zoent. 'Hij en Fredrik zijn sinds vanochtend uit elkaar, schijnt het. Of misschien ook niet, want hij zei dat hij morgen zou komen. Ik kreeg er geen hoogte van hoe het in elkaar zit.'

Hij kreunt. 'Ik bel hem wel even als we thuis zijn. Hoi, Soph. Hebben jullie al geluncht? We kunnen meteen gaan koken als we terug zijn.'

Dat hebben ze niet, dus belt hij Jude om te zeggen dat hij het water voor de pasta vast kan opzetten, maar Jude is al bezig. 'Ik heb de limoenen,' zegt hij. 'En JB komt morgen pas: een of andere kwestie met Fredrik, het was Malcolm niet echt duidelijk. Wil jij hem bellen om te horen wat er aan de hand is?'

Hij zet de tassen van zijn vrienden op de achterbank en Malcolm stapt in met een blik op de achterklep. 'Interessante kleur,' zegt hij.

'Dank je. Snollenrood.'

'Heet dat echt zo?'

Hij moet grijnzen om Malcolms eeuwige goedgelovigheid. 'Ja,' zegt hij. 'Klaar, jongens?'

Onderweg praten ze over hoelang het geleden is dat ze elkaar hebben gezien, hoe blij Sophie en Malcolm zijn om weer thuis te zijn, over Malcolms rampzalige rijlessen, over het prachtige weer en hoe lekker het naar hooi ruikt. De mooiste zomer, denkt hij weer.

Het is een half uur rijden van het station naar huis, iets korter als hij zich haast, maar hij haast zich niet, want het is een mooie rit. En als hij het laatste grote kruispunt oversteekt, ziet hij de vrachtwagen die door rood scheurt niet eens op zich af komen, en tegen de tijd dat hij hem voelt – een enorme klap waardoor de passagierskant van de auto, waar Sophie zit, wordt platgedrukt – vliegt hij al door de lucht. 'Nee!' schreeuwt hij, of denkt hij in elk geval te schreeuwen, en dan ziet hij in een flits het gezicht van Jude, alleen zijn gezicht, met een nog onduidelijke uitdrukking, losgerukt van zijn lichaam en zwevend tegen de achtergrond van een zwarte hemel. Zijn oren en zijn hoofd vullen zich met het lawaai van metaal dat verwrongen wordt, glas dat in gruzelementen spat en zijn eigen zinloze gebrul.

Zijn laatste gedachten zijn niet voor Jude, maar voor Hemming. Hij ziet het huis waar hij als kind woonde, en midden op het gazon, vlak voor de glooiing naar de stallen, zit Hemming in zijn rolstoel en staart hem met een vaste, kalme blik aan, het soort blik waartoe hij tijdens zijn leven niet in staat was.

Hij staat aan het begin van hun oprit, waar de onverharde weg aan het asfalt grenst, en als hij Hemming ziet wordt hij door een groot verlangen overvallen. 'Hemming!' schreeuwt hij, en dan, onzinnig: 'Wacht op me!' En hij rent naar zijn broer, zo snel dat hij na een tijdje zijn voeten niet eens meer de grond voelt raken.

VI

Beste kameraad

1

Een van de eerste films waarin Willem een hoofdrol speelde was een project dat *Life After Death* heette. De film was gebaseerd op het verhaal van Orpheus en Eurydice, verteld vanuit wisselend perspectief en geregisseerd door twee zeer vermaarde regisseurs. Willem speelde O., een jonge musicus in Stockholm wiens vriendin net was overleden en die wanen kreeg waarin zij, wanneer hij bepaalde melodieën speelde, naast hem verscheen. De rol van E., de overleden vriendin van O., werd gespeeld door Fausta, een Italiaanse actrice.

De grap van de film was dat terwijl O. in het niets staarde, huilde en rouwde om zijn aardse geliefde, E. het uitstekend naar haar zin had in de hel, waar ze zich eindelijk niet meer netjes hoefde te gedragen: niet meer hoefde te zorgen voor haar twistzieke moeder en haar gekwelde vader, niet meer hoefde te luisteren naar het gezeur van de klanten die ze als advocaat voor onvermogenden probeerde te helpen zonder ooit een bedankje te krijgen, niet meer het eindeloze geklets van haar egocentrische vriendinnen hoefde aan te horen, niet meer hoefde te proberen haar lieve maar eeuwig sombere vriend op te vrolijken. In plaats daarvan zat ze in de onderwereld, waar eten in overvloed was en de bomen altijd zwaarbeladen waren met fruit, waar ze ongestraft kattige opmerkingen over anderen kon maken, waar ze zelfs de aandacht trok van Hades himself, die werd gespeeld door een breedgeschouderde, gespierde Italiaanse acteur die Rafael heette.

De critici waren verdeeld over *Life After Death*. Sommigen liepen ermee weg: ze vonden het prachtig dat de film zo veel zei over twee culturen met een fundamenteel verschillende levenshouding (O.'s verhaal was door een beroemde Zweedse regisseur gefilmd in sombere grijze en blauwe tinten; E.'s verhaal werd verteld door een Italiaanse regisseur die bekendstond om zijn esthetische overdaad), terwijl er ook hier en daar een lichte zelfparodie in doorschemerde; ze waren weg van de manier waarop de film van toon veranderde en van de tedere, onverwachte troost die hij de levenden bood.

Maar anderen vonden hem afschuwelijk, een aanslag op ogen en oren: ze verafschuwden de ambivalente satirische toon, ze verafschuwden het muzikale intermezzo waarbij E. in de hel in gezang uitbarst terwijl haar arme O. bovengronds maar wat aanpingelt met z'n kille, armzalige composities.

Maar hoewel de discussies over de film (die vrijwel niemand in de VS had gezien maar waar iedereen een mening over had) hoog oplaaiden, was men het tenminste over één ding roerend eens: de twee hoofdrolspelers, Willem Ragnarsson en Fausta San Filippo, waren fantastisch en stonden aan het begin van een grote carrière.

In de loop van de jaren werd *Life After Death* opnieuw gewogen, overpeinsd, geëvalueerd en bestudeerd, en tegen de tijd dat Willem halverwege de veertig was had het de status van officieel geliefde film bereikt, een favoriet in het oeuvre van zijn regisseurs, een symbool van het soort brutale, onverschrokken en toch speelse samenwerkingsprojecten waar tegenwoordig nog maar veel te weinig filmmakers in geïnteresseerd leken. Willem had rollen gespeeld in zo veel en zulke diverse films en toneelstukken dat hij het altijd interessant had gevonden te horen wat anderen als hun favoriet beschouwden, om dat vervolgens aan Willem door te brieven. Zo hielden de jongere mannelijke partners en medewerkers van Rosen Pritchard van de spionagefilms, en de vrouwen van *Duets*. De uitzendkrachten – van wie er velen zelf acteerden – hielden van *The Poisoned Apple*. JB hield van *The Unvanquished*. Richard hield van *The Stars Over St. James*. Harold en Julia hielden van *The Lacuna Detectives* en *Uncle Vanya*. En filmstudenten – het minst beschroomd om Willem in restaurants of op straat aan te spreken – hielden steevast van *Life After Death*. 'Dat is een van Donizetti's beste films,' zeiden ze zelfverzekerd, of 'Het was vast geweldig om geregisseerd te worden door Bergesson.'

Willem was altijd beleefd gebleven. 'Dat ben ik met je eens,' zei hij, en dan straalde de filmstudent. 'Het wás ook geweldig.'

Dit jaar is het twintig jaar geleden dat *Life After Death* verscheen, en op een dag in februari loopt hij de deur uit en ziet Willems drieëndertigjarige gezicht, dat op de zijmuren van flatgebouwen, achter op bushokjes en in warholeske veelvoud op ellenlange stellages is geplakt. Het is zaterdag en hoewel hij wilde wandelen, draait hij zich om en gaat terug naar boven, waar hij weer in bed kruipt en zijn ogen dichthoudt tot hij opnieuw in slaap valt. Op maandag zit hij achter in de auto als meneer Ahmed, zijn chauffeur, over 6th Avenue rijdt, en zodra hij de eerste poster ziet, door een wildplakker op de etalageruit van een leegstaande winkel geplakt, doet hij zijn ogen dicht en houdt ze gesloten tot hij voelt dat de auto stopt en meneer Ahmed hoort zeggen dat ze bij het kantoor zijn.

Later die week ontvangt hij een uitnodiging van het MoMA; *Life After Death* blijkt te zijn gekozen als openingsfilm van een festival van één week in juni rondom de films van Simon Bergesson, en na de vertoning zal er een paneldiscussie zijn met beide regisseurs en Fausta, en ze hopen dat hij erbij wil zijn en zouden – hoewel ze weten dat ze dat al eerder hebben gevraagd – zeer verheugd zijn als hij ook in het panel zou willen plaatsnemen en iets zou willen zeggen over Willems ervaringen tijdens de opnames. Hier kijkt hij van op: hadden ze hem al eerder uitgenodigd? Waarschijnlijk. Hij kan het zich niet herinneren. Hij herinnert zich maar heel weinig van het afgelopen half jaar. Nu kijkt hij naar de data van het festival: 3 tot en met 11 juni. Hij zal het zo plannen dat hij dan de stad uit is, zonder meer. Willem heeft nog twee films gemaakt met Bergesson; ze waren bevriend geweest. Hij wil niet nog meer posters met Willems gezicht zien, niet weer zijn naam in de krant lezen. Hij wil Bergesson niet hoeven te ontmoeten.

Voor hij die avond gaat slapen loopt hij eerst naar Willems kant van de garderobekamer, die hij nog steeds niet heeft leeggeruimd. Hier hangen Willems hemden en liggen zijn truien op de planken, en eronder staan zijn schoenen op een rij. Hij haalt het hemd dat hij nodig heeft van het haakje, een bordeauxrood geruit hemd met ingeweven gele streepjes dat Willem altijd in het voorjaar droeg als hij thuis was, en trekt het over zijn hoofd aan. Maar in plaats van zijn armen in de mouwen te steken knoopt hij de mouwen voor zijn buik aan elkaar, zodat het eruitziet als een dwangbuis maar hij zich, als hij zich concentreert, kan inbeelden dat het Willems armen om hem heen zijn. Hij kruipt in bed. Dit is een gênant, beschamend ritueel, maar hij doet het alleen als hij het echt nodig heeft, en vanavond heeft hij het echt nodig.

Hij ligt wakker. Af en toe gaat hij met zijn neus naar de kraag zodat hij ruikt wat er nog van Willem op het hemd zit, maar elke keer dat hij het aantrekt wordt de geur zwakker. Dit is het vierde hemd van Willem dat hij gebruikt, en hij is erg voorzichtig als het gaat om het behoud van de geur. De eerste drie hemden, die hij maandenlang bijna elke nacht heeft gedragen, ruiken niet meer naar Willem; ze ruiken naar hem. Soms probeert hij zichzelf te troosten met het feit dat hij zijn eigen parfum van Willem heeft gekregen, maar die troost werkt nooit lang.

Al voor ze een relatie kregen bracht Willem altijd iets voor hem mee van de plaats waar hij aan het werk was geweest, en toen hij terugkwam van *The Odyssey* had hij twee flessen eau de toilette bij zich die hij bij een beroemde parfumeur in Florence had laten maken. 'Ik weet dat dit misschien een beetje raar is,' had hij gezegd, 'maar iemand' (daarbij had hij innerlijk moeten lachen, omdat hij wist dat Willem het over een meisje had) 'vertelde me hierover, en het leek me wel wat.' Willem legde uit dat hij hem had moeten omschrijven voor de parfumeur – van welke kleuren hij hield, van welke smaken, plaatsen en landen – en dat de 'neus' dit parfum speciaal voor hem had gecreëerd.

Hij had eraan geroken: het was groen en een beetje peperig, met een rauwe, wrange nageur. 'Vetiver,' had Willem gezegd. 'Doe het eens op.' En dat had hij gedaan, een beetje op zijn hand omdat hij Willem in die tijd zijn polsen niet liet zien.

Willem had aan hem gesnoven. 'Lekker,' zei hij, 'het ruikt goed bij jou.' En ineens waren ze allebei een beetje verlegen geweest.

'Dank je, Willem,' had hij gezegd. 'Ik vind het heerlijk.'

Willem had ook een parfum voor zichzelf laten maken. Zijn geur had als basis sandelhout, en al snel begon hij het hout met hem te associëren: telkens wanneer hij het rook – vooral als hij ver weg was, in India op zakenreis, in Japan, in Thailand, dacht hij aan Willem en dan voelde hij zich minder alleen. In de loop van de jaren bestelden ze steeds nieuwe flesjes bij de parfumeur in Florence, en twee maanden geleden was een van de eerste dingen die hij deed zodra hij de tegenwoordigheid van geest had om eraan te denken, een grote hoeveelheid van Willems persoonlijke parfum bestellen. Toen het pakketje eindelijk was aangekomen was hij zo opgelucht, zo koortsachtig geweest dat zijn handen hadden getrild terwijl hij de verpakking eraf trok en de doos opensneed. Hij voelde Willem al van hem wegglippen; hij wist al dat hij hem moest proberen vast te houden. Maar nadat hij – voorzichtig; hij wilde niet te veel gebruiken – het parfum op Willems hemd had gespoten, was het toch niet hetzelfde geweest. Het was tenslotte niet alleen het parfum dat Willems kleren de geur van Willem had gegeven: hij was het zelf geweest, in al zijn eigenheid. Die nacht had hij in bed gelegen in een hemd met een versuikerde sandelhoutgeur, zo sterk dat elke andere geur erdoor werd overheerst, dat wat er nog van Willem over was totaal werd vernietigd. Die nacht had hij voor het eerst in lange tijd gehuild, en de dag erop had hij dat hemd afgeschreven en opgevouwen in een doos in de hoek van de kast gestopt, zodat het Willems andere kleren niet besmette.

De eau de toilette, het ritueel met het hemd: het zijn twee onderdelen van het wankele, fragiele stutwerk dat hij heeft leren oprichten om door te kunnen, om door te leven. Hoewel hij vaak het gevoel heeft dat het niet zozeer leven is als wel louter bestaan, eerder de dagen laten voorbijglijden dan zelf door die dagen gaan. Maar hij valt zichzelf daar niet te hard om; louter bestaan is al moeilijk genoeg.

Het heeft hem maanden gekost om erachter te komen wat werkt. Enige tijd ging hij zich elke avond te buiten aan Willems films, doorspoelend naar de scènes waarin Willem aan het woord was, net zolang tot hij op de bank in slaap viel. Maar de dialogen, het feit dat Willem acteerde, brachten hem juist meer op afstand in plaats van dichterbij, en uiteindelijk merkte hij dat hij de film beter bij een bepaald beeld kon stilzetten zodat Willems starende gezicht bleef staan, en dan keek hij en keek hij tot zijn ogen brandden. Na dat een maand te hebben gedaan, besefte hij dat hij voorzichtiger moest zijn met het ontleden van die films, om te voorkomen dat ze hun kracht verloren. Zodoende begon hij bij het begin, met Willems allereerste film, *The Girl with the Silver Hands*, die hij avond aan avond obsessief bekeek met zijn vinger aan de pauze- en startknop, het beeld bevriezend op bepaalde punten. In het weekend keek hij er urenlang naar, vanaf het moment dat het licht begon te worden tot lang nadat het weer donker was. En toen drong het tot hem door dat het gevaarlijk was die films op chronologische volgorde te bekijken, omdat hij met elke film dichter bij Willems dood zou komen. Daarom kiest hij nu telkens een willekeurige film van de maand, en dat is veiliger gebleken.

Maar de grootste, meest effectieve fantasie die hij voor zichzelf heeft ontwikkeld, is doen alsof Willem gewoon weg is voor een film. De opnames duren heel lang en zijn heel zwaar, maar er komt een einde aan en uiteindelijk zal hij terugkomen. Dit is een lastige illusie, want het is nooit voorgekomen dat Willem en hij elkaar tijdens filmopnames níét dagelijks spraken of mailden of sms'ten. Hij is dankbaar dat hij zo veel van Willems e-mails heeft bewaard, en een tijdlang is het hem gelukt die oude berichten 's avonds te lezen met het idee dat hij ze net had ontvangen: hoewel hij ze allemaal achter elkaar had willen verslinden, heeft hij dat niet gedaan en zich beperkt tot één mail per keer. Maar hij wist dat dat hem niet eeuwig tevreden zou blijven stellen, dus hij zou wat spaarzamer met deze e-mails moeten omgaan. Nu leest hij er één per week, niet meer. Hij mag berichten lezen die hij de voorgaande weken gelezen heeft, maar geen berichten die hij nog niet heeft gelezen. Dat is een tweede regel.

Toch was het bredere probleem van Willems stilte daarmee niet opgelost: in wat voor omstandigheden, piekerde hij 's ochtends tijdens het zwemmen en 's avonds terwijl hij in het niets starend bij het fornuis stond te wachten tot het water kookte, kon het gebeuren dat Willem niet met hem communiceerde als hij weg was voor een film? Ten slotte kwam hij op een scenario. Willem zou een film aan het draaien zijn over een groep Russische kosmonauten tijdens de Koude Oorlog, en de opnames voor die fictieve film vonden daadwerkelijk in de ruimte plaats, omdat de film werd gefinancierd door een mogelijk krankzinnige Russische industrieel en miljardair. Dus Willem zou ver weg zijn, dag en nacht mijlenver boven hem rondcirkelen, verlangend naar huis en niet in staat om met hem te communiceren. Ook deze denkbeeldige film, en zijn wanhoop, vervulden hem van gêne, maar het leek allemaal net geloofwaardig genoeg om zichzelf een hele tijd, soms wel een paar dagen achterelkaar, te kunnen wijsmaken dat het waar was. (Hij was toen dankbaar dat de logistiek en de werkelijke omstandigheden van Willems werk maar al te vaak nauwelijks voorstelbaar waren geweest: de onwaarschijnlijkheid van de hele filmindustrie hielp hem dit te geloven nu hij het nodig had.)

Hoe heet de film? stelde hij zich voor dat Willem glimlachend vroeg.

Beste kameraad, zei hij tegen Willem, want dat was de aanhef die Willem en hij soms in e-mails gebruikten: Beste kameraad, Beste Jude Haroldovitsj, Beste Willem Ragnaravovitsj – iets waar ze mee waren begonnen toen Willem weg was voor de opnames van het eerste deel van zijn spionagetrilogie, dat zich afspeelde in het Moskou van de jaren zestig. In zijn fantasie zouden de opnames voor *Beste kameraad* een jaar duren, al wist hij dat hij die periode zou moeten rekken: het was al maart, en in zijn fantasie zou Willem in november thuiskomen, maar hij wist dat hij tegen die tijd nog niet in staat zou zijn om een einde te maken aan het zelfbedrog. Hij wist dat hij nieuwe opnames zou moeten verzinnen, en vertragingen. Hij wist dat hij er een sequel bij zou moeten bedenken, een of andere reden waarom Willem nog langer zou wegblijven.

Om de geloofwaardigheid van de fantasie te versterken schreef hij Willem elke avond een e-mail waarin hij hem vertelde wat er die dag was voorgevallen, net zoals hij zou hebben gedaan als Willem nog leefde. Elk bericht eindigde hetzelfde: ik hoop dat het goed gaat met de opnames. Ik mis je ontzettend. Jude.

In november van het jaar ervoor was hij eindelijk uit zijn lethargie gekomen en begon het onherroepelijke feit van Willems afwezigheid werkelijk tot hem door te dringen. Dat was het moment geweest waarop hij wist dat het niet goed met hem ging. Van de maanden daarvoor herinnert hij zich niet veel, van de dag zelf evenmin. Hij herinnert zich dat hij de laatste hand legde aan de pastasalade, de basilicumblaadjes scheurde boven de kom, op zijn horloge keek en zich afvroeg waar ze bleven. Maar bezorgd was hij niet geweest: Willem reed graag via binnenweggetjes naar huis en Malcolm maakte graag foto's, dus misschien waren ze onderweg gestopt en de tijd vergeten.

Hij belde JB en hoorde diens geklaag over Fredrik aan; hij sneed een meloen in stukken voor het nagerecht. Intussen waren ze echt heel laat, en hij belde Willem op zijn mobiel, maar die ging alleen maar over zonder dat er werd opgenomen. Toen raakte hij geïrriteerd: waar konden ze zijn?

En toen werd het nog later. Hij ijsbeerde door de keuken. Hij belde Malcolm, Sophie: niets. Hij belde nogmaals naar Willem. Hij belde JB: hadden ze hem gebeld? Had hij iets van ze gehoord? Maar JB had niets gehoord. 'Maak je geen zorgen, Judy,' zei hij. 'Ze zijn vast ijs gaan kopen of zo. Of misschien zijn ze er met z'n drieën vandoor.'

'Ha,' zei hij, maar hij wist dat er iets mis was. 'Oké. Ik bel je nog wel.'

En net toen hij had opgehangen ging de deurbel, en hij verstijfde van schrik, want niemand belde ooit bij hen aan. Het huis was moeilijk te vinden: je moest er echt naar op zoek zijn, en dan moest je er, als niemand het hek voor je opendeed, vanaf de grote weg naartoe lopen – een heel lange wandeling – en hij had de zoemer van het hek niet gehoord. O god, dacht hij. O nee. Nee. Maar toen ging de bel opnieuw, en hij liep werktuiglijk naar de deur, en toen hij opendeed registreerde hij niet zozeer de uitdrukking op het gezicht van de agenten als wel het feit dat ze hun pet afzetten, en toen wist hij het.

Daarna verloor hij het bewustzijn. Hij kwam bij vlagen even bij, en de gezichten die hij zag – van Harold, JB, Richard, Andy, Julia – waren dezelfde die hij zich herinnerde van toen hij zichzelf had geprobeerd te doden: dezelfde mensen, dezelfde tranen. Toen hadden ze gehuild en dat deden ze nu ook weer, en soms was hij een ogenblik stomverbaasd; dan dacht hij dat hij de afgelopen tien jaar – zijn jaren met Willem, het verlies van zijn benen – misschien toch gedroomd had, dat hij misschien nog steeds op de psychiatrische afdeling lag. Hij herinnert zich dat hij in die dagen dingen te weten kwam, maar weet niet hoe, want hij herinnert zich niet enig gesprek gevoerd te hebben. Toch moet hij dat hebben gedaan. Hij kwam erachter dat hij Willems lichaam had geïdentificeerd, maar dat ze hem Willems gezicht niet hadden laten zien – hij was uit de auto gevlogen en tien meter verderop met zijn hoofd tegen een iep terechtgekomen; zijn gezicht was verwoest, elk botje ervan gebroken. Zodoende had hij hem geïdentificeerd aan de hand van een grote moedervlek op zijn linkerkuit en een klein vlekje op zijn rechterschouder. Hij kwam erachter dat van Sophies lichaam niets meer over was – 'vermorzeld' had iemand gezegd, herinnerde hij zich – en dat Malcolm hersendood was verklaard en vier dagen lang aan de beademing had gelegen, tot zijn ouders zijn organen hadden gedoneerd. Hij hoorde dat ze alle drie hun gordel om hadden gehad, dat de huurauto – die verdomde klotehuurauto – kapotte airbags had gehad, dat de bestuurder van de vrachtwagen, van een bierbrouwerij, stomdronken door rood was gereden.

Het grootste deel van de tijd zat hij onder de pillen. Hij zat onder de pillen toen hij naar de dienst voor Sophie ging, die hij zich totaal niet kan herinneren, niet één detail; hij zat ook onder de pillen toen hij naar die van Malcolm ging. Van die van Malcolm herinnert hij zich meneer Irvine die hem vastpakte, zachtjes door elkaar schudde en hem daarna met zo veel kracht tegen zich aandrukte dat hij geen lucht kreeg, hem omhelsde en met zijn gezicht op zijn schouder huilde, totdat iemand – waarschijnlijk Harold – iets zei en hij werd bevrijd.

Hij wist dat er een soort plechtigheid voor Willem was geweest, iets kleins; hij wist dat Willem was gecremeerd. Maar hij herinnert zich er niets van. Hij weet niet wie het heeft georganiseerd. Hij weet niet eens of hij erbij is geweest, en durft het niet te vragen. Hij herinnert zich dat Harold op een bepaald moment tegen hem zei dat het niet erg was dat hij geen toespraak hield, dat ze later nog altijd een herdenkingsplechtigheid voor Willem konden houden, als hij er klaar voor was. Hij herinnert zich dat hij knikte, dat hij dacht: maar ik zal er nooit klaar voor zijn.

Op zeker moment is hij weer aan het werk gegaan: eind september, dacht hij. Op dat moment wist hij wat er gebeurd was. Hij wist het. Maar hij probeerde het niet te weten, en toen was dat nog gemakkelijk. Hij las geen kranten en keek niet naar het nieuws. Twee weken na Willems overlijden liepen Harold en hij over straat en kwamen ze langs een krantenkiosk, en daar lag, recht voor zijn ogen, een tijdschrift met Willems gezicht en twee jaartallen, en het drong tot hem door dat het eerste het jaar was waarin Willem was geboren, en het tweede het jaar waarin hij was gestorven. Hij was ernaar blijven staan staren, en Harold had zijn arm gepakt. 'Kom, Jude,' had hij vriendelijk gezegd. 'Niet kijken. Kom met me mee.' En hij was gehoorzaam meegelopen.

Voordat hij weer naar kantoor ging had hij Sanjay instructies gegeven: 'Ik wil niet dat iemand me condoleert. Ik wil niet dat iemand erover begint. Ik wil niet dat iemand ooit zijn naam noemt.'

'Oké Jude,' had Sanjay zachtjes gezegd, met een bang gezicht. 'Ik begrijp het.'

En ze hadden gehoorzaamd. Niemand zei 'gecondoleerd'. Niemand noemde Willems naam. Niemand noemt óóit Willems naam. En nu wilde hij dat ze dat wel zouden doen. Zelf kan hij het niet, maar hij wilde dat iemand anders het deed. Soms hoort hij op straat iemand iets zeggen wat klinkt als zijn naam – 'William!', een moeder die haar zoon roept – en dan draait hij zich gretig om in de richting van haar stem.

In die eerste maanden waren er praktische zaken, zodat hij iets omhanden had, zodat zijn dagen vol boosheid waren, een boosheid waar ze vorm door kregen. Hij spande processen aan tegen de autofabrikant, de autogordelfabrikant, de airbagfabrikant en het autoverhuurbedrijf. Hij spande een proces aan tegen de vrachtwagenchauffeur en het bedrijf waar die voor werkte. De chauffeur, hoorde hij via diens advocaat, had een chronisch ziek kind; een rechtszaak zou het gezin ruïneren. Het liet hem koud. Ooit zou dat niet zo zijn geweest, maar nu wel. Hij voelde zich rauw en meedogenloos. Laat hem kapotgaan, dacht hij. Laat hem geruïneerd worden. Laat hem voelen wat ik voel. Laat hem alles verliezen, alles wat ertoe doet. Hij wilde elke dollar uit hen persen, uit hen allemaal, alle bedrijven en alle mensen die ervoor werkten. Hij wilde ze alle hoop ontnemen. Hij wilde ze kaalplukken. Hij wilde dat ze in armoede leefden. Hij wilde dat ze zich verloren voelden in hun eigen bestaan.

Ze werden stuk voor stuk aansprakelijk gesteld voor alles wat Willem zou hebben verdiend als hij een normale leeftijd had kunnen bereiken, en dat was een idioot bedrag, een astronomisch bedrag, en hij kon er niet naar kijken zonder wanhoop: niet vanwege het getal zelf, maar vanwege de jaren waar het voor stond.

Ze wilden schikken, zei zijn advocaat Todd, een specialist aansprakelijkheidsrecht die berucht was om zijn corruptheid en meedogenloosheid en die hij kende van het universitaire juridische tijdschrift, en het zou om aanzienlijke bedragen gaan.

Aanzienlijk of niet aanzienlijk, dat kon hem niet schelen. Het enige wat hem kon schelen was de vraag of het ze pijn deed. 'Vermorzel ze,' zei hij tegen Todd met een stem schor van haat, en Todd keek hem verbijsterd aan.

'Doe ik, Jude,' zei hij. 'Maak je geen zorgen.'

Het geld had hij natuurlijk niet nodig. Hij had zijn eigen geld. En afgezien van een paar financiële giften aan zijn assistent en zijn peetzoon en bedragen die hij wilde laten verdelen over diverse liefdadigheidsinstellingen, dezelfde waar hij jaarlijks aan had gedoneerd plus nog één andere: een stichting die zich inzette voor uitgebuite kinderen, had Willem alles wat hij bezat aan hem nagelaten: zijn testament was een exact negatiefbeeld van dat van hemzelf. Eerder dat jaar hadden Willem en hij ter gelegenheid van de vijfenzeventigste verjaardag van Harold en van Julia twee studiebeurzen ingesteld: een op naam van Harold bij de rechtenfaculteit en een op naam van Julia bij de medische faculteit. Ze hadden ze samen van geld voorzien en Willem had een dusdanig bedrag in een trust gestopt dat ze konden blijven voortbestaan. Hij betaalde de rest van Willems legaten uit: hij tekende de cheques aan de liefdadigheidsorganisaties, stichtingen, musea en organisaties die Willem als begunstigden had aangewezen. Hij gaf Willems vrienden – Harold en Julia, Richard, JB, Roman, Cressy, Susannah, Miguel, Kit, Emil en Andy, maar Malcolm niet, Malcolm niet meer – de spullen (boeken, schilderijen, souvenirs van films en toneelstukken, kunstwerken) die hij hun had nagelaten. Er waren geen verrassingen in Willems testament, al wenste hij soms dat die er wel waren geweest; wat zou hij dankbaar zijn geweest voor een geheim kind dat hij kon ontmoeten en dat Willems glimlach zou hebben, wat zou hij geschrokken en toch ook opgewonden zijn geweest over een geheime brief met een lang verzwegen bekentenis. Wat zou hij dankbaar zijn geweest voor een excuus om boos op Willem te zijn, een hekel aan hem te hebben vanwege een op te lossen mysterie dat jaren van zijn leven in beslag had kunnen nemen. Maar er was niets. Willems leven was voorbij. Hij was even smetteloos in de dood als hij in het leven was geweest.

Hij dacht dat het goed, of althans redelijk met hem ging. Op een dag belde Harold en vroeg hem wat hij met Thanksgiving van plan was, en even begreep hij niet waar Harold het over had, wat dat woord, 'Thanksgiving', eigenlijk betekende. 'Ik weet het niet,' zei hij.

'Het is volgende week,' zei Harold met de nieuwe, zachte stem waarmee iedereen nu tegen hem sprak. 'Kom jij hierheen of zullen wij naar jou toe komen, of gaan we ergens anders naartoe?'

'Ik denk niet dat ik kan,' zei hij. 'Ik heb het te druk, Harold.'

Maar Harold had aangedrongen. 'Waar dan ook, Jude,' had hij gezegd. 'Met wie je maar wilt. Of met niemand. Maar we willen je echt heel graag zien.'

'Jullie krijgen geen gezellige dagen met mij,' zei hij ten slotte.

'We krijgen geen gezellige dagen zónder jou,' zei Harold. 'Helemaal geen dagen. Alsjeblieft, Jude. Waar dan ook.'

Dus ze gingen naar Londen. Ze logeerden in de flat. Het was een opluchting het land uit te zijn en te ontsnappen aan de familietafereeltjes op tv en het vrolijke gemopper van zijn collega's over hun kinderen, de schoonouders, hun vrouw of hun man. In Londen was het een gewone dag. Ze maakten wandelingetjes met z'n drieën. Harold kookte ambitieuze, rampzalige maaltijden, die hij braaf opat. Hij sliep en sliep. Daarna gingen ze weer naar huis.

En toen was hij op een zondag in december wakker geworden en had hij het beseft: Willem was weg. Hij was bij hem weg, voor altijd. Hij zou nooit terugkomen. Hij zou hem nooit meer zien. Hij zou nooit meer Willems stem horen, hem nooit meer ruiken, nooit meer Willems armen om zich heen voelen. Hij zou hem nooit meer een van zijn herinneringen kunnen vertellen, snikkend van schaamte terwijl hij zich van die last bevrijdde, hij zou nooit meer blind van angst wakker schrikken uit een van zijn dromen en Willems hand op zijn wang voelen, Willems stem boven zich horen: 'Je bent veilig, Judy, je bent veilig. Het is voorbij, het is voorbij, het is voorbij.' En toen had hij gehuild, echt gehuild, voor het eerst sinds het ongeluk. Hij had gehuild om Willem, om hoe bang hij geweest moest zijn, hoeveel pijn hij moest hebben geleden, hoe kort zijn leven was geweest. Maar vooral had hij gehuild om zichzelf. Hoe moest hij verderleven zonder Willem? In zijn hele leven – zijn leven na broeder Luke, zijn leven na dokter Traylor, zijn leven na het klooster, de motelkamers, het tehuis en de vrachtwagens, het enige deel van zijn leven dat telde – was Willem er geweest. Sinds hun kennismaking op zijn zestiende, in hun kamer in Hood Hall, was er geen dag voorbijgegaan zonder dat hij op de een of andere manier met Willem had gecommuniceerd. Zelfs als ze ruzie hadden, praatten ze nog met elkaar. 'Jude,' had Harold gezegd, 'het wordt echt beter. Ik zweer het. Ik zweer het. Het lijkt nu van niet, maar het wordt echt beter.' Dat zeiden ze allemaal: Richard, JB en Andy, de mensen die hem kaarten stuurden. Kit. Emil. Het enige wat ze zeiden was dat het beter zou worden. Maar hoewel hij niet zo gek was dat hardop te zeggen, dacht hij bij zichzelf: dat wordt het niet. Harold had Jacob vijf jaar gehad. Hij Willem vierendertig jaar. Het was niet te vergelijken. Willem was de eerste geweest die van hem hield, de eerste die hem niet had gezien als een gebruiksvoorwerp of iemand om medelijden mee te hebben, maar als iets anders, als een vriend; hij was de tweede geweest die altijd, altijd aardig voor hem was geweest. Als hij Willem niet had gehad, had hij geen van hen gehad – hij zou nooit in staat zijn geweest om Harold te vertrouwen als hij niet eerst vertrouwen had gehad in Willem. Hij kon zich geen leven voorstellen zonder hem, zozeer had Willem gedefinieerd wat zijn leven was en kon zijn.

De volgende dag deed hij iets wat hij nooit deed: hij belde Sanjay en zei tegen hem dat hij de komende twee dagen niet naar kantoor kwam. En daarna ging hij in bed liggen huilen, in de kussens schreeuwend tot hij geen stem meer had.

Maar uit die twee dagen was een andere oplossing voortgekomen. Nu blijft hij tot heel laat op zijn werk, zo laat dat hij de zon al eens heeft zien opkomen vanuit zijn kantoor. Dat doet hij elke doordeweekse dag, en op zaterdag ook. Maar op zondag slaapt hij zo lang uit als hij kan, en als hij wakker wordt neemt hij een pil, eentje waardoor hij niet alleen opnieuw inslaapt, maar waardoor elk zweempje wakkerheid wordt neergeknuppeld. Hij slaapt tot de pil is uitgewerkt, neemt dan een douche, kruipt terug in bed en slikt een andere pil, eentje die de slaap ondiep en glazig maakt, en slaapt door tot maandagochtend. Als het maandag is heeft hij vierentwintig uur, soms langer, niet gegeten en is hij trillerig en vrij van gedachten. Hij zwemt, hij gaat naar zijn werk. Als hij geluk heeft, is hij de zondag doorgekomen met dromen over Willem, tenminste een tijdje. Hij heeft een lang, dik kussen gekocht, zo lang als een mens, bedoeld voor zwangere vrouwen of mensen met rugproblemen om tegenaan te liggen; daar drapeert hij een van Willems hemden omheen en dat houdt hij vast terwijl hij slaapt, ook al was het in het echte leven Willem die hém vasthield. Hij verafschuwt zichzelf hierom, maar hij kan er niet mee ophouden.

Hij is zich vaag bewust dat zijn vrienden hem in de gaten houden, dat ze bezorgd zijn. Op zeker moment is het tot hem doorgedrongen dat hij in de dagen na het ongeluk in het ziekenhuis lag, onder zelfmoordbewaking, en dat dat deels verklaart waarom hij er zo weinig meer van weet. Nu strompelt hij zijn dagen door en vraagt zich af waarom hij er niet inderdaad een einde aan maakt. Dit is per slot van rekening het uitgelezen moment. Niemand zou het hem kwalijk nemen. En toch doet hij het niet.

In elk geval vertelt niemand hem dat hij verder moet met zijn leven. Hij wil niet verder, hij wil niet door naar iets anders; hij wil precies in dit stadium blijven, voorgoed. In elk geval vertelt niemand hem dat hij in de ontkenningsfase zit. Ontkenning is wat hem staande houdt, en hij vreest de dag waarop zijn zelfbedrog hem niet meer zal kunnen overtuigen. Voor het eerst in tientallen jaren snijdt hij zichzelf helemaal niet. Als hij zichzelf niet snijdt blijft hij gevoelloos, en hij heeft het nodig gevoelloos te blijven, hij heeft het nodig dat de wereld niet te dichtbij komt. Eindelijk heeft hij bereikt waar Willem altijd op heeft gehoopt; het enige wat daarvoor nodig was, is dat Willem hem werd ontnomen.

In januari droomde hij dat Willem en hij in hun buitenhuis aan het koken waren en met elkaar praatten, iets wat ze honderden keren hadden gedaan. Maar hoewel hij in de droom zijn eigen stem kon horen, hoorde hij die van Willem niet: hij zag zijn mond bewegen, maar hoorde niets van wat hij zei. Op dat moment werd hij wakker, en hij wierp zich in zijn rolstoel en ging zo snel hij kon naar zijn werkkamer, waar hij door al zijn oude e-mails scrolde, zoekend en zoekend tot hij een paar voiceberichten van Willem vond die hij vergeten was te deleten. De berichten waren kort en nietszeggend, maar hij speelde ze keer op keer af, huilend, diep voorovergebogen van verdriet, juist om de alledaagsheid ervan – 'Hé Judy, ik ga naar de boerenmarkt voor die bosuitjes, maar heb je nog wat anders nodig? Laat even weten' – die het kostbare bewijs was van hun leven samen.

'Willem,' zei hij hardop tegen het appartement, want soms, als het heel erg was, sprak hij hem toe. 'Kom bij me terug. Kom terug.'

Het is geen overlevingsschuldgevoel, eerder overlevingsonbegrip: hij had altijd, altijd zeker geweten dat hij eerder dood zou gaan dan Willem. Dat wisten ze allemaal. Willem, Andy, Harold, JB, Malcolm, Julia, Richard: hij zou eerder doodgaan dan iedereen. De enige vraag was hoe: door eigen hand of door een infectie. Maar geen van hen had ooit gedacht dat uitgerekend Willem voor hem zou sterven. Daar was in geen enkel plan rekening mee gehouden. Als hij had geweten dat het tot de mogelijkheden behoorde, als het een minder absurd idee was geweest, dan zou hij een voorraad hebben aangelegd. Dan zou hij opnames hebben gemaakt van Willems stem die tegen hem praatte, en die hebben bewaard. Dan zou hij meer foto's hebben genomen. Dan zou hij zelfs hebben geprobeerd Willems lichaamschemie te distilleren. Hij zou hem zo uit zijn bed hebben meegenomen naar de parfumeur in Florence. 'Hier,' zou hij hebben gezegd. 'Dit. Deze geur. Daar wil ik een fles van.' Jane had hem ooit verteld dat ze als kind doodsbang was geweest dat haar vader zou sterven, en dat ze stiekem de opnames op zijn dictafoon (hij was ook arts) had gekopieerd en op usb-sticks gezet. En toen haar vader uiteindelijk stierf, vier jaar geleden, had ze die teruggevonden en ze in een kamer zitten afspelen, luisterend naar haar vader die op zijn kalme, geduldige toon opdrachten insprak. Wat benijdde hij Jane om die opnames; wat wenste hij dat hij hetzelfde had gedaan.

In elk geval had hij Willems films en e-mails, en de brieven die hij in de loop van de jaren van hem had gekregen, die hij allemaal had bewaard. In elk geval had hij Willems kleren en artikelen over Willem, die hij allemaal had opgeborgen. In elk geval had hij JB's schilderijen van Willem; in elk geval had hij foto's van Willem: honderden, al deelde hij zichzelf slechts een beperkt aantal toe. Hij besloot dat hij er tien per week mocht bekijken, en hij keek en keek, urenlang. Hij mocht zelf kiezen of hij er één per dag wilde bekijken of tien achterelkaar. Hij was als de dood dat zijn computer zou crashen en hij die beelden zou verliezen; hij maakte meerdere kopieën van de foto's en borg de back-ups op verschillende plaatsen op: in zijn kluis in Greene Street, in zijn kluis in Lantern House, in zijn kantoor bij Rosen Pritchard en in zijn kluis bij de bank.

Hij had Willem nooit gezien als iemand die zijn eigen leven grondig archiveerde – dat is hijzelf ook niet – maar op een zondag in het begin van maart slaat hij zijn gedrogeerde sluimersessie over en gaat in plaats daarvan met de auto naar Garrison. Sinds die septemberdag is hij daar slechts twee keer geweest, maar de tuinmannen komen nog en aan weerszijden van de oprit beginnen de bloembollen te ontluiken, en als hij het huis binnen stapt staat er op het aanrecht in de keuken een vaas met pruimentakken, en hij blijft ernaar staan staren: heeft hij de huisbewaarster gebeld om te zeggen dat hij kwam? Kennelijk wel. Maar een moment lang beeldt hij zich in dat er aan het begin van elke week een nieuwe bos bloemen op het aanrecht wordt gezet, die aan het eind van elke week, weer een week waarin niemand ernaar is komen kijken, wordt weggegooid.

Hij gaat naar zijn werkkamer, waar ze extra kasten hebben laten bouwen zodat Willem daar ook zijn mappen en paperassen kwijt kon. Hij gaat op de vloer zitten, laat met een schouderbeweging zijn jas van zich af glijden, haalt diep adem en trekt de eerste la open. Er hangen opbergmappen in, elk met de titel van een toneelstuk of film, en in elke map zit het opnamescript met Willems aantekeningen erop. Hier en daar vindt hij callsheets van dagen waarop Willem opnames had met een acteur van wie hij wist dat Willem hem enorm bewonderde: hij herinnert zich hoe opgewonden Willem was ten tijde van *The Sycamore Court*, en dat hij hem een foto van de callsheet van die dag had gestuurd, met zijn naam vlak onder die van Clark Butterfield. 'Kun jij het geloven?!' had hij gesms't.

Ik kan het zeker geloven, had hij teruggeschreven.

Hij laat zijn vinger over de mappen glijden, haalt er een willekeurige uit en neemt de inhoud ervan zorgvuldig door. De volgende drie laden bieden meer van hetzelfde: films, toneelstukken, andere projecten.

In de vijfde la zit een map met het opschrift 'Wyoming', en daarin zitten vooral foto's die hij voor het merendeel al kent: foto's van Hemming, foto's van Willem met Hemming, foto's van hun ouders, foto's van de broer en zus die Willem nooit gekend heeft: Britte en Aksel. Er is een aparte envelop met een stuk of tien foto's van Willem alleen: schoolfoto's, Willem in een padvindersuniform en Willem in footballtenue. Hij staart naar die foto's, zijn handen tot vuisten gebald, alvorens ze terug te doen in de envelop.

In de Wyoming-map zitten ook nog een paar andere dingen: een boekverslag over *The Wizard of Oz*, in groep vijf door Willem geschreven in zijn zorgvuldige, schuine handschrift, waar hij om moet glimlachen; een zelfgetekende verjaardagskaart aan Hemming waar hij om kan huilen. De rouwbrief van zijn moeder; die van zijn vader. Een kopie van hun testament. Een paar brieven van hem aan zijn ouders en van zijn ouders aan hem, allemaal in het Zweeds; die legt hij apart om te laten vertalen.

Hij weet dat Willem nooit een dagboek heeft bijgehouden, maar toch denkt hij, als hij door de 'Boston'-map kijkt, om de een of andere reden dat hij misschien iets zal vinden. Maar er is niets. Wel zijn er meer foto's, die hij allemaal al kent: van Willem, zo stralend en knap; van Malcolm, die er verdacht en een beetje wild uitziet met de touwachtige, onsuccesvolle afro die hij in zijn studententijd probeerde te cultiveren; van JB, die er eigenlijk net zo vrolijk en rondwangig uitziet als nu; en van hem, met het uiterlijk van een bange, broodmagere drenkeling, in zijn vreselijke, te grote kleren en met zijn vreselijke, te lange haar, in zijn beenbeugels die zijn benen gevangenhielden in hun zwarte, schuimrubberen omhelzing. Hij blijft steken bij een foto van hen tweeën op de bank in hun woonkamer in Hood, waarop Willem zich naar hem toe buigt, hem glimlachend aankijkt en zo te zien iets tegen hem zegt, terwijl hij met zijn hand voor zijn mond zit te lachen, iets wat hij zich had aangeleerd nadat de begeleiders in het tehuis hadden gezegd dat hij een lelijke glimlach had. Ze zien er niet uit als twee verschillende mensen, maar als twee wezens van een verschillende planeet, en hij moet de foto snel wegstoppen voordat hij hem doormidden scheurt.

Ademhalen wordt zwaarder, maar hij gaat door. In de 'Boston'-map en de 'New Haven'-map zitten recensies uit universiteitskranten van toneelstukken waarin Willem heeft gespeeld, en ook het artikel over JB's op Lee Lozano geïnspireerde performance. Er zit, heel ontroerend, dat ene wiskundetentamen in waar Willem een acht voor haalde, een tentamen waarvoor hij maandenlang met hem had geoefend.

En dan kijkt hij opnieuw in de la, die voor het grootste deel in beslag wordt genomen door een map die niet hangt maar op de bodem rust, een grote map in de vorm van een harmonica, van het soort dat ze ook op kantoor gebruiken. Hij tilt hem eruit, ziet dat alleen zijn naam erop staat en maakt hem langzaam open.

Erin zit alles: alle brieven die hij ooit aan Willem heeft geschreven, uitdraaien van alle langere e-mails. Verjaardagskaarten die hij Willem gegeven heeft. Foto's van hem, waarvan hij er sommige nog nooit heeft gezien. Het nummer van *Artforum* met *Jude with Cigarette* op de cover. Een kaart van Harold, kort na de adoptie geschreven, waarin hij Willem bedankt voor zijn komst en voor zijn cadeau. Een artikel over de prijs die hij had gewonnen op de rechtenfaculteit, dat hij Willem beslist niet heeft toegestuurd, maar iemand anders kennelijk wel. Hij heeft zijn leven dus ook niet hóéven te archiveren: Willem heeft dat voor hem gedaan, vanaf het begin.

Maar waarom gaf Willem zo veel om hem? Waarom wilde hij zo veel tijd met hem doorbrengen? Hij heeft het nooit begrepen en zal het nu ook nooit meer kunnen begrijpen.

Soms heb ik het gevoel dat ik het belangrijker vind dat je blijft leven dan jijzelf, herinnert hij zich Willems woorden, en hij slaakt een lange, trillende zucht.

En het gaat maar door, dit gedetailleerde overzicht van zijn leven, en als hij in de zesde la kijkt vindt hij daar nog een harmonicamap in, van dezelfde soort als de eerste, met daarop: 'Jude II', en daarachter mappen met 'Jude III' en 'Jude IV'. Maar tegen die tijd kan hij niet langer kijken. Hij zet de mappen voorzichtig terug, duwt de laden dicht en sluit de kasten af. Hij stopt de brieven van Willem en zijn ouders in een envelop, en daarna ter bescherming in een andere envelop. Hij haalt de pruimentakken uit de vaas, wikkelt een plastic zak om de uiteinden, giet de vaas leeg in de gootsteen, sluit het huis weer af en gaat naar huis met de takken op de passagiersstoel. Voordat hij naar zijn etage gaat, opent hij met zijn sleutel de deur van Richards atelier, vult een van diens lege koffiekannen met water, doet daar de takken in en zet die op Richards werktafel zodat hij ze de volgende ochtend zal zien.

Dan is het eind maart; hij is op kantoor. Een vrijdagavond, of eigenlijk een zaterdagochtend. Hij draait zich weg van zijn computer en kijkt uit het raam. Het uitzicht op de Hudson is onbelemmerd en boven de rivier ziet hij de lucht wit worden. Lange tijd staat hij te staren naar de vuilgrijze rivier, de cirkelende zwermen vogels. Hij keert terug naar zijn werk.

De afgelopen maanden voelt hij dat hij is veranderd, dat de mensen bang voor hem zijn geworden. Hij is nooit het zonnetje van het kantoor geweest, maar nu merkt hij dat hij alleen nog maar somberheid uitstraalt. Hij voelt dat hij genadelozer is geworden. Killer. Vroeger lunchten Sanjay en hij samen en klaagden dan tegen elkaar over hun collega's, maar nu kan hij met niemand meer praten. Hij haalt nieuwe zaken binnen. Hij doet zijn werk, hij doet meer dan vereist, maar hij merkt dat niemand het prettig vindt om bij hem in de buurt te zijn. Hij heeft Rosen Pritchard nodig, hij zou zich geen raad weten zonder zijn werk. Maar hij schept er geen plezier meer in. Dat geeft niet, probeert hij zichzelf voor te houden. Werken doe je niet voor je plezier, althans de meeste mensen niet. Maar voor hem is dat wel zo geweest, ooit, alleen nu niet meer.

Twee jaar geleden, toen hij herstellende was van de amputatie en moe was, zo moe dat Willem hem in en uit bed moest tillen, waren Willem en hij op een ochtend aan het praten. Het moest buiten koud geweest zijn, want hij herinnert zich dat hij zich warm en veilig voelde en dat hij zichzelf hoorde zeggen: 'Ik wou dat ik voor altijd hier kon blijven liggen.'

'Doe dat dan,' had Willem gezegd. (Dit was een van hun regelmatig terugkerende gesprekjes: zijn wekker ging en hij stond op. 'Ga dan niet,' zei Willem dan altijd. 'Waarom moet je überhaupt opstaan? Waarom altijd die haast?')

'Dat kan niet,' had hij glimlachend gezegd.

'Hoor eens,' had Willem geantwoord, 'waarom neem je niet gewoon ontslag?'

Hij had gelachen. 'Ik kan geen ontslag nemen,' zei hij.

'Waarom niet?' had Willem gevraagd. 'Geef me één goede reden, afgezien van een totaal gebrek aan intellectuele stimulans en het vooruitzicht van mij als je enige gezelschap.'

Hij had weer geglimlacht. 'Dan is er geen goede reden,' zei hij. 'Want jij als mijn enige gezelschap, dat lijkt me wel wat. Maar wat zou ik de hele dag moeten doen, als man van?'

'Koken,' zei Willem. 'Lezen. Pianospelen. Vrijwilligerswerk doen. Op reis met mij. Mijn geklaag over vervelende medeacteurs aanhoren. Naar de schoonheidsspecialist voor een gezichtsbehandeling. Voor me zingen. Me van een continue overvloed aan bevestiging voorzien.'

Hij had gelachen, en Willem had meegelachen. Maar nu denkt hij: waarom heb ik niet gewoon ontslag genomen? Waarom heb ik Willem al die maanden, al die jaren lang van me laten weggaan, terwijl ik met hem mee had kunnen reizen? Waarom heb ik meer uren bij Rosen

Pritchard doorgebracht dan bij Willem? Maar nu is de keuze voor hem gemaakt en is Rosen Pritchard alles wat hij nog heeft.

Dan denkt hij: waarom heb ik Willem nooit gegeven wat ik hem had moeten geven? Waarom liet ik hem naar anderen gaan voor seks? Waarom kon ik niet wat dapperder zijn? Waarom kon ik mijn plicht niet doen? Waarom is hij toch bij me gebleven?

Hij gaat terug naar Greene Street voor een douche en een paar uur slaap; die middag zal hij weer naar kantoor gaan. In de auto terug naar huis, met zijn ogen neergeslagen vanwege de *Life After Death*-posters, bekijkt hij zijn berichten: Andy, Richard, Harold, Zwarte Henry Young.

Het laatste bericht is van JB, die hem minstens twee keer per week belt of sms't. Hij weet niet waarom, maar hij kan JB niet verdragen. Eigenlijk heeft hij een hekel aan hem, een meer onversneden hekel dan hij sinds lang aan iemand heeft gehad. Hij beseft maar al te goed hoe irrationeel dat is. Hij beseft maar al te goed dat JB niets, totaal niets te verwijten valt. Die hekel slaat nergens op. JB zat die dag niet eens in de auto; op geen enkele manier, zelfs niet in de kromste redenering, draagt hij enige verantwoordelijkheid. En toch hoorde hij, toen hij JB voor het eerst zag nadat hij weer bij bewustzijn was gekomen, een stemmetje in zijn hoofd dat rustig en duidelijk zei: jij had het moeten zijn, JB. Hij had het niet gezegd, maar zijn gezicht moest iets hebben verraden, want JB wilde op hem afkomen om hem te omhelzen, maar bleef ineens staan. Sindsdien heeft hij JB tweemaal gezien, beide keren in gezelschap van Richard, en beide keren heeft hij zich moeten inhouden om niet iets scherps, iets onvergeeflijks te zeggen. En nog steeds belt JB hem en spreekt berichten in, en zijn berichten zijn altijd hetzelfde: 'Hé, Judy, met mij. Even horen hoe het gaat. Ik denk veel aan je. Ik wil je graag zien. Oké. Hou van je. Dag.' En net als altijd schrijft hij JB terug: 'Ha JB, bedankt voor je bericht. Sorry dat ik zo weinig van me laat horen; het is erg druk op het werk. Spreek je gauw. Liefs, J.' Maar ondanks dat bericht is hij niet van plan om JB te spreken, misschien wel nooit meer. Er is iets heel erg fout aan deze wereld, denkt hij, een wereld waarin van hen vieren – JB, Willem, Malcolm en hijzelf – de twee beste mensen, de aardigste, de attentste, zijn overleden, en de twee minder geslaagde menselijke exemplaren nog rondlopen. En dan is JB tenminste nog getalenteerd; hij verdient het te leven. Maar hij kan geen reden bedenken waarom hijzelf dat zou verdienen.

'Wij zijn alles wat we overhebben, Jude,' had JB op zeker moment tegen hem gezegd, 'we hebben tenminste elkaar nog,' en hij had gedacht (weer zo'n zin die in hem opflitste maar die hij binnen wist te houden): ik zou jou zo voor hem inruilen. Hij zou ieder van hen hebben ingeruild voor Willem. JB: onmiddellijk. Richard en Andy – arme Richard en Andy, die alles voor hem overhadden! – onmiddellijk. Zelfs Julia. Harold. Ieder van hen, hen allemaal tegelijk zou hij hebben ingeruild om Willem terug te krijgen. Hij denkt aan Hades met zijn glanzende Italiaanse torso, die E. met zich meevoerde door de onderwereld. Ik heb een voorstel, zegt hij tegen Hades. Vijf zielen voor één. Dat kun je toch niet afslaan?

Op een zondag in april ligt hij te slapen als hij een luid en aanhoudend gebons op de deur hoort; hij wordt half wakker en draait zich slaapdronken op zijn zij met het kussen over zijn hoofd en zijn ogen stijf dicht, en uiteindelijk houdt het bonzen op. Dus als hij voelt dat iemand zachtjes zijn arm aanraakt, slaakt hij een kreet, draait zich abrupt om en ziet dat het Richard is, die naast hem zit.

'Sorry, Jude,' zegt Richard. En dan: 'Heb je de hele dag geslapen?'

Hij slikt en komt half overeind. Op zondag laat hij alle luxaflex omlaag, alle gordijnen dicht; hij weet dan nooit echt of het dag of nacht is. 'Ja,' zegt hij. 'Ik ben moe.'

'Nou,' zegt Richard na een stilte. 'Sorry dat ik zo kom binnenvallen. Maar je nam de telefoon niet op, en ik wilde je vragen om vanavond bij me te komen eten.'

'O, Richard, ik weet het niet,' zegt hij, zoekend naar een uitvlucht. Richard heeft gelijk: hij zet zijn telefoon, alle telefoons, uit voor zijn zondagse binnenblijfdag, zodat niets hem stoort in zijn slaap, zijn pogingen om Willem in zijn dromen te vinden. 'Ik voel me niet zo best. Ik ben niet echt goed gezelschap.'

'Je hoeft me niet te entertainen, Jude,' zegt Richard met een half glimlachje. 'Kom op. Je moet toch wat eten. Alleen jij en ik; India is een weekendje de stad uit, naar een vriendin.'

Ze zwijgen een tijdje. Hij kijkt de kamer rond, naar zijn wanordelijke bed. Er hangt een zware lucht van sandelhout en de stoomhitte van de radiator. 'Kom op, Jude,' zegt Richard zachtjes. 'Kom bij me eten.'

'Oké,' zegt hij ten slotte. 'Oké.'

'Oké,' zegt Richard terwijl hij opstaat. 'Dan zie ik je over een half uur wel beneden.'

Hij neemt een douche en dan gaat hij naar beneden met een fles tempranillo, waar Richard – herinnert hij zich – van houdt. Bij Richard wordt hij de keuken uit gebonjourd, dus gaat hij maar aan de lange tafel zitten die het vertrek overheerst, met in theorie én praktijk plaats voor wel vierentwintig personen, en aait Richards kat Mustache, die bij hem op schoot is gesprongen. Hij herinnert zich de eerste keer dat hij dit appartement zag, met zijn bungelende kroonluchters en zijn grote sculpturen van bijenwas; in de loop van de jaren is het er wat huiselijker geworden, maar het is nog steeds onmiskenbaar van Richard, met zijn ivoorwitte en wasgele tinten, hoewel India's schilderijen, felle, paarse abstracties van vrouwelijke naakten, aan de muren hangen en de vloer is bedekt met tapijten. Hij is al maanden niet in dit appartement geweest, waar hij vroeger minstens eenmaal per week kwam. Natuurlijk ziet hij Richard nog wel, maar alleen in het voorbijgaan; meestal probeert hij hem te ontlopen, en als Richard hem belt om hem voor het eten uit te nodigen of hem vraagt om langs te komen, zegt hij altijd dat hij het te druk heeft, te moe is.

'Ik wist niet meer hoe jij tegenover mijn beroemde seitanroerbakschotel staat, dus ik heb sint-jakobsschelpen gemaakt,' zegt Richard, en hij zet een schaal voor hem neer.

'Ik ben dol op jouw beroemde roerbakschotel,' zegt hij, hoewel hij zich niet herinnert wat dat voor gerecht is en of hij er al dan niet van houdt. 'Dank je wel, Richard.'

Richard schenkt hun beiden een glas wijn in en heft het zijne. 'Gefeliciteerd met je verjaardag, Jude,' zegt hij plechtig, en hij beseft dat Richard gelijk heeft: vandaag is hij jarig. Harold is hem al de hele week zo verwoed aan het bellen en mailen dat het zelfs voor zijn doen ongewoon is, maar hij heeft hem, op een zeer summier antwoord na, helemaal niet gesproken. Hij weet dat Harold zich waarschijnlijk zorgen maakt. Ook Andy heeft hem ge-sms't, en nog een paar anderen, en nu weet hij waarom, en hij begint te huilen: om alle hartelijkheid van iedereen die hij zo gebrekkig beantwoordt, om zijn eenzaamheid, om het bewijs dat het leven, ondanks zijn pogingen het links te laten liggen, gewoon door is gegaan. Hij is eenenvijftig, en Willem is al acht maanden dood.

Richard zegt niets, komt alleen naast hem op de bank zitten en houdt hem tegen zich aan. 'Ik weet dat het niet helpt,' zegt hij ten slotte, 'maar ik hou ook van je, Jude.'

Hij schudt zijn hoofd, niet in staat een woord uit te brengen. In de afgelopen jaren heeft hij een ontwikkeling doorgemaakt van zich schamen als hij huilde, tot continu huilen als hij alleen was, tot huilen waar Willem bij was, en nu, in het laatste stadium van het verlies van zijn waardigheid, tot huilen op elk moment, waar wie dan ook bij is, naar aanleiding van wat dan ook.

Hij leunt tegen Richard aan en snikt het uit met zijn gezicht tegen zijn hemd. Richard is ook zo iemand wiens onbegrensde, onwankelbare vriendschap en mededogen hem altijd heeft verbaasd. Hij weet dat Richards gevoelens voor hem deels zijn vervlochten met diens gevoelens voor Willem, en hij begrijpt dat: Richard heeft Willem iets beloofd, en hij neemt zijn verplichtingen serieus. Maar er is iets aan Richards stabiliteit, zijn volledige betrouwbaarheid – in combinatie met zijn lengte, simpelweg hoe groot hij fysiek is – waardoor hij hem ziet als een soort enorme boomgod, een eik die een mensengedaante heeft aangenomen, solide, oeroud en onverwoestbaar. Hun vriendschap is niet van de babbelige soort, maar Richard is in zijn volwassen jaren zijn voornaamste vriend geworden, in zekere zin meer dan een vriend, een vader, hoewel ze maar vier jaar schelen. Een broer dan: iemand wiens integriteit en normbesef onwrikbaar zijn.

Ten slotte lukt het hem op te houden en zich te verontschuldigen, en nadat hij zich heeft opgefrist in de badkamer eten ze langzaam en drinken de wijn die hij heeft meegebracht, terwijl ze praten over Richards werk. Aan het eind van de maaltijd komt Richard uit de keuken met een kleine, robuuste taart waar hij zes kaarsjes in heeft gestoken. 'Vijf plus één,' legt Richard uit. Hij forceert een glimlach en blaast de kaarsjes uit, Richard snijdt twee stukken af. De taart is kruimelig en gevuld met vijgen, het is eerder een scone dan een taart, en ze eten zwijgend ieder hun stuk.

Hij staat op om Richard met de afwas te helpen, maar als Richard hem terug naar boven stuurt is hij opgelucht, want hij is doodmoe; dit is zijn meest sociale avond geweest sinds Thanksgiving. Bij de deur overhandigt Richard hem iets, een pakketje in bruin pakpapier, en omhelst hem. 'Hij zou niet willen dat je ongelukkig was, Judy.' Hij knikt met zijn gezicht tegen Richards wang. 'Hij zou het rot vinden je zo te zien.'

'Dat weet ik,' zegt hij.

'En doe me een plezier,' zegt Richard zonder hem los te laten. 'Bel JB, oké? Ik weet dat het moeilijk voor je is, maar... hij hield ook van Willem, weet je. Niet zoals jij, dat weet ik wel, maar toch. En van Malcolm. Hij mist hem.'

'Dat weet ik,' herhaalt hij, terwijl de tranen weer opwellen. 'Dat weet ik.'

'Kom volgende week zondag weer,' zegt Richard, en hij geeft hem een kus. 'Of welke dag dan ook. Ik mis je bezoekjes.'

'Dat doe ik,' zegt hij. 'Richard... dank je wel.'

'Fijne verjaardag, Jude.'

Hij neemt de lift naar boven. Het is ineens laat geworden. Terug in zijn appartement loopt hij naar zijn werkkamer en gaat op de bank zitten. Er staat een doos die Flora weken geleden heeft laten bezorgen, maar die hij nog niet heeft geopend: daarin zitten de spullen die Malcolm hem heeft nagelaten en de spullen die hij Willem heeft nagelaten en die nu ook van hem zijn. Het enige waar Willems dood bij heeft geholpen is het verzachten van de schok, de afschuw over Malcolms dood; toch heeft hij zich er nog niet toe kunnen zetten de doos open te maken.

Maar nu gaat hij het doen. Eerst pakt hij Richards pakje uit en ziet dat het een kleine buste is, uit hout gesneden en op een zware, zwartmetalen kubus geplaatst, van Willem, en hij hapt naar adem alsof hij een klap heeft gekregen. Richard zegt altijd dat hij geen verstand heeft van figuratieve beeldhouwkunst, maar hij weet dat dat niet waar is, en dit stuk bewijst het. Hij laat zijn vingers over Willems blinde ogen, Willems bos haar glijden, brengt ze daarna naar zijn neus en ruikt sandelhout. In de onderkant van de sokkel staat gegraveerd: 'Voor J op zijn 51ste. In genegenheid, R.'

Hij begint opnieuw te huilen, stopt dan. Hij zet de buste op het kussen naast zich en maakt de doos open. Eerst ziet hij niets dan proppen krantenpapier, en hij voelt voorzichtig, tot zijn handen zich om iets stevigs sluiten, dat hij eruit haalt: het schaalmodel van Lantern House, met muren van bukshout, dat in de burelen van Bellcast heeft gestaan, naast de schaalmodellen van alle andere projecten die het bedrijf ooit heeft gebouwd of ontworpen. Het model is zo'n zestig bij zestig centimeter en hij laat het op zijn schoot rusten alvorens het op te tillen en door de plexiglazen raampjes te kijken, het dak omhoog te duwen en met zijn vingers door de kamers te lopen.

Hij veegt zijn ogen af en voelt opnieuw in de doos. Het volgende dat hij eruit haalt is een envelop die uitpuilt van de foto's van hen, hen vieren, of alleen van Willem en hem: van de universiteit, van New York, Truro, Cambridge, Garrison, van India, Frankrijk, IJsland, Ethiopië – plaatsen waar ze hebben gewoond, reizen die ze hebben gemaakt.

De doos is niet zo heel diep, maar toch haalt hij er nog meer uit: twee fraaie, zeldzame boeken met tekeningen van Japanse huizen gemaakt door een Franse illustrator, een abstract schilderijtje van een jonge Britse kunstenaar dat hij altijd heeft bewonderd, een grotere tekening van een mannengezicht door een bekende Amerikaanse schilder waar Willem altijd van had gehouden en twee van Malcolms eerste schetsboeken, die bladzijde na bladzijde vol staan met zijn fantasiegebouwen. En ten slotte haalt hij het laatste voorwerp uit de doos, iets wat in lagen krantenpapier verpakt zit, dat hij er langzaam afhaalt.

Hier, in zijn handen, houdt hij Lispenard Street: hun appartement met zijn rare afmetingen en provisorische tweede slaapkamer, zijn smalle gangetjes en miniatuurkeuken. Hij kan zien dat dit een vroeg werk van Malcolm is, want de ramen zijn gemaakt van cellofaan, niet van velijn of plexiglas, en de muren zijn van karton, niet van hout. En in dit appartement heeft Malcolm meubeltjes gezet, gesneden en gevouwen uit dik papier: zijn logge tweepersoonsslaapbank met het onderstel van betonnen bouwblokken, de doorgezeten bank die ze op straat hadden gevonden, de fauteuil met de piepende wieltjes die ze van JB's tantes hadden gekregen. Het enige wat ontbreekt is een papieren Willem en een papieren hem.

Hij zet Lispenard Street voor zijn voeten op de grond. Lange tijd zit hij heel stil, met zijn ogen dicht, en laat zich terugvoeren in de tijd: er is veel aan die jaren wat hij niet rooskleuriger maakt dan het was, nu niet meer, maar toentertijd, toen hij niet had geweten wat er zou gebeuren, had hij niet geweten dat het leven beter kon zijn dan Lispenard Street.

'Stel dat we nooit waren weggegaan,' zei Willem weleens. 'Stel dat ik het nooit had gemaakt. Stel dat jij bij het OM gebleven was. Stel dat ik nog bij Ortolan werkte. Hoe zou ons leven er dan nu uitzien?'

'Hoe theoretisch wil je het maken, Willem?' had hij hem glimlachend gevraagd. 'Zouden we samen zijn?'

'Natuurlijk zouden we samen zijn,' zei Willem dan. 'Dat gedeelte zou hetzelfde zijn.'

'Nou,' zei hij dan, 'ten eerste zouden we dat gipswandje slopen en de woonkamer in ere herstellen. En ten tweede zouden we een fatsoenlijk bed kopen.'

Dan lachte Willem. 'En we zouden de huisbaas een proces aandoen om eens en voor al een lift te krijgen die het deed.'

'Precies, dat zou de volgende stap zijn.'

Hij zit daar en wacht tot zijn ademhaling is bedaard. Dan zet hij zijn telefoon aan en checkt zijn gemiste oproepen: Andy, JB, Richard, Harold, Julia, Zwarte Henry Young, Rhodes, Citizen, weer Andy, weer Richard, Lucien, Oosterse Henry Young, Phaedra, Elijah, weer Harold, weer Julia, Harold, Richard, JB, JB, JB.

Hij belt JB. Het is laat, maar JB is een avondmens. 'Hoi,' zegt hij als JB opneemt, en hij hoort de verbazing in diens stem. 'Met mij. Bel ik gelegen?'

2

Minstens één zaterdag per maand neemt hij nu een halve dag vrij van zijn werk en gaat naar de Upper East Side. Als hij Greene Street uit rijdt, zijn de boetiekjes en winkels in de buurt nog niet geopend; als hij terugkomt, zijn ze alweer gesloten. Op die dagen kan hij zich het SoHo voorstellen dat Harold als kind heeft gekend: een oord vol rolluiken en zonder mensen, een levenloos oord.

Zijn eerste halte is het gebouw op Park Avenue ter hoogte van 78th Street, waar hij de lift naar de vijfde verdieping neemt. De huishoudster laat hem binnen en hij volgt haar naar de zonnige, ruime werkkamer aan de achterzijde, waar Lucien wacht – niet per se op hem, maar hij wacht.

Er staat altijd een laat ontbijt voor hem klaar: de ene keer dunne plakjes gerookte zalm en kleine boekweitpannenkoekjes, de andere keer een taart met wit citroenglazuur. Hij kan zich er nooit toe zetten iets te eten, al neemt hij soms, als hij zich erg onbeholpen voelt, wel een stukje taart van de huishoudster aan en houdt het bordje dan gedurende zijn hele visite op zijn schoot. Hoewel hij niets eet, drinkt hij de ene kop thee na de andere, altijd precies op de sterkte die hij lekker vindt. Lucien eet ook niets – hij is eerder al gevoed – en drinkt evenmin.

Nu loopt hij naar Lucien toe en pakt zijn hand. 'Ha, Lucien,' zegt hij.

Hij was in Londen toen hij werd gebeld door Meredith, Luciens vrouw: het was de week van het Bergesson-retrospectief in het MoMA en hij had het zo geregeld dat hij voor zaken de stad uit was. Lucien had een zware beroerte gehad, zei Meredith; hij zou het overleven, maar de artsen wisten nog niet hoe groot de schade zou zijn.

Lucien heeft twee weken in het ziekenhuis gelegen, en toen hij eruit kwam was het duidelijk dat hij ernstige hersenschade had opgelopen. Er zijn nog geen vijf maanden verstreken, maar zijn toestand is nog hetzelfde: zijn gelaatstrekken aan de linkerkant van zijn gezicht lijken van hem af te smelten, en hij kan ook zijn linkerarm en -been niet gebruiken. Hij kan nog steeds praten, opmerkelijk goed zelfs, maar zijn geheugen is weg, de afgelopen twintig jaar zijn helemaal gewist. Begin juli is hij gevallen, hij heeft zijn hoofd gestoten en is tijdelijk in coma geweest; nu staat hij zelfs te wankel op zijn benen om te kunnen lopen, en Meredith heeft hem vanuit hun huis in Connecticut overgebracht naar hun appartement in de stad, waar ze dichter bij het ziekenhuis en bij hun dochters zijn.

Hij denkt dat Lucien zijn bezoekjes prettig vindt, of er in elk geval geen hekel aan heeft, maar zeker weten doet hij dat niet. Lucien weet beslist niet wie hij is: hij is iemand die in zijn leven opduikt en dan weer verdwijnt, en elke keer moet hij zich opnieuw voorstellen.

'Wie ben jij?' vraagt Lucien.

'Jude,' zegt hij.

'Help me even herinneren,' zegt Lucien vriendelijk, alsof ze elkaar op een borrel tegenkomen, 'waar ken ik je ook alweer van?'

'Je bent mijn mentor geweest,' zegt hij.

'Aha,' zegt Lucien. En dan valt er een stilte.

In de eerste weken heeft hij geprobeerd Lucien diens eigen leven in herinnering te brengen: hij praatte over Rosen Pritchard, over mensen die ze kenden en zaken waarover ze het vroeger oneens waren geweest. Maar toen drong het tot hem door dat de gelaatsuitdrukking die hij in zijn eigen stomme optimisme voor peinzend had gehouden, in werkelijkheid angstig was. Dus nu bespreekt hij niets meer uit het verleden, althans niets uit hun gezamenlijke verleden. Hij laat Lucien de loop van het gesprek bepalen, en hoewel hij niets weet van de dingen waarnaar Lucien verwijst, glimlacht hij en probeert te doen alsof hij hem begrijpt.

'Wie ben je?' vraagt Lucien.

'Jude,' zegt hij.

'Vertel me eens even, waar ken ik je van?'

'Je bent mijn mentor geweest.'

'O, op Groton!'

'Ja,' zegt hij en hij probeert terug te lachen. 'Op Groton.'

Maar soms kijkt Lucien hem ineens aan en zegt: 'Mentor? Ik ben veel te jong om jouw mentor te zijn!' Of soms vraagt hij helemaal niets maar begint midden in een gesprek, en dan moet hij wachten tot hij genoeg aanwijzingen heeft om te bepalen welke rol hem is toegewezen – een voormalig vriendje van een van zijn dochters, een studiegenoot of een vriend van de sociëteit – voor hij op de juiste manier kan inhaken.

In die uren hoort hij meer over Luciens vroegere leven dan Lucien hem ooit heeft verteld. Al is Lucien niet langer Lucien, althans niet de Lucien die hij heeft gekend. Deze Lucien is vaag en karakterloos; hij is zo glad als een ei, zonder scherpe randen of hoeken. Zelfs zijn stem, het komische, krakerige gebulder waarmee Lucien zijn volzinnen eruit liet rollen, ze poneerde als stellingen, de pauzes die hij ertussen liet vallen omdat hij er zo aan gewend was geraakt dat de mensen lachten, de typische opbouw van zijn paragrafen, elk ingeluid en afgesloten met een grap die eigenlijk geen grap was maar een belediging gehuld in een fluwelen mantel, is anders. Al toen ze nog collega's waren wist hij dat de Lucien van kantoor niet de Lucien van de sociëteit was, maar die andere Lucien kreeg hij nooit te zien. Nu heeft hij hem dan toch gezien, en hij ziet hem nog steeds: het is de enige persoon die hij ziet. Deze Lucien praat over het weer, over golf en zeilen, over de fiscus, alleen zijn de fiscale wetten waar hij het over heeft die van twintig jaar geleden. Hij vraagt hem nooit iets over hemzelf: wie hij is, wat hij doet, waarom hij soms in een rolstoel zit. Lucien praat en hij glimlacht en knikt, met zijn handen om zijn afkoelende kop thee. Als Luciens handen trillen neemt hij ze in de zijne, want dat helpt hemzelf als hij trillende handen heeft: Willem deed dat altijd, dan ademde hij samen met hem in en uit, en dat kalmeerde hem. Als Lucien kwijlt, veegt hij het speeksel zachtjes weg met de punt van zijn servet. Anders dan hij lijkt Lucien zich niet voor zijn getril en gekwijl te generen, en daar is hij opgelucht over. Hij voelt ook geen plaatsvervangende gêne, maar geneert zich wel over zijn onvermogen om meer voor Lucien te doen.

'Hij vindt het heel fijn als je komt, Jude,' zegt Meredith altijd, maar eigenlijk gelooft hij dat niet zo. Soms denkt hij dat hij meer voor Meredith blijft komen dan voor Lucien, en hij beseft dat dat nu eenmaal is hoe het is, hoe het zijn moet: je brengt geen bezoek aan de verlorenen, je brengt een bezoek aan de mensen die naar de verlorenen op zoek zijn. Lucien is zich er niet van bewust, maar hij herinnert zich dat hijzelf dat wel was toen hij ziek was, zowel de eerste als de tweede keer, en Willem voor hem zorgde. Hoe dankbaar hij was als hij wakker werd en iemand anders dan Willem naast zich zag zitten. 'Roman is bij hem,' zei Richard of Malcolm dan, of 'Hij is met JB gaan lunchen,' en dan ontspande hij zich. In de weken na zijn amputaties, toen hij niets liever wilde dan het opgeven, waren de momenten dat hij zich kon voorstellen dat Willem getroost werd de enige waarop hij blij was. Daarom gaat hij bij Meredith zitten nadat hij bij Lucien is geweest, en dan praten ze, hoewel ook zij hem niets over zijn leven vraagt, en dat vindt hij prima. Zij is eenzaam; hij is ook eenzaam. Lucien en zij hebben twee dochters; de ene woont in New York maar moet om de haverklap worden opgenomen in een afkickkliniek; de andere woont met haar man en drie kinderen in Philadelphia en is ook advocaat.

Hij heeft allebei die dochters ontmoet; ze zijn een jaar of tien jonger dan hij, hoewel Lucien van Harolds leeftijd is. Toen hij Lucien in het ziekenhuis kwam opzoeken had de oudste van de twee, die uit New York, met zo veel afkeer naar hem gekeken dat hij bijna was teruggedeinsd, en toen tegen haar zus gezegd: 'Kijk nou eens wie we daar hebben: papa's schoothondje. Wat een verrassing.'

'Doe normaal, Portia,' had de jongere boos gefluisterd. Tegen hem zei ze: 'Bedankt dat je bent gekomen, Jude. Gecondoleerd met Willem.'

'Dank je dat je bent gekomen, Jude,' zegt Meredith nu bij het afscheid, en ze kust hem op zijn wang. 'Zie ik je gauw weer?' Dat vraagt ze altijd, alsof hij op een dag zou kunnen zeggen dat ze hem niet meer zal zien.

'Ja,' zegt hij. 'Ik mail je.'

'Doe dat,' zegt ze, en ze zwaait hem uit terwijl hij door de hal loopt naar de lift. Hij heeft altijd het idee dat er verder niemand op bezoek komt, maar hoe zou dat kunnen? Laat het niet zo zijn, wenst hij. Meredith en Lucien hebben altijd een heleboel vrienden gehad. Ze organiseerden dinertjes. Het kwam geregeld voor dat Lucien het kantoor verliet in avondkleding en met een verveeld gezicht naar hen zwaaide. 'Benefiet,' zei hij dan ter verklaring. 'Feestje.' 'Bruiloft.' 'Etentje.'

Na die bezoekjes is hij altijd uitgeput, maar toch gaat hij te voet, zeven blokken naar het zuiden en een kwart blok naar het oosten, naar het huis van de familie Irvine. Maanden heeft hij hen ontweken, maar verleden maand hebben ze hem, Richard en JB op de dag dat het één jaar geleden was uitgenodigd om bij hen te komen eten, en hij wist dat hij erheen moest.

Het was het weekend na Labor Day. De vier weken daarvoor – vier weken met daarin de dag waarop Willem drieënvijftig geworden zou zijn en de dag waarop Willem was overleden – behoorden tot de ergste die hij ooit had meegemaakt. Hij had geweten dat ze erg zouden worden en had geprobeerd zijn plannen daarop af te stemmen. Er moest iemand voor het kantoor naar Beijing, en hoewel hij wist dat hij eigenlijk in New York moest blijven – hij was bezig met een zaak waar hij harder bij nodig was dan bij de activiteiten in Beijing – had hij zich toch aangeboden en was gegaan. Aanvankelijk had hij nog de hoop dat hij veilig zou zijn: de wollige dofheid van de jetlag viel soms niet te onderscheiden van de wollige dofheid van zijn verdriet, en er waren andere dingen die voor zo veel fysiek ongemak zorgden – waaronder de hitte, die zelf ook wollig was, wollig en zompig – dat hij had verwacht zichzelf te kunnen afleiden. Maar op een avond tegen het eind van zijn verblijf daar werd hij na een lange dag vergaderen teruggereden naar het hotel en zag, toen hij uit het raampje van de auto keek, glanzend boven de weg een gigantisch reclamebord met Willems gezicht. Het was een bieradvertentie die Willem twee jaar geleden had gedaan en die alleen in Oost-Azië werd gebruikt. Maar voor het bord hingen mensen aan katrollen, en het drong tot hem door dat ze de afbeelding aan het overschilderen waren, dat Willems gezicht werd gewist. Ineens kreeg hij geen lucht meer, en hij had de chauffeur bijna gevraagd om te stoppen, maar dat zou onmogelijk zijn geweest want ze zaten op de snelweg, in een lus zonder afslagen of stopplaatsen, dus hij moest heel stil blijven zitten terwijl zijn hart in zijn borstkas explodeerde, de slagen tellen tot aan het hotel, de chauffeur bedanken, uitstappen, door de lobby lopen, de lift naar boven nemen, door de gang lopen en zijn kamer binnen gaan, waar hij zichzelf voor hij erover kon nadenken met zijn mond open en zijn ogen dicht tegen de koude marmeren muur van de douche gooide, keer op keer tegen de muur aan smakte tot hij zo veel pijn had dat het voelde alsof elke wervel uit de kom was geschoten.

Die avond sneed hij zichzelf als een razende, ongecontroleerd, en toen hij te zeer trilde om door te kunnen gaan, wachtte hij, maakte de vloer schoon, dronk wat sap om weer energie te krijgen en begon opnieuw. Na drie rondes kroop hij in de hoek van de douchecabine en huilde met zijn armen over zijn hoofd, zodat zijn haar kleverig werd van het bloed, en die nacht sliep hij daar, onder een handdoek in plaats van een deken. Dat had hij als kind soms ook gedaan als hij het gevoel had dat hij explodeerde, zich van zichzelf afsplitste als een dovende ster, en de behoefte had om weg te kruipen in het kleinste plekje dat hij kon vinden, zodat zijn botten met elkaar verbonden bleven. Destijds wurmde hij zich voorzichtig onder broeder Luke vandaan en kroop als een bal ineen op het gore moteltapijt onder het bed, dat prikte van de kleefkruidballetjes en op de grond gevallen punaises, en plakte van de gebruikte condooms en vreemde vochtplekken, of hij ging zo strak mogelijk opgepropt in de badkuip of in het wc-hokje slapen. 'Arm egeltje van me,' zei broeder Luke als hij hem zo aantrof. 'Waarom doe je dat, Jude?' De broeder was vriendelijk en bezorgd geweest, maar hij had het nooit kunnen uitleggen.

Op de een of andere manier had hij die reis overleefd; op de een of andere manier was hij een jaar doorgekomen. In de nacht dat Willems dood precies een jaar geleden was droomde hij over glazen vazen die implodeerden, over Willems lichaam dat door de lucht werd geslingerd, over zijn gezicht dat te pletter sloeg tegen de boom. Toen hij wakker werd miste hij Willem zo hevig dat hij het gevoel had dat hij blind werd. De dag na zijn thuiskomst zag hij de eerste posters van *The Happy Years*, dat weer zijn oorspronkelijke titel had gekregen: *The Dancer and the Stage*. Op sommige van die posters stond Willems gezicht, met halflang haar als dat van Noerejev en een diep uitgesneden top, waarboven zijn hals lang en krachtig uitkwam. Op andere stond alleen een monumentale afbeelding van een voet – echt Willems voet, wist hij – in een spitze, op de punt, van zo dichtbij gefotografeerd dat je de aderen en haartjes, de dunne, gespannen spieren en dikke, opbollende pezen kon zien. 'Première Thanksgiving Day' stond op de posters. O god, dacht hij, en hij was weer naar binnen gegaan, o god. Hij wilde dat er een eind kwam aan alles wat hem eraan herinnerde, en tegelijk vreesde hij de dag waarop dat zou gebeuren. De laatste paar weken had hij het gevoel gehad dat Willem op de achtergrond raakte, hoewel zijn verdriet hardnekkig dezelfde intensiteit behield.

De week daarop gingen ze naar de familie Irvine. Er heerste een soort stilzwijgende overeenstemming dat ze samen zouden gaan, en ze troffen elkaar bij Richard, hij gaf Richard de sleuteltjes van de auto en Richard reed. Ze waren allemaal stil, zelfs JB, en hij was erg nerveus. Hij had het gevoel dat meneer en mevrouw Irvine boos op hem waren; hij had het gevoel dat hij hun boosheid verdiende.

Het diner bestond uit al Malcolms lievelingsgerechten, en terwijl ze aten voelde hij dat meneer Irvine naar hem staarde en vroeg zich af of hij dacht wat hijzelf altijd dacht: waarom Malcolm? Waarom niet hij?

Mevrouw Irvine stelde voor dat ze om beurten een persoonlijke herinnering aan Malcolm zouden vertellen, en hij had naar de anderen zitten luisteren – mevrouw Irvine die had verteld dat ze toen Malcolm zes was naar het Pantheon waren geweest en dat ze vijf minuten na hun vertrek hadden gemerkt dat Malcolm niet meer bij hen was en snel waren teruggegaan, en dat Malcolm daar op de grond naar de oculus had zitten staren en staren; Flora die vertelde dat Malcolm, toen hij in groep 4 zat, haar oude poppenhuis van zolder had gehaald, alle poppetjes had weggedaan en het had volgezet met tientallen stoelen, tafels, banken en zelfs onbenoembare meubelstukken die hij zelf had gekleid; JB met het verhaal van een Thanksgiving waarop ze allemaal een dag eerder naar Hood waren teruggekeerd en in het gebouw hadden ingebroken zodat ze dat helemaal voor zichzelf hadden, en dat Malcolm een vuurtje had gestookt in de open haard van de huiskamer, zodat ze voor het eten worstjes konden braden – en toen hij aan de beurt was, vertelde hij hoe Malcolm lang geleden in Lispenard Street een ingebouwde boekenkast had gemaakt die hun piepkleine woonkamer in twee zo krappe stukken had verdeeld dat je, als je op de bank zat en je benen strekte, met je voeten in de kast zat. Maar hij had die kast gewild, en Willem vond het goed. Dus daar was Malcolm komen aanzetten met het goedkoopste hout dat er was, restjes uit de houthandel, en Willem en hij hadden het hout naar het dak gebracht en de kast daar in elkaar gezet, zodat de buren geen last van het lawaai zouden hebben, en daarna hadden ze hem naar beneden gebracht en geïnstalleerd.

Maar terwijl ze daarmee bezig waren, had Malcolm ontdekt dat hij niet goed had gemeten, zodat het geheel acht centimeter te breed was geworden en aan één kant uitstak in de gang. Willem had het niet erg gevonden en hij ook niet, maar Malcolm wilde het per se in orde maken.

'Laat zitten, Mal,' hadden ze allebei gezegd. 'Het is goed, het is prima.'

'Het is niet goed,' had Malcolm gebromd. 'Het is niet prima.'

Uiteindelijk wisten ze hem te overreden, en Malcolm was weggegaan. Willem en hij hadden de kast lichtrood geverfd en gevuld met hun boeken. En toen was Malcolm de zondag erop in alle vroegte met een vastberaden gezicht teruggekomen. 'Het zit me dwars,' zei hij. En hij had zijn tas op de grond gezet, een zaag tevoorschijn gehaald en was aan de kast gaan zagen, en zij tweeën hadden tegen hem geschreeuwd tot ze beseften dat hij die kast ging aanpassen, of ze hem nu hielpen of niet. Dus terug naar het dak ermee, en daarna weer naar beneden, en ditmaal paste hij perfect.

'Ik moet daar altijd aan denken,' zei hij, terwijl de anderen luisterden. 'Omdat het zo veel zegt over hoe serieus Malcolm zijn werk nam en hoezeer hij altijd naar perfectie streefde, met respect voor het materiaal, of het nu marmer of triplex was. Maar ik vind ook dat het veel zegt over zijn respect voor ruimte, elke ruimte, zelfs een deprimerende gribus in Chinatown: zelfs die ruimte verdiende respect.

En het zegt ook veel over zijn respect voor zijn vrienden, hoe graag hij wilde dat we allemaal woonden in een ruimte zoals hij zich die voorstelde: ergens waar het even mooi en levendig was als in de huizen van zijn verbeelding.'

Hij zweeg. Wat hij wilde vertellen maar bang was niet over zijn lippen te kunnen krijgen, was wat hij Malcolm had horen zeggen toen Willem klaagde dat ze de kast weer moesten versjouwen en hijzelf in de badkamer bezig was de verf en borstels onder de wasbak vandaan te halen. 'Als ik het zo had gelaten, was hij er misschien over gestruikeld en gevallen, Willem,' had Malcolm gefluisterd. 'Wou je dat dan?'

'Nee,' had Willem na een korte stilte gezegd, en hij had beschaamd geklonken. 'Nee, natuurlijk niet. Je hebt gelijk, Mal.' Malcolm, realiseerde hij zich, was de eerste van hen vieren geweest die had ingezien dat hij gehandicapt was; Malcolm had dat al geweten voordat hij het zelf wist. Hij was zich er altijd bewust van geweest, maar had hem er nooit een opgelaten gevoel over bezorgd. Malcolm had zijn leven alleen maar gemakkelijker willen maken, en ooit had hij hem dat nog kwalijk genomen ook.

Toen ze later die avond weggingen legde meneer Irvine zijn hand op zijn schouder. 'Jude, zou je nog even willen blijven?' vroeg hij. 'Monroe brengt je wel naar huis.'

Hij kon niet weigeren, dus hij bleef en zei tegen Richard dat die de auto naar Greene Street kon nemen. Een poosje zaten ze, alleen meneer Irvine en hij – Malcolms moeder bleef in de eetkamer met Flora en haar gezin – in de woonkamer te praten over zijn gezondheid, de gezondheid van meneer Irvine, Harold en zijn werk, toen meneer Irvine begon te huilen. Hij was opgestaan en naast meneer Irvine gaan zitten, en hij had zijn hand aarzelend op diens rug gelegd, met een ongemakkelijk, verlegen gevoel, met het gevoel dat hij tientallen jaren terug in de tijd ging.

Tijdens hun hele leven als volwassenen was meneer Irvine voor hen allen een heel intimiderende persoon geweest. Zijn postuur, zijn onverstoorbaarheid, zijn uitgesproken, harde gelaatstrekken – hij had iets van een portretfoto van Edward Curtis, en zo noemden ze hem ook: 'Het Opperhoofd'. 'Wat zal Het Opperhoofd daarvan vinden, Mal?' had JB gevraagd toen Malcolm hem vertelde dat hij ontslag nam bij Ratstar en ze hem allemaal probeerden te waarschuwen niet te hard van stapel te lopen. Of (opnieuw JB): 'Mal, wil je Het Opperhoofd vragen of ik in het appartement mag als ik volgende maand in Parijs ben?'

Maar meneer Irvine was niet langer Het Opperhoofd: ofschoon hij nog steeds rationeel en rechtdoorzee was, was hij negenentachtig, en zijn donkere ogen hadden die onbestemde grijze kleur gekregen die je alleen bij heel jonge of heel oude mensen ziet: de kleur van de zee waar we uit komen, de kleur van de zee waarnaar we terugkeren.

'Ik hield van hem,' zei meneer Irvine. 'Dat weet je toch, hè, Jude? Je weet toch dat ik van hem hield?'

'Dat weet ik,' zei hij. Dat had hij Malcolm altijd voorgehouden: 'Natuurlijk houdt je vader van je, Mal. Natuurlijk. Ouders houden van hun kinderen.' Op een keer was Malcolm erg overstuur geweest (hij kon zich niet meer herinneren waarom) en had hem toegesnauwd: 'Alsof jíj daar iets van weet, Jude.' Er was een stilte gevallen, en daarna had Malcolm ontdaan zijn verontschuldigingen aangeboden. 'Het spijt me, Jude,' had hij gezegd. 'Het spijt me vreselijk.' En hij had met zijn mond vol tanden gestaan, want Malcolm had gelijk: hij wist daar niets van. Wat hij wist had hij uit boeken, en boeken logen, maakten de dingen mooier. Dat was het ergste geweest wat Malcolm ooit tegen hem had gezegd, en hoewel hijzelf er nooit meer op was teruggekomen, had Malcolm dat wel een keer gedaan, vlak na de adoptie.

'Ik zal nooit dat ene vergeten, wat ik tegen je zei.'

'Mal, vergeet het,' had hij geantwoord, hoewel hij precies wist waar Malcolm het over had, 'je was overstuur. Het is lang geleden.'

'Maar het was een rotopmerking,' had Malcolm gezegd. 'En totaal onterecht. In ieder opzicht.'

Terwijl hij bij meneer Irvine zat, dacht hij: ik wou dat Malcolm dit moment had kunnen meemaken. Dit moment had voor Malcolm moeten zijn.

Dus nu gaat hij nadat hij bij Lucien is geweest naar meneer Irvine, en die bezoekjes lijken wel een beetje op elkaar. In beide gevallen is het een reis naar het verleden, in beide gevallen is er een oude man die tegen hem praat over herinneringen die hij niet deelt en waarvan de context hem niet vertrouwd is. Maar hoewel die bezoekjes hem deprimeren heeft hij het gevoel dat hij ze moet afleggen: beide betreffen mensen die altijd de tijd namen om met hem te praten toen hij dat nodig had maar niet wist hoe hij erom moest vragen. Toen hij als vijfentwintigjarige nieuw in de stad was had hij bij de familie Irvine in huis gewoond, en meneer Irvine had hem altijd over de economie en de wet verteld en hem advies gegeven: niet zozeer advies over hoe je moest denken als wel advies over hoe je moest zíjn, hoe je een curiositeit moest zijn in een wereld waarin curiositeiten niet zomaar werden getolereerd. 'Mensen zullen bepaalde dingen over je denken vanwege de manier waarop je loopt,' had meneer Irvine ooit tegen hem gezegd, en hij had zijn blik neergeslagen. 'Nee,' had hij gezegd. 'Niet doen, Jude. Het is niets om je voor te schamen. Je bent een briljante man, en je zult briljant zijn, en je zult worden beloond voor je briljantheid. Maar als je je gedraagt alsof je er niet bij hoort, alsof je je voor je eigen persoon verontschuldigt, dan gaan mensen je ook zo behandelen.' Hij had diep ingeademd. 'Geloof me.' Wees zo bikkelhard als je maar wilt, had meneer Irvine gezegd. Probeer je niet geliefd te maken. Probeer jezelf nooit aan te passen alleen maar om je collega's op hun gemak te stellen. Harold had hem leren dénken als een advocaat in de rechtbank, maar meneer Irvine had hem geleerd zich als zodanig te gedragen. En Lucien had die beide vaardigheden bij hem gezien en ze allebei gewaardeerd.

Die middag is zijn bezoek aan huize Irvine van korte duur, want meneer Irvine is moe, en onderweg naar de voordeur ziet hij Flora – Fenomenale Flora, op wie Malcolm zo trots en zo jaloers was – en ze maken een praatje voor hij weggaat. Het is begin oktober maar nog steeds warm, 's ochtends lijkt het zomer maar 's middags wordt het snel donker en winters, en terwijl hij over Park Avenue naar zijn auto loopt herinnert hij zich dat hij hier zijn zaterdagen doorbracht, twintig jaar geleden – nee, meer. In die tijd wandelde hij altijd naar huis, en onderweg ging hij soms langs bij een bekende, dure bakker op Madison Avenue waar hij graag kwam en kocht daar een walnotenbrood – één brood kostte net zo veel als hij in die tijd bereid was aan een maaltijd te spenderen – dat Willem en hij opaten met boter en zout. De bakker zit er nog, en nu slaat hij de hoek om in westelijke richting en koopt een brood, dat op de een of andere manier nog steeds hetzelfde lijkt te kosten, tenminste voor zover hij het nog weet, terwijl verder alles zo veel duurder is geworden. Voordat hij met zijn zaterdagse bezoekjes aan Lucien en huize Irvine begon was hij zo lang niet overdag in deze buurt geweest dat hij zich de laatste keer niet kon herinneren – zijn afspraken met Andy zijn altijd 's avonds – en nu treuzelt hij en kijkt naar de knappe kinderen die heen en weer hollen over de schone, brede trottoirs, met hun knappe moeders er kuierend achteraan, terwijl de lindebomen boven hem langzaam geel beginnen te kleuren. Hij rijdt voorbij 75th Street, waar hij ooit bijles gaf aan Felix; Felix die nu, ongelofelijk maar waar, drieëndertig is en niet langer in een punkbandje zingt maar – nog ongelofelijker – hedgefondsmanager is, zoals zijn vader vroeger.

Thuis snijdt hij het brood, schaaft een paar plakjes kaas af, zet het bord op tafel en staart ernaar. Hij doet echt moeite om echte maaltijden te eten, om de gewoontes en praktijken van de levenden te hervatten. Maar op de een of andere manier is eten iets moeilijks voor hem geworden. Zijn eetlust is weg en alles smaakt hem naar stijfsel, of naar de poederige aardappelpuree die ze in het tehuis kregen. Hij probeert het niettemin. Eten is gemakkelijker als het een opvoering met publiek is, en daarom eet hij elke vrijdagavond met Andy en elke zaterdag met JB. En tegenwoordig gaat hij ook elke zondagavond naar Richards etage: dan koken ze met z'n tweeën een van Richards gezonde vegetarische maaltijden en schuift India ook aan.

Hij is ook weer de krant gaan lezen, en nu duwt hij het brood en de kaas opzij en slaat voorzichtig het kunstkatern open, alsof het hem zou kunnen bijten. Twee zondagen geleden sloeg hij vol zelfvertrouwen de voorpagina om en werd geconfronteerd met een artikel over de film waarvan de opnames verleden jaar in september begonnen zouden zijn, met Willem. Het stuk ging erover dat de film opnieuw was gecast, dat de eerste kritieken lovend waren en dat de hoofdpersoon naar Willem was hernoemd, en hij had de krant dichtgeslagen, was naar bed gegaan en had een kussen over zijn hoofd gehouden tot hij weer in staat was op te staan. Hij weet dat hij de komende twee jaar zal worden geconfronteerd met artikelen, posters, uithangborden en reclames voor films waarin Willem de afgelopen twaalf maanden een rol zou hebben gespeeld. Maar vandaag staat er niets in de krant behalve een paginagrote advertentie voor *The Dancer and the Stage*, en hij staart heel lang naar Willems bijna levensgrote gezicht, houdt zijn hand over de ogen op de foto en haalt hem dan weer weg. Als dit een film was, denkt hij, dan zou het gezicht tegen hem beginnen te praten. Als dit een film was, dan zou hij nu opkijken en Willem voor zich zien staan.

Soms denkt hij: het gaat beter. Ik word beter. Soms wordt hij wakker vol kracht en energie. Vandaag gaat het gebeuren, denkt hij. Vandaag zal de eerste dag zijn waarop het echt beter gaat. Vandaag wordt de dag waarop ik Willem wat minder zal missen. En dan gebeurt er iets, zoiets simpels als dat hij zijn garderobekamer in loopt en het eenzame, wachtende rek ziet met Willems overhemden die nooit meer gedragen zullen worden, en dan verdampt zijn ambitie, zijn optimisme, en verzinkt hij weer in wanhoop. Soms denkt hij: ik kan dit aan. Maar meer en meer weet hij nu: ik kan het niet. Hij heeft met zichzelf afgesproken elke dag een nieuwe reden te zoeken om door te gaan. Soms zijn dat kleine dingen, zoals smaken waar hij van houdt, symfonieën waar hij van houdt, schilderijen, opera's en boeken waar hij van houdt of plaatsen die hij opnieuw, of voor het eerst, wil zien. Soms zijn het verplichtingen: omdat hij moet. Omdat hij kan. Omdat Willem dat zou hebben gewild. En soms zijn het grote redenen: omwille van Richard. Omwille van JB. Omwille van Julia. En vooral omwille van Harold.

Iets minder dan een jaar nadat hij had geprobeerd zichzelf te doden, maakten Harold en hij een wandeling. Het was Labor Day; ze waren in Truro. Hij herinnert zich dat hij dat weekend moeite met lopen had; hij herinnert zich dat hij voorzichtig, voetje voor voetje door de duinen liep; hij herinnert zich dat hij voelde dat Harold probeerde hem niet aan te raken, probeerde hem niet te helpen.

Ten slotte waren ze gaan zitten om te rusten, terwijl ze over de oceaan uitkeken en praatten: over een zaak waar hij mee bezig was, over Laurence die met pensioen ging en over Harolds nieuwe boek. En toen had Harold ineens gezegd: 'Jude, je moet me beloven dat je het niet nog een keer doet.' En het was Harolds stem geweest – streng, terwijl Harold zelden streng klonk – waardoor hij naar hem had gekeken.

'Harold,' begon hij.

'Ik probeer niets van je te vragen,' zei Harold, 'omdat ik niet wil dat je denkt dat je mij iets verschuldigd bent; dat ben je niet.' Hij draaide zich naar hem toe en ook zijn gezicht stond streng. 'Maar ik vraag je dit. Ik vraag het je. Je moet het me beloven.'

Hij aarzelde. 'Ik beloof het,' zei hij ten slotte, en Harold knikte. 'Dank je.'

Ze hadden het nooit meer over dit gesprek gehad, en hoewel hij weet dat het niet echt logisch is, wil hij deze belofte aan Harold niet breken. Soms lijkt het alsof die belofte – dat verbale contract – het enige is wat hem weerhoudt van een nieuwe poging, al weet hij dat het, mocht hij het weer doen, geen poging zal zijn: dit keer zal hij het werkelijk doen. Hij weet al hoe; hij weet dat het zal lukken. Sinds Willem is overleden denkt hij er bijna dagelijks aan. Hij weet welke tijdsplanning hij moet aanhouden, hij weet hoe hij zal regelen dat hij gevonden wordt. Twee maanden geleden, in een erg slechte week, heeft hij zelfs zijn testament herschreven zodat het nu leest als het document van iemand die verontschuldigingen te maken heeft, wiens legaten pogingen zijn om vergiffenis te vragen. En hoewel hij niet van plan is zich naar dit testament te gedragen – zoals hij zichzelf voorhoudt – heeft hij het ook niet weer veranderd.

Hij hoopt op een infectie, iets snels en fataals, iets wat hem doodt buiten zijn schuld. Maar er is geen infectie. Sinds zijn amputaties zijn er geen wonden geweest. Hij heeft nog steeds pijn, maar niet meer – in feite minder – dan voorheen. Hij is genezen, althans zo genezen als hij ooit zal zijn.

Zodoende is er niet echt een reden om eens per week naar Andy te gaan, maar dat doet hij toch, omdat hij weet dat Andy bang is dat hij zichzelf zal doden. Hij is zelf bang dat hij zichzelf zal doden. Dus elke vrijdag gaat hij naar de praktijk. Meestal hebben ze dan gewoon een eetafspraak, behalve de tweede vrijdag van de maand, als ze van tevoren eerst een controle hebben. Die verlopen net als altijd: zijn ontbrekende voeten, zijn ontbrekende kuiten zijn het enige waaruit blijkt dat de dingen veranderd zijn. Voor de rest is hij weer de persoon die hij tientallen jaren geleden was. Hij is weer geremd. Hij is bang te worden aangeraakt. Drie jaar voordat Willem stierf was hij eindelijk in staat geweest hem te vragen de crème in te masseren op zijn rug, en dat had Willem gedaan, en een tijdlang had hij zich anders gevoeld, als een slang die een nieuw vel krijgt. Maar nu is er natuurlijk niemand meer om hem te helpen, en de littekens zijn weer strakgespannen en opgezwollen, ze liggen over zijn rug als een web van elastische banden.

Hij weet nu: mensen veranderen niet. Hij kan niet veranderen. Willem had gedacht dat hijzelf veranderd was nadat hij hem zijn herstelperiode door had geholpen: hij was verbaasd geweest over zijn eigen energie, zijn eigen geduld. Maar net als de anderen had hij altijd al geweten dat Willem die eigenschappen bezat. Misschien hadden die maanden Willem een duidelijker beeld van zichzelf gegeven, maar de kwaliteiten die hij had ontdekt waren verder voor niemand een verrassing geweest. Op zo'n zelfde manier is voor hem het verlies van Willem verhelderend geweest. In zijn jaren met Willem heeft hij zichzelf ervan kunnen overtuigen dat hij iemand anders was, een gelukkiger, vrijer en dapperder iemand. Maar nu is Willem weg, en hij is weer wie hij twintig, dertig, veertig jaar geleden was.

En zo komt er weer een vrijdag. Hij gaat naar Andy's praktijk. De weegschaal: Andy die een zucht slaakt. De vragen: zijn antwoorden, een opeenvolging van ja's en nees. Ja, hij voelt zich prima. Nee, niet meer pijn dan gewoonlijk. Nee, geen wonden te zien. Ja, een aanval zo om de tien, veertien dagen. Ja, hij slaapt. Ja, hij heeft afspraken met mensen. Ja, hij eet. Ja, drie maaltijden per dag. Ja, elke dag. Nee, hij weet niet waarom hij blijft afvallen. Nee, hij wil niet overwegen om weer naar Loehmann te gaan. De inspectie van zijn armen: Andy die ze ronddraait op zoek naar nieuwe snijwonden, zonder die te vinden. De week nadat hij terugkwam uit Beijing, de week nadat hij zijn zelfbeheersing had verloren, had Andy er met stokkende adem naar gekeken, en hij had er ook een blik op geworpen en zich herinnerd hoe erg het soms was geweest, hoe uitzinnig hij was tekeergegaan. Maar Andy had niets gezegd en alleen de wonden schoongemaakt, en toen hij daarmee klaar was had hij zijn beide handen vastgepakt.

'Een jaar,' had Andy gezegd.

'Een jaar,' had hij hem nagezegd. En ze hadden allebei gezwegen.

Na het consult gaan ze naar een Italiaans restaurantje om de hoek, waar ze graag komen. Tijdens deze etentjes houdt Andy hem altijd in de gaten, en als hij vindt dat hij niet genoeg besteld heeft, bestelt hij een extra bijgerecht voor hem en zeurt hem net zo lang aan zijn kop tot hij het opeet. Maar ditmaal merkt hij dat Andy gespannen is: terwijl ze op hun eten wachten slaat Andy snel een glas achterover en praat over football, waarvan hij weet dat hij er niets om geeft en waar ze het nooit over hebben. Andy praatte soms met Willem over sport, en dan luisterde hij naar hun discussies over het een of andere team terwijl de twee met een bakje pistachenootjes aan de eettafel zaten en hij in de keuken bezig was met het dessert.

'Sorry,' zegt Andy ten slotte. 'Ik ratel maar door.' Hun voorgerechten arriveren en ze eten zwijgend, totdat Andy diep ademhaalt.

'Jude,' zegt hij, 'ik hou op met de praktijk.'

Hij zit al een tijdje in zijn aubergine te snijden, maar nu stopt hij en legt zijn vork neer. 'Niet meteen,' voegt Andy er snel aan toe. 'Niet de komende drie jaar. Maar ik begin dit jaar met een compagnon, zodat het overgangsproces zo soepel mogelijk zal verlopen: voor het personeel, maar vooral voor mijn patiënten. Hij zal elk jaar meer patiënten van me overnemen.' Hij zwijgt even. 'Ik denk dat je hem wel zult mogen; ik weet het wel zeker. Ik blijf jouw arts tot de dag van mijn vertrek, en wanneer dat is zal ik je ruim van tevoren laten weten. Maar ik wil dat je kennis met hem maakt om te kijken of het een beetje klikt' – Andy glimlacht flauwtjes, maar hij kan het niet opbrengen terug te lachen – 'en als dat om welke reden dan ook niet het geval is, dan hebben we nog ruim de tijd om iemand anders voor je te vinden. Ik heb nog een paar anderen in gedachten van wie ik weet dat ze bereid zouden zijn je de volledige behandeling te geven. En ik ga niet weg voor we je ergens hebben ondergebracht.'

Hij kan nog steeds geen woord uitbrengen, kan niet eens zijn hoofd optillen om Andy aan te kijken. 'Jude,' hoort hij Andy zacht, smekend zeggen. 'Ik wou dat ik voorgoed kon blijven werken, voor jou. Jij bent de enige voor wie ik zou willen blijven. Maar ik ben moe. Ik ben bijna tweeenzestig, en ik heb mezelf altijd beloofd dat ik voor mijn vijfenzestigste met pensioen zou gaan. Ik...'

Maar hij valt hem in de rede. 'Andy, natuurlijk moet je met pensioen gaan wanneer je dat wilt. Je bent mij geen uitleg verschuldigd. Ik ben blij voor je. Echt. Ik ga je... ik ga je alleen missen. Je bent zo goed voor me geweest.' Hij zwijgt even. 'Ik ben zo afhankelijk van je,' bekent hij ten slotte.

'Jude,' begint Andy, en dan is hij stil. 'Jude, ik zal altijd je vriend blijven. Ik zal er altijd zijn om je te helpen, medisch of anderszins. Maar je hebt iemand nodig die oud kan worden met je. Die man die in de praktijk komt is zesenveertig; hij kan je voor de rest van je leven blijven behandelen, als je zou willen.'

'Mits ik binnen de komende negentien jaar doodga,' hoort hij zichzelf zeggen. Er valt opnieuw een stilte. 'Het spijt me, Andy,' zegt hij, onthutst over hoe ellendig hij zich voelt, hoe kinderachtig hij zich gedraagt. Hij heeft immers altijd geweten dat Andy ooit met pensioen zou gaan. Maar hij realiseert zich nu dat hij nooit had verwacht dat hij tegen die tijd nog in leven zou zijn. 'Het spijt me,' herhaalt hij. 'Luister maar niet naar mij.'

'Jude,' zegt Andy rustig. 'Ik zal er altijd voor je zijn, op wat voor manier dan ook. Dat heb ik je lang geleden beloofd, en ik meen het nog steeds.

Hoor eens, Jude,' gaat hij na een poosje verder. 'Ik weet dat het niet makkelijk wordt. Ik weet dat je met een ander niet zo'n band kunt opbouwen als met mij. Dat bedoel ik niet arrogant; ik denk alleen niet dat een ander het helemaal zal kunnen begrijpen. Maar we kunnen dat zo dicht mogelijk benaderen. En wie zou er nou niet van jou kunnen houden?' Andy glimlacht weer, maar opnieuw kan hij niet teruglachen. 'Hoe dan ook, ik wil graag dat je langskomt om kennis te maken met die nieuwe, Linus. Hij is een goede arts en, niet minder belangrijk, een goed mens. Ik zal hem geen details over je vertellen; ik wil alleen dat je kennis met hem maakt, oké?'

Dus de vrijdag daarop gaat hij naar de praktijk, en in Andy's kantoor zit nog een man, klein, knap en met een glimlach die hem aan Willems glimlach doet denken. Andy stelt hen aan elkaar voor en ze geven elkaar een hand. 'Andy heeft me over je verteld,' zegt Linus. 'Ik ben blij je eindelijk te ontmoeten.'

'Insgelijks,' zegt hij. 'Gefeliciteerd.'

Andy laat hen even alleen om te praten, en dat doen ze, een beetje ongemakkelijk, grappend over de gelijkenis van deze ontmoeting met een blind date. Linus weet alleen van zijn amputaties, en daar hebben ze het kort over, en ook over de osteomyelitis die eraan voorafging. 'Die behandelingen kunnen slopend zijn,' zegt Linus, maar hij betoont niet zijn medeleven voor het verlies van zijn benen, wat hij op prijs stelt. Linus heeft in een groepspraktijk gewerkt waar hij Andy al eens eerder over heeft gehoord; hij lijkt Andy oprecht te bewonderen en blij te zijn om met hem te gaan samenwerken.

Er is niets mis met Linus. Uit de vragen die hij stelt en het respect waarmee hij ze stelt leidt hij af dat Linus inderdaad een goede arts is, en waarschijnlijk een goed mens. Maar hij weet ook dat hij nooit in staat zal zijn zich uit te kleden waar Linus bij is. Hij kan zich niet voorstellen de gesprekken die hij met Andy voert met iemand anders te voeren. Hij kan zich niet voorstellen iemand anders zo vergaand toe te laten tot zijn lichaam, tot zijn angsten. Alleen al bij de gedachte dat iemand voor het eerst zijn lichaam zou zien, krimpt hij ineen: sinds de amputatie heeft hij maar één keer naar zichzelf gekeken. Hij kijkt naar Linus' gezicht, zijn verwarrend Willemachtige glimlach, en hoewel hij slechts vijf jaar ouder is dan Linus voelt hij zich eeuwen ouder, een gebroken en uitgedroogd ding, een ding waar iedere willekeurige persoon een korte blik op zou werpen en meteen weer het zeildoek over zou gooien. 'Neem die maar mee,' zouden ze zeggen. 'Die kan bij het oud vuil.'

Hij denkt aan de gesprekken die hij zal moeten voeren, de uitleg die hij zal moeten geven: over zijn rug, zijn armen, zijn benen, zijn kwalen. Hij is zo ziek van zijn eigen angsten, zijn eigen paniekerigheid, maar hoezeer hij er ook genoeg van heeft, toch kan hij het niet laten eraan toe te geven. Hij ziet voor zich hoe Linus langzaam door zijn dossier bladert en de jaren, de tientallen jaren van aantekeningen ziet die Andy over hem heeft bijgehouden: lijsten van zijn snijwonden, zijn andere wonden, de medicijnen die hij heeft gebruikt, de uitbarstingen van zijn infecties. Aantekeningen over zijn zelfmoordpoging, over Andy's smeekbeden om hem naar Loehmann te krijgen. Hij weet dat Andy dat allemaal heeft bijgehouden; hij weet hoe accuraat hij is.

'Je moet het een keer aan iemand vertellen,' zei Ana altijd, en bij het ouder worden had hij geleerd die zin letterlijk op te vatten: één keer. Ooit, had hij gedacht, zou hij op de een of andere manier een weg vinden om het een keer aan iemand te vertellen, één keer. En toen had hij dat gedaan, aan iemand die hij had vertrouwd, en die persoon is gestorven en hij heeft de kracht niet om zijn verhaal ooit opnieuw te vertellen. Maar is het ook niet zo dat iedereén zijn levensverhaal – zijn échte levensverhaal – maar aan één persoon vertelt? Hoe vaak kan van hem verwacht worden dat hij het herhaalt, als hij bij elke keer de kleren van zijn huid stroopt en het vlees van zijn botten, tot hij zo kwetsbaar is als een kleine roze muis? Hij weet op dat moment dat hij nooit in staat zal zijn naar een andere arts te gaan. Hij zal naar Andy blijven gaan zolang hij kan, zolang Andy het toelaat. En daarna weet hij het ook niet meer – dat ziet hij dan wel. Voorlopig is zijn privacy, zijn leven nog van hem. Voorlopig hoeft niemand anders er iets van te weten. Zijn hoofd is zo vol van Willem – pogingen hem voor de geest te halen, zijn gezicht en stem vast te houden, hem aanwezig te houden – dat zijn verleden verder weg is dan ooit: hij ligt midden in een meer en probeert zich drijvend te houden; een terugkeer naar de kust, een hervatting van zijn leven te midden van zijn herinneringen is iets waar hij niet eens aan kan denken.

Hij heeft die avond geen zin om met Andy te gaan eten, maar dat doen ze toch, en ze nemen afscheid van Linus. Ze wandelen zwijgend naar het sushirestaurant, gaan zwijgend zitten, bestellen en wachten zwijgend.

'Wat vond je van hem?' vraagt Andy ten slotte.

'Hij lijkt een beetje op Willem,' zegt hij.

'O ja?'

'Een beetje,' zegt hij schouderophalend. 'Die glimlach.'

'Ah,' zegt Andy. 'Misschien. Ik snap wat je bedoelt.' Er valt opnieuw een stilte. 'Maar wat vond je? Ik weet dat het na één ontmoeting soms moeilijk te zeggen is, maar lijkt hij je iemand met wie je overweg zou kunnen?'

'Ik denk het niet, Andy,' zegt hij ten slotte, en hij voelt Andy's teleurstelling.

'Echt niet, Jude? Wat vond je niet prettig aan hem?' Maar hij geeft geen antwoord, en na een tijdje slaakt Andy een zucht. 'Sorry,' zegt hij. 'Ik hoopte dat je je prettig genoeg bij hem zou voelen om het tenminste te overwegen. Wil je er toch eens over nadenken? Misschien kun je hem nog een kans geven? En intussen is er nog een andere jongen, Stephan Wu, met wie je misschien eens zou moeten kennismaken. Hij is geen orthopeed, maar dat is misschien eigenlijk wel beter; hij is absoluut de beste internist met wie ik ooit heb gewerkt. En er is nog een andere...'

'Jezus, Andy, hou op,' zegt hij, en hij hoort de boosheid in zijn stem, een boosheid waarvan hij niet wist dat hij die had. 'Hou op.' Hij kijkt op en ziet Andy's onthutste gezicht. 'Wil je zo graag van me af? Kun je me niet wat tijd geven? Mag ik dit misschien even laten bezinken? Snap je niet hoe moeilijk dit voor mij is?' Hij weet hoe egoïstisch, hoe egocentrisch, hoe onredelijk het van hem is, en hij voelt zich rot maar is niet in staat zich in te houden, dus hij staat op, waarbij hij tegen de tafel stoot. 'Laat me met rust,' zegt hij. 'Als je er niet voor me kunt zijn, laat me dan gewoon met rust.'

'Jude,' zegt Andy, maar hij heeft zich al langs de tafel gewrongen, en terwijl hij dat doet komt de serveerster met het eten, en hij hoort Andy vloeken en ziet hem naar zijn portemonnee grijpen, en hij stommelt het restaurant uit. Meneer Ahmed werkt op vrijdag niet – hij rijdt altijd zelf naar Andy – maar nu gaat hij niet terug naar de auto, die voor Andy's praktijk staat, maar houdt een taxi aan, stapt snel in en rijdt weg voor Andy hem kan inhalen.

Die avond zet hij zijn telefoons uit, slikt zijn slaappillen en kruipt in bed. De volgende dag wordt hij wakker, stuurt zowel JB als Richard een berichtje dat hij zich niet goed voelt en zijn eetafspraken met hen moet afzeggen, neemt weer pillen en slaapt tot maandag. Maandag, dinsdag, woensdag, donderdag. Hij heeft al Andy's telefoontjes, sms'jes en e-mails, al zijn ingesproken berichten genegeerd, maar hoewel hij niet boos meer is, zich alleen nog schaamt, kan hij het niet aan om nog een keer sorry te zeggen, kan hij zijn eigen miezerigheid, zijn eigen zwakte niet meer verdragen. 'Ik ben bang, Andy,' wil hij zeggen. 'Wat moet ik zonder jou?'

Andy houdt van zoetigheid, en op donderdagmiddag laat hij een van zijn secretaresses een absurde, idiote hoeveelheid chocolaatjes bestellen bij Andy's favoriete winkel. 'Moet er een kaartje bij?' vraagt zijn secretaresse, en hij schudt zijn hoofd. 'Nee, alleen mijn naam.' Ze knikt en wil weglopen, maar hij roept haar terug, pakt een notitieblaadje van zijn bureau en schrijft: 'Andy, ik schaam me diep. Neem het me alsjeblieft niet kwalijk. Jude.' En hij overhandigt het haar.

Maar de avond daarop gaat hij niet naar Andy; hij gaat naar huis om voor Harold te koken, die in de stad is en hem een van zijn onaangekondigde bezoekjes brengt. Het afgelopen voorjaar was Harolds laatste semester als docent, wat in september pas tot hem is doorgedrongen. Willem en hij hadden het er altijd over dat ze een feest voor Harolds pensionering zouden organiseren, net als ze voor Julia hadden gedaan. Maar hij is het vergeten en heeft niets gedaan. En daarna heeft hij het zich herinnerd en nog steeds niets gedaan.

Hij is moe. Hij wil Harold niet zien. Maar hij maakt toch een maaltijd klaar, een maaltijd waarvan hij weet dat hij er zelf niet van zal eten, dient die voor Harold op en gaat dan zelf zitten.

'Heb jij geen honger?' vraagt Harold, en hij schudt zijn hoofd. 'Ik heb pas om vijf uur geluncht,' liegt hij. 'Ik eet later wel.'

Hij kijkt toe terwijl Harold eet en ziet dat hij oud is geworden, dat de huid van zijn handen zo zacht en satijnachtig is als die van een baby. De laatste jaren is hij zich ervan bewust dat hij één jaar, twee jaar, en nu zes jaar ouder is dan Harold was toen ze elkaar leerden kennen. En toch is Harold al die jaren in zijn ogen halsstarrig vijfenveertig gebleven; het enige wat is veranderd, is zijn eigen perceptie van vijfenveertig, van hoe oud dat eigenlijk is. Het is gênant om voor zichzelf toe te geven, maar de gedachte dat er een mogelijkheid bestaat en het zelfs waarschijnlijk is dat hij langer zal leven dan Harold, heeft pas kortgeleden bij hem postgevat.

Hij leeft nu al langer dan hij ooit verwacht had; is het niet aannemelijk dat hij nog langer zal doorleven?

Hij herinnert zich een gesprek dat ze hadden toen hij vijfendertig werd. 'Ik ben van middelbare leeftijd,' had hij gezegd, en Harold had gelachen.

'Je bent jong, piepjong, Jude,' had hij gezegd. 'Je bent alleen van middelbare leeftijd als je van plan bent op je zeventigste dood te gaan. En dat kun je maar beter uit je hoofd laten. Ik heb echt geen zin om jouw begrafenis bij te wonen.'

'Dan ben jij vijfennegentig,' had hij geantwoord. 'Was je echt van plan dan nog in leven te zijn?'

'In leven en topfit, bijgestaan door een heel assortiment rondborstige jonge zusters en zeker niet in de stemming voor een of andere eindeloze uitvaartdienst.'

Eindelijk had hij geglimlacht. 'En wie betaalt er voor dat legertje rondborstige jonge zusters?'

'Jij natuurlijk,' zei Harold. 'Jij en de roofbuit van die farmagiganten van je.'

Maar nu is hij bang dat het toch anders zal lopen. Laat me niet achter, Harold, denkt hij, maar het is een doffe, futloze wens, een wens waar hij geen antwoord op verwacht en die eerder uit gewoonte dan uit werkelijke hoop bestaat. Laat me niet achter.

'Je zegt niets,' zegt Harold nu, en hij komt uit zijn gepeins.

'Sorry, Harold,' zegt hij. 'Ik was er even niet bij.'

'Dat zie ik,' zegt Harold. 'Ik zeg net dat Julia en ik erover denken om wat langduriger hier in de stad te blijven, om een poosje in ons appartement hier te komen wonen.'

Hij knippert met zijn ogen. 'Bedoel je hierheen verhuizen?'

'Nou ja, we houden het huis in Cambridge wel aan,' zegt Harold, 'maar inderdaad. Ik ga misschien komend najaar een seminar geven aan Columbia, en we zijn hier graag.' Hij kijkt naar hem. 'Het lijkt ons ook fijn om wat dichter bij jou te zijn.'

Hij weet niet goed wat hij hiervan moet denken. 'Maar jullie vriendenkring daar dan?' vraagt hij. Dit nieuws verwart hem; Harold en Julia zijn dol op Cambridge; hij had nooit gedacht dat ze daar weg zouden gaan. 'En Laurence en Gillian dan?'

'Laurence en Gillian zijn de halve tijd hier in de stad, en alle anderen ook.' Harold neemt hem opnieuw op. 'Je lijkt er niet echt blij mee, Jude.'

'Sorry,' zegt hij met neergeslagen ogen. 'Ik hoop alleen maar dat jullie niet hierheen komen vanwege... vanwege mij.' Er valt een stilte. 'Ik bedoel dit niet arrogant,' zegt hij ten slotte. 'Maar als het omwille van mij is, moeten jullie het niet doen. Ik ben oké. Het gaat prima.'

'Is dat waar, Jude?' vraagt Harold heel zachtjes, en voor hij er zelf erg in heeft staat hij op en loopt naar de badkamer naast de keuken, waar hij voorovergebogen op de toiletpot gaat zitten met zijn gezicht in zijn handen. Hij hoort dat Harold aan de andere kant van de deur staat, maar zegt niets, en Harold ook niet. Na een paar minuten, als hij zijn zelfbeheersing terug heeft, doet hij de deur weer open en staan ze tegenover elkaar.

'Ik ben eenenvijftig,' zegt hij tegen Harold.

'En dat betekent?' vraagt Harold.

'Dat betekent dat ik voor mezelf kan zorgen,' zegt hij. 'Dat betekent dat ik niemands hulp nodig heb.'

Harold zucht. 'Jude,' zegt hij, 'er zit geen vervaldatum aan hulp nodig hebben, of anderen nodig hebben. Het is niet zo dat dat op een bepaalde leeftijd ophoudt.' Ze zwijgen weer. 'Je bent zo mager,' gaat Harold verder, en als hij niet reageert: 'Wat vindt Andy daarvan?'

'Ik kan niet tot in de eeuwigheid ditzelfde gesprek voeren,' zegt hij ten slotte met een rauwe, schorre stem. 'Ik kan het niet, Harold. En jij ook niet. Ik heb het gevoel dat ik je de hele tijd teleurstel, en dat spijt me, het spijt me allemaal. Maar ik doe echt mijn best. Ik doe mijn uiterste best. Het spijt me als dat niet goed genoeg is.' Harold probeert hem te onderbreken, maar hij praat door hem heen. 'Dit is wie ik ben. Dit is het, Harold. Het spijt me dat ik zo'n probleem voor je ben. Het spijt me dat ik je oude dag verpest. Het spijt me dat ik niet gelukkiger ben. Het spijt me dat ik niet over Willems dood heen ben. Het spijt me dat ik een baan heb waar jij geen respect voor hebt. Het spijt me dat ik zo'n grote nul ben.' Hij weet niet meer wat hij zegt, hij weet niet meer wat hij voelt: hij wil zich snijden, verdwijnen, gaan liggen en nooit meer opstaan, zichzelf de ruimte in katapulteren. Hij haat zichzelf, hij heeft medelijden met zichzelf, hij haat zichzelf om zijn zelfmedelijden. 'Ga nu maar weg,' zegt hij. 'Ga nu maar.'

'Jude,' zegt Harold.

'Ga alsjeblieft weg,' zegt hij. 'Alsjeblieft. Ik ben moe. Ik wil met rust gelaten worden. Laat me alsjeblieft alleen.' En hij wendt zich af en blijft staan wachten tot hij Harold hoort weglopen.

Nadat Harold is vertrokken neemt hij de lift naar het dak. De dakrand is helemaal afgezet met een stenen muur tot borsthoogte, en daar leunt hij tegenaan terwijl hij de koele lucht met grote teugen inademt en zijn handpalmen plat op de muur legt om het trillen te doen stoppen. Hij denkt aan Willem, aan hoe hij en Willem 's avonds altijd op dit dak stonden, zwijgend, alleen maar naar binnen kijkend in de woningen van andere mensen. Vanaf de zuidkant van het dak konden ze bijna het dak van hun oude gebouw in Lispenard Street zien, en soms deden ze alsof ze niet alleen het gebouw zagen maar ook zichzelf daarin, hun vroegere versies, die hun dagelijkse leven opvoerden als een toneelstuk.

'Er moet een vouw in het ruimte-tijdcontinuüm zitten,' zei Willem dan altijd met zijn actieheldenstem. 'Je staat hier naast me, en toch... zie ik je rondlopen in dat armetierige appartementje. Mijn god, St. Francis, besef je wel wat hier gebeurt?!' Toentertijd moest hij altijd lachen, maar nu hij het zich herinnert kan hij dat niet. Dezer dagen bestaat zijn enige plezier uit gedachten aan Willem, en toch zijn diezelfde gedachten ook zijn grootste bron van verdriet. Hij wilde dat hij zo totaal kon vergeten als Lucien: dat Willem ooit had bestaan, zijn leven met Willem.

Terwijl hij op het dak staat, overdenkt hij wat hij heeft gedaan: hij is onredelijk geweest. Hij is uitgevaren tegen iemand die hem voor de zoveelste keer zijn hulp aanbood, iemand die hij dankbaar mag zijn, iemand van wie hij houdt. Waarom doe ik zo? denkt hij. Maar er komt geen antwoord.

Laat me beter worden, vraagt hij. Laat me beter worden of laat me er een eind aan maken. Hij heeft het gevoel dat hij in een koude, betonnen kamer staat met verschillende uitgangen; een voor een doet hij de deuren dicht, hij sluit zichzelf in en ontneemt zichzelf elke kans op ontsnapping. Maar waarom doet hij dat? Waarom zet hij zichzelf vast in deze plaats die hij vreest en verafschuwt, terwijl er andere plaatsen zijn waar hij naartoe kan? Dit, denkt hij, is zijn straf voor zijn afhankelijkheid van anderen: een voor een zullen ze hem verlaten, en dan zal hij weer alleen zijn, en ditmaal zal het erger zijn, omdat hij zich zal herinneren dat het ooit beter is geweest. Opnieuw heeft hij het gevoel dat zijn leven achteruitgaat, dat het kleiner en kleiner wordt, de betonnen cel om hem heen krimpt tot er een ruimte overblijft die zo krap is dat hij ineengedoken moet zitten, want als hij gaat liggen zal het plafond boven hem neerdalen en wordt hij verstikt.

Voor hij naar bed gaat schrijft hij Harold een brief waarin hij zich verontschuldigt voor zijn gedrag. Hij werkt de hele zaterdag, hij slaapt de hele zondag. En een nieuwe week begint. Op dinsdag krijgt hij een bericht van Todd. Er is een schikking bereikt in de eerste paar zaken, voor gigantische bedragen, maar zelfs Todd is wijs genoeg om hem niet uit te nodigen erop te proosten. Zijn berichten, via telefoon of e-mail, zijn kort en bondig: de naam van het bedrijf dat bereid is te schikken, het voorgestelde bedrag en kortweg: 'Gefeliciteerd'.

Op woensdag wordt hij verwacht bij de kunstenaarsstichting waar hij nog steeds pro-bonowerk doet, maar in plaats daarvan spreekt hij in het centrum af met JB, in het Whitney Museum, waar JB's overzichtstentoonstelling wordt voorbereid. Dit retrospectief is ook een souvenir uit het nog steeds rondwarende verleden: het zit al bijna twee jaar in de planning. Toen JB met het nieuws kwam, hadden ze het met z'n drieën gevierd in Greene Street.

'Nou, JB, je weet wat dit betekent, hè?' had Willem gevraagd met een gebaar naar de twee schilderijen – *Willem and the Girl* en *Willem and Jude, Lispenard Street, II* – uit JB's eerste expositie, die naast elkaar in hun woonkamer hingen. 'Zodra de tentoonstelling is afgelopen, gaan al deze werken regelrecht naar Christie's.' En ze hadden gelachen, JB het hardst van alle drie, trots, blij en opgelucht.

Die werken, samen met *Willem, London, October 8, 9:08 a.m.* uit 'Seconds, Minutes, Hours, Days', dat hij had gekocht, en *Jude, New York, October 14, 7:02 a.m.*, dat Willem in zijn bezit had, plus de werken die ze bezaten uit 'Everyone I've Ever Known', 'The Narcissist's Guide to Self-Hatred' en 'Frog and Toad', en alle tekeningen, schilderijen en schetsen van JB die zij tweeën van hem hadden gekregen en soms al sinds hun studententijd hadden bewaard, komen op de overzichtstentoonstelling in het Whitney te hangen, naast nog niet eerder geëxposeerd werk.

Er komt ook een gelijktijdige expositie van nieuwe schilderijen in JB's galerie, en drie weken geleden is hij die in het weekend gaan bekijken in JB's atelier in Greenpoint. De reeks heet 'The Golden Anniversary', en het is een kroniek van het leven van JB's ouders samen, voor zijn geboorte en in een denkbeeldige toekomst waarin zij tweeën samen tot op hoge leeftijd maar blijven doorleven. In werkelijkheid leeft JB's moeder inderdaad nog, evenals zijn tantes, maar is zijn vader op zesendertigjarige leeftijd overleden. De reeks bestaat uit niet meer dan zestien schilderijen, waarvan er veel een kleiner formaat hebben dan JB's voorgaande werk, en terwijl hij door JB's atelier wandelde en die huiselijke fantasietaferelen bekeek – JB's zestigjarige vader die een appel aan het uitboren is terwijl zijn moeder een boterham smeert; zijn zeventigjarige vader die op de bank de krant zit te lezen terwijl op de achtergrond zijn moeders benen te zien zijn die een trap af dalen – zag hij onwillekeurig voor zich hoe ook zijn leven was, en hoe het had kunnen zijn. Dit soort tafereeltjes waren wat hij het ergste miste van zijn leven met Willem, die triviale tussendoormomenten waarop er niets leek te gebeuren, maar waarvan de afwezigheid een niet te vullen gat achterliet.

Verspreid tussen de portretten hingen stillevens van de voorwerpen die deel uitmaakten van het gezamenlijke leven van JB's ouders: twee kussens op een bed, alle twee ietwat ingedrukt alsof iemand met de bolle kant van een lepel door een kom geklopte room was gegaan; twee koffiekopjes, met op de rand van één ervan een vage roze lipstickafdruk; een lijstje met een foto erin van JB als tiener met zijn vader: de enige keer dat JB in deze schilderijen opdook. En toen hij die beelden zag, verwonderde het hem opnieuw hoe perfect JB begreep wat een leven samen inhield, wat zíjn leven inhield, hoe alle dingen in zijn appartement – Willems joggingbroek die nog over de rand van de wasmand hing, Willems tandenborstel die nog in het glas op de rand van de wasbak stond, Willems horloge, het glas versplinterd door het ongeluk, dat nog steeds onaangeraakt op zijn nachtkastje lag – totems waren geworden, een reeks runetekens die alleen hij kon lezen. Het tafeltje aan Willems kant van het bed in Lantern House was nu een soort onbedoeld altaar voor hem; daar stond de mok waar hij het laatst uit had gedronken, daar lagen de bril met zwart montuur die hij nog maar pas had en het boek waar hij in bezig was, open en met de bladspiegel naar beneden, zoals hij het had achtergelaten.

'O, JB,' had hij verzucht, en hoewel hij nog iets had willen zeggen, had hij dat niet gekund. Maar JB had hem toch bedankt. Ze waren tegenwoordig stiller als ze bij elkaar waren, en hij wist niet of JB zo geworden was, of dat JB zo geworden was in zijn aanwezigheid.

Nu klopt hij aan bij het museum en wordt binnengelaten door een van JB's atelierassistenten, die op hem stond te wachten en hem vertelt dat JB op de bovenste verdieping toeziet op de inrichting, maar haar heeft gevraagd hem te zeggen dat hij op de vijfde verdieping moet beginnen en zo langs de werken naar boven moet gaan om hem daar te ontmoeten, dus dat doet hij.

De zalen op deze verdieping zijn gewijd aan JB's vroege werk, inclusief juvenilia; er is een hele wand met ingelijste tekeningen uit JB's jeugd, waaronder een rekenproefwerk waarop JB in potlood prachtige portretjes heeft getekend van (waarschijnlijk) zijn klasgenoten: kinderen van een jaar of acht, negen die over hun lessenaar gebogen zitten, chocoladerepen eten, vogels voeren. Hij was er niet aan toegekomen ook maar één som op te lossen, en boven aan de bladzijde stond een felrode 1, met eronder: 'Beste mevrouw Marion, u ziet wat het probleem is. Kunt u even langskomen? Met vriendelijke groet, Jamie Greenberg. P.S. Uw zoon is zeer talentvol.' Hij moet erom glimlachen, de eerste keer in lange tijd dat hij een glimlach voelt opwellen. Midden in de zaal staat een perspex kubus op een standaard, met daarin een paar objecten uit *The Kwotidien*, waaronder de met haar overdekte borstel die JB hem nooit heeft teruggegeven, en hij glimlacht opnieuw en denkt terug aan hun weekendenlange strooptochten op zoek naar afgeknipt haar.

De rest van de verdieping hangt vol met materiaal uit 'The Boys', en hij loopt langzaam door de zalen en bekijkt schilderijen van Malcolm, van hem, van Willem. Daar zitten zij tweeën in hun slaapkamer in Lispenard Street, beiden op hun lits-jumeaux, en staren naar JB's camera, Willem met een lachje; daar zitten ze weer, maar nu aan het kaarttafeltje, hij schrijvend aan een pleitnota, Willem lezend in een boek. Daar zijn ze op een feestje. Daar zijn ze op een ander feestje. Daar is hij met Phaedra, daar is Willem met Richard. Daar is Malcolm met zijn zus, Malcolm met zijn ouders. Daar is *Jude with Cigarette*, daar *Jude, After Sickness*. Daar is een wand vol schetsen in pen en inkt van die beelden, schetsen van hen. Daar zijn de foto's waarop de schilderijen zijn geïnspireerd. Daar is de foto van hem die de basis vormde voor *Jude with Cigarette*: daar is hij – die uitdrukking op zijn gezicht, die gekromde schouders – een vreemde voor hem en toch ook voor hem onmiddellijk herkenbaar.

In het trappenhuis zijn de muren dicht behangen met los werk, tekeningen en kleine schilderijen, studies en experimenten die JB tussen zijn grotere series door heeft gemaakt. Hij ziet het portret van hem dat JB ter gelegenheid van zijn adoptie voor Harold en Julia heeft geschilderd; hij ziet tekeningen van hem in Truro, van hem in Cambridge, van Harold en Julia. Daar zijn ze met z'n vieren, daar zijn JB's tantes, moeder en oma, daar is Het Opperhoofd met mevrouw Irvine, daar is Flora, daar is Richard, en Ali, en de beide Henry Youngs, en Phaedra.

De volgende verdieping: 'Everyone I've Ever Known Everyone I've Ever Loved Everyone I've Ever Hated Everyone I've Ever Fucked' en 'Seconds, Minutes, Hours, Days'. Achter hem en om hem heen lopen inrichters rond, ze maken kleine aanpassingen met hun witgehandschoende handen, doen een paar stappen achteruit en turen naar de wanden. Opnieuw gaat hij naar het trappenhuis. Opnieuw kijkt hij omhoog, en daar ziet hij, keer op keer, tekeningen van hem: van zijn gezicht, van hem terwijl hij staat, van hem in zijn rolstoel, van hem met Willem, van hem alleen. Dit zijn werken die JB heeft gemaakt in de tijd dat ze niet met elkaar spraken, toen hij JB in de steek had gelaten. Er hangen ook tekeningen van anderen, maar op de meeste staat hij; hij en Jackson. Keer op keer, Jackson en hij, een schaakbord van hen tweeën. Hij is weergegeven in tere, melancholieke potlood- en pentekeningen en aquarellen. Jackson in acryltekeningen met lijnen, losser en bozer. Er zit een heel kleine tekening van hem bij, op een stukje papier met het formaat van een ansichtkaart, en als hij van dichterbij kijkt, ziet hij dat er iets op is geschreven en daarna uitgegumd: 'Beste Jude,' kan hij onderscheiden, 'alsjeblieft' – maar na dat woord staat er niets meer. Hij wendt zich af, zijn ademhaling gaat snel, en ziet de aquarel van een cameliastruik die JB hem heeft gestuurd toen hij na zijn poging tot zelfdoding in het ziekenhuis lag.

De volgende verdieping: 'The Narcissist's Guide to Self-Hatred'. Dat is in commercieel opzicht de minst succesvolle tentoonstelling van JB geweest, en hij begrijpt wel waarom. Deze werken met hun verbeten woede en zelfhaat boezemen tegelijk ontzag en een bijna niet te verdragen ongemak in. Als titels hebben ze – soms racistische – scheldwoorden: *The Coon* heet een schilderij, *The Buffoon*, *The Bojangler*, *The Steppin Fetchit*. Op elk van deze werken is JB afgebeeld met een glanzende, donkere huid en uitpuilende gelige ogen, dansend, brullend of schaterend, met afschuwelijk veel tandvlees, roze als het vlees van een vis, terwijl op de achtergrond uit een halfduister van goyaanse bruin- en grijstinten de schimmen van Jackson en zijn vrienden opdoemen, naar hem kraaiend, klappend in hun handen, wijzend en lachend. Het laatste schilderij in deze reeks heet *Even Monkeys Get the Blues*, en daarop staat JB met een zwierige rode fez en een krap rood jasje met epauletten, zonder broek, op één been huppend in een leeg pakhuis. Terwijl hij met knipperende ogen en een prop in zijn keel naar de schilderijen staart, dwaalt hij rond over deze verdieping en gaat dan langzaam voor de laatste keer naar het trappenhuis.

Dan is hij op de bovenste verdieping, waar meer mensen zijn, en een tijdje staat hij langs de kant te kijken naar JB, die lachend en breed gebarend met de curatoren en zijn galeriehouder praat. In deze zalen hangt voornamelijk materiaal uit 'Frog and Toad', en hij gaat van werk naar werk, zonder ze echt te zien, zich veeleer herinnerend hoe het was om ze voor het eerst te zien, in JB's atelier, toen hij en Willem pas een relatie hadden, toen hij het gevoel had dat er nieuwe lichaamsdelen begonnen aan te groeien – een tweede hart, een tweede stel hersenen – om plaats te bieden aan deze overdaad aan gevoel, het wonder van zijn leven.

Hij staat naar een van de schilderijen te staren als JB hem eindelijk ziet en naar hem toe komt, en hij geeft JB een stevige omhelzing en feliciteert hem. 'JB,' zegt hij. 'Ik ben zo trots op je.'

'Dank je, Judy,' zegt JB glimlachend. 'Godsamme, ik ben ook trots op mezelf.' En dan trekt zijn glimlach weg. 'Ik wou dat ze hier waren,' zegt hij.

Hij schudt zijn hoofd. 'Ik ook,' weet hij uit te brengen.

Ze zwijgen een tijdje. Dan zegt JB: 'Kom hier.' Hij pakt zijn hand en trekt hem mee naar het andere uiteinde van de verdieping, langs zijn galeriehouder die naar hem wuift, langs een laatste kist ingelijste tekeningen die worden uitgepakt, naar een wand waar een doek voorzichtig uit zijn jasje van bubbeltjesplastic wordt gesneden. JB zet hem er pal voor, en wanneer het plastic weg is ziet hij dat het een schilderij van Willem is.

Het is niet groot: 1 meter 20 bij 90 centimeter. Het is veruit het meest fotorealistische schilderij dat JB in jaren heeft gemaakt: warme, diepe kleuren, fijne penseelstreken die Willems haar vederlicht maken. De Willem op dit schilderij ziet eruit zoals Willem vlak voor zijn dood: hij heeft de indruk dat hij Willem ziet in de maanden voor of na de opnames van *The Dancer and the Stage*, waarvoor zijn haar langer en donkerder was dan normaal. Erna, besluit hij, want hij herinnert zich dat hij de trui die Willem draagt, met de zwartgroene kleur van magnoliabladeren, in Parijs voor hem heeft gekocht toen hij hem daar ging opzoeken.

Terwijl hij blijft kijken, doet hij een paar stappen achteruit. Op het schilderij staat Willem met zijn romp naar de kijker toe, maar zijn gezicht is zo ver naar rechts gedraaid dat het bijna en profil is, hij buigt zich naar iets of iemand toe en glimlacht. En omdat hij Willems glimlachjes kent, weet hij dat Willem is vastgelegd terwijl hij kijkt naar iets waar hij van houdt, hij weet dat Willem op dat moment gelukkig was. Willems gezicht en hals domineren het doek, en hoewel de achtergrond eerder wordt gesuggereerd dan getoond, weet hij dat Willem aan hun tafel zit; dat leidt hij af uit de manier waarop JB licht en schaduwen op Willems gezicht heeft getekend. Hij heeft het gevoel dat als hij Willems naam noemt, het gezicht op het doek zich naar hem toe zal draaien en antwoord zal geven; hij heeft het gevoel dat als hij zijn hand uitsteekt en het doek streelt, hij onder zijn vingertoppen Willems haar, zijn wimpers zal voelen.

Maar dat doet hij natuurlijk niet, hij kijkt na een tijdje op en ziet dat JB bedroefd naar hem glimlacht. 'Het titelkaartje hangt er al,' zegt JB; hij loopt langzaam naar de wand achter het schilderij en ziet de titel – *Willem*

Listening to Jude Tell a Story, Greene Street – en hij voelt zijn adem uit zich wegstromen; het voelt alsof zijn hart uit iets kouds en drabbigs bestaat, zoals gehakt, en door een hand wordt samengeknepen zodat er stukjes vanaf vallen, die neerploffen op de grond rond zijn voeten.

Ineens duizelt het hem. 'Ik moet even zitten,' zegt hij ten slotte, en JB brengt hem naar de andere kant van de wand waar Willem komt te hangen, waar een kleine loze ruimte is. Hij gaat half zitten op een van de kisten die hier zijn achtergelaten, zet zijn handen op zijn bovenbenen en laat zijn hoofd hangen. 'Sorry,' brengt hij met moeite uit. 'Sorry, JB.'

'Het is voor jou,' zegt JB zacht. 'Als de tentoonstelling voorbij is. Dan is het van jou, Jude.'

'Dank je wel, JB,' zegt hij. Hij dwingt zichzelf op te staan, maar voelt alles in zich schuiven.

Ik moet iets eten, denkt hij. Wanneer had hij voor het laatst iets binnengekregen? Ontbijt, denkt hij, maar gisteren. Hij steekt zijn hand naar de kist uit om zijn balans te herstellen en het geschommel dat hij in zijn hoofd en zijn ruggengraat voelt te laten ophouden; dit gevoel heeft hij steeds vaker, een wegdrijven, een toestand die dicht bij extase ligt. *Neem me mee, waarheen dan ook*, hoort hij een stem in hem zeggen, maar hij weet niet tegen wie hij dit zegt, of waar hij naartoe wil. *Neem me mee, neem me mee*. Dat staat hij te denken terwijl hij zijn armen over zijn borst kruist, als JB hem plotseling bij zijn schouders pakt en hem op zijn mond kust.

Hij wringt zich los. 'Godver, wat doe je?' vraagt hij, en hij strompelt achteruit terwijl hij met zijn hand langs zijn mond veegt.

'Jude, sorry, ik bedoelde er niets mee,' zegt JB. 'Je ziet er gewoon zo... zo verdrietig uit.'

'En dan doe je dit?' snauwt hij naar JB, die een stap dichterbij komt. 'Waag het niet me aan te raken, JB.' Op de achtergrond hoort hij het gekeuvel van de inrichters, JB's galeriehouder, de curatoren. Hij zet weer een stap, ditmaal naar de zijrand van de wand. Ik val flauw, denkt hij, maar dat gebeurt niet.

'Jude,' zegt JB, en dan, met een veranderend gezicht, 'Jude?'

Maar hij loopt bij hem vandaan. 'Ga weg,' zegt hij. 'Raak me niet aan. Laat me met rust.'

'Jude,' zegt JB met zachte stem, terwijl hij achter hem aan komt, 'je ziet er niet goed uit. Laat me je helpen.' Maar hij loopt door in een poging van JB af te komen. 'Sorry, Jude,' gaat JB verder, 'het spijt me.' Hij is zich bewust van de groep mensen die zich als één massa naar de andere kant van de verdieping begeeft en nauwelijks merkt dat hij met JB naast zich weggaat; het is alsof zij niet bestaan.

Nog twintig stappen naar de lift, schat hij; nog achttien, zestien, vijftien, veertien. De vloer onder hem is een losjes ronddraaiende tol geworden die wiebelt op zijn as. Tien, negen, acht. 'Jude,' zegt JB, die maar niet ophoudt met praten, 'laat me je helpen. Waarom zeg je niets meer tegen me?' Hij is bij de lift; hij slaat met zijn handpalm op de knop; hij leunt tegen de muur, biddend dat hij overeind zal blijven.

'Ga weg,' bijt hij JB toe. 'Laat me met rust.'

De lift komt, de deuren gaan open. Hij zet er een paar stappen naartoe. Zijn manier van lopen is nu anders: zijn linkerbeen heeft nog altijd de leiding en hij tilt het nog steeds onnatuurlijk hoog op – dat is niet veranderd, dat is opgelegd door zijn letsel. Maar hij sleept niet langer met zijn rechterbeen, en omdat zijn voetprotheses zo goed scharnieren – veel beter dan zijn eigen voeten deden – kan hij voelen dat zijn voet bij het optillen afrolt van de grond en bij het neerkomen heel zacht, segment voor segment, vlak gaat liggen.

Maar als hij moe is, als hij wanhopig is, vervalt hij onwillekeurig weer in zijn oude tred, waarbij zijn beide voeten als platte stenen lompweg op de grond landen en zijn rechterbeen schuin achter hem aan sleept. En terwijl hij de lift in stapt vergeet hij dat zijn benen van staal en glasvezel zijn ontworpen voor subtieler gebruik, en hij struikelt en valt. 'Jude!' hoort hij JB roepen, en omdat hij zo zwak is wordt alles een moment lang donker en leeg, en als hij zijn zicht terugkrijgt, ziet hij dat het groepje mensen JB heeft horen roepen en nu zijn kant op komt. Hij ziet ook JB's gezicht boven zich, maar is te moe om zijn uitdrukking te interpreteren. *Willem Listening to Jude Tell a Story*, denkt hij, en hij ziet het schilderij voor zich: Willems gezicht, Willems lach, maar Willem kijkt niet naar hem, hij kijkt een andere kant op. Wat als de Willem van het schilderij eigenlijk naar hem úítkijkt? Hij wil ineens niets liever dan rechts van het schilderij staan, op een stoel zitten in wat Willems gezichtslijn is, dat schilderij nooit alleen laten. Daar is Willem, voorgoed opgesloten in een gesprek met niemand. Hier is hij, levend, ook opgesloten. Hij denkt aan Willem die, alleen in zijn schilderij, nacht na nacht in het lege museum zit te wachten tot hij hem een verhaal komt vertellen.

Vergeef me, Willem, zegt hij in zijn hoofd tegen Willem. Vergeef me, maar ik moet je nu verlaten. Vergeef me, maar ik moet gaan.

'Jude,' zegt JB. De liftdeuren beginnen dicht te gaan, maar JB steekt zijn arm naar hem uit.

Hij negeert het, krabbelt overeind en leunt in de hoek van de liftcabine. Het groepje is nu heel dichtbij. Iedereen beweegt zich zo veel sneller voort dan hij. 'Blijf uit mijn buurt,' zegt hij tegen JB, maar hij is kalm. 'Laat me met rust. Laat me alsjeblieft met rust.'

'Jude,' zegt JB opnieuw. 'Het spijt me.'

En hij wil nog iets zeggen, maar intussen gaan de deuren dicht, en eindelijk is hij alleen.

3

Hij is er niet bewust mee begonnen, echt niet, maar wanneer het tot hem doordringt wat hij doet, houdt hij er toch ook niet mee op. Het is midden november en hij klimt uit het zwembad na zijn ochtendbaantjes, en terwijl hij zichzelf optrekt aan de metalen stangen die Richard rondom het zwembad heeft laten installeren zodat hij gemakkelijker in en uit zijn rolstoel kan, verdwijnt de wereld.

Als hij weer wakker wordt is het nog maar tien minuten later. Het ene moment was het kwart voor zeven in de ochtend en trok hij zichzelf omhoog; het volgende is het vijf voor zeven en ligt hij op zijn buik op de zwartrubberen vloer, zijn armen uitgestrekt naar de rolstoel, een plasje water onder zijn romp. Kreunend werkt hij zich op tot zithouding en wacht tot alles weer rechtstaat alvorens – en ditmaal met succes – te proberen zich in de rolstoel te hijsen.

De tweede keer volgt een paar dagen later. Hij is net thuis van zijn werk en het is laat. De laatste tijd heeft hij steeds sterker het gevoel dat hij voor zijn energievoorziening afhankelijk is van Rosen Pritchard, en dat zodra hij weg is uit het kantoor ook zijn kracht weg is: op het moment dat meneer Ahmed het achterportier van de auto dichtdoet is hij al in slaap, en hij wordt pas wakker als hij in Greene Street is. Maar wanneer hij die avond het donkere, stille appartement binnen loopt, wordt hij overmand door zo'n ernstig gevoel van desoriëntatie dat hij even blijft staan en verward met zijn ogen knippert voordat hij naar de bank in de woonkamer loopt en daar gaat liggen. Het is zijn bedoeling even uit te rusten, een paar minuten maar, tot hij weer op zijn benen kan staan, maar als hij zijn ogen weer opslaat is het dag en hangt er een grauw licht in de woonkamer.

De derde keer is het maandagochtend. Hij wordt wakker voor zijn wekker afgaat, en hoewel hij ligt voelt hij alles om zich heen kolken, alsof hij een half met water gevulde fles is die stuurloos ronddobbert in een oceaan van wolken. De afgelopen weken heeft hij op zondag helemaal geen pillen meer nodig gehad: hij komt zaterdagavond thuis nadat hij met JB heeft gegeten, kruipt in bed en wordt de volgende dag pas wakker als Richard hem komt halen. Als Richard niet komt – zoals afgelopen zondag, omdat hij met India naar haar ouders in New Mexico is – slaapt hij de hele dag en de hele nacht door. Hij droomt over niets, en niets wekt hem.

Natuurlijk weet hij wel wat er aan de hand is: hij eet niet genoeg. Al maanden niet. Op sommige dagen eet hij heel weinig – wat fruit, een stukje brood – en op andere dagen helemaal niets. Niet dat hij heeft besloten te stoppen met eten; het interesseert hem gewoon niet meer, hij kan het niet meer. Hij heeft geen honger, dus hij eet niet.

Maar die maandag eet hij wel. Hij staat op, hij gaat wankel naar beneden. Hij zwemt, maar moeizaam, traag. En dan komt hij terug naar boven en maakt een ontbijt klaar. Hij gaat zitten en eet het op, de kamer in starend, met de kranten opgevouwen naast zich op tafel. Hij opent zijn mond, steekt een vork vol eten naar binnen, kauwt en slikt. Hij houdt zijn bewegingen mechanisch, maar ineens bedenkt hij wat een grotesk proces het is, iets in zijn mond stoppen, het rondschuiven met zijn tong en vervolgens de samengeklonterde speekselprop doorslikken, en hij stopt. Toch neemt hij zich voor: ik ga eten, ook al wil ik het niet, want ik leef en dit is wat ik moet doen. Maar hij vergeet het keer op keer.

En dan, twee dagen later, gebeurt er iets. Hij is net thuisgekomen, zo uitgeput dat hij zich etherisch voelt, alsof hij in lucht kan opgaan, zo onstoffelijk dat hij het gevoel heeft niet uit bloed en botten te bestaan maar uit damp en nevel, als hij Willem voor zich ziet staan. Hij doet zijn mond open om iets tegen hem te zeggen, maar dan knippert hij met zijn ogen en is Willem weg, en staat hij met uitgestrekte armen te wankelen.

'Willem,' zegt hij hardop in het lege appartement. 'Willem.' Hij sluit zijn ogen alsof hij hem zo kan oproepen, maar Willem verschijnt niet meer.

Maar de volgende dag wel. Weer is hij thuis. Weer is het nacht. Weer heeft hij niets gegeten. Hij ligt in bed en staart de donkere kamer in. En plotseling staat daar Willem, in een flauw schijnsel als een hologram, met vaag oplichtende contouren, en hoewel Willem niet naar hem kijkt – hij kijkt ergens anders naar, naar de deuropening, met een zo strakke blik dat hij zijn blik wil volgen om te zien wat Willem ziet, maar hij weet dat hij niet mag knipperen en zijn blik niet mag afwenden, want dan zal Willem weggaan – is het voldoende hem te zien, te voelen dat hij op de een of andere manier nog bestaat, dat zijn verdwijning misschien toch niet permanent is. Maar ten slotte moet hij wel met zijn ogen knipperen, en Willem verdwijnt weer.

Toch is hij er niet al te zeer door van slag, want hij weet nu: als hij niet eet, als hij het volhoudt tot het punt vlak voordat hij instort, zal hij hallucinaties krijgen, en zijn hallucinaties kunnen over Willem gaan. Die nacht valt hij tevreden in slaap, de eerste keer in bijna vijftien maanden dat hij zich tevreden voelt, want nu weet hij hoe hij Willem kan terughalen: nu weet hij dat het in zijn vermogen ligt om Willem op te roepen.

Hij zegt zijn afspraak met Andy af, zodat hij thuis kan blijven om te experimenteren. Dit is al de derde vrijdag op rij dat hij niet naar Andy gaat. Sinds die avond in het restaurant doen ze beleefd tegen elkaar, en Andy is niet meer over Linus of een andere arts begonnen, hoewel hij heeft aangekondigd dat hij het onderwerp over een half jaar opnieuw zal aansnijden. 'Het gaat er niet om dat ik van je af wil, Jude,' zei hij. 'En het spijt me oprecht als het wel zo klonk. Ik maak me gewoon zorgen. Ik wil gewoon zeker weten dat we iemand vinden met wie je overweg kunt, iemand bij wie je je prettig voelt.'

'Dat weet ik, Andy,' zei hij. 'En ik waardeer het ook, echt. Ik heb me slecht gedragen, en ik heb me op jou afgereageerd.' Maar hij weet dat hij voorzichtig moet zijn: hij heeft woede geproefd en hij weet dat hij die in bedwang moet houden. Hij kan de woede voelen, klaar om als een zwerm zwarte steekvliegen uit zijn mond te schieten. Waar heeft die razernij zich al die tijd verborgen gehouden? vraagt hij zich af. Hoe kan hij die laten verdwijnen? De laatste tijd gaan zijn dromen over geweld, over afschuwelijke dingen die gebeuren met de mensen die hij haat, de mensen van wie hij houdt: hij ziet broeder Luke die in een zak vol krijsende, uitgehongerde ratten wordt gestopt; hij ziet JB's hoofd tegen een muur aansmakken, zijn hersenen die eruit spatten als een grijze smurrie. In de dromen is hij er altijd bij, kil en oplettend, en na hun vernietiging te hebben bijgewoond draait hij zich om en loopt weg. Hij wordt wakker met een bloedneus zoals hij die ook als kind had als hij een driftaanval onderdrukte, met trillende handen, met zijn gezicht vertrokken tot een grimas.

Die vrijdag komt Willem uiteindelijk niet meer bij hem. Maar de avond erop, als hij na het werk op weg is naar zijn eetafspraak met JB, draait hij zijn hoofd naar rechts en ziet Willem naast zich in de auto zitten. Dit keer, beeldt hij zich in, komt Willem wat duidelijker naar voren, is hij een beetje meer solide, en hij staart en staart, tot hij met zijn ogen knippert en Willem weer opgaat in het niets.

Na die verschijningen is hij totaal leeg; de wereld om hem heen vervaagt, alsof alle kracht en energie in het creëren van Willem zijn gaan zitten. Hij vraagt meneer Ahmed hem naar huis te brengen in plaats van naar het restaurant; terwijl de auto in zuidelijke richting rijdt stuurt hij JB een berichtje dat hij zich niet goed voelt en niet kan komen. Dat doet hij steeds vaker: afspraken met mensen botweg en meestal onvergeeflijk laat afzeggen – een uur voor een moeilijk te regelen reservering in een restaurant, een paar minuten na een afgesproken ontmoeting in een museum, een paar seconden voor het doek opgaat boven een podium. Richard, JB, Andy, Harold en Julia: dat zijn de paar mensen die nog steeds hardnekkig contact met hem opnemen, week na week. Hij kan zich niet herinneren hoelang het geleden is dat hij voor het laatst iets heeft gehoord van Citizen, Rhodes, de Henry Youngs, Elijah of Phaedra; weken, minstens. En hoewel hij weet dat hij het zich zou moeten aantrekken, doet hij dat niet. Zijn hoop, zijn energie zijn niet langer aanvulbare bronnen; zijn reserves zijn beperkt en hij wil ze gebruiken om op zoek te gaan naar Willem, ook al jaagt hij iets vluchtigs na, ook al zal het waarschijnlijk mislukken.

En dus gaat hij naar huis en wacht en wacht tot Willem hem weer voor ogen komt. Maar dat gebeurt niet, en uiteindelijk valt hij in slaap.

De volgende dag ligt hij in bed te wachten, hij probeert zichzelf zwevende te houden tussen alertheid en versuffing, want dat is (denkt hij) de toestand waarin hij de meeste kans heeft om Willem te kunnen oproepen.

Op maandag wordt hij wakker, en hij voelt zich belachelijk. Dit moet stoppen, zegt hij bij zichzelf. Je moet terugkeren naar de levenden. Je gedraagt je als een gek. Visioenen! Weet je wel hoe gestoord dat klinkt?

Hij denkt aan het klooster, waar broeder Pavel hem graag mocht vertellen over een non uit de elfde eeuw, Hildegard. Hildegard had visioenen: ze deed haar ogen dicht en er verschenen verlichte voorwerpen voor haar; haar dagen baadden in licht. Maar broeder Pavel was niet zozeer geïnteresseerd in Hildegard als wel in Hildegards leermeesteres, Jutta, die de materiële wereld had afgezworen om een ascetisch leven te leiden in een kleine cel, dood voor al het wereldse, in leven maar niet levend. 'Dat overkomt jou ook als je niet gehoorzaamt,' zei Pavel altijd, en dat maakte hem doodsbang. Op het terrein van het klooster stond een schuurtje met gereedschap, donker, kil en boordevol akelig uitziende metalen voorwerpen die allemaal uitliepen in een piek, een punt, een spies of een zeisblad, en als de broeder hem over Jutta vertelde, zag hij voor zich dat hij in dat schuurtje werd opgesloten en net genoeg te eten en te drinken kreeg om te overleven, en daar zou hij almaar blijven zitten, bijna maar niet helemaal vergeten, bijna maar niet helemaal dood. En dan had Jutta nog Hildegard gehad om haar gezelschap te houden. Hij zou niemand hebben. Wat was hij bang geweest, wat had hij zeker geweten dat dat op een dag zou gebeuren.

Nu, terwijl hij in bed ligt, hoort hij het oude lied van Mahler murmelen in zijn oren. '*Ich bin der Welt abhanden gekommen*,' zingt hij zachtjes, '*Mit der ich sonst viele Zeit verdorben*.'

Maar al weet hij hoe dom hij bezig is, hij kan zich er niet toe zetten om te eten. Het eetproces zelf boezemt hem afkeer in. Hij wilde dat hij boven de behoefte, de noodzaak verheven was. Hij heeft een visioen van zijn leven als een dun stuk zeep, door het vele gebruik afgesleten en glad geworden, nu een smalle, ronde pijlpunt die elke dag wat verder slinkt.

En dan is er een gedachte waar hij niet graag voor uitkomt, maar waar hij zichzelf telkens op betrapt. Hij mag zijn belofte aan Harold niet breken, en dat zal hij ook niet doen. Maar als hij stopt met eten, als hij stopt het te proberen, zal de afloop hetzelfde zijn.

Gewoonlijk beseft hij hoe melodramatisch, hoe narcistisch, hoe onrealistisch hij zich gedraagt, en minstens eenmaal per dag leest hij zichzelf de les. Het punt is: hij merkt dat het steeds minder goed lukt om Willem concreet op te roepen zonder daarbij hulpmiddelen te gebruiken: hij kan zich de klank van Willems stem niet herinneren zonder eerst een van de bewaarde voicemailberichten af te spelen. Hij kan zich Willems geur niet herinneren zonder eerst aan een van zijn hemden te ruiken. Daarom vreest hij dat hij niet zozeer rouwt om Willem, maar om zijn eigen leven, zo klein, zo waardeloos.

Hij heeft zich nooit beziggehouden met wat hij nalaat, althans nooit bewust. En dat is maar goed ook, want hij zal niets achterlaten: geen gebouwen, schilderijen, films of sculpturen. Geen boeken. Geen essays. Geen mensen: geen echtgenoot, geen kinderen, waarschijnlijk geen ouders, en als hij zich zo blijft gedragen geen vrienden. Zelfs geen nieuwe wetgeving. Hij heeft niets gecreëerd. Hij heeft niets gegenereerd, niets behalve geld: het geld dat hij heeft verdiend, het geld dat hem is gegeven ter compensatie voor het feit dat Willem hem ontnomen is. Zijn appartement vervalt aan Richard. Het andere onroerend goed zal worden weggeschonken of verkocht en de opbrengst ervan zal naar liefdadigheidsdoelen gaan. Zijn kunst gaat naar musea, zijn boeken naar bibliotheken, zijn meubels naar wie ze hebben wil. Het zal zijn alsof hij nooit heeft bestaan. Hij heeft het gevoel, hoe naar dat ook is, dat hij op zijn waardevolst is geweest in die motelkamers, waar hij in elk geval voor iemand iets bijzonders was en betekenis had, al werd hetgeen hij te bieden had van hem afgepakt en niet vrijwillig gegeven. Maar daar was hij in elk geval écht geweest voor iemand anders; wat ze in hem zagen was wat hij feitelijk was. Dáár was hij nog het minst leugenachtig geweest.

Hij heeft nooit werkelijk kunnen geloven in Willems interpretatie van hem als iemand die dapper, veerkrachtig en bewonderenswaardig was. Dat soort dingen zei Willem, en dan schaamde hij zich alsof hij Willem een rad voor ogen had gedraaid: wie was die persoon die werd omschreven? Zelfs zijn bekentenis had Willems perceptie van hem niet veranderd; in feite leek Willem hem daardoor zelfs nog meer te respecteren, iets wat hij nooit had begrepen maar zich had laten welgevallen als iets troostrijks. Maar hoewel hij niet echt overtuigd was geweest, hielp het hem toch dat een ander hem zag als iemand die de moeite waard was, dat een ander zijn leven als een zinvol leven zag.

In het voorjaar voor Willems dood hadden ze een etentje gegeven, alleen voor hen vieren, Richard en Oosterse Henry Young, en Malcolm had in een van zijn oprispingen van spijt over de kinderloosheid van Sophie en hem – hoewel ze, zoals iedereen hem voorhield, van het begin af aan geen kinderen hadden gewild – gezegd: 'Toch vraag ik me af waar je het zonder kinderen allemaal voor doet. Zitten jullie daar nooit mee? Hoe weten wij nou of ons leven zin heeft?'

'Neem me niet kwalijk, Mal,' had Richard gezegd, en hij had hem het staartje wijn uit de oude fles ingeschonken terwijl Willem een nieuwe ontkurkte, 'maar dat vind ik een belediging. Wou je beweren dat ons leven minder zin heeft omdat we geen kinderen hebben?'

'Nee,' zei Malcolm. Toen peinsde hij even. 'Nou ja, misschien.'

'Ik weet dat míjn leven zin heeft,' had Willem ineens gezegd, en Richard had met een glimlachje naar hem gekeken.

'Ja, natuurlijk is jóúw leven zinvol,' had JB gezegd. 'Jij maakt dingen die de mensen nog willen zien ook, in tegenstelling tot mij, Malcolm, Richard en Henry hier.'

'Onze dingen willen de mensen ook zien,' zei Oosterse Henry Young, en hij klonk gekwetst.

'Ik bedoel mensen buiten New York, Londen, Tokio en Berlijn.'

'O, die. Maar wie maalt er om die mensen?'

'Nee,' zei Willem nadat ze allemaal uitgelachen waren. 'Ik weet dat mijn leven zin heeft omdat' – en daar brak hij met een verlegen gezicht zijn zin af en bleef even zwijgen voordat hij verderging – 'omdat ik een goede vriend ben. Ik hou van mijn vrienden en ik geef om ze, en ik denk dat ik ze gelukkig maak.'

Het werd stil in de kamer, en een paar tellen lang keken Willem en hij elkaar over de tafel aan en viel de rest van de mensen, het appartement zelf, weg: ze waren twee mensen op twee stoelen, en rondom hen was niets. 'Op Willem,' zei hij ten slotte en hij hief zijn glas, en iedereen deed hetzelfde. 'Op Willem!' zeiden ze allemaal, en Willem lachte terug naar hem.

Later op de avond, toen iedereen was vertrokken en ze in bed lagen, had hij tegen Willem gezegd dat hij gelijk had. 'Ik ben blij dat je weet dat jouw leven zin heeft. Ik ben blij dat ik je daar niet van hoef te overtuigen. Ik ben blij dat je weet wat een prachtmens je bent.'

'Maar jouw leven heeft evenveel zin als het mijne,' had Willem gezegd. 'Jij bent ook een prachtmens. Weet je dat dan niet, Jude?'

Op dat moment had hij iets gemompeld, iets wat Willem als instemming kon interpreteren, maar terwijl Willem insliep, bleef hij wakker. Het had hem altijd een enorm luxeprobleem geleken, een privilege eigenlijk, om na te denken over de zin van het leven. Hij dacht niet dat het zijne zin had. Maar daar zat hij niet zo mee.

Hoewel hij dus nooit had getobd over de vraag of zijn leven de moeite waard was, had hij zich wel altijd afgevraagd waarom hij en zo veel anderen überhaupt doorleefden; het was voor hem zo nu en dan al moeilijk geweest zichzelf ertoe te zetten, terwijl zo veel mensen, zo veel miljoenen, miljarden mensen, in een voor hem niet te bevatten ellende leefden, met zulke extreme ontberingen en ziektes dat het obsceen was. En toch bleven ze maar doorgaan. Was de stugge wil om in leven te blijven dus helemaal geen keuze, maar een evolutionair iets? Zat er iets in de hersenen, een samenstel van neuronen even taai en met littekens overdekt als een pees, dat voorkwam dat mensen deden wat zo vaak het meest voor de hand lag? En toch was dat instinct niet onfeilbaar: hij had het één keer overwonnen. Maar wat was er daarna mee gebeurd? Was het verzwakt of veerkrachtiger geworden? Lag de keuze om nog langer door te leven eigenlijk nog wel in zijn handen?

Sinds het ziekenhuis had hij geweten dat het onmogelijk was iemand ervan te overtuigen dat hij moest blijven leven omwille van zichzelf. Vaak dacht hij dat het effectiever zou zijn iemand te doordringen van de noodzaak om door te leven voor anderen: voor hem was dat altijd het dwingendste argument. Het was een feit: hij was het Harold verschuldigd. Hij was het Willem verschuldigd. En als zij wilden dat hij bleef leven, dan zou hij dat doen. In die tijd, toen hij zich moeizaam van dag naar dag sleepte, was zijn motivatie troebel geweest voor hemzelf, maar nu kan hij duidelijk zien dat hij het voor hen heeft gedaan, en dat zeldzame altruïsme is iets waar hij achteraf trots op kan zijn. Hij had niet begrepen waarom ze wilden dat hij bleef leven, alleen dát dat zo was, en daarom had hij het gedaan. En uiteindelijk had hij geleerd hoe hij weer wat tevredenheid kon vinden, vreugde zelfs. Maar zo was het niet begonnen.

En nu vindt hij het leven opnieuw steeds moeilijker, elke dag een beetje minder haalbaar dan de vorige. In elke dag van zijn leven staat een zwarte, halfdode boom met één enkele tak naar rechts, de ene kunstarm van een vogelverschrikker, en aan die tak hangt hij. Boven hem miezert het altijd, zodat de tak glad is. Maar hij houdt zich stevig vast, moe als hij is, want onder hem is een diep gat in de grond, zo diep dat hij de bodem niet ziet. Hij is doodsbenauwd om los te laten, want hij weet dat hij dan in het gat valt, maar uiteindelijk zal dat toch gebeuren, hij weet dat het niet anders kan: hij is zo moe. Zijn greep verslapt een beetje, een heel klein beetje maar, met elke week die verstrijkt.

Zodoende is het met schuldgevoel en spijt, maar ook met een gevoel van onontkoombaarheid dat hij zijn belofte aan Harold breekt. Hij breekt die als hij tegen Harold zegt dat hij voor zaken naar Jakarta moet en niet kan komen met Thanksgiving. Hij breekt die als hij een baard laat staan in de hoop dat die zijn holle wangen zal maskeren. Hij breekt die als hij tegen Sanjay zegt dat het prima gaat, dat hij alleen een buikgriep heeft gehad. Hij breekt die als hij tegen zijn secretaresse zegt dat ze geen lunch voor hem hoeft te halen omdat hij onderweg naar kantoor al iets heeft gegeten. Hij breekt die als hij al zijn afspraken voor de komende maand met Richard, JB en Andy afzegt onder het mom dat het te druk is op zijn werk. Hij breekt die elke keer dat hij de stem ongevraagd tegen zich laat lispelen: niet zo lang meer, niet zo lang meer. Hij is niet zo ver heen dat hij denkt zichzelf letterlijk te kunnen doodhongeren, maar hij denkt wel dat er een dag komt, nu dichterbij dan ooit tevoren, dat hij zo verzwakt zal zijn dat hij zal struikelen en met zijn hoofd tegen de betonnen vloer van de hal in Greene Street zal slaan, of een virus oploopt en niet de kracht zal hebben om dat terug te dringen.

Een van zijn leugens is tenminste waar: hij heeft inderdaad te veel werk. Hij moet over een maand pleiten in een appèlzaak, en hij is blij dat hij zo veel tijd kan doorbrengen bij Rosen Pritchard, waar hem nooit iets slechts is overkomen, waar zelfs Willem hem nooit stoort met een van zijn onverwachte verschijningen. Op een avond hoort hij Sanjay terwijl die op de gang voorbijsnelt in zichzelf mompelen 'Fuck, ze vermoordt me', en hij kijkt op en ziet dat het niet langer nacht is maar dag, en dat de

Hudson vlekkerig oranje begint te kleuren. Hij signaleert het, maar hij voelt niets. Hier wordt zijn leven opgeschort; hier zou hij wie dan ook, waar dan ook kunnen zijn. Hij kan hier blijven tot zo laat als hij wil. Niemand wacht op hem, niemand zal teleurgesteld zijn als hij niet belt, niemand wordt boos als hij niet naar huis gaat.

De vrijdag voor de zitting werkt hij tot laat door als een van zijn secretaresses haar hoofd om de hoek van de deur steekt om hem te laten weten dat er iemand voor hem bij de receptie zit, een zekere dr. Contractor, en of ze die boven mag laten komen. Hij wacht even, niet wetend wat hij moet doen; Andy probeert hem al een tijdje te bereiken, maar hij heeft zijn telefoontjes niet beantwoord, en hij weet dat hij niet zomaar zal weggaan.

'Goed,' zegt hij. 'Breng hem maar naar de vergaderzaal aan de zuidoostzijde.'

Hij wacht in die vergaderzaal, die geen ramen heeft en de meeste privacy biedt, en als Andy binnenkomt ziet hij diens mond verstrakken, maar ze geven elkaar een hand als twee vreemden, en pas wanneer zijn secretaresse weggaat staat Andy op en loopt naar hem toe.

'Sta op,' beveelt hij.

'Dat kan ik niet,' zegt hij.

'Waarom niet?'

'Mijn benen doen pijn,' zegt hij, maar dat is niet waar. Hij kan niet opstaan omdat zijn protheses niet langer passen. 'Het voordeel van deze protheses is dat ze heel gevoelig zijn en weinig wegen,' had de prothesemaker gezegd toen hij kwam passen. 'Het nadeel is dat in de koker niet veel speling zit. Als u meer dan tien procent van uw lichaamsgewicht aankomt of afvalt – dat is dus voor u zo'n zes, zeven kilo – zult u ofwel uw gewicht moeten aanpassen of een nieuw stel protheses moeten laten maken. Dus het is van belang dat u op gewicht blijft.' De laatste drie weken heeft hij in zijn rolstoel gezeten; hij draagt zijn beenprotheses nog wel, maar alleen voor de show, om zijn broekspijpen te vullen; ze sluiten zo slecht aan dat hij ze niet meer kan gebruiken, en hij is te uitgeput om naar de prothesemaker te gaan, te uitgeput om het gesprek met hem te voeren waarvan hij weet dat het hem te wachten staat, te uitgeput om verklaringen te verzinnen.

'Volgens mij lieg je,' zegt Andy. 'Volgens mij ben je zo veel afgevallen dat je protheses van je benen glijden, klopt dat?' Maar hij geeft geen antwoord. 'Hoeveel ben je afgevallen, Jude?' vraagt Andy. 'Toen ik je laatst zag, was je al meer dan vijf kilo te licht. Hoeveel is het nu? Tien?

Nog meer?' Er valt opnieuw een stilte. 'Waar ben je in godsnaam mee bezig?' vraagt Andy nog zachter. 'Wat doe je jezelf aan, Jude?

Je ziet er niet uit,' gaat Andy verder. 'Echt verschrikkelijk. Ziek.' Hij stopt. 'Zeg iets,' zegt hij. 'Zeg godverdomme iets, Jude.'

Hij weet hoe deze interactie hoort te verlopen: Andy schreeuwt tegen hem. Hij schreeuwt terug tegen Andy. Er wordt een wapenstilstand bereikt, die feitelijk niets verandert, een schijnvertoning: hij wordt onderworpen aan iets wat geen oplossing is maar waardoor Andy zich beter voelt. En dan gebeurt er iets ernstigers en blijkt de schijnvertoning inderdaad niet meer dan dat te zijn, en dan wordt hij gedwongen tot een behandeling die hij niet wil. Harold wordt erbij gehaald. Hij krijgt een preek en nog een preek en nog een preek, en hij liegt en liegt en liegt. Dezelfde cyclus, hetzelfde kringetje, keer op keer op keer, een rondgang even voorspelbaar als die van de mannen in de motels: binnenkomen, laken over het matras, seks met hem, weggaan. En de volgende, en de volgende. En de volgende dag hetzelfde. Zijn leven is een reeks treurige patronen: seks, snijden, dit, dat. Naar Andy, naar het ziekenhuis. Niet dit keer, denkt hij. Dit is de keer dat hij het anders doet; dit is de keer dat hij ontsnapt.

'Je hebt gelijk, Andy,' zegt hij met de rustigste, meest emotieloze stem die hij in huis heeft, de stem die hij in de rechtszaal gebruikt. 'Ik ben afgevallen. En het spijt me dat ik niet eerder naar jou toe ben gekomen. De reden is dat ik wist dat je boos zou worden. Maar ik heb een flinke buikgriep gehad waar ik maar niet vanaf kwam, al is hij nu over. Ik eet heus wel. Ik weet dat ik er vreselijk uitzie. Maar ik beloof je dat ik eraan werk.' Ironisch genoeg heeft hij de afgelopen twee weken inderdaad meer gegeten, want hij moet het proces zien door te komen. Hij wil niet tijdens de zitting flauwvallen.

En wat kan Andy daar nog op zeggen? Hij vertrouwt het nog steeds niet. Maar hij kan niets doen. 'Als je volgende week niet op controle komt, sta ik hier weer,' laat Andy hem weten voordat zijn secretaresse hem naar de uitgang brengt.

'Prima,' zegt hij nog even vriendelijk. 'Tot dinsdag over een week. Tegen die tijd is de zitting achter de rug.'

Na Andy's vertrek heeft hij even een triomfantelijk gevoel, alsof hij een sprookjesheld is die zojuist een gevaarlijke vijand heeft verslagen. Maar natuurlijk is Andy zijn vijand niet, en hij gedraagt zich belachelijk, en zijn overwinningsgevoel wordt gevolgd door wanhoop. Hij voelt zich, zoals de laatste tijd steeds vaker, alsof zijn leven iets is wat hem is overkomen en niet iets waar hij enige actieve rol in heeft gespeeld. Hij heeft zich nooit kunnen voorstellen hoe zijn leven zou worden; zelfs als kind, zelfs toen hij droomde van andere plaatsen, andere levens, kon hij niet visualiseren hoe die andere plaatsen en levens eruit zouden zien; hij had alles geloofd wat hem was geleerd over wie hij was en wat er van hem zou worden. Maar zijn vrienden, Ana, Lucien, Harold en Julia, zij hadden zich een beeld van zijn leven gevormd voor hem. Zij hadden hem gezien als iets anders dan hij zichzelf ooit gezien had; zij hadden hem laten geloven in mogelijkheden waar hij nooit op gekomen zou zijn. Hij zag zijn leven als het axioma van gelijkheid, maar zij zagen het als een raadsel, eentje zonder naam: Jude = x, en zij hadden die x ingevuld met omschrijvingen die broeder Luke, de begeleiders in het tehuis en dokter Traylor nooit van hem hadden gegeven of hem hadden aangemoedigd zelf te bedenken. Hij wilde dat hij in hun bewijs kon geloven zoals ze dat zelf deden; hij wilde dat ze hem lieten zien hoe ze bij hun oplossingen waren gekomen. Als hij wist hoe ze het raadsel hadden opgelost, zou hij weten waarom hij moest doorleven, denkt hij. Het enige wat hij nodig heeft is één antwoord. Het enige wat hij nodig heeft is één keer overtuigd worden. Het bewijs hoeft niet mooi te zijn, als het maar verklaarbaar is.

De zittingsdag breekt aan. Hij doet het goed. Als hij die vrijdag weer thuiskomt rolt hij zichzelf naar de slaapkamer, naar bed. Hij brengt het hele weekend door in een slaap die vreemd en griezelig is, minder een slaap dan een gewichtloos zweven tussen het rijk van de herinnering en dat van de fantasie, tussen bewusteloosheid en wakker-zijn, angst en hoop. Ik ben niet in dromenland, denkt hij, maar ergens anders, en hoewel hij zich bewust is van de momenten waarop hij wakker is – hij ziet de kroonluchter boven zich, de lakens om zich heen, de bank met de varenprint tegenover zich – kan hij niet onderscheiden welke dingen in zijn visioenen hebben plaatsgevonden en welke echt zijn gebeurd. Hij ziet dat hij een scheermesje naar zijn arm brengt en het door zijn vlees haalt, maar wat uit de snee tevoorschijn springt zijn ijzeren spiralen, matrasvulling en paardenhaar, en hij beseft dat hij een mutatie heeft ondergaan, dat hij niet eens meer menselijk is, en hij is opgelucht: nu zal hij zijn belofte aan Harold niet hoeven te breken, want hij is betoverd; samen met zijn menselijkheid is zijn schuld verdwenen.

Is dit de werkelijkheid? vraagt de stem kleintjes en hoopvol aan hem. Zijn we nu onbezield?

Maar hij kan zelf niet antwoorden.

Keer op keer ziet hij broeder Luke, dokter Traylor. Naarmate hij meer verzwakt is geraakt, verder van zichzelf is weggedreven, ziet hij ze steeds vaker, en terwijl Willem en Malcolm voor hem zijn vervaagd, zijn broeder Luke en dokter Traylor dat niet. Hij ervaart zijn verleden als een tumor waar hij lang geleden iets aan had moeten doen, maar die hij in plaats daarvan heeft genegeerd. En nu zijn broeder Luke en dokter Traylor uitgezaaid, nu zijn ze te groot en te overweldigend om te kunnen worden verwijderd. Als ze nu verschijnen hebben ze geen woorden: ze staan voor hem, ze zitten naast elkaar op de bank in zijn slaapkamer en staren hem aan, en dat is erger dan als ze wel iets zouden zeggen, want hij weet dat ze proberen te besluiten wat ze met hem gaan doen, en hij weet dat wat ze ook zullen besluiten erger zal zijn dan wat hij zich kan voorstellen, erger dan wat in het verleden is gebeurd. Op zeker moment ziet hij ze met elkaar smiespelen, en hij weet dat ze het over hem hebben. 'Stop,' schreeuwt hij ze toe, 'stop, stop.' Maar ze negeren hem, en als hij wil opstaan om ze weg te jagen, lukt hem dat niet. 'Willem,' hoort hij zichzelf roepen, 'bescherm me, help me, jaag ze weg, zorg dat ze weggaan.' Maar Willem komt niet, en hij realiseert zich dat hij alleen is en wordt bang, hij kruipt weg onder de deken en houdt zich zo stil mogelijk, ervan overtuigd dat de tijd een U-bocht heeft gemaakt en hij zijn hele leven noodgedwongen zal moeten overdoen. Uiteindelijk zal het beter worden, houdt hij zichzelf voor. Vergeet niet dat de slechte jaren zijn gevolgd door goede. Maar hij kan het niet nog eens, hij kan die vijftien jaar niet nog eens doormaken, die vijftien jaar half-leven die zo lang hebben geduurd en zo diep hebben doorgewerkt, die alles hebben bepaald wat hij is geworden en heeft gedaan.

Tegen de tijd dat hij op maandagochtend helemaal wakker wordt, weet hij dat hij een bepaalde drempel heeft overschreden. Hij weet dat hij dichtbij is, dat hij aan het overgaan is van de ene wereld naar de andere. Twee keer wordt het hem zwart voor ogen terwijl hij alleen maar in zijn rolstoel probeert te komen. Onderweg naar de badkamer valt hij flauw. En toch blijft hij op de een of andere manier ongedeerd; op de een of andere manier leeft hij nog. Hij kleedt zich aan, het pak en de hemden die hij een maand geleden heeft laten innemen slobberen alweer om hem heen, en hij laat zijn stompen in de protheses glijden en gaat naar beneden, waar meneer Ahmed op hem wacht.

Op het werk is alles normaal. Het nieuwe jaar is begonnen; mensen keren terug van vakantie. Tijdens de vergadering van het managementteam drukt hij zijn vingers in zijn bovenbenen om zichzelf bij de les te houden. Hij voelt zijn greep rond de boomtak verslappen.

Sanjay gaat vroeg weg die avond, en hij gaat ook vroeg weg. Vandaag verhuizen Harold en Julia, en hij heeft beloofd om langs te komen. Hij heeft ze al meer dan een maand niet gezien, en hoewel hij zich niet langer in staat voelt om te peilen hoe hij op anderen overkomt, heeft hij vandaag een paar extra lagen aangetrokken – een onderhemd, zijn hemd, een trui, een vest, zijn blazer, zijn jas – zodat hij een beetje meer volume heeft. Bij Harolds gebouw wordt hij binnengewuifd door de portier, en hij gaat naar boven terwijl hij probeert niet met zijn ogen te knipperen, want dat verergert de duizeligheid. Voor hun deur houdt hij even stil en laat zijn hoofd in zijn handen rusten tot hij zich sterk genoeg voelt, en dan draait hij de deurknop om, rolt zichzelf naar binnen en kijkt.

Ze zijn er allemaal: Harold en Julia natuurlijk, maar ook Andy, JB, Richard en India, de beide Henry Youngs, Rhodes en Elijah, Sanjay en meneer en mevrouw Irvine, allemaal gezeten op of leunend tegen verschillende meubelstukken als voor een groepsportret, en één seconde lang is hij bang dat ze zullen gaan lachen. En dan vraagt hij zich af: droom ik dit? Ben ik wakker? Hij herinnert zich het beeld van zichzelf als een doorgezakt matras en denkt: besta ik nog echt? Ben ik nog bij bewustzijn?

'Jezus,' zegt hij als hij eindelijk iets kan uitbrengen. 'Wat is dit in godsnaam?'

'Precies wat jij denkt dat het is,' hoort hij Andy zeggen.

'Ik blijf hier niet bij,' probeert hij te zeggen, maar hij kan het niet. Hij kan zich niet bewegen. Hij kan geen van hen aankijken: in plaats daarvan kijkt hij naar zijn handen – zijn linkerhand met de littekens, zijn normale rechterhand – terwijl boven hem Andy aan het praten is. Ze hebben hem wekenlang in de gaten gehouden – Sanjay heeft de dagen bijgehouden waarop hij hem op kantoor heeft zien eten, Richard is bij hem thuis in de koelkast gaan kijken wat er aan voedsel lag. 'Gewichtsverlies wordt gemeten in graden,' hoort hij Andy zeggen. 'Een verlies van één tot tien procent van je lichaamsgewicht is eerstegraads. Een verlies van elf tot twintig procent is tweedegraads. Bij tweedegraadsgewichtsverlies gaan we denken over sondevoeding. Jij weet dat, Jude, want het is je eerder overkomen. En als ik je zo zie, dan weet ik gewoon dat je tweedegraadsgewichtsverlies hebt – op z'n minst.' Andy praat maar door en hij heeft het gevoel dat hij begint te huilen, maar hij is niet in staat om tranen te produceren. Alles is zo totaal misgegaan, denkt hij, hoe kan het dat alles zo is misgegaan? Hoe kan hij zo volkomen zijn vergeten wie hij was toen hij met Willem was? Het is alsof die persoon tegelijk met Willem is gestorven en hij is achtergebleven met zijn elementaire zelf, iemand die hij nooit heeft gemogen, iemand zo totaal niet in staat om het leven in te vullen dat hij heeft, het leven dat hij op de een of andere manier, zijns ondanks, voor zichzelf heeft gemaakt.

Ten slotte tilt hij zijn hoofd op en ziet dat Harold naar hem staart, ziet dat Harold zelfs stilletjes huilt terwijl hij maar naar hem blijft kijken. 'Harold,' zegt hij, hoewel Andy nog steeds praat, 'laat me los. Houd me niet langer aan mijn belofte aan jou. Dwing me hier niet langer toe. Dwing me niet om door te gaan.'

Maar niemand laat hem los: Harold niet, niemand. In plaats daarvan wordt hij vastgehouden en naar het ziekenhuis gebracht, en daar, in het ziekenhuis, begint hij te vechten. Mijn laatste gevecht, denkt hij, en hij vecht harder dan ooit tevoren, zo hard als hij als kind in het klooster deed, toen hij het monster werd waarvoor hij altijd werd uitgemaakt: hij brult, spuugt Harold en Andy in het gezicht, trekt het infuus uit zijn hand, slingert zich heen en weer op het bed en probeert Richard in zijn armen te krabben, tot uiteindelijk een verpleegkundige al vloekend een naald in hem steekt en hij wordt gesedeerd.

Hij wordt wakker met zijn polsen aan het bed gebonden, zijn protheses zijn weg, zijn kleren ook, en onder zijn sleutelbeen zit een stuk verbandgaas geplakt waaronder, dat weet hij, een katheter is ingebracht. Hetzelfde liedje van voren af aan, denkt hij, hetzelfde, hetzelfde, hetzelfde.

Maar ditmaal is het niet hetzelfde. Ditmaal krijgt hij geen keuze. Ditmaal wordt hij aan de sonde gelegd, die door zijn buikwand naar zijn maag loopt. Ditmaal wordt hij gedwongen weer naar Loehmann te gaan. Ditmaal wordt hij tijdens elke maaltijd in het oog gehouden: Richard zal erop toezien dat hij zijn ontbijt eet. Sanjay zal erop toezien dat hij zijn lunch eet, en als hij tot laat overwerkt ook zijn avondeten. Harold zal in de weekends op hem toezien. Hij mag pas een uur na afloop van elke maaltijd naar de badkamer. Hij moet elke vrijdag naar Andy. Hij moet elke zaterdag naar JB. Hij moet elke zondag naar Richard. Hij moet naar Harold als Harold zegt dat dat moet. Zodra hij wordt betrapt op het overslaan van een maaltijd, het missen van een afspraak of het op welke manier dan ook weggooien van voedsel gaat hij regelrecht het ziekenhuis in, en niet voor een paar weken, maar voor maanden. Hij moet minimaal dertien kilo aankomen, en hij mag pas stoppen als hij een half jaar op dat gewicht is gebleven.

En zo begint zijn nieuwe leven, een leven waarin hij de vernedering, het verdriet en de hoop voorbij is. Dit is een leven waarin de vermoeide blikken van zijn vermoeide vrienden op hem gevestigd zijn terwijl hij omeletten, broodjes en salades eet. Ze zitten tegenover hem en kijken toe terwijl hij spaghetti om zijn vork draait, terwijl hij zijn polenta oplepelt, terwijl hij vlees van het bot snijdt. Ze kijken naar zijn bord, naar zijn kom, en knikken hem toe: ja, hij mag gaan, of schudden hun hoofd: nee, Jude, je moet nog wat meer eten. Op het werk neemt hij beslissingen die worden opgevolgd, maar dan wordt om één uur de lunch gebracht en in het half uur dat volgt – al weet niemand anders binnen de firma daarvan – betekent zijn beslissing niets, omdat Sanjay de absolute macht heeft en hij moet doen wat hij zegt. Sanjay kan hem met één berichtje aan Andy naar het ziekenhuis sturen, waar hij opnieuw zal worden vastgebonden en gedwongen zal worden gevoed. Zij allemaal hebben die macht. Het schijnt niemand iets te kunnen schelen dat dit niet is wat hij wil.

Zijn jullie het allemaal vergeten? wil hij hun graag vragen. Zijn jullie hém vergeten? Zijn jullie vergeten hoezeer ik hem nodig heb? Zijn jullie vergeten dat ik niet weet hoe ik zonder hem moet leven? Wie kan me dat leren? Wie kan me vertellen wat ik nu moet doen?

De eerste keer dat hij naar Loehmann ging was dat na een ultimatum; nu hij naar hem teruggaat, komt dat weer door een ultimatum. Hij is altijd vriendelijk geweest tegen Loehmann, vriendelijk en afstandelijk, maar nu is hij vijandig en bot. 'Ik wil hier niet zijn,' zegt hij als de psycholoog zegt dat hij blij is hem weer te zien en hem vraagt waarover hij het wil hebben. 'En niet tegen me liegen: u bent helemaal niet blij om mij te zien, en ik ben niet blij om hier te zijn. Dit is tijdverspilling; van uw tijd en mijn tijd. Ik ben hier onder dwang.'

'We hoeven het niet te hebben over de reden waarom je hier bent, als je dat niet wilt,' zegt Loehmann. 'Waar wil jij het over hebben, Jude?'

'Nergens over,' snauwt hij, en er valt een stilte.

'Vertel me eens over Harold,' stelt Loehmann voor, en hij slaakt een zucht van ongeduld.

'Er valt niets te vertellen,' zegt hij.

Hij gaat elke maandag en donderdag naar Loehmann. Op maandagavond keert hij na de afspraak terug naar zijn werk. Maar op donderdag moet hij naar Harold en Julia, en hen behandelt hij ook ontzettend grof, en niet alleen grof, maar gemeen, hatelijk. Hij misdraagt zich zodanig dat het hemzelf verbaast, zodanig als hij nooit eerder in zijn leven heeft gedurfd, zelfs als kind niet, zodanig dat het hem van ieder ander een klap zou hebben opgeleverd. Maar niet van Harold en Julia. Ze berispen hem nooit, ze straffen hem nooit.

'Dit is walgelijk,' zegt hij die avond, en hij duwt de stoofpot met kip die Harold gemaakt heeft van zich af. 'Dit eet ik niet.'

'Ik haal wel wat anders voor je,' zegt Julia snel, en ze staat op. 'Wat wil je, Jude? Een boterham? Eieren?'

'Alles is beter dan dit,' zegt hij. 'Dit smaakt naar hondenvoer.' Maar hij zegt het tegen Harold, terwijl hij Harold aanstaart, hem uitdaagt om te reageren, te knappen. Zijn hart bonkt al in zijn keel: hij ziet al voor zich hoe Harold opspringt en hem in zijn gezicht slaat. Hij ziet al voor zich hoe Harold ineenkrimpt en huilt. Hij ziet al voor zich hoe Harold hem zijn huis uit zet. 'Daar is het gat van de deur, Jude,' zal Harold zeggen. 'Je hoeft hier nooit meer terug te komen.'

'Mij best,' zal hij zeggen. 'Mij best, ik heb jou toch niet nodig. Ik heb geen van jullie nodig.' Wat een opluchting zal het zijn te weten dat Harold hem eigenlijk nooit echt heeft gewild, dat zijn adoptie een gril was, een gek idee waar de glans allang van af is.

Maar Harold doet niets van dat al en kijkt hem alleen maar aan. 'Jude,' zegt hij ten slotte heel rustig.

'Jude, Jude,' bauwt hij hem na, zijn eigen naam terug naar Harold schetterend als een Vlaamse gaai. 'Jude, Jude.' Hij is zo boos, zo razend: er zijn geen woorden voor wat hij is. De afschuw sist door zijn aderen. Harold wil dat hij blijft leven, en nu krijgt Harold zijn zin. Nu ziet Harold hem zoals hij is.

Weet je wel hoe erg ik je kan kwetsen? wil hij aan Harold vragen. Weet je wel dat ik dingen tegen je kan zeggen die je nooit zou vergeten, die je me nooit zou vergeven? Weet je wel dat ik die macht heb? Weet je wel dat ik elke dag sinds ik je ken tegen je heb gelogen? Weet je wel wat ik werkelijk ben? Weet je wel met hoeveel mannen ik naar bed ben geweest, wat ik ze met me heb laten doen, wat voor voorwerpen er in me zijn geweest, wat voor geluiden ik heb gemaakt? Zijn leven, het enige wat van hem is, is in bezit van anderen: van Harold die hem in leven wil houden, van de demonen die door zijn lichaam wroeten, aan zijn ribben schommelen, zijn longen doorboren met hun klauwen. Van broeder Luke, van dokter Traylor. Waar is het leven voor? vraagt hij zich af. Waar is mijn leven voor?

O, denkt hij, zal ik het dan nooit vergeten? Is dit wie ik uiteindelijk, na al die jaren, toch ben?

Hij voelt dat hij een bloedneus krijgt en hij duwt zich van tafel af. 'Ik ga,' zegt hij terwijl Julia de kamer binnen komt met een boterham. Hij ziet dat ze de korstjes ervanaf heeft gehaald en hem in driehoekjes heeft gesneden, zoals je voor een kind doet, en één tel weifelt hij en begint bijna te janken, maar dan vermant hij zich en kijkt Harold opnieuw woedend aan.

'Nee, dat doe je niet,' zegt Harold, niet boos, maar beslist. Hij komt uit zijn stoel en wijst naar hem. 'Je blijft zitten en eet je bord leeg.'

'Helemaal niet,' kondigt hij aan. 'Bel Andy maar, het kan mij niet schelen. Ik ga mezelf van kant maken, Harold, ik ga mezelf van kant maken, wat je ook doet, en jij zult me niet kunnen tegenhouden.'

'Jude,' hoort hij Julia fluisteren. 'Jude, alsjeblieft.'

Harold loopt naar hem toe en neemt het bord over van Julia, en hij denkt: nu komt het. Hij tilt zijn kin op, hij wacht tot Harold het bord in zijn gezicht duwt, maar dat doet hij niet, hij zet het gewoon voor hem neer. 'Eten,' zegt Harold met geknepen stem. 'Je gaat dit nu opeten.'

Hij moet ineens denken aan de dag dat hij zijn eerste aanval kreeg bij Harold en Julia. Julia was boodschappen doen en Harold was boven een onrustbarend ingewikkeld recept aan het printen voor een soufflé die hij beweerde te gaan maken. Daar lag hij dan, in de voorraadkamer, terwijl hij probeerde niet met zijn benen te trappen van pijn, en luisterde naar Harold die de trap af draafde, de keuken in. 'Jude?' had hij geroepen toen hij hem niet zag, en hoe stil hij zich ook had proberen te houden, hij had toch geluid gemaakt, en Harold had de deur opengedaan en hem gevonden. Op dat moment kende hij Harold al zes jaar, maar hij was toch altijd op zijn hoede bij hem in de buurt, bang voor en wachtend op de dag waarop hij door de mand zou vallen. 'Sorry,' probeerde hij tegen Harold te zeggen, maar er kwam alleen maar een schor gekras uit.

'Jude,' zei Harold angstig, 'kun je me horen?' en hij knikte, en Harold kwam ook de voorraadkamer in, zich een weg banend tussen opgestapelde pakken keukenpapier en plastic flessen afwasmiddel door, hij ging op de grond zitten en legde zijn hoofd op zijn schoot, en gedurende één tel dacht hij dat dit het moment was waar hij altijd half op voorbereid was geweest, waarop Harold zijn broek zou openritsen en hij zou moeten doen wat hij altijd gedaan had. Maar dat deed Harold niet, hij streelde hem alleen maar over zijn hoofd, en na een tijdje, terwijl hij lag te stuiptrekken en te kreunen en zijn lichaam verstijfde van de pijn die zijn gewrichten vulde met hitte, drong tot hem door dat Harold voor hem zong. Het was een lied dat hij nooit eerder had gehoord maar dat hij instinctief herkende als een kinderliedje, een slaapliedje, en hij schudde en klappertandde en siste tussen zijn tanden door, strekte zijn linkerhand en kneep hem weer dicht en greep met zijn rechterhand de hals van een fles olijfolie die daar stond, terwijl Harold bleef zingen. Terwijl hij daar zo hopeloos vernederd lag, wist hij dat Harold na dit incident ofwel wat meer afstand van hem zou nemen of nog dichterbij zou komen. En omdat hij niet wist welk van de twee het werd, hoopte hij onwillekeurig – zoals hij nooit eerder had gehoopt en nooit meer opnieuw zou hopen – dat aan deze aanval geen einde zou komen, dat Harolds lied eeuwig zou doorgaan, dat hij er nooit achter hoefde te komen wat erop volgde.

En nu is hij zo veel ouder, Harold zo veel ouder en Julia zo veel ouder, ze zijn drie oude mensen en hij krijgt een boterham bestemd voor een kind, met een opdracht – eten – die ook voor een kind is bestemd. We zijn zo oud dat we weer jong zijn geworden, denkt hij, en hij pakt het bord en smijt het dwars door de kamer tegen de muur, waar het met veel spektakel aan diggelen valt. Hij ziet dat het een tosti was, ziet een van de driehoekige stukjes tegen de deur smakken en dan langzaam naar beneden glijden, de witte kaas druipt in kleffe klonters over de muur.

Nu, denkt hij bijna euforisch terwijl Harold opnieuw dicht naar hem toe komt; nu, nu, nu. En Harold heft zijn hand en hij verwacht zo'n harde klap dat er een einde komt aan deze nacht, dat hij wakker zal worden in zijn eigen bed en dit moment enige tijd zal kunnen vergeten, zal kunnen vergeten wat hij heeft gedaan.

Maar in plaats daarvan merkt hij dat Harold hem in zijn armen neemt, en hij probeert hem weg te duwen, maar Julia houdt hem ook vast over het rugschild van zijn rolstoel heen, en hij zit gevangen tussen hen in. 'Laat me met rust,' brult hij, maar zijn energie vervliegt en hij is zwak en hongerig. 'Laat me met rust,' probeert hij nog eens, maar zijn woorden zijn vormeloos en nutteloos, even nutteloos als zijn armen, als zijn benen, en al snel geeft hij het op.

'Jude,' zegt Harold zachtjes. 'Mijn arme Jude. Mijn arme lieverd.' En daarop begint hij te huilen, want niemand heeft hem ooit lieverd genoemd, niet sinds broeder Luke. Soms probeerde Willem het – lieveling, probeerde Willem hem dan te noemen, schatje – en dan dwong hij hem ermee op te houden; dat liefkozingswoord was voor hem besmeurd, een pervers, laag-bij-de-gronds woord. 'Mijn lieverd,' zegt Harold opnieuw, en hij wil dat hij ermee stopt, hij wil dat hij er nooit mee stopt. 'Mijn schat.' En hij huilt en huilt, huilt om alles wat hij is geweest, om alles wat hij had kunnen zijn, om elke oude pijn, om elke oude blijdschap, hij huilt om de schaamte en de vreugde eindelijk kind te mogen zijn, met alle bijbehorende grillen, behoeften en onzekerheden, om het voorrecht zich te mogen misdragen en vergeven te worden, om de luxe van tederheid, van genegenheid, van het opgediend krijgen van een maaltijd en gedwongen te worden die op te eten, omdat hij eindelijk, eindelijk kan geloven in de geruststellingen van een ouder, eindelijk kan geloven dat hij voor iemand bijzonder is, ondanks al zijn fouten en hatelijkheid, vanwége al zijn fouten en hatelijkheid.

Het eindigt ermee dat Julia naar de keuken gaat en een nieuwe boterham maakt; het eindigt ermee dat hij die opeet, met voor het eerst in maanden echte trek; het eindigt ermee dat hij bij hen blijft logeren en Harold en Julia hem in de logeerkamer goedenacht komen wensen; het eindigt ermee dat hij zich afvraagt of de tijd inderdaad een U-bocht heeft gemaakt; alleen zal hij in deze versie van het begin af aan Julia en Harold als ouders hebben, en wat hij zal worden weet hij niet, alleen dat hij beter, gezonder, aardiger zal zijn, dat hij niet de noodzaak zal voelen zo hard tegen zijn eigen leven te worstelen. Hij heeft een visioen van zichzelf als een vijftienjarige die het huis in Cambridge binnen rent en woorden roept – 'Mam! Pap!' – die hij nog nooit heeft uitgesproken, en hoewel hij zich niet kan voorstellen om welke reden deze gedroomde zelf zo opgewonden kan zijn (ondanks al zijn bestudering van normale kinderen, hun interesses en hun gedrag, bezit hij maar weinig specifieke kennis over ze), begrijpt hij dat hij gelukkig is. Misschien heeft hij een footballtenue aan, met blote armen en benen; misschien is er een vriend of vriendin bij hem. Waarschijnlijk heeft hij nog nooit seks gehad, waarschijnlijk probeert hij elke mogelijke kans daarop te benutten. Hij denkt er soms over na hoe hij als volwassene zal zijn, maar nooit komt het bij hem op dat hij níét een geliefde zal hebben, en seks, en zijn eigen voeten die over een grasveld zo zacht als een tapijt rennen. Al die uren, al die uren die hij heeft besteed aan het snijden, aan het verbergen van het snijden en aan het afweren van zijn herinneringen, wat zou hij in plaats daarvan met al die uren doen? Hij zou een beter mens zijn, dat weet hij. Een liever mens.

Maar misschien, denkt hij, misschien is het nog niet te laat. Misschien kan hij nog één keer doen alsof en zal dit laatste doen-alsof alles voor hem veranderen, hem tot de persoon maken die hij had kunnen zijn. Hij is eenenvijftig; hij is oud. Maar misschien heeft hij nog tijd. Misschien kan hij nog worden hersteld.

Dat denkt hij nog steeds op maandag, als hij naar Loehmann gaat en hem zijn verontschuldigingen aanbiedt voor zijn vreselijke gedrag van de week ervoor, en de weken daarvoor.

En ditmaal probeert hij voor het eerst echt met de psycholoog te praten. Hij probeert zijn vragen te beantwoorden, in alle eerlijkheid. Hij probeert een begin te maken met het vertellen van een verhaal dat hij nog maar één keer eerder verteld heeft. Maar dat is heel moeilijk, niet alleen omdat hij het verhaal nauwelijks over zijn lippen kan krijgen, maar omdat hij het niet kan doen zonder aan Willem te denken en zich te herinneren dat hij, toen hij dit verhaal de laatste keer vertelde, met iemand was die hem zag zoals niemand hem sinds Ana had gezien, met iemand die in staat was verder te kijken dan wie hij was en hem toch helemaal te zien. En dan is hij van streek; snakkend naar adem draait hij zijn rolstoel in een scherpe bocht – hij is nog steeds zo'n drie kilo te licht om zijn beenprotheses te kunnen gebruiken – en verlaat met een verontschuldiging Loehmanns spreekkamer en rolt door de gang naar het toilet, waar hij zichzelf opsluit, langzaam ademhaalt en met zijn handpalm over zijn borstkas wrijft als om zijn hart te sussen. En hier op het toilet, waar het koud en stil is, speelt hij zijn oude spelletje 'als' met zichzelf: als ik niet met broeder Luke was meegegaan. Als ik me niet had laten ontvoeren door dokter Traylor. Als ik Caleb niet had binnengelaten. Als ik beter naar Ana had geluisterd.

En zo maar door, zijn zelfbeschuldigingen bonken ritmisch door zijn hoofd. Maar dan denkt hij ook: als ik Willem nooit had ontmoet. Als ik Harold nooit had ontmoet. Als ik Julia nooit had ontmoet, of Andy, of Malcolm, of JB, of Richard, of Lucien, of zo veel anderen: Rhodes en Citizen en Phaedra en Elijah. De Henry Youngs. Sanjay. De benauwendste als-vragen gaan allemaal over mensen. De positieve ook.

Ten slotte weet hij zichzelf te kalmeren, en hij rolt zich weer het toilet uit. Hij zou kunnen weggaan, dat weet hij. De lift is er; hij zou zijn jas door meneer Ahmed kunnen laten ophalen.

Maar dat doet hij niet. In plaats daarvan gaat hij de andere kant op en keert terug naar de spreekkamer, waar Loehmann nog steeds op hem zit te wachten.

'Jude,' zegt Loehmann. 'Je bent teruggekomen.'

Hij haalt diep adem. 'Ja,' zegt hij. 'Ik heb besloten te blijven.'

VII

Lispenard Street

Twee jaar na jouw sterfdag gingen we naar Rome. Dat was deels toeval, deels niet: hij wist en wij wisten dat hij op die dag weg moest zijn uit de stad, ver weg van de staat New York. En misschien dacht de familie Irvine er net zo over, want rond die tijd hadden ze ook de ceremonie gepland: helemaal aan het eind van augustus, toen heel Europa de jaarlijkse trek naar elders had ondernomen maar wij er juist naartoe vlogen, naar dat continent verstoken van zijn kwetterende zwermen, zijn hele inheemse fauna.

De ceremonie vond plaats in de American Academy, waar Sophie en Malcolm ooit een tijdje hadden mogen verblijven en werken en waar het echtpaar Irvine een beurs voor jonge architecten had ingesteld. Ze hadden geholpen bij het kiezen van de eerste bursaal, een heel lange, aandoenlijk nerveuze jonge vrouw uit Londen die overwegend tijdelijke structuren bouwde, ingewikkeld uitziende bouwwerken van aarde, plaggen en papier waarvan het de bedoeling was dat ze in de loop van de tijd langzaam uit elkaar vielen, en er was een officiële toekenning van de beurs, waaraan ook wat prijzengeld verbonden was, en een plechtigheid waarop Flora een toespraak hield. Behalve wij en de Bellcast-partners van Sophie en Malcolm waren Richard en JB aanwezig, die allebei ook een periode in Rome hadden gewoond en gewerkt, en na de ceremonie gingen we naar een restaurantje daar vlakbij waar ze vroeger graag kwamen, en waar Richard ons liet zien welke delen van de muren van het gebouw Etruskisch waren en welke Romeins. Hoewel het een gezellig, gemoedelijk etentje was, waren we allemaal nogal stil, en ik herinner me dat ik op een bepaald moment opkeek en besefte dat we geen van allen aten maar allemaal zaten te staren – naar het plafond, naar ons bord, naar elkaar – en ieder zijn eigen gedachten had die toch, dat wist ik, voor een deel overeenkwamen.

De middag daarop hield Julia een siësta en gingen wij wandelen. Ons hotel lag aan de andere kant van de rivier, dicht bij de Spaanse Trappen, maar we lieten ons met de auto over de brug brengen, weer naar Trastevere, en liepen door straatjes die zo smal en donker waren dat het wel gangen leken, tot we bij een sober pleintje uitkwamen, versierd met niets anders dan zonlicht, waar we op een stenen bankje gingen zitten. Een bejaarde man in een linnen pak en met een witte baard nam plaats op het andere uiteinde; hij knikte ons toe en wij hem.

Lange tijd zaten we daar samen zwijgend in de hitte, en toen zei hij ineens dat hij dit plein kende, dat hij daar al eens met jou was geweest, en dat er twee straten verderop een beroemde ijswinkel was.

'Zal ik wat halen?' vroeg hij, en hij glimlachte.

'Dat hoef je geen twee keer te vragen,' zei ik, en hij stond op. 'Ik ben zo terug,' zei hij. 'Stracciatella,' voegde ik er nog aan toe, en hij knikte. 'Weet ik.'

We keken hem na, de man en ik, en toen glimlachte de man naar me en ik glimlachte terug. Hij was eigenlijk helemaal niet zo bejaard, zag ik: waarschijnlijk maar een paar jaar ouder dan ik. En toch kon ik mezelf nooit (nu nog steeds niet) als oud zien. Ik praatte alsof ik wist dat ik het was, ik beklaagde me over mijn ouderdom. Maar dat was alleen maar voor de grap, of om anderen een jong gevoel te geven.

'*Lui è tuo figlio?*' vroeg de man, en ik knikte. Ik was altijd blij verrast als anderen zagen dat we vader en zoon waren, want we leken helemaal niet op elkaar, hij en ik; en toch, dacht ik, hoopte ik, moest iets in de manier waarop we met elkaar omgingen méér dan een louter fysieke gelijkenis duidelijk maken wat onze band was.

'Ah,' zei de man, en hij keek nog eens naar hem voor hij om de hoek verdween. '*Molto bello.*'

'*Sì,*' zei ik, en ik was ineens verdrietig.

Toen keek hij me plagerig aan en vroeg, of beter gezegd, stelde vast: '*Tua moglie deve essere molto bella, no?*' en grijnsde om me duidelijk te maken dat het een grapje was, dat ik misschien een doorsneeman was maar ook eentje met veel geluk, omdat ik zo'n mooie vrouw had die me zo'n knappe zoon had gegeven, en me dus niet beledigd hoefde te voelen. Ik grijnsde terug. 'Dat is waar,' zei ik, en hij glimlachte.

De man was al weggegaan – met een knikje naar mij, leunend op zijn wandelstok – toen hij terugkwam met een hoorntje voor mij en een bakje citroengranita voor Julia. Ik wilde dat hij ook iets voor zichzelf had genomen, maar dat had hij niet. 'We moeten gaan,' zei hij, en dat deden we. Die avond ging hij vroeg naar bed, en de volgende dag, jouw sterfdag, zagen we hem helemaal niet: hij liet een briefje achter bij de receptie waarin stond dat hij was gaan wandelen en ons morgen weer zou zien, en dat het hem speet, en wij gingen ook de hele dag op pad, en hoewel ik dacht dat er een kans was dat we elkaar zouden tegenkomen – zo groot is Rome immers niet – gebeurde dat niet, en toen we ons die avond uitkleedden om naar bed te gaan, besefte ik dat ik in elke straat, in elke menigte naar hem had uitgekeken.

De volgende ochtend bij het ontbijt was hij er weer: hij zat de krant te lezen, bleekjes maar met een glimlach voor ons; we vroegen hem niet wat hij de vorige dag had gedaan en hij zei er zelf ook niets over. Die dag liepen we gewoon wat door de stad, een onhandig groepje met z'n drieën – omdat we niet naast elkaar konden lopen op de trottoirs, liepen we achter elkaar, nu eens de een op kop, dan weer een ander – maar alleen naar plaatsen die we al kenden, drukbezochte plaatsen die niet waren verbonden met persoonlijke, intieme herinneringen. Vlak bij de Via Condotti keek Julia in de kleine etalage van een juwelierszaakje, we gingen naar binnen, wat maar net paste met ons drieën, en hielden beurtelings de oorbellen vast die zij in de etalage had bewonderd. Ze waren bijzonder: vogeltjes van massief goud, dik en zwaar, met kleine ronde robijnen als ogen en gouden takjes in hun snavel, en hij kocht ze voor haar, en ze was verlegen en opgetogen – Julia droeg nooit veel sieraden – maar hij leek blij dat hij dit kon doen, en ik was blij dat hij blij was en dat zij ook blij was. Die avond hadden we een afscheidsetentje met JB en Richard, en de volgende ochtend vertrokken wij naar het noorden, naar Florence, en vloog hij terug.

'Tot over vijf dagen,' zei ik, en hij knikte.

'Veel plezier,' zei hij. 'Geniet ervan. Tot gauw.'

Hij zwaaide ons uit toen onze auto wegreed; we draaiden ons om en zwaaiden terug. Ik weet nog dat ik hoopte dat ik in dat zwaaien iets doorseinde wat ik niet zeggen kon: wáág het niet. Toen hij en Julia de avond ervoor met JB zaten te praten, had ik Richard gevraagd of hij het oké vond om me, zolang we weg waren, af en toe te laten weten hoe het met hem ging, en Richard zei dat hij dat zou doen. Hij was bijna op zijn door Andy vastgestelde streefgewicht, maar had twee keer, in mei en in juli, een terugval gehad, en daarom hielden we hem nog steeds met z'n allen in het oog.

Soms voelde het alsof we onze relatie in de omgekeerde richting beleefden: in plaats van steeds minder bezorgd werd ik steeds bezorgder om hem; met elk jaar werd ik me meer bewust van zijn kwetsbaarheid en was ik minder overtuigd van mijn competentie. Toen Jacob een baby was, voelde ik me met elke maand dat hij leefde zekerder, alsof hij, naarmate hij langer op deze wereld was, er dieper in verankerd raakte, alsof hij door te leven aanspraak kon maken op het leven zelf. Dat was natuurlijk een absurd idee, en het werd op de afschuwelijkste manier gelogenstraft. Maar ik bleef dat toch denken: leven bindt leven. Toch had ik het gevoel dat hij vanaf een bepaald punt in zijn leven – als ik het zou moeten aanwijzen, zou ik zeggen: na Caleb – in een heteluchtballon zat die met een lang, dik touw aan de aarde was bevestigd, maar daar elk jaar harder en harder aan trok in pogingen zich los te rukken en weg te zweven door de lucht. En beneden op aarde stonden wij op een kluitje te proberen de ballon terug te trekken naar de grond, de veiligheid. Zodoende was ik altijd bang om hem, en ik was ook altijd bang vóór hem.

Kun je een echte relatie hebben met iemand die je bang maakt? Natuurlijk wel. Maar hij bleef me angst aanjagen, want hij had macht en ik niet: als hij zelfmoord pleegde, als hij mij zichzelf zou ontnemen, dan wist ik dat ik dat zou overleven, maar ik wist ook dat dat overleven een beproeving zou zijn; ik wist dat ik voorgoed op jacht zou zijn naar verklaringen, voorgoed het verleden zou blijven uitpluizen om mijn fouten te onderzoeken. En natuurlijk wist ik hoezeer ik hem zou missen, want hoewel zijn uiteindelijke vertrek was voorafgegaan door een paar oefenvluchten, was het me nooit gelukt er beter mee om te gaan en kon ik er nooit aan wennen.

Maar toen kwamen we thuis, en alles was als voorheen: meneer Ahmed stond ons op het vliegveld op te wachten en reed ons terug naar het appartement, en bij de portier stonden tassen vol boodschappen, zodat we niet naar de winkel hoefden. De volgende dag was een donderdag, hij kwam naar ons toe en we aten samen, hij vroeg wat we hadden gezien en gedaan en we vertelden erover. Die avond ruimden we samen de tafel af, en toen hij me een kom aangaf om in de vaatwasser te zetten, gleed die uit zijn vingers en viel kapot. 'Verdomme,' riep hij. 'Het spijt me, Harold. Wat ben ik toch stom, wat ben ik toch een kluns,' en hoewel we tegen hem zeiden dat het geen probleem was, dat het niet gaf, raakte hij steeds meer over zijn toeren, zozeer dat zijn handen begonnen te trillen en hij een bloedneus kreeg. 'Jude,' zei ik, 'het geeft niet. Dat kan gebeuren.' Maar hij schudde zijn hoofd. 'Nee,' zei hij, 'het ligt aan mij. Ik maak overal een zootje van. Alles wat ik aanraak, verpest ik.' Julia en ik keken elkaar over zijn hoofd aan terwijl hij de scherven opraapte, niet wetend wat we moesten doen of zeggen: zijn reactie was zo buiten alle proporties. Maar in de maanden ervoor waren er een paar incidenten geweest, sinds die keer dat hij zijn bord door de kamer had gegooid, waardoor ik me voor het eerst van mijn leven met hem realiseerde hoe immens kwaad hij was, hoe hard hij iedere dag zijn best moest doen om dat onder controle te houden.

Dat eerste incident met het bord was een paar weken later gevolgd door een tweede. Dat was in Lantern House, waar hij in geen maanden was geweest. Het was 's ochtends, vlak na het ontbijt, Julia en ik stonden op het punt om boodschappen te gaan doen en ik wilde hem vragen wat hij nodig had. Hij was in zijn slaapkamer, de deur stond op een kier, en toen ik zag wat hij aan het doen was, riep ik hem om de een of andere reden niet, maar bleef vlak voor de deur zwijgend staan kijken. Hij had één prothese aan en was bezig met de andere – sinds het ziekenhuis had ik hem nooit zonder protheses gezien – en ik keek toe terwijl hij zijn linkerbeen in de koker stak, de elastische hoes optrok tot over zijn knie en bovenbeen en toen zijn broekspijp eroverheen schoof. Zoals je weet hadden die protheses segmenten in de vorm van een echte voet, en ik keek toe terwijl hij zijn sokken aantrok, en daarna zijn schoenen. Toen haalde hij diep adem en stond op, en ik keek terwijl hij een stap zette, en nog een stap. Maar zelfs ik kon zien dat er iets niet klopte – ze waren nog steeds te groot, hij was nog steeds te mager – en voordat ik kon roepen verloor hij zijn evenwicht en vloog voorover op het bed, waar hij een moment stillag.

En toen stak hij zijn handen uit en trok beide benen af, het ene en daarna het andere, en heel even – de sokken en schoenen zaten er nog aan – leek het alsof dat zijn echte benen waren en hij zojuist een deel van zichzelf had afgerukt, en ik verwachtte half dat het bloed er in een boog uit zou spuiten. Maar in plaats daarvan raapte hij een van de protheses op en beukte ermee tegen het bed, één, twee, drie keer, kreunend van inspanning, en toen smeet hij hem op de grond, ging op de rand van het matras zitten met zijn gezicht in zijn handen en schommelde geluidloos heen en weer. 'Alsjeblieft,' hoorde ik hem zeggen, 'alsjeblieft.' Maar verder zei hij niets, en tot mijn schande sloop ik weg en ging naar onze slaapkamer, waar ik in dezelfde houding als hij ging zitten wachten, zonder te weten waarop.

In die maanden dacht ik vaak na over waar ik mee bezig was, over hoe moeilijk het is iemand in leven te houden die niet wil blijven leven. Eerst probeer je het met logica (je hebt zo veel om voor te leven), dan probeer je het met schuld (je bent het mij verschuldigd), daarna probeer je het met boosheid, met dreigementen, met smeekbeden (ik ben oud; dat kun je een oude man niet aandoen). Maar zodra ze met je instemmen moet jij, de overreder, je op het pad van het zelfbedrog begeven, want je ziet dat het hun moeite kost, je ziet hoe graag ze níét hier zouden willen zijn, dat het bestaan op zich hen al uitput, en dan moet je jezelf elke dag vertellen: wat ik doe is goed. Hem laten doen wat hij wil doen is volkomen strijdig met alle wetten van de natuur, alle wetten van de liefde. Je hamert op de gelukkige momenten, je houdt ze omhoog als bewijs – Zie je? Dit is waarom het leven de moeite waard is. Dit is waarom ik hem al die tijd dwing het te proberen – ook al kan dat ene moment niet opwegen tegen alle andere momenten, het merendeel. Je denkt, zoals ik had gedacht met Jacob: waar is een kind voor? Is hij er om mij te troosten? Is hij er om door mij getroost te worden? En als een kind niet langer troostbaar is, is het dan mijn taak hem toestemming te geven om te gaan? En dan denk je weer: dat is afschuwelijk. Dat kan ik niet.

Dus natuurlijk probeerde ik het. Ik bleef het proberen. Maar elke maand voelde ik dat hij zich verder terugtrok. Het was niet zozeer een fysiek verdwijnen: tegen november was hij op zijn streefgewicht, zij het aan de minimumkant, en zag hij er misschien wel beter uit dan ooit. Maar hij was stiller, veel stiller. Hij was sowieso altijd al stil geweest, maar nu zei hij wel heel weinig, en als we bij elkaar waren zag ik hem soms kijken naar iets wat ik niet kon zien, en dan bewoog hij even heel licht en abrupt zijn hoofd, zoals een paard met zijn oren doet, en kwam hij weer tot zichzelf.

Bij onze donderdagse eetafspraak verscheen hij een keer met bloeduitstortingen in zijn gezicht en op zijn hals, aan één kant, alsof hij aan het eind van de middag naast een gebouw stond en de schaduw daarvan half over zijn gezicht viel. De bloeduitstortingen hadden een roestbruine kleur, als van opgedroogd bloed, en de adem stokte in mijn keel. 'Wat is er gebeurd?' vroeg ik. 'Gevallen,' zei hij kortaf. 'Maak je geen zorgen.' Maar dat deed ik natuurlijk toch. En toen ik hem een tweede keer met zulke plekken zag, probeerde ik hem vast te houden. 'Vertel het me,' zei ik, en hij wurmde zich los. 'Er valt niets te vertellen,' zei hij. Ik weet nog steeds niet wat er gebeurd was: had hij zichzelf mishandeld? Had hij zich laten mishandelen? Ik wist niet wat erger was. Ik wist niet wat ik moest doen.

Hij miste jou. Ik miste je ook. Wij allemaal. Ik wil dat je dat weet, dat ik je niet alleen miste omdat je hem beter maakte: ik miste je om jezelf. Ik miste je zichtbare plezier in de dingen waar je van hield, of het nu eten, achter een tennisbal aanhollen of in het zwembad springen was. Ik miste onze gesprekken, ik miste het jou door een kamer te zien lopen, je op het gazon bedolven te zien worden door een stel kleinkinderen van Laurence, waarbij je deed alsof ze zo zwaar waren dat je niet meer overeind kon komen. (Diezelfde dag had Laurence' jongste kleinkind, die ene die zo dol op je was, een armbandje voor je geregen van paardebloemen, en jij had haar bedankt en hield het de hele dag om, en telkens wanneer ze het om je pols zag, kwam ze naar ons toe gerend en verborg ze haar gezicht achter haar vaders rug: dat miste ik ook.) Maar vooral miste ik het jullie samen te zien, te zien hoe jij naar hem keek en hij naar jou; ik miste jullie attentheid voor elkaar, jouw vanzelfsprekende, oprechte genegenheid voor hem; ik miste het te zien hoe jullie naar elkaar luisterden, met die intense aandacht. Dat schilderij van JB – *Willem Listening to Jude Tell a Story* – was zo waar, die gezichtsuitdrukking zo goed getroffen: ik wist al voor ik de titel zag wat er op dat doek gebeurde.

Je moet niet denken dat er niet ook gelukkige momenten, gelukkige dagen waren nadat je weg was. Het waren er minder, natuurlijk. Moeilijker te vinden, moeilijker te creëren. Maar ze waren er wel. Nadat we waren teruggekomen uit Italië gaf ik een cursus aan Columbia die zowel voor rechtenstudenten als voor andere masterstudenten openstond. De cursus heette 'De filosofie van het recht, het recht van de filosofie', en ik gaf hem samen met een oude vriend van me. In die cursus bespraken we de rechtvaardigheid van het recht, de morele fundamenten van het juridisch systeem en dat die fundamenten soms in strijd zijn met ons nationale moreel besef: Drayman 241, na al die jaren! 's Middags sprak ik af met vrienden. Julia was bezig met een cursus modeltekenen. We deden vrijwilligerswerk bij een non-profitorganisatie die hoogopgeleide vaklieden (artsen, advocaten, leraren) uit het buitenland (Soedan, Afghanistan, Nepal) hielp bij het vinden van een nieuwe baan op hun vakgebied, ook al leken die banen alleen zijdelings op hun vroegere werk: verpleegkundigen werden medisch assistent, rechters werden griffier. Enkelen van hen hielp ik om op de universiteit te komen, en als ik hen zag, praatten we over wat ze leerden en hoe verschillend ons rechtssysteem was van het systeem dat ze kenden.

'Ik vind dat we eens een keer samen iets moeten ondernemen,' zei ik dat najaar tegen hem (hij deed nog steeds pro-deowerk bij de non-profitorganisatie voor kunstenaars, werk dat me, toen ik daar zelf als vrijwilliger begon, in feite meer deed dan ik had verwacht: ik had gedacht dat het gewoon een stel ongetalenteerde ploeteraars zou zijn die een creatief bestaan probeerden op te bouwen terwijl dat overduidelijk nooit zou lukken, en hoewel het daar ook wel op neerkwam, kreeg ik mijns ondanks bewondering voor ze, zo'n beetje net als hij: voor hun volharding, hun domme, hardnekkige vertrouwen. Dit waren mensen die zich door niets of niemand uit het hoofd lieten praten dat hun leven ertoe deed, dat het van hen was).

'Zoals?' vroeg hij.

'Misschien kun je me leren koken,' zei ik, en hij keek me aan zoals hij dat kon doen, bijna glimlachend maar niet echt, geamuseerd maar niet bereid dat te tonen. 'Ik meen het. Echt koken. Een gerecht of zes, zeven die ik in mijn repertoire kan opnemen.'

Dus dat deed hij. Op zaterdagmiddag reden we na zijn werk of zijn bezoekjes aan Lucien en het echtpaar Irvine naar Garrison, alleen of met Richard en India, JB of een van de Henry Youngs met zijn vrouw, en op zondag kookten we. We kwamen erachter dat mijn grootste probleem lag in mijn ongeduld, mijn onvermogen om verveling te accepteren. Ik had de neiging even weg te lopen om iets te lezen te zoeken en te vergeten dat de risotto stond in te koken tot een kleffe brij, of ik vergat de worteltjes om te draaien in de olijfolie, en als ik dan terugkwam zaten ze vastgeschroeid aan de bodem van de ovenschaal. (Voor een groot deel bestond koken kennelijk uit vertroetelen, wassen, schoonmaken, in het oog houden, opgooien, omdraaien en tot bedaren brengen: vereisten die ik associeerde met kleine kinderen.) Mijn andere probleem, kreeg ik te horen, was mijn hardnekkige verlangen naar innovatie, wat bij het bakken gegarandeerd op een fiasco schijnt uit te lopen. 'Het is chemie, Harold, geen filosofie,' zei hij steeds, met datzelfde halve lachje. 'Je moet niet denken dat je met de aangegeven hoeveelheden kunt smokkelen en dat het dan toch goed uit de oven komt.'

'Misschien komt het er zelfs beter uit,' zei ik, vooral om hem te amuseren – ik speelde graag de sul als ik dacht dat hij er wat plezier aan zou kunnen beleven – en nu glimlachte hij, een echte glimlach. 'Heus niet,' zei hij.

Maar uiteindelijk leerde ik toch echt een paar gerechten te maken: ik leerde een kip te braden, een ei te pocheren en heilbot te grillen. Ik leerde worteltaart te bakken, en een soort brood met allerlei verschillende noten dat ik vroeger graag kocht bij de bakkerij in Cambridge waar hij werkte: zijn versie was waanzinnig lekker, en wekenlang bakte ik het ene brood na het andere. 'Uitstekend, Harold,' zei hij op een dag, nadat hij een sneetje had geproefd. 'Zie je nou wel? Nu kun je voor jezelf koken als je honderd bent.'

'Hoe bedoel je, voor mezelf koken?' vroeg ik. 'Jij moet voor mij koken.' Hij glimlachte terug, een droevig, vreemd lachje, en zei niets, en ik veranderde snel van onderwerp voordat hij iets zou zeggen en ik zou moeten doen alsof dat niet zo was. Ik probeerde altijd toespelingen te maken op de toekomst, plannen te maken voor jaren verder, zodat hij zou toezeggen dat hij erbij zou zijn en ik hem aan die toezegging kon houden. Maar hij was voorzichtig: hij beloofde nooit iets.

'We zouden op muziekles moeten gaan, jij en ik,' zei ik, zonder zelf goed te weten wat ik daarmee bedoelde.

Hij glimlachte een beetje. 'Ja, misschien,' zei hij. 'Leuk. We hebben het er nog weleens over.' Maar verder dan dat ging hij niet.

Na onze kookles maakten we een wandeling. Als we in Lantern House waren, volgden we het pad dat Malcolm had aangelegd: langs de plaats in het bos waar ik hem ooit stuiptrekkend van de pijn tegen een boom had moeten achterlaten, langs de eerste bank, de tweede, de derde. Op de tweede bank rustten we altijd even uit. Hij hoefde niet per se te rusten, niet zoals vroeger, en we wandelden zo langzaam dat het voor mij ook niet nodig was. Maar die pauze hoorde bij de wandeling, omdat je van daaruit het beste uitzicht had op de achterkant van het huis, weet je nog? Malcolm had daar een paar bomen weggehaald zodat je vanaf de bank direct op het huis uitkeek, en als je op het terras achter het huis zat, keek je direct op de bank uit. 'Het is zo'n mooi huis,' zei ik zoals altijd, en zoals altijd hoopte ik dat hij in mijn woorden hoorde dat ik trots op hem was: om het huis dat hij had gebouwd, en om het leven dat hij erin had opgebouwd.

Ongeveer een maand nadat we terug waren uit Italië zaten we een keer op die bank en vroeg hij: 'Denk jij dat hij gelukkig met me was?' Hij zat zo roerloos dat ik dacht dat ik het me had ingebeeld, maar toen keek hij me aan en zag ik dat dat niet zo was.

'Natuurlijk was hij dat,' zei ik. 'Dat weet ik zeker.'

Hij schudde zijn hoofd. 'Er waren zo veel dingen die ik niet deed,' zei hij ten slotte.

Ik wist niet wat hij daarmee bedoelde, maar het veranderde voor mij niets. 'Wat het ook was, ik weet dat het geen verschil heeft gemaakt,' zei ik. 'Ik weet dat hij gelukkig met jou was. Dat heeft hij tegen me gezegd.' Toen keek hij me aan. 'Ik weet het zeker,' herhaalde ik. 'Ik weet het zeker.' (Je hebt dat nooit expliciet tegen me gezegd, maar ik weet dat je het me niet kwalijk zult nemen; ik weet dat je zou hebben gewild dat ik dit tegen hem zei.)

Een andere keer zei hij: 'Loehmann vindt dat ik jou dingen moet vertellen.'

'Wat voor dingen?' vroeg ik, en ik zorgde ervoor hem niet aan te kijken.

'Dingen over wat ik ben,' zei hij, en toen wachtte hij even. 'Wie ik ben,' corrigeerde hij zichzelf.

'Nou, dat zou ik wel willen,' zei ik na een tijdje. 'Ik zou graag meer over jou willen weten.'

Toen glimlachte hij. 'Dat klinkt wel raar, hè? "Meer over jou". We kennen elkaar al zo lang.'

Tijdens dit soort gesprekjes had ik altijd het gevoel dat er misschien niet één goed antwoord bestond, maar wel degelijk één fout antwoord, waarna hij nooit meer iets zou zeggen, en ik probeerde altijd te bedenken wat dat antwoord was, zodat ik dat nooit zou uitspreken.

'Dat is waar,' zei ik. 'Maar ik wil altijd meer weten als het om jou gaat.'

Hij keek vlug naar me, en toen weer naar het huis. 'Nou,' zei hij. 'Misschien zal ik dat eens proberen. Misschien zet ik wel iets op papier.'

'Dat lijkt me heel fijn,' zei ik. 'Zodra je er klaar voor bent.'

'Het kan wel even duren,' zei hij.

'Dat is prima,' zei ik. 'Neem maar alle tijd die je nodig hebt.' Een hele tijd was goed, dacht ik: dat betekende jaren, jaren waarin hij zou proberen te bedenken wat hij wilde zeggen, en hoewel dat moeilijke, martelende jaren zouden zijn, zou hij tenminste leven. Dat was wat ik dacht: dat ik liever wilde dat hij leed maar in leven was dan dood.

Maar uiteindelijk kostte het hem helemaal niet zo veel tijd. Het was februari, ongeveer een jaar na onze interventie. Als hij eind mei nog steeds op gewicht was, zouden we ophouden hem onder controle te houden en mocht hij als hij wilde ophouden met de therapie, hoewel zowel Andy als ik vond dat hij daarmee door moest gaan. Maar dat zou dan niet langer onze beslissing zijn. Die zondag waren we in de stad gebleven, en na een kookles in Greene Street (een terrine van asperges en artisjokken) gingen we de deur uit voor onze wandeling.

Het was een kille, maar windstille dag en we liepen in zuidelijke richting tot het punt waar Greene Street overgaat in Church Street, en toen almaar verder door TriBeCa, voorbij Wall Street, bijna helemaal tot de zuidpunt van het eiland, waar we bleven staan kijken naar het klotsende grijze water van de rivier. En daarna draaiden we ons om en liepen via dezelfde route terug naar het noorden: door Trinity Place naar Church Street, door Church naar Greene. Hij was de hele dag al stil en zwijgzaam, en ik babbelde maar door over een man van middelbare leeftijd die ik had ontmoet op het arbeidsbemiddelingsbureau, een vluchteling uit

Tibet die ongeveer een jaar ouder was dan hij, een arts, die hoopte te worden toegelaten aan een Amerikaanse universiteit om opnieuw medicijnen te gaan studeren.

'Bewonderenswaardig,' zei hij. 'Het is niet makkelijk om opnieuw te beginnen.'

'Zeker niet,' zei ik. 'Maar jij bent ook opnieuw begonnen, Jude. Jij bent ook bewonderenswaardig.' Hij keek me vluchtig aan en wendde zijn blik af. 'Ik meen het,' zei ik. Ik moest denken aan een dag, ongeveer een jaar nadat hij na zijn zelfmoordpoging uit het ziekenhuis was ontslagen, toen hij bij ons in Truro logeerde. Het was ook tijdens een wandeling. 'Ik wil dat je drie dingen opnoemt waarvan je denkt dat jij er beter in bent dan wie dan ook,' zei ik tegen hem toen we in het zand zaten, en hij pufte vermoeid: hij vulde zijn wangen met lucht en blies ze leeg.

'Niet nu, Harold,' zei hij.

'Kom op,' zei ik. 'Drie dingen. Drie dingen die jij beter kunt dan wie dan ook, dan ben je van me af.' Maar hij dacht en dacht en kon maar niets bedenken, en toen ik zijn stilte hoorde, voelde ik een soort paniek in me opkomen. 'Drie dingen waar je goed in bent, dan,' verbeterde ik mezelf. 'Drie dingen die je goed vindt aan jezelf.' Intussen smeekte ik het bijna. 'Wat dan ook,' zei ik. 'Wat dan ook.'

'Ik ben lang,' zei hij ten slotte. 'Redelijk lang, althans.'

'Lang is goed,' zei ik, hoewel ik had gehoopt op iets anders, meer een karaktereigenschap. Maar ik besloot er genoegen mee te nemen: het had hem al zo veel tijd gekost om ergens op te komen. 'Nog twee.' Maar hij kon niets meer bedenken. Ik zag dat hij zich gefrustreerd en opgelaten begon te voelen en liet het onderwerp maar rusten.

Nu, terwijl we door TriBeCa liepen, liet hij heel terloops vallen dat hij op kantoor was gevraagd als voorzitter van de partnervergadering.

'Jemig,' zei ik, 'Jude, dat is fantastisch. Jemig. Gefeliciteerd.'

Hij gaf een kort knikje. 'Maar ik neem het niet aan,' zei hij, en mijn mond viel open. Na alles wat hij dat vervloekte bedrijf gegeven had – al die uren, al die jaren – wilde hij daar nee op zeggen? Hij keek me aan. 'Ik had gedacht dat jij daar blij om zou zijn,' zei hij, en ik schudde mijn hoofd.

'Nee. Ik weet hoeveel... hoeveel voldoening je in je werk schept,' zei ik. 'Je moet niet denken dat ik jou niet goedkeur, dat ik niet trots op je ben.' Hij zei niets. 'Waarom neem je het niet aan?' vroeg ik. 'Je zou het fantastisch doen. Je bent een natuurtalent.'

En toen kromp hij ineen – ik weet niet waarom – en keek van me weg. 'Nee,' zei hij. 'Dat denk ik niet. Voor zover ik het begrepen heb was het trouwens geen unanieme beslissing. Bovendien,' begon hij en toen stopte hij met praten. Om de een of andere reden waren we ook gestopt met lopen, alsof praten en bewegen twee strijdige activiteiten waren, en we stonden daar een tijdje in de kou. 'Bovendien,' ging hij verder, 'denk ik dat ik over een jaar of zo wegga bij Rosen Pritchard.' Hij keek me aan als om mijn reactie te peilen, en keek toen omhoog naar de lucht. 'Ik denk erover te gaan reizen,' zei hij, maar zijn stem was hol en vreugdeloos, alsof hij werd opgeroepen voor een leven ver weg waar hij niet echt zin in had. 'Ik zou weg kunnen gaan,' zei hij, bijna tegen zichzelf. 'Er zijn plaatsen die ik zou moeten zien.'

Ik wist niet wat ik moest zeggen. Ik bleef hem maar aanstaren. 'Ik zou met je mee kunnen gaan,' fluisterde ik, en hij kwam tot zichzelf en keek me aan.

'Ja,' zei hij, en hij klonk zo stellig dat ik me gerustgesteld voelde. 'Ja, je zou met me mee kunnen gaan. Of jullie zouden me samen kunnen komen opzoeken op bepaalde plaatsen.'

We kwamen weer in beweging. 'Niet dat ik je wil afremmen in je tweede carrière als globetrotter,' zei ik, 'maar ik vind toch dat je nog eens zou moeten nadenken over het aanbod van Rosen Pritchard. Misschien kun je dat een paar jaar doen en daarna het vliegtuig pakken naar de Balearen of Mozambique, of waar je ook maar naartoe wilt.' Als hij het voorzitterschap aannam zou hij er geen einde aan maken, dat wist ik; hij had te veel verantwoordelijkheidsgevoel om weg te gaan als zijn zaken niet afgehandeld waren. 'Oké?' drong ik aan.

Toen glimlachte hij, zijn oude, stralende, prachtige glimlach. 'Oké, Harold,' zei hij. 'Ik beloof je dat ik er nog eens over nadenk.'

Op dat moment waren we nog maar een paar blokken van huis, en het drong tot me door dat we Lispenard Street naderden. 'O jee, waar zijn we nu beland?' zei ik in een poging zijn goede stemming uit te buiten en onze vrolijkheid te prolongeren. 'Op de locatie van al mijn nachtmerries: Het Ergste Appartement Ter Wereld.' En hij lachte, en we sloegen rechts af en liepen een half blok door Lispenard Street, tot we voor jullie oude gebouw stonden. Een tijdje bleef ik doorfoeteren over hoe afschuwelijk het daar wel niet was, flink overdrijvend met bloemrijke superlatieven om hem te horen lachen en protesteren. 'Ik was altijd bang dat het gebouw in de as zou worden gelegd door een uitslaande brand en jullie allebei zouden omkomen,' zei ik. 'Ik droomde dat ik door de politie werd gebeld, omdat jullie doodgeknaagd door een kolonie ratten waren gevonden.'

'Zo erg was het nou ook weer niet,' zei hij met een glimlach. 'Eigenlijk heb ik heel dierbare herinneringen aan dat huis.' En toen sloeg de stemming weer om en stonden we daar allebei naar het huis te staren en te denken aan jou, en aan hem, en alle jaren tussen dit moment en het moment waarop ik hem had ontmoet, zo jong, zo verschrikkelijk jong en toentertijd gewoon een student, ongelofelijk intelligent en rap van verstand, maar niet meer dan dat, niet de persoon die hij voor mij zou worden, waar ik nog totaal geen weet van had.

En toen zei hij – hij probeerde mij ook op te monteren; we voerden allebei een toneelstukje op voor de ander: 'Heb ik je ooit verteld over die keer dat we vanaf het dak op de brandtrap voor onze slaapkamer sprongen?'

'Wat?' vroeg ik oprecht verbaasd. 'Nee, daar heb je me nooit over verteld. Dat zou ik zeker niet zijn vergeten.'

Maar hoewel ik me nooit had kunnen voorstellen wie hij voor mij zou worden, wíst ik hoe hij me zou verlaten: ondanks al mijn hoop, mijn smeekbedes, insinuaties, dreigementen en bezwerende gedachten wist ik het. En vier maanden daarna – 12 juni, een dag waaraan geen noemenswaardige gebeurtenissen verbonden waren, een nietsige dag – deed hij het. Mijn telefoon ging, en hoewel het geen onheilspellend nachtelijk tijdstip was en er niets was gebeurd dat ik later als voorbode zou zien, wist ik het, ik wist het. En aan de andere kant hoorde ik JB, die vreemd ademde, snel en abrupt, en al voordat hij iets zei wist ik het. Hij was drieënvijftig, net twee maanden drieënvijftig. Hij had lucht geïnjecteerd in een slagader en zichzelf zo een beroerte bezorgd, en hoewel Andy me vertelde dat het een snelle, pijnloze dood moest zijn geweest, keek ik later op internet en zag dat hij tegen me had gelogen: hij heeft zichzelf minstens tweemaal moeten prikken met een naald zo dik als de snavel van een kolibrie; het moet afschuwelijk zijn geweest.

Toen ik uiteindelijk naar zijn appartement ging, lag dat er keurig bij, met zijn kantoorspullen in dozen, de koelkast leeg en alles – zijn testament, zijn brieven – in rijen uitgestald op de eettafel, als plaatskaartjes op een bruiloft. Richard, JB, Andy, al jouw en zijn oude vrienden: ze waren er, continu, we liepen allemaal rond en om elkaar heen, geschokt maar toch ook niet, alleen verbaasd dat we zo verbaasd waren, diep verdrietig, verslagen, vooral hulpeloos. Hadden we iets gemist? Hadden we iets anders kunnen doen? Na de uitvaart – die drukbezocht was, met zijn vrienden, jouw vrienden en hun ouders en gezinnen, zijn studiegenoten, zijn cliënten, de staf en donateurs van de non-profitorganisatie, de leiding van de gaarkeuken, een enorme hoeveelheid huidige en voormalige medewerkers van Rosen Pritchard, onder wie Meredith met een bijna volkomen demente Lucien (die wreed genoeg tot op de dag van vandaag leeft, zij het in een verpleeghuis in Connecticut), onze vrienden, mensen die ik niet zou hebben verwacht: Kit, Emil, Philippa en Robin – kwam Andy huilend naar me toe en vertelde me dat het volgens hem pas echt bergafwaarts was gegaan nadat hij hem had verteld dat hij met zijn praktijk wilde stoppen, en dat het zijn schuld was. Ik wist niet eens dat Andy wilde stoppen, hij had er tegen mij nooit iets over gezegd, maar ik troostte hem en zei dat het niet zijn schuld was, helemaal niet, dat hij altijd goed voor hem was geweest, dat ik hem altijd had vertrouwd.

'In elk geval is Willem niet hier,' zeiden we tegen elkaar, 'in elk geval hoeft Willem dit niet mee te maken.'

Maar ja... als jij hier was geweest, zou hij er dan niet ook nog zijn?

Hoewel ik niet kan zeggen dat ik niet wist hoe hij zou sterven, kan ik achteraf wel zeggen dat er veel was dat ik helemaal niet wist. Ik wist niet dat Andy zelf drie jaar later dood zou zijn, gestorven aan een hartaanval, of Richard twee jaar later, aan een hersentumor. Jullie stierven allemaal zo jong: jij, Malcolm, hij. Elijah, aan een beroerte op zijn zestigste; Citizen, ook op zijn zestigste, aan een longontsteking. Op het eind was en is er alleen nog JB, aan wie hij het huis in Garrison heeft nagelaten en die we vaak zien; daar, in New York of in Cambridge. JB heeft nu serieuze verkering met een heel goede man die Tomasz heet, een kunsthistoricus gespecialiseerd in middeleeuwse Japanse kunst die bij Sotheby's werkt en die we heel graag mogen; ik weet zeker dat jij en hij hem ook allebei gemogen zouden hebben. En hoewel ik te doen heb met mezelf, met ons – uiteraard – heb ik het meest te doen met JB, die zonder jullie allemaal, helemaal alleen aan zijn oude dag moet beginnen, natuurlijk wel met nieuwe vrienden, maar zonder zijn vrienden die hem al kenden sinds zijn jeugd. Ik ga dan tenminste al met hem om sinds zijn tweeëntwintigste; af en aan, maar de af-jaren tellen we geen van beiden mee.

En nu is JB eenenzestig en ben ik vierentachtig, en Jude is zes jaar dood en jij negen. JB's recentste expositie heette 'Jude, Alone'. Hij bestond uit vijftien schilderijen van hem alleen, op fictieve momenten in de jaren na jouw dood, de bijna drie jaar waarin hij het zonder jou wist vol te houden. Ik heb het geprobeerd, maar ik kan er niet naar kijken. Ik probeer het, probeer het nog eens, maar ik kan het niet.

En er waren nog meer dingen die ik niet wist. Hij had gelijk: we waren alleen naar New York verhuisd voor hem, en nadat we zijn nalatenschap hadden afgewikkeld – Richard was executeur-testamentair, maar ik hielp hem – keerden we terug naar Cambridge om bij de mensen te zijn die óns al zo lang kenden. Ik had genoeg van al het opruimen en sorteren – we hadden samen met Richard en JB en Andy al zijn persoonlijke papieren doorgenomen (dat waren er niet veel), zijn kleren (op zichzelf al hartverscheurend, om te zien hoe zijn pakken steeds smaller werden) en jouw kleren; we hadden jouw mappen samen doorgenomen in Lantern House, waar vele dagen mee heengingen omdat we tussendoor steeds ophielden om te huilen of iets te roepen of een foto te laten rondgaan die geen van ons eerder had gezien – maar toen we weer thuis waren, terug in Cambridge, was dat organiseren een automatisme geworden, en op een zaterdag ging ik ervoor zitten en ruimde de boekenkasten op, een ambitieus project waar ik al snel mijn interesse in verloor toen ik, tussen twee boeken weggestopt, twee enveloppen vond: onze namen, handgeschreven. Ik opende met bonzend hart mijn envelop en zag mijn naam – Beste Harold – en las zijn brief van tientallen jaren eerder, van zijn adoptiedag, en ik huilde, of zeg maar jankte het uit, en toen stopte ik de cd in de computer en hoorde zijn stem, en hoewel ik sowieso zou hebben gehuild omdat het zo mooi was, huilde ik nog harder omdat het zijn stem was. En toen kwam Julia thuis en trof me daar aan en las haar brief, en we begonnen opnieuw te huilen.

Pas een paar weken nadien was ik in staat de brief open te maken die hij voor ons op zijn tafel had neergelegd. Daarvoor had ik het niet aangekund, en ik was er niet zeker van dat ik het nu wel zou aankunnen. Maar ik deed het. Het was een brief van acht kantjes, getypt, en het was een biecht: over broeder Luke en dokter Traylor, en wat er met hem was gebeurd. Het kostte ons een paar dagen hem te lezen, want hoewel hij beknopt was, kwam er ook geen einde aan, en we moesten de blaadjes steeds neerleggen en ervan weglopen, elkaar moed inspreken – gaat het? – en dan weer gaan zitten en een stukje verderlezen.

'Het spijt me,' schreef hij. 'Vergeef het me alsjeblieft. Het is nooit mijn bedoeling geweest jullie te misleiden.'

Ik weet nog steeds niet wat ik over die brief moet zeggen, ik kan er nog steeds niet aan denken. Al die antwoorden die ik had willen horen over wie hij was en waarom, en nu zijn die antwoorden alleen maar een kwelling. Dat hij zo eenzaam is gestorven is meer dan ik kan bevatten, dat hij is gestorven met de gedachte dat hij zich jegens ons moest verontschuldigen is nog erger, maar dat hij is gestorven in de hardnekkige overtuiging dat alles wat hem over hemzelf was geleerd waar was – na jou, na mij, na ons allemaal die van hem hielden – geeft me het idee dat mijn leven per saldo is mislukt, dat ik heb gefaald in het enige wat ertoe deed. Dat zijn meestal de momenten waarop ik met jou praat, ik ga 's avonds laat naar beneden en blijf staan voor *Willem Listening to Jude Tell a Story*, dat nu boven onze eettafel hangt. 'Willem,' vraag ik je dan, 'heb jij hetzelfde gevoel als ik? Denk jij ook dat hij gelukkig was met mij?' Want hij verdiende geluk. Er is geen garantie dat je het krijgt, voor niemand, maar hij verdiende het. Maar jij glimlacht alleen, niet naar mij maar net langs me heen, en je hebt nooit een antwoord. Dat zijn ook de momenten dat ik wilde dat ik in een soort leven-na-het-leven geloofde, dat in een ander universum, misschien op een kleine rode planeet waar we geen benen maar staarten hebben, waar we als zeehonden rustig door de atmosfeer peddelen, waar de lucht zelf voedsel is en bestaat uit triljoenen eiwit- en suikermoleculen die we alleen maar via onze geopende mond hoeven in te ademen om te leven en gezond te blijven, jullie tweeën misschien samen zijn en door de lucht zeilen. Of misschien is hij nog dichterbij: misschien is hij die grijze kat die de laatste tijd bij onze buren voor de deur zit en begint te spinnen als ik mijn hand uitsteek, misschien is hij die nieuwe puppy die ik bij mijn andere buren aan zijn riem zie trekken, misschien is hij die peuter die ik een paar maanden geleden gillend van plezier door Central Square zag rennen met zijn ouders hijgend en puffend achter hem aan, misschien is hij die bloem die ineens bloeide in de rododendron die volgens mij allang dood was, misschien is hij die wolk, die golf, die regen, die mist. Het is niet alleen dát hij gestorven is of de manier waarop; het is wat hij geloofde toen hij stierf. Zodoende probeer ik vriendelijk te zijn voor alles wat ik zie, en in alles wat ik zie, zie ik hem.

Maar op dat moment, daar in Lispenard Street, wist ik dat allemaal nog niet. Op dat moment stonden we alleen maar omhoog te kijken naar dat gebouw van rode baksteen en deed ik alsof ik nooit bang om hem had hoeven zijn, en liet hij me doen alsof: alsof alle gevaarlijke dingen die hij had kunnen doen, alle manieren waarop hij mijn hart had kunnen breken in het verleden lagen, dingen waren waarover je verhalen vertelde, alsof de tijd die achter ons lag angstwekkend was, maar de tijd die voor ons lag niet.

'Zijn jullie van het dak afgesprongen?' herhaalde ik. 'Waarom in hemelsnaam?'

'Dat is een mooi verhaal,' zei hij. Hij grijnsde zelfs naar me. 'Ik zal het je vertellen.'

'Graag,' zei ik.

En hij vertelde.

Dankwoord

Mijn dank gaat uit naar Matthew Baiotto, Janet Nezhad Band, Steve Blatz, Karen Cinorre, Michael Gooen, Peter Kostant, Sam Levy, Dermot Lynch en Barry Tuch voor hun expertise op het gebied van architectuur, rechtsgeleerdheid, geneeskunde en de filmindustrie. Douglas Eakeley ben ik bijzonder dankbaar vanwege zijn eruditie en geduld, en Priscilla Eakeley, Drew Lee, Eimear Lynch, Seth Mnookin, Russell Perreault, Whitney Robinson, Marysue Rucci en Ronald en Susan Yanagihara vanwege hun niet-aflatende steun.

Mijn innige dank aan de briljante Michael 'Bitter' Dykes, Kate Maxwell en Kaja Perina voor de vreugde die ze in mijn leven brengen, en aan Kerry Lauerman voor zijn steun. Yossi Milo en Evan Smoak en Stephen Morrison en Chris Upton zijn voor mij lange tijd rolmodellen geweest voor hoe je je zou moeten gedragen in een liefdesrelatie; ik waardeer en bewonder hen om vele redenen.

Dank ook aan de toegewijde, trouwe Gerry Howard en de onnavolgbare Ravi Mirchandani, die zich met zo veel ruimhartige inzet hebben overgegeven aan het leven van dit boek, aan Andrew Kidd, voor zijn vertrouwen, en aan Anna Stein O'Sullivan voor haar geduld, gelijkmoedigheid en standvastigheid. Mijn dank aan iedereen die heeft geholpen bij de totstandkoming van dit boek, met name Lexy Bloom, Alex Hoyt, Jeremy Medina, Bill Thomas en de erven Peter Hujar.

Tot slot, maar daarom niet minder essentieel: niet alleen had ik dit boek niet kunnen schrijven, maar ik zou het daadwerkelijk nooit geschreven hebben zonder de gesprekken met, en de goedheid, empathie, vergevingsgezindheid en wijsheid van Jared Hohlt, mijn eerste en favoriete lezer, geheimenbewaarder en gids. Zijn kostbare vriendschap is het grootste geschenk van mijn leven als volwassene.